대행스님 법어집

허공을 걷는 길

표지 題字: 대행 스님

한 발 들면
우주의 근본에 모든 유생 무생이 다 한데 들리고
한 발 내리면 한데 덮고
한 손 돌리면 같이 돌고 있으니
우리가 천생 나와 남이 없는 거라

음지 양지 없는 천지
한 손 들어 삿갓 쓰고
해와 달을 석장에 걸어 메고
푸른 산 한 발 딛고 물 한 그릇 떠 마시니
대장부 살림살이 이만하면 족하지 않을까

나는 천당으로 가지 않고
지옥으로 가서 건지려고 했더니
지옥도 천당도 둘이 아닐세
삼라만상 내 마음에 다 들어 있으니
나지 않는다 난다 개의할 게 없노라

일반법회 4권 중 '부처님의 빛' 법문에서 읊으신 세 개의 게송 (날짜 미상)

대행 스님

1927년 일제강점기에 태어난 스님은 어려서부터
'나는 누구인가? 나는 어디에서 왔는가?' 하는
근본에 대한 의문을 참구하다 일찍이 자성의 발로를 체험하였다.
1950년, 스님은 오대산 상원사에서 방한암方漢岩 큰스님을 친견하고
불문에 귀의하였다.
이후 십여 년간의 산중 수행을 통해 불법의 궁극적인 도리를 체득한 스님은
중생 교화에 뜻을 두고 1972년 지금의 한마음선원을 세웠다.

스님의 가르침은 정신과 물질, 인간과 자연, 종교와 과학을 아우르며
서로 조화를 이루고 발전하는 공생의 길로 우리를 이끌고 있다.
불교는 지금 발 딛고 살아가는 이 땅 위에서, 우리의 삶 속에서
맛보고 꽃피울 수 있는 진리임을 알게 하고자
평생을 매진하였던 스님은 2012년 한마음선원 본원에서 입적하였다.

허공을 걷는 길

대행 스님 법어집

허공을 걷는 길

일반법회 1

대한불교조계종
한마음선원

발간사

부처님의 가르침은 모든 중생을 열반의 저 언덕에 이르게 하는 지혜의 뗏목이며 삼계에 비할 바 없는 보배이다. 대행 스님의 말씀 또한 그러하니, 마음을 열고 이 법어를 읽을 때 걸림 없는 지혜와 다함 없는 공덕을 얻게 될 것이다.

스님께서 늘 강조하시는 '생활과 불법이 둘 아닌 도리'는, 하루하루의 삶 그대로가 불법에 어긋나지 않는 한마음의 묘리 바로 그것이다. 그러나 현대 과학문명은 이러한 마음의 도리를 도외시한 나머지, 생명의 경시는 물론 자연환경의 파괴와 같은 재앙을 자초하고 있다.

스님의 가르침은 정신과 물질, 인간과 자연 그리고 종교와 과학이 조화를 이루며 발전하는 새 시대의 길을 일러 주고 있으니, 한마음으로 읽어 가다 보면 끝내 나와 너 또는 나와 대상이 하나를 이루어 무엇을 하든 걸림이 없는 경지를 체득하게 될 것이다.

스님의 법어는 화려하지는 않지만 깊고 그윽하다. 물이나 공기가 그러한 것처럼 누구에게든 차별을 두지 않으므로 마시고 호흡하는 데 조금의 어려움도 없다. 아무쪼록 이 법어집과 인연 닿는 모든 사람들이 고(苦)에서 벗어나 널리 세상을 이롭게 하는 자유인이 되기를 간절히 발원하는 바이다.

일반법회분 출간에 부쳐

『허공을 걷는 길』 일반법회분은 대행 스님 법어 전집 『허공을 걷는 길』의 다섯 번째 기획물입니다. 일반법회는 정기법회가 정례화되기 전인 1982년 6월 6일부터 1980년대 말까지 본원 법당이나 강당에서 개최된 법회를 말합니다. 선원 설립 초기에 설해진 일반법회 법문들은 우주의 창조, 생명의 진화, 지구 환경의 생성 등 다양한 주제들로 구성되어 있습니다. 그 외에 법회 장소나 형식, 설법 대상에 따라 선실 법회, 금요 친견 법회, 신행회 창립 법회, 법사단 법회, 전국 신도회 임원단 법회 등으로 분류된 법문들이 일반법회분에 포함되어 있습니다.

앞서 발간된 법회분들과 마찬가지로 스님 특유의 어투와 법회의 현장감을 그대로 살리되 독자들의 이해를 돕기 위한 최소한의 편집 과정을 거쳤습니다.

1. 비문법적인 표기

일반적인 용례에 맞지 않는 단어가 쓰였거나 문법의 기준에 맞지 않는 조사가 쓰인 경우들이 있습니다.
예) 부동자세 한 에너지, 한 점의 마음으로서에

2. 조어(造語)의 사용

• 우주 또는 정신세계나 물질세계를 표현하는 적합한 용어가 없거나 사회적으로 약속된 용어가 적절하지 않을 때 조어를 사용하신 경우가 있습니다.
예) 일식, 오토켈, 섭류, 섭유, 겉맥, 중맥, 건성맥, 식각, 무전자

• 뜻을 정의하신 조어
  · 섭류: 우주 만물이 서로 귀합(歸合)돼서 돌아가는 것을 말한다.
  · 섭유: 우주 만물이 서로 귀합이 돼서 같이 호응되는 것을 말한다.

3. 용어 · 숫자의 의미

현대 과학의 용어나 숫자를 쓰되 그 의미는 다르게 쓰인 경우가 많습니다.

예) · 생물, 광자, 원자, 전율, 전자, 질량, 광자력

· 수성에서 달나라에 가자면 30억 거리나 됩니다.

4. 외래어 표기

외래어는 검색 등의 편의를 위해 현행 외래어 표기법을 따랐습니다. 그러나 느낌을 제대로 살릴 수 없는 단어들에 한해서 스님이 쓰신 그대로 표기하였습니다.

예) 빽(백 back ground) 보당(버튼 button) 기소(기초 きそ)

바란스(밸런스 balance) 테레비(텔레비전 television)

5. 색인

법형제법회, 국내지원법회, 국외지원법회분에서 통권으로 달았던 색인을 일반법회분부터 각 권으로 기입하여 찾아보기의 편리함을 더했습니다.

일러두기

1. 대행 스님 법문의 원전(元典)

한마음선원 출판부에서는 30여 년에 걸쳐 설하신 대행 스님의 방대한 육성 법문을 문자화하여 보존하고, 앞으로 스님의 가르침을 여러 형태의 책으로 발간함에 있어 원전으로 삼고자 본 법어집을 발간하게 되었다. 전집의 형태로 기획된 본 법어집은 법회별로 묶어 전 26권이 발간될 예정이며, 법회별로 출간된 이후에 정리된 법문은 추후에 증보하여 발행할 계획이다.

법어집의 발간 순서와 법회별 법문의 분량은 다음과 같다.

1) 정기법회 4권 / 2) 법형제법회 2권 / 3) 국내지원법회 3권 / 4) 국외지원법회 3권 / 5) 일반법회 4권 / 6) 특별법회 5권 / 7) 담선법회 5권

* 권수나 발행 순서는 사정에 따라 달라질 수 있다.

2. 편집 원칙

본 법어집은 읽는 이로 하여금 마치 법회 현장에 있는 듯한 느낌이 들도록 육성법문 그대로를 문자화하는 것을 편집 원칙으로 삼았다. 이러한 원칙에 따라 스님께서 말씀하신 단어가 사전적인 의미와 달리 사용되었거나, 비유와 예화가 법문에 따라 조금씩 다른 경우도 그대로 두었다. 이에 대해 독자들은 사실에 대한 시비곡직보다는 스님께서 전하려 하신 참뜻을 마음으로 새기는 데 힘쓰기 바란다. 그러나 독자의 이해를 돕기 위해 법문의 본뜻에서 벗어나지 않는 최소한의 경우에 한하여 표준어법으로 바꾸는 작업을 하였다. 이는 문자가 지닌 표현의 한계에 따른 고육지책이었음을 미리 밝힌다.

또한 세간의 말로는 드러낼 수 없는 법의 세계를 표현하심에 있어 스님 특유의 조어(造語)를 사용하시는 경우도 있다. 이에 대해서는 차후에 만들어질 용어 해설이나 색인 작업을 통해 그 뜻을 보다 명확히 할 것이다.

3. 법회의 분류

『허공을 걷는 길』은 법회의 형식, 시기, 대상, 목적 등에 따라 크게 일곱 가

지 법회분으로 분류하였다.

1) 정기법회: 1984년 9월 16일 이후부터 매월 셋째 주 일요일, 한마음선원 본원 법당에서 일반 신도들을 대상으로 열린 정기적인 법회
2) 법형제법회: 1990년 8월 5일 이후부터 매월 첫째 주 일요일, 한마음선원 본원 법당에서 법형제회의 거사들을 대상으로 열린 정기적인 법회
3) 국내지원법회: 1987년 6월 9일 이후부터 국내 지원이 주최한 공식, 비공식 법회(법당 준공 및 이운식과 관련된 법회 포함)
4) 국외지원법회: 1987년 5월 24일 이후부터 국외 지원이 주최한 공식, 비공식 법회 (법당 준공 및 이운 법회, 담선 법회, 외부 단체가 주관한 초청 법회, 방송 · 대담 등 국외에서 설하신 모든 법문 포함)
5) 일반법회: 1982년 6월 6일부터 1980년대 말까지 일반 신도들을 대상으로 한마음선원 본원 법당이나 강당에서 개최된 법회
(신행회 창립 법회, 신도회 임원단 법회, 전국 신행회 회장단 법회, 법사단 법회, 금요 친견 법회, 선실 법회 포함)
6) 특별법회: 1982년 10월 17일 이후부터 열린 행사 법회, 초청 법회, 정기적 · 비정기적인 특별법회(대담 형식의 법회 포함)
7) 담선법회: 1982년 10월 17일 이후부터 열린 소집단과의 비교적 자유로운 토론과 질문 형식으로 이루어진 법회

4. 법어집의 활용

앞으로 출간될 법어집을 포함한『허공을 걷는 길』법어집 26권은 대행 스님 법문의 원전으로서 용도별 도서 제작, 외국어 번역본 출간, 학문적 연구를 위한 법문의 데이터베이스화, 대중 매체를 통한 포교 활동 등 모든 법문 활용에 있어 그 기반이 된다.

그러므로 각각의 법문을 그 형식과 시기에 따라 구분하고 내용에 따라 단락을 나누었으며 최소한의 편집으로 자의적인 해석을 지양하여 어떠한 형태로 활용하더라도 그 근거를 명확히 할 수 있도록 하였다.

차 례

일반법회 ①❷③④

은하계의 성립 / 만 불 중 진불은 어디에 / 내 주인이 없는 집 / 범천과 중천세계 / 중천세계의 섭류 / 우주 개발국으로의 발전 / 우주의 섭류도 우리의 살림살이 / 생활 속의 정(定)과 혜(慧) / 지구라는 생명의 근본 원리 / 생활에 끄달리지 않는 정(定), 마음에 끄달리지 않는 혜(慧) / 마음 본부의 결정 / 그냥 그대로 내 탓 / 본래 사랑하고 있으니 착을 두지 말라 / 청수에 한자리를 해야 자유인 / 지구의 은하계 운행에 대하여 / 한생각으로 이루는 호국 불교 / 통달한 사람의 살림살이 / 우주 생명들의 묘한 살림살이 / 금성을 구경하다 / 화현하는 생명들 / 마음의 밝음을 나누는 인연 / 마음공부 하는 어류 / 어류의 삶과 부처님의 인도(引導) / 끄달리지 않는 법 / 우리의 조상은 흙과 물이다 / 무한의 뜻과 우주 개발 / 중성자의 우주적 활용 / 법망에 자유스러운 도리 / 광대무변한 자성 용(自性用) / 생명의 기원과 인간으로의 진화 / 인간으로 형성시킨 근본 한 점의 뜻 / 진한 피 한 방울의 자비행 / 불국토를 이룰 수 있는 멋진 삶 / 어느 소녀의 둘 아닌 발걸음 / 불교 공부의 길 / 인간으로서 제일 급한 일 / 길잡이의 지혜로 양식을 삼아 / 해와 달도 내 한마음 한 점에 / 선약도 생명들이 합친 내 근본 한 점에 / 지혜로 천차만별의 법칙을 활용하라 / 내 한생각에 전체가 한생각이 된다 / 믿고 물러서지 않아야 다 녹일 수 있다 / 참다운 인생의 길 / 왜 자기를 믿지 못하나

일반법회 ①②❸④

천 년 동안 불을 밝힌 호랑이 / 참다운 인생의 걸음걸이 / 돌을 타고 온 아이와 사명 대사 / 보배로운 내 마음의 활용 / 미추왕과 댓잎 군사 / 네가 그대로 이생(利生)이다 / 새들의 진화 / 마음 안으로 굴려서 그 길을 밝혀라 / 오백 생을 닦은 거북이 / 바람 따라 물 따라 / 부처님의 발자국을 좇아 / 한마음 한뜻으로 돌아가는 진리 / 팔만대장경 조성의 참뜻 / 두꺼비 보살로 환생한 어머니 / 참다운 인간의 법 / 참사람의 뜻을 편 단군 / 걸림 없이 들고 나게 하는 마음의 보당 / 진정한 참선과 나를 발견하는 길 / 묘향산 거문고 소리 / 소가 되어 길을 인도한 은사 스님 / 체 장수 아들의 복주머니 / 공 도리에서 솟아 나와라 / 끝없는 진리가 오늘에 있다 / 보배로운 한자리 / 지리에도 인간과 같은 생명과 심봉이 있다 / 해마다 풍년을 이루려면 / 진짜로 믿어서 하나도 남김없이 몰락 놔라 / 금닭 우는 소리 / 자불(自佛) 노승의 주장자 / 어떤 마음으로 음식을 먹어야 하나 / 마음공부 하는 자세 / 인간 몸 받기 어려워라 / 생활 속에서 진리를 파악하고 벗어나

라 / 저승 천자가 된 아버지 / 진정한 효도 / 우주를 한 주먹에 넣고 굴리려면 / 아버지의 죄를 대신한 아들 / 보이지 않는 떡 하나로 지낸 기우제 / 태풍이 생기는 이유 / 화목이라는 연꽃 향기를 피우려면 / 죽은 나무가 죽은 나무를 살릴 수 있어야 / 화톳불에 들어간 비둘기 / 연어 집에 들어 구경하다 / 걸림 없는 한 찰나의 살림살이 / 무심 무행으로 하는 호국 불교 / 창문을 통해 보는 진짜 눈을 믿어라 / 나로부터 근원을 밝혀내라 / 뿌리 없는 기둥

일반법회 ①②③❹

나를 이끌고 가는 진실한 내 한생각 / 지금 배우지 못한다면 / 자성(自性)으로서 자유스러운 생활을 하라 / 만법의 진의를 꿰뚫어 행하라 / 만 사람의 집 / 자유자재하도록 이끄는 길 / 참다운 마음의 공부 / 남을 위해 길을 인도하는 길잡이 / 일체가 가설된 그 자체를 알려면 / 영원한 밝음 / 내 마음의 문을 열어 준다면 / 물이 나하고 같이 살자 하네 / 이름에 속지 말고 모두 맡겨 놔라 / 쓰레기를 버린 인과 / 자기 마음을 잘 이끌어 가는 대인 / 정통으로 놓아라 / 둘 아니게 베풀어지는 자비 / 마음의 길을 걷는 공부 / 마음의 문을 여는 천도 / 남을 건지는 속에 나도 건져진다 / 한마음 주인공을 진짜로 믿어라 / 예불을 모시는 마음 / 소금 장수와 인연 / 육신은 장갑과 같다 / 항상 마음을 다스리며 살아라 / 한마음, 내 영원한 친구 / 진실한 보살행 / 심봉이 되라 / 이러면 어떠리 저러면 어떠리! / 사랑하면 화목이 오고 화목하면 재물이 온다 / 남에게 무조건 이익을 줄 수 있는 지혜 / 마음을 금(金)으로서 들이고 내라 / 말 없이 말을 전달하는 도리 / 돌려서 맡겨 놓아라 / 착(着) 없이 진짜로 놓아라 / 지금은 마음의 발전이 필요한 시대 / 종교가 필요한 이유 / 흙물을 맑은 물로 바꿔 써라 / 생활의 고(苦)를 타파하는 지혜 / 업의 굴레에서 벗어나는 길 / 어리석은 사람은 부처를 구하지만 / 진짜로 믿어라 / 마음으로 내 주인공에 맡겨라 / 세계적인 발판을 세우라 / 무조건 돌봐 주는 것이 부처님 자비다 / 자기 주인공이 자기 육체를 리드한다 / 정신계의 계발을 위해 / 함이 없는 실천 / 한 송이 눈 속에 뿌리 내려 / 싱긋 웃고 넘어설 수 있는 믿음 / 남의 탓 할 게 하나도 없다 / 일체 만물 만생 만법이 다 공하다 / 부처님의 빛 / 나라고 세울 게 없는 공한 나 / 참좌란 무엇인가

일반법회 I

좁쌀 세 알과 오백의 도둑

1982년 6월 6일

일체 사를 다 회담을 시키고, 잠시 마음을 안정하십시오. (잠시 사이)

시대가 시대니만큼, 전자에도 그랬거니와 지금도 점차적으로 우리의 환경이 변화를 일으키고, 우리의 마음들이 개발을 하고 머리를 쓰고, 뛰면서 생각하고 생각하면서 뛰지 않으면 아니 되는 그런 시대로 변천해 왔습니다. 그렇기에 노인네는 노인네대로, 젊은이는 젊은이대로, 애는 애대로 변천해 가는 이 시대에 맞춰서 잘 판단해야 할 것입니다. 그 판단을 확실하게 하려고 노력을 하지 않는다면 우리가 노력한 대가가 없는 것입니다. 만약에 노력을 100% 했다면 100% 받을 것이고 50% 했다면 50%밖에는 그 답이 없을 것입니다.

그래서 오늘날 이 전체를 배우기가 하도 어려워서…, 우리가 지금 매사에 사는 것이 일체 처(一切處)에 처했다고 합니다. 지금 진리를 확실히 탐구해 볼 때 매사와 일체 만물과 악과 선 또는 생사윤회, 모든 것이 일체 처에 처해 있는 것입니다. 그 일체 처는 바로 여러분이 하루 사실 때에 항상 고정된 관념 속에서 보고 듣고 행하지 않기 때문입니다. 그렇기 때문에 공했다가 찰나찰나 자꾸 나투어서 돌아가는 것입니다. 그래서 '공하다' 하는 말을 한 것입니다. 그것을 제가 자세히 얘기를 안 해 드려도 그쯤 얘기하면 알아들으시리라고 믿습니다. 그렇기 때문에 '공했다, 공이다 색이다, 색이다 공이다' 했습니다.

그러면 지금 여러분한테 말씀드릴 것은 진짜 최초의 태초를 전자로 거슬러 올라가서 찾을 게 아니라, 바로 과거도 현실에 연결이 돼 있고 미래도 현실에 연결이 돼 있으니, 삼세를 우리가 이렇게 가지고 지금 현재에 작용을 할 뿐입니다. '그 작용하는 것이 어디에서 작용을 하게 하는가?' 하는 것을 검토해야 될 것입니다. 그래서 자기 주인공이라는 이름 아닌 주인공에 넣는다면 모든 것이, 일어서나 앉으나 자나 깨나 일을 하나 그것이 일분일초도 안 떨어지고 선이 되는 것입니다. 앉아서 좌선만 한다고 참선이 아닙니다. 우리가 자기 그 생명수와 같은 영원한 자기의 불(佛)이 심(心)이요, 심(心)이 불(佛)이라고 했습니다. 자기의 심중 막대기를 항상 세우시고 항상 거기에서 나오고 든다는 것을 체험하시면 바로 그게 곧바로 선으로 들어가는 것입니다. 그래서 얘기 한마디 할까요?

이런 얘기는 여러분이 또 잘 들으셨으리라고 믿습니다. 옛날에 오백의 도둑 무리들을 나한으로 만들었다는 얘기는 여러분이 다 들으셔서 아시리라고 믿습니다. 그러나 그 얘기를 얘기로만 들어서는 아니 됩니다. 옛날에 어떤 사람이 길을 걷다가 조 이삭이 너무도 잘돼서 참 잘됐다고 하면서 보는데, 한번 이렇게 손으로 만졌더니 그 조 이삭에서 조가 세 알이 떨어졌답니다. 그걸 버릴 수도 없고 그래서 먹고 났더니 그 세 알 먹은 인과응보로 소가 됐다 합니다. 그것은 바로 여러분을 가르치기 위해서 그런 방편을 쓴 것입니다. 그러니까 그 세 알을, 삼세를 우리가 집어 먹은 게 아니라 본래 여러분이 지금 서 말 서 되를 먹고 있는 것입니다. 가지고 있는 것입니다. 그거 얘기하기 이전에 요런 거를 한마디 곁들여 보겠습니다.

어느 분이 어느 스님에게 가서 묻기를 "저는 춥고 배가 고픕니다." 하니까 "너는 서 되 서 홉을 본래 먹고 있으면서도 배가 고프고 춥다고 하느냐." 하는 말을 했답니다. 그와 마찬가지로 본래 우리는 서 말 서 되를 먹고 있는 것입니다. 먹고 있는 게 아니라 가지고 있습니다, 본래. 왜냐. 서 말이라고 해도 좋고 서 되라고 해도 좋습니다. 지금 차로 비유한다면, 운전수가 없어도 아니 되고 또 차가 없어도 아니 되고 기름이 없어도 아니 됩니다. 그래서 기름이라는 이름과 차라고 하는 이름과 운전수라고 하는 이름이 있습니다. 이름은 다를지언정 그 삼합이 같이 공존을 하고 있는 거나 마찬가지인 것입니다. 같이 공존을 하기 때문에 그 능력이 나오는 거지, 같이 공존을 하지 않는다면 능력이 나오지 않습니다.

그런데 그 얘기 하기 이전에 우리가, 일체가 지수화풍으로 합친 것입니다. 우리가 만약에 지수화풍으로 합치지 않았다면, 이 컵도 하나의 지수화풍으로 모이지 않았다면 컵이라는 이름을 가지고 나오지 않았을 겁니다. 우리 인간도 지수화풍으로 한데 합쳤기 때문에, 팽팽하게 그렇게 같이 합쳤기 때문에 능력이 나오는 것이고, 우리가 발을 붙이고 다니는 것이고, 우리가 작용을 할 뿐입니다. 그리고 생각도, 악의 생각도 나오고 선의 생각도 나올 수 있는 그 능력을 가진 것입니다. 그런데 지금 우리가 작용하는 능력만을 가졌다고 오관을 통해서 사량으로만 생각해서는 안 됩니다. 우리가 바로 이름 아닌 주인공에 모든 것을 놔 버릴 수 있고 믿을 수가 있다면, 그리고 감사할 수가 있다면, 억겁을 통해서 여러분이 어떠한 모습을 가지고 수없이 거쳐서 진화돼서 나온 것을 아마 짐작하시리라고 믿습니다. 그래서 아까 중단했던 얘기를 마저 하겠습니다.

그래 세 알을 먹었더니 소가 돼서 남의 집에 가서 삼 년간을 고공을 살았다 합니다. 그런데 그때 시절에는 마적이 많이 있었답니다. 그래서 하루는 그 집주인이 가만히 생각을 하니까 내일은 꼭 마적 떼들이 무지하게 올 것 같아서 동네 사람을 전부 모았습니다. 모아 놓고 하는 말이, 저 우리 소가 말하기를, 자기 전생에 좁쌀 세 알갱이를 먹은 죄로다가 우리 집에 와서 이렇게 소로 삼 년을 고공을 살았고, 인제 끝나는 마지막 날이 내일인데 마침 내일 마적이, 도둑들이 오백이 오니 오백이 먹을 음식을 오늘 다 차려서 해 놓는다면 그 오백 도둑은 다 없어질 거라고 그렇게 말을 했다고 했습니다. 그러면 지금 제가 말씀드리는 거를 잘 들어서 생각을 해 보십시오. 우리가 이해만 할 게 아니라 체험을 하고 그거를 체득해야 합니다. 왜 소가 말했다고 했을까? 소도 자기요, 먹은 놈도 자깁니다. 자기가, 그 죄인이 그것을 증득했기에 그것을 알고 그렇게 말을 한 것입니다. 자기가 안다고 말을 할 수가 없으니까 말입니다. 왜? 공해서 자기라고 내세울 수 없는 것이 공한 이치기 때문입니다. 그래서 소로 비유를 해서 그렇게 말을 한 것입니다.

그랬는데 그날 저녁에 도둑 두목이 왔습니다. 도둑 두목이 와서 가만히 보니까 '우리가 올 줄 어떻게 미리 알았고, 또 오백 명이 올 줄을 어떻게 미리 알아서 오백 명 먹을 음식을 해 놨을까.' 하는 의심이 무척 들었던 것입니다. 그래서 두목이 주인더러 물었습니다. 우리가 올 줄 어떻게 알았으며 우리 숫자를 어떻게 알아서 아주 오백 명 먹을 거를 이렇게 풍족하게 해 놨느냐고 물었습니다. 그랬을 때 그 주인은 이렇게 말했습니다. 아까와 마찬가지로 그 소가 말을 하더라고 하면서 얘기를 다 쫙 했습니다. "세 알갱이, 그거 먹은 죄로다가 너희 집에 와서 삼 년을 고공을 살고 그걸 다 갚고 가는 날이 내일이니 그런 줄 알라고 하면서, 이렇게 오실 테니까 다 준비를 해 놓으라고 소가 말을 합디다." 이렇게 말을 했습니다.

그랬더니 그 두목이 가만히 생각을 하니까 엄청난 큰일이거든요. 좁쌀 세 알갱이 먹고 삼 년을 소로 변모가 돼서 살았다니 자기는 얼마나 많을까 하는 생각에 겁이 덜컥 났습니다. 겁이 덜컥 난 나머지 거기에서 다 버리고 부처님 제자가 될 것을 맹서하면서 졸개들더러 하는 말이 "인제 나는 부처님 제자가 될 것이니 너희들은 다 집으로 돌아가라." 했습니다. 갈 사람은 가고 있을 사람은 있고 너희들 마음대로 하라고 했습니다. 그러니까 졸개들이 그랬습니다. 의리가 있지, 두목이 그렇게 되는데 어떻게 우리 졸개들마저 뿔뿔이 헤어져서 갈 수가 있겠느냐고 하면서, 다 부처님 제자가 된다고 하면서 그 두목을 따랐습니다.

그래서 그 두목을 따라서 부처님 제자가 됐는데, 왜 나한은 하얗게 만들어 놨으며, 나한 도량이라고 하는 절에 가 보면 그게 왜 499명이 앉아 있을까요? 방편으로 말은 그렇게 했습니다. 그 나한님들을 다 모셔다 놓으려고 물을 건너오는데 너무 급하게 서둘다 보니까 한 명을 물에 빠뜨렸다고 했습니다. 그런데 그것은 바로 방편으로 여러분을 가르치기 위해서 그 뜻을 알라고 그렇게 한 것입니다. 여러분은 그 뜻을 알아야 하는데 그 뜻을 모르고는 물질적으로만, '아하, 예전에 두목과 졸개들이 그런 말을 듣고서 다 이렇게 됐구나.' 하는 것만 생각했을 뿐이지, 그걸 한 번 더 깊이 생각은 못했으리라고 믿습니다. 잘 생각해 보신다면 바로 그 좁쌀 먹은 그것은 삼세를 집어삼켰고, 본래 먹은 것이고, 그래서 그걸 방편으로 좁쌀을 먹었다고 했고, 소도 조상으로 비유하니 자기의 그 원소 자체를 비유한 것입니다. 또 오백 나한이 된 것도, 부처님 제자가 된 것도, 오백이 오백이 아니라 모든 일체 생명은, 개미 생명이나 인간의 생명이나 모든 일체 헤아릴 수 없는 유생 무생이 다 불성은 똑같이 있는 것입니다. 그렇기 때문에 여러분의 불성도 똑같거니와 움죽거리는 것도 다 법이니까, 법도 똑같고 육신도, 사람이라는 그 두 글자도 똑같습니다.

그러니 우리가 독불장군처럼 '나 하나 나 하나' 이럴 수는 없는 것입니다. 서로가 서로를 아끼면서 서로가 서로를 먹이고 살게끔 지금 돌아가고 있는 것입니다. 상인이 있다면 회사원이 있고 정치인이 있고, 이래서 서로가 서로를 먹이고 살듯이 이렇게 쉴 사이 없이 돌아가고 있는 것이 진리인 것입니다. 이 쉴 사이 없이 돌아가고 있는 진리가 쉬었다가 갔다가 쉬었다가 갔다가 하는 것은 아닙니다. 그래서 생사열반도 둘이 아니요, 동서도 둘이 아니요, 여자 남자도 둘이 아니요, 부처도 중생과 둘이 아니요, 이것이 모두 둘이 아닌 것입니다. 여러분이 생각할 때는 둘이라고 생각하지마는 둘이 아닌 것입니다.

여러분에게도 서 되 서 홉이 그냥 있다는 그 뜻은 바로 내가 삼보를 가지고 있는데, 예를 들어서 대의적으로 친다면 불법승 삼보지마는, '부처님, 법, 스님네들' 이렇게 치지마는, 축소해서 내 한 몸뚱이로 친다면 바로 불성과 내 생각나는 거와 내 움죽거리는 이 육신과 더불어 삼보를 말하는 것입니다. 그러면 내가 있기 때문에 상대가 있기에 상대도 역시 서 되요 나도 서 되니 그 서 되가 한데, 둘이 만약에 말을 했다면, 지금 여러분과 제가 집중을 한다면 여러분이 여러분이 아니라 바로 한 분도 없다는 소리가 나옵니다. 여기 한 분도, 나조차 없는 것입니다. 왜 없다고 했을까? 분명코 여기 여러분이 앉아 있는데도 왜 없다고 했을까? 여러분이 너무 많고 여러분의 생각이 많고, 고정된 관념으로 생각을 하는 게 아니라 이 생각 저 생각, 사람 보는 것도 여러 가지로 보고, 듣는 것도 하루에도 몇 번씩 여러 가지로 듣고, 보는 것도 그렇고, 하는 것도 그렇고, 가는 것도 오는 것도 그렇고, 모두 그렇기 때문에 여러분과 제가 마주 이렇게 얘기를 듣고 있는 순간, 여러분도 공이요, 나도 공이기 때문에 "공, 공, 공, 공" 하다 보니까 공은 공입니다. 그래서 무(無) 공이 아니라 바로 꽉 찬 공입니다.

여러분! 지금 시대가 어느 때입니까? 우리가 지금 얼마나 발버둥치고 있는 그런 시대입니까? 자기 몸을 지킬 줄 알아야 남의 몸도 지켜줄 수 있는 그런 능력을 가진 것입니다. 중생과 부처가 둘이 아니라고 한 것은 여러분 누구나가 다 한 껍데기를 벗지 못해서 중생이라고 하고 부처라고 하는 것입니다. 그러니 지금 시대를 봐서 이렇게 가고 저렇게 가고, 육신 무예는 다 벌써 예전으로 돌아가고 과거로 돌아갔습니다. 현실의 머리로 오관을 통해서 연구를 해 가지고 지금 공중으로 날고 있습니다. 공중으로 수집을 하고, 공중으로 정보 수집을 하고, 또 정신적으로다 모든 거를 수집을 해 들이고 이렇게 하는 세대입니다. 그러니까 우리가 지금 이 마음의 증득을 해서 오관을 졸개로 쓰면서, '앞으로 우리가 해 나갈 수 있는 일은 앉아서도 얼마든지 할 수 있게끔 노력을 하고 갈구하고 닦아서 바로 증득을 해야 되지 않겠나.' 이런 생각을 합니다. 예전에, 요 말끝에 또 한마디 곁들이겠습니다.

옛날에 어느 스님이 법당에 앉아 계시는데 그 나라의 왕이 순찰을 하러 들어오셨습니다. 지금으로 치면 경호실장이나 마찬가지죠. 그런 사람이 와서 "중놈의 새끼가 왕이 이렇게 순찰을 하시는데도 나와 보지도 않느냐?" 하는데도 그 스님은 가만히 앉아서 대답도 안 했습니다. 그러니까 오더니만 칼을 번쩍 들면서, 지금이라면 총을 드는 격이죠. 칼을 번쩍 들면서 이 중놈의 새끼가 뜨거운 줄 모르고 그런다고 하면서 일어나서 인사하지 못하느냐고 하는 바람에 "그래? 그럼 일어나지. 일어나되 내가 한 발짝 떼는 대로 일 년씩 흉년이 든다." 했습니다. 그러자 인군이 법당 문 앞까지 왔는데 그 앉았던 자리에서 일어나서 한 발짝 두 발짝 떼는 것이 일곱 발자국이 떼어졌더랍니다. 그러니까 일 년도 뭐하고 이 년도 뭐하고 삼 년도 뭐한데 글쎄, 칠 년이나 흉년이 들었으니 그 인군이 어떻게 되겠습니까? 인군이 오만하고 자만하고, 국민들을 섬기는 데에 그 오만성을 가지고, 아무것도 모르는 빈집으로서 그렇게 오만을 떨었던 거죠. 그래서 칠 년 동안 흉년이 드니까 살 수가 없어서 그때 가서야 평복을 하고 밤중에 몰래 와서 싹싹 빌었는데, 그 빌었던 날부터 비가 와서 풍년을 이루었다고 합니다.

지금 우리가 중이 됐으면 목탁이나 치고 밥이나 내려 먹는 그러한 기복으로 가서는 마땅히 안 되리라고 생각하면서, 옷깃을 다시 한 번 여미고서…. 여러분도 중이 아니라고 해서, 입산을 안 했다고 해서 공부 못 한다는 법은 없습니다. 그러니 공부를 열심히 해서 스님네들 뒷받침을 해 주면서 같이 한마음이 돼서 같이 뭉치고 또 알아야 할 것을 알아야 한다는 뜻입니다.

그러면 지금 우리가 '나부터 알아야 된다' 이런 원리가 나옵니다. 내가 어디서 왔는지, 내가 어디로 가는지 그거쯤은 알아야 되지 않겠나 이런 얘깁니다. 우리가 임신을 할 때 정자와 난자가 한데 합치면 오억이라는 숫자가, 숫자 아닌 숫자가 나옵니다. 그런데 내 원소가 아니라면 그게 합쳐질 수가 없는 것입니다. 영혼이 오억이라고 한다면 그것이 오억의 물질로서 돌다가 그 물질이 다, 사억 구천구백이 한 영혼으로 다 뭉치게 되고 그 물질은 다 흘러내리곤 말아 버립니다. 그래서 하나가 골인이 돼 가지고 이 세상에 탄생을 할 때, 배 속에서 그 몸이 자랄 때, 그 영혼이 다시 이 세포나 오장육부를 통해서 자기 소임을 다 맡아서 장이면 장, 소장이면 소장, 또 위면 위, 간장이면 간장, 또 이자면 이자, 직장이면 직장, 콩팥이면 콩팥 모든 것이 자기의 그 소임을 제대로 맡아서 이렇게 일을 하게 돼 있습니다. 그런데 이 몸의 이 세포의 막이 몇 겹이나 돼 있는 줄 아십니까? 겹겹이 이렇게 돼 있는 대로 세포의, 자기 생명의 분신은 이렇게 자기를 보(保)하고 있는 것입니다. 그것이 보하고 있기 때문에 우리가 지금 살고 있는 것입니다. 움죽거리고 있는 것입니다.

그렇게 해서 우리가 또, 나만 있는 게 아니라 바깥에도 있기 때문에 목숨이 끊어진다, 이 세상에 생명이 또 살아난다 하는 교차로에서, 그 교차로에서 오는 악령이나 선령이나 또는 영계, 유령, 세균, 유전 이러한 문제들이 수없이, 보이지 않는 데서 지금 돌아가고 있습니다. 돌아가고 있는 이 자체를 우리 막이 다 막아 주기 때문에 이만큼이나 그냥 살아가고 있는 것입니다. 만약에 내 주인이, 주인공의 그 주장자가 없다면 바로 이 집은 빈집이나 한가지입니다. 그래서 그 세포를 통해서 자꾸 딴 것이 들어오니까 여기서 반응을 일으켜서 싸우게 되면 그게 병이 일어나는 것입니다.

여러분도 살면서 건실하고 근면하고 착실하게, 진실하게 살다 보면 좀 더 삶의 보람을 느끼면서도 우리가 옷을 벗고 싶으면 그냥 옷을 벗는 것이 아니겠습니까? 옷이 낡았으면 그냥 옷이 낡은 대로 벗는 것이고, 벗고 또 입는 것이고, 숨바꼭질이나 마찬가지인 것입니다. 우리가 그런 것이죠. 지금 가만히 보십시오. 어느 아침에 나가서 구경을 하면 푸른 풀잎에 이슬이 반짝거리고 장관을 이룹니다. 그래서 장관을 이뤘던 그 물방울이 다시 굴러서 떨어지면 그냥 없어지는 줄 알지만 그 이튿날 역시 또 마찬가지인 것입니다. 숨바꼭질인 것입니다. 우리 인생도 역시 그렇게 해서 숨어서 다시 원점으로 돌아가서 다시 안개로 변하고 이슬로 변하고 물방울로 변하는 것입니다. 그러니 우리가 죽었다 살았다 할 것도 없이 항상 불이 켜졌다면, 이 나라에서는 불이 켜졌다 꺼졌다 하니까 불이 켜졌다 꺼졌다 하는 그 언어가 있지만, 만약에 불이 항상 들어와 있는 나라라면 불이 꺼졌다 켜졌다 이런 언어가 붙지 않는 것입니다. 그런 말을 하면 곧이도 안 듣고 그거 무슨 말이냐고 그럴 겁니다.

그러니까 우리가 항상 마음의 불, 즉 말하자면 마음의 그 주장자를 항상 가지고 있으니까 거기에다 일체를 놓아야 합니다. 매사는 일체 처에 처해 있고, 일체 만물, 일체 색도 일체 처에 처해 있고, 악과 선도 일체 처에 처해 있고, 생사윤회도 바로 일체 처에 처해 있으니 모든 것은 바로 이 일체 처에서 나오고 들어가고 하는 것입니다. 그렇기 때문에, 그것을 완전히 알았을 때 바로 일체 처도 내놓을 게 없다는 그 뜻이 나오는 것입니다. 그러니 여러분이 다 그저 최초에 모든 것을 놔야만이, 믿고 놔야만이 열쇠를 얻는 것입니다. 자기가 빗장을 쥐지 않고는 문을 열 수도 없고, 들어가면 또 문을 열고 나올 수도 없는 것입니다. 들어가기도 어렵고 나오기도 어려운 것입니다. 우리 몸뚱이, 이 색(色)으로서는 들어가고 나가고 들어가고 나가고 하는 것이 그냥 일상생활이지만 우리가 증득을 못해서, 그 부동자세 한 내 자성 자리를 느끼지 못한 채 그냥 사량으로만 살아나가니까, 아주 살기가 급박하고 재미를 느끼지 못하고 또 아주 허무함을 느끼고 그럽니다. 그러나 그렇지 않은 것입니다.

우리 한 생 살기는 잠시 잠깐이지만 세세생생에 돌아가면서 얼마나 어려운가를 잘 아실 것입니다. 우리가 지금 몇 겁을 이렇게 거쳐 왔는지 말입니다. 석존께서는 몇 겁을 거쳐 오고 자기가 어떠한 모습으로 거쳐서 나왔는지를 아셨기 때문에, 바로 화해서 나고 질척질척한 데서 나고 알로 나고 태로 나는 것을 다, 수없이 나온 것을 다 아셨기 때문에 나 아님이 하나도 없다고 했습니다. 그리고 또 "내 몸 아님이 하나도 없고 내 자리 아님이 하나도 없고 바로 내 아픔 아님이 하나도 없느니라." 하셨습니다. "부처님은 열반하시면 어디로 가시렵니까?" 하니까 "나를 찾는 곳으로, 오간지옥이라도 나를 찾는 곳으로 가리라." 그렇게 말씀을 하셨습니다.

부처님의 말씀은 하나도 버릴 게 없다는 그 점, 우리가 지금 생활을 하면서 하나도 버릴 게 없기 때문에 하나도 가질 게 없다는 것을 여러분이 다 증득하셔야 될 것입니다. 매사 거를 자기가 해 놓고 자기가 받고 하는 것이지, 누가 주고 뺏어 가는 건 하나도 없습니다. 그러니 우리가 지금 어떻게 해야만 이 공부를 할 수 있을까? 평상시 우리 생활에서도 그 움죽거리는 작용이 한시도, 자든 안 자든 깨든 먹든 똥을 싸든 자기 있는 자리에 바로 자부처가 계시다는 걸 아셔야 할 것입니다. 여기 들어와서는 저 부처님과 여러분이 둘이 아니라는 것을 또 아셔야 할 것입니다.

그러니 여러분은 열심히, 자기 그 포괄된 한 그릇에서 한 그릇에다가 놔야 됩니다. 우리가 한 걸음 떼고 한 걸음 뗄 때에 벌써 한 걸음 뗀 건 없어지고, 또 한 걸음 떼지 않았으니 끊어진 자리요, 우리는 그대로 끊어진 자리에서 그대로 가는 것입니다. 한시도 쉬지 않고 그대로 놓고 가는 것입니다. 이 세상에 나올 때도 빈손 들고 나왔고 빈손 들고 가는 것입니다. 그렇다고 해서 물질을 버리라는 게 아닙니다. 물질과 모든 것은 당신 게 아니라 당신 주인 겁니다. 그 주처의 것이지, 당신 게 아닙니다. 당신 거라고 하기 때문에 자꾸 유전과 업보, 그 인과응보에 만날 걸려서 또 윤회에 말리는 것입니다.

오늘은 이만할 것이니까 질문하실 게 있으면 잠깐 질문해 보십시오. (녹음 안됨) … 한마디 던질 것이 있습니다. 여러분이 한 달 동안 자기 내공에서 바로 알아낼 것이라고 봅니다. 만약에 물질로서 생각을 한다면 그거는 답을 할 수가 없습니다.

옛날에 대안 대사가 원효 대사더러 "용은 얻었지만 아직 물을 얻지 못했으니 너는 아직 사람이 될 수 없느니라." 하고선 술집으로 데리고 갔습니다. 지금 알기 쉽게 그냥 술집이라 합시다. 삼학도라고 뭐 알아듣기 언짢게 그렇게 말할 필요가 없죠. 술집으로 데리고 갔더니 술이 술로 보이고 고기가 고기로 보여서 못 먹겠다고 했습니다. 그러고 튀어 나갔습니다. 그러니까 대안 대사가 하는 소리가 "소는 매양 소로 있는 것이 아니니라." 하고 악을 버럭 썼습니다. 그러면서 하는 소리가 "너는 사람 되려면 아직도 멀었다."라고 했습니다.

그랬는데 그 소릴 듣고 가서 사흘 동안 잠을 못 잤습니다, 원효 대사는. 근데 사흘 만에 와서 또 술집으로 데리고 갔습니다. 또 먹으라고 하면서, 그때에 자기가 주렁주렁 달고 다니는 그 방울을 비우면서 하는 소리가 "이 방울에다가 백사를 넣고 백수를 고아서 내가 맛있게 먹을 수 있게끔 고아 오너라." 했습니다. "너 사람 되려면 그렇게 좀 해봐라." 했습니다. 그러면 그 장소에서 어떠한 요리를 해서 어떻게 백수를 고아서 올려야 할는지요. 즉석에서 요리를 해야 하는 것인데, 말 떨어지기가 무섭게 즉석에서 요리를 해서 대안 대사한테 어떻게 맛있게 해 바칠 수가 있을까 하는 문의를 만약에 대안 대사가 그렇게 했다면, 여러분이 다 원효 대사라면 어떻게 대답을 해야 될까요? 말 없이 대답을 어떻게 해야 될까요?

그것은 색으로서는 도저히 갈구할 수도 없는 것입니다. 안에서, 내 내공에서만이, 그건 색이 없는 자리에서만이 해결을 할 수 있는 것입니다. 항상 색이 따로 있고 또 마음이 따로 있고 에너지, 즉 말하자면 영원한 생명이 따로 있고 그런 게 아니라, 삼합이 공존한다고 그랬습니다. 여러분이 다 그것을 물질로 생각하면 그 확답은 나오지 않습니다. 그러니 우리 요다음 셋째 일요일 날 다시 만납시다. 여러분이 원효 대사라면 이 대답을 어떻게 해야만 옳은가 하고 갈구해 보십시오.

그럼 이만…. 감사합니다.

내 중심 주장자

1983년 9월 4일

여러분이 불자로서 공부해야 할 일이 어떤 것인가? 여러분의 육신 자체가, 반야심경에 있는 "공즉시색 색즉시공" 이러한 말들을 하기 이전에 우리가 즉, 그대로 공(空)이자 색(色)입니다. 색이라는 소리 할 것도 없고 공이라는 소리 할 것도 없습니다. 그대로 공입니다.

그것은 왜 그런가 하면, 육신은 항상 변모되고 있고 마음도 항상 변모되고 있습니다. 각자 생각을 잘 해 보시면 알 겁니다. 항상 내 육신이 그대로 있을 것도 아니요, 어린애 적의 나를 나라고 할 수도 없고, 전부 나라고 할 수 없이 변모가 돼 돌아가고 있습니다. 마음도 역시 그렇습니다. 항상 변모돼서 다른 걸로 화해서 아버지가 되고 어머니가 되고, 또는 여러 가지 이름을 가지고 자꾸 마음이 그렇게 묘하게 딴 사람이 되고 딴 사람이 됩니다. 자식들을 만났을 때는 엄하게 어머니로서, 아버지로서 다스리지만, 아내를 만났을 때는 그렇게 자비하고 남자로서의 아주 참, 아버지 노릇을 하고 어머니 노릇을 하게 됩니다.

그러니까 여러 가지로 변모해서 돌아가는, 화해서 돌아가는 이치를 아시게 된다면 그대로 공이자, 여러분 그 공에서 그대로 한생각을 내면 법이 되는 겁니다. 수차에 이런 말을 해 드렸지마는 그것이 실천이 안됨으로써 되풀이하고 있는 것입니다. 한생각 해서 그 한생각이 그대로 법이 됨으로써 육신이 움죽거리게 되는 것입니다. 그러니까 육신이 움죽거리게 되는 그 자체, 자기 중심이 그대로 모든 것을 다 생각해서 활용하는 것이 우리 생활이라고 보겠습니다.

우리가 단군 시대부터 쭉 내려오면서 본다면 침략은 아마 천여 번은 당했으리라고 봅니다. 그러면서도 그 도리를, 가난하면서도 그 도리를 알았기 때문에 그때는 단 두 번밖에 침략을 받지 않고 다 물리쳤다고 봅니다.

그런데 우리는 지금 내내 기복에 말려서 진짜 알아야 할 것은 알지 못하고, 해야 할 것은 하지 못하고 항상 칠성이다 독성이다 또는 여러 가지에 걸립니다. 지금 여기 법당에서도 여러분이 다 그렇지는 않지만 딴 데 가면 딴 데 가는 대로 또 걸립니다. 기도를, 백일기도를 해야겠다, 천일기도를 해야겠다 하는 그 걸림에 의해서…. 왜 백일기도만 합니까? 우리가 하루 24시간이면 24시간, 또는 생전에 세세생생을 말할 수도 있는 것입니다. 내가 살면서 항상 내 마음의 주장자를 그대로 건지셨다면 그대로, 생전에 그대로 항상 선이자 기도자 생활입니다. 그런데 백 일 동안만 기도를 드리고 그 후에는 밥도 안 먹고 살지도 않는 건지…. 그러면 그건 선이 끊어진 거죠. 그러니까 그 도리를 완전히 알아야 우리는, 엊그저께 같은 그런 비행기 사건들도 바로 우리는 우리의 중심을 똑바로 가짐으로써, 그 비행기에 그런 도리를 아는 사람이 한 사람만 탔더라도 그런 일은 없었을 겁니다.

이 도리를 완전히 파악하시려면 나의 주인공, 즉 우주 대생명들, 하나로 돌아가는 그 근원인 자기 자신의 주인공, 꼭 거기에다가 일체를 다, 하지 못할 것도 사량으로서의 잣대로 재지 말고 무조건 거기다 맡기고 고하고 믿고, 그냥 생각을 해서 자를 건 자르고, 심을 건 심고,

기를 건 기르고, 행할 건 행해야 되겠다고 생각하면 됩니다. 어떠한 급한 일이 있어도, 내가 칼을 맞는다 할 적에도 그 칼을 떨어뜨리게 만들 수 있는 거는 바로 자기 주장자인 것입니다.

우리가 지금 너무도 약해서, 우리 민족이 너무도 약하고 그런 도리를 몰랐기 때문에 일본의 그 악독한, 악랄한 탄압을 받았고, 그 외에 미국에서도 소련과 더불어 같이 협조하면서 일본하고 싸울 때 이게 자기네들 땅인 것처럼, 자기네들 민족인 것처럼 자기네들 맘대로, 노예를 그저 그냥 팔아넘기다시피 "여기 반은 너희가 갖고 반은 이렇게 가져라. 돈을 얼마 이렇게 이렇게 줄 테니 이렇게 이렇게 해라." 자기네들 마음대로 했던 겁니다. 그러니까 이 집은, 한국이라는 이 집은 주인이 없었던 겁니다. 우리 인간의 이 집도 주인이 없으면 남이 그렇게 마음대로 침입을 해도 꼼짝 못하고 당하게 됩니다.

여러분, 우리가 보이지 않는 데의 세균이나 악령이나 영계 그 모두가, 우리가 지금 여기 앉은 것만큼 보이지 않는 그 자체가 그렇게 앉아 계십니다. 우리가 만약에 주장자가 없이, 주인이, 주인공이 없이 그냥 집이 비었다면 여러분에게 그 악령이 들이덤벼도 도대체 어디서 왔는지, 집에 침입을 해도 말 한 모금 못하게 돼 있습니다. 침입하는 것도 모르죠. 그러나 이 주장자가 완벽하다면 그 탓으로 인해서 세균은 세균대로 녹아 버리고, 악령은 악령대로 눈이 부셔서 녹아 버리고 맙니다. 모든 것을 그렇게 해서 밀치고 나갈 수 있는 주장자가 엄연히 있어서, 이 세계를 갖는 것보다도 살림을 부릴 수 있는 그런 자유권을 누릴 수 있으며 우주의 자유권을 가질 수 있다 이 소립니다.

그래서 중은 항상 어디를 다닌다 할지라도, 소낙비가 오고 뇌성벽력을 해도 뛰지 않는 법을 정한 것이 뭐냐 하면, 비가 와도 뛰지 않고 바람이 불어도 뛰지 않고 어떤 급한 일이 있어도 뛰지 않도록 돼 있습니다. 그건 왜냐. 사람이 한번 한 발자국을 떼어 놓을 때 무거운 발자국을 떼어야 된다. 이 우주 전체를 한 내 중심 주장자로서 전 세계를 한꺼번에 들고서 한 걸음 한 걸음 걸어가고 있는 것입니다. 또 그뿐이겠습니까? 그 뚜벅뚜벅 걸어가는 그 마음속에는 이 세계, 삼라대천세계를 같이 상응하면서, 서로 통신하면서 그렇게 하고 걸음을 걷고 있는 것이기 때문에, 그 사람이 걸음을 걷고 있는 게 아니라, 걷고 있지 않는 것도 아니지만 걷고 있는 것도 아니다 이겁니다. "아니다"라는 것도 아니면서도 걷고 있는 사이 없이 걷고 있다 이 소립니다. 그렇다고 해서 중들만 그런 건 아닙니다.

여러분! 여러분은 머리 안 깎고 옷을 안 입었다고 해서 동색 아닌 것이 아닙니다. 마음은 동색입니다. 옷을 아무리 색색 가지로 입었다 할지라도 마음은 동색입니다. 동색이기에 이 마음을 한마음으로 뭉쳐서 오직 계발하는 데 역점을 두면서 여기를 나오셔야 합니다. 바빠서 아무리 저거 해도 나와서 항상 같이 서로 토론을 하면서 내가 의심나는 게 있으면 묻고, 또 만약에 내가 잘못 말을 해 준 거 같으면 따귀라도 때리십시오. "너는 이 사대의 모든 이치를 모르니까 너는 따귀라도 맞아야 되겠다." 하고 한 대 때릴 때 나는 스승으로 알고 받겠습니다.

여러분! 그런 도리를 전부 아셔야 합니다. 기복으로만 모두 뭉쳐서 산란하게 백일기도를 드린다, 천일기도를 드린다, 삼천배를 한다 이러기 이전에, 우리는 시공이 없이 지금 오신통을 하고 있는 겁니다. 탐지기, 전화, 라디오 또 테레비, 컴퓨터 이런 문제가 다 여러분이 지금 하고 계신 겁니다. 그것이 뭔 줄 아십니까? 여러분이 오신통을 지금 물질로써 다 하고 있는 것입니다. 물질 아닌 물질이 돼야 하고, 물질 아닌 물질! 물질이 물질 아닌 것이 돼야 됩니다. 우리가 마음으로 한생각을 하면 우주 천하가 다, 법계에서 다 상응하게 되고 다 알게 돼요. 그런데 우리는 눈이 캄캄하고 귀가 멀고, 냄새도 맡지 못하고 맛도 모르고, 감각도 모르고, 자기 발등은 발등대로 얕잡아 보고 자기 손등은 손등대로 이게 아주 천하다고 하고, 이 머리만 생각하는 사람도 있어요, 머리만 생각하는 사람. 이 머리만 가지고 발이 없으면 머리가 어떻게 마음대로 운용을 할 수 있겠습니까.

그러니까 아무리 부처님이 높다 한들 자기보다 더 높은 것은 없습니다. 아무리 낮다 하더라도 자기 마음과 같이 아픔을 느끼는 사람이 있을 때 그것은 한마음인 것입니다. 내 마음이 아플지언댄 남의 마음이라고 안 아플 수 있겠습니까? 내 몸이 이렇게 아픈데 남의 몸이라고 안 아플 수 있겠습니까? 내가 이렇게 안되는 도리를 남이라고 해서 안된다고 얕볼 수 없습니다. 서로가 서로를 사랑하면서, 의리, 도의로 이끌어 가면서 우리는 우리의 각자 주인공 실상을 올바로 보고, 올바로 세상을 내다보고, 올바로 우주적인 문제를 한번 살펴볼 수 있는 계기를 가져야만 합니다.

감사합니다.

불자의 공부

1983년 12월 18일

오늘 하는 이 불우 이웃 돕기를 우리는 줄창 모금함을 해 놓지 않고 해 나갔습니다. 그러나 올해부터는 여러분이 조금씩이라도 성의껏 넣어 주셔서 불우 이웃 돕기를 하는 것이 우리 국민 된 도리에 마땅하다고 생각합니다.

그건 그렇고, 우리가 지금 새해를 앞두고 더 정진해야 할 문제에 도달하고 있습니다. 시대적으로 보나 사회적으로 보나 국가적으로 보나 또 집안 가사로 보나 자기의 몸으로 보나, 모든 것은 자기의 그 주인공에 의해서 움죽거리고 있다는 것을 명백히 터득을 해야 될 일이라고 생각합니다.

그럼으로써 사람은 사람대로, 사람 하나 나기가 얼마나 어려운지 여러분이 생각해 보면 잘 아실 겁니다. 우리 인간이 하나 태어나는 데 그 어려움이라는 것은, 음과 양을 통해서 수억 마리가, 오억이라는 그런 아주 많은 충이 한데 모여서 하나가 골인을 하는데, 예를 들어서 사람 하나가 태어나기 위해서 그 많은 충이 덤벼서 하나가 승리를 하고 나머지는 다 피로, 즉 말하자면 도로 원점으로 돌아간다는 얘깁니다. 그렇게 어려운 고비를 넘어서 한 사람이 태어났다면 사람이 태어난 그 자체가, 예전에도 그런 말씀을 드렸죠. 넝마전에는 넝마가 태어나고 금방에는 금이 난다고요. 그랬듯이 여러분이 살아생전에 그 도리를 모르신다면 후일 이 몸을 벗을 적에 짐승의 탈을 쓸는지 그것도 모릅니다. 우리는 사람으로 태어나기만 했지 반쪽 사람인 겁니다. 온쪽 사람을 만들려면 보이지 않는 50%에 관한 건을 거기 50%에다 포함시켜야 자유인이라고 봅니다. 자유인이라는 것은 우리가 잠재해 있는 자기 마음의 주인하고 현재 의식 자체의 자기하고 부합이 돼서 활용을 그대로 자유스럽게 할 수 있는 그런 자유인입니다.

그렇다고 해서 도둑질을 해도 된다는 거는 아닙니다. 그것은 우리 인간 자체가 기본적인 상식을 가지고 이 세상에 났기 때문입니다. 잘되고 못되는 것은 벌써 자기의 잠재해 있는 컴퓨터에 책정이 됩니다. 그러니까 잘못됐다는 것도 바로 자기 장부에 자기가 적어 놓는 거나 마찬가집니다. 딴 사람은 몰라도 자기 자신은 너무나 잘 아니까요. 그래서 자기 자신이 잘못되고 잘되는 걸 알기 때문에, 서류에 적어 놓지 않아도 그 잠재해 있는 자체 내에 자꾸 책정이 됩니다. 이건 옴짝달싹할 수 없이 책정이 돼서 이 세상에 나오는데, 우리가 이 세상을 돌아볼 때, 즉 말하자면 관할 서기가 있다면 검사가 있고 판사가 있듯이, 이것이 적히지 않아도 자기의 그 잠재해 있는 의식 속에 다 들어 있기 때문에 죽어도 그 차원대로 자기가 이 세상에 또 태어날 겁니다.

그래서 우리가 이 불자의 공부를 하는 것은 마음, 자기 주인 그 자체가 일거일동을 전부 움죽거리게 한다는 것을 터득하는 것입니다. 여러분이 생각하는 대로 몸이 움죽거리게 되고 행을 하게 됩니다. 그러니까 자기의 마음의 주인이, 이 세상의 일체 생활이나 모든 것을 다 마음의 주인이 하는 걸로써 일임을 시키면서, 자기는 자기대로 언제나 그걸 떼지 말고 항상 쥐고서 떨어뜨리지 마십시오. 그럼으로써 합일이 됩니다. 합일이 됨으로써 무엇이든지 무겁게 생각이 안 되고 가볍게 생각이 되고, 겁이 나지 않고, 항상 우리는 떳떳하게 대인으로서 살 수 있습니다. 여러분이 여직껏 여기 다니시면서, 공부라고 할 거는 없지만 자기 마음의 계발을 한 분도 많아서 생활을 그대로, 계발한 대로 생활하시는 분도 많습니다. 그러나 그렇게 못 하신 분은 못 하신 분대로 우리가 앞으로 계발을 해서 생활의 지침이 되게 하고, 또 자기 몸에 어떠한 병이 걸린다 하더라도 자기 몸을 자기가 추스릴 수 있는 그런 능력을 길러야 할 것입니다. 그리고 또 우리가 그 마음의 주인을 찾아서 합일이 된다면 사회적으로나 국가적으로나 세계적으로나 우주적으로나 무엇이고 못하는 것이 없을 것입니다.

지금이 평화로운 시대는 아닙니다. 언제든지 다 그랬겠지마는 지금 시대는 더욱더 물질문명이나 과학, 이것이 모두 등장을 했기 때문에, 자기네들이 기계를 만들어 놓고 자기네들이 바로 그 기계에 말려서 죽게 되는 이러한 심판의 지금 현대 속에서, 우리가 여기에서 벗어나려면, 마음의 주인과 합일이 되지 않는다면 살기가 극히 어렵게 될 것입니다. 그러니까 여러분이 잘 생각을 하셔서, 자기의 어떠한 잘못도 잘한 것도, 모든 것이 다 주인공이 하는 것이니까 모든 걸, 과거에 어떠한 문제가 생겼다 이런 것도 자꾸 꼬집어서 생각하지 마시고, 생각을 주인한테 일임시키면서 놔 버리세요. 그게 공부입니다. 그리고 주인이 다 하는 걸로 생각을 하시고, 주인이 꼭 하게끔 이렇게 노력을 하시면서 그 선을 꼭 쥐고 놓치지 않으신다면 공부가 활연히 될 것입니다.

여러분이 여직껏 공부하셨으니까 누구든지 질문하실 것 있으면 질문해 보십시오. 사람과 사람이 만났을 때 만남이 있고 또 질문이 있고 그래야지, 깡통도 가만두면 소리가 안 납니다. 쳐야 소리가 납니다. 우리는 대화 끝에 좋은 의견이 생기고 감응이 오고 그러는 것입니다. 이렇게 대기 설법으로서 말만 해서 되는 것이 아니라 서로가 의정이

나는 거를 서로 질문하고 이러는 데서 많은 지혜를 얻기도 하고 또 가슴에 와 닿는 일도 있고요. 질문하실 분 없으십니까?

신년 새해를 맞이해서 돌아오는 해부터는 진짜, 자기 실상에 의해서 현재 의식으로서는 반드시 자기 주인공을 진실히 믿고, 바깥에서 구원을 받으려고 애를 쓰지 마시고, 형상을 보고 믿지 마시고, 허공을 보고 믿지 마시고, 사람을 보고 믿지 마시고 모든 것은 자기 자신에게, 자가발전소 에너지통에서…. 잠재해 있는 자기 주인공의 그 에너지통은, 우리 산 사람들은 가설이 된 에너지통입니다. 그렇기 때문에 자기 마음에 따라서 항상 자기 이 몸뚱이는 지금 자가용, 택시나 마찬가집니다. 기름도 있어야 하고 운전수도 있어야 하고 차도 있어야 움직일 것입니다. 그러니까 그 마음은 그 에너지통에서 에너지가 나오도록 코드를 바깥에다 꽂지 말고 항상 안에다 꽂아야 합니다. 안에다 꽂는 것이, 자기 마음의 주인이 모든 것을 하고 있으니까 거기에다가 요청을 함으로써, 또 믿음으로써, 용단이 있음으로써 아마 살림에 이익이 되고 자기 몸에 이익이 되고, 어떠한 나라에 국가적으로 일이 벌어졌다 할지라도 그거를 단숨에 해결할 수 있는 그 마음이 생길 것입니다. 그럼으로써 자기 앉은 자리를 지킬 수 있고 또 불국토를 만들 수도 있고, 우리가 마음의 계발로써 어떠한 세계적인 것을 한 주먹에다 넣고 살림을 할 수도 있다는 그 점을 만약에 모르신다면 자세히 질문해 주십시오.

누구나가 다, 사람마다 다 그런 능력을 가지고 있습니다. 그런데 모를 뿐입니다. 50%를 모르니까, 본래 100%인데 50%를 모르고 사십니다. 그 모르고 사시는 50%를 다시 발견하는 것입니다. 석존께서도 본래부터 그렇게 했던 게 아니라 전자에 참 많은 선지식으로 돼 있었고 또 그분조차도 많이 교화를 하려고 무척 애를 쓰셨으나 권리가 없음으로써, 그때는 모르는 사람이 너무 많아서 말을 해도 한데로 자꾸 떨어지고 하니까, 우정 태자로 가서 태어나서 여러분 앞에 오늘날까지 주춧돌이 돼 주시니, 석존의 그 뜻을 받들어 우리는 자신이 석가가 되고, 자신이 지장이 되고, 자신이 자성신이 되고 칠성이 되고 의사가 되고 판사가 되고 이렇게 해야 될 것입니다. 자기 마음의 주인은 때에 따라서, 몸이 아픈 것을 주인에게 맡기면 의사가 돼 주고 가난하면 관세음보살이 돼 주고 명이 짧은 것은 지장이 돼 주고, 이렇게 갖은 각색으로 다양하게 천백억화신으로서 나투는 자기 자신의 그 부처를 오직 자신이 발견해야지 누가 발견을 해 줍니까? 또 누가 바깥에서 구한다고 해서 바깥에서 오는 것도 아닙니다. 허공에다가, 가설도 되지 않은 허공에다가 코드를 꽂는 거나 마찬가집니다. 우리는 생각할 수 있는, 각자 자신에게 바로 가설이 된 자가발전소입니다. 거기에서 선이 끊어지지 않도록 항상 붙들고 거기에 참, 노력을 하고 정진하신다면 무엇이든 안 될 게 있겠습니까?

그러니 오늘 이렇게 새해를 맞이해서 앞으로는 좀 더 여러분이 조직도 강화시키고 또 불우 이웃 돕기도 다달이 이렇게 성의껏, 천 원이든지 오백 원이든지 단돈 백 원이든지, 내 성의껏 해서 남들을 도와준다는 것도 언짢지 않은 것입니다. 양면이 바란스가 맞아야 되니까요. 우리가 마음으로만 보시할 게 아니라 마음으로도 보시하고 또한 현실로도 보시할 수 있는 그런 마음이 다양해야 되겠습니다. 우리 마음의 주인공은 무한의 능력을 가졌기 때문에 보이지 않는 데서도, 가만히 육신이 있는데도 다 마음을 내면 내는 대로 그 광대무변한 묘법을 능가할 수 있는 그런 것입니다.

오늘 추운데 간단히 끝을 마치겠습니다. 성의껏 보답해 주십시오.

영원한 점심

1984년 4월 10일

큰스님 … 이전의 마음이란 걸 알게 됐을 때 비로소 자기 자신이 자기를, 천박하지 않고 고상하게 도심을 알게 됩니다. 그런다면 그때 아주 자유스럽게 요리를 해서 잘 맞춰서 먹을 수가 있다 이거야. 밤에 먹어도 점심이요, 낮에 먹어도 점심이요, 아침에 먹어도 점심이요, 어느 때든 먹을 때마다 점심이지 뭐, 점심 아닌 게 하나도 없다 이거야. 영원한 점심으로서 "그것도 이름해서 점심이지 점심이 따로 있는 게 아닙니다." 하는 말을 우리가 할 수 있는 그런 계기가 되지 않겠나 이겁니다.

왜 남이 하는 소릴 듣고서 이리 가고 저리 가고 이러는지, 똑바로 지름길을 갈 수가 있는데도 불구하고…. 그 지름길이라는 자체도 없습니다. 지름길이라는 그 말 자체도 붙지 않는 뎁니다. 그대로 우리가 모든 걸 놔 버리고 사는데, 그대로 놔 버릴 수가 없으니까 놔 버리라는 겁니다. 육바라밀을 선이라고 하고 육적이라는 것을 악이라 한다면 악도 선도 붙지 않는 자리라는 거는, 그 마음이 악이나 선이 나오기 이

전 그 마음자리로 다시금 모든 걸 놔 버린다면, 공했기 때문에 우리가 그대로 놔 버리는 그 자체도 이름 붙을 자리가 못 되지요. 악이다 선이다 이름 붙을 자리가 못 되는 거죠. 그러니 오이가 생기면 오이 맛있게 무쳐 먹고, 여여하게 말입니다. 감자가 생기면 감자 해 먹고, 배추가 생기면 배추 해 먹고, 이렇게 돌아가면서 해 먹을 뿐이지 거기에 뭐가 그렇게 이유가 많습니까? 그래서 그 도리를 알라 이 소립니다.

그래서 요것이 다르죠. 뭐가 다르냐. 고집멸도 사성제나 육바라밀이나 팔정도, 무슨 십이인연법의 문제, 이런 거를 자꾸 이렇게 해 나가다 보면 "이런 것이 이렇게 돼야만이, 팔정도를 해야만이 쉴 수 있느니라." 이러는데, 여기에서는 팔정도라는 이름조차도 붙을 데가 없으니, 팔정도뿐만 아니라 모든 일체 하나하나, 말하는 거, 행하는 거, 잠자는 거, 똥 누는 거 모든 것을 누가 하는가? 너 자체가 공했는데, 그렇게 하는 것도 공했으니 다 공에다 그냥 몰락 놔 버려라. 밥을 먹고 빈 그릇을 또 생각하겠느냐. 밥을 먹었으면 그뿐이지. 밥 먹고 난 빈 식기를 또 잡아당기고 그걸 놓지 않고 있을 수가 있겠느냐 이거야. 그러니 그릇을 비웠으면 그릇이 빈 대로 또 빈 그릇은 돌아가면서, 연방 그 그릇에 또 밥이 담기면 또 먹고 또 비고, 연방 비우고 돌아가는데 거기 붙을 게 뭐 있습니까? 아무것도 붙지 않아요.

그래서 처음에 "이 도리를 알아라." 그런 것이, 예전에도 부처님께서 말씀하시기를 이렇게도 말씀하셨죠. '부처님이다' 이러면 지금 부처나 예전의 삼천 년 전 부처나, 부처의 마음은 오늘의 부처의 마음이나 그때의 부처의 마음이나 똑같은 겁니다. 그렇기 때문에 부처님의 말씀이 "음지 양지 없는 골짜기에 뿌리 없는 나무의 소식이 어떤 것인가?" 이것이 일착으로 들어가고, 이착으로 들어갈 때 우리가 내 마음을 찾았으면, '내 마음을 발견했으면' 하는 소리죠, 그게. 발견했으면 이착으로는, 전강 스님 말씀하신 거와 마찬가지로 '석산에 솔이 울었으니 일월은 횡청같이 밝았다' 이거야. 그랬으니 일월이 아니라 심월이라고 해도 좋습니다. "심월이 밝았으니 석산에 솔이 울었도다." 이렇게 해도 되는 거죠. 이건 이리 바꿔도 되고 이리 바꿔도 돼. "심월이 밝았으니 석산에 솔이 울었도다." "우는구나!" 해도 되죠. 얼마나 좋은 소립니까? 내 마음을 발견했으니 두루, 그 밝은 마음이 두루 했으니! 예전에 부처님께서 말씀하셨듯이, 그 젖을 일체 중생에게 그릇대로 다 흘려서 넣어 줬다는 그런 얘기가 있죠? 그와 마찬가지로 벌써 '심월이 밝았으니 석산에 솔이 울었다' 하는 거는 그 두루두루 두루두루 밝혀 주는, 에너지를 넣어 주는 광경을 말하는 거죠.

세 번째 가서는 "삼세심이 공했으니 그대로, 네가 쓰는 것이 그대로 여여하지 않은가." 이 얼마나 좋습니까. 이 세상에 뭐, 이렇게 말해도 되고 이렇게 말해도 되고. 전자의 부처님 말씀과 지금 부처님들 말씀이 다른 게 아닙니다. 아무리 거지새끼라도 깨쳤다 하면 그것은 예전 부처의 마음이나 지금 부처의 마음이나 마찬가지니까요. 그래서 중생들 있는 것만치 부처도 있는 것이고, 부처가 있는 것만치 중생도 있는 것이지, 어디 중생 따로 부처 따로가 있겠습니까마는, 우리는 이 공한 사실을 모르고, 전체가 공한 사실을 모르고, 마음조차 공한 사실을 몰라. 공한 사실을 모르기 때문에 그저 놔 버릴 줄 모르고, 항상 자기가 자기라 그러고 가질 줄만 알기 때문에 억겁에 처하는 그 업을 짊어지고 안고 가는, 그런 윤회에 말리는 그런 인간의 고가 놔질 새가 없이 닥치는 것이죠.

그래서 누구나가, 지금 깨달은 분이라 할지라도 "이러이러하니까 이렇게 잘해라, 이렇게 잘해라" 하는 거보다는 "이렇게 공했으니까 이 공에다가 모든 것을 다 놔 버려라. 인간이라면 기본 상식을 가졌으니 벌써 일주문에 들어섰으면 우리는 전부 도반이니라. 그러니 여기에다 모든 걸, 공한 도리니 공 안에다 모든 걸 놔 버려라. 하나하나 닥치는 대로 놔 버려라. 화나는 것도 놔 버리고 가난한 것도 놔 버리고, 모든 걸 놔 버린다면 스스로, 그것도 생명들이 있어서 그 놔 버린 자에게 좇아오느니라. 좇아와서 내가 스스로 무심으로서 그냥 다양하게, 여여하게 쓰는 것이 그것이 바로 도심이요, 그것이 자유인이요, 부처인 것이지, 만약에 하나하나 그렇게 이름을 따져서 좇아다니는 사람은, 영원히 좇아다니다 볼일 못 볼 것이다." 이거야. 지금 불법 도리도 그렇게 좇아다니는데 생활인들 좇아다니지 않겠느냐 이거야. 이름을 붙잡고 좇아다니지, 사람을 보고 좇아다니지, 종교라는 이름을 가지고 야단들이지, 일거일동 좋다 나쁘다 좇아다니지. 그러니 영원토록 좇아다니다 볼일 못 보는 거지. 그러나 여기에서는 일일이 나쁜 거든 좋은 거든 다 놔 버려라. 맛있든 맛이 없든 다 놔 버리고, 돈이 있든 없든 다 놔 버리고, 그 공 안에다 다 놔 버려라. 어차피 공한 도리고 어차피 공한 내 몸이요, 어차피 모든 물질이 다 공했고 내가 하는 것조차 마저 다 붙을 데가 없이 공해 버렸는데 그 공 안에다 놔 버리지 않으면 어떡할 거냐 이거야.

만약에 이 도리를 모른다면 한 발짝을 떼어 놓을 때마다 아마 그 업을 짊어지고 다니고 안고 갈 겁니다. 지금 무슨 경이니 무슨 경이니 해 놓고, 또 무슨 말씀 무슨 말씀 해 놓고 어떠한 누구가 설법을 하신다 할지라도 이것은 즉설로 하셔야지, "이것은 이렇게 이렇게 과정을 거쳐라." 이러는 거는 있을 수도 없어. 왜? 본래 과정이 없기 때문입니다. 본래 공한 도리요, 공 안에서는 절대로 내가 나오기 이전에 이름을 짓지 않았으니까 말입니다. 그러니까 모든 것을 공 안에다 놔 버리는데 무슨 이름이 거기에 필요 있겠느냐 이거야. 고(苦)도 놔 버리고 집(集)도 놔 버리고 멸(滅)도 놔 버리고 도(道)도 놔 버리는데 뭐가 거기 붙겠느냐 이거야. 도라는 이름 자체도 놔 버리는데. 그 도라는 이름 자체도 놔 버려야 도지 도라는 이름 자체를 쥐고 있다면 그건 도가 아니야.

그러니 모든 것을 부수고 들어가야 돼. 팔만대장경도 부수고 들어가야 되는 법이, 용납되지 않는 법이 바로 이런 법입니다. 팔만대장경도 이름해서 팔만대장경입니다. 하도 요술을 잘 부리니까 요술 부리는 사람들을 위해서 요술을 그렇게 부렸던 겁니다. 그러니 여러분 가는 대로 따라서 가다 보니깐 팔만대장경이 된 거지, 팔만대장경이 애당초부터 생긴 게 아니에요. 그러니 팔만대장경이라는 이름조차도 붙을 자리가 못 된다 이 소립니다.

"그럼 한마디도 할 게 없네요?" 이러지도 마세요, 또. "한마디도 할 게 없네요." 하면 그것이 또 붙습니다. "한마디도 할 게 없네요." 할 것도 없고 "그럼 과정을 거치려면 이렇게 이렇게 해야지요." 하는 것도 없고, 그대로 내가 배 고프면 그냥 밥 먹고 또 소화가 됐으면 똥 누고, 잠자고 싶으면 잠자고, 모든 것을 여여하게 그대로 무심으로, 그대로 살라 이겁니다. 자기가 무심으로 사는데, 생활을 하는데 여러분이 계신 자리가 바로 여래의 집이니, 그 집에서 사는데 '이런 게 이런 게 들더라' 그러면 남도 '이런 게 이런 게 들더라' 하는 걸 알아야죠. 그렇기 때문에 무심으로서, 내가 지금 사는 것이 이러니까, 남도 바로 나니까 무심으로 시주를 하게 되고 무심으로 갖다 놓게 되고 그런다면 그게 어디로 가겠습니까? 다 자기한테로 가는 건데, 어째서 자기 쓰기 위해서 쓴 거를 남 쓰게 해 줬다고 생각을 하십니까.

그럼으로써 그대로 자기 쓰는 것이 돌아오는 거라. 절에 갖다가 시주하는 것도 남한테 주는 게 아니에요. 자기 살림 하는 데 쓰는 거나 마찬가지라. 남에게 줬다고 생각하면 준 것만치밖엔 안 가. 그러나 무심으로 줬을 때는 무심으로 가게 되기 때문에 무주상으로 간다 이겁니다. 내가 '요만큼 줬는데….' 하면, '그까짓 게 얼마나 된다고. 그까짓 것 가 봤던들 새 발의 피지.' 그러나 무심으로 줬을 때는 무주상으로 가기 때문에 이자율이라면 그 이자율이 아주 무한량 간다는 얘기야. 이자라는 말도 없이 말이야.

이러한 법이 얼마나 좋은데 그 이름을 붙여서 이런 거다 저런 거다 하고 논의를 하고, 이름을 붙여서 말할 것도 하나도 없는데 이렇게 말을 하는 것은 '아' 다르고 '어' 다르다고. "이렇게 이렇게 과정을 거쳐서 나가야만이 도를 이룰 수가 있다." 이 말 하고, 재차 합니다. '이렇게 이렇게' 하는 거기까지 갈 것도 없다. 이렇게 하나 하면 그 하나 하는 것을 그냥 공 안에 놔 버려라. 이거 하나 하면 이거 놔 버려라. 일거일동 움죽거리고 보고 듣고 하는 것을 누가 하겠느냐. 이 공 안의 도리니 모든 것을 다, 보고 듣고 하는 것을 다 놔 버려라. 그러면서 여여하게, 그것을 알게 되면 그대로 지키지 말라고 해도 자기는 지키게 되고, 계율이라는 이름 없이 철저하게 지키게 되고 아주 다양하게, 사람의 탈을 쓰고 진짜 사람으로서, 자유인으로서 보람을 느낄 수 있지 않겠느냐. 그렇다면 수천 리 밖에도 내가 갔다 왔다 할 수가 있고, 수만 리 밖에도 갔다 왔다 할 수가 있고, 수천 리 밖을 내가 볼 수가 있는가 하면, 우주의 어떠한 공간의 어떠한 국토도, 어떠한 혹성도, 어떠한 생명도 다 만나서 다 상응할 수가 있다. 천리만리 떨어져 있으면서도 모습만 떨어져 있다 뿐이지 마음은, 즉 말하자면 한 정원에 모두 오손도손 살고 있으니 얼마나 부유하고 얼마나 사랑하고 얼마나 잘 운집이 돼서 서로가 서로를 아끼고 사랑하면서 서로 토론을 하겠느냐 이겁니다.

그러니 우리가 그러한 도리를 알게 된다면 무슨 구애받을 게 있고, 무슨 공포심이 나고, 무슨 가난한 마음이 생기겠습니까? 하나도 없어요. 그러니 이 말 저 말 붙을 게 하나도 없다 이거야. 이름도 붙을 게 없어! 따지고 보면 이 라이터다 또는 향이다, 사람이다, 이렇게 이름 붙을 것도 없어요. 우리가 이름을 붙여 놓지 않아도…, 이름을 이렇게 붙여 놨다 하더라도 이건 방편이니까 "어, 라이터하고 향하고 어디 갔어?" 이렇게 해서 우리가 그냥 쓰면 이게 그대로 써지는 거예요. 그 여여함을 그대로 알아야지 이 이름만 붙들고 늘어진다면, 라이터라는 이름만 붙들고 늘어진다면 켜지도 못해요. 나중에 가서는 한 번도 켜 보지 못하고 그냥 망가지고 말아 버려요. 라이터도 망가지고 나도 망가지고 다 망가져 버리고 말아요.

즉행으로 갑시다. 그리고 또 우리 여기서 일하는 분들은 즉설로 가고요. 그래서 즉설로 가서 즉행으로 하게 하고, 어떠한 말을 하더라도 끄트머리에 가선 귀결을 짓는 것이 이것이 다 방편이고 이것이…. (녹음 안됨) 이렇게 부처님의 가르침의 뜻을 새기고 그냥 몰락 공 안에 다 놔 버려라. 놔 버리는 게 목적이야. 이 세상에 나왔기 때문에 그 많은 이름들을 알았고, 고도 알았고, 모든 걸 알았으니까 나오기 이전으로 다 돌려보내라. 돌려놔 버려라.

"처음 마음" 이랬습니다, 처음 마음! 그런데 사실은 그 처음 마음이 나오기 이전이라! 처음 마음이 어디 붙을 자리가 있느냐 이거야. 처음 마음이 처음 마음이 아니고, 아닌 것이 처음 마음이고, 처음 마음이 아닌 것이 하나도 없어요. 오늘이 영원하기 때문에. 그러나 그 처음 마음이라는 것도, 아까 마음이라는 것도 삼심이 다 공했으니까, 모두 우리가 여여하게 쓰는 것이 그대로 여여함이니 무슨 처음 마음이다 나중 마음이다 이런 이름 붙을 것도 하나도 없는 거라. 그래서 전자에 여러분이 모를 때에 '이렇게 이렇게 가야 한다' 하는 걸 얘길 해 놓고선, "그것이 바로 네 주인공이 하는 거다. 네 심주가 하는 거다." 이렇게 했고, 나중엔 "그 심주마저도" 했으니 "그것도 이름해서 심주지, 그것도 몰락 놔 버려라." 한 것이 바로 그런 뜻에서 그런 겁니다.

사람이 살아나가는 생활 속에서는 이름이 필요합니다. 그러나 그것도 무심으로 이름을 불러야지, 그 이름이 나라고 하고 너라고 한다면 그것은 또 글러 돌아갑니다. 그래 무심으로 이름 부르고 대답하고 이러면서 무심으로 그냥 여여하게 살고…. 아이, 그 사람도 참 못난 사람이지, 점심을 달랬으면 점심을 먹고 나갈 것이지 아니, 그거 한마디에 걸려 가지고서는 점심을 못 먹고 나가? 졸장부처럼? 아, "과거심 불가득 삼세심 불가득" 할 때 말이야. 아이, 그놈의 게 글쎄, "현재심에 점을 찍으랴, 과거심에 점을 찍으랴." 이랬을 때 배고프면 밥 먹는 것이 현재심이지 어떤 것이야? 거기서 밥 한 그릇 못 얻어먹고 그냥 나가, 그래?

이런 것도 바로 객설이라, 내가 지금 말하는 것도. 왜냐. "그런 것도 왜 못 먹고 나가느냐." 하는 소리는 그분, 전자의 그분더러 내가 얘기하는 게 아니야. 지금 현재가 중요하니까, 현재의 여러분 중에 그러한 실수는 저지르지 마라. 현재의 여러분이 그런 말에 걸려서 점심 한 그릇 못 얻어먹고 갈 분이 있다면 그러하지 마라. 그래도 그분이 그렇게 했기 때문에 아마 캄캄한 데서 불 하나 켜지는 거 보고 대오를 하셨을지도 모르죠.

그러니까 우리가 처음부터 안 거는 아니지만 우리가 이렇게 도반으로서 같이같이 배우는 길에 있어서는 즉행으로 들어가야지. 우리가 기차를 타도 빨리 가려면 '즉행' 을 타야지, 버스도 '즉행' 을 타야 하고 비행기도 '즉행' 을 타야 빠르죠. 완행이 있고 그래선 안 되죠. 완행을 타다 보면 탈 사람도 다 없어진 연에 완행은 해 뭘 하고, 직행은 해 뭘 합니까? 나중에 직행을 타려고 생각을 하다 보니깐 직행을 탈 놈이 없어져 버려. 그러니 차 놓치고 언제 손 들어?

그저 그거 하나 사인데, 그렇게 간편한 거를…. 나물 먹고 물 마시고 팔 베고 누웠으니 대장부 살림살이 이만하면 족하고 이만하면 자유스러운 것을, 뭣 때문에 그렇게 아둥바둥하고 그렇게 얽매여서 이리 구르고 저리 구르고, 이리 빠지고 저리 빠지고…. 빠지면 그냥이나 있나? 울며불며 나오려고 뒹굴고. 이게 무슨 짓들이냐 이 소리지. 그 생명수는 두루두루 온 누리를 다 적셔 주니 어느 생명 하나도 '받지 않았다, 받았다' 하지 않으면서, 바로 받으면서 우린 여여하게 살고 있으니 이것이 시쳇말로 '공기로써 인간의 생명을 살린다' 하는 거나 마찬가지지. 두루 하고 있는데 누가 부처님의 밝음을 받지 않았다고 보리까. 부처님은 개인 개인 하나 들어오는 대로 자비를 베푼 게 아니라, 수많은 사람, 생명이 있다 하는 거는 다 비가 내려서 적셔 주듯이, 그렇게 공기를 통해서 생명을 살리고, 따뜻한 마음의 태양을 줘서 기르시고,

비를 줘서 적셔 주는데 그 생명들은 고마운 줄을 모르더라. 그렇게 적셔 주고 그렇게 살려 줘도 모르더라 이거야.

그러니 부처님의 뜻을 모르는 사람은 자기의 마음을 모르고, 자기의 마음을 모르는 사람은 부처님의 뜻을 모르더라. 지수화풍으로 모였으니 불이 없어도 안 되고 물이 없어도 안 되고, 바람이 없어도 안 되고 태양이 없어도 안 됩니다. 우리는 근본 태생이 바로 흙의 태생이고 나중에 남는 것도, 사리가 남는 것도 그게 흙이라. 그게 흙이 구워진 거지 다른 거 없어요. 흙에서 와서 흙으로 가는 거지. 그러나 가고 옴도 없다 하는 것을 표시하기 위해서 둥글게 빛이 나게 그렇게 되는 수가 있죠.

그런데 뭐가…, 그렇게 그대로 여여한데. 아니, 공기를 줄 때 돈 받고 줍디까? 허, 바람이 불어 줄 때 돈 받고 바람 불어 줍디까? 또 이 땅이 돈 받고 걸어다니라고 합디까? 지금은 나라에서, 걸어다니는 것도 돈을 받습디다, 받기는. 그렇지만 태양도 돈 받고 비춰 주지 않아요. 그래서 우리 마음도 마음대로 쓰는 거지 누가 이래라 저래라 하는 게 없어요. 구애받지 마세요. 그건 자기 마음으로 구애를 받게 만들어 놓고 구애를 받는 거뿐이에요. 본래 우리는 자유인으로 살아야 할 사람들인데 모두 마음으로 지어 놨기 때문에, 그렇게 차원이 낮기 때문에 그런 현상이 벌어지고 있죠.

그래서 지금 여러분이 졸린 것도 그것도 도라. 공 안에 나왔기 때문에 공했고, 공했기 때문에 졸림도 있는 거고, 눈도 반짝 뜨는 거고, 말도 하고 행도 하고 이러는 거지 아니, 그게 없으면 졸릴 게 뭐 있나? 그래서 말이야, 거기서…. (녹음 안됨)

둘이 아닌 그 마음을 가지고 쓰기 때문에, 마음이라는 이름조차도 없이 여여하기 때문에 도에서는 에누리 없이 비구 비구니가 없고, 여자 남자가 없고, 애 어른이 없고 그런 도리, 그런 공 안에 들어야 하지 않나 하는 생각입니다. 즉 말하자면 자기의 왕으로 알라 이거야. 남자 알기를 제 밑으로 안다면 그 가정이 불안하고 또 가정을 이룰 수도 없어요. 그 가정 하나마저도 이룰 수가 없는 거지. 중들이 왜 중이 되는데요? 그 가정의 몇 사람, 그걸 지키려고 이 세상에 태어났느냐 이거야, 응? 유생 무생 전체를 가지고 살림 한번 멋지게 해 보겠다고 중이 되는 거지. 그런 가정 하나 살리려고 태어난 게 아니란 얘기야. 자기가 곧바로 우기고 자기가 곧바로 잘났다고 하기 때문에 남편들을 우습게 생각하는 거지, 아무리 못났든 잘났든 자기 남편이라고 인연을 맺었으면 아주 왕이라. 하늘이라. 그 하늘이 무너지는데 뭐가 그렇게 잘난 거예요.

그렇기 때문에 모든 것을, 만약에 궁 안에서 궁녀들이 임군을 섬기듯이 한다면, 또 절간에서 스승을 모시듯이 한다면, 또 벌어먹기 위해서는 회장이나 이런 사람들을 그렇게 위하잖아요? 그렇게 남편을 위한다면, 그렇게 받든다면 하나도 싸움할 게 없어. 말다툼이 왜 나, 거기서? 응? 임군 모시듯 하는데. "내가 이러이러하니까 당신은…." '당신' 소리만 나왔지 "이랬어? 이건 이런데 이러이러하지 않아?" 그러고선 그냥 마구 해 댄단 말이에요. 그러니까 그것이 탈이라 이거야. 탈이야! 아무리 못났어도 그저 '아이휴, 저렇게 못났어도 내 낭군이지.' 그러고 근중하게 생각하라 이거야. 그게 사랑이야, 참사랑! 근중하게 생각하면 근중한 대로 자기는 행복할 것이다.

신도(남) 남자는 여자를 여왕 모시듯 해야 됩니까?

큰스님 그래야죠. 네. 하하하…. (대중 웃음) 한편 짝으로만 기울어져서는 안 되니까요. 그래서 첩을 보지 않습니까? 그것도 이유가 있습니다. 없는 건 아닙니다. 절댑니다, 그거. '나를 갖다가 이렇게 버렸지, 어쨌지.' 하는 것도요, 그것도 이유가 있습니다, 꼭. 잠재해 있던 그게 쌓이고 쌓이고 쌓이고 쌓이다가 아, 어디 가서 음식 맛을 보니까 참 좋거든. 아주 거기에서는 어떠한 구애가 없이 그렇게 편안해, 마음이. 그러니까 편안한 데로 좇아가는 거라. 그런데 이게 잘못이라고 그러는 거라. 그러니까 이걸 알고 살라 이거야. 우리가 부처님 도리를, 이 공안에 이 모든 것이 이름 붙일 게 없이 이 도리가 바로 공했다는 사실을 안다면, 우리가 그렇게 여여하게 지낼 수 있는 그런 도리가 아주 다양하게 나온다 이거야.

그래서 어느 사람한테 내가 이런 말을 했어요. "첩을 얻어 가지고 나가서 영 식구들을 돌보질 않고 먹을 것만 대 준다, 일 년, 이태, 삼 년이 돼도 돌아보질 않는다 그럴 때, 왕 모시듯 해라. 왕이 삼천 궁녀를 둬도 끄떡 안 했다. 왕이 손만 만져 봐도 손을 보이지 않기 위해서 손을 싸고 있었다. 그럼 얼마나 그걸 근중히 알았겠느냐. 그러니 가끔 그렇게 얼굴만 언뜻 비치고 나가도 왕 모시듯 해라. 얼굴이 안됐으면 뭐라도 그저, 잠깐 들어왔다 할지라도 먹을 거를 해서 좀 양기 있게 이렇게 해서 주면, 그 사람도 사람이기 때문에 언젠가는 그게 쌓이고 쌓이고 또 쌓여서 다시 돌아오게 된다." 이 문제 문제들 하나하나가 자기 마음에 뭐가 있기에 따뜻한 데 찾아서 나가지 아니, 뭐가 없는데 왜 따뜻한 데가 따로 있겠느냐 이겁니다. 내가 왜 이렇게 말을 하느냐 하면 여잔 여자기 때문에, 여잔 여자다 이거야. 그렇기 때문에 남자의 사랑을 받고자 하면 자기가 그만큼 왕 모시듯 해야 사랑을 받는다.

나는 이 세상에 나와서 제일 왕 모시듯 한 것이 뭐가 있느냐 하면, 어느 사대 성인이든 조사들이든 부처님이든, 전자의 어떠한 분이든지 나는 조금도 배척을 안 했어. 모든 것을 나는 내 마음속에다가 딱 하나로 뭉쳐서 간직하면서, 난 그걸 한데 합쳐서 '주인공!' 하고 불렀고, 주인공에 다 몰락, 거기에만 심사숙고하고 자기에게 겸손하고 '내 몸이 갈아져서 다 없어진다 해도 다 뿌리겠노라.' 하고 이렇게 버렸기 때문에 그 부처님의 마음이, 수많은 생명들의 마음이 나를 측은하게 생각하고 '아휴!' 그러고 그냥 폭 안아 준 겁니다. 이 뜻이 어디에 있느냐. 자기 마음에 있는 거라. 겸손하고 그 받들어 모시는 마음. 형체도 없고 아무것도 없는, 그분들의 넋이라고 할까. 그것이 다 내 마음이다 이거야. 수천 명, 수만 명이 도를 이루려고 죽어 갔을 때, 그 쓰라린 눈물을 금할 수가 없을 때, '내 몸을 갈아서 당신 그 맘을 충족하게 해 줄 수만 있다면….' 하는 그 마음이 갸륵해서도 무심치 않을 겁니다. 절대로 무심치 않을 겁니다. 이 생에 그걸 듣지도 못하고 보지도 못했다면…. 아닙니다! 보지 못하거나 듣지 못하진 않습니다. 순간순간 다 돌고 있으니까요.

그래서 여러분이 그저 겸손하고, 항상 남편에게나 자식에게나 착이 없이 겸손하고, 무심으로 겸손하고, 무심으로 행하고, 무심으로 말을 하고, 척짓지 말고, 원망하지 말고 증오하지 말고…. 뭐 가질 게 있다고 증오하며 원망하며 그렇게 애쓰겠습니까? 또 때에 따라서는 수만 명의 여자를 얻는다 하더라도 언젠가는 이 몸이 사라질 건데 "네가 사랑한다면 다라도 가져라." 하고 줘 버리지, 허허허. 다라도 너 가지고 싶은 대로 가져라. 거기에 뭐가 그렇게 그렇다고 뜬구름처럼 연기와 같이 사라질 이런 몸을 가지고 그걸 착을 두고서 그러겠습니까. 척이나 짓지 말고 그저 원망하지 말고, 사랑하기 때문에 "당신은 해 보고 싶은 대로 다 해 보쇼." 하고 다 주면 '야, 저 사람이 내가 이렇게 열 개를 두고 스무 개를 두고 백 개를 두었는데도 도대체 대척이 없어.' 하고…. 그러니 참 이거, 진짜 조강지처의 그 마음이란, 아니 조강지처 아니더라도 좋아요. 그 후에 만났다 할지라도 그런 마음새를 가진 사람 앞에는 아마도 이 하늘이 무심치 않을 겁니다. 우주간 법계에서도 그걸 정확하게 판단을 해 줄 겁니다, 이 세상 판사가 법정에 서지 않아도. 그 법정에까지 설 게 없어, 판단을 해 줄 거니까.

그러니까 내 마음 가짐가짐이 뚜벅뚜벅 무심으로 걸어가는 그 행, 그것이 문젭니다. 이 도리를 알기에 얼마큼 피를 씹었는 줄 아십니까? 나도 사람인데 어찌 사랑을 모르고, 그런 걸 모르겠습니까마는 진짜 사랑이란 그런 게 아니라는 거를 여러분을 만나면서 너무나 잘 알았습니다. 그래서 여러분도 내 스승이라고 생각합니다. 그래서 수많은 사람을 만나 보면서도 '아, 사랑이라는 건 이런 게 사랑이 아니라 진짜 사랑은 그 속에 묻혀 있구나!' 하는 거를 느끼면서, '한 가닥 이것이 무엇인가? 흘러가다 헤어지면 그뿐인 것을, 왜 그렇게까지 증오하면서 그렇게까지 사랑을 안 하고 그렇게 애를 쓸까?' 진짜 사랑이라면 여러분이 그렇게 살아 보세요. 내가 거짓말은 조금도 안 합니다. 진짜 사랑이라면 그렇게도 합니다.

십 몇 년 전 일입니다. 아내가 춤바람이 나서 나가서 딴 남자하고 놀아났습니다. 그 남편은 내가 상원사에 있을 당시에 토굴에 올라오기 시작을 했습니다. 그럴 때 그런 말을 해 줬습니다. 그래서 그이는 그 여자를 증오 안 하고…. 어린애가 삼 남매나 됩니다. '당신을 사랑하기 때문에 당신을 놔 주노라. 언젠가 내가 생각 나서 다시 와도 내가 주저않고 받아 주리라.' 하고 그냥 놔 버렸습니다. 조금도 저거 않고. 그러면서 지금 당장 용돈이 없을 테니까 그저 이거라도 가져가라고, 그때 돈으로 아마 몇십만 원은 줬나 봅니다. 근데 그 여자가 가서 살다가 보니까 그게 아니거든요. 세상에 그런 남편을 두고 나온 자기는 이리 가도 눈물이 나고 저리 가도 눈물이 나고, 나중에는 이태, 삼 년밖에는 안 됐는데 그냥 남편 생각만 나서, 꿈에도 남편 생각만 하면 기가 막히단 말이야.

그러니까 어느 날 밤중에 무릎을 꿇고 그냥 백배사죄를 하고 빌면서 들어오니깐, 할 수 없이 남편이 그 집을 팔고 그 여잘 데리고 다시 떠났어요. 떠나서 행복하게, 그 여자는 내내 그 남편을 왕 모시듯 했답니다. 그것이 현실에도 있었습니다. 그래서 그 후에 그 남자가 그런 말을 했습니다. 처음에 그렇게 됐을 때에, 그렇게 놀아났을 때는 분기가 이런 게 치밀고 그냥 죽여 버리고 싶은 생각이 났습니다. 그것 때문에 토굴에 찾아갔는데, 스님이 그런 말씀을 해 주셔서 그냥 턱 놔 버렸더니 세상에, 나중에는 이러한 행복이 우리한테 깃들어졌다고 그러면서 그렇게 고맙다고, 자기는 스님의 말씀을 믿고 삼 년을 장가를 들지 않고, 이 애들 때문에 장가를 들지 않고 기다렸노라고 그러더군요. 그러면서 불도에 아주 참 진실했어요. 그런 사람도 봤습니다마는….

그래서 공을 던지면 튀어온다는 그런 속담이 있죠. 이것이 부처님 법 아니고 뭐가 부처님 법이겠습니까? 마음 심 자 하나로 인해서 팔만대장경이 나왔고 수많은 말이 나왔고 이 세상이 나왔고, 그렇지 않습니까? 다 그냥 '나' 입니다. 왜? 모두, 여러분뿐만 아니라, 저 보이지 않는 저런 하나, 구석구석에서 박수 소리가 난다고나 할까요. 그리고 같이 웁니다. 같이 웁니다. 고혼들도 웁니다. 그래서 우리는 이 세상이 불국토가 되리라고 꼭 믿으면서, 앞으로 쉽지는 않겠지만 점차적으로 가면서 우리가 다시 개심을 하게끔 되지 않겠나 하는 생각이 듭니다.

본래 나쁜 사람 없더군요. 왜냐하면 산 사람뿐만 아니라 죽은 사람의 넋을 다룰 때 내가 이런 걸 느끼거든요. 어떤 이가 아주 나쁘게 됐었습니다. 근데 그 넋을 거두니까 그렇게 애당초부터 나빴던 건 아니었습니다. 불성은 다 똑같습니다. 상대방과 상대방이 마찰이 되기 때문에 나빠졌던 거죠. 서로 때리고 서로 증오하다 보니까. 그러나 인제는 그런 것을 다 버리겠나이다 하고선 눈물을 흘리면서 무릎을 꿇고 서로가 서로를 쳐다보면서 그냥 눈물을 흘릴 때는…. 본래 나쁜 사람이 어디 있습니까? 본래 나쁜 영혼이 어디 있습니까?

그래서 부처님께서 계시던 그 시절의 그 말씀이 종이 되고, 그 말씀을 종으로 비유해서 종을 만들어 놓고 종을 쳤던 거죠. '이 소리를 무생 유생이 다 들어라.' 하고서 설법을 했던 거죠. 그런 것이 지금까지, '문종성 번뇌단' 이 지금까지도 흘러 내려오고 있지 않습니까? 그러나 그 종성 하는 그때나 지금 종성 하는 이때나 똑같긴 똑같으나, 진짜 진실로써 그 종을 한 번 칠 때에 정말 이 우주간 법계의 유주 무주를 다 한데 합쳐서 같이 울면서 종을 한 번 치는 사람이 몇몇이나 되겠습니까? 나같이 이렇게 불쌍한 사람도, 그중에는 유주 무주 전부 한데 합쳐서 나같이 이렇게 불쌍한 사람도 많이 있을 거고, 불쌍한 사람들을 모르는 사람도 거기 많이 있을 겁니다. 그러니까 불쌍한 사람을 자기가 거두지 않으면 누가 거둡니까? 여러분도 다, 육신이 다 불쌍한 중생입니다. 나도 그렇습니다. 이 내 중생도 불쌍합니다. 그래서 난 내가 거둬요. 거둬 줘요. '비록 네가 이 옷을 입고 이렇게 있지만 이 옷을 입고 너는 꼭 잘해라.' 내 그 말 한마디는 안 하겠습니다마는, 그것이 바로 선지식들의 그 뜻을 우리들이 알게끔 만들어 준 보답이라고 할까? 그것을, 내 몸을 갈아서라도 할 수 있다는 그 일념으로써 이렇게 걷어잡고는, 한 주먹에다 걷어잡곤 우는 것입니다. 그 우는 울음소리에 아마 무심하진 않을 겁니다. 무수한 선지식들과 부처님들이, 그렇게 길잡이가 되셔서 길을 인도하면서, 길을 인도할 양으로 도를 닦으면서 스러져 간 분들이 수가 없습니다. 무한의 이 공 안을 터득할 수가 없습니다.

(녹음 안됨) … 있다는 것을 일차적으로 알아야 하고, 이차적으로는 부처님께서 그 내려오는 조사들과 더불어, 또한 그 선지식들과 더불어, 또한 그 배우려고 애를 쓰는 법우님들과 더불어 같이 그렇게 스러져 갔다는 그 고마움을, 그 바탕의 주춧돌이 돼 준 고마움의 뜻을 알아야 하고, 아래로는 미물의 짐승이라도 그 생명이 그렇게 아무것도 모르고 또 알고, 닦고, 이러는 것들도 다, 내 마음과 같이 알아야 합니다. 그것이 바로 삼세의 뜻이며 인간의 뜻입니다. 인간의 뜻을 모른다면 어찌 사람이라고 하겠습니까. 그래서 좋은 반찬에 밥을 받고도 그것이 그렇게 좋다는 생각이 들지 않습니다. 그 반면에 김치 국물에다 그냥 먹는 게 더욱 맛있는 때가 많습니다. 왜 그런지 여러분은 모르실 겁니다. 한번 자기가 해 보지 않는다면 그건 모르죠.

옛날에는 소금을 여기다 조금 차고선 도를 닦기 위해서 그 뙤약볕에 걸었습니다. 그것을 내 스스로 상세히 알아냈습니다마는 그걸 물에다가 하루 한 번씩 먹어 가면서 그 길을 걸을 때 그냥 스러져 가도 마다 않고 스러져 갔다 이겁니다. 아파서 죽겠다고 하는 그 아픔을 느끼면서 죽어 가는 사람들을 여러분은 많이 봤겠지만 앞으로도 역력히 또 느끼실 겁니다. 그런데 하물며 그런 거를 개의치 않고….

사람이 굶어서 쓰러질 때 말입니다, 그냥 쓰러지는 게 아닙니다. 이 몸에서 불이 납니다. 벌써 불부터 납니다. 몸이 불덩어리처럼 그냥 화악 일어납니다. 만약에 열흘만 굶었다 하면 불이 납니다. 불이 나 가지고선 그걸 어떻게 할 수가 없이 됩니다. 그럴 때 그냥 또 쓰러져서 만약에 그대로 간다면 어떻게 되겠습니까. 만약에 사흘만 꼬박 물 한 모금 안 마셨다면 열이 나기 시작합니다. 그 열을 제거하게 되면 또 차집니다. 차져서 또 한 일주일이 갑니다. 또 불이 납니다. 또 그걸 제거합니다. 또 한 열흘만 굶었다 하면 그냥 막 부증이 납니다. 발을 이렇게 쳐도 시원치 않고 저렇게 쳐도 시원치 않습니다. 그런 부증이 납니다. 겪어 보지 않는 사람은 모릅니다. 그때 그걸 알았습니다. 조사들이, 수많은 남자들이 이렇게 갔구나 하는 걸 알았습니다.

'내 한 몸뚱이가 이렇게 가는 것으로 해서 여러분의 넋을 위로해 줄 수 있다면….' 난 그 생각이 문득 들었습니다. '이까짓 몸뚱이야 뭐, 그렇게 해서 그렇게 될 수만 있다면….' 했던 거고, 그다음에 내가 만약에 이 몸을 갈아서 가루가 돼서 없어진다 해도 여러분이 이 부처님의 뜻을 다 알 수만 있다면 서슴지 않고 내 백 개라도, 천 개, 만 개라도 부숴 버리겠다고 생각했습니다. 그러나 그걸 부숴서 될 일이 아니더군요. 내가 그러면서 뜨거운 눈물을 흘린 것만 해도 바다를 메우고, 아마 바다가 됐으리라고 생각합니다. 하지만 그것이 바다를 삼킬 수 있는 그 눈물이었다는 걸 생각할 땐 너무나 기뻤습니다. 그 눈물로 하여금 바다를 이뤘고 바다를 이뤘기 때문에 그 바다를 마실 수 있었다는 점 말입니다.

그런데 이 봉투가 뭡니까. 이런 게 무슨 나한테 해당이 됩니까마는 여러분이 그 뜻을 아시고서 이렇게 갖다 주시는 거, 여러분이 갖다 주는 사이 없이 갖다 줬고 받은 사이 없이 적절하게 써 나가는 이 행이, 모두가 내 마음에 달린 겁니다. 마음이라고 이름을 지어서 마음이지, 이놈이 하는 게 아니란 얘깁니다. 이놈이 하는 게 아닙니다. 이놈이 도대체 얼마나 가겠습니까?

그래서 지금도 그 생각을 하면, 한번 그런 말이 나와서 그런 생각을 했다 하면 천지와 더불어 같이, 그분네들과 같이 울게 되는 그런 이치가 돌아가거든요. 아무렇지 않으면서도 여기에서는 같이 울고 있다. 그 쾌활 쾌활이라는 거는 울면서도 쾌활이 되는 거죠. 그게 진짜 슬퍼서 우는 게 아니라 말입니다. 한마음으로서 감동하니 같이 울게 되는 거죠. 그래서 그것이 빗물도 될 수 있고, 에너지도 될 수 있고, 공기도 될 수 있고요. 물이 한데 뭉쳐서 공기가 될 수도 있고요. 참 모두가 다양하게, 피도 이룰 수가 있고요. 참 좋은 거랍니다.

부처님 뼈다귀는 우려도 우려도 나오듯이 그 뼈다귀 속에서, 뼈다귀도 없는 그 속에서 같이, 그 마음과 마음이 감동해서 서로 우는 눈물은 이 세상을 주고도 바꿀 수 없는 눈물, 그 눈물입니다. 이 세상을 주고 그 눈물 한 방울하고 바꾸려 하면 바꾸지 못합니다. 절대로 바꿀 수가 없습니다. 세상을 다 준대도 그건 바꿀 수가 없습니다. 정말입니다. 아주 말로 형용할 수 없는 진정입니다. 바꿀 수 없고말고요.

진정한 예배

1984년 4월 22일

꽉 차서 대단히 감사합니다. 지금 여러분이 적다고 해서 이런 말씀 드리는 게 아닙니다. 한 분이 앉으셨다 할지라도 우주 법계가 꽉 차서, 이 방이 작지도 않고 크지도 않게 그 자리에 우리는 한자리를 하고 있는 것입니다.

내가 항상 여러분한테 말씀을 드렸습니다. 변소에 가나 법당에 가나 어디를 가든지, 딴 사찰에 가든지 딴 기독교에 가든지 간에 내 중심을 잃지 않고 항상 여여하게 가짐가짐을 그대로 갖는 것을 원했고 또 부처님이 그렇게 가르치셨습니다. 그런데 남이 그런다고 해서 덩달아 따라서 부처님 불상을 불신하거나 또는 모른다는 사람을 불신한다거나 아는 사람을 높이 본다거나, 이렇게 해서는 절대로 될 수가 없습니다. 그러나 존경은 해야 합니다. 항상 겸손하고, 그런 가짐가짐을 항상 가져야 합니다. 그것은 왜? 누구나가 불성은 다 똑같기 때문에 그건 그렇다 하지만 여러분이 실생활이나 또는 이 현실 속에서 생활을 하시는 데의 모든 문제에 대해서 각별히 조심할 것은 누구한테나 다, 내가 있는 그 자리에 부처님이 계시다는 것을 역력히 아셔야 한다는 것입니다. 자기가 보고 듣고 하는 그 장소에서 벌써, 우주간 법계에서나 여러 부처님들이 다 알고 계시다는 것이 아마 증명될 것입니다.

그런데 우리가 요즘 "몰락 다 놔 버려라." 하는 데서 아마 여러분은 그것을 '다 몰락 놔 버리라는데, 뭘!' 이렇게 생각을 하시는 분들이 혹시 있으리라고 짐작이 됩니다. 또 어떤 분들은 '홀랑 놔 버리라는데, 놔 버리면 허해서 어떡하나.' 하는 생각을 하시는 분들도 또 계실 겁니다. 그래서 항상 제가 여러분 앞에 말씀드리는 것은 안팎이 기울지 않게 생활을 해 나가야만이 그게 정상으로서의 부처님 법이라고 생각을 합니다. 부처님 법이 있기 이전에 우리들의 법이 바로 부처님의 법이라고 생각하는 거니까 말입니다.

그런데 우리가 몰락 놔 버리란다고 놔 버려지는 것이 아닙니다. 여러분에게 몰락 놔 버려라 하는 것은 어떤 뜻에서 그러는가. 누구나가 내공은 다 하나씩 가지고 있는 겁니다. 이 우주 법계가 다 공해서 다 하나로 돌아가는 이치지만 그 하나마저도 없다 하는 것은 시시각각으로 여러분이 이 일도 하고 저 일도 하고, 저 생각 이 생각 하니까 그렇게 그것이 공했다는 얘깁니다. "몰락 놔 버려라" 하는 거하고도 아마 거기 관련이 돼 있습니다. "놔 버리되 그대로 여여하게 해라" 하는 것입니다. "부처님한테 올라가서 부처님을 끊어 버려라" 그런 게 아니라, 바로 그 자리에만 부처님이 계신 게 아니라, 변소간에 가든 어딜 가든 부처님이 계시다는 뜻입니다. 여러분이 계신 데 계시다는 뜻입니다.

옛날에 부처님께서 이렇게도 말씀하셨습니다. 모든 사람들이 탑돌이를 하고 들어왔습니다. 근데 탑돌이를 하고 들어온 여러분한테 물었습니다. 기준을 어디다 두고 탑돌이를 했느냐고 물으니까 "저 탑이 성스럽고 부처님의 자리기 때문에, 여러 부처님들이 저렇게 그 탑에 계시기 때문에 우리는 거기다 탑돌이를 하고 왔습니다." 하거든요. 그래서 그게 아니라 이런 거라고 얘기해 주신 것이 뭐냐 하면 내 진정한 마음, 그 수많은 우주간 법계에 위로는 삼세의 부처님들이나 역대 조사들, 선지식들, 유생 무생이 다 한데 합친 그 내공의 탑이기 때문에, 수많은 사람들이 생활을 하는데 돌고 돌고, 또 돌고 또 돌고 그렇게 돌아가기 때문에 우리가 생전을 돌아도 다 끝이 없는 돎이 바로 탑돌이라고 했습니다.

그리고 거기에서, 우리가 탑돌이를 그렇게 하고 있는 이 생활 속에서, '그 탑이 있는 데 거기 부처님이 계신데….' 요러는 고정된 관념 속에서 도는 게 아니라 이 우주 만유의 광대무변한 부처님의 그 향과 밝음이 이 대천세계에 다 비추었으니…. 그러나 우리 내공에 있는 그 마음이, 그 밝음이 없다면 그 밝은 빛을 서로서로가 상응할 수 없다는 결론입니다. 그래서 우리는 지금 내 마음을 밝히고자 해서, 또 내 마음의 향기를 내기 위해서, 그 모든 것이 돌아가는 이치가 바로 내 마음에 있다는 것을 역력히 알기 위해서 우리는 이렇게 공부하고 있는 것입니다.

그래서 법당에 올라가서 예배를 올린다 할 때 예라는 것은…, 우리가 각자 사람마다 다 주인공이라는 그 자체의 내공이 있는 겁니다. 내공이 없다면 바로 송장이 될 것이고 분별이 없다면 목석이 될 것이고, 또 육신이 없다면 보이지 않으니 이 삼합이 바로 삼신이라고 해도 과언이 아닌 것입니다. 이게 종합돼서 한데 돌아가는 이 자체가 바로 우리 인간이자 바로 부처가 될 수 있는 사람들입니다. 그렇기 때문에 그 내 마음 내공에 모든 걸 예배 올린다 하는 건데, 어디 가나 자기가 있는 자리에 내공의 부처님은 계시겠지만 우리가 사원에, 어느 도량에 갔다 하면 벌써 법당으로 올라가서 예배를 올리게 돼 있습니다. 여러분, 생각해 보세요. 여러분이 혼자 해서 혼자 먹는 거 보셨습니까? 혼자 일해서 혼자 먹고 혼자 사는 거 보셨습니까? 모두 여러분은 불성도 똑같고 같이 움죽거리고 같이 해서 같이 먹는 것입니다. 자기 개별적인 그 능력이 아니라…. 먹을 때는 각각 먹지만 하는 거는 다 같이 하는 겁니다. 그렇기 때문에 법당에 올라가서 예배를 올리는 것입니다. 우리가 법당에 올라가서 예배를 올릴 때에, 예라는 것은 항상 위의 부처님의 마음이 내 내공의 마음이니 내 내공과 그 부처님의 내공이 둘이 아니기 때문에 항상 그 위에다가 예배를 올리는 거죠. 예를 하는 거죠. 그리고 자기 몸뚱이는 바로 항복을 시키는 겁니다. 숙연하게 항상 고갤 숙이고 겸손하게, 그렇게 만드는 것입니다.

그런데 개별적인 자기 혼자만이 무엇을 조금 알았다고 해서 그것을 주장하고 내세운다면, 또 우리가 자기 혼자만이 그렇다고 생각을 했을 때는 반드시 그것은 자기 지금 육신과 더불어 망가지는 법입니다. 독불장군은 없습니다. 소도 언덕이 있어야 비빈다고 했습니다. 혼자의 능력은 없는 것입니다. 부처님께서도 49년을 설하시고, 그렇게 여러분을 위해서 불태웠건만 '나는 그렇게 불태운 사이도 없고 말한 사이도 없고 그러니 너희들, 잘 생각을 해라.' 하는 뜻에서 말씀하신 겁니다. 예전에 참, 처음 발견하신 부처님도 그렇게 말씀하셨는데 우리가 조금 안다고 해서 내세울 게 도대체 뭐 있습니까? 그리고 겸손하지 않아야 한다는 그런 조건은 없습니다. 예배를 올리지 않아도 된다는 법도 조금도 없습니다. 예배는 예배대로 올리면서 바로 자기 주인공과 부처님의 주인공, 그 마음과 마음이 한데 합쳐서 향기로운 냄새가 나고 빛이 온 누리를 비춰 줄 수 있는, 그런 빛을 받을 수 있는 자기 자격을 갖춰야 됩니다.

여러분이 자기 자신만 믿고 어떡하다가는 큰코다칩니다. 그래서 자기 자신의 내공의 그 주인공 자체가 바로 전체 부처님이 계신 자리에 예배를 올리는 겁니다. 그럼 부처님 앞에 올라가서 예배 올릴 때, 말도 없고 행동도 없고 그냥 앉아 계신 그 부처님이 왜 그렇게 높고 광대무변하냐 하는 거를 알게 되는 것입니다. 그 부처님이 행하지 않고 말하지 않는다고 해서 여러분은 아무렇게나 보시는데, 그것이 아닙니다. 여러분이 말하고 행하는 것보다도 더 행을 잘하시고, 더 말도 잘하시고, 더 우주 법계를 싸고 뒤집었다 젖혔다, 뒤집었다 젖혔다 하는 것입니다. 그 도리를 안다면 바로 여러분 내공의 그 마음 자체와 부처님의 마음 자체가 둘이 아닌 자리에 예배를 올리는 겁니다. 여러분이 거기 가서 삼배를 올리는데, 예전 같으면 삼배를 올리고 난 뒤에 뒷걸음을 일곱 번을 치고서 다시 돌아서서 나왔습니다. 그건 왜 그랬느냐? 나는 부처님의 마음과 내 마음이 둘이 아닌 윗자리에다가 예를 올리고, 배(拜)라는 것은 내 육신과 마음, 사량적인 이 마음과 육신이 거기 그저 '예배 올립니다.' 하고, 자기가 자기한테뿐만 아니라 위로 삼세 부처님들, 조사들, 선지식들한테 예배를 올리고 아래로는 자기를 자기가 굴복을 시키는 그것이 진정한 부처님의 도리라고 봅니다.

그런데도 불구하고 몰락 놔 버리라고 한 것은, 놔 버리되 우리가 현실을 무시해서도 안 되고 또는 내 내공의 불성을 무시해서도 안 되고 하니까, 그것이 우리 생활에 조금도 어김없이 나갈 수 있게끔 그 바란스를 맞춰 주기 위해서 선법 도리를 가르쳐 드린 겁니다. 나의 진정한 참나는 무시하고 내 육신 본의로서 산다면 우리가 앞으로, 장래에 어떠한 길을 걸어가야만 되겠습니까? 윤회에 끄달리고, 또 이렇게 나와야 하고, 또 짐승의 몸을 받을지 축생의 몸을 받을지, 사람의 몸을 받아서도 가난하고 못된 자식을 두거나 또 그만한, 차원이 낮은 부모를 만나거나 이래서 우리가 부딪치고, 그런 부딪침을 또 어떻게 당하렵니까? 다 몰락 놓으라고 했다고 해서 거기에 끄달리는 사람도 역시 끄달리는 겁니다. 내 중심이 없다면, 놓으라고 한다고 해서 끄달리고 놓지 말라고 한다고 해서 끄달린다면 앞으로 자기는 갈대와 같은 것입니다. 그러면 어떻게 하라느냐 이러겠죠.

줄창 말하듯이, 여러분이 기본 상식과 양심과 교양, 이런 것은 타고납니다. 인간으로 태어났기 때문입니다. 고등 동물로서의 인간으로 태어났다면 부처님 될 수 있는 가능성을 70% 80% 90%를 가졌기 때문에 그런 것입니다. 그렇다면 "남을 해롭지 않게 한다는 마음을 가져라.” 이런 것도, “그것도 버려라, 저것도 버려라” 한다고 해서 그런 마음을 내지 말라는 게 아닙니다. 부처님 앞에 가서 예배 올리지 말라는 말이 아닙니다. 어디 가나 부처님의 마음과 자기 마음이 둘이 아니기 때문에 항상 예를 올리고 또 배를 합니다. 자기 하나하나 움죽거림에 의해서 항상 자기 내공에서 하고, 내고 들이고 내고 들이고 한다는 것을 알게 된다면 항상 예배 올리는 것이요, 항상 탑돌이를 하는 것이요, 항상 향을 피우는 것이고 그런데, 그러면 그렇게 마음으로만 하지 어째서 갖다가 올려야만 하느냐.

그럼 여러분, 마음으로만 먹지 밥을 왜 먹습니까? 아, 마음으로만 먹지 왜 밥을 먹어요? 마음으로만 먹어도 배부르다면 그냥 마음으로만 잡숴요. 그리고 벌이할 것도 없고 일할 것도 없죠. 어디까지나 부처님 법을 아시는 분이라면 밥을 먹되 내가 한 그릇을 갖다 놓고 위로 예를 올리고 자기 한마음이…. 한마음 도리란 게 무엇입니까. 아까도 얘기했지만 역대의 삼세의 부처님들이 다, 유생 무생의 어떠한 생명도 빠짐없이 한데 합쳐서 내 내공에 있으니까 그저 ‘감사합니다’ 하는 마음으로 밥 한 그릇을 먹는다면 삼천대천세계에 그 공양을 다 올리고도 남음이 있는 예배가 됩니다. 집에서는 그렇게 하되 사원에 오면, 법당에 올라가면 공양 한 그릇 올리는 것도 역시 그와 마찬가지다 이겁니다. 안팎이 없이 그렇게 겸손하고 알뜰하게 해야 되는 거지, 그렇게 말한다고 해서 법당에 와서 아무렇게나 생각을 한다면 여러분이 아무렇게나 생각한 것만치 아무렇게나 될 것입니다.

향도 내 마음의 향입니다. 여러분이 향 한 개비를 꽂을 때 그 방안에 그윽하게 향냄새가 나듯이 내 마음의 향기는 우주를 싸고돌 수 있는 향기입니다. 그건 왜 그러냐. 내가 그 모든 유생 무생과 부처님들을 다 모시고 있는 이 내공에 가지고 있기 때문에 거기에서 부처님의 마음과 더불어 같이 그 향기가 이 우주 법계를 싸고 있는 것입니다. 이것이 바로 지금 여러분의 생명을 살리고 있고, 이 공기라는 말을 낸 것도 바로 그거라고 볼 수 있겠습니다. 여러분이 공기를 하루 얼마씩 사서 사신다면 아마도 바가질 들고 그냥 무척 애를 쓰고 돌아다닐 겁니다. 또 물을 사서 산다면, 지금도 팔고는 있습니다만 아마 그것을 제가 끔들 다 사서 살아라 한다면 불, 물, 공기 이런 것 다, 흙 이런 거 사러 다니느라고 볼일 못 볼 겁니다.

그러면 어떻게 삽니까? 고마운 줄을 알아라 이겁니다. 그것이 어디에서 나온 거냐? 부처님의 마음이나 여러분 마음이 같이 한데 합쳐서, 공해서 그 많은 마음들이 한데 합쳤기 때문에 태양도 형성시켰고, 바로 우리들 몸을 형성시키기 이전에 벌써 이 지구 덩어리를 만든 겁니다. 지구 덩어리를 만들고 그 안에다가 여러분 마음들이, 한데 합친 마음이 바로 정원을 꾸민 겁니다. 그 한데 합친 마음이 그렇게 해 놓곤 자기네들이 태로 나고 알로 나고 질척질척한 데서 나고 화해서 나고, 이렇게 해서 여러분이 다 생기게 된 것입니다. 그러니 우리가 향 한 개비를 꽂는다 할지라도 이 마음속으로다가 그 모두를 한데 합친 그 예를 올리는 배(拜)를 내가 한다면, 그 향 한 개비를 꽂는데 이와 더불어 같이 꽂는 게 되는 것입니다. 몸뚱이는 배를 하고 이 마음이 한데 합쳐진 한마음은 예를 받는 것입니다. 그러면 여러분의 마음이 나침반이 되고 운전수가 돼서 그렇게 중계 역할을 잘할 수 있다면 바로 이 육신과 더불어, 내 지금 마음과 더불어 이 내공에 바로 그 포괄된 부처님의 마음과 응시가 됩니다. 응시가 돼서 서로 상응하면서 해 나가는데 안팎이 없이, 지장 없이 해 나갈 수 있는 그러한 여건이 됐을 때 비로소 자유인이라고 볼 수 있겠습니다.

향 한 개비 불 하나를 꽂는다 하더라도 여러분은 불의 심지가 바로 댁의 마음인 줄 알아야 하고, 불의 심지가 마음이면 그 마음은 바로 부처님의 마음인 줄 알아야 된단 말입니다. 여러분 몸뚱이가 불을 켜지 않으면 어떻게 따뜻한 기운이 나오며 어떻게 빛이 비칠 것입니까? "여러분 몸뚱이가 켜지 않고 마음으로만 켜세요." 그러면 잘 켜질까요? 그걸 모르기 때문에 안팎이 없이 커라 이 소립니다, 안팎이 없이. 그래서 여러분이 공부가 다 됐다고 하더라도 항상 자기가 배를 하고 예를 하는 것입니다. 예를 올리는 것입니다. 부처님 앞에, 자기 자성불에, 포괄된 자성불에게, 우주를 덮고 있는 자성불에게 예를 하고 배는 자기 몸뚱이 육신이, 사량이 다 하는 것입니다.

그런데 그것도, 평상시에 우리가 밥을 수저로 떠먹지 않으면 배가 부르지 않는다는 그 점도 유(有)의 법이나 무(無)의 법이나 똑같습니다. 무의 법으로 치우쳐도 안 되고 유의 법으로 치우쳐도 안 된다 이 말입니다. 여러분, 생각 없는 몸뚱이가 겅중겅중 뛰어서 여기 옵디까? 생각이 있으니깐 여기 몸뚱이가 왔죠. 그리고 배가 고프니까 밥을 먹었죠. 먹는데 거저 먹여 줍디까, 누가? 내가 움죽거렸으니깐 먹게끔 되는 것입니다. 그렇기 때문에 바란스가 맞아야 된다 이 소립니다. 마음을 잘 가지세요. 마음, 생각 하나를 잘 돌리지 않으신다면 여기도 끄달리고 저기도 끄달리고 그래서 아무것도 되지 않아요.

옛날에 이런 사람이 하나 있었습니다. 옛날 얘기를 하나 하죠. 두 친구가 살았습니다. 그 두 친구는 아주 참 절친했는데 장사를 나섰습니다. 장삿길에 잔뜩 짐을 해 가지고선 달구지에 실어 놓고 떡하니 보니까 아, 사람들이 무척 많이 모였더랍니다. 그런데 부처님이 거기서 설법을 하고 계셨습니다. 그런데 두 사람 중의 한 사람은 "다 몰락 놔 버려야지, 그러지 않으면 못한다." 이런 소리를 믿고 산 사람입니다. 이거든지 저거든지 다 그 마음은 한마음이요, 내가 그 한마음을 가졌다면 바로 내 몸뚱이는 항상 예배를 올려야 되는 것이니 그 참나 마음이, 포괄된 부처님의 마음이 바로 내 몸의 항복을 받았다면 전체 항복을 받는 것입니다. 그렇기 때문에 예는 항상 하고 배도 항상 하고 다니는 것입니다, 우리가. 그래서 한 사람은 그렇게 생각을 했습니다. 부처님 설법 듣기를 좋아하고 또 한 번만 더 들었으면 좋겠다고 생각했습니다. 그런데 또 한 사람은 '에이그, 뭐 네가 부처라는데 에이, 사기꾼이야. 저건 도둑놈, 사기꾼.' 이렇게 생각을 하고 돌아섰습니다. '저 사기꾼은 죽어야 마땅해.' 하고선 그렇게 속으로 생각을 했는데 같이 오다가 이런 말을 했습니다. "너는 저 부처님 볼 때에 어떻게 생각을 했느냐." 하니까 '난 그렇게 생각했다', 이쪽에선 '나는 이렇게 생각을 했다' 고 말했습니다.

그랬는데 그렇게 사기꾼으로 생각한 사람은 그날 저녁에…, 옛날에는 수레가 아침 새벽이면 수백 대가 갔습니다. 왜 갔느냐. 예전에는 물건을 해서 이쪽에서 상인들에게 넘기고, 이쪽에서 또 받아다가 이쪽으로 넘기고 하기 때문에. 지금은 차가 있으니까 그렇지만 예전에는 수레로다가 다 운반을 했습니다. 그런데 새벽에 누가 뭐 술을 먹고 거기 드러누운 줄, 쓰러졌는 줄 아나요? 그러니까 그냥 수레가 수십 대가 막 달려갔죠. 가다 보니까 수레에 치여 그냥 죽었습니다, 그 사람 하나는. 한 사람은 어떻게 잘됐느냐 하면, 자기가 생각하기를 '야, 내 친구가 하나 죽었으니 동네에 들어가서 그 집의 부모네들이나 처자식한테 내가 어떻게 말을 해 줘야 되는가.' 하면서, 둘이 이렇게 다짐을 하고 나왔는데 나 하나만 들어갈 수 없다고 하면서 참 먼 나라로, 다른 나라로 그저 전전 전전 해서 물건을 팔러 들어갔습니다.

그래서 딴 나라에 가서 물건을 다 팔고 막 오려는데, 지금으로 치면 청와대에서 대통령이 돌아가시고 다시 대통령을 뽑는다는 겁니다. 그 나라에선 어떻게 뽑느냐 하면, 지금은 차로 다니시지만 그전에는 대통령이 말을 타고 다니셨답니다. 그래서 말을 타고 다니시는데 임군이 타던 말이 임군을 뽑는 것입니다. 그래서 그 말은 수 해 동안 내려오면서 임군이 탔던 말이기 때문에 그 말이 아마 통했던 모양이죠. 그래서 말한테다 금은보화로 이렇게 옷을 척 해 입혀서 나오는데, 그 사람은 괴나리봇짐을 해서 여기다 꽉 졸라매고선 이렇게 서 있었습니다. 그 만좌중에서 어느 누구를 뽑나 하고선 그냥 시선을 전부들 그리로 집중했는데, 그 말이 뚜벅뚜벅 이만치 멀리 걸어 나오면서 자꾸 이리 보고 저리 보고, 이리 보고 저리 보고 걸어 나오더니만 아, 그 사람한테 엉덩이를 척 대는 거 아니겠습니까? 그 사람한테 가서 엉덩이를 척 댔는데 안 타니깐, '나는 임군 될 자격이 없다' 고 자꾸 피하니까 피하면 피하는 대로 쫓아다니며 엉덩이를 댔다 이겁니다. 그러니까 수많은 사람들이 임군 할 자격이 있다고 하면서 그 사람을 그냥 말에다 덜렁 올려놨습니다. 그래서 임군이 됐습니다. 자기가 생각한 대로 말입니다.

그래서 임군이 돼 가지고 첫 번째 생각나는 게 뭐냐 하면 '아휴, 부처님의 말씀을 좀 더 들어 봤으면…. 그리고 여기 모르는 사람들에게 부처님의 말씀을 전달을 좀 해 줬으면….' 하는 생각이 있었습니다. 그래서 부처님을 모셔다가 설법을 듣고, 많은 사람들한테 정법을 전달을 해서 그 나라가 융성하고, 그 임군이 드시고서 그렇게 융성하고 부처님 법을 깨달아서 많은 사람이 났다는 얘기가 있습니다.

그랬듯이 여러분이 중심을 딱 세우고 생각을 잘하셔야지 생각까지 빼 버리라는 게 아닙니다. 여러분 생각을 빼 버리면, 언제나 생각을 빼 버리면 나침반을 놓을 수가 없습니다. 그럼 부처가 어떻게 납니까. 좋다 나쁘다 생각이 없다면 어떻게 부처가 납니까. 그걸 끊어서 몰락 내버리라는 게 아니라 잘 생각해서 돌리라는 뜻입니다. 예를 들어서 그 생각이 여러 가지로 돌아가니까 '이 뜻을 알아라' 하고 "몰락 놔라." 한 거지, 고정된 관념이 돼 있는 상식이 아니다. 이건 고정돼 있질 않고 자꾸 돌아가니깐 "무" 했던 것이니 몰락 놔 버리면 그대로 여여하게 돌아가는 것을 자신이 알라고 해서 몰락 놔 버리라고 했던 겁니다. 그러니 여러분이 다 하나씩 가지고 있는 그 참나의 내공이라는 것을 볼 때 보이지도 않고 숨어 있는 것입니다. 자기가 보지 못하고 빛깔도 나지 않는 것이 바로 각자 자기한테 숨어 있는 것입니다. 그 숨어 있는 것을 발견하기 위해서 우린 이렇게 애를 쓰는 것입니다.

그런데 그 숨어 있는 내공의 이치는, 그 수많은 불성이 다 같이 있는데 어떻게 잘났다고 예배를 안 올립니까? 항상 예배는 하고 다니시는 겁니다. 그래서 주인공을 항상 놓치지 말라 하는 것은 항상 예배를 하고 있는 것입니다, 그게. 그래서 자기 중생을 자기가 굴복을 받으면, 항복을 받으면 수많은 물질에게는 다 항복을 받는다는 그 뜻입니다. 그러니 만질 수도 없고 쥘 수도 없고 빛깔도 없는 내 주인공 내공을, 여러분이 다 같이 한자리를 하고 계신 내공이라는 그 뜻을 잘 생각하셔서, 항상 그렇게 예를 올리시고 자기는 항상 항복을 하시는 것이, 굴복을 하시는 것이…. 그래 여북하면 종이라고도 하고 시자라고도 합니까. 그런 말들이 거기에서 나온 겁니다. 그러니까 우리가 보통 때에도 그렇지만, 예를 들어서 좀 안다는 생각이 탁 떠오르걸랑 '에이, 벌써 내 마음에 부처님이 계신데 내가 별쭝나게 안다고 불뚝 나설 게 뭐 있나.' 요렇게 겸손한 마음을 항상 가지고 바보처럼…. 남이 볼 때는 바보처럼 생각이 되겠지만 그게 바보가 아닙니다.

그리고 또 한 가지는, 사람이 그 뜻을 깨달았다 할지라도 남 볼 때는 다 똑같은 사람입니다. 그러나 한생각을 내면 그대로 그냥 여여하게 법이 되고 빛이 나고 향기가 풍기고 이렇게 되고, 한생각을 내지 않으면 그대로 감춰지고, 그대로 움죽거리면 그대로 화신으로서 무에나 유에나 다 움죽거리게 되고 활용을 할 수 있다 이 소립니다. 그러니 그렇게 여여한 부처님의 편안한 그 법을, 편안하다 편안치 않다 할 것도 없지만 그러한 편리한 법을 우리가 잘 선택하려면 안팎이 없이 어디 하나가 기울어지지 않도록 하는 것이 좋을 겁니다.

부처님 앞에 가서 예배를 올리지 말라고 그러는 게 아닙니다. '부처님의 마음이 내 한마음이요, 부처님의 몸이 내 한 몸이니 어찌 내가 예배를 올리지 않을 수 있겠느냐.' 해서 그렇게 예배를 올린다면 그게 다 한마음 도립니다. 그런데 이것은 초하루 보름이 돼도 '이거 뭐, 내가 내 마음 찾으면 된다는데.' 이러고선 그냥 불뚝불뚝하는 그런 겸손하지 못한 마음이라면 자기 부처한테도 겸손하지 못한 겁니다, 그거는. 항상 자기 자만심이 즉 자기 그 주인공의, 그 부처님의 마음 자체 위에 서서 항상 잘났다고 하는 거기 때문에 그 주인과 더불어 같이 이렇게 바란스가 맞아질 수가 없습니다. 그러니까 발견할 수가 없다 이 소립니다.

그러니까 어떠한 사량이 나오더라도 내 주인공 그 자체, 그 부처님께 예를 올리는 것은 나 하나의 마음밖에 없는 게 아니라 수만 마음이 다 같이 있기 때문에 예를 올리는 것입니다. 내가 밥 한 그릇을 놓고 참 고맙다고 할 때에 어떻게 되는 건 줄 아십니까? 그 농사꾼들, 또 나가서 일하는 사람 전체가, 가만히 생각해 보세요. 전체가 같이 하고 먹는 건 따로 이렇게 끓여 먹는 거 아닙니까. 끓여 먹는 것만 자기가 따로 끓여 먹는 거지 다 같이 하는 겁니다. 같이 움죽거리고 같이 말하고, 같이 한 겁니다, 그게. 그러니 어째 한마음이 아니겠습니까. 그러니 한 그릇을 놓고 먹을 때 내가 예를 올리면 전체가 다 감사함을 받는다 이 소립니다. 자기 부모까지도. 그런데 예를 안 올려요? 그래 부처님 도량에 왔으면 부처님 사시마지 때 한 그릇 올리는 거라도 지극정성으로, 내 마음이 말입니다. 그런데 '나는 마음공부 하는 사람이기 때문에 법당에 안 올라가도 돼.' 그러는데 흥, 좋아하십니다, 모두. 참 좋아하십니다. 공덕과 복과 뜻과, 이것이 모두 포함돼야 됩니다.

여러분이 만약에 부처가 됐다 하더라도 공덕도 쌓지 않고 나만 나라고 한다면, 마음을 깨달았다 할지라도 지혜가 없어서 급할 때에 남한테 공덕을 베풀어 줄 수도 없거니와 그 밝음을 비춰 줄 수도 없습니다. 왜? 지혜가 그렇게 없으니 허공에 바늘구멍 하나 들어가겠습니까, 어디? 그러니 깨달음도 여러 가지가집니다. 깨달았다 할지라도 지혜가 풍부치 못하다면 바늘구멍도 안 들어가요. 당장 밥을 굶어서 부황이 나서 죽게 됐을 때, 그때는 물질이 필요합니다. 그러면 금방 가서 먹여 줘야, 미음 물이라도 흘려 넣어 줘야 그 사람들이 살 텐데, 그러면 마음공부 한 사람들은 '아이, 마음공부 했는데 뭐, 마음으로 그냥 살려 주지.' 이러고 말 겁니까? 마음으로 살려 주기도 하면서 에너지도 넣어 줘 가면서, 쌀을 끓여서 미음도 넣어 줘야 되는 것입니다. 이건 양 개체가 딱 맞아야 되지 않겠습니까. 그래, 사람은 굶겨 놓고 마음으로만 에너지를 넣어 준다고 해서 살겠습니까?

예전에 원주에 있을 때 그런 일이 있었습니다. 병자들이 수많이 왔는데 말입니다, 야, 먹을 거는 없어, 그때 통구리에. 지금은 모르겠지만 말입니다. 먹을 건 없는데 병은 들었어. 그래서 쌀을 줘 가면서, 돈을 줘 가면서 그 에너지를 서로 교환했다 이겁니다. 이 에너지가 가고 옴이 없이 주는 것은, 여러분은 모르지만 틀림없이 그건 거짓이 아닙니다. 부처님이 이날까지 거짓 한 것이 하나도 없습니다. 그러니까 에너지라고 지금 말로 하는 거지만 그전에는, 어린애가 젖을 먹지 않습니까? 모유로 비유했다고도 볼 수 있겠습니다. 이건 에너집니다. 기름입니다. 그러면 이 기름을 먹여 가면서, 또는 이 보이지 않는 데 기름을 넣어 줘 가면서 바로 먹여 줘야, 육신에게는 먹여 줘야만 합니다. 그래서 쌀 주고 돈 주고 또 에너지, 그걸 넣어 줌으로써 의사의 행이, 거기 약사보살이 들어가죠. 그러니까 먹여 주는 것도 먹여 주면서 부처님 받들듯 해야 되는 겁니다.

여러분, 내가 높은 줄만 알고 있지 마시고 내가 아무리 높다 하더라도 여러분의 심부름 해 줄 때는 그지없이 해 줘야 하는 것입니다. 내가 여러분에게 먹을 게 없다면 쌀을 줘서 미음 물이라도 끓여 넣어줘 가면서 내가 의사가 돼 줘야지, 먹이지 않고 그냥 며칠이고 굶은 상태로 있는 사람에게, 만약에 내가 의사가 됐다고 해도 약만 줘서 되는 게 아니다 이 소립니다.

그러니까 여러분이 이 모든 믿음에 대해서도, 모든 이 행에 대해서도, 생활에 대해서도 "몰락 모든 것을 놔 버려라." 하는 거는 내 내 공이 한데 한마음이요, 한뜻이요, 한 움죽거림이니까 그것을 바로 너만 가진 것도 아니고, 나만 가진 것도 아니고 각각 다 가지고 있단 말입니다. 그것이 바로 여여하게 그대로니 부처님의 뜻을, 심오한 뜻을 알고서 그대로 행해라 이겁니다. 이리로 치우치고 저리로 치우치지 말라 하는 뜻에서 이것을 "몰락 놔 버려라." 한 것입니다. 그러니 여러분은 정신 바짝 차리시고 내 내공의 주인공이…, 그것도 스스로서 알게 되면 주인공이란 이름 없어도 전 우주가 그윽한데 뭐, 주인공이란 이름을 꼭 붙여야만 되겠습니까? 그러나 배울 때는 그게 아닙니다.

예를 들어서 닭이 말입니다, 병아리를 깔 때 품지 않고 병아리 까는 거 보셨습니까? 요샌 기계 병아리도 많습디다마는, 기계 병아리도 그래요. 그거는 씨가 없어. 기계로 까는 건 씨가 없어. 병아릴 까지 못한단 얘깁니다, 먹기만 하지. 그러니 병아릴 까려 해도 참 따뜻하게, 온화하게 해서 굴림으로써 병아리가 나오는데, 다 해 놓으면 나중에는 비켜나도 제가끔들 까 가지고 나와요. 그래서 내 내공 이 자체를 항상 이렇게 생활하면서 굴리면서, 그 내공이 모든 걸 하는 것이니까, 그 내공 주인공이 모든 것을 내고 들이고 내고 들이는 것이니까, 내가 고정되게 고집하고 관념 속에서 헤어나지 못하고 이렇게 있지 마세요. 내 육신도 다 여기의 종밖에 될 수 없다. 이 종이라는 이름조차도 없는, 아무것도 없는 이 상태 속에서 바로 이 내공에 항상 예를 하고, 배는 내 육신의 사량, 이런 것이 예배를 통해서 같이하는 그런 그 굴림이니, 그 굴림을 우리가 가부좌만 틀고 앉아서 하는 게 아니라 항상 앉으나 서나 다니나 나가나 들어가나 항상 참선이 되고, 그것이 바로 굴리는 법이 되고, 그럼으로써 저절로 병아리는 까지게 돼 있습니다. 그와 마찬가지다 이 소립니다.

여기 여러분 앞에서 내가 내 본위로서 말씀을 해 드린다면 '저거 미쳤군. 저거 미쳤어.' 이럴 겁니다. 그런데 여러분 본위로서 내가 얘길 해 드리는 겁니다, 지금. 여러분이 병아릴 깔 수 있게끔 따뜻하게 그 굴림을 다 굴렸는가. 그 알을 다 굴렸는가. 그래서 알이 차도 안 되고 온도가 높아도 안 되고 그러니까 아주 온도가 맞도록 항상 요게…. 그러니까 아무 데도 치우치지 마시라 이겁니다. 그럼으로써 여러분은 스스로서 바로 껍데기를 까실 것입니다. 그리고 걸음을 걷게 되고. 그때는 항상 우리가 자유스럽게 아마 그 뜻을, 지금 내가 여러분한테 말씀드리는 그 뜻을 알 수 있을 것입니다. 그러니 될 수 있으면 처음 오시는 분들한테 여러분이 전달을 하시고, 여러분이 차차차차 알이 까져서 병아리가 돼서, 그게 차차 큰 닭이 돼 가지고 여러분 자유껏, 맘대로 할 수 있는 그런 여건이 됐으면 합니다. 그럼….

상천세계에 이르는 길

1985년 2월 3일

사람들은 모두 죽으면 고만이다 이럽니다. "에이, 죽어 버리면 고만이지. 이거 정말 살기가 고역스럽고 죽겠구나." 이럽니다. 그러나 죽어도 말입니다, 그냥 몸뚱이만 없어졌지 아주 죽지를 않기 때문에 죽어도 허탕이에요, 허허허…. 어리석게 '죽어야 한다', '죽었으면 좋겠다' 하는데 죽을 생각이 있으면 빠져나갈 생각을 하세요. 이 주체 의식이 확고하고 그런 이상, 우리가 이런 게 있죠.

삼세심이다 하는 이치는, 삼계가 한데 합쳐서 이게 일어난 것도 마음으로부터 일어난 것입니다. 마음으로부터 일어났는데 삼세심은 어떻게 해서 삼세심이 되느냐. 왜 삼세심이라고 했을까? 우리가 쉽게 예를 들어서 작년 콩씨를 올해 심었는데 올해 심은 콩씨가 또 많이 열려 가지고 사람들을 다 먹이고도 그 콩씨 하나가 되남아서 내년 봄에 또 심습니다. 그러니 어저께 오늘도 오늘이요, 오늘의 오늘도 오늘이요, 내일의 오늘도 오늘이니까 이것이 삼세가 연결된, 삼심이 연결되지 않으면 지속되지 못하는 진리입니다. 그러나 삼세심이 한데 연결되기 때문에 그게 진리라고 합니다. 지속되고요.

그런데 삼세심이 공했다. 이 공한 자체의 나, 주체 의식 그 근본에서 보게 되면 이것은 하천세계로 가고 이것은 중천세계로 가고 이건 상천세계로 간다. 이것은 주체의 의식 그 자체의 근본에 의해서 세 갈래로 벌어지는 것입니다. 그러니 사람의 마음먹기에 달렸다. 세 가지로 나가는 그 원리가 사람 마음먹기에 달렸다. 네 마음을 그렇게 쓰면 이렇게 되고, 그렇게 쓰면 이렇게 되고, 그렇게 쓰면 이렇게 된다 하는 겁니다.

그러면 지금 우리가 하천세계를 비유해서 봅시다. 딴 데서 보지 말고 우리 지금 현재에서 보세요. '오간지옥에 떨어진다' 하는 것은 얼른 쉽게 말해서 종합된 인간의 탈을 못 쓴다는 뜻입니다. 그러면 화탕지옥, 즉 말하자면 끓는 지옥 이런 문제들이 나오는데 그건 헤아릴 수 없습니다. 그건 어디서 보느냐? 우리가 소를 잡되 도끼로 잡거나 몽둥이로 잡거나 하여튼 그렇게 잡습니다. 그래서 그것을 갖다 구워 먹든 볶아 먹든 끓여 먹든 합니다. 그러면 이 짐승들의 의식 자체는 떠나질 못합니다, 자기 육에서. 사람도 만약에 그 육에서 떠나지 못하면 그 지경이죠. 그 육에서 떠나지 못하기 때문에, 내 삶에 의해서 떠나질 못하기 때문에, 예를 들어서 육 안의 모든 내 생명체들이, 5억이라는 생명체들이 한데 붙어서 여기에 주둔돼 있다 이겁니다. 주둔돼 있으면 이 고기를 끓이면 끓이는 대로 이게 살생이 되는 겁니다. 왜? 거기에 붙어 있으니까. 그러니까 그 뜨거운 맛을 보는 것이 한 번의 맛이 아니라 거기에서 착을 떼지 못하면, 벗어나지 못한다면 내내 윤회에 돌며 돌며 돌며 돌며 뜨거운 꼴을, 화탕지옥 꼴을 수만 번, 수억을 겪어야 합니다. 이거 참, 자세히 말하자면 복잡합니다, 아주.

그러면 우리가 어떠한 거든지 미생물에 대한 문제는 제쳐 놓고라도, 이 지금 우리 인간이 먹는 짐승들이 몇 종류입니까? 그러면 이 종류마다 그것이 한 번 맞아서 죽었으면 그뿐으로 그게 떠나면 괜찮습니다마는 한 번 죽음을, 그 아픔을 당하면서 또 아픔을 당하고 또 아픔을 당하는 겁니다. 몇몇 번씩 아픔을 당하는 거예요. 왜? 거기서 착이 떨어지지 않았으니까. 그래서 고기가 고기로 보여서 못 먹는다는 소리도 나왔고 그런 문제가 생기는 거죠. 그런데 이렇게 여러분이 한 마디 하면 열 마디씩 아시듯이, 수많은 짐승의 종류가 많은데 인간들이 다 그것을 끓이고 굽고 볶고 때리고, 네? 자르고 야단나지 않습니까? 그것이 지속되는 겁니다. 그러니 이게 오간지옥이다 이 소립니다. 중천세계는 어떠한 거냐. 이게 사람의 마음에 따라서 나가는 겁니다, 지금. 그게 화탕지옥이 따로 있고 오간지옥이 따로 있는 게 아니라 오간지옥은 그 안의 지옥고를 말하는 겁니다. 그 안에 화탕지옥이고 무슨 지옥이고 무슨 지옥이고 다 있는 겁니다.

그런데 이 중천세계는 어떠한 거냐. 이 중천세계는 사람으로 태어난 거, 즉 사람으로 태어났다 하면 중천세계를 뜻합니다. 사람의 종류도 많지만 차원도 많습니다. 내 마음에 의해서 창살 없는 감옥에서 얼마나 헤매고 돕니까? 또 내 마음으로 잘못해 가지고 지금 이 교도소에 얼마나 많습니까? 또 내 마음으로 잘못해 가지고 얼마나 지금 고를 당하고 있습니까? 인간으로 살아가면서도 얼마나 고가 많습니까? 자식들이 괴롭혀서 괴롭고 부부지간에 괴로워서 괴롭고 부모자식지간에 괴로워서 괴롭고 여간 많지 않습니다, 종류가. 사업에 실패를 해서 괴롭고 남이 나를 떨어뜨려서 괴롭고 내가 남을 떨어뜨리니 괴롭고, 연방 같이 상대로서 이어져 가면서 괴로움을 당하는 겁니다. 올라가면 밑에서 치받히고 위에서는 떨어뜨리고, 이렇게 하는 이 지속된 중세계의 이 맛을 우리 지금 인간들이 보고 있는 겁니다.

그런데 이것이 한두 건이 아니고 한두 가지가 아니고 헤아릴 수 없는 이 세파에서 왜 이렇게 중구난방으로 내 마음이 이렇게 변했다 저렇게 변했다, 이렇게 했다 저렇게 했다 이게 중심을 잡지 못하게끔 만들어지나 하는 것을 생각해 보십시오. 여러분의 이 몸체에 생명이 얼마나 많습니까? 대개 각자 인연에 따라서 5억이라는 생명이 자기한테 부합이 된 겁니다, 이게. 자기 인연에 따라서. 금은 금대로 부합이 되고 은은 은대로 부합이 되고 무쇠는 무쇠대로 부합이 되고. 이렇게 부합이 되다 보니까 이것이 어떻게 생각하면 한 단체가 된 것이죠. 한 단체가 돼서 이룬 것이 이 집입니다, 바로. 여러분 각자, 이 집입니다.

그런데 묘한 것은 인연에 따라서 집을 지어 가지고 딱 내가 거기서 한생각에 이것이 잘되면 몽땅 한데 합쳐서 하나로 뭉쳐져서 상천세계에 이르고, 부합이 된단 말입니다, 하나로. 그런데 이것이 그대로 상천세계가 아니라 중천세계에서 윤회에 끄달리면서 돌아간다면 이 씨가 그냥 중천세계에 떨어져서 그냥 모두가 화합니다. 내가 죽으면 죽는 대로 이것도 같이 부합이 돼서, 만약에 내가 넝마의 차원이라면 넝마의 차원으로 이 씨가 모두 여기에 부합이 돼서, 모든 게 그 인연에 따라서 가고 또 인연에 따라서 갑니다. 내가 나의 그 씨를 넝마씨로 만들었으니까 내가 가는 대로 또 좇아가게 돼 있습니다. 그러니까 그거를 내 배 속에다 또 넣고 이 세상에 또 태어나도 마찬가지입니다. 그러니 죽어도 마찬가지, 살아도 마찬가지죠. 죽어도 죽는 게 아니고 살아도 사는 게 아니니까요, 결국은. 그래서 집합된 한 단체에서 내 한생각에 이것이 은이 되느냐, 금이 되느냐, 무쇠가 되느냐, 넝마가 되느냐의 문제가 있습니다.

그러니까 지금 이 중세계 이 뜻이 갈림길입니다. 이 갈림길에서 어떻게 할 것이냐 이겁니다. 내 생각을 어떻게 해야 상천세계에 가느냐 이겁니다. 상천세계에 가는 것도 아니고 오는 것도 아니면서도 상천세계를 응시한다 이겁니다. 우리가 공부를 안 하면 대학을 못 가고 대학원을 못 가듯이 어떤 여건에 의해서 인연에 따라서 내가 공부를 못 하게 돼서 못 하는 결과도 있죠. 그것도 자기 업보니까. 그거와 마찬가지로 이렇게 모두 중구난방을 해서 이렇게 되는데도 질서 있게 차원대로 잘 이끌어서 돌아가고 있죠. 우리 콩팥에서 돌아가고 또 간에서 돌아가고 또는 직장에서 돌아가고 위에서 돌아가고 이 오장육부에서 세포를 통해서 다 이렇게 돌아가는 것이 바로 우리 이 지구 벌레가 아닌가 이렇게 봅니다.

이 지구도 우리 한 몸뚱이로 비유해 보세요. 꼭 우리 몸뚱이나 한 가집니다, 지구 한 혹성이. 인간은 왜 불성이라고 했을까? 요건 작게 모인 단체입니다. 생명들이 모인 단체입니다. 그런데 이건 큰 단체야. 그렇기 때문에 "혹성, 불성" 이렇게 말을 하죠. 그러면 우리가 마음먹는 대로 상천세계에 이르면 어떻게 되나 하는 것은 요다음 셋째 일요일 날 말하기로 하고, 오늘은 그 중천세계에서 나가는 뾰죽한 수는 없지마는 여러분이 상천세계에 이르기까지 어떻게 공부를 해야 하나 하는 거를….

당신 몸에 5억이라는 그 생명체가 당신의 인연에 따라서 모든 게 한데 합쳐졌어. 그러니 모든 것은 그네들이 다 나로부터 같이 모여진 자체의 하나, 하나로 뭉쳐서…. 예를 들어서 지난번에도 얘길 했지만 정자와 난자가 한데 합쳐서 돌아갈 때에 난소를 통해서 자궁으로 들어갈 때까지 그것이 5억이 돈다 이겁니다. 5억이 돌아서 하나 골인 될 때에 그것이 전부 물체는 없어지고 자기 근본만 한데 합쳐집니다. 근본에 근본이 한데 합쳐지면서, 이 물체는 하난데 이 근본이 한데 합쳐지니까 하나로 될 수밖에. 하나로 돼서 이것이 임신을 해서 낳을 때 다시 자기 인연에 따라서 뭉친 그, 영혼이라고 해도 좋아요, 그것이 바로 한데 합쳐져 가지고 자랄 때 다시 분배돼서 소임을 맡아 가지고, 우리 배 속의 지금 오장육부에서 세포를 타고 또 자기 소임을 맡아 가지고 제가끔 살고 있습니다. 제가끔 살고 있기 때문에 그 능력으로 인해서 내가 지금 이렇게 움죽거리고 있다 이겁니다, 작용을 하고. 모든 걸 작용을 하고 이렇게 살고 있는 이 작용을 내게 하는 고놈이 누군가 하면 바로 그 5억이 한데 융합이 돼서, 한데 합쳐져 가지고 공해서 돌아가니까 바로 그 능력이 나오는 겁니다.

그러면 그 능력이라는 것은 어떠한 데다가 기준을 두느냐. 어떤 데다 기준을 둘 수가 없습니다, 하도 많아서. 그러니까 마음에서 이놈이 나오고, 간에서 생각이 나오고 콩팥에서 나오고 이러듯이 이게 어느 한 콩팥 동네라면 이 동네에서 야단 저 동네에서 야단, 이러니까 여기서 돌아가는 대로 자꾸 생각이 돌아오는 겁니다. 그래서 탐지기나 컴퓨터나 영사기나 녹음기나 이 문제가 여기에 오관을 통해서 다 있다는 얘깁니다, 무전기도.

그러면 이 우주간 법계가 다 뚫렸다는 얘깁니다. 통했다 이 소립니다. 우리가 그대로 여여하건만 우리는 모르니까 마음이 나는 대로 자꾸 요동이 나는 거죠. 자꾸 망상이 생기고 그러는데, 망상을 끊으라는 게 아니라 오직 거기서 일어나는 대로, 즉 말하자면 마치 아닌 마치로 톡톡 때려서 그냥 모든 걸 거기다가 놔라 이겁니다. 얼른 쉽게 말해서 주인공으로 이름을 했다면 주인공에다 모든 걸 놔라 이거야.

그러면 주인공이 누구냐? 여러분이 다 그렇게, 5억이라는 것이 나한테 실체로 지금 이렇게 등장했습니다. 그런데 하나면서도 5억이고 5억이면서도 하나 아닙니까? 그런데 그 하나마저도 없는 겁니다. 왜? 여러분이 고정되게 한 일만 하는 게 아니기 때문입니다. 오장육부 속에서도 고정되게 한 분야만 맡아서 일하는 게 아닙니다. 그렇기 때문에 내가 하루에도 몇 번씩 듣고, 몇 번씩 말하고, 몇 번씩 생각하고 생각하는 대로 달라요. 만나는 대로 마음이 달라지는 걸. 그게 근본적으로 아주 자동적이죠. 그 자동 활용을, 즉 말하자면 작용을 하는 것이 근본 이 장소에서만 작용을 하는 게 아니라 옛적에, 즉 말하자면 억겁 천년 전에서부터 작용을 해서 나온 장소도 이 장소요, 억겁 천년 전에서부터 그 작용을 하고 나온 사람들도 바로 여러분입니다. 그래서 옛 물도 없고 옛 사람들도 없고 옛 산도 없다는 얘기죠.

그러면 오늘날 이 발버둥이 쳐야 할 일이, 이건 죽는다고 해결이 되는 것도 아니고 산다고 해결이 되는 것도 아니니, 이왕지사 내가 이 세상에 나왔으면 전쟁터에 칼을 빼고 나온 셈이나 똑같은 얘깁니다. 이왕지사 이 세상에 나왔으면 그냥 돌아갈 수는 없다는 겁니다. 그렇죠?

그래서 지금 이 내 화두 이 자체가 바로 공입니다. 내 몸뚱이 자체가 그대로 공입니다. 색이라고 표현할 것도 없고 공이에요. 색이라는 건 누구든지 다 알고 있으니까, 자기가 지금 여기 있다는 걸 알고 있으니까, 이게 있다는 이 자체가 바로 공이다 이 소립니다. 공해서 돌아가고 있다 이겁니다. 그러면 공해서 돌아가고 있는 자기 공에다가 모든 걸 놔라 이겁니다. 믿고 놔라! 믿지 않으면 놓을 수가 없다 이겁니다. 이거를 놔야만이 상천세계에 등장할 수가 있다. 삼세심이라고 하고 삼세심을 일심으로 부합시킨다면, 일심! 즉 말하자면 우리는 이렇게 먹으려고 애를 쓰고 살 양으로 애를 쓰고, 어린애를 낳을 양으로 애를 쓰고 낳느라고 아파서 애를 쓰고 이렇게 애를 쓰지마는, 일심으로 돌아가는 그 일심 자체도 없는 그 상천세계에서는 생각해서 먹고 생각해서 살고 생각해서 갖고 생각해서 모든 걸 가고 오니 얼마나 편리하냐 이겁니다.

그러니 우리가 지금 억겁 천년 전에서부터 거쳐서 진화돼서 창조가 된 이 한 물체를 볼 때 지금 이거를 알아야 과거도 전부 파악이 되지 않습니까? 그래서 과거로 돌아가지 않고 바로 어저께를 볼 줄 안다면 오늘도 볼 줄 안다 이겁니다. 오늘을 볼 줄 알면 내일도 알고 어저께도 알 수 있다. 그러니 우리가 지금 그렇다는 말입니다.

우리가 처음에 콩씨 심을 때는 하나를 심었는데 왜 거기 콩씨가 많이 붙어서 있느냐는 얘깁니다, 익을 때까지. 처음에는 콩씨 하나로 나옵니다. 그 콩씨 하나에서 수십 콩씨가 나오는데 말입니다, 지금 그 수십 콩씨를 내가 가지고 있다면 어떤 게 콩씨라고 할까요? 한 나무에 콩씨가 많이 열렸는데 어떤 게 콩씨입니까? 콩씨가 많이 열렸는데 수십 개니깐 어떤 거를 콩씨라고 할 수 없는 게, 없어서 공이 아니고 없어서 무가 아니고 이것이 그렇게 많이 달려 있기 때문에, 똑같은 콩씨가 하도 많이 달려 있기 때문에 그냥 공해서 돌아간다는 얘깁니다. 어저께 콩씨가 오늘 콩씨로 생겨서 또 많은 사람을 먹이고 그 원래 콩씨 하나는, 씨는 그냥 언제든지 남기죠.

그래 가지고 또 내년으로 돌아가고, 내년이 오늘로 또 돌아오고 이렇게 자꾸 되는 것이 삼세심에 의해서 그러는데, 왜 삼세심이라고 했는가? 즉 말하자면 옛날부터 말을 하고 생각하고 만나고 그렇게 해서 여러분이 질문하면 내가 대답하고, 이렇게 연결이 된 인연 소치입니다. 그러면 여러분의 묻는 그 자체가 바로 작용의 근본이요, 대답하는 내가, 지금 말하는 내가 바로 이 근본입니다. 근본에 의해서, 이 말을 내게 할 수 있는 근본이 있기 때문에 내가 지금 이렇게 말을 하고 작용을 하고 있지 않습니까? 콩씨라는 근본이 있기 때문에 콩씨가 많이 열려 가지고 콩나무라는 이게 있지 않습니까? 만약에 콩씨라는 게 없다면 콩나무가 있을 수 없고 콩씨가 열릴 수도 없습니다. 그와 마찬가지로 우리 인간도 그렇게 지속되고 있으니 우리가 잘 생각해 볼 점이 있지 않은가 이렇게 생각합니다.

내가 "모든 것을 놔라. 당신이, 모든 것이 다 공했으니 놔라. 하루에도 고정되게 생각하는 법이 없고 고정되게 보는 것도 없고 고정되게 듣는 것도 없고, 고정되게 행하는 것도 없고 고정되게 먹는 것도 없으니, 모두 공했으니까 거기 놔라." 하는 원리도 바로 그런 것입니다. 그러니 이 5억이라는 단체가 바로 내 한생각에 달렸다 이겁니다. 내 생각에 의해서 그 5억이라는 생명이 한데 부합이 돼서 하나로, 일심으로 돌아갈 수 있겠느냐는 얘깁니다. '일심으로 돌아가는 그 원리를 안다면 일심이라는 그 자체도 없다' 이런 논리가 나옵니다. 왜 줄 아십니까?

상세계에서는 어떠한 문제가 이루어지느냐. 이 혹성만 혹성이 아니란 얘깁니다. 이 혹성만 혹성이 아니에요. 수성도 있고 금성도 있고 또는 토성도 있고 목성도 있고 해왕성, 천왕성 이런 게 있는데 그 외에도 그보다 더 큰 혹성이 있거든요. 그러면 내 몸속에서 이것을 하나로 부합되게 만들어 가지고…, 체가 없는 거니까. 내 마음은 체가 없는 거야. 그래서 그거를 융합시켜서 하나로 뭉쳐서 그 하나마저도 없다는 원리를 알게 되면 스스로서 자기한테서 샘물이 나게 되고 스스로서 알게 될 때 비로소 그걸 홀랑 벗는 겁니다, 껍데기를. 홀랑! 이 중세계의 교차로를 홀랑 벗는 겁니다. 벗으면 어떠한 문제가 나오느냐. 내가 내 몸을 홀랑 벗고 나니까 딴 사람도 다 홀랑 벗어져 있다는 거를 알게 되는 거죠. 그러면 남과 남이 둘이 아닌 뜻을 안다 이 소립니다. 그러면 '일체 만물이 둘이 아니요, 장소도 둘이 아니요, 옛 사람과 지금 현재 사람도 둘이 아니요, 부처와 중생도 둘이 아니다' 이런 뜻을 알게 됐을 때에, 비로소 있는 것도 아니고 없는 것도 아닌 나에게서 그냥 그대로 여여하다는 그 뜻이 그대로 나왔을 때 열반경지가 되는 거죠. 그 열반경지가 될 때에, '자유인이다, 자유스럽다' 이런 경지까지 갔을 때 비로소 이건 상천세계에 등장할 수가 있다는 얘깁니다. 그러면 그때는 또 어떻게 되느냐. 내가 만약에 보지 않았으면 몰라. 여기를 거쳐 가지 않으면 부처가 될 수가 없어, 이 중천세계를. 여기서 먹고 살고 하던 것을 다 알게 됐기 때문에 생각을 해서 먹는 겁니다.

그래서 내 몸에서 벗어나지 않으면 아니 되고 지구에서 벗어나지 않으면 안 된다는 얘깁니다. 그렇다고 해서 내가 부처가 되려고 애를 쓰고 그런다면 욕심이 과해서 또 아니 됩니다. 욕심이 과해서만이 아니라 내가 항시 놓치지 않고, 일을 하나 자나 깨나 항상 그저 생각이 들면 모든 거를 주인공에다가 놔! 모든 걸 착을 두지 말고, 그저 평상시에 그냥 벌어서 살되 착이 없이 살아라 이거야. 착 없어도 얼마든지 살 수 있지 않겠습니까? 내가 공했는데 무엇에 착을 둘 게 있습니까? 내가 돈을 이렇게 쌓아 놓더라도 이것은 내 게 아니라, 바로 내가 있기 때문에 이게 나한테 주어진 거니깐 관리를 하는 겁니다. 알아듣기 쉽게 하자면, 주인의 거지 내 게 아니다 이 소리죠. 그럼 주인이 따로 있어서 내가 이런 말을 하는 건 아닙니다. 그대로 자기가 주인이자 공이니까.

부처님께서는 여기 계시면서도 다른 혹성에 다 살고 계셨던 겁니다. 여기 사시면서도 저 토성 같은 데나 목성 같은 데도 다 살고 계셨다 이 소립니다. 우리가 여기에서 살던 그 습이 그대로 남으면 상천세계에 이르지도 못하죠. 그런데 여기의 습을 다 떼어 버려야만이 일식, 즉 말하자면 일식을 할 수 있죠. 내가 딸기 하나를 놓고도 큰 자배기로 하나가 될 수 있게끔 할 수도 있거니와 그걸 먹을 수도 있다 이거야. 그러나 입으로 씹어서 먹는 게 아니라 보면 그냥 내가 먹어져. 배가 불러. 내가 아이를 낳고 싶다 이러는 게 아니라, 내가 어떻게 어떻게 생긴 모양의 아이를 한번 한생각을 해서 내가 갖고 싶으면 가져져. 그게 나와, 그냥. 내가 집을 짓고 살고 싶다 이러면 어떠한 모양에 의해서 거기에, 그 수풀 속에 집이 한 채 생겨. 이러니까 싸울 필요도 없고 아무것도 없어. 평화야. 천국이야.

그런데 그런 데서 살던 사람들이 여기 내려오기 좋아할 사람이 있겠습니까? 그래서 눈뜬 사람 하나 만나기가, 천 년 만에 한 번 만나기가 어렵다 이 소립니다. 아마 저기로 치면 구지비끼리를 해도 안 나오려고 할 겁니다마는, 그래도 인연에 따라서 나를 찾는 자가 있다면 하시라도 나가리라고 말씀하셨습니다. 그건 왜? 상천세계에서 만약에 부처님들이 앉아 계신다면 한 번 거치는 게 말입니다, "야, 또 한 삼사십 년, 사오십 년을 어떻게 거기서 살지?" 하는 겁니다. 아시겠습니까? "삼사십 년을 거기서 어떻게 살지? 그렇지만 어떡하나. 나갈 사람이 없다면 자네라도 나가야지." 하는 격이라.

그래서 옛날에 이런 점이 있었죠. 두 스님이 사시는데 한 스님의 돌아가신, 열반하신 그 영혼이 바로 순종 왕으로 태어났다고 합니다. 스님 두 분이 다 통하신 분이야. 그런데 태어나기 이전에 그 스님한테 가서 생남 발원을 했는데 말입니다, 그때에는 한창 이 불교를 만류할 당시죠. 그래서 결국은 절을 짓게 해 달라고 그런 요구까지 했단 말입니다. 그런데도 내 말을 들어 달라고 하니까 그냥 선뜻 대답을 해 놨어요. 태자가 생남되게끔 하겠다고 말이야.

이 스님이 이렇게 말은 해 놓고 아무리 둘러봐도 태자로 나갈 영혼이 없어. 태자로 나갈 사람이 없어. 이 사람 중에 쓸 만한 사람이나 있으면 얼른 데려다가, 데려가면 죽는 거죠. 데려다가 얼른 그리로다가 태어나게 할 텐데 사람이 없단 말입니다. 죽은 사람 중에 둘러봐도 쓸모 있는 혼이 없어. 그래서 그 당시에 "여보게! 자네가 죽어 줘야겠어." 하니까 "여보게, 둘이 불공을 드리다 이게 무슨 소린가?" "그럼 어떡하나, 응? 죄 찾아봐도 없는데, 자네밖에는 갈 사람이 없는데 어떡하나." 그러니까 "아휴 참, 40년 동안을 망건을 쓰고 어떻게 또 살아나가려는지 깜깜하네, 응? 눈이 캄캄하네." 하시면서 그냥 중얼중얼하시면서 들어가서 그냥 열반을 하셨어요. 열반했다는 기별을 스님이 듣고선 "옳다구나. 이젠 됐다." 자기가 말한 게 있거든. "옳다구나. 이젠 됐구나!" 그러고서는 껄껄 웃으셨대요. "40년 동안 너 혼나겠구나." 하면서 말이야. 그런데 그분이 순종 대왕으로만 산 게 아니라 그분은 그분대로 다른 혹성에서도, 천국에서 사시면서 그렇게 또 순종 왕으로 계셨던 겁니다.

그러면 우리가 지금 공부를 해서 그 뜻을 알게 되면 내가 왜 여기만 살고 있겠습니까? 살아서 내가 천국을 맛을 볼 수 있고 천국에 갈 수도 있고 지옥에 갈 수도 있고, 사방이 문이 터져서 다 갈 수 있고 올 수 있고, 감이 없고 옴이 없이 갈 수 있고 올 수 있고 할 수 있고 모든 게 이렇다면, 그것이 바로 자유인이라고 하는 겁니다. 오신통을 한다고 해서 도가 아니라고 봅니다. 이 눈으로 보고 듣고 하는 거, 이것을 가지고 말하는 게 아니라 참 내 근본에 의해서 모든 근본과 더불어 같이할 수 있는 그러한 위치를 말하는 겁니다. 그러니 나의 이 모든 걸 벗지 않고, 한 단계 두 단계 이걸 벗지 않고 어떻게 그 맛을 보겠습니까?

어느 스님네든지 지금 그렇습니다. 하도 모르니까 "화두를 쥐고 해라. 참선을 해라. 좌선을 해라." 또는 "모든 것을 쉬어라. 부숴라." 이러고들만 있는 것은 여러분이 모르기 때문에 모르는 대로 고것만 얘기하고 있을 뿐입니다. 이렇게 다급한 거는 하나도 얘기 못하죠. 그러니 여기서 벗어나지 못한다면 항상 이 꼴이에요. 내 몸에서 떠난 것만 해도 견성이라고 하는데 지구에서 또 떠나야 합니다. 홀연히 벗어나야 돼요. 이 혹성마다 다 벗어나는 겁니다. 그러니까 부처님은 갇혀서 사는 게 아니라 자유스럽게 산다 이겁니다.

엊그저께도 한마디 던진 그 이치가, 대안 대사가 원효 대사더러 "사람 되려면 아직도 멀었다. 고기가 고기로 보여서 못 먹는다니…." 하고서 조그마한 방울 같은 종지에다가, 예를 들어서 '백사를 넣어서 백수를 고아서 맛있게 먹게 하라'는 그런 말씀을 했을 때에 그 자리에서 어떻게 그 대답을 했을까가 의문입니다. 만약에 여러분한테 대안 대사가 그렇게 물었다면 어떻게 할 수 있겠느냐는 얘깁니다. 그러니 "그 의정을 가지고 한번 안으로 굴려서, 주인공에, 안으로 굴려서 풀어 보십시오." 하는 거를 얘기했을 뿐입니다. 어떤 분에게는 또 그렇게 얘기도 했고요. "코가 치뚫린 걸 모르니까 아래로 내리 뚫린 걸 모르지." 하는 얘기도 했습니다.

그래서 '무조건' 하고, '무조건' 하고 안으로 굴려야지, 이게 사량으로 아는 것도 아니고 글자를 세워서 아는 것도 아닙니다. 그러니 이것을 사량으로 생각하는 게 아니라 오직 그 참마음 속에서, 오직 거기에서만이 굴려서, 자기 사량의 말이 아니라 오직 거기에서 스스로서 바로 뜻이 나올 수 있게끔 만드는 것이 내 마음 내는 것입니다. 마음 내는 것은 자(子)라고 하고 마음 내기 이전은 부(父)라고 합니다. 그 부를 항상 붙들고, 붙들 게 없는 거를 붙들고 항상 그것을 추구해야 합니다. 앉으나 서나 일하나 항상 그것을…, 일을 하더라도 생각은 여기다 꾸욱 이렇게 넣고 하면 일하는 건 자기가 열심히 하면서도 여기는 항상 떠나지 않고 있겠죠. 자기가 하는 일인데 자기가 뭘 떠납니까, 떠나길.

그렇게 해서 거기서 발견을 하는 겁니다. 알면 알아서 또 공부해야 하고 모르면 몰라서 그렇게 해야 하는 거죠.

그래서 가만히 앉아서 그렇게 하고 싶을 때는 또 그렇게 하고, 정히 몸이 피곤해서 저거 할 때는 드러누워서도 오직 그렇게 생각을 해서 추구해야 하고, 일을 하면서도 그렇고…. 몸을 가만히 두고만 하라는 건 아닙니다. 마음은 마음대로 그렇게 하면서 몸은 몸대로 움죽거려야 되는 거겠죠. 생각하면서 뛰고 뛰면서 생각하지 않으면 안 되는 이 시점에서 우리가 지금 경을 가지고 글자를 세워서 잘못됐느니 잘됐느니 이러고 논의할 때가 아닙니다. 지금 시대를 볼 때에 그렇게 할 시대가 아닙니다. 그렇게 할 시대는 벌써 지났습니다.

지금은 한생각으로 어떠한 대책을 세울 수 있는 능력을 여러분은 다 가지고 계십니다. 삼천대천세계를 요렇게 든다고도 하는데, 그래, 요 지구 하나 해결 못해서야 되겠습니까, 지구 안에서 살면서. 그러니 세계적으로 볼 때 어느 나라, 어느 나라 이런 걸 보더라도 자기, 안 보는 자기가 지킬 줄 알아야죠. 지구를 집이라고 한다면 주인들은 그 안에서 살고 있습니다, 지금 우리가. 그 주인들이 바로 우립니다. 주인이라면 집이 헐어지는지 안 헐어지는지, 동네에서 싸움이 났는지 그런 것쯤은 해결을 해야 되지 않을까요?

또 한 가지 얘길 하자면 우리 인간들이 볼 때는 저런 개구리 같은 거나 무슨 장구벌레 같은 거, 올챙이 같은 거 뭐, 이런 게 쓸모없는 부속물인 줄 알죠? 얼른 쉽게 말해서 '저런 건 없어도 되지 않나. 독사 같은 거나 뭐, 이런 잘못된 거는 전부 없어도 되는데 왜 저런 게 생겼을까.' 하겠죠. 그러나 내 몸에는 없는 줄 아십니까? 만약에 그런 것이 세포를 지금 지키고 있다면 지구에서도 없어서는 안 될 그런 것입니다. 그런 게 없으면 지구 막을 지키지 못해요. 지구 막을 지키지 못하면 이 지구 안에 들어 있는 이 근본 자체가 손실이 되니까요. 왜 손실이 되는가. 궤도를 지키지 못하기 때문입니다. 지구가 궤도를 지키지 못해. 인간의 어느 세포가 썩어 들어가면, 예를 들어서 어느 세포의 기능이 죽어지면 우리는 벌써 기능을 잃는 겁니다. 인간 자체 몸뚱이가 기능을 잃어요. 그런 거나 마찬가지라 이 소립니다. 우리에게는 아무 쓸모 없는 걸로 보이지만 지구에서는 그렇게 쓸모가 없지 않다 이겁니다. 또 지금 간 동네나 콩팥 동네나 소장, 대장 동네에서 이 세포의 이 세포막을 지키는 이 생명체들을 '저런 건 없어도 될 건데 괜히 저렇게….' 그런다면 그게 말이 됩니까? (녹음 안됨)

때에 따라서 쓰는 것이 도(道)다

1985년 2월 17일

요런 얘길 하나 했으면 좋겠네요. 여러분도 잘 아시리라고 믿습니다. 옛날에는 칼이나 활이나 창을 썼던 시절입니다. 그래서 육신 무예가 아니면 안 됐고 참, 고작 그것이 제일이었죠. 그때는 육신 무예를 쓰지 않으면 안 됐을 때예요, 세상이 그러하니까. 그랬을 때입니다. 옛날에는 중국에서 사신을 조선국으로 보내 가지고선 조선국에도 인재가 있나 하고선 검토하러 많이 내보냈습니다. 수차에 내보냈죠.

그랬는데 하루는 사신이 오다가 어느 주막을 들러서, 여기에서 음식을 자시고 가겠다고 하니까 조선국에서 갔던 사람들이 전부 어느 장소를 택해서 음식을 냈습니다. 음식을 냈는데 거기 종이 말입니다, 종이 인제 음식을 나르지 않습니까? 지금이라면 비행기로 그냥 쓱 오겠는데 예전에는 마차에 타고 수레에 타고 모두 이렇게 거느리고 오다가 어느 중간에서 음식을 내야 되니까 그 음식을 내는데, 맛있게 한 떡을 한 그릇 들고 들어갔어요. 들고 들어갔는데 벌써 이 종은 알았단 말이에요. 이름은 종이지만 벌써 뜻은 알고 있는 거예요.

그런데 음식을 다 나르곤 떡은 맨 나중에 가지고 들어간 거예요. 떡을 갖다 놓으면서 그 사신들더러 "나는 저 떡이 먹고 싶습니다." 했습니다. 그 자리가 무슨 자립니까, 사실. "떡이 먹고 싶습니다" 하니까 사신으로 온 나졸들이 멱살을 쥐고 "이 종놈의 새끼가 여기가 어느 자리라고 감히 음식을 가지고 들어와서 이 음식을 달라고 그러느냐!" 하고선 멱살을 탁 잡았단 말이야. 그래서 어이, 목 좀 놔 달라고, 놔 달라고 하니까 사신으로 온 우두머리가 있다 하는 소리가 "놔 줘라." 그래서 놔 줬단 말이야. 놔 주고 하는 소리가 만약에 내가 너한테 물었을 때 이 대답을 한다면 이거 다 주겠다 이거야. 떡 한 그릇 다 준다 이거야. 그러니까 그 종이 있다 하는 소리가 그러라고 고개만 끄떡끄떡했거든, 종이니까. 허, 끄덕끄떡하니까 아, 이 사람이 이랬단 말입니다. 손을 이렇게 벌렸어요. 그러니깐 이거는 이 전체가 둥글다는, 전체를 말해서 둥글다는 뜻밖엔 안 됩니다. 이거하고 이거하고는 같은 종류면서도 다릅니다. 요거는 둥글게 작용을 하는 거고 이거는 둥글다는 표현입니다, 쉽게 말해서. 인간이라는 말을 '사람'이라고 했으면 사람이라는 표현은 했으나 이 움죽거리는 표현은 아닙니다. 그래서 이럭하니까는 이 종이 뭐라고 그랬느냐 하면 네모반듯하게 사각을 지은 겁니다. 그러니까 놀란 겁니다, 이 사람이.

그래서 이렇게 했습니다. 그러니까 아무 말도 없이 이 종은 이랬다 이거야. 그러니까 이게 무슨 소리냐 하면 글로 따진다면 삼강오륜을 말했지마는, 불법으로 따진다면 삼세심을 아느냐는 소립니다. 그래 '삼세심을 아느냐' 하니까 허, 삼세심커녕, 허허허, 이 오행을 그대로 작용한다는 뜻이죠, 이게. 그러니깐 그냥 담뿍 놀란 거예요. 종들까지도 이러니 여기 조선국을 한만히 볼 수가 없구나. 이번에 나오면 아주 조선국을 자기 나라로 그냥 합세해 버리려고 그랬는데 아, 중간에서 이 모양이 됐으니…. 그래서 나중에는 이렇게 이렇게 했습니다. 그러니까 그때 가서는 수염을 쓰다듬으니까 이 사람은 무얼 했느냐 하면, 말로 하자면 너희 국에서는 턱 밑에만 있는 줄 알지만 태백은 여기 있다 이거야. 하하. 태초, 태백! 탁탁 두들기니까 고만 그냥 손을 반짝 든 거죠. 도로 물러갔어요, 중간에 오다가. 떡을 한 그릇 그냥 다 뺏기고. '여기는, 조선국은 건드릴 데가 못 되는구나.' 하고는 도로 갔단 말입니다. 종 녀석까지 그럭하니 이건 뭐, 이 조선국 사람들이 인재가 얼마나 많겠나 하는 생각에서 그냥 기겁을 해서 가 버린 거죠. 이렇게 모면을 많이 했답니다.

우리가 오백 년 역사라 하지마는 우리가 살아나오는 데에, 요렇게 조그마한 요 땅덩어리를 지키기에 얼마나 수모가 많았고, 지금까지도 참, 대의적인 문제는 말을 들어서 살아나가고 있는 형편입니다. 예전에 중국의 말을 들어서 살아나가는 형편과 같이 지금 대의적인 문제는 꼭 미국의 말을 들어서 서로가 이렇게, 합의해서 말을 듣지 않으면 안 될 이치가 있을 때는 꼭 고대로 들어야만 하는 이런 이치에서 지금도 살고 있는 겁니다. 그럼 그때나 지금이나 뭣이 다른 게 있습니까?

그런데 부처님이 말씀해 놓으신 거는 지금 시절을, 아니 앞으로 시절을 그대로 말씀해 놓으신 겁니다. 지금은 그때 시절이 아니란 말입니다. 우리가 육신 무예로 하는 얘기가 아니고, 말로 하더라도 절대 남이 모르는 말대답이 있습니다. 그러니까 예를 들어서 조선국으로 이름을 붙여야 할 텐데 그땐 중국에서 허락을 해 주지 않으면 조선국이라는 그런 이름도, 칭호도 붙일 수가 없었습니다. 그런데 떡하니 그런 칭호를 상신하니까 거기서 사신들이 나온 거죠. 나와서 "야, 여기 조선국에는 돌이 많다는데 돌로다 배를 만들어서 중국에 드려라." 하니 여기에 대답을 해야만 했습니다. 한마디로 말해서 고거 한 가지만 얘길 하죠.

그러면 거기에 말대답할 사람이 있겠습니까? 돌로 큰 배를 만들어서 보내랬으니 이거는 도저히 할 수가 없는 거죠. 세상에, 나졸들이 돌아다니고 돌아다니면서 찾는데 부처님 법이라는 게 묘한 게 뭐냐 하면, 부처님은 나가서 돌아다니면서 이렇게 부처님 짓을 하는 게 아니에요. 가만히 부처님이, 산 부처님이 앉아서 보니까 나라가 위태하게 생겼거든, 그 말 한마디에. 그러니까 사람을 하나, 인재를 산에서 내려가게 했어요. 그건 왜냐하면 그 공부하는 인재에게 그 부처님의 뜻을 거기다가 합쳐 줘서 부처님이 돼 버린 거예요, 응? 이거는 체가 없고 고정되게 돼 있는 게 아니기 때문이에요. 그러니깐 그 사람하고 딱 마주치게 돼 있죠? 그래서 "나라를 위해서 제가 한번 가 보겠습니다." 방을 써서 그냥 죄 붙였으니까. "아, 당신이 그렇게 할 수 있겠느냐?" "그저 열심히 나라를 위해서 하겠습니다." 그래서 만약에 그 말대답을 해서 위기를 모면한다면 공주하고 혼인을 시킨다는 겁니다.

그래서 그 사람이 떠억 가서 이렇게 섰는데 사신들이 와선 아주 그냥 막 "왜 날짜가 걸리느냐. 말대답이 그렇게 어려우냐?" 하는 겁니다. 그러다가 나이가 적은 사람을 턱 대니까 "아, 이까짓 나이 조그만 걸 내보내느냐." 그런 거예요. 이 사람이 그 앞에서 말한 것이 뭐냐 하면, 이 총각이 있다 하는 소리가 "나보다도 더 어린 어린애들도 아는 거를 어른들이 나설 필요가 뭐 있겠느냐?" 하고 아주 기를 팍 죽인 거야, 그냥. 그래 놓고선 뭐라고 했느냐 하면 "배를 만들어서 드려라." 하니까 "배는 벌써 만들어 놨습니다." 이러거든. 그러니까 "그러면 내놔라!" 하니까 "여기는 돌이 많아서 배를 만들었지만 끌고 갈 수 있는 밧줄이 없어. 당신네 중국에는 모래가 많아. 그러니 모래로다가 밧줄을 만들어서 주면 내가 끌고 갈 수 있을 게다." 하니까 "그게 말이라고 하느냐!" 하니까 손을 콱 내밀면서 아무 소리 않고선 "말이 아니라고 하느냐!" 하며 그냥, 그냥 악을 쓰니까 그때서야 아주 자지러졌어요.

이건 대충 얘기한 겁니다마는 예전에 그랬던 일을 기록해 뒀던 거를 아마 테레비에서 한 것 같습니다. 그런 거와 마찬가지로 예전에는 조선국을 얼마나 괴롭혔는지 모릅니다. 그렇게 괴롭혀 가면서 살아왔고 또 지금까지도 이렇게 괴롭게 살고 있는 거죠. 우리가 아무리 나라는 작지만 그래도 인재는 있다. 왜? 지금 과학이 발달이 돼서 물건을 만들고 있고 지금 이 오신통을 가지고 전부 공중으로 촬영을 하고 정보 수집을 하고 전부 탐지기, 무전기, 이런 컴퓨터를 가지고 다 쓰지만 그것을 능가할 수 있는 사람들이 있지 않으냐는 얘깁니다. 그것을 또 능가할 수 있는 사람들. 우리 공부하는 것이 그런 것도 다 능가할 수 있는 공붑니다.

그러니 도인은 본래 알고 있는 것이 도인이 아니에요. 여러분, 생각해 보세요. 쌈이 나면 칼을 뽑지만 쌈이 안 났는데도 칼을 뽑아 가지고 다니는 거 보셨습니까? 이런 거와 같이 때에 따라서 대인은 큰일에 칼을 뽑는다 이 소립니다. 그건 왜? 집안끼리 싸우는 데는 그건 그저 너희들끼리 알아서 하라 이러고, 어떠한 대국적인 문제가 벌어질 때는 가차없이 칼을 뽑습니다. 이게 칼이 칼이 아닌, 어디 규정돼 있는 그러한 칼이 아닌 부처님 법입니다. 바로 묘용이라고 할 수 있겠죠. 그러니 저런 딴 혹성에서 벌어지는 일들도 그렇지만 아, 외국에서 저거 하면 여기 가만히 앉아서도 할 수 있어야 어떻게 해 보는 거죠. 그게 아, 몸이 돌아다니는 것처럼 한계가 있는 겁니까. 지금 몸이 돌아다녀서 될 수 있는 세계입니까?

말을 반듯이 하자면, 전부 내가 될 수 있다면 무슨 일인들 못하겠습니까? 그걸 실천에 옮길 수 있다면. 그래서 도(道)는 그림에 있는 것도 아니고 환상에 있는 것도 아니고, 내가 알고 있는 것이 아니고 모르고 있는 것도 아니고, 때에 따라서 쓰는 것이 도입니다. 허허허…. 그러니 작게 쓰든 크게 쓰든, 우리 생활에서부터 체험해 보십시오. 그 생활을 떠나서는, 바로 내가 없이는 그런 엄청난 일도 할 수가 없습니다. 우리는 지구의 주인입니다. 지구의 주인! 내 배 속에 들어 있는 생명들은 바로 인간의 주인이고요. 인간 껍질의 주인이에요. 이 껍질은 바로 집입니다. 이 지구의 안에 우리가 살고 있듯이, 이 지구라는 건 껍데기죠. 껍데긴데 그 껍데기가 없어도 안 되죠. 바로 비유하면 이 집이 없으면 우리 지금 이렇게 앉아서, 안에 앉아서 살 수도 없죠. 그와 마찬가지죠.

그걸 축소해서 보세요. 우리 배 속에, 오장육부 안에 얼마나 많이들 들어 있나. 그리고 이 지금 세포 껍데기가 몇 껍데기로 돼 있나? 그 몇 껍데기를 지금 지키고 있는 세포의 생명들이 얼마나 많은가? 만약에 그렇지 않다면 세균이 막 들어왔다 나갔다 하기 때문에 못 살아요. 그래서 빈집이 되지 말라. 주인이 있는 집이 돼야지 빈집은 거미줄도 슬고 벌레도 생기고 집안이 망가지고 먼지도 많고, 그렇게 되면 그 집은 그냥 썩어서 버리니까요. 비유해서 얘기한 겁니다.

질문자1(남) 마음을 깨친다, 깨닫는다 그러는데 그게 원래 참뜻이 어떻게 되는 겁니까?

큰스님 그 이름 없는 거요. '깨닫는다, 깨친다' 이런 것도 배우려니깐 어쩔 수 없이 이름을 붙인 거뿐입니다. 내가 똥이 마려워서 지금 똥 누러 가는데 무슨, 허허허, 똥 누러 간다 하고 말을 하고 갑니까?

질문자1(남) 그럼 깨쳤다는 것은요?

큰스님 깨쳤다 하는 것도 없는 겁니다. 정말 깨친 사람은 '깨쳤다'도 없는 겁니다.

질문자2(남) 근데 우리 불교에서 보면 삼독이라는, 즉 이를테면 탐진치라는 것이 있지 않습니까? 저, 『불광』에 보니까 경봉 스님이 그런 말씀 하셨대요. 첫째, 사람이 깨치지 못한 것은 반드시 이것 때문에 그렇다. 중생들은 이 탐진치를 해탈 못했다 이겁니다. 상당히 범위가 넓어요. 경계가 있다. 이것을 빨리 깨달아 버려라 이런 얘깁니다. 그 '탐'이라는 것이 굉장히 중요한 것 같아요. 그래서 먹고 살자면 탐이 많지 않습니까? 그럼 탐을 어떻게 보는 건가? 지금 돈 벌러 가는 것도 탐이 되는 건가?

큰스님 모두가 생각하기에 달린 거죠.

질문자2(남) 근데 어느 정도 한계가 있다 이겁니다. 탐이라는 것이 물욕을 지닌 것이 탐이 될 것인데….

큰스님 탐진치 삼독도 말입니다, 글자를 세워서 알려고 하면 안 됩니다. 그렇기 때문에 모든 거를 내가 지금 살고 먹고 하는 것을 다 "놔라, 놔라" 하는 것이 거기에 있는 겁니다. 그리고 한마디로 규정된 얘기를 하지 않았습니까? 삼독이 있어서 그런 것을, 삼독이라는 말 없어도 내가 모든 것을 분수를 지키면서 놓으면 삼독이라는 이름이 거기 붙을 필요가 뭐 있겠습니까? 네? 아, 내 다리는 지금 요기밖에 뛸 수가 없는데 개천이 저렇게 넓은 데를 뛰어 보세요. 물에 빠지지. 번연히 알고 있는 거 아닙니까, 사람은.

부처님 앞에 정성을 들이는 것도, 이걸로 표현할까요? 나는 '이거를 꼭 먹어야겠다' 하는 생각을 안 했습니다. 근데 이걸 갖다 놨지 않습니까? 이거 갖다 놨죠? 나한테는 이게 상관이 없지만, 들어 보세요. 그 갖다 놓은 사람의 마음의 정성이란 말입니다, 마음! 아, 이 양반이 이렇게 되니까 이런 거라도 입에다 넣어서 입이 쓰지 않게 해 드려야겠다는 그 마음. 마음이 중요한 겁니다. 이 물건이 중요한 게 아닙니다. 마음!

그래서 아까도 얘기했듯이 복과 덕과 공덕. 복을 짓는 거는, 즉 말하자면 자기가 물건을, 모든 거를, 남한테 좋은 일을, 보시를 많이 하고 이러면 복은 받을지언정 덕은 될 수 없어. 이 도리를 웬만치 알고 또 이 보시로서…, 이렇게 하면 덕은 있을지언정 공덕이 없어. 그래서 공덕이라고 하는 것은 그 도리를 알면서 보시도 하는 것이 바로 공덕이 되는 거죠. 그러니까 이 뜻과 행과 말이 일치가 되면서 해라 이거야. 하되 그것이 자기가 한 게 아닌 자기가 한 거죠. 자기가 분명코 했는데, 아까도 얘기하지 않았습니까? 분명코 자기가 하긴 했는데 자기가 한군데다 몰두를 하다 보니깐, 자기 아픈 것도 모르고 다 모르고 거기에다 몰두를 하다 보니까 자기가 한 것이 아니로구나 하는 걸 느꼈을 때에 그 은사가 말씀하신 걸 깨달았다고요. 그러자 고만 그 순간 생각이 드는 게 '그 학이 나에게 구슬을 줬구나.' 하는 생각이 든 거죠. 구슬은 학이 준 게 아니라 학은 거름이 돼 준 것뿐이고, 은사도 거름이 돼 준 것일 뿐이죠. 그 각본을 그렇게 만들어 주긴 했으나 그렇게 걷다 보니까 자기가 그 구슬을 먹은 거죠. 얻은 거죠.

그래서, 즉 말하자면 인재를 찾아야 된다. 예를 들어서 눈을 뜬 사람을 찾아야 하고, "마음의 눈 뜬 사람을 찾아야만이 되느니라" 하는 거는 아마 공통적으로 예전에 선지식들이 말씀을 다 해 놓으셨을 거예요. 그리고 또 한 가지는 스스로서 공부해서 불보가 된 사람은 몇 겁의 인연을 가지고 있는 부처가 이 세상에 태어난 사람이나 혼자 공부한 사람이다. 그런 사람이야 무슨 거기에 말이 필요 있으며 거기에 배울 게 뭐 있겠느냐는 얘기죠. 회개를 하기 전에 걸리지 않고 회개할 일을 안 하니까. 허허허….

질문자2(남) 다 인연 아니겠습니까? 인연이 돼야 그….

큰스님 그러니까 인연이라는 것도 말인데 그 마음으로 전자에서부터 지어 왔기 때문에 이렇게 우리가 인연이라는 말을 붙인 거죠, 이름 붙이듯이. 인연이라는 것이 한두 건의 인연입니까? 하루에도 인연이 몇 가지씩 붙습니까? 말 한마디 서로 건네 가지고 인연이 됐고. 그래, 이 인연이 악의 인연이냐, 선의 인연이냐 이런 것도 자기가 하는 노릇 아닙니까?

질문자2(남) 그게 다 자기도 모르는 사이에 일어난 겁니까?

큰스님 자기도 모르고 지은 죄는 모르고 받게 마련이고 알고 지은 죄는 알고 받게 마련이죠. 내 이런 소리 또 한마디 할까요?

어느 중이 와서 날더러 묻기를, 아마 주역을 많이 하는 사람인 것 같습니다. 그래서 날더러 그분이 하는 말이, 주역을 보니까 자기가 올해는 꼭 물귀신한테 잡혀 죽을 수라 이거예요. 근데 "그걸 어떻게 했으면 좋겠습니까?" 이렇게 물었습니다. 그랬을 때에 내가 그랬어요. "물귀신한테 말려서 당신이 죽게 되는 것도 당신의 마음이 물귀신한테 내가 죽는다는 생각을 했기 때문에 물귀신한테 말려 죽는 거다. 그러나 내가 물귀신한테 말려 죽는다는 것에 걸리지 않는다면 물귀신이 따로 없을 텐데 그렇게 걸렸기 때문에 그러하다." 하니까 뭐라 그러느냐 하면, 날더러 하는 소리가 참, 외려 모르신다는 겁니다. "왜 그러느냐?" 그러니까 "제가 올해 물귀신한테 꼭 말려 죽을 거를 피하려고 물에 안 갔습니다." 이러는 거야. 물에 안 갔는데 아, 어느 집에 초청을 받아 가지고서는 갔는데 이렇게 계단이 있었던 모양입니다. 그런데 큰스님이 오신다니까 그냥 말갛게 물로 다 쓸고 아마 닦아 낸 모양입니다. 하이, 고무신이 미끄러워 가지고선 계단에 올라가다간 그냥 둥구잽이를 쳐선 둥그러졌던 모양입니다. 그 물에 그렇게 미끄러져 가지고 4, 5년을 허리를 쓰지 못하고 후딱장승이었다 이거야. 이래도 믿지 않겠느냐 이겁니다, 날더러. 허허.

그래서 내가 그 말끝에 그랬습니다. "당신이 그렇게 지혜가 없이 허공에 바늘구멍도 안 들어가는 마음을 가지고 어찌 말리지 않겠느냐." 그랬더니 고개를 끄덕끄덕하면서 하는 소리가, 또 한마디 물었습니다. "그러면 스님, 지금 철모르는 아이가 네살배긴데 네살배기끼리 놀다가 살인을 저질렀습니다. 네살배기 애들은 죄 지을 것도 없지 않습니까?" 이러는 겁니다. 그런데 연탄 불집게를 가지고 놀다가 불집게에 그냥 정수리를 찔려서는 죽었다 이겁니다. 근데 그 애들은 죄도 없는데, 그거 걸리지도 않았는데 어떻게 죽었느냐는 얘깁니다. 그것은 과거를 못 보면 현실을 보랬다고, 모르고 지은 죄기 때문에 모르고 그렇게 받고 주고 한 거다 이거야. 그러니 우리가 무슨 '보이지 않는 데니까 내가 마음을 이렇게 썼어도 뭐, 괜찮지.' 이거는 어림없습니다. 그거는 우리가 과거엔 어떻게 됐든지 간에, 미래는 어떻게 됐든지 간에 '아이고, 오늘 내가 잘살고 잘 저거 하면 되지.' 이런 생각도 하지 않는 게 좋겠습니다. 우리가 우리 분수를 지키면서 내일을 생각하지도 말고 과거를 생각하지도 말고 오늘 현실에 내가 꾸준히, 많이 한다 적게 한다, 잘한다 못한다 이걸 떠나서…. (녹음 안됨)

지속된 꿈, 지속된 실상의 삶

1985년 3월 13일

큰스님 … 삼천 년 전의, 아니 오백 년 전의 사람들이 다 지금도 지속되고 있습니다. 안 그런가요? 가만히들 생각해 보세요. 옛 산도 옛 물도 옛 사람들도….

지금 저기서 들어오다가 눈을 내려다보니까 언뜻 생각이, 옛날에는 그런 시도 읊었는데, 지금 보니 옛 산도 옛 물도 옛 사람들도 없다고요. 그래서 그렇게 없기에 '있다, 없다' 하는 언어가 붙지 않는 자리라고 말들을 했죠. 옛 산이 있고 옛 물이 없다면 그건 한 부분에 속한 얘기지 진리는 아닌 것입니다. 우리가 냉정히 판단해 볼 때 옛 사람도 없고 옛 물도 없고 옛 산도 없습니다. 묵묵히 그대로 작용하면서 우리는 영원한 생명의 실상이 그대로 살아 있기에 '옛거다, 옛것이 아니다' 그런 언어가 붙지 않는 자리라고 생각합니다.

사람들이 살아나가다 보니까 이 육체로 인해서 옛날이다 지금이다 조상이다 또 그 조상의 자식이다 이렇게 말들을 해 놓고 있는 거죠. 그리고 작년이다 재작년이다 올이다 내후년이다 하고 말들을 해 놓은 거죠. 우리 인간이 살아나가면서 그렇게 천차만별로 살아나가자니 질서를 지켜야 하고 문란치 않게 스스로 정립을 하고, 스스로 질서를 지키게 돼 나가는 진리기에 우린 이름을 지어 놓고 그렇게 하고 있죠. 그래서 말하자면 지속된 꿈이지마는 지속된 실상의 삶이라고 볼 수 있겠죠. 지속된 삶의 근본을 알고 그 근본의 도리가 생로병사라고 하고 또는 고집멸도 사제법이라고 합니다. 그것이 어떻게 됐다는 겁니까?

우리가 어떠한 진화력을 얻어서 탈바꿈을 하고 자꾸 지속된 한 발을 떼어 놔야겠기에, 결국은 진화라는 과정에 의해서 우리가 걷지 않으면 안 되는 그 과정을 고가 없이는, 그런 과정이 없이는 성립될 수가 없다고 해서 고집멸도라고 말씀을 했겠죠. 사계절이 그대로 돌아가듯이 인간도 추위를 무릅쓰고 또는 더위를 무릅쓰고 또는 봄이 오고 가을이 오고, 떨어졌다 피고 떨어졌다 피고 이렇게 지속되는 나날을 그대로 하면서 거기에서 계발을 한다면, 나무와 나무를 접을 붙여서 열매 모양이 달라져서 나오게 만들고, 그 연관성으로 인해서 진화력으로서 창조력을 키우고 그래서 오늘날의 우리는 정신 개화가 되고, 나아가서는 마음의 실상이, 즉 생명의 실상이 그대로 마음으로서, 한마음으로서 존재가 되고 근본이 되는 것이죠.

우리가 초가 있다 할지라도 성냥을 그어 대지 않으면 촛불이 되지 않듯이 그거는 누가 켰든 간에 내가 켜겠다는 생각을 하고 있었기 때문에 켜진 겁니다. 그것은 촛불이 아니라 바로 마음의 불이죠. 그러니 안팎이 둘이 아니라는 뜻입니다. 전부 여러분이 작용하는 것이 바로 나의 그 생명의 실상이 있기에, 거기는 없다 있다 언어도 붙지 않는 자리기에 그대로 여여하다는 뜻입니다.

그 생명의 실상은 영원히 지속되기 때문에 우리가 꿈을 꿀 때도 몸은 누워서 잠을 자고 있지만 자기라는 그 자체는 그대로 생각한 대로 움죽거리고 있죠. 꿈을 꿨다 안 꿨다 하는 것은 자기가 모르기 때문이지만 항시 밤낮이 없이 움죽거리고 있다는 증거라고 생각합니다. 잠을 자도 잠이 없고 낮에 이렇게 돌아다녀도 돌아다닌다는 자체가 없고. 여러분은 몸이 다니니깐 내가 다닌다고 생각하겠지만 그건 나 아닌 참나가 있기에 바로 내가 움죽거리고 있을 뿐입니다. 꿈엔 꿈대로 내가 움죽거리는 게 아닌가요? 바로 나 아닌 내가, 그 분신이 움죽거리고 있는 그건 환상인 것입니다. 그러나 그건 실제적인 환상입니다. 꿈에 본 자기도, 꿈에 본 상대도, 현실의 나, 이 분신도 바로 현실의 상대고요. 생각 없는 일을 하는 법이 없고 생각 없는 일을 설계하는 법은 없습니다.

그런데 엉뚱하게 꿈을 꾸었다고 합니다. 그것은 왜냐하면 자기가 나기 이전에 인연의 소치로 만난 인연들이죠. 인연들이 꿈에는, 우리가 하루를 지낸다 하면 바로 일 년을 지낸 듯이, 그렇게 하룻밤에 일 년을 지낼 수도 있고 삼 년을 지낼 수도 있는 것입니다. 그래서 하룻밤에 수없는 나날을 보내면서 살다가 끝을 마치지도 못하고 어떠한 문제가 생겨 가지고선 깨다 보면 새로 한 시다, 새로 두 시다, 세 시다 이런 소리를 하게 됩니다. 깨 보니깐 그렇더라고 합니다.

우리가 하룻밤에도 몇 차례씩 시간과 공간이 없는 세계에 도달해 있다가 또 아침에 일어나면 바로 그 시간을 따지면서 또 살아나가고 있습니다. 따질 필요도 없는데 왜 그걸 따져야 하느냐. 한두 사람이 산다면 따질 필요도 없지만 천차만별로 모두 여러 생명들이, 아니 여러 물체들이 살기 때문에 그렇게 따지지 않으면 안 되겠기에 시간도 정해 놓고 해도 정하고 달도 정하고 날도 정했죠. 이것을 정하지 않으면 질서가 문란해지고 또는 충성이나 효도도 없을 것이고 아주 고등 동물로서의 그 행을 지킬 수가 없기 때문에 단군께서 그렇게 질서를 지키게 해 놓으셨던 거죠. 그러자 마음을 기르라고 석가가 탄생했고, 그 후에 여러 가지 종교들이 생긴 원인도 바로 그래서 생긴 게 아닐까요?

가끔 여러분과 같이 이런 생각을 해 봅니다. 혼자 앉았지만 나 혼자 앉아 있는 게 아니라 여러분과 같이 항상 하고 있습니다. 그랬을 때에 과거에도 현실에도 미래에도, 우주 삼세를 두고 말할 때 과거뿐만 아니라, "과거" 하면 억겁을 통해서도 "과거" 할 수 있습니다. 우리가 수없이, 헤아릴 수 없이 몸바꿈을 했다 할지라도 바로 "과거" 합니다, 한마디로. 그런데 그 과거에 수없이 탈바꿈을 해 가지고 자기 형상을 형성시켰건만 자기는 그것을 아예 모르는 채 지금 현실에 형성된 내가, 바로 내 모습이 난 줄 알고 시간만 따지고 급급해서 날짜만 보고 애를 쓰고, 내가 나라고 그렇게 하다 보니까 사람이 사람의 도리를 지키지 못하게 될 뿐만 아니라 여러 가지로 불편한 점이 많은 거죠.

그래서 아까도 말했듯이 옛 물도 없고 옛 산도 없고 옛 사람들도 없습니다. 거기에는 언어가 붙지 않기 때문입니다. 그 없는 가운데서 우리는 작용하고 이렇게 그냥 그대로 자기의 마음의 지혜에 따라서 인연의 업보를 지을 수도 있고 인연의 업보를 부술 수도 있고요. 그렇기 때문에 그 인연의 업보를 없애지 못하는 것은 자꾸 자기라고 하기 때문에, 자기가 한다고 하기 때문에, 매사를 자기가 한다고 그러기 때문에 그 업보를 짓는 것입니다. 자기의 그 모습은 지속될 수 없지만 참자기는 지속하고 있는 것입니다. 그래서 아까도 얘기했지만 참나는 개별적인 나가 아니라 포괄적인 나라고요. 유생 무생이 한데 합쳐지고 일체 만물이 다 합쳐진 이 내공에 의해서 모든 것은 자기가 할 탓이라고 말하겠죠. 그러니깐 그대로 아니다 기다 이 언어가 붙지 않는 자리에, 꿈이다 생시다 이러한 게 붙지 않는 자리, 즉 말하자면 시간과 공간이라는 말이 붙지 않는 자리, 생사윤회라는 말이 붙지 않는 자리, 그 자리에서 그대로 여여하게 내가 나를 이끌어 갈 수 있는, 하달을 할 수 있고 상신할 수 있고 한마음으로 돌아갈 수 있는 그 능력을 제대로 모든 사람들이 다 가진 것입니다.

생각하면 생각하는 대로 그 즉시에 모든 것을 놔 버리고 돌아갈 수 있는 사람이 있는가 하면, 또 놓으면서도 그대로 가는 것이, 하고 가는 것이 놓고 가는 것이기에 생각났으면 어떤 사람은 재깍 해 버리고요, 어떤 사람은 "아, 내일 해도 괜찮은 건데, 뭐." 그러고선 미룬단 말입니다. 그런데 우리 성격은 몸으로도 금방 생각나면 생각나는 자리에서 해치워야 속이 시원한 사람이거든요. 또 내일 할 일이라면 생각조차 할 필요도 없고요. 그런데 우리가 생각해서 하는 것이 항상 그대로 여러 가지를, 억겁 천년 전에서부터 이렇게 여러 가지를 놓고 가는 거죠. 그래서 아까 말한 거와 같이 옛 산은 있어도 옛 물은 없다고 한 말은 그것은 사량에 의한 말이지, 본래 옛 산도 따로 없거니와 옛 물도 따로 없고 옛 사람들도 따로 없다 이 소립니다. 삼천 년 전에도 이러했고 삼천 년 후의 오늘에도 이러할 겁니다. 옛날의 부처가 없어진 것도 아니고 또 옛날의 그 부처가 있기 이전에 부처가 없었던 것도 아닙니다.

어떤 때 생각을 하면 참 딱할 때가 많습니다. 그럴 때 한생각을 다시 돌이켜 봅니다. '나는 뭐, 애당초부터 알았나? 내가 옛날에, 벌써 십 년, 이십 년, 삼십 년 전에 그 모르는 거를 알았다 할지언정, 여러분이 모르는 거를 지금 알았다 할지언정 그것이 삼십 년 전에 알았고 바로 지금 알았다고 해서 어찌 그게 둘이겠는가.' 삼천 년을 삼 일로 칠 수도 있고 하루로 칠 수도 있으니 어찌 그게 둘이라고 보겠습니까? 옛 사람들이 아닌 이상. 그 반면에 새 사람도 아닙니다. 새 산도 아니고 새 물도 아닙니다. 헌 물, 헌 산, 헌 사람들도 아닌 반면에 새 것, 새 사람도 없습니다. 바로 우리는 지속되고 있는 것입니다.

식물들을 보십시오. 옛것들도 아니고 현재 것들도 아닙니다, 그냥 지속하고 있습니다. 저 청청한 푸른 산의 풀잎들도 옛 풀도 아니고 지금 현재 풀도 아닙니다. 그것도 풀잎이라고 우리가 말을 하지만 이름을 다 갖추어서 가져 나왔을 텐데도 불구하고 우리는 그 풀 이파리의 이름을 우리 마음대로 지었을 뿐입니다. 이름을 본래부터 가져 나온 건 아닙니다.

그래서 버섯 종류도 여러 이름들이 많지만 요즘 영지버섯이라고 이름 나온 것도 그 버섯을 사람들이 실험해서 보니까 아주 영약이라고 해서 영지버섯이라고 했지요. 사람들이 이름을 지어 놓고 부르는 거지 본래 이름을 가지고 나온 것은 아니건만 그 버섯 종류의 실질적인 근본이 아주 남한테 이익하게만 하는 능력을 가졌기 때문에 바로 이름도 영지버섯이라고 지었을 뿐입니다. 그리고 또 사슴뿔을 용이라고 이름을 지은 것도, 왜 그렇게 지었을까요? 그러니까 사람들이 생각해서 지은 겁니다, 모두. 그 물건을 봐서 실험해 보고선 '아, 이건 용으로 이름을 지어야겠구나.' 그걸 먹으면 용기가 왕성해지고 기운이 나고 그래서 활동을 잘 시킨다고 해서 용이라고 했겠지요. 모든 것은 그렇게 해서 이름이 주어진 겁니다.

사람들은 욕심이 많아서 자기가 전자에 어떻게 걸어왔는지, 지금 어떻게 걸어가는지도 모르고 이름만 잘 지으면 잘 살 줄 알고 그렇게 애를 쓰는 사람도 많습니다. 이름을 잘 짓기보다도 자기 근본을 올바르게 두고 자기 분수를 알고 사회 상식이나 또 인간의 교양이나 의리, 도의, 사랑을 알아야겠지요. 그것을 모르는 사람은 아무리 좋은 이름을 지어 봤던들 소용이 없습니다. 당장 우리 삼합이 공전한다는 거를 우리가 항상 느끼죠. 기름이 없어도 아니 되고 운전수가 없어도 아니 되고 차가 없어도 안 된다고요.

그 기름은 바로 생명수와 같아서 참생명의 실상이기에 이 우주 어느 곳 안 닿는 데 없이 그 에너지와 더불어 같이 닿는 것처럼, 인간의 실상은 불성이기에 그렇게 광대무변한 능력을 그대로 지니고만 있다는 얘깁니다. 그것을 우리가 응용해서 항상 마음으로서의, 마음 내는 마음으로서의 나침판을 항상 기준해 두고, 중도에 두고 항상 자기를 지킬 수 있는, 이끌어 갈 수 있는 그 도의, 의리, 사랑, 분수 이런 거를 지키면서 나갈 수 있는 나침판을 가졌단 말이야. 그대로 우리는 차를 끌고 다녀도 올바르게 구덩이에 빠지지 않도록 차를 끌고 다닐 것이고 구덩이에 빠지기 이전에 벌써 차는 돌릴 것입니다. 만약에 술을 잔뜩 먹고선 자기 몸도 주체를 못하는 사람들이라면 자기 몸을 구덩이에 빠트리지 않겠습니까? 바로 운전수가 차를 구덩이에 빠트리듯이 사람도 자기 마음이 자기 몸뚱이를 그렇게 빠트리는 것입니다. (녹음 안 됨) 우리가 형상에 대해서는, 낮에 사는 거는 늘릴 수도 없고 줄일 수도 없지만, 한번 꿈을 꾸면 세 시간을 꿈을 꾸었는데 삼 년을 살았다는 얘깁니다. 그러니 그거는 체가 없는 거는 분명하죠. 체가 없으니까 삼 년을 세 시간에 살았는데 우린 하루 종일 24시간 살았어도 이건 더 늘릴 수도 없고 줄일 수도 없는 거 아니겠습니까? 한계가 있죠. 그러나 한계가 없는 것이 바로 마음입니다. 마음은 체가 없고 이 육신은 체가 있기 때문에 체가 없는 마음이 움죽거리니까 이 육신이 움죽거릴 뿐이다. 육신이 한계가 있는 거지 마음이 한계가 있는 건 아니란 얘깁니다.

마음은 늘릴 수도 있고 줄일 수도 있는 겁니다. 이 지구 바깥엘 나갈 수도 있고 지구 바깥엘 전체 돌 수도 있는 것이 마음 아니겠습니까? 빛보다 더 빠른 거죠. 그렇기 때문에 이 마음으로 착을 두지 마라. 우리가 요만한 거 하나를 유(有)의 법에 착을 둔다면 꿈을 꿀 때도 그 착이 돌아가. 내가 생시에 두려움을 가지고 산다면 꿈에도 두려워. 그 마음은 꿈이나 지금 생시나 둘이 아니죠. 그래서 그 마음의 차원이 자길 죽이기도 하고 살리기도 하죠. 자기가 만들어 놓고, 지어 놓고 받는 거죠. 그래서 인과응보가 어디에 있느냐. 자기 마음에 달린 겁니다. 인과가 있다면 업보를 받을 것이고 '야, 내가 죄가 있다.' 생각하면 죄가 있는 것이고 죄가 없다고 생각할 때 이 육신이, 체가 없는 내 마음이 움죽거려서 이 육신이 움죽거려졌는데 이건 허망한 게 아닌가. 이건 어디까지나 종이라고도 할 수 있고 부처님 도량에서는 시자라고도 할 수 있는 거죠. "얘, 아무개야. 뭐 가져오너라." 그러면 이렇게 가져오고 또 내가 '아, 뭐가 먹고 싶구나.' 이럴 때는 몸이 움죽거려서 가져와야 먹어지니까 바로 시자다 이겁니다. 그래서 시자는 자기 주인공에 의해서 움죽거리게 돼 있거든. 그러니 이거는 "공하다"라는 얘기죠. 따라서 수 없이 바뀌니까요.

항상 그런 말을 합니다. 왜 공했다고 하는가? 없어서 공했다고 하는 게 아닙니다. 여러분이 24시간 사는 동안에도 말입니다, 길에 나가서 볼 때 말 탄 양반도 보고 소 탄 양반도 보고 말입니다, 거지도 보고 잘사는, 잘 입은 사람도 보고 미남도 보고 미녀도 보고 또 추남도 보고 추녀도 보고 별의별 거를 다 봅니다. 고정되게 어떠한 잘난 것만 보는 게 아니고 고정되게 못난 것만 보는 게 아닙니다. 듣는 것도 그렇죠, 먹는 것도 그렇죠, 냄새 맡는 것도 그렇지, 행하는 것도 그렇지. 가고 오는 것도 고정됨이 없지. 또 내 육신이 늙어 가는 것도 고정됨이 없어요. 애대로 그냥 있어야 되는데 늙어서 하얗게 되거든. 이것도 고정됨이 없다 이거야. 시간 시간이 고정됨이 없어. 그러니 '공하다'는 얘기가 나온 겁니다. 그런데 그 공하다는 얘기는 없어서 공하다는 게 아니라 그렇게 초마다 그냥 바뀌지니까…. 그 바뀌지는 동안에 우리가 바뀌진다는 생각도 초월해야 된다. 또 어떠한 물질이 아무리 좋다 하더라도 나는 관리만 했다 뿐이지 그것이 내 거라고 착을 두지 말자. 부처님께서 49년 설하시고도 나는 한 마디도 한 예가 없다고 말씀하신 것이 바로 그 뜻이지요.

그러니 인간은 고등 동물이라 고차원적인 지혜를 가지고 있다는 결론입니다. 지혜를 가지고 있기 때문에 우리 인간은 항상 나 아님이 없이 같이 이렇게 저 사람과 나와 둘이 아니게 할 수 있고, 저 꽃과 나와 둘이 아니게 할 수 있고, 그렇게 찰나찰나 둘이 아니게 할 수 있지만…. 꽃도, 어떤 짐승도 그렇습니다. 차원이 낮기 때문에 사람을 보지 못하는 거죠, 사람의 마음속을. 우리가 부처님 마음속을 모르듯이, 부처님을 못 보듯이. 그래서 차원이 낮으니까 사람의 그 마음을 헤아리지 못하고 진짜 사람을 보질 못하고, 이하의 동물들이나 생물이나 무정물까지도 다 알지는 못하죠.

그러나 사람은 고등 동물이라 부처님의 뜻도 알 수 있고 또 모든 걸 알고 있기 때문에 무정물도 사람의 마음을 알 수 있을 때에 화한다는 얘깁니다, 사람과 무정물과 접촉을 하게 되면. 나무가 거기 한 그루 서 있되 그 나무의 마음은 사람의 마음을 능가할 수 있느니라. 그래서 사람의 마음을 알 수 있기 때문에 나무는 그 사람의 마음 따뜻한 데로 기울어진다. 그래서 좀 올라가서 나무들 보시면 동쪽을 향해서 언제나 껍데기가 두껍고 얇고 그런 것을 알 수 있다. 북쪽으로나 동쪽으로나 이런 걸 알 수 있다. 또 그 가지가 어디로 기울어졌나 그런 걸 봐도 우리가 생생하게 마음들이 있다는 것을, 그리고 또 움죽거리고 있다는 것을 알게 되죠. 그래서 일체 만물만생이 다 한마음으로서 돌아가기 때문에 그 마음은 체가 없어서 무한량 삼천대천세계를 돌고도 남고, 덮고도 남고, 들고도 남고 이런다는 뜻입니다.

그래서 인생이 마음먹기에 달린 거지, 자기 마음에 의해서 팔자 운명이 있는 거고 그 팔자 운명이 있다고 생각을 하니까 받고 그러는 거지, 체가 없는 내 마음은 본래 인과응보라든가 또는 팔자 운명이 거기 붙어 있는 게 아닙니다. 본래 체가 없는데 뭐가 붙을 게 있겠습니까. 그 도리를 알아서 우리가 응용한다면 우리 몸에도 해롭지 않을 것이요, 우리 가정에도 그럴 것이요, 사회에도 그럴 것이요, 국가적으로도 아주 튼튼하게 살아나갈 수 있는 그런 그, 참자유인이라고나 할까요?

중들도 왜 중노릇을 하는지 그거조차도 모르고 하는 사람들도 많죠. 또 불자들도 왜 우리가 불자가 돼서 이렇게 불법을 배우려고 하고, 또 법당에 가서 조아리고 그러는지 그것도 모르고, 또 내가 왜 절을 하는지 그것도 모른단 얘깁니다. 그럼 인간이 어디서 와서 어디로 가는지조차도 모른단 얘깁니다. 그 인생살이를 그렇게 모른다는 뜻이죠. 그러니 내일 일을 어떻게 내다볼 수 있으며 어저께 일을 모르는데 어찌 내일 일을 알겠습니까?

작년에 나온 콩씨를 씨앗으로 뒀다가 올해 콩씨를 심었더니 콩싹이 났더라. 그 콩싹은, 인간이라고 한다면 작년 콩씨를 찾고 있더라 이겁니다. 작년 콩씨를 찾아, 없어진 작년 콩씨를. 자기 씨가 벌써 화해서 싹으로 나왔다는 거를 알아야 될 텐데, 과거의 나, 내가 나기 이전 콩씨를 자기한테서 찾아야 할 텐데 바깥에서 찾고 있다고. 그건 벌써 화해서 싹으로 됐어. 그 싹에서 바로 자기 뿌릴, 자기 씨를 자기가 찾아야 될 텐데, 콩싹에 콩이 붙는다는 걸 알아야 될 텐데…. 그 콩싹에 콩씨가 붙으면 그 콩씨는 벌써 미래의 콩씨가 될 수 있는 거야. 그렇기 때문에 과거심이나 미래심이나 바로 현재심이나 그 콩씨는 둘이 아니죠, 연결되니까. 미래의 콩씨가 바로 과거로 돌아와서 또 현재로 오고, 미래의 콩씨가 또 과거로 해서 이렇게 돌아오고.

물은 안 그렇습니까? 제자리에서 있는 것이 물입니까? 고정되게 제자리에서만 있는 것이 물이 아닙니다. 흘러서 또 나가고 흘러서 들어오고, 흘러서 나가고 흘러서 들어오고 이러는 것이, 흘러서 나가도 줄지 않고 흘러서 들어와도 두드러지지 않는 그러한 그 연결됨이 바로 우리의 마음, 즉 말하자면 과거생으로부터 마음이 연결되는 거지 육신이 연결되는 게 아닙니다. 마음이 연결되기 때문에 육신도 연결되는 거죠. 그렇기 때문에 옛 사람도 없고 옛 물도 없고 옛 산도 없다는 말이 있죠. 어떤 사람은 그냥, 옛 산은 있어도 옛 물은 없다고 말은 그렇게 합디다마는 그거는 당치 않은 소리라. 그건 내 생각에 당치 않은 생각이니까. 또 그것도 고정되진 않습니다, 이건 내 생각이니까. (녹음 안 됨)

그리고 우리가 이틀 사흘 있다가 만약에 육신을 벗는다면 금방 씨가 돼 가지고선 금방 그 차원으로, 자기가 금씨면 금씨, 무쇠씨면 무쇠씨, 양철씨면 양철씨, 넝마씨면 넝마씨로 다시 열 달만 있으면 그냥 이 세상에 또 나오거든. 아이, 그러니 어떻게 그게 없어졌다고 보겠습니까? 다른 걸 보지 마시고 우리가 식물이나 어떠한 무정물의 씨나 뿌리나 이런 걸 볼 때 아주 없어지는 게 아니지 않습니까? 껍데기가 벗어졌다가 다시 그 알맹이가 또 껍데기로 변하고 그 껍데기가 또 씨를 앉히고, 연방 먹이고 연방 남고 연방 먹이고 연방 남고, 지속되는 거죠. 인생의 길이란 끊어짐이 없이 지속되는 것이 마음과 마음이 연결돼서 지속되는 것입니다. 마음과 마음이 연결돼서 또 한마음으로 돌아갈 수 있는 거고요. 마음의 그 연결이 되기 때문에 우리가 지속되는 진리라고 하지, 마음으로서 마음이 연결되지 않는다면 진리라고 말할 것도 없죠. 그래서 괜히 자기네들이 마음으로 지어 놓고 고통을 받고, 지어 놓고 아주 머리가 어지러워서 죽겠다고 그냥, 머리에서 불이 난다고 그러고요. 이걸 물질화시키니까 그런 거예요.

무서운 도리가 있어요. 이 보이지 않는, 체가 없는 물건을, 체가 없이 자기가 지어서 물건을 만들었다, 이 머리로 만들었다 하고 한번 눈을 감고 생각해 보세요. 별의별 생각이 다 나오면서 물질이 보입니다, 어떠한 물질이. 그러면 그 물질이 자기 생각에서 나오는 거거든. 근데 머리 풀어 산발을 한 귀신이 나타났다고 합시다. 그거를 떼고 죽이려고 아무리 비틀어서 죽여도 안 죽어지는 거 있죠? 네. 체가 없기 때문에 안 죽어지는 거야. 아무리 비틀어서 죽이려도 안 죽어지는 거야, 그것이. 그러나 그건 체가 아니고 환상이야. 그럴 때 자기가 환상에 착(着)하기 때문이다 이거야. 이 색(色)에, 물질에 착하기 때문이다. 그러나 나의 이 육신마저도 다 버렸을 때 그 환상은 환상대로 그냥 없어지는 거야. 다 놔 버려! 놔 버려! 그건 없는 거야. 그거 왜 생각으로 지어 가지고 그놈의 거를 그냥 애를 쓰고….

또 꿈을 꾸고도 '아이구, 이놈의 게 생겼는데, 이놈의 걸 받았는데 이걸 어떡하면 좋은가? 이거 또 무슨 일이 나지.' 아, 요러거든. 제 마음이 그러니깐 꼭 그냥 달려든단 말이야, 이게. 그러니까 마음으로 인과를 짓는 거지, 자꾸. 결국 현실에 와서는 받는 거라. 보이지 않는 데서 지어 놓고 보이는 데서 받는 거예요. 그러니 팔자 운명이란 자기 성격, 마음에 달린 거니까 팔자 운명이 있다고 하지 않는 것이 좋다 이겁니다. 팔자 운명이 어딨어? 자기가 지어서 만날 만들어 놓고 팔자 운명이라고 하는 말들이지. 흘러가는 길에 팔자 운명이라고 할 게 뭐 있어요?

지금 사람들이 기복으로만 모두 그냥 쏠리고 진짜로 가르쳐 주면, 진짜로 말해 주면 '그게 아닌데….' 하고선 그걸 이해도 못하고 '아휴, 신이시여! 날 좀 구원해 주소서. 영혼을 구원해 주시고 육도 구원을 해 주시오.' 이러고 기도를 드린다고. 나도 그렇게 해 봤어. 고해 성사를 할 때 아니, 커텐 하나 이렇게 가려 놓고선 여기서 신부한테 고하는 거야. 이건 뭐, 아니, 자기가 잘못해 놓곤 거기다 고하면 될까? 내가 그거를 고하다가 '에라!' 하고 때려치워 버린 거야.

왜냐하면 아니, 요렇게 가려 놓고서 줄창 그래도 그런 마음이 안 들었어요. 근데 어느 순간 내가 자책감을 가진 거야. 그건 뭐냐 하면, 아주 어려서 얘깁니다. "야!" 내가 하는 소리야. 묵묵히 말을 하려다 탁 그냥 아예 "할 게 없습니다." 그러고선 나와 가지고선 가만히 풀가에 앉아서 생각을 한 거야. 자기가 잘못해 놓고 자기가 저 상대편 보고 고하면 그게 면해져? 또 잘못하기 이전에 자기가 잘못 안 하면 그뿐이지 아니, 잘못해 놓곤 누구한테다가 고하는 거야, 지금? 그리고 또 고하는 것도 누구한테다 고하며, 구원을 해 달라고 하는 자체가 자긴데 누구한테다 구원을 해 달라고 그러느냐 이거야.

그래서 저쪽에 잘된 나무가 서 있으니깐 이쪽 나무가 저쪽 나무를 보고 '아휴, 이 나무는 참 잘됐구나.' 하고 부러워서, "나도 너같이 그렇게 잘 자라게 너, 나 좀 해 줄 수 없니?" 아무리 그래도 이건 소용없어. 그 나무가 이쪽 나무를 잘되게 할 수는 없어. 이쪽 나무는 제 뿌리가 굵고 성성해야 싹이 굵고 잘되는 법이니까. 못났든 잘났든, 자기가 아무리 한 팔, 한 다리가 없어도, 한 쪽이 없어도 자기가 중대한 거야, 자기가. 자기 안의 자부처, 즉 말하자면 자신이라고들 하죠. 자신(自神)이야, 그래서. 신은 부(父)가 되고 자(子)는 말씀이 된단 말이야.

즉 말하자면 생각하는 게 된단 말이야. 생각하는 건 자가 되고 생각하기 이전의 그 영원한 생명은 바로 자기 부가 되는 거예요. 신이 되는 거라. 자신이야, 그래서.

그러니 부처는 마음에 있는 거지, 각자 마음에 있는 거지 어떠한 형상에 있는 게 아니니라. 형상이 있다 한들 무한의 부처님이라고 마음을 사람들이 정해 놨기 때문에 부처님의 형상은 형상이 아니라, "부처님은 두루 아니 발붙이는 데가 없고, 손이 아니 닿는 데가 없고, 두루 안 하는 데가 없느니라." 한 것은 움죽거리지 않기 때문에 두루 할 수가 있는 거지, 움죽거리는 사람이라면 한계가 있기 때문에 그것은 두루 할 수가 없죠. 그렇기 때문에 우리가 이 육신을 놔라, 육신이 자기라고 하지 말라 이겁니다. 육신을 자기라고 한다면 오산이다 이거야. 육신은 수시로 변질이 돼. 수시로 변질이 되는 자기 육신을 어떻게 고정된 자기라고 할 수가 있느냐. 또 그뿐인가요. 마음도 고정되지 않아, 하는 일도 고정되지 않아, 보는 일도 고정되지 않아. 그러니 고정되지 않은 게 부처다 이거야, 이름해서. 그러니까 진리가 부처라는 이름을 지어 놓은 것뿐이다 이거야. 그건 이름이지 근본은 아니다 이거야.

그러니 오늘부터요, 모두 바깥에서 찾던 거 안에서 구원을 받으세요, 안에서. 자기 주인공을, 그것도 이름입니다. 주인공을 첫째로 믿고 모든 것이 내가 하나하나, 손가락 하나 움죽거리는 것마저도 그 주인공에서 형성된 거니까 모든 건 주인공에다 일임해서 놓고 믿고 감사하고 마음 편안하게 둬라 이거야. 모든 하나하나 하는 것마다 주인이 하는 거지 내가 하는 게 아냐. 그렇게 한다면 무(無)의 법으로나 유(有)의 법으로나, 내가 육신으로 다니는 거나 무의 안 보이는 데 돌아다니는 마음이나 아주 다양하게 안팎을 50%, 50% 한데 합쳐서 참 100% 만들어서 응용할 수 있는 생활을 할 수가 있다 이겁니다.

내 밝은 마음으로 세상을 보려면

1985년 12월 28일

질문자1(남) '본 나'는 태초부터 가지가지 껍질로 변동을 해 왔다고 생각이 드는데요, 결국 스님께서 늘 말씀하시는 주인공이라는 것은 태초부터 지금에 이르고 또 앞으로 영원토록 이어 나갈 그 '나'를 얘기하시는 것입니까?

큰스님 그렇게 이어 나가고 이날까지 왔지 않습니까?

질문자1(남) 네.

큰스님 그런데 이 체는 바뀌질 수가 있다고 말할 수 있겠지만 체 없는 마음은 바뀌진다, 바뀌지지 않는다 말할 수가 없는 거죠. 거기까지 벗어나야 한다는 얘기죠.

질문자1(남) 그래서 비근한 예를 든다면 "주인공에 모든 것을 맡겨라." 이렇게 말씀하시는데 결국 뭐라고 그럴까, 조금 지나친 욕심을 부린다든지 혹은 양심에 거리끼는 일을 한다든지 이랬을 때에 양심적으로 가책을 받고 '이것은 이렇게 해 가지고 안 되겠다. 양심의 명령에 따른다.' 또는 '이것은 내 욕심이 과하다. 욕심을 버려야 한다.' 이렇게 하는 것이 결국 주인공에 맡기는 것이 되겠습니까?

큰스님 글쎄, 그런 나쁜 일을 한다, 안 한다를 자기가 더 잘 알고 있죠?

질문자1(남) 네.

큰스님 그렇기 때문에, 자기가 더 잘 알고 있기 때문에 잘하는 것도 못하는 것도 다 자기가 하는 거죠. 그렇기 때문에 '그것이 잘못되고 있구나.' 하는 것도 자기가 그렇게 잘못된 걸 알고 있고요, '아, 이렇게 하면 안 되는데….' 하는 것도 자기가 알고 있거든요. 그러니까 결국 한 군데서 나온 거지 두 군데서 나온 게 아니란 말입니다. 잘못한 것도 회개하는 것도 바로 거기서 나온 거거든.

그러니까 그 두 생각이 다, 잘못된 거 잘된 것이 거기서 나오는 거니까 거기다가 다 일임하고 말아 버린다면 그게, 즉 말하자면 초발심에서는 공부하는 과정이 그렇게 해서 나가는 거죠. 그러니까 그 습을, 바꿔진다 바꿔지지 않는다, 잘된다 못된다, 내가 죽어서 다른 걸로 바뀐다 또 '좋은 데로, 부처님 성전에 가야지.' 이러는 그 마음까지도 다 일임해서 맡겨 버리는 겁니다.

왜냐하면 부처님이라는 것은 어떠한 체를 부처님이라고 하는 게 아니기 때문에, 마음은 체가 없기 때문에 아무리 천차만별의 모습으로 화해서 참, 각각 만법을 응용한다 하더라도 한 사이가 없는 겁니다. 그렇기 때문에 내가 이것을 이렇게 바꿔서 또 가기 위해서 나는 이 공부를 한다 이러는 게 아닙니다. 여직 바뀌어서 진화돼서 창조되고 창조되면서 또 죽고 또 바뀌고 이렇게 해 나왔는데, 바뀌고 또 큰 것이 되고 작은 것이 되고 나쁜 게 되고 좋은 게 되고 이렇게 끄달리지 않기 위해서 이거를 몰락 벗으려고 지금 하는 겁니다.

질문자2(남) 스님, 내가 없으면 모든 것이 없는 거 아니겠습니까? 그런데 저번 날 냉수를 제가 한 컵 마셨더니만 상당히 시원했습니다.

근데 그 기분에 온 세상이 다 시원할 것만 같았습니다. 그래서 생각에 '그 한생각이면 모든 것이 다 같이 돌아갈 수 있는 것이 아닌가.' 그런 생각이 들었습니다.

큰스님 본래 우리가 공생, 공심으로서 공용을 하고 돌아가고 있지요. 그건 대의적인 문제고요. 내가 한생각을 내서 옆의 사람도 못 보던 거를 알게 됐다. 또 내가 물 한 모금 마시면 내가 시원하니까 딴 사람도 다 시원할 거다 하는 것도 내가 시원하기 때문에 다 시원한데, 나는 시원한데 저 사람은 내 마음을 모르기 때문에 시원한 걸 모릅니다. 대의적으로는 다 시원하게 돌아가는데, 이 뜻을 아는 거는 다 돌아가고 있는데 한 개체가 "난 시원한 걸 모른다." 이런 겁니다. '어둠 속에 있으니까 난 밝은 걸 모른다' 이런 소리나 마찬가집니다. 그럼 그 밝은 걸 모른다 하는 사람은 누가 그렇게 만들어 놨나?

그걸 비유하건대 만약에 어떤 나쁜 짓을 저질러서 항상 추격을 받고 있어. 그랬을 때, 그 양심이라 할 때 도둑은 어딜 가도 밝은 대로로 다니길 꺼려합니다, 잡힐까 봐. 항상 골목으로 또는 그렇지 않으면 어두운 골목으로 이렇게 다니길 좋아하죠. 그런 사람들은 밝아도 밝음을 모르고 사는 사람들이죠. 그런데 우리가 도둑질을 해서 컴컴한 데서 산다 그런 게 아니라 살아나가면서 자기도 모르게 저지르고 가는 것이 인간 아닙니까. 자기도 모르고 저지르고 가는 것은 자기로부터 이 세상이 있는 줄 모르고 자기는 빼놓고 항상 바깥으로 돌아치니까 거기에서 자기도 모르게 업보가 되는 거죠, 쌓이고 쌓여서. 그러니깐 그게 쌓이고 쌓이고 덮치기로 붙었으니까 내가 밝은 나의 마음으로부터 이 세상을 볼 수가 없고 그게 덮겹을 했단 말이야. 그러니 보이긴 뭐가 보여? 바깥이 영 보이질 않지. 안에 그렇게 그냥, 내 면경 안에 그냥 쌓이고 쌓였으니까. 그러니깐 컴컴하단 말입니다. 뭐, 꼭 도둑질을 해서만이 컴컴한 게 아니라.

그러니까 그것이 달리 미신이 아니라 우리가 바깥으로 구원을 받으려고 하고 바깥으로 내가 잘되려고 하고, 믿음을 바깥으로 가진 사람들은 보통 미신에 불과하다 이겁니다. 모든 것은 잘잘못이 타의에서 오는 게 아니라 자의에서 나오고 있단 얘깁니다. 자의에서 나오고 있기 때문에 자의에서 나오는 거를 알았으면 이 모든 걸, 오관을 통해서 바깥 세계를 내다보면서 들이는 것도 바로 그 자의에다 놔야 될 거 아니냐 이겁니다. 타의라는 거는 물론 체가 있고 보이고 또 들리고 이러지마는, 그리고 물질을 보고, 듣는 거를 듣고 판단을 하지마는, 자의라는 거는 내놓을 것도 없고 들을 것도 없고 볼 것도 없는 가운데서 책정이 나는 겁니다. 그렇기 때문에 거기에다가, 모든 것을 자기 자의에 놓는다면 자의에서 나오고 또 나오는 것이 자의에서 나왔다면 자의에 들이고, 믿음을 이렇게 가져야만이 조금도 안팎이 군더더기가 붙지 않고, 인과가 없고, 인과에 끄달리지 않고, 윤회에 끄달리지 않고, 즉 유전에 끄달리지 않고 얼마나 그냥 가벼운지…. 무겁게 짊어지고 다니지 않고 이러니 얼마나 가볍고 좋겠어요. 오늘의 자유인! 허허허….

그래서 오늘의 자유인이 되니까 결국은 '내가 나로다가 고정되게 있지 않더라.' 그런 걸 알게 돼요. 내가 가끔 그런 말 하지 않아요? 내가 중인데 고정되게 중으로 있질 않더라. 여러분이 볼 때는 항상 봐도 중은 중이죠. 이 물질로 봐서는요. 그런데 어떤 때 가서는 의사가 되기도 하고 어떤 땐 간호원이 되기도 하고, 어떤 땐 판사가 되기도 하고 또 어떤 땐, 극치적으로 무슨 아주 중대한 일이 있을 때는 변호사도 될 수 있어요. 변호사 한마디에 왔다 갔다 하는 수가 있어요. 어떤 때는 그것을 추적해 보느라고 판사도 될 때가 있고요. 어떤 때는 시골의 한 농부가 될 때도 있어요. 어떤 때는 술집의 작부가 될 때도 있거든요. 그러니 어찌 중이라는 게 깨끗한 것이 중이냐는 얘깁니다. 아니, 더러워서 더러운 게 아니라 이렇게 깨끗하고 이렇게 올려놓는 것만이 어떻게 부처라고 말할 수 있겠느냐 이겁니다. 그러니 때로는 농부 짓을 했다가…. 그런데 남은 내가 농부 짓을 하는지 모르지. 그러나 그렇다고 해서 중의 마음이 바뀌는 게 아니야. 부동해, 여기는 그대로.

그런데 그것은 그것대로 그렇게 바뀌져. 내가 수시로 바뀌져. 예를 들어서 나의 근본, 즉 말하자면 발전소는 여기에 그대로 있는데 전기가 나가도 나가도 줄지도 않아. 야, 저 집에도 전기가 나가고, 거지 사는 데도 전기가 나가고, 술 파는 데도 나가고 전기는 다 나갑니다. 그런데 발전소는 변함이 없습니다. 자가발전소는 술집에 전기가 나간다고 해서 발전소 그 자체가 더럽혀지는 게 아니죠? 불 자체가 더럽혀지는 게 아니에요, 또.

더러운 거를 말하는 게 아니라 더럽고 깨끗한 거를 막론하고 여러분의 마음만 응달을 지어 놓지 않는다면 다 비칠 수 있다 이거야. 여러분의 마음이 태양빛을 받으려면 문을 활짝 열어 놓고 옆도 없고 지붕도 없어야 되는데, 만날 옆도 막아 놓고 지붕도 해 놓고 문도 꼭꼭 걸어 잠가 놓고 하니까 빛이 들어갈 수가 있어야지. 그런데 하치 못한 저 똥구덩이 퇴비 해 놓은 데, 하치 못한 그 어렵게 사는 집들, 문짝도 변변치 않고 구멍이 숭숭 뚫리고 그런 데는 볕이 들어갈 수 있어. 하물며 똥구덩이에도 비춰 줄 수 있는데 여러분의 마음을 닫아 놓으니깐 못 들어가지 왜 못 들어가느냐 이거야. 볕이 들어가 주는 게 아니라 여러분이 받아들이는 겁니다. 우리가 진리를 우리 마음으로 응용해서 활용을 하는 거지 누가 활용을 시켜 주는 게 아니에요.

'부처님이 다 알아서 해 주시겠지.' 하는데 뭘 알아서 해 줘요? 부처님이다 함은 자기 영원한 생명, 그 불성 자체라니까요. 그러나 씀씀이를 쓰는 것은 생각을 내서 활용을 하는 것입니다. 그러니까 "법신의 능력으로" 이런 말을 하죠. 쓰고 안 쓰는 것은 여러분에게 달려 있고 그 생명은, 일체 만물의 그 생명은 다 같다는 얘깁니다. 그래 "생명이 있는 것은 다 불성이 있다."라는 얘기가 나오는 거죠.

우리가 이날까지 억겁을 통해서 진화돼서 이렇게 나오면서, 모습을 찰나찰나 바꿔 가면서 이렇게 나왔습니다. 그리고 아까 선생님이 바꿔 가기 위해서 이런 진리를 공부하느냐는 말씀을 하셨습니다마는 우리가 이날까지 바꿔 왔습니다. 찰나찰나 모습을 바꾸면서 왔어도, 즉 모습이 바뀌지는 거는 자기 마음이 '야, 이게 불편하다.' 그러면, 자기가 지금 생활을 할 때 이게 불편하다 그러면 요렇게 바꿉니다. 공장을 하는 데도 기계가 인제 다됐다, '이건 다됐고 앞으로 신품이 나오는데 이 구품을 가지고 하려면 물품이 제대로 나가지 않으니까 신품을 들여와야 되겠다.' 하는 생각이 들면 그 기계를 바꾸는 것뿐입니다. 그러면 그것은 아주 또 내버리는 거냐? 내버리는 게 아닙니다. 재생하는 겁니다, 또. 이렇게 우리가 바뀌지면서 오는데, 아까도 말했듯이 물질적인 것은 이렇게 찰나찰나 모습을 바꿔 가면서 나퉈 나오지만, 진화되지마는 우리의 마음 근본만은 절대로 바꾼다, 바꾸지 않는다가 없다 이겁니다. 물질이 아니기 때문입니다.

그래서 수억 개로, 즉 말하자면 내가 화해서 만법을 응용한다 할지라도 함이 없이 하는 것이다 이런 말입니다, 체가 없어서. 내가 지금, 예를 들어서 선생님이 마음을 '아, 저기는 지금 열 식구가 한 식구 때문에 다 죽게 생겼어. 그러니깐 저건 내가 안락사를 해야겠다.' 한다면, 예를 들어서 안락사를 해야겠다 하는 말을 하는 것은 '아이, 저 사람 하나만 없으면 다 살 수 있을 텐데 이거 큰일 났구나.' 할 때에 그건 안락사라고 하지 않아도 되지요? 그건 사람이, 즉 말하자면 교육상으로 가르칠 때에 안락사라고 이름을 지어 놓은 거지 그건 정말 안락사가 아니에요. 이름이야. 내가 '저 사람들이 다 죽겠구나. 저 한 사람 때문에….' 이런 생각을 무심코 그냥 할 때, 그건 이름도 성도 없는 겁니다. 그냥 생각이 든 거예요. 그랬을 때에 내가 만약에 그 한 사람을 안락사를 시키고 그 집을 다 살린다 하더라도 선생님한테 추궁이 들어올까요? 체가 없기 때문에 그렇게 응용을 했어도 선생님한테 "너 사람 죽였으니 교도소에 가거라." 누가 이런 사람 없을 거다 이겁니다. 그렇죠?

그거 한마디만 들어도, 수만 가지를 해도 함이 없으니, 누가 나를 끌어간다, 갖다 가둔다 이런 것이 없으니 자유인이다 이 소립니다. 이렇게 말씀해 드려야만 되겠습니까? 그래서 체가 없는 마음이 그렇게 무궁무진하게 화해서 그렇게 마음으로 만법을 굴리고 응용해도 누구 하나 알지도 못할 뿐 아니라 그거는 탓하지도 못해. 단지 안다면 서로 동등한 도반들끼리나 알 수 있을 것이라는 얘깁니다.

그런데 한 가지, 이 도리를 배우는 사람은 나쁜 일을 하려고 해도 극히 나쁜 일은 해지지 않는다는 겁니다, 본래. 또 자비가 있기 때문에. 그런데 또 한 가지 이런 건 있습니다. 방편으로써, '저 사람을 내가 꼭 사람으로 만들어야 할 텐데 저걸 어떡하면 사람으로 만들지?' 하는데 한두 번 보고 좀처럼 해서는 안 되겠거든. 말로 일러서도 안 되고. 그럴 때는 할 수 없이 손을 대지 않고 매를 때린다 이겁니다. 그랬을 때 그렇게 고통스럽게 구르다가 나중에 개골창에까지 빠지게 돼서 그때에 인제 다시 개심을 하고 '아, 이래서는 안 되겠구나.' 하는 생각이 들어가야 그때 탁 받아서 다시금 올려놓습니다. 이러한 법 없는 법, 판사 아닌 판사. 판사도 보통 판사가 아닙니다. 허허허….

천체 총지휘의 그 뭐, 법원장이라고 그럴까요? 법원장의 권리도 가졌지마는 부처님들 한자리에서 우주 전체의 회의를 하는 데도 같은 좌석에서 회의를 할 수 있는 권한을 가졌다 이겁니다. 그러면 몸이 안 보이는 분들의 권한이 더 세냐, 몸이 있는 분의, 그 공부한 분의 권한이 더 세냐 하면, 권한은 거기에 천체가 같이하면서도 이 몸이 있는 사람에게 주어진다는 얘깁니다. 실질적으로, 즉 말하자면 대통령이 있는데, 대통령은 보이지 않는 부처님 자리라고 합시다. 여기에서도 항시 자기와 같은 자리면서 몸이 있으니까 몸이 없는 데서 몸이 있는 데로 벌써 심부름을 하게 돼. 심부름을 하게 되는 거뿐이 아니라 마음이 같이 돌아서 나한테로 우선적으로 오게 돼 있어.

그래서 산 부처가 더 무서우냐, 죽은 부처가 더 무서우냐 그러면 산 부처가 더 무서워. 그건 왜? 눈으로 보고 듣고 오관을 통해서 서류 꾸미는 거는 누가 꾸미는 거냐 이거야, 응? 법원장보다 판사가 더 위력이 있을 뿐 아니라, 판사도 위력이 있지마는 검사나 서기나 여기에서 잘못해 넣으려면 얼마든지 잘못해 넣을 수가 있다 이거야. 그러니까 전부 공부한 사람의 역할이, 산신의 역할도, 즉 말하자면 검사나 서기나 이러한 일들을 하는 분들의 위치가 바로 판사의 위치와 동일하게 산신각에서 할 수 있는 그런 도리다 이거야.

그래서 '독성', '산신' 이것이 따로 있는 건 아니지만 독성이라 하는 거는 이 살아 있는 사람의 천체적인 하나의 물리를 말하는 거라. 그리고 또 산신이다 하는 거는 이 삼심이 공존해서 활용을 하기 때문에 판단을 짓는, 즉 말하자면 판사나 마찬가지기 때문이다. 그런데 그 일을 대통령이 하는 건 아니야. 대통령은 부동자세 하고, 한생각을 내는 데에 법신은 그 능력이 나오게 돼 있으니까.

그러니까 각각 있는 게 아니라 그러한 역할이 이 세상에 돼 있는 것처럼 그런 역할을 공부한 사람들이 다 하게끔 돼 있다 이거야. 그 능력은 대의적으로 어느 곳이든 아니 닿는 데 없이 에너지와 같이 우주 전체에 돌아가고 있지마는 우리가 같은 자리에 그게 같이 돌아갈 수 있는 마음의 여유가 있고 그만큼 손발이 안 닿는 데가 없다면, 지금 현재에도 오관을 통해서 우리가 들이고 내고 보고 듣고 하고 있단 말입니다. 그렇기 때문에 그 능력을 거기다 발휘할 수 있는데 누가 그걸 몽둥이로 치는지 또 내 금몽둥이를, 요술방망이를 가지고 가서 살리는지, 살리고 죽이는 걸 몰라.

그러나 부처님의 방망이는 요술방망이라고 해도 과언이 아닌데, 그 부처님의 방망이는 항상 자비로운 방망이지 요술쟁이 방망이가 아니야. 그리고 도깨비방망이가 아니고. 너무나 자비하고 너무나 세세생생에 그 근원이 있는 방망이기 때문에, 마음을 잘 쓰고 착하고 무던하고 그 공부를 하려고 애를 쓰는 사람 앞에는 세세생생에 그 금방망이를 아주 줘 버리는, 자기가 가질 수 있는 그런 역할의 길잡이가 돼 주신다 이거예요. 그 길을 인도하시느라고 항상, 즉 말하자면 여러분이 캄캄한 데서 살기 때문에 금방망이를 이렇게 들면 그 금이 반사가 되어서 모든 여러분에게 밝게 보인다 이겁니다. 만약에 금을 대낮에 밝은 데서 들면 그것은 빛이 안 나. 캄캄한 데서 들어야 그게 빛이 환하게 나지. 보세요. 캄캄한 밤중에 달이 뜨니깐 밝지만 낮에 달을 보시라고요. 허옇게 그냥 있지요. 그런 거나 똑같습니다.

그러니까 대낮에도 있고 밤에도 있는데 밝은 마음을 가진 사람들이 우리와 같이하고 있다면 밝아도 밝은 줄을 남이 모르죠. 그러나 자기가 밝아지면 벌써 어딘가 달라서 자기는 몰라도 남들은 "아, 저분은 어딘가 모르게 참 밝아 계셔. 아휴, 보통 분이 아니야." 이렇게 되거든. 누구한테 들어서가 아니야. 공부를 이렇게 하다 보면 벌써 자연적으로 여기서부터 먼저 알기 때문이라. 그렇게 알아주는 것이 멋있는 거지, 아무것도 모르면서 남이 "아, 저분은 뭐를 깨쳐서 이렇게 법상을 받고 이런 이름을 받았다." 하는 것은…. (녹음 안됨)

그분한테 이름을 내리는 것도 그렇고 참 그거를 어떻게 우리가 세세생생에 변치 않는 금이라고 말만 할 수 있으랴 이거야. 그렇게 참, 보배인 것이라. 수많은 중생들에게 보배며 자기의 보배며 둘이 아닌 보배라. 이 세상에 어느 누구하고도 바꿀 수 없는, 어느 뭐하고도 바꿀 수 없는 그런 보배예요.

석존께서도 이 세상에 태어나서 막바로 석존이 된 건 아니에요. 전자에 그렇게 공부를 하셨기 때문에, 현재에 또 공부를 하신 것이 아니라 여러분한테 그냥 보여 주기만 하셨던 거예요, 과정을. 이렇게 이렇게 공부하는 과정이다 하고. 그리고 그 석존이라는, 그 석가라는 이름을 이 세상에서 가지시고 또 성이 석가라는 것을 우리가 알게 된 거죠. 성이 석가가 아니라 불성이 다, 생명이 다 있으니만큼 석가세존도 생명이 있고 우리도 생명이 있으니까 아, 다 똑같지 않습니까. 부동하게 변치 않는다는 그 뜻을 표현하기 위해서 석존이라 하셨죠.

질문자3(남) 큰스님, 그러면 모든 중생의 생사를 자재할 수 있는 생사여탈권을 부처님께서 가지고 계시다는 말씀인데, 그러면 모든 중생이 다 불성을 소지하고 그 주인공을 가지고 있는데요, 주인공만은 어쩔 수 없지 않습니까, 그 부처님도. 중생의 무명과 여러 가지 업을 소멸시켜 줄 수도 있고 자유롭게 다스려 줄 수도 있지만, 중생이 다 본래 가지고 있는 그 참마음은 부처님도 깨뜨린다든가 죽인다든가 뭐, 살린다든가 이럴 수가 없을 텐데….

큰스님 글쎄, 내가 알기에는, 아는 것도 없지마는 부처님 마음이 내 마음이고 내 마음이 부처님 마음이기 때문에, 예를 들어서 불쌍한 사람을 보면 불쌍한 마음이 들고, 아까도 얘기했듯이 수십 번 지켜보고 수십 번 그렇게 말을 해 줘서 듣지 않는 자에게는 마음이 끊어지게 돼 있어. 즉 말하자면 마음이 가질 않아. 동하질 않아. 그럴 때는 그냥 동하지 않는 걸로 인연이 없는 것이 아니라 동하지 않는 걸로 그냥 내버려 두면 그게 그냥 돌다가…. 그렇게 마음이 가질 않으니까 전체가 마음이 그냥 안 가는 거야. 그러니까 부처님의 마음은 그렇게 위력이 있다 이거야.

그러면 우리가 그렇게 마음이 안 가니까 안 가는 대로 살다가 보면 어느 땐가 그것이 회개가 돼. 그럴 때 다시 그 마음이 갈 수 있고 올 수 있는 거지. 그래서 "인연 없는 중생은 거둘 수가 없다. 언젠가 인연이 되면 또 만나겠지." 이런 거죠.

나쁘게 하고 안 하고가 아니라 둘이 아니기 때문에 자기가 나쁘게 하면 한 대로 자기가 그렇게 되게끔 돼 있어. 그런데 우리 살아 있는 사람들이 잘못하면 법정에서 구형장을 발휘해서 내가지마는, 붙잡아 가지만 부처님 법은 그게 아니라 자기가 잘못하면 바로 법정이, 법원이 바로 거기 있다고. 거기 있어서 그냥 자기가 잘못하면 잘못하는 대로 즉시 이렇게 차근차근히 됐다가 나중에 그게 터지면 거기서 그냥 바로 잡혀. 그래서 벌을 받는 거지.

질문자1(남) 결국 이 법정이 외부에 있는 게 아니라 내부에 있다는 거….

큰스님 외부에 있는 게 아니라 내부에 있는 거지. 법정이든 경찰서든 병원이든 뭐, 부처님 자리든 산신 자리든 어느 자리를 막론하고 내부에 있다 이거야, 내면에.

질문자3(남) 인과를 지은 그 마음을 형상으로 그려 놓은 것이 신장의 그 모습, 탱화잖아요?

큰스님 그래서 마음이 불량하고 아주 그냥 마구 치고 잘못하고 이렇게 하는 자에게는 마음이 그렇거든. 그렇기 때문에 그거를 표시해서 신장으로 해 놨죠. 우리도 이런 문제가 있지요. 뭐, 빚을 못 받거나 이런 건 도저히 이 약한 마음을 가지고는 못해. 그럴 때는 아주 깡이 있는 사람들, 깡패라고 그러지는 않을 거야. 깡이 있는 사람들을 불러다가 이 빚을 받아 주면 얼마 배려를 하겠다 이렇게 하죠. 그렇듯이 그러한 분들을, 그 마음을 신장이라고 무섭게 그려 놓은 거죠. 마음이 그렇게 무섭게 되면 신장같이 무서운 거다 이거야.

예를 들어서 그지없이 화를 내면서 야, 물불을 가리지 않고 죽고 살고 이럴 때는 신장 그림 같지 않을까요, 마음이? '한 번 죽지 두 번 죽지 않는다. 내가 너 죽이고 말겠다.' 이러고 들이덤빌 때는 신장 그림하고 똑같은 거예요. 그리고 사람이 마음이 온화하고 참, 그렇게 그지없이 그럴 때는 눈을 치켜뜨지도 않고 내리뜨지도 않고 살며시, 그냥 그 마음을 그려 놓은 거죠. 부처님 눈은 마음을 그려 놓은 건데 치켜뜨면 어떻고 내리뜨면 어떻습니까. 마음을 그려 놓은 겁니다, 온화한 마음을.

질문자1(남) 스님, 똑같은 정도의 죄를 짓고도 사람에 따라서는 어떤 사람은 아주 가책에 못 이겨서 고민을 하는 사람이 있는가 하면 또 어떤 사람은 '뭐, 그럴 수도 있는 거지.' 하고 또 어떤 사람은 '내가 죄는 좀 지었기로서니 그게 뭐 그토록 가책 받을 바 있느냐.' 하고 이 정도로 나가는 사람도 있습니다. 그 차이는 왜 그렇게….

큰스님 그게 두 가지가 다 글러요. 두 가지가 다 나쁘다고요. 가책을 받지 않을 일이라면 그 뭐, 대수롭지 않은 일이거든. 그거는 그저 가서 사과를 하고 이러면 되는데, 그렇지 않은 가책 받을 일, 그건 아예 그렇게 하려면 하질 말아야 되겠지요. 또 '그까짓 걸 뭘 그래? 가책을 뭘 받아?' 이러고 가는 사람은 언젠가는 그것이 자기 앞에 돌아오게끔 돼 있죠.

그러니 우리가 그 가책을 받는다 한다면 양심이라도 있겠지요. 그렇기 때문에 요다음에 그런 짓을 다시는 안 할 거예요, 괴로워서. 그렇지만 '그까짓 걸 뭘 가책을 받아?' 이럴 때는 그 사람은 능히 그런 일을 더 저지르고도 남음이 있겠지요. 그러니까 우리가 잘못한 거를 회개하기 이전에 잘못하질 않는다면 회개도 할 것이 없죠. 그래서 내가 말하는 것이 어떤 때는 혹시나 잘못되는 일로 갈까 두려운 얘기가 있습니다. "야, 모든 거를 주인공에 맡겨 놔라." 이럴 때 '야, 그럼 나쁜 도둑질을 하고도 맡겨 놓으면 되느냐?' 이렇게 생각할까 봐 말입니다. 그래서 아주 짚고 넘어가는 말이 있죠. 인간으로 태어났다면 상식과 도의, 의리, 도덕을 갖추어 가지고 나온 사람들이 사람이다. 그렇기 때문에 스스로서 부모에게 묵은 빚을 갚으며 자식들에게 햇빛을 주면서 이렇게 나가는 이 중도의 참, 뚜벅뚜벅 걸어가는 인간의 참마음이 우리 인간들을 조성해 내지 않았나. 그렇다면 인간으로 태어나서 만약에 "그런 것 저런 것을, 도둑질을 해도 거기다 맡기면 되겠군요?" 이렇게 말하는 사람에 한해서는 그 말 자체를 못 알아듣는 사람이니까 아예 대꾸할 건덕지도 없는 거죠.

우리가 이 공부를 해서 부처님의 마음 자체, 그 뜻을 헤아릴 수 있다면…. 우리 마음부터 헤아려야 부처님의 마음을 헤아릴 수 있고 우주 만물만생의 마음을 헤아릴 수 있거든요. 그렇게 될 때에는 참, 우리가 부처님이라는 그 뼈다귀 없는 뼈다귀를 세세생생에 우려먹어도 그것은 없어지질 않아. 젖과 같은 그 물은 그것이 바로 우리의 생명을 영원토록 간직하게 하고 끄달리지 않게 하는 보배라. 우려도 우려도 줄지도 않고, 갖다 부어도 부어도 늘지도 않고 항상…. 세상에 그런 보배가 어디 있겠어?

그래서 겉으로라도 부처님 한 분만 모셔 놨다 하면 밥은 굶지 않으니 도대체 그 보배는 어떻게 생긴 보배기에 그렇게 좋단 말인가. 거죽 모습으로 생긴 것도 갖다 놓기만 하면 먹고살게 해 주는데 하물며 모습 아닌 그 보배는 얼마나 윤택할 것이냐는 얘기예요. 영원토록 말이에요. 아니, 가고 오고 그런 것도 없이 말이에요. 인제 점심 공양 하라고 지금 탁, 하하하…. (대중 웃음)

사회자 그러면 선법가 한 곡 하고 공양들 하시죠.

큰스님 그러세요.

온 누리에 푸르름은

1985년 월일 미상

제가 지금 말씀드리는 거는 여러분이 다 아시리라고 믿습니다. 간단히 한 구절만 말씀드리겠습니다.

옛날 송나라 때 소동파라는 사람이 있었습니다. 근데 그 사람은 너무 영리하고 참, 아주 유명했답니다. 유불선(儒佛仙), 그 모든 것을 낱낱이 배워 왔고 또 영리해서 말을 타고 가면서도 병풍의 글씨를 다 보고 외워 넣었답니다. 그렇게 똑똑하니까 결국은 중앙으로, 나이 젊은 사람으로서 빨리 성공을 한 셈이죠, 지금으로 말한다면. 그런데 간단히 말하면 그렇게 영리하다 보니까 딴 사람들한테 질투를 받고 밀려났답니다. 황주 땅으로 밀려났는데 너무 그쪽으로 밀려나다 보니깐 할 일이 없어서 스님네들을 찾아다니면서 문답을 하기 시작했답니다.

문답을 하다 보니까 그분 머리를 따라갈 사람이 없어요. 경을 누가 한두 구절만 외우면 자기는 그냥 그 한 권을 다 외우다시피 하니까요. 어느 페이지에 뭐가 있는 거를 다 아니 스님네들이 학문이 아무리 높다 하더라도 소동파 따라갈 사람은 없었답니다. 그래서 중들 알기를 개똥같이 알았겠죠. 그래서 "중놈, 중놈들" 했답니다.

그런데 한 시오 리 넘어가는 길에 승호 선사라고 계셨는데 '거기를 가서 중놈을 한번 달아 봐야겠구나.' 하는 생각을 하고 어느 날 거기를 당도했습니다. 당도해서 문전에 들어서면서, 더우니까 웃옷을 벗어부치고서 법당 문지방에 걸터앉아서는 기왈하게 아주 눈방울을 굴리면서 중들을 봐도 외면을 하고 떡 거만스럽게 앉아 있었더랍니다. 그래서 거기 대중 스님 한 분이 보시고선 도저히 저 사람한테는 말을 붙일 수도 없을 거 같아서 승호 선사한테 가서 여쭸습니다.

그러니까 승호 선사는 벌써 아시고 가사 장삼을 수하시고선 떡 나오시더랍니다. 그런데 앞에 다가와도 본체만체하고 등을 돌리고 먼 산을 바라보고 거드름을 떨더랍니다. 그래서 지금 말로 "성함은 무엇입니까?" 하니까 "나는 칭가."라고 하더랍니다, 칭가. 즉 말하자면 달아 본다는 뜻이죠. 그 성을 가졌다고 하더랍니다. 단다는 뜻의 칭가죠. 그러니깐 자기 성을, 이름을 대지 않고 말입니다. 그렇게 칭가라고 했답니다. 그러니까 이 스님이 그 소릴 듣자마자 "악!" 소릴 지르는데 그냥 어떻게 크게 질렀던지, 그렇게 일 할(一喝)을 했답니다, 일 할. 그렇게 악을 벽력같이 지르니까 그냥 소스라치게 모두 놀랐답니다. 그러면서 말끝에 "이 지금 악쓴 소리가 몇 근이나 되느냐?" 하고 물었습니다.

그러니까 말문이 막혀서 얼굴이 붉으락푸르락해 가지고, 자기 딴에는 자기 따라올 사람이 없다고 아만을 떨었는데 말 한 모금 못하고 선 참, 한편으로는 부끄럽기도 하고 한편으로는 분하기도 하고 그래서 말을 타고 그냥 돌아섰습니다. 돌아서서 몇십 리를 분한 마음에서 뛰다가 보니까 어느 계곡에 물이 "쾅! 쾅!" 흘러 내리더랍니다. 그런데 그 계곡에서 물 떨어지는 소리가 그렇게 요란하게 "쾅! 쾅!" 떨어지거든요. 그 소리를 들은 소동파는 거기에서 고만 한 소식을 얻은 거죠. '세상에 물 떨어지는 소리가 바로 부처님의 설법이요, 풀잎의 색색 가지는 바로 부처님의 몸이 아니던가.' 하면서 말에서 내려서 승호 스님 계신 쪽으로 우러러 삼배를 올리고 돌아서서 그 시를 읊었답니다.

그때에 소동파는 어째서 물 떨어지는 소리를 듣고 시를 읊었고, 물 떨어지는 소릴 듣고서 무엇을 깨달았을까요? 그리고 승호 스님이 그 일 할 한 악쓴 소리가 몇 근이나 될까요? 이 구절에 한 수 읊어 보지 않으시렵니까. 물론 시인이 돼서 시를 읊는 거는 아닙니다. 이 세상 도리가 돌아가는 것이 다 시며 과학이며 진리며 생활이니까요.

그리고 지난번에도 얘기했지만 사명 대사가 새를 쥐고선 서산 대사더러 "내가 이것을 놔 줄까요, 쥐고 있을까요?" 하고 물었을 때에 문지방을 걸터 딛고 서서 "내가 나갈 거냐, 들어올 거냐?" 하고 물었다는 그런 얘기도 있죠. "나갈 거냐, 들어올 거냐." 하는 그 문구는 있는 것도 아니고 없는 것도 아닌 그 문구나 똑같은 얘기죠. 그렇다면 그 문구의 구절을, 어떠한 뜻에서 그런 말씀들을 했는지 한 구 읊어 보지 않으시려는지요.

우리 마음들은 천연스럽게 그렇게 스스로서 물방울이, 깨끗하고 청정한 물방울이 은빛을 내면서, 빛을 비치면서 이렇게 반사를 하면서 도루룩 두루룩 굴러가듯이 우린 이렇게 삼각원형을 이루고 있는 것입니다. 돌고 가는 것도 아니고 돌고 오는 것도 아닌 그 자리에서 말입니다. 그런데 이렇게 광대무변하게 참, 흘러가는 것도 아니고 흘러오는 것도 아닌 기나긴, 또 길다는 언어도 붙지 않는 그 자리에 항상 이렇게 여여하게, 여러분이 '이렇다 저렇다', '나는 이렇게 간다 저렇게 간다' 말도 없이 여여하게 굴러 도는 이 물방울은 어떻게 해서 이렇게 돌고 있는지요? 그래서 너무도 컸다 작았다 없다가, 컸다 작았다 하니까 결국은 잔잔히 흐르면서도 파도가 일고, 파도가 이는 사이 없이 물은 잔잔하게 흐르면서 여여하게 파도만 그냥 올라왔다 내려갔다 하더랍니다.

우리가 이 공부를 이룬다면, 보면 시가 읊어지고, 보면 법의 말을 해서 한데 떨어뜨리지 않을 것이며, 보면 그대로 말이 되고 말이 되면 법으로서 그게 온 우주 법계를 상응하고, 법에 저촉되지 않고 한데 떨어지지 않고 그대로 법이 된답니다. 그리고 인간에게 주어진 것이 너무나 광대무변해서 그것을 발견해서 자기가 쓸 수만 있다면 쓰는 사이 없이, 하는 사이 없이 일체 다 자유스럽게 쓸 수 있건만 어느 거 할 때에 쓴단 말을 내세울 수가 없어 결국은 청천, 청산이라고 할 수밖엔 없겠죠.

물은 흐르고 새들은 울고
온 누리에 푸르름은 오색을 갖추고 빛을 발하는데
나는 어이하여 그 푸르름과 빛을 발하지 못하고
안개 낀 허공에 굴러 도는 뜸북새가 되었을까

시냇물 가에는 물이 줄줄 흘러 깊숙이 흘러내리건만
세상천지 만물 중에 뉘 덕으로 삽니까
바로 내 서까래의 공덕으로 삽니다
내 서까래의 공덕으로
뿌리 없는 기둥으로 하여금 어느 사이에 꽂힌 사이 없이
여기로 가도 뿌리가 없기 때문에 둥글둥글
어느 곳에 아니 닿는 데 없이 둥글둥글 돌고 도니
바로 있다 없다 돌고 도는 물

세상은 세상대로 어두움이 깃들었다 하건만
어두움이 깃들었다고 울지 말라
울지 말라
사람은 언제나 항시 밝아서
저 귀뚜라미 울고 새가 울고 물이 흐르니
우리는 풍년 들어서 누렇게 벼 이삭은 익었노라

불법이 따로 있어서 불법을 숭상하는 것도 아니고 부처님이 예전에 하신 것을 흉내 내려고 이러는 것도 아닙니다. 예전에는 무자 화두나 또는 이 뭣고 화두, 시심마 화두를 들고 그렇게 공부를 해도 그걸 둘로 보지 않고 진정으로 일심으로 들어가 은산철벽을 뚫고도 남음이 있었건만, 지금은 시대가 시대니만큼 과학이 너무 발전이 되고 물질 개화가 돼서 너무 밝아요. 그래서 이 뭣고나 시심마를 찾는다 해도, 무자 화두를 찾는다 해도 그것을 아리송하게 둘로 보기 때문에 결국은 '이거를 아무개 스님이 주신 거다. 이걸 끊어뜨리지 말아야지.' 하는 그 착 때문에 바로 열리질 않는 거죠.

문은 닫힌 데가 없어서 문이 천칠백 공안이나 된다고 했는데, 헤아릴 수 없겠죠. 너무도 문이 많아서 어떤 분들은 돌 굴러가는 걸 보고도 깨쳤다고 하시고 물 흘러가는 걸 보고도 깨쳤다 하시는데 부처님 법 아닌 것이 어디 있고 문 아닌 것이 어디 있겠습니까. 하나 버릴 게 없는 것들이 다 문입니다. 우리가 이 세상에 난 것이 바로 화두요, 문이요, 바로 이 대문이라면 그 문고리는 바로 우리가 쥐고 있는 겁니다. 우리가 바로 큰 문이라면 우리로 인해서 수만 문이, 수만 물질이 다 문이니까요.

그래서 정법이니 사법이니 또는 이것이 옳은 거니 저것이 옳은 거니 이렇게 할 수가 없는 것이 바로 진리입니다. 만약에 '이런 것이 정법이므로 이렇게만 해야겠다, 이렇게 해야만 공부한다' 하는 그러한 고정된 관념이 있다면 그것은 그르치는 일입니다. 우리가 선 공부하는 데는 항상 고정됨이 없이 인간이 돌아가고 있고 세상이 돌아가고 있고 모두가 공해서 돌아가고 있으니까 말입니다. 그래서 어느 거 하나 높은 게 있다고 자랑할 것도 없고 얕은 거라고 해서 패배당할 것도 없는 것입니다. 그리고 낮게 볼 것도 없고 깔볼 것도 없는 거죠. 만약에 얕은 것이 없다면 높은 것이 자랑할 게 없으니까 말입니다. 이렇게 모두가 한 몸, 한 뜻, 한마음, 한 생명 이럭해서 돌아가고 있는 이 공체가 어떻게 남이겠습니까.

우리가 "사랑, 사랑" 하지만 값싼 사랑에 또는 값싼 눈물에 현혹돼서 애쓰지 마시고, 값비싼 눈물 한 방울이 바로 우주를 덮고도 남음이 있는 그 자비의 눈물이라면, 믿음이 진실하고 도의, 의리, 사랑을 도모하면서 우리는 사회 상식을 버리지 않고 질서를 지키며 올바로 보고 올바로 듣고 올바로 행하고 올바로 정진하는 그러한 사람으로 일컬어져 나갈 것입니다.

세상이 모두가 마음이 너그러우면 모르는 사람, 얕은 사람, 또 지질한 사람, 그런 사람을 만난다 할지라도, 어느 회사에서나 또는 장사하는 시장에서나 또는 정치하는 사람들이나 어디를 막론하고, 어느 자리를 막론하고 그런 사람들이 있다 하더라도 좀 더 너그럽게 둘로 보지 않는다면 그것이 진짜 공덕이요, 바로 진짜 공덕의 한 방울의 자비입니다. 그 마음을 내는 것이 무주상 보시요, 이 육신으로서 어려움을 당했을 때에 주는 것은 유주상입니다. 그래서 그 마음을 가지고 만약에 물질을 보시한다 하더라도 그것은 무주상 보시와 유주상 보시가 둘이 아닌 공덕이 될 것입니다. 물질로 주는 것도 공덕이요, 마음을 내주는 것도 무주상 공덕이니 어찌 둘로 보겠습니까.

그래서 그것이 바로 공덕이 되고, 이 세상 끊임없이 가고 옴도 없는 이 진리 속에서 세세생생에 그 공덕으로 끝이 없이 끄달리지 않을 것이며, 바로 내 마음이 금이 돼서 금으로서 모든 생산을 이 세상 방방곡곡에 낼 수 있다면 아마도 이 세상은 불국토가 될 것입니다. 그리고 그런 마음들을 가지고 있다면 우리가 우주의 근본으로서 방황하지 않고 또는 우주 혹성들에게 모든 것을 침입당하지 않고, 우리 지구가 침입 당하지 않는다면 우리는 한마음 한뜻으로서 우주의 근본에 상응하면서 멋지게 살아갈 수 있는 대인이고 자유인이면서 세세생생에 끄달리지 않을 것입니다.

항상 여러분한테 날마다 이렇게 한 말 되하고 한 말 되하고 하는 것은…. 저는 이 세상에 나서 저를 화두로 삼고 저를 믿고 모든 것을 내 맡겨 놓았습니다. 저의 생명까지도 다 버리고 죽었을 때에, 죽어서 내가 한 뿌리에서 싹이 났다면, 여러분이 아니었더라면 그 싹은 보이는 게 없어서, 그 비상한 만법의 응용을 또는 만법의 진리를 서로 체험하면서 이것을 깨치지는 못했을 겁니다. 그렇기 때문에 일체 만물 만생, 유생 무생 다 합해서 내 스승으로 생각하기 때문에 하루도 빠짐없이 마다하지 않고, 물러서지 않고 둘이 아닌 마음으로 아픔을 같이할 수 있는 그 정성, 그걸로써 여러분 앞에 항상 같이 있는 것입니다.

여러분한테 별로 할 말이 없는 것은, 49년을 설하신 부처님께서도 한 마디 하지 않았다고 하신 것은 정작 할 말은 하나도 못하고 거죽에서 물질을 보고 물질의 방편을 세워서 얘기하셨던 것뿐이기 때문입니다. 여러분이 모르기 때문에 그분도 물질로만 얘기했던 거죠, 방편으로. 그리고 그 광대무변하고 심오한 법은 여러분이 깨닫지 못해서 오늘날까지 이렇게 흘러 돌고 있는 겁니다. 그러나 그때 그 자리와 지금 이 자리가 다르지 않습니다.

저는 이것으로 끝을 마칠 테니까요, 여러분께서 한 구절 아까 말씀드린 거 좀 일러 주셨으면 좋겠습니다. 서로 배우지 않겠습니까. 소동파는 왜 물이 꽝 꽝 떨어지는 거를 보고 그런 시를 읊었고 승호 선사한테 삼배를 올렸을까요? 또 승호 선사는 일 할 하며 악을 벽력같이 쓰는 데서 "몇 근이나 됐느냐?" 하고 물었는데 그것이 몇 근이나 되는지 한번 생각해 보실 점이라고 생각합니다. 수차적으로 그것을 여러분께서도 읽으셨다고 봅니다마는 읽으셨어도 글만 읽으셨지 그게 몇 근이나 되는지 아마도 생각해 보신 점이 없으리라고 생각합니다. 몇 근이나 되는지요? 한번 생각해 보십시오.

그러면 오늘은 이걸로써 간단히 끝마칠까요.

일곱 발자국의 가뭄

1986년 1월 1일

아까 저 학생이 질문한 얘기를 하다 말았습니다. 학생이 우주의 혹성과 인간의 삶이 어떻게 같이 상응이 되느냐고 물었습니다. 그런데 우리가 지금 생활하는 이 자체가, 아까 자세히 얘기하다가 말았습니다마는 다시 한번 자세히 얘기하죠.

우리 한 가정이 있다면 딴 가정이 있듯이, 내가 있다면 상대가 있듯이 이 세상 원리가 전부 세계적으로 나라 나라가 다 같이 서로 상응하면서 또 교류하면서, 모든 무역과 더불어 서로가 서로를 교환하면서 삽니다. 그런데 예전엔 길도 멀고 지금처럼 차편이나 비행기편이나 그런 게 없기 때문에 이 한국이라는 나라를 모르고 있는 나라가 허다했습니다. 그런데 지금은 아주 서로 대외적으로 내놓고 한국이라는 데를 모르는 데가 거의 없듯이 알고 있습니다. 그리고 또 앉아서도, 한국에 있으면서도 외국으로 서로 수출을 해 가면서, 또 일꾼들도 교류해 가면서 기술자들이 서로 왕래하고 있고, 또 서로 벌어먹고 서로 벌고 서로서로가 주고받고 이렇게 살고 있습니다.

그렇듯이 우리 이 혹성 자체만 이렇게 혼자 덩그러니 독불장군으로 이 지구가 있는 게 아니라, 다른 혹성들하고 서로가 서로를 교류하면서 상응하면서 이 모든 우주의 별성들과 더불어 같이 이렇게 교류를 하고 상응하고 사는 것입니다.

그래서 혹성들도 태양을 끼고 은하계의 모든 별성들이 다 같이 이렇게 움죽거리고 있습니다. 우주의 별 하나가 움죽거리듯이 우리도 한 사람 개인 개인이 이렇게 움죽거리고, 다른 별성들도 전부 움죽거리고 있듯이 우리도 이렇게 전체 움죽거리고 서로가 사는 것이 한마음 도리라는 얘깁니다. 이 한마음으로 돌아가는 동시에 우리는 어떠한 보이지 않는 세계, 즉 말하자면 여기서 지금 같이들 앉아 계시면서도 남의 마음을 모르고 계십니다. 다들 아십니까? 여기 같이 앉아 계시면서도 개인 한 사람 한 사람의 마음을 또는 어떠한 고통을, 어떠한 차원을, 어떠한 습성을, 모든 마음 자체의 여러 가지 씀씀이에 따른 차원을 여러분은 제가끔들 다 모르고 계십니다. 그렇듯이 마음들 자체의 생명에 의해서 마음 씀씀이를 가지고 있는 그 천차만별의 이치를 여기 앉아 있는 여러분끼리도 모르는데 어떻게 일체 만물만생의 마음을 헤아릴 수가 있겠습니까? 그렇기 때문에 이 도리를 모른다면 그 도리를 또 모르는 것입니다. 그래서 이 혹성과, 즉 말하자면 이 나라와 저 나라가 화목하게 잘 교류할 수 있는 그러한 이치가 있는가 하면, 이 나라와 저 나라가 화목지 못하게 싸우고 있는 거와 같이, 이 지구 자체와 다른 혹성 자체가 교류가 제대로 되지 못한 데서 오는 그 불리한 여건이 세계적으로 이익을 가져올 수도 있는가 하면 해로움을 가져올 수도 있다는 얘기입니다.

그러면 우리는 이것이 어디서 온 줄도 모르고 어디로 가는 줄도 모르면서 당해야만 하는 그런 인생들이죠. 내가 지금 어디서 온 줄을 모르고 어디로 가는 줄을 모르기에 그러한 다른 혹성에서 생기는 일, 여기에 부닥치는 일들, 즉 마음으로 인해서 오는 문제들인데, 체가 없는 마음은 천차만별로 광대무변하니 그 법이 바로 여기에까지 미친다면 우리는 뭘로 막을 도리가 없는 것입니다. 그러나 우리가 막을 수 없는 것은 단지 마음인데, 마음으로 막을 수도 있고 마음으로 막을 수도 없는 것이 마음입니다. 그런데 우리는 거기까지도 미처 생각지 못하고 '그건 먼 데 거니까.' 그러고, 같이 혹성이 돌고 있는 줄은 번연히 알면서도 내가 어디서 왔는지 모르기 때문에, 그런 부닥침에 있어서는 그 뜻도, 별성의 그 능력들도, 위성의 능력들도, 모든 그 우주의 섭유가 다 근원으로 인해서 여기까지 미친다는 거를 모르고 바로 당하는 것입니다. 그러니 우리가 이 도리를 꼭 알아야겠다 하는 것은 바로 나 자신의 마음으로부터 모든 일체 만법이 나오는 그 자체가, 그 마음, 한 일심에서 나오는 그 자체가 천차만별로 나투면서 돌아가는 그 능력을 모두 여러분이 무수히 가지고 있다는 겁니다.

그런데 그것을 우리가 모르고 있기 때문에 아까 그 학생이 말했듯이, 혹성과 혹성의 부닥침이 있느냐고 할 때에 내가 말한 거와 마찬가지로, 그런 마음의 이치가 바로 생명의 근원으로 하여금 마음을 낼 수 있는, 체가 없는 그 마음으로 부닥치는 일들이 무수히 많기에 그런 얘기를 하는 겁니다. 이것이 우주의 근본이자 생활이며 생활의 근본은 마음의 근본이라. 모두가 이 마음의 근본을 안다면 앞으로 어떠한 농락에도, 어떠한 아픔에도, 어떠한 쓰라림에도 우리는 끄달리지 않고 당하지 않을 겁니다. 당하지 않으면서 단호히, 도도하게 흐를 것을 우리는 맹세합니다.

우리가 사계절로 이렇게 나누어서, 즉 말하자면 겨울, 여름, 가을, 봄 사계절이 있습니다. 그런데 지금처럼 이렇게 겨울이 있으면 겨울에서부터 봄이 올 것을 기약하면서 서서히 갑니다. 그래서 여름이 오는 교차로가 바로 봄입니다. 그리고 바로 겨울이 올 교차로는 가을입니다. 우리가 반반 교차로를 하려니까 가을이다 봄이다 하는 것입니다. 가을, 봄, 여름, 겨울이 둘이 아님으로써 서서히 저녁이 되고 아침이 되듯이 낮이 되려면 새벽이 돌아옵니다. 컴컴하지도 않고 환하지도 않은 새벽입니다. 그것이 봄이라면 밤이 올 때의 밝지도 않고 컴컴하지도 않은 저녁이 서서히 다가오는 그런 교차로가 되듯이 이 세상 이치인 사계절도 역시 그러하다 이겁니다.

그러한 까닭에 모두가 지수화풍으로 된 이 자체의 능력이, 우리가 그 능력을 만들어 놓고 그 능력이 없으면 못 살게 돼 있는 것이 이름해서 공기라고 하죠. 그러면 우리도 지금 우주와 더불어, 한 몸 한 몸이 우주에 더불어 같이 지금 돌아가고 있다는 겁니다. 별성이 하나가 있다면 나도 하나, 별성이 둘이라면 나도 둘, 이렇게 같이같이 돌아가는 것입니다. 그래서 별성이나 우리의 육신이나 각각 이렇게 물질이 보이지만 그 생명의 근원이라는 자체의 능력은 누구나가 다 같이 가지고 있는 것입니다. 저 별성만 가지고 있는 것도 아니고 내 육신의 별성만 가지고 있는 것도 아니고 동시에, 즉 말하자면 동력으로서 바로 돌아가는 것이죠. 그래서 우리의 체 없는 마음 한생각이라면 동력이 나온다는 얘깁니다. 동심으로서의 동력이 나온다는 얘기죠. 동력으로서의 바로 동용이 되죠. 공용이 되죠. 공용이라고도 할 수 있지만 서로가 서로를 같이 뭉쳐서 능력이 생긴다면, 바로 그 능력을 용(用)을 한다면 수없는 마음들이 한마음이 돼서 돌아가는 것이죠.

그래서 그 한마음으로 돌아가는 능력은 아주 광대무변하다는 얘깁니다. 그럼으로써 우리가 아플 때는 아플 때대로, 어떤 사람은 이렇게 말합니다. "내가 힘이 없는데 어떻게 내 주인공을 믿고 어떻게 여기다가 맡기느냐? 내가 지금 당장 급한데 어떻게, 내 가정이 급한데 어떻게 그 주인공을 믿고 거기다가 일임하느냐?" 이렇게 말합니다. 그게 아닙니다. 여러분 앞에 무수한 능력이, 바로 동심으로서의 동력이 움죽거리고 있다는 사실입니다. 그렇기 때문에 바로 거기에는, 주인공이라는 그 자체에는 동력이 움죽거리고 있고, 동력으로 인해서 가설된, 발전소에서 전기가 나가듯이 그렇게 동력에서 나가는, 전기의 발전소에서 나가는 그 가설된 우주의 법계는 무수한 우리의 마음과 마음들이 전달이 되는 것입니다. 전달이 됨으로써 좋게 불을 켜면 좋은 것이고 나쁘게 생각을 한다면 나쁘게 돌아가는 것이 사실입니다. 그렇다면 우리는 마음을 항상 편리하고 좋게 생각을 해야 하지 않겠습니까? 그렇기 때문에 "마음 한번 잘못 쓰면 구덩이에 빠지고 마음 한번 잘 쓰면 구덩이에서 나올 수도 있느니라." 했습니다.

여러분이 생각할 때에 그냥 무심코, 자녀들한테도 그렇고 남편한테도 그렇고 남편이 부인한테도 그렇고 그냥 무심코 "이 똥 같은 거." 나는 남들이 하는 그런 소리 예전에 많이 들었습니다. 또는 "에이, 염병을 하고 땀을 낼 년." 뭐, "에이, 나가서 뒈져라." 요새도 보통 그럴는지도 모릅니다. "야! 나가서 저런 건 그냥 어휴, 뒈졌으면. 차라리 안 봤으면…." 하고 이러한 욕들을 하시는데 절대로 그런 욕을 해서는 안 됩니다. 왜? 내가 가장 내 몸과 같이 아끼고 내 마음같이 생각하고 내 아픔같이 생각하는 한가족이, 바람이 불면 짚단이 날아갈까 봐 같이 의지하고 동여매서 어떠한 비바람이 불어도 같이, 쓰러져도 같이 쓰러지고 살아도 같이 살자고 맺어 놓은 인연들을 어떻게 그렇게 무심하게 욕을 할 수가 있겠습니까. 그리고 또 바깥으로 나가게끔 악을 쓸 수가 있겠습니까!

남자나 여자를 막론해 놓고 바깥으로 그 목소리가 나가게끔 된다면 벌써 악의적으로 나가는 것입니다. 그러니까 악쓰는 법, 욕하는 법, 상 찌푸리고서 마음을 괴롭히는 법 이런 것을 주인공에다 다 놓고 녹여야 될 것입니다. 왜 그러하면 안 되는가 하면 내 한생각의 마음과 더불어 말 자체가 얼마나 무서운 말인지 모릅니다. 자기는 무심코 생각하고 한 번 욕을 했는데 그대로 이행이 된다면 얼마나 무섭습니까. 그것은 자기가 긁어 부스럼을 만들어서 피가 나게 하고 아픔을 자기가 당하는 법이나 똑같습니다. 여러분은 그냥 그렇게 무심코 말하고 그 후에 다가오는 것이 거기서 오는 줄은 모릅니다. 이 마음 한 번 잘못 쓰고 말 한 번 잘못 쓰는 거 주워 담을 수는 없습니다.

그래서 아까도 그런 얘기를 했습니다. 부처님의 법이 얼마나 엄중하고 그 법이 준엄한지 말입니다. 옛날에 어느 인군이 나라의 신하들을 데리고 순찰을 도시다가 어느 절간엘 들어섰습니다. 그랬는데 신하들에게는 중이라는 것이 인군에다 대면 그 뭐, 아무것도 아닌 걸로 보일지 모르지만 이 우주의 섭유를 공부하신 분의 진심어린 그 도심은 누구도 감히 거기에 응접할 수 없는 것입니다. 그런데 그 절간에 들어서자마자 신하가 와서 법당에 앉아 계신 스님더러 하는 소리가, 인군이 납시는데 어떻게 배례를 안 하느냐고 하면서 "냉큼, 이 중놈!" 하고 욕을 했습니다. "중놈이, 제까짓 것이 나가서 배례를 안 하다니!" 하고 당장 목을 치겠다고 했습니다. 그러니까 그 스님께서는 앉아 계시다가 "조건이 하나 있다." 했습니다. "무슨 조건이냐?" 하고 신하는 아주 도도하게 아만을 부렸습니다. 그랬으나 이 스님께선 조용히 한마디 했습니다. "내가 한 발짝을 떼어 놓는 대로 일 년이 흉년이 드는데도 내가 일어서야만 하겠느냐?" 하고 물었습니다. 그러니깐 어줍잖은 소리 하지도 말라 하는 식으로 배척을 했습니다. 지금으로 치면 "나발 같은 소리 하지 말고 당장 일어나서 얼른 나가서 배례해라." 했습니다. 그럴 때 잠자코 그 스님은 "그러면 나 아닌 내가 할 수도 있지." 하고 마음을 가라앉히고 한 발짝 두 발짝 떼어 놨습니다. 그랬는데 일곱 발자국을 떼니까 벌써 거기 인군 앞에 닥쳤더랍니다.

그런데 "오셨습니까." 하니까 그때에 신하가 있다 하는 소리가 "그게 무슨 소리냐." 하면서 거기서 절을 하라고 했습니다. "배례를 하라, 인군이 왔으면. 중놈의 새끼가 무슨 여러 잔소리가 있느냐!" 했습니다. 그러자 그 스님은 이렇게 말했습니다. "내가 만약에 이 몸을 한 번 구부린다면 일곱 발자국에 칠 년을 가뭄이 들어서 이거는 속수무책으로 이 법에 거역을 못하리라." 했습니다. 그래도 "그게 무슨 소리냐?" 하고 그런 소리 하지 말라고 신하가 천둥 같은 호령을 했습니다.

그러자 그이는 "그럼 그렇게 하지." 하고선 또 절을 했습니다. 한 번 구부렸습니다.

그러고선 돌아서서 그 해부터 흉년이 들기 시작을 했습니다. 일 년이 흉년이 돼, 이태가 흉년이 돼, 삼 년이 흉년이 되니까 있던 거는 다 먹고 인제는 땅이 쩍쩍 갈라져서 도저히 농사도 지을 수 없고 백성들이 다 죽게 생겼습니다. 그래서 인군은 그 사실을 모르는 채, 신하들을 다 불러서 "이 짐이 공덕이 없어서, 덕이 없어서 백성들이 이렇게 고생을 하니 이 노릇을 어떻게 하면 좋은가? 제를 지내야 비가 오려나!" 하고 만수성찬을 차려 놓고선 기우제를 지내라고 했습니다. 그랬는데 그 신하가 가만히 생각을 하니까 그때 삼 년 전의 일이 생각이 났습니다. 그래도 지금 어떻게 할 수가 없어서 그냥 제를 지냈습니다. 그래도 비는 안 오고 칠 년이 돼도 안 오기 때문에 백성들은 다 죽게 되고, 죽는 사람이 절반이었습니다. 어떻게 할 수가 없으니깐 인군은 인군대로 다시 모이라고 해서 또 기우제를 지냈는데도 비는 안 왔습니다. 그러자 그 신하가 얘기를 했습니다. 사실이 이만저만하고 이만저만했는데 그때 당시에 이렇게 이렇게 됐었노라고 하니까 인군이 호령을 했습니다. 왜 진작 말을 하지 않고 이날까지 이렇게 두고 백성들이 다 굶어 죽게 만들고 이렇게 불충을 저질렀느냐고 호령을 했습니다. 호령을 하면서 자기가 손수 인군의 의복을 다 벗고 사복을 하고 그 절에 가서 삼배를 깍듯이 하면서 아주 간청을 했습니다. 잘못했노라고 사죄를 하니 그 스님은 거기에서 고만 그 법을 풀었더랍니다.

이것은 지금 현재에도 법에 의해서 저촉을 받은 사람이 5년 징역을 받았든지 10년 징역을 받았든지, 그 서류를 감히 찢어 버릴 수는 없는 것입니다. 그거보다 더 무서운 것은 보이지 않는 세계의 마음의, 우주간 법계의 법이라는 것은 정말이지 그것은 어느 누구도 빼도 박도 못하는 것입니다. 그러나 공부하신 분이라면 한생각에 그 준엄한 법을 들 수 있는 그 마음이 되고, 한생각에 마음이 누그러지니 우주의 모든 일체 신들이 다 한마음이 돼서 바로 그 법을 풀었더랍니다. 그래서 그 날부터 비가 오기 시작해서 풍년이 들고, 또 어차피 죽는 거는 죽고 사는 거는 살듯이, 그렇게 됐던 백성들은 다시 먹을 것이 풍족하게 농사를 짓고 인군은 그 나라의 백성을 잘 이끌어 가지고 갔다는 얘깁니다. 그래도 그 인군은 지혜가 있었던지 그렇게 했더라는 얘기입니다. 그러니 부처님 법이 얼마나….

지금 왜 내가 이런 얘기를 하느냐 하면 위에 모든 부처님이 계시다 하더라도 높게 보지 말고 나와 같이만 생각하고, 내 아픔같이만 생각하고 내 몸같이만 생각하고 내 마음같이 생각하고, 항상 겸손함을 가지고 항상 검소하게 사는 아리따운 마음, 청정한 마음으로서 그 불심을 진심으로 가질 수 있다면 우리가 다 평전하게 우주의 참근본으로서 한마음으로 돌아가는 그 능력이 바로 여러분 앞에 주어지지 않나 이렇게 봅니다. 그리고 그 마음, 한 생각, 한 말이 얼마나 무서운가를 여러분이 깊이깊이 한번 다시 옷깃을 여미면서 잘 생각해 보시기를 빕니다.

부처님 마음과 여러분의 마음이 달리 달리 있는 거는 아닙니다. 부처님의 마음은 전 우주 법계를 다 쥐어도 쥔 사이 없이 다 한마음으로 돌아가는, 그 한마음이라는 언어도 붙지 않는 자리에 바로 이렇게, 어떤 것을 세울 게 없이 세우면서 당당히 흐르고 있는 여러분의 마음입니다. 그러니 그냥 생각 한번 잘못하고 말 한번 잘못하면 그렇게 자손들이 잘되지 못하고, 뿌리가 한쪽이 썩는다면 싹도 한쪽이 썩듯이 그렇게 되는데 그러면 되겠습니까? 언제나 마음을 잘 가지시고 말도 항상 평소 때도 유하게 잘하십시오. 그럼으로써 잘될 것입니다.

옛날에도 이런 일이 있었습니다. 유도리 있게 지혜를 가지고 청정하게 잘 살 수 있는 분의 말입니다, 이 말이. 어떤 분이 참, 할 수 없는 일을 해 달라고 뇌물을 많이 가지고 어느 집을 찾아갔습니다. 그랬는데 그 뇌물을 받는 분은 이것을 남이 알면 어쩌려고 이렇게 가지고 왔느냐고 했습니다. 그러니까 그분이 "아무도 없는데요." 했습니다. "아무도 없는데 받으시죠." 하니까 그분이 "아무도 없긴 뭐가 아무도 없어? 하늘이 알고 땅이 알고 당신도 알고 나도 알고 그렇기 때문에 일체 천신들이 다 알고 있는 것을 어찌 그렇게 모른다고 하고 아무도 없다고 하느냐? 이것이 내가 할 일이라면 자네가 그 돈을, 그 물질을 그렇게 안 가져와도 해 줄 것이고 자네가 이 우주를 다 갖다 준대도 내가 힘이 없다면 할 수 없는 거지 어쩌겠나? 그렇게 살지를 말게. 내가 손이 닿는 데라면 그것을 안 받아도 해 줄 수 있으니 나 주는 셈 치고서 없는 동네에 가서 다 당신이 보시할 수 있겠나? 만약에 내가 손이 미치지 않아서 닿지 않는다 할지라도 그걸 가지고 가서 없는 사람에게 다 나눠 줄 수 있겠나?" 했습니다. "당신은 당신대로 덕을 쌓고, 그것을 당신이 해 놔야 스스로서 당신한테 복이 오고 덕이 오고 남이 우러러보지, 이런 뇌물이나 갖다 주고서 평소 때는 어렵게 사는 사람들을 긁고 모두 병들게 해 가면서 자네가 그 물질을 그렇게 쌓아 놓으면 아무리 남한테 우대를 받으려고 해도 받을 수 없지 않겠나? 그러니 오늘부터는 그렇게 돈을 갖다 주고 직위를 높이려고 애를 쓰지 말고 어려운 사람과 더불어 가난한 사람, 마음이 가난한 사람을 부자로 만들어 주고 또 물질로 가난한 사람은 물질을 주고, 또 서로를 내 아픔과 같이 생각하고 바로 내 몸과 같이 사랑할 수 있다면 당신은 당신대로 지위가 저절로 올라갈 것이오. 이런 돈을, 물질을 안 써도." 했더랍니다.

그랬더니 거기서 고개를 푹 수그리고 "부끄럽습니다." 하고 그날부터 그 가져왔던 걸로 가난한 사람을 돕고 모든 일들을 그렇게 해 나가면서 마음을 착하게 썼더니 그 후에는 직위가 그대로 올라가면서 자기는 자기대로 참 착한 사람이 되고 모범 되는 사람이 됐다는 얘깁니다. 그 마음이 그렇게 자기를 나쁘게도 할 수 있고 좋게도 할 수 있고, 남을 건질 수도 있고 남을 해롭게도 할 수 있는 마음이 바로 여러분의 한생각의 마음입니다.

여러분께서 또 질문하실 일이 있으면 질문하십시오. 어저께도 얘기하고 그저께도 얘기했습니다마는 잘못된 것을 항상 회개를 해도 그 찌꺼기는 항상 남아 있으니 부처님이 가르쳐 주신…. (녹음 안됨)

어저께 그것을 방편으로 해서 비교를 해서 얘기해 드린 바가 있죠? 녹음테이프에 녹음을 해 놨는데 그것이 영 안 없어져. 그랬는데 그 녹음테이프에 녹음이 돼 있는 데다가 다시 지금 착한 마음으로 착한 도리의 녹음을 한다면 앞서 뭉쳤던 그 녹음된 것은 바로 없어지고 말죠. 그렇듯이 여러분은 자기 주인공에서 나온 것, 사대 오온이 다 공했으니 자기도 공하고 세상도 공했어. 그러니 자기한테서, 공한 데서 나온 거 공한 데다 다시 놓으면 테이프에 녹음되었던 것이 다시 없어지듯, 지금 현실에, 영원한 오늘에서 한 발 한 발 떼어 놓고 걷고 있는 그 자체마저도 녹음을 했다가 없애고, 했다가 없애고, 했다가 없애고 24시간 동안에도 한 발짝 한 발짝 했다 없애고, 했다 없애고, 했다 없애고 하는 그 반복된 생활을 지금 하고 있습니다.

그러니 그렇게 공한 데서 나온 거 공한 데다 놔야 없어지는 거지, 만약에 그것을 "에이그, 될 대로 돼라. 난 착하게 하면서 더 잘사는 사람 못 봤어. 나는 이렇게 해서라도 살아야 되겠어." 한다면 안 됩니다. 착하게 하는 것도 끝이 있고 악하게 하는 것도 끝이 있습니다. 언제나 도둑질을 길게 하다 보면 꼬리가 밟히는 법. 착한 일을 길게 하다 보면 그것도 역시 꼬리가 밟힙니다. 참, 남한테 이런 사람이 이렇게 하고 있다는 말 한마디 듣기가 얼마나 어려운 줄 아십니까? 그런데 착한 사람이 볼 때는 그 악한 일 하는 것도 착한 일 하는 것만치 어렵답니다. 돈을 주고 하려도 그렇게 못하니까요. 사람이 꼭 악해서만이 아니라 자기가 모르고 저지른 일도 얼마나 많은지 모릅니다. 모르고 저지르는 일은 모르고 받게 마련이고 알고 저지르는 일은 알고 받게 마련입니다.

그러니 여기 오시는 분들은 기복으로만 자꾸 치달려서 물질로만 자꾸 높이지 말고 항상 마음에 기본을 두고 그 마음에서 나오는 그것을 항상…. 우리가 인간이 됐다면 기본적 상식과 모든 나쁘고 좋은 것을 다 알 수 있는 고등 동물이기 때문에, 기본 상식은 상식대로 가지고 있는 여러분이기에 그런 말을 안 해도 될 것 같습니다. 하지만 우리가 지금 한 생각, 한 말을 잘못하면 그렇게 어렵다는 겁니다. 부처님 법이 그렇게 귀중하고 광대무변한 법이면서도 엄중하다는 겁니다. 그러면 부처님 법이 따로 있어서 그런 게 아니라 여러분 마음에 부처님이 계시니까 말입니다.

그런데 '부처님은 어디 있고 나는 어디 있나?' 이렇게 보지 마시고 자물통은 부동한데 열었다 잠갔다 하는 열쇠는 바로 자기 마음 내는 것입니다. 마음 내는 것은 열쇠요, 자기 영원한 생명의 불성은 그대로 자물통입니다. 자물통이 없어도 안 되고 열쇠가 없어도 아니 됩니다. 그것은 둘이 아닙니다. 항상 같이하고 있습니다. 우린 자물통이 없어도 아니 되고, 열쇠가 없어도 아니 되고, 열쇠를 열고 닫고 하는 육신 이 자체가 없어도 아니 됩니다. 또 무슨 질문할 거 있으면…. 아까 어느 분이 또 질문한다고 그러셨으니 질문하세요.

질문자1(여) 저는 어떻게 하면 잠자면서도 참선을 할 수 있는가 늘 생각했거든요. 그런데 오늘 아침에 불현듯이 '아, 잠자면서도 내가 자는 게 아니고 주인공이 잔다고 생각하고 자면 그게 24시간 다 가동이 되는 건가?' 하고 생각이 들었는데 그게 바른 깨달음입니까?

큰스님 깨달음이라는 소리 함부로 그렇게 하는 건 아닙니다. 그렇게 느꼈다 이거지, 깨달음이라는 그 언어는 아무 데나 함부로 붙이는 것이 아닙니다.

잠자면서도 가동이 된다고 하는 건, 몸은 바로 내 마음의 수레입니다. 끌고 다니는 차나 마찬가집니다. 차는 세워 놓고 주인은 나가서 이 일도 보고 저 일도 보듯이. 여러분, 안 그렇습니까? 차는 세워 놓고 나가서 이 일도 보고 저 일도 보듯이 꿈에, 꿈꿔 보셨죠, 여러분? 그러면 몸뚱이는 재워 놓고 자기는 나가서 막 돌아다닙니다. 그러면 꿈이 생시고 생시가 꿈이니 바로 여러분은 마음을 가지고 차를 끌고 다니든 차를 세워 놓고 다니든 여러분이 다니는 건 똑같아요. 몸을 끌고 왔든 몸을 세워 놓았든 당신 마음들이 다니는 거지 육체가 다니는 게 아니야. 육체는 마음에 의해서 따라다닐 뿐이야. 따라다니다가 마음이 쉬면 몸도 쉬어. 그래서 저녁에 자는 시간이다 하고 자니까 자는 것뿐입니다.

그런데 자기는 자지 않아요. 자기 몸은 잔다 할지라도 자기, 즉 말하자면 유전자라고 할까요? 하여튼 혼백은 자지 않습니다. 영혼은 자지 않아요. 그렇기 때문에 지금 낮에도 잔다, 안 잔다 할 게 없어요. 그러니까 쉬면 가만히 있는 거고, 부처고, 마음을 냈다 하면 법신이다, 활용. 즉 말하자면 마음을 냈다 하면 법, 능력이고 몸이 움죽거렸다 하면 활용이에요. 그러니까 언제나 불이 켜졌다 꺼졌다 이런 언어도 붙지 않는다 이겁니다.

이런 얘기 하나 할까요? 어떤 나라에서는 불이 항상 켜져 있거든요. 그 나라에서는 밝았다가 컴컴했다 이러질 않고 전깃불은 항상 그냥 켜져 있는 상태죠. 그러니까 거기는 '전기가 나갔다, 들어왔다', '꺼졌다, 켜라, 꺼라' 이런 언어가 없답니다. 그런 데 가서 만약에 우리가 "아이, 불은 껐으면 좋겠습니다." 하면 그 언어를 모릅니다. "불을 켰으면 좋겠다." 해도 모릅니다. 그렇듯이 영원한 자기의 근본적인 자기 실(實)은 참이란 말입니다. 자기의 근본은 켜졌다 꺼졌다 이러는 바도 없다 이 소립니다. 아까 열쇠로, 자물쇠로 비유를 했는데요, 자물쇠는 자물쇠일 뿐이에요. 그리고 에너지가 있으면 에너지일 뿐이고 기름이면 기름일 뿐이에요. 갖다 쓰는 것은 운전수가 갖다 쓰게 되죠. 기름일 뿐이지 기름이 왔다 갔다 하는 건 아닙니다. 그것을 쓰는 사람이 왔다 갔다 하면서 그걸 쓸 뿐입니다.

그런 거와 마찬가지로 “부처님의 능력은” 하는 것은 온 누리의 우주간 법계가 다 부처님이라고 한다면 그 말 자체는 전부 공해서 공력이 바로 그렇게 무수하다는 얘깁니다. 쓰고 안 쓰는 거는 여러분에 달려 있는 거지 부처님의 능력이 없다 있다가 없습니다. 늘고 줄어드는 것도 없고.

그러니까 밤에 자기를 재워 놓고 돌아다니는 나의 그림자의 또 그 마음의 그림자. 이것도 그림자고 그것도 그림잔데 이게 그림자의 또 그림자거든. 자기가 만들어서, 모습을 만들어 가지고 밤중에 다니거든. 그런데 자기가 또 만들어 가지고 이것이 낮에도 다니거든. 이것도 자기가 만들거든. 형성시킨 거니까. 진화돼서 창조를 시키는 것도 자기의 근본이 없으면 안 되거든. 만약에 지금 유전공학을 하는데도 유전자가 없으면 물질로 나올 수가 없어. 어떠한 물질도 변화를 시킬 수도 없고 만들 수도 없고, 크게 만들 수도 없고 작게 만들 수도 없어. 근본이 있어야 돼. 우리가 살아 있기 때문에 모든 것을, 이것도 좋다 나쁘다 하고, 종교도 가지고 있고, 나쁘다 좋다 싸우면서 이렇게 살고, 즐겁다 사랑한다 모두 이런 여러 가지 문제가 붙지, 모두 여러분 각자 내가 없는데 뭐가 있다고요.

그 근본으로 인해서 모든 게 생기는 거니까 이 진리가 이렇게 쉴 사이 없이 돌아가듯이 여러분도 자고 깨고 자고 깨고 반복하는 이 생활이 그대로 진리며 그대로 참선이다 이겁니다. 여러분이 잠잘 때도 쉬지 않고, 자지 않을 때도 쉬지 않고, 항상 자는 것도 참선이요 이렇게 깬 것도 참선이요, 먹는 것도 참선이요 똥 누는 것도 참선이요, 모든 게 참선 아닌 게 없는 거라. 그런데 왜 참선이 끊어집니까? 끊어지는 것은 댁의 마음이 끊어졌다고 하니깐 끊어진 거지 아니, 살림살이가 그냥 끊어진 게 어디 있습니까? 세상이 끊어졌습니까, 어디? 그냥 돌아가는 거지.

그래서 우리가 탑돌이를 하는 것도, 여러분이 탑인데 말입니다,

여러분이 탑을 만들어 놓고 탑돌이를 지금 하고 있는 거예요. 그런데도 여러분이 그걸 모르기 때문에 탑을 만들어 놓고 탑돌이를 하라고 그런 겁니다. 여러분은 지금 만날 탑돌이를 하고 계십니다. 이리로 왔다 저리로 갔다, 쌀 푸러 갔다 똥 누러 갔다…. 그게 탑돌이 아니고 뭡니까? 가서는 또 죽었다고 해요. 죽었는데 그것이 또 돌아서 나옵니다. 뭘로 나오든 말입니다. 인간의 씨가 있기 때문에, 뿌리가 있고 그렇기 때문에 또 나오고 또 나오고 또 나오고, 이렇게 돌다 보면 항상이지 어디 끊어지는 데가 있습니까? 이 도리를 아시란 말입니다. 이해만 하고 이론적으로 알기만 해서도 아니 됩니다. 그렇기 때문에 도는 그 자체를, 모든 것을, 일체 나쁘고 좋은 것을 다 자기 주인공에, 공(空)에서 나온 거 공에다 놔라. 맡겨 놓고 믿어라. 지켜봐라. 그러면 홀연히 참이라는 게 거기서 흘러서 그 생명수의 맛이라는 것은 정말 옆의 사람도 모르고 아무도 모르는 사이에 천차만별로 요렇게도 맛이 나고 조렇게도 맛이 나고, 이거는 천차만별로 좋은 맛이 나는데 도대체 그 맛은 정말 얻다 비교할 수가 없거든요.

그러니 지금, 좌선을 하고 앉아서 참선한다는 것만 참선이 아닌 줄 아셔야 됩니다. 눈 하나 깜빡거리고 이렇게 도는 것도 참선이에요, 다. "변소에서 어떻게 부처님 생각을 합니까?" 이러거든. 아, 자기가 변소에 있으니까 생각을 하게 되는 거죠. 저 해가 똥구덩이에는 안 비칩니까? 똥구덩이라고 해가 요렇게 돌아서 깨끗한 데로만 가겠네요. 그런 건 아닙니다. 여러분이 생각하기에 달렸으니 그런 줄 아시고 또 질문하실 분 있으면 한 분만 질문하십시오.

질문자2(남) 차를 내려 가지고 선원을 오다 보면 요 앞에 횡단보도가 있거든요. 횡단보도를 건너다 보면 신호등이 있는데요, 늘 보면 항상 빨간 불인 것 같아요. 그래 가지고 그 횡단보도로 건너지 않고 제가 그냥 도로를 가로질러서 오거든요. 건너오면서도 전 이런 생각을 합니다. '이게 주인공이 시키는 거니까.' 라고. 그런데 어떤 나쁜 일을 했을 때, 제가 미처 몰랐을 때 말이에요, 모르고 나쁜 일을 하고 난 그 후에 '이건 다 주인공이 시킨 거다.' 그러고서는 맡기라고 그러면 그 뭐라고 할까, 좀 이해가 안 가는 점이 있는 거 같은데요.

큰스님 그거 조금 아까 얘기했죠? 테이프 얘기. 그런데 무조건 여러분은 고등 동물인 인간이 됐기 때문에 사회 상식이나 인간 도리에 어긋남이 없이 나쁘고 좋은 것을 안다는 겁니다, 본래. 그렇기 때문에 모르고 저지른 죄가 있다면 회개를 하게 되는 겁니다. 그 모르고 저지른 것을 테이프에 녹음을 해 놨으면 자기가 알고 있는 것이 녹음된 겁니다. 그런데 자기가 알고 있는 그것을 바로 지금 현재에 회개하는 마음으로 지우라는 얘기입니다. 즉 말하자면 그 테이프에다 다시 녹음을 한다면 바로 그 앞서 거는 없어지지 않나 이렇게 봅니다.

그러면 지금 잘못된 신호등이나 모든 것이, 그렇게 해 놓은 사람도 바로 자기라고 생각할 때는 이해가 됩니다, 전부. 아, 저게 한두 사람이 하는 게 아니고 한두 사람이 사는 것도 아니고 한두 사람이 지키고 그렇게 다니는 것도 아니니, 때로는 고장 날 때도 있고 때로는 고장 난 걸 고칠 때도 있는데 그거를 탓하면 어떡합니까? 여러 사람들이 사는 이 모든 진리 속에서 말입니다. 그러니까 잘못되게 그렇게 고장 난 것도 바로 자기네들이 지금 하고 있는 겁니다. 잘 고쳐 놓는 것도 자기네들이라고 생각했을 때 전부 남을 탓하게 되는 것이 하나도 없다 이겁니다.

그런데 자기가 이렇게 저지르고 그것도 주인공에다 모든 걸 놓으면 된다고 하는 것이 이해가 안 간다 하는 겁니다, 지금 저 학생은. 그런데 이왕 저지른 걸 어떡하느냐 이겁니다. 이왕 저지른 거라면 앞으로 다시는 저지르지 않으면 되는 거 아닙니까? 그래서 이왕 저지른 거라면 앞으로 저지르지 않는다고, 거기에서 순수하게 깨달았으면 가면서 그 녹음테이프에다 다시 녹음을 하세요. 그러면 그것은 모든 게 없어진다 이겁니다. 그러니까 주인공에다 모든 걸 맡겨 놔라. 안 되는 건 믿고 놓고, 되는 거는 감사하게 놓고, 모르는 거는 몰라서 놓고. 그래서 "모든 것을 몰락 몰락, 자기가 한 발 한 발 떼 놓는 거를 다, 잘한 것도 감사하게 놔라." 이랬는데 하물며 잘 안된 거를 갖다가 놓지 않아서 되겠습니까?

그러니까 녹음테이프는 24시간 그대로 있는 것도 아니에요. 일 초도 못 돼서 그 녹음에 또 녹음이 되고 또 일 초도 못 돼서 녹음이 또 되고 그러니깐 앞서 녹음된 건 자꾸 없어지면서, 자꾸 녹음이 되면서 없어지면서 되면서 없어지면서 이렇게 되지 않습니까? 우리 인생도 그렇게 지금 가고 있는 것입니다. 그러니 여러분이 생각할 때 아이구, 그놈의 거는 그렇게 해서 내 가슴에 못이 되고 그것이 여직껏 몇 해를 두고 10년, 20년이 가도록 있다는 겁니다. 그거는 자기 생각이지, 자기가 그렇게 붙들고 있는 대로 세월이 그렇게 가만히 있나? 그러니깐 걸리는 거죠. 그러니 세월 가는 대로 그것도 놔라 이겁니다. 어차피 잘못된 거를 알면 그건 벌써 잘해 나갈 것을 예약하는 마음입니다.

그렇기 때문에 그것을 바로 거기다 놓으면 그것은 없어지고 또 잘하겠다는 것이 들어오고, 앞으로 잘해 나간다면 잘해 나가는 것이 녹음이 또 되고, 그러면 잘하겠다는 것이 또 녹음이 죄 지워져 버리고 잘하는 것이 녹음이 될 것입니다. 그러나 또 그다음에 어떠한 문제로 남이 잘못한 걸 보고 원망한다 하면 또 그놈의 잘된 녹음이 지워지고 원망하는 것이 또 녹음이 될 것입니다. 그러니까 모든 원망하는 거, 잘못되고 잘되고 하는 것 몽조리 놔요. 그리고 자기가 인간으로 태어났다면 내 마음의 근본을 알아야 하고, 나와 더불어 이 세상이 돌아간다는 걸 알고 모든 것을 겸손히 자기 위로 부모를 섬길 줄 알아야 하고 아래로는 자기 아래 사람들을 섬길 줄 알아야 하고, 자기 몸으로 비유한다면 바로 자기 육신을 올바로 잘 끌고 다닐 줄 알아야 하고, 자기 마음을 잘 쓸 줄 알아야 하는 것이 인간이 아닌가 이렇게 봅니다. 그런데 뭐, 그건 억지지. 내가 잘못하는 것도 "잘못해도 거기다 놓기만 하면 됩니까?" 하는 건 그거는 말이 안 되지. 하하하. 도둑질 열 번 하고도 신부님한테 고하기만 하면 된다고 그랬거든. 신부님한테 고하면 다 죄가 사해진다고 그러니까 아, 이건 잘못해 놓고 만날 고하네. 그게 나는 모두 시원치 않았다고. 그래서 고하면 뭘 해? 찌꺼기는 연방 남아 있는 거를.

질문자2(남) (청취 불능)

큰스님 남한테 얘기하는 게 아니라 바로 나한테서 나온 거니까 나한테다 놔 버려라 이거야. 그러면 벌써 나한테서 잘못된 거니까, 잘못되게 한 놈도 너니까 인제는 앞으로 이렇게 잘못되지 않겠다 하는 거를 다짐하면서 또 거기다 놓는 거거든. 그러니깐 이건 잘못될 일이 없는 거라. 그게 정말 고해 성사지, 내가 잘못한 걸 타인에게 고한다고 해서 그게 고해 성사가 아니야. 어디서 나온 건데 얻다 갖다가 고해를 해? 고해? 여기서 나온 거 여기다가 반성을 하고 여기다가 놔야지. 그리고 잘못하기 이전에 잘못하지 않으면 고해할 것도 없잖아. 고해 성사 할 것도 없잖아.

질문자2(남) (청취 불능)

큰스님 하하하…. 이거 봐. 그거는 물질적으로 못 오게 막아 놓은 것뿐이지 마음이야 올 수 있지, 응? 그렇다면 육신이 못 오고 오고, 그것은 내가 오려고 마음만 먹는다면 어떡하든지 와. 빨간 불 아니라 천하 없는 불이라도 그것은 사람이 오고 가게 만들어 놓은 길이기 때문에 그것은 절대로 빨간 불이 있다고 해서 파란 불이 못 들어오란 법이 없어. 그건 자기 생각이지, 빨간 불로만 켜 있으면 못 오지 않느냐 하는 것은, 그것은 결국은 진리가 아니야. 왜? 세상은 났으면 죽고 죽으면 나고, 빨간 불이 켜졌으면 파란 불이 들어오고 파란 불이 들어오면 빨간 불이 들어오게 돼 있어. 언덕이 있으면 평전이 있고. 언덕이 있으면 꼭 내려가는 내리막이 있고 평전이 있다고. 그러니까 이것은 올라가는 것만이 있는 게 아니고 내려가는 것이 있다고. 꼭 올라가면 내려가. 내려가면 평전이 있어. 그래서 삼합이 항상 같이 돌고 있거든. 인간도 생명과 마음과 몸, 이것이 삼합이 한데 공전하고 이렇게 돌아가고 있지 않아? 그러니깐 그것은 결국 물질적으로 봐서도 말이 안 되고, 진리적으로 봐도 말이 안 되고, 마음적으로 봐도 아니 돼. 고정된 건 하나도 없어.

질문자2(남) 스님께서 어떤 의문이 떠오르면 자기 자신에 맡기라고 그러셨습니다. 맡겼을 때 인제 '아, 이거 아닐까.' 하고 생각이 떠오르면 그것이 진짜 아는 것인지 아니면 사량에 의해서 아는 것인지, 그리고 아는지 모르는지도 모를 때는 어떻게 해야 합니까?

큰스님 나는 이렇게 말했다. 내가 어떤 사량으로 떠올랐든지 알고 떠올랐든지, 알고 떠올랐으면 아는 걸로 그냥 놓고 모르고 사량으로 떠오른 거는 사량으로 떠오른 걸로 그냥 놓고, 다 놓으라고 그랬지 내가 어떤 거는 놓지 말고 어떤 거는 놓으라고 그랬나? 허허. 그러니까 사람이 사는 것을 가만히 보라고. 모르면 모르는 사람대로 그냥 살고 아는 사람도 아는 사람대로 그냥 살아. 그러나 똑같은 사람인데 차원이 다른 것은 누구도 몰라. 그 마음의 차원이라는 건 누구도 모른다고. 육신이 다 똑같기 때문에. 이 자리에 부처님들이 앉아 있어도, 그 부처님이라는 건 마음의 차원이 한 소식 뛰어서 넘었기 때문에 부처고 뛰어넘질 못했기 때문에 중생이라.

우리가 차를 타려고 쭈욱 나래비로 섰는데 차를 탔으니깐 탄 사람은 탄 사람대로 갔다 이거야. 그런데 타지 못한 사람은 타지 못한 사람대로 못 탔으니까 거기 있는 거야. 그러니까 탄 사람과 타지 못한 사람의 요 차이란 말이야. 그런데 사람의 육신 보이는 데는 똑같단 말이야. 탄 사람과 타지 않은 사람과 뭐가 다른 게 있어? 그러나 그것이 보편적으로 우리의 마음 차원은 탄 사람하고 안 탄 사람하고 구분이 '아, 저 사람 벌써 타고 갔구나.', '여긴 못 타고 갔구나.' 이런 걸 우리가 첫

눈에 벌써 알잖아? 그런데 이건 물질로 돼 있기 때문에 알지만, 마음이라는 건 타고 안 타고 그런 거를 여러분이 모른다 이겁니다. 그렇기 때문에, 우주 법계의 섭유를 모르기 때문에 앞에 닥쳐도 도대체 모르고 당하는 거죠. 칼이 옆에서 들어온대도 모르고 당하는 거뿐이에요.

그런데 어떤 분은 이렇게 하는 분이 있거든요. 야, 지금 불교를 믿는데 스님이 백 일을 기도를 드리라고 그래서 지금 백일기도를 드립니다. 그런데 음식도 조심하고 남편과 잠자리도 조심하고 또 뭐, 꾸준히 목욕재계하고 와서 백 일 정성을 들이라는데 꼭 그걸 믿고선 들이는 겁니다, 지금. 그러니까 어디에서 부작용이 나느냐 하면 약 먹는 거하고 똑같죠. 좋은 약이라고 그래서 들입다 먹으니까 다른 데 부작용이 나듯이. 좋다고 해서 자기는 정성을 지극하게 들이고 다니는데, 남편은 배가 고파. 밥을 주지 않아. 그러니까 나가서 군것질을 하게 되죠, 배가 고프니까. 그렇죠? 또 애는 애대로 고독하고. 도대체 먹을 거를 제때에 해 주나, 학교에 갔다 오면 사람이 집에 있나. 그러니 애들도 빗나가게 되는 것입니다. 그러니 고거 한생각을 잘, 지혜롭게 하지 못하고 지혜롭게 가르치지 못해서 가정에 벌어지는 큰 문제가 생기는 것입니다.

내가 그런 걸 너무 많이 봐 왔기 때문에 "기도도 그냥 당일 하고 가거라. 여기서 잠자 가면서 기도하지 마라. 가정도 내 가정이기 때문에 내가 지켜야 하기 때문이다."라고 합니다.

여러분의 가정이 바로 내 가정이야. 여러분의 가정에 불상사가 나면 내 불상사라. 내 맘같이 애들이나 어른이나 다 잘 알고 그렇게 이해를 해 주는 사람이 몇몇 되겠습니까? 그렇기 때문에 그거를 막기 위해서도 그렇고 아니, 천근만근 잘되라고 정성을 들였는데 가정이 파괴가 된다면 그거는 있을 수 없는 일이에요. 그렇기 때문에 기도를 부쳐도 백일기도를 부치지 않고 기껏 삼일기도를 부치는데 삼일기도도 당일 하고 가라 이겁니다. 그리고 먹는 거나 모든 사는 게 이것 빼고 저것

빼면 진리가 무슨 진리…. (녹음 안됨)

곧바로 들어가야 생활에 끄달리지 않는다

1986년 1월 5일

질문자1(남) … 해야 될 것인지, 거기에 대해서 말씀 좀 해 주십시오.

큰스님 아니, 무슨 질문이 그렇습니까? 하하하…. 물론 본래 가고 있지도 않고 안 가고 있지도 않습니다. 지금 몸은 여기 오신다고 왔는데, 마음이 온 것은 보이지 않고 몸이 온 것은 보입니다. 그렇기 때문에 온 거는 온 건데 마음은 보이지 않으니 온 건지 안 온 건지, 그 양단간은 본인 자신이 결정하기에 달렸습니다. 왔다고 생각하면 온 것이고 안 왔다고 생각하면 안 온 것입니다. 그것은 여러분의 자유입니다.

그래서 사명 대사가 새 한 마리를 쥐고 "이것을 놓겠습니까, 쥐겠습니까?" 하니까 서산 대사는 문지방을 걸쳐 딛고 서서 "내가 이 문지방을 넘어가겠느냐, 넘어오겠느냐?" 하니 거기에서 아무 승부가 나지 못했답니다. 그 뜻을 여러분이 헤아릴 수 있다면 놓든지 말든지 그건 자기가 할 일이지 누구한테 그것을 물어보겠습니까? 그래서 여러분은 지금 보이지 않는다 보인다, 공부를 하고 있는지 안 하고 있는지, 자기가 안 하고 있다고 생각을 하든지 하고 있다고 생각을 하든지 그건 본인에 달려 있는 겁니다. 만약에 '아, 이렇게 허무하고, 하고 있는지 안 하고 있는지도 모르겠네.' 한다면 '모르겠네' 하는 그 마음을 누가 냈습니까? 바로 그 마음을 낸 사람이 지금 말을 하고 있으니까 하고 있는 거지요. 만약에 그분이 송장이라면 하고 있지도 않고 말도 안 할 겁니다. 그런데 말을 하거든요.

그래서 말하는 그 자체와, 보이지 않는 내 불성과, 그렇게 움죽거리는 거와 삼합이 합하여서 삼각원형을 이룬다는 그런 얘기가 있습니다. 그러면 우리가 삼심이 일심으로…, 그럼 과거심이냐 미래심이냐? 바로 그것을 한데 합쳐서 오늘에 일심으로 돌려서 원형을 이루고 우리는 지금 생활을 하고 있다 이 소립니다. 그렇다면 지금 현재의 생각 자체를, 여러분이 어떻게 생각을 하든지 사람들을 오해하지 마세요. 그것은 내 생각이지 남의 생각은 아닙니다. 그렇기 때문에 모든 것은 자기 주인공으로 하여금….

이런 게 있죠. '상구보리 하화중생' 이니라. 위로는 영원한 자기의 생명인 불성 자체를 존경하고 아래로는 자기 몸, 즉 말하자면 중생 제도를 올바르게 하라는 얘깁니다. 그러면 자기 중심에 의해서 위 부동한 생명, 그 불성을 자부처로 여기고 받들고, 아래 몸은 자기의 시자로서 바로 자기 '자(子)' 죠, 자. 즉 말하자면 움죽거리니까요. 그래서 몸뚱이를 올바르게 이끌고 가는 것이 마음 아니겠습니까? 그렇다면 모든 것은 마음에 달린 것입니다.

그래서 부처님 법이 따로 있고 우리의 생활이 따로 있고 그런 게 아니라 우리가 지금 세계적으로 움죽거리는 그 자체가, 우주적으로 움죽거리는 자체도 전부가 바로 한생각에 달려 있는 겁니다. 한생각에 달려 있다는 그 자체가, 우리가 전자에는 어떠한 생각을 해서 역사가 그렇게 됐는지, 앞으로는 우리가 어떻게 생각을 해야 미래의 역사를 바꾸어 놓을는지, 우리의 생활이 국가적으로나 세계적으로 어떻게 달라지는지 그것은 여러분의 마음에 달린 것입니다. 마음을 협소하게 생각하지 마십시오. 여러분의 그 마음은 아주 이 세상을 주고도 바꿀 수 없는 보배인 것입니다. 그래서 여러분이 여기 법당에 앉아 계시니까 부처가 이 법당에 계신 거지, 만약에 여기 앉아 계시지 않는다면 부처도 없는 것입니다. 여러분이 이 세상에 나지 않았다면 우주, 세계, 생활 모든 게 없는 것입니다.

그러니까 그런 보배를 발견하려면 이 공부가, 지금 부처님 공부가 얼마나 참, 하지 않으면 안 되는 그런 것입니까. 우리 지금 생활에서 가만히 보십시오, 얼마나 귀중한가. 여러분 그 마음이 얼마나 귀중하며 보배인지 여러분은 여러분의 마음을 믿지 못하실 겁니다. 여러분의 체가 없는 그 마음이 우주를 전체 들 수도 있고 굴릴 수도 있고 덮을 수도 있는, 그런 능력을 여러분은 다 갖고 계십니다. 그러니까 지금 행을 하고 가는지 안 하고 가는지는 모르나, 밥은 먹고 잠은 자고 똥은 싸고 있으니 그것이 바로 누가 하는 것입니까? 얼마나 묘한지, 그저 지체 없이, 똥 마려우면 아무 생각 없이 무심으로 가서 똥을 누죠? 그런데 그 도리를 모른단 말입니다.

조그마한 일이라고 업신여기지 마시고, 내가 생활해 가면서 위로 아래로 모든 것을 내 한 손에 쥐고 있는 그 자체가 바로 고정된 관념이 없이, 고정되게 몸을 움죽거림이 없이, 고정되게 생각하는 것이 없이, 고정되게 듣는 것이 없이 이렇게 원형을 이루고 돌아가고 있습니다. 그러니 그 가운데서 나투어서 자기한테 자꾸 화해서 변화되고, 화해서 나투는 그 자체를, 자기가 마음 내서 모든 활용을 지금 그대로 하는 대로 나를 믿고 나한테다가 맡겨 굴리면 그것이 그대로 법이 되지만, 바깥에서 찾고 이 몸뚱이를 나라고 생각했을 때는 허무하기가 짝이 없는 겁니다. 나의 마음에 이 몸뚱이는 종일 뿐입니다. 불가에서는 시자라고 합니다. 가만히 살아가시면서 여러분이 생각을 깊이 하셔서 잘 파악해 보고 또 체험해 가십시오.

자기가 한생각을 이렇게 냈는데, 모든 것을 '이 세상 사는 것이 주인공으로 하여금 살고 있구나. 내 몸까지도 바로 거기에 매여 있구나.' 하고 생각하고 사시는 분들이 한생각을 냈을 때 그것이 어떻게 돌아가나 한번 지켜보시도록 하십시오. '내가 생각하는 대로 그대로 부처님 법이 아닌가.' 이런 생각을 아마 가지실 겁니다. 부처님 뜻이라는 것은 공덕이 되지마는 중생이 삿되게 생각하는 것은 역시 말입니다, 말. 말씀이 아니라 말이오. 그건 법이 아니라 삿된 행동입니다. 그렇기 때문에 똑같은 행을 하더라도 내가 행하는 게 아니라 마음의 주인이 그렇게 생각을 했기 때문에 내 몸이 움죽거리게 된다는 걸 아셔야 합니다. 그전에도 종종 말했듯이 내 마음으로다가 내 집을 짓겠다 하고 설계를 했기 때문에 나가서 설계를 뜨고, 설계를 떴기 때문에 집을 짓고, 집을 지었기 때문에 팔든지 또는 들어가 살든지 하는 것입니다. 그러니까 마음이 얼마나 중요합니까? 어디 가서 찾습니까? 부처를 어디 가서 찾습니까? 물론 생활에서 한 마디도 버릴 게 없고 한 가지도 버릴 게 없고 쓸모가 있으니 이 세상에 모든 게 난 거니까 이런 일체 만물, 하다못해 둥우릴 틀고 알을 낳는 새들도 우리의 마음과 더불어 같이하고 있다는 거를 아셔야 할 것입니다.

저는 나이 어렸을 때도 그런 일이 많이 있었습니다. 만약에 무섭다고 생각을 했더라면 기다란 꼬리를 잘잘 끌고 다니는 여우하고도 아마 서로 대화를 못했을 겁니다. 그런데 그게 여우인지도 몰랐고 사람을 뭐, 잘못되게 한다 이런 것도 생각을 못 했던 거죠. 그렇게 미거하고 그렇게 참, 영리하질 못했다는 증거지요. 그러니깐 오히려 여우가 그랬을 겁니다. "이 머저리야, 나도 몰라보느냐?" 허허허…. 그러니깐 몰라보는 거를, '내가 너를 건드리면 뭘 하겠느냐.' 하고 아마 그냥 친구가 돼 줬던 것 같습니다. 어떤 때는 어디서 어린애 우는 소리가 산속에서 들렸습니다. 애절했습니다. 나는 한숨에 거길 달려갔습니다. 달려가 보니까는 팽하고 튀어 가거든요. 그래서 '야 이거, 어린애는 없고 저게 울었을까?' 하는 생각에 너무 당황해서 이리저리 미친듯이 찾았습니다. 그랬는데 그것이 의정이 난 겁니다.

예를 들어서 어린애 우는 소릴, 저 짐승들이 그렇게 울 리는 만무하고 어린애가 당장 울기는 울었는데 어디서 울었느냐는 얘깁니다. 그러면 예를 들어서, 여러분한테 얘길 하려니깐 이것을 주인공이라고 또 이름을 붙입니다. '주인공, 너는 알고 있을 텐데…. 나는 머저리라 모르니깐 말이야. 넌 알고 있잖아!' 했습니다. 그 순간에 울음소리가 들렸습니다. 보니깐 어린애가 우는 게 아니라 늑대가 울고 있어요. 그래서 나는 그때에 '늑대도 어린애 울음소리를 내고 또 별의별 울음소리를 다 내는구나. 그건 울음소리가 아니라 바로 말하는 거로구나.' 그렇게 말귀를 차차 듣기 시작을 했습니다. 그래서 왜 울었는가 하고 생각을 하니까요, 제가 가는 길이 너무나 험한 길이었습니다. 그래서 날더러 거기 가면 그렇게 낭떠러지로 떨어진다는 것을 얘기해 준 겁니다. 찾다가 가면 또 좇아와서 울고 이러니 그게 무슨 일입니까? 그게 한두 번이 아니었습니다.

산비둘기나 또는 밤중에 부엉이나 또는 새들, 까마귀, 까치 뭐, 또는 뱀 종류, 토끼 이런 것도…. 참 누구나가 이걸 거짓말이라고 하겠지만 저 치악산 저런 데, 예전에는요, 저런 청계산에 아주 숱했습니다. 그런데 호랑이도, 조그마한 호랑이를 봐도 나는 그것을 고양인 줄 알았으니까요. 그렇게 머저리였으니까요. 그리고 저게 호랑이라는 얘기는 들었어도 호랑이를 본 적이 있나요? 그렇기 때문에 그걸 느끼질 못한 거죠. '저건 뭐지?' 이렇게요.

그런데 그렇게 바보였으니 어떡합니까, 글쎄. 나를 누가 어떻게 생각을 하든지 좋습니다. 나를 영리하게 만들기 위해서 학교를 좀 보냈더라면 좋았을 것을 그렇게 무지하게 몰랐기 때문에 아마 벗이 된 것 같습니다. 그래서 처음에 이리로 집을 짓고 왔는데도 한 두서너 번은 여기 왔다가 갔습니다. 그런데 몇백 리가 되는데도 어떻게 그렇게 왔다 갔느냐는 얘깁니다. 그것은 내가 보기 이전에 여기 사람들이 이 발자국은 도저히 이거는 보통 발자국이 아니라는 얘기를 했으니까요.

나는 알고 있었습니다. 내가 혼자 그때 여기 와서 고생을 했으니까요. 한 번만 왔다 가면 그래도 아주 참 절친한 친구 만난듯이 얼마나 반가웠는지 모릅니다. 여러분도 개를 길러 보시고 그러죠? 그렇게 사람의 말을 잘 알아듣고 심부름을 잘하고 그랬다면 여러분도 아마 정이 깊었을 겁니다. 죽었다면 울기라도 할 정도일 겁니다, 아마. 그렇게 마음과 마음이 통해서, 몸뚱이는 아무 데 있다 할지라도 마음이 통하면 천 리를 멀다 하지 않고 가 볼 수 있는 겁니다. 나는 산이 그리웠으니까요. 그러나 지금은, 벌써부터는 산이 들이고 들이 산이라고 생각했던 거죠. 그때 당시에는 짐승들보다 사람들을 오히려 더 거리를 두고 무서워했으니까요.

그럼 또 질문하실 일이 있으면 질문하십시오. 무슨 좋은 말 건져서 할 생각 마시고요. 내가 생활하는 데에 피치 못할 일들, 내가 생활하는 데에 모든 것이 안 되고 되는 데에서 환멸을 느끼고, 체험을 해 보려야 체험을 해 볼 길도 없고 이러한 상황 속에서 헤맬 때 질문을 하는 것이 좋습니다.

여러분이 믿어도 좋고 안 믿어도 좋습니다. 여러분의 생각에 달려 있으니까요. 보이지 않는 여러분의 조상이나 여러분의 형제나 죽은 사람이 반이라면 산 사람이 반이듯이, 나는 보이지 않는 세계의 그 생명들과 더불어 같이 친구로서 벗을 삼고 사는 사람이라고 해도 과언이 아닙니다. '나' 가 아닌 '나' 로서 말입니다. 그러면 나만 그러냐? 나도 만약에 체가 없는 거라면, 진짜 마음이 체가 없는 거라면 체가 없는 그 마음들은 얼마나 많겠습니까?

그래서 제가 실감을 느낀 것이 저, 그 얘기 한번 할까요? 공동묘지에 있었는데 군인들 공동묘지에는 군인들의 씩씩한 마음들이 있고요, 또 그냥 여자고 남자고 그저 되는 대로 갖다 묻은 공동묘지에는 되는 대롭니다. 그런데 말입니다, 실감 나는 건 뭐냐 하면 살아 있을 때의 생각을 하고 살아나가던 그 습이 죽어도 그 생각에 의해서 놀고 있더라는 얘깁니다. 그랬는데 나는 그때에 어떤 생각을 했느냐 하면 내가 색으로만 생각을 해서, 그때 한창 스물 몇 살 될 땝니다, '이렇게 내가 여자인데 죽은 군인들이 나를 보고 어떻게 내 말을 들을 수 있을까? 내가 어떻게 저것을 다 리드해 나갈 수 있고 운용을 할 수 있을까?' 하는 생각을 했습니다.

그러자 순간 이런 생각을 했습니다. '아하, 나를 왜 여자의 모습으로만 생각해? 내가 한생각 하면 장군이 될 수도 있고, 또 아주 높은 국방 장관이 될 수도 있는데, 고렇게 얕게만 생각하고 이 모습만 생각할 게 뭐야? 한생각이라면 장관이 될 수도 있고 국방부 장관이 될 수 있어서 모든 거를 인솔할 수도 있는데.' 했습니다. 그랬는데 말입니다, 묘한 점은 어떤 생각이 났느냐 하면 '아하, 이 모습이 아주 졸병이 될 수도 있고 장관이 될 수도 있구나. 그렇다면 우리나라에서 무슨 일이 벌어져도 이 군인을 다 인솔을 해서 산 사람한테다 투입을 한다면 이길 수도 있지 않겠나.' 이렇게 생각을 했습니다. 이건 내 생각입니다.

그러고도 또 한 가진 이런 생각을 했습니다. '야, 전 세계에 미국 사람이라든가 어느 사람을 막론하고 죽은 혼백이라면, 멀어도 먼 게 아니기 때문에 어떠한 일이 벌어졌을 때는 그걸 다 한마음으로서 몰아서 우리 한국이라면 한국에다가 산 사람에게 다 투입을 해서 우리가 앞으로 역사를 바꿔 놓을 수도 있다.' 이런 생각을 해 봤습니다.

그런데 말입니다, 묘한 거는 옛날뿐만 아니라 지금도 그렇습니다마는 옛날에는 된 사람이 나올 수 있다면 아주 자기의 차까지 줍니다. 지금 여기에서도 권위가 높으면, 국방부 장관쯤 되거나 대통령이 되면 바로 차가 나오죠. 그렇듯이 이 세상에 사람이 하나 나면 사자, 즉 백말이 따라 나옵니다. 천상에서 이 사천세계로 내보낼 때는 그렇게 겸해서 나오는 거죠. 그런데 인간이 잡종에서 나왔다면, 잡종 씨라면 차커녕 구루마도 안 주죠. 그러니까 이 마음 하나 먹기에 달렸다 하는 것은 크게 보면 마음 하나가 이 우주 전체를 덮고도 남음이 있고, 마음을 작게 쓰면 요 자리에서 옴쭉을 못하는 겁니다.

그때에 나이는 어리고 배운 거는 없지마는 그렇게 그 체가 없는 종류로서 타의의 신이 따로 없고 타의의 악신이 따로 없다는 걸 그때에 느꼈습니다. 나는 어떠한 것을 생각했느냐 하면, 이 묘지에 다리 잘려서 죽은 사람이 있다면 다리가 아파서 애를 쓰는 그 마음이 그대로 있더라는 얘깁니다. 거기에서 많은 포착을 했습니다. 그러면 그것이 몸뚱이가 아무것도 없고 마음은 체가 없는 건데 왜 아프다고 느끼느냐 했습니다. 그러니까 그 아픈 걸 떠날 수가 없다는 얘깁니다. 그러면 그 아프다는 생각이 잠재의식 속에 들어가서 컴퓨터에 쟁였기 때문에 바로 거기에서 자꾸 샘물 솟듯이 나와서 그 마음을 금치 못하는 겁니다. 아프다고만 생각하고 병신이라고만 생각하고 눈 한 짝이 없다고만 생각하고…, 그렇게 생각을 하고 있더라는 얘깁니다.

그런데 그 없다는 생각이 바로 그 아프다는 착 때문에 인연줄이 연결돼 가지고 죽어도 그 착이 떠나질 않는 겁니다. 그런데 우리 마음이 만약에 공심으로 돌아간다면, 우리가 공심으로 돌아가는 도리를 안다면, 그릇을 싹 비우고 여여한 사람의 마음이 같이해 줄 수 있다면 그것이 싹 없어질 거 아니냐는 얘깁니다. 어떻게 해서 없어지느냐고요? 체는 이렇게 여럿이지마는 여러분의 그 체가 공했다면…. 영이라고 한번 생각해 봅시다. 영이 이렇게 많은데, 나도 영이요, 여러분도 영이라면 영을 한데 합쳐서 한 손에다 쥐어도 쥔 사이가 없으면서도 한 손에 쥐었다 이겁니다. 안 그럴까요? 우리 요 방통에 있는 분들만 생각해도 이렇게 많은 분들의 그 유전자라고 할까? 혼백이라고 할까? 그 혼백을 만약에 내 혼백과 더불어 같이 요 손에 쥐었다면 쥔 사이가 있습니까, 없습니까? 쥔 사이가 없으면서도 한 손에 쥐고 돌아가기 때문에 공심 공용 공체로서 우리가 공식하고 있다는 얘깁니다.

그러니 우리가 전자에는 모르는 게 많고 불교의 진실한 뜻을 모르고 유교로만 나갔던 그런 적이 있습니다. 즉 생활 상식과 또는 충성, 효도, 사회 상식, 서당에 나가서 한문을 배우고 그러면서 글 풀이 이런 것만 해서 나갔지, 진짜 내 한생각에 전체의 정치도 하고 과학도 또는 지리도 전부, 생활 국민을 이끌어 나가는 데도 앉아서 이끌어 나갈 수 있는 그런 대의적인 도(道)의 길 없는 길을 터득을 하지는 못했던 겁니다. 그래서 과거의 역사는 그랬지마는 앞으로 역사는 여러분의 마음에 달렸다고 봅니다. 지금 가는 이 길은 앞으로 여러분이 역사를 쓴다면 아마 역사가 예전보다 많이 달라질 겁니다. 그리고 앞으로는 더 달라질 겁니다. 지금도 얼마나 마음이 계발이 되고 있습니까. 물질과학으로서 연구 하다 하다 유전 공학으로서 연구를 하면서 지금 빠른 거를 더 포착을 하기 위해서 빛이다…, 또 더 빠른 거를 하기 위해서 인공위성을 띄우면서 포착을 자꾸 하고 있지 않습니까.

그런데 구태여 십 년, 이십 년 연구하고 그러지 않아도 다 한생각이라면 오신통을 여러분이 다 가지고 있기 때문에, 여기에 잠재해 있는 컴퓨터나 천체망원경에 다 있기 때문에 마음으로 전체의 모든 것을 앉아서 볼 수 있고 들을 수 있고 해결할 수 있는 그런 일들이, 앞으로 아마 십 년이 당도한다면 참, 생각할 수 없는 그런 일들이 벌어지지 않나 하는 생각이 듭니다. 그러면 거기에 의해서 자꾸 발전을 하고…. 여러분한테 두서없는 말씀을 이렇게 드리더라도 잘 포착해서 자신이 듣기에 달렸습니다. 하치않은 말이라도 듣기에 달린 겁니다. 크게 들으려면 크게 듣고 조그맣게 들으려면 조그맣게 듣는 겁니다.

옛날에 어느 사람이 영 공부를 하는 건지 안 하는 건지 그것도 모르다가 만날 빗자루를 주고서는 마당이나 쓸라고 그러고 부목이나 하라 그러니까 하루는 나가서 마당을 몽당비로 쓸다가 돌 하나가, 예전에는 삼태기가 있지 않습니까? 삼태기에다가 이렇게 쓸어 담는데 그 삼태기 모서리에 탁 부딪치면서 거기에서 탁 튀거든요. 부딪치는 소리가 나더랍니다. 거기에서 고만 '아하, 이것이 일체 만물만생이 다 이렇게 서로 부딪치면서 소리가 나면서 이렇게 돌아가는 거로구나.' 하는 거를 거기서 생각해서 느끼고 깨달았답니다. 그러니까 하치않은 그 돌 한 쪼가리가 소리를 내는데 그렇게 그 소리를 들었다니 말입니다. 여러분은 돌이 소리가 나도 그냥 소리 나나 보다 하겠지만, 그건 돌이 소리를 낸 게 아니라 자기 소리를 들은 겁니다. 돌 소리에 자기 소릴 들은 겁니다. 그러니 여러분도 하치않은 데서, 연꽃은 더러운 물방울이 묻지 않는다 하듯이 여러분은 하치않은 그 마음에서도 성스럽고 보배고 바꿀 수 없는 그 사리가 나올 수 있는 생명수의 맛을 볼 수 있는, 여러분의 맛을 보게 할 겁니다.

그러니 오늘도 우리가 여기 와 이렇게 앉아 있는 것은 강의를 하는 거보다도, 옛날에도 부처님과 제자들이 같이 앉아서 토론을 하면서 "같이 앉았을 때는 너와 나와 둘이 아니다. 너희들이 전부 아라한이라면 나도 즉 아라한이니라." 이렇게 얘기를 하셨답니다. 그러니 여러분과 나와 이렇게 같이 앉아서 서로 모르는 걸 토론을 한다 할지라도 바로 주인공에서 서로 하기 때문에 함이 없이, 지금 이렇게 앉은 사이도 없이, 말한 사이도 없이 말을 역력하게 하고 있는 겁니다. 그러니 서로 토론을 하다가 좀 잘못된 게 있으면 "스님은 이런 말을 왜 이렇게 하십니까?" 그러고 문짝이라도 팡 칠 수 있는 그런 패기를 좀 더 가지고 우리 서로 토론을 하시는 게 어떻습니까?

질문자2(남) 큰스님, 대단히 감사합니다. 저희 집사람이 많이 아파 갖고 여기 와서 큰스님의 은혜로 지금 완쾌돼 다니고 있습니다. 그리고 우리 마을의 한 분이 저희 집사람이 많이 나은 걸 보고 오고 싶어 하는 분이 있습니다. 그런데 보살님은 오고 싶어 하는데 남편이 "내가 부처다. 뭘 그리 가느냐? 그거 쓸데없다." 이래서 항상 싸우고 있습니다. 그런 괴로움이 있는 사람이 어떻게 하면 선원에 와서 큰스님의 법문을 듣고 행복한 가정이 될 수 있는지 그 말씀을 좀 해 주십시오.

큰스님 물론 여러분에게 “부처가 따로 없고, 마음에 부처가 있다.” 이렇게 하니깐 ‘거기 갈 것도 없다.’ 이렇게 생각하시겠지마는, 그러면 그것은 반쪽 사람밖에 안 되는 겁니다. 한쪽으로 기울어져서도 아니 됩니다. 항상 겸손하면서 지금 현실을 무시해서도 아니 되는 것입니다. 그렇기 때문에 그러한 문제가 있다면 부처님의 뜻을 알기 위해서도 항상 내 마음을 공부하면서, 또 내가 안다 하더라도 전자의 부처님의 뜻을 다시 한번 점검해 보는 것도 여간 공부가 되는 것이 아닙니다. 그렇기 때문에 내가 안다고 하는 것을 다 놔 버리고, 높다고 하는 것도 놔 버리고, 얕다고 하는 것도 놔 버리고…. 내가 낫는다 안 낫는다 그런 것이 없이 지금 선생님은 그 마음을 가지고서 부처님과 한마음이 됐기 때문에 나은 것입니다.

그런데 독불장군이 있나요? “내가 부처다.” 하면 그이는 전체의 한마음, 즉 공생 공심으로 돌아가서 내가 부처다 이러는 게 아니고 사량적인 말만 듣고서 내가 부처다 이러는 겁니다. 그렇기 때문에 “내가 부처다.” 하는 것이 두 가지 말이 있는데, ‘내가 부처다’ 하는 것은 부처가 아니고 ‘모두가 내 부처 아닌 것이 없다’ 할 때는 어떤 것을 부처라고 하겠는가? “모두 부처님입니다.” 할 때 그것은 우주 전체가 일심으로 돌아가는 겁니다. 그것이 공덕이 되는 것입니다. 그러니 그런 사람은 아직도 인연이 되지 않아서 그렇게 우기고 있는 거죠. 그러니까 그 말씀 잘하셨습니다.

여러분도 여기 나오면서 어떻게 됐고 어떻게 편안하고 어떻게 했다는 얘기를 이렇게 같이 앉아서 말씀을 하시면 그것이 여러분한테도 또 보살행을 하는 것입니다. 여러분이 그렇게 해 나가는데 내 가정은 여기 와서 이렇게 배우면서 이렇게 해 나가니까 이렇게 되더라는 거, 이렇게 하고 있다는 거, 이런 것들을 서로 토론할 때에 우리는 서로가 배우는 게 많습니다. 남한테 그냥 강의 듣는 거보다 실질적으로 우리가 생활해 나가는 얘기를 듣고 또는 해 보고 하는 것이 제일 빠른 일 같습니다. 그래서 우리가 지금 이 자리를 마련한 겁니다.

그래서 셋째 일요일도 이렇게 모여서 서로 토론하는 것을 위주로 하기로 작정을 한 겁니다. 그래서 마이크를 갖다가 그쪽으로 두 개, 이쪽으로 두 개를 이번에는 설치하려고 그럽니다. 그러니 우리가 생활해 나가면서 지금 선생님과 같이 그렇게 생활해 나가는 데의 어떠한 문제, 또는 자기가 이렇게 공부를 하면서 어떻게 됐다는 거, 여기 나와서 이렇게 이렇게 하니까 내 마음이 편안하다는 거, 편안하면서도 이렇게 해 나간다는 거 이런 거를 느끼는 대로 서로 토론을 하는 반면에 그것이 바로 함이 없이 하면서, 여러분한테 또 듣고 공부를 서로 하면서 보살행을 하는 게 아닐까 이렇게 생각을 합니다. 그러면 또 딴 분들이 좀 더 질문하고 그래 줬으면 좋겠습니다.

질문자3(남) 저는 사실 불도에 대해서는 잘 모릅니다. 그렇지마는 저희 집안에서 불교를 주욱 숭상해 왔고 그랬기 때문에 저도 여기에 오게 됐는데, 지금 우리 인간들이 먹고 있는 육류에 대해서 저는 과연 그것이 옳은 것인지, 아니면 나쁜 것인지를 알면서도 먹는 이유가 무엇인가에 대해서 여쭙고 싶어서 말씀드립니다. 제가 알기로는 불가에서는 고기를 먹지 않는 걸로 알고 있습니다. 그러나 우리 인간이 살면서 채식만 하고는 살 수가 없고 또 채식만 하고 산다 하더라도 몸에서 필요로 하는 칼로리를 맞춰서 나갈 수가 없기 때문에 소고기나 돼지고기나 혹은 닭, 꿩 등등 많은 육류를 간간이 취하는 걸로 알고 있습니다. 그런데 우리나라도 그렇지마는 외국의 예를 들어 보더라도 집에서 기르는 동물을 잡아먹는 거에 대해서 다들 허용을 하는데, 유독 개에 대해서만은 그것을 금식으로다가 여기고 있는 나라가 많습니다. 그러면 과연 저희가 먹고 있는 육류가 불도를 닦고 있는 모든 중생들한테 그것이 맞는 건지, 혹은 그것을 먹음으로 인해서 죄를 받는 것인지,

이거에 대해서 좋은 말씀을 좀 해 주십시오.

큰스님 그 육류라는 것은 이런 게 있습니다. 우리도 지금 육을 가지고 있습니다. 이 세상에는 어느 생명이든지 작은 생명이나 큰 생명이나 식물의 생명이나 생명은 다 똑같습니다. 작다고 해서 생명이 다르고 크다고 해서 생명이 다른 거는 없습니다. 그런데 두 가지 여건이 있습니다. 만약에 이 한마음이라는 공(空) 도리를 모른다면 살생이 될 것이고, 이 공의 도리를 알아서, 즉 말하자면 공덕으로서 해 나갈 수 있는 행을 할 수 있다면 먹을 건 먹어야 되겠지요. 그건 무슨 소리냐. 만약에 내가 사랑하는 개가 있다고 봅시다. 그런데 내가 아무것도 모를 때는 몰라서 그것을 내 생명과 같이 생각하기 때문에 잡아먹지 말아야 하고, 안 그렇습니까? 그런데 만약에 이 공부를 하고 나서는 공부를 했기 때문에 그 모습을 바로 즉시 요리를 해서 바꿔 줘야 하겠기에…. 그것이 자비입니다. 그래서 부처님께서는 죽여도 자비고 건져 줘도 자비고 살려도 자비입니다. 죽여도 자비란 말입니다.

그러니 우리가 아주 극치적으로 얘기할 때, 만약에 여러분의 자식이 있다고 봅시다. 지금 뼈가 없어서 건덩건덩하고 똥을 받아 내고 그러는 자식을 하나 낳았다고 봅시다. 그럼 생명은 있습니다. 그런데 사랑하기 때문에 끝끝내 살아야만 한다는 그런 것이 있습니까, 없습니까? 사랑하기 때문에 좀 더 몸을 바꿨으면 하는 생각이 있을 겁니다, 아마. 그런데 여러분이 그런 자식을 낳았다면 여러분이 부모가 살아 있을 때는 뒷받침을 하고 똥이라도 받아 내고 그런다고 하는데 부모가 그 자식을 두고 죽을 때는 어떻게 하느냐는 생각이 들 겁니다. 그러면 죽어도 같이 죽어야 한다는 생각이 들 겁니다. 그리고 그 형제들이 얘 때문에 더 못살게 만들어져서는 안 된다는 부모의 마음이 있을 겁니다. 그러니까 사랑하기 때문에 죽이지 말아야 하고, 고기를 먹지 말아야 하고, 사랑하기 때문에 먹어야 한다는 두 가지 문제가 있습니다.

그렇기 때문에 대안 대사가 원효 대사를 끌고 삼악도로 나갔죠.

"너는 아직 사람 될 때가 멀었어. 그러니까 삼악도에 좀 나가서 그 모든 것을 정말 진짜, 값싼 사랑이 아니라 값비싼 아주 참자비를 알아라!" 이러면서 그걸 가르치기 위해서 갈비를 주고 술을 주고 계집을 줬습니다. 그랬는데 원효 대사는 고기가 고기로 보여서 못 먹겠다고 했습니다. '나도 생명이 있고 나도 육이 있고, 저것도 생명이 있고 저것도 육이 있는데 어찌 내가 내 살을 위해서, 내 생명을 위해서 남의 생명의 그 육을 먹겠느냐.' 해서 못 먹었는데 대안 대사는 "이놈아, 그렇게 자비가 없느냐?" 했습니다. "너는 하나만 알고 둘은 모르는구나. 무주상 보시를 해라, 이놈아!" 했단 말입니다. 그 소는 세세생생을 끄달리면서 소의 모습만 가지고 그냥 굴러야 되겠느냐 이겁니다. 그러니깐 그 착한 마음을 가지고 사람들한테 그렇게 생명을 다 바쳐서 일을 하고, 수억 년을 거쳐서 나왔다면 좀 더 너는 생각해 볼 점이 있지 않겠느냐 이겁니다.

그러면 네가 만약에 갈비를 하나 먹었을 때는 그 소의 살은 네 살이 될 것이고, 소의 마음은 네 마음이 될 것이니 그것이 진짜 공덕이요, 자비니라. 그러니 동시에 그 자리에서 한 찰나에 요리를 해서 맛을 같이 안 겁니다. 그렇기 때문에 그것이 참자비라는 얘깁니다. 자비라는 것은 잘 건져 주기만 해서 자비가 아니라, 죽이는 거나 살리는 거나, 악이나 선이나, 웃는 거나 우는 거나 모든 거를 종합해서 한데 합친 눈물 한 방울이 참자비라는 말입니다. 그걸 알라 이겁니다.

어느 때에 어느 신도분이 친구, 선배, 후배님들이 한 오십 명 모이게끔 됐다고 했습니다. 그런데 뭘로 안주를 할 게 없는데 그분들이 무엇을 사 왔느냐 하면 닭 오십 마리를 사 왔다고 했습니다. 그러니 산 닭을 잡아야 될 거 아닙니까? 그래서 그 오십 명이 먹을 거를, 닭 오십다섯 마리를 잡아서 그것을 전부 찜을 해서 그 동료들을 먹이려고 하는데 "이거를 어떡합니까?" 하고 한탄을 하고 울면서 왔습니다. 남자분들이 이렇게 해서 찜을 해내라니 여자분들이 모여서 가만히 생각을 하니까, "딴 분들은 저거 하지만 우리 불도를 믿는 사람은 어떻게 했으면 좋겠습니까?" 하고 물었습니다. 그러니 이왕 그렇게 된 거 물 흐르는 대로, 바람 부는 대로 슬슬 그냥 나가야지 강제로 그걸 못한다 그러면 어떻게 됐겠습니까?

그래서 그때에 그랬습니다. 맘 편안하게 해 주면서도 진짜 그 공덕의 법을 알게 하기 위해서, 걸리지 않게 하기 위해서 "그 오십 다섯 마리는 너의 바로 한 생명이니라. 그러니 네가 모든 것을 네 주인공에다, 그것도 한군데다 갖다 몰아 놔라." 이랬습니다. "그런다면 그분들이 전부 하나씩 먹어도 먹은 사이가 없고, 닭은 닭대로 오십 다섯 마리가 사람으로서 한 몸으로 등장을 할 수도 있고, 세 몸이 될 수도 있고 두 몸이 될 수도 있다. 영이라는 것은, 마음이라는 건 체가 없어서 오십 다섯을 한데 합쳐도 하나밖에는 안 되고, 그 하나도 없는 것이 바로 이 부처님의 법이다. 그러니 살은 살대로 약이 되고 마음은 마음대로 진화돼서 모습을 인간으로서 이 세상에 태어나게 한다면 더할 거 없이 보살행이 아니겠느냐?" 이렇게 얘길 해 줬습니다. 모르든지 알든지 직접적으로 들어가야 하니까. 그래야 여러분이 '부처님 법이 이렇게 좋은 거로구나.' 하고선 생활에서 끄달리지 않고 갈 거 아닙니까? 그렇다고 해서 무조건 내 생명과 같이 아끼지 말라는 건 아닙니다. 내 생명과 같이 아끼고 내 아픔같이 생각하고 내 자리같이 생각하고 모든 것을, 남의 것도 내 걸로 그렇게 소중한 줄 안다면 남의 것 도둑질도 안 할 것이고 과음하지도 않을 것이고, 남의 것 탐내지도 않을 것이고 거짓말하지도 않을 것이고, 괜히 남의 생명을 죽이지도 않을 것이고 말입니다. 달아나가는 거 쫓아갈 필요도 없고 오는 거 막지도 않을 겁니다.

그래서 그냥 불법이 이렇게 가까운 생활이라는 걸 가르쳐 주기 위해서 그렇게 얘길 했더니, 그다음부터는 무조건 잡아먹는 게 아니라 아주 약에나 쓸 일이 있어야 자기 주인공에 모든 것을 놔 버리고서, 그것도 그 닭의 생명이나 닭의 살이나 바로 나하고 둘이 아니라고 생각하면서 약으로 썼습니다. 그렇게 폭이 넓어야지 만약에 폭이 좁으면 어떻게 이 바람 주머니 바깥을 나갑니까? 예? 지금 우리가 살고 있는 이 자체가 바람 주머니 속입니다. 그러면 지수화풍으로 돼 있는 이 속에 지금 갇혀서 내 마음이 여기에서 탈피를 못한다면 바늘구멍도 여기 들어가지 않아요.

그래서 전자의 스님네들은 이런 말을 그렇게 해 줘서 깨닫는 게 아니고 말로만 알면 안 된다 해서 그런 말을 도무지 안 해 주시고 뜻으로만, 행동으로만 말없이 했습니다. 그런데 지금 시대에는 너무도 여러분이 아시는 게 많고 또 연구하려고 애를 쓰시고 그래서 말씀을 해 드리면 그대로 받아들일 수 있고 또 거기에서 스스로 연구를 하시고 그러니까 이 불법을 외려 스님네들보다도 아주 더 잘 아시는 여러분이 중이 돼 버리고 말거든요. 너무나 기쁩니다. 사람의 이 모습이 중이 아니든 중이든 마음이 중이 돼야 된다는 얘깁니다. 그러니 속이 시원하십니까? 허허허….

사람이 때에 따라서, 어머니가 돌아가시게 됐는데 토끼를 먹여야 산다고 한다면, 또 감자를 먹여야 산다고 한다면 감자는 생명이 없나요? 식물은 생명이 없나요? 우리가 지금 생명 없는 걸 먹고 있습니까? 날이면 날마다 남의 생명을 연쇄적으로 먹고 있습니다. 그런데 소나 돼지나 이런 거 안 먹는다고 해서 그 죄를 면할까요? 그러니 어차피 그럴 거, 모든 것을 그 생명을 아끼면서 내 생명으로 알고 바로 나로 만든다면 되지 않겠습니까? 내가 남을 해치는 겁니까, 나로 만드는데? 그러면 그 자리에서 요리가 되는 거지요. 그거를 가지고 이르기를, 한생각에서 한 찰나에 인간으로 화한다 하는 것은 한 찰나에 그게, 즉 말하자면 조그맣게 하면 개구리탕이고 크게 치면 용탕입니다.

그래서 토끼를 만약에 그렇게 했다면 어머니 살리니 좋고, 토끼가 어머니가 됐으니 좋고 또 어머니가 나이니 좋고 내가 어머니이니 좋고. 그렇기 때문에 부처는 내 마음에 있는 거고 바로 부처도 나인 것이요, 내가 부처인 것이요, 둘이 아니게 공생으로 돌아가고 공심으로 돌아간다. 그래서 공체로 돌아가고 독불장군은 없는 것이다. 모두가 연쇄적으로 먹이고 주고받고, 이렇게 하고 살기 때문에 '공기를 먹고 산다' 이렇게 한마디로 규정지어서 말해 버렸지 않습니까? 공기가 아니라면 우리 생명은 다 앗아질 겁니다. 사생이 한데 합쳐진 능력으로서, 생명의 능력으로서 우리가 전 우주에 다 아니 닿는 데가 없이 그 에너지는 같이 이렇게 서로 호흡하면서 같이 먹고 같이 응용하고 사는 겁니다. 그런데 누구를 죽이고 누구를 먹고 누구를 배척하고 그럴 게 있습니까?

그래서 나는 항상 "일부러 죽이려고는 생각지 말라. 그러되 어쩔 수 없이 내 앞에 닥쳤을 때, 대의를 위해서 소를 희생시킬 때 그것은 죽인 바가 없다." 그랬습니다. 왜? 아까 얘기했듯이 고양이를 한 마리 죽였어도 죽인 사이가 없는 것입니다. 바로 그것은 내 마음에 고양이 마음과 둘이 아니기 때문에 무명을 쳐 버렸을 뿐입니다. 그 허물을 벗겨 줬을 뿐이다 이 소립니다. 그러면 고양이 허물을 벗겨 줬으면 그처럼 좋은 무주상 보시가 어딨습니까? 이 몸뚱이는 껍데기라니까요. 마음에 따라다니는 그건 그림자와 같은 거라 이 소립니다. 그런데 우리는 그림자의 또 그림자를 보고 놀라는 겁니다. 내 그림자의 그림자를 보고 놀라는 거예요. 그건 무슨 소리냐?

여러분이 꿈을 꾸고서 '아이고, 나는 인제 큰 탈이 나겠구나. 이 꿈이 이렇게 나쁘니 우리가 살아나가는 데에 무슨 일이 또 생기려고 이러나.' 이런 걱정들에 파묻힌단 말입니다. 그러면 그 꿈에 모든 게 나타나고, 꿈에 내가 돌아다니면서 나타내 보이는 것도 전부 인연에 따라서 내가 인연을 지어 놓은 것이 나한테 자꾸 이렇게 연결돼 부닥치는 것인데 자기가 그렇게 화해서 그런 줄을 모르고선 아이고, 꿈이 나빠서 집안이 망한다고…. 나쁘다고 하니깐 나빠질 수밖에 없거든요, 각각 보니까. 그러니깐 자기 그림자를 자기가 보고 놀라는 거죠. 속고 놀라고. 그러니까 생각을 달리하고 나쁘다 좋다 따지고 이러니깐 나쁠 수밖에 없지요.

나는 이렇게 생각해요. 호국 불교가 따로 있는 게 아니라, 만약에 우리나라를 누가 쳐들어온다면, 우선 대의적으로 생각한다면 삼천대천세계 어느 생명이든지, 일체 만물만생이 다 나 아님이 없는 거지마는 우선적으로 내 몸뚱이가 여기 있는 이상, 여러분의 몸뚱이가 내 몸뚱이니만큼 내 가정이 첫째 더 바쁘듯이, 가정 중에도 내 몸뚱이가 더 바쁘듯이, 만약에 그렇다면 그 모든 마음이 전부 내 마음이고 내 마음이 그 마음이어서 '난 여기 내 집을 헐 수가 없는데….' 이럭하고 그냥 돌아서게 만들었으면 좋겠어요. 그리고 한마음으로 이렇게 돌아간다면 그렇게 쌈박질 안 해도 되지 않겠습니까? 쌈을 안 하고도 될 수 있는데 쌈을 꼭 하고 죽여야만 됩니까? 그것은 부처님의 무주상 보시가 아니고 그건 사량으로, 즉 말하자면 오기를 가지고 죽이는 거기 때문에 그건 살생이 되는 겁니다. 또 나만 살자고, 그것을 죽여야 내가 살겠다 이런다면 그것도 살생인 것입니다. 그 아리따운 마음을 가지고 '네 생명이나 내 생명이나 둘이 아닌데 부처님의 뜻으로서 네 모습을 바로 내 모습으로 바꾸자. 한몸 한뜻인데 당장 이렇게 됐으니까 어떡하겠느냐. 네 살을 약으로 좀 해 다오.' 하는 그 아리따운 마음이 있다면 바로 그 아리따운 마음이 부처의 마음이지 이 세상에 산천초목이다…. (녹음 안됨)

진리는 걸림이 없다

1986년 1월 5일

큰스님 … 공생으로서 공식을 하고 있고, 그런데 우리는 그걸 모르고 만날 찧고 까불고 찧고 까불고, 예전에 선지식들이 "야, 구더기 놀듯 하는구나." 이랬듯이, 우리가 그렇게 놀아서 되겠습니까? 부처님이 삼천 년 전에 이 좌석에서 이렇게 했듯이 바로 오늘이 삼천 년 전 그 날입니다. 부처님 오신 날은 우리가 살아 있는 한 항상 부처님은 계신 거지 오시는 것도 없고 가시는 것도 없습니다.

그러면 또 누가 질문할 분 없습니까? 여러분이 가정에서 살아나가면서 실험을 통해서 공부한 얘기를 모르는 사람을 위해서 해 주시는 것도 바로 보살행입니다.

사회자 질문하실 분 안 계십니까?

질문자1(여) 애기 아빠가 삼재가 들어 있다고 그러면서 삼 년 동안 뭐가 있대요. 그 안에 뭘 해도 안 되고. 우리 애기가 이렇게 되고 있으니깐 주위에서 그래요, 이사를 가라고. 그래서 이사를 가려고 그러는데요, 시골에 우리 땅도 좀 있고 또 애기 앞으로 보상금이 나오는 것도 좀 있고 그래서 보태 가지고 집을 살까 그런 생각도 있었거든요. 그랬는데 애기 아빠가 삼재가 들어서 집을 살 운도 안 된대요. 그리고 제가 그 집에 지금 살면서 수술을 하려고 생각을 하고 있는데 수술을 하면 제가 위험한 것도 있다 해서 괜히 마음이 답답해요.

그러니까 여기 절에만 자꾸 오고 싶고, 제가 나온 지 얼마 안 돼서 뜻도 잘 모르지만 답답하면 여기 와서 말씀 듣고 그러니까 마음이 좀 안정이 되고 그럽니다. 그런데 지금 우리 어머님이 그런 말씀을 어디서 듣고 오니까 그냥 답답하네요. 제 생각에는 집을 살까 했었거든요. 집도 살 운이 안 된다 하니깐 그렇게 되면 이사를 가도 또 세를 살아야 돼요. 우리 애기에게 나온 그 보상금은 될 수 있으면 땅에나 집에다 좀 묻고 싶었는데…. 보태도 그 돈 갖고 집은 못 사니까 시골에 있는 논밭을 좀 팔아서 할까 했지만 부모님 말씀이 그러니깐 제 마음대로 할 수도 없고 답답한 말씀을 전합니다. 좋은 말씀 있으면 해 주세요.

큰스님 지금 보살님이 말씀하시는 거를 여러분이 다 들었지만 하치않은 말 같습니다. 그런데 이게 어느 가정에서든지 횡횡 그런 일들이 많이 있습니다.

그래서 우리가 좋은, 높은 말을 하는 것보다도 이런 구질구질한 생활에서 돌아가는 말들을 타파를 해야 되겠습니다. 그렇기 때문에 이 생활에서 삼재가 들어서 집도 못 사고, 벌이할 운도 못 되고 또 이사 갈 운도 안 되고 이렇게 한다면 아니, 부처님 법이 그렇게 죽으라고 하는 겁니까? 그 말을 곧이듣는, 속는 당신도 그르지만 그렇게 일러 주는 그 분도 그릅니다. 그런데 그분도 모르니까 그러겠지 알면 그럴 리가 없죠. 당신도 모르니까 또 그걸 곧이듣고 걱정을 하고 고민을 하는 거지, 알면 그거 들으러 갈 것도 없고 또 듣고 그것을 고민할 필요도 없죠. 그런데 모르기 때문에 그걸 듣고서 고민을 하는 겁니다. 보살님, 들어 보십시오. 보살님뿐만 아니라 여기 여러분 중에도 그런 분들이 있을는지도 모릅니다.

그러니까 내가 이사 가려면 그냥 가는 것이 법이요, 내가 집을 살 처지가 된다면 집을 그냥 사는 것이 도리입니다. 그게 부처님 법입니다. 여러분의 법이 부처님 법이에요. 그거를 부처님께서는 진실하게 가르쳐 주셨는데 무슨 이사를 가면 나쁘다 좋다, 내년이 나쁘고 올이 좋고 또 삼재가 들었고…. 삼재가 도대체 뭐 말라빠져 죽은 게 삼재입니까? 그거는 사람들이 만들어 놓은 겁니다. 사람들이 삼재라고 만들어 놨기 때문에, 삼재가 들면 그렇게 나쁘다는 인식을 가졌기 때문에 나쁜 것입니다.

사람의 마음 한생각 먹기가 얼마나 중요한 줄 아십니까? 어떤 분이 이렇게 말을 했습니다. "나는 올해 삼재가 들어서 누구든지 죽는다고 그러는데 몸이 지금 아픕니다. 내가 그래도 몸이 건강했는데 삼재가 들었다고 그러는 해에 아, 그거 보고 와서 얼마 안 돼서부터 병이 들어서 이렇게 아프니 이걸 어떡하면 좋겠습니까?" 이랬습니다. 그래서 백 일을 기도를 드리고 또 백 일을 드리고 또 백 일을 드려야만이 삼재를 면한다고 했습니다. 그분이 그렇게 말을 하자 난 이렇게 했습니다. 내가 그분이 잘못한다고 한 것이 아니라 '잘못한다고 하는 것도 모르니깐 그러겠지.' 하고 역시 그 보살님한테 그랬습니다. "백 일씩 세 번 드리는 것도 삼 일이면 세 백 일이 돼." 그러니까 사람이 생각하기에 달린 거지 삼천 년을 천 년으로 해도 되고 천 년을 하루로 해도 된다 이거야, 응? 그래서 '한 울 천' 했다 이거야. '한 울'이면 하늘과 땅, 인간을 그냥 합해서 '천'으로 했다 이거야. 그럼 천이 하나다 이거야. 일심이다 이거야. '한 울'이 이렇게 한데 모아서 '천' 했으니까 그게 하나로도 돌아간다, 일심으로 돌아간다 이 소리나 똑같은 애깁니다.

그러니 삼재는 삼재가 따로 있고 삼재가 없고 그런 게 아니라 여러분이 생각하기에 달렸다는 애깁니다. 그래서 "보살님, 죽지 않으면 되고 병 앓지 않으면 돼. 그리고 이사를 가도 내가 일요일 날 식구가 다 모여서 아주 순수하고 편안하게 먹을 거라도 지어 가지고 놀러 가는 것처럼 이사를 가거라. 허허허…. 아니, 왜 날짜를 정해 놓고 그날이 좋다고 해서 남자들은 하나도 없는 새에 고생을 하느냐? 내 마음의 부처가 모든 부처라면, 이 세상의 모든 일체 만생 만물이 다 내 한마음에 들어 있다면 구태여 어디 걸릴 게 있느냐? 그러니 내가 가는 날은 너무나 좋은 날이다. 여러분이 생각할 때에 내가 오늘 가면 좋겠다 하면 그 날이 좋은 날이다. 뭐든지 걸리지 말고 하세요." 그렇게 했더니만 금방 그 소리 듣고요, 병도 사흘도 못 돼서 나았어요. 병도 나았거니와 그해에 얼마나 장사가 잘됐는지 말입니다, 삼재가 들어서 죽긴커녕 장사가 잘돼서 아주 고맙다고 시주를 하러 왔습니다.

그러니 그 마음이라는 게 얼마나 중요합니까? 그러니까 자기가 자기를 죽이고 바로 자기가 자기를 그 속에서 빼내는 겁니다. 그러니 보살님도 그 속에서 빨리 벗어나십시오. 마음이 벗어나면 육신도 편안하고 얼마나 좋습니까? 허이구, 살기도 바쁘게 벌어다가 애를 쓰고 그랬는데 그 보람이 없어서야 되겠습니까?

질문자1(여) 우리 애기 아빠도 마음이 약해지고 또 저 역시 마음이 약해지다 보니깐 '아, 그럼 진작에 절이나 어디 나가서 저거 했으면 혹시 그런 거를 안 당했을까?' 그런 생각을 갖고, 사실 애기 아빠하고 전부 다 가서 한번 봤어요. 봤더니 그렇게 뭐 삼재가 들어 있다고 그러고, 또 우리 어머니도 시골서 보니까 그런다고 하는데, 애기 아빠가 지금 약을 먹어도 안 듣고 그래 가지고 의료원 가니깐 전염성 노이로제라고 그러더라고요, 병 증상이. 우리 애기가 이렇게 되니까 약을 먹는 자기 마음이 그래서 그런지 약을 먹어도 효과가 없고 그렇거든요. 근데 제가 저번에도 보름인지 뭔지 모르고….

큰스님 근데 그런 사람들이 참 사람 나쁘게 만드네, 그거. 그렇게 해 가지고 남 노이로제 걸리게 만들잖아!

질문자1(여) 아니, 그게 아니라 그러기 전부터 오래됐어요. 귀에서 소리가 나고 머리가 아프고 그런 게. 그래 가지고 동네 약국에서 약을 먹어도 안 듣고 그래서 결국은 병원에까지 가서 약을 먹다가 우리 애가 그런 사고를 당했거든요. 그러니까 인제 자기 마음에서 병이 온다는 식으로 약을 먹어도 모르겠다 그거예요. 아무 약 반응이 없고.

근데 그때 보름날인데, 큰스님 얼굴이 어느 날 아침 새벽녘 꿈인지, 하여튼 얼굴이 환하게 보이더라고요, 제 꿈속에. 그래서 '내가 어제부터 절에 가고 싶었는데 오늘 꼭 가야겠다.' 그랬는데 그날 아침에 비가 많이 오더라고요. 그래서 갈까 말까 하다가 '아휴, 가야지.' 하고 왔더니 그날이 보름이었고 '내가 참 잘 왔구나.' 하는 생각이 들었어요. 그래서 제 마음속에 있는 그 답답한 걸 전부 다 혼자 중얼거렸어요. 불법이 어떻게 돌아가는 것도 잘 모르는데, 제 마음의 답답한 걸 다 얘기했더니 그 당시서부터 마음이 좀 개운하고 애기 아빠 몸도…. 저는 약을 먹어서 듣는다는 것보다 제가 그렇게 빌었기 때문에 애기 아빠 몸도 좀 낫고 그런 것 같아요. 저녁으로 잠을 못 잤어요, 우리 세 식구가. 그런데 잠도 잘 오고 그래요.

큰스님 그거 참 좋은 일이군요.

질문자1(여) 그래서 오늘도 어머님 전화가 그저께 왔다고 애기 아빠가 저한테 그러더라고요. 사실 안 들으면 약인데 들으니까 마음이 영 안 좋아요. 우리 애기가 그런 사고를 당했지, 또 어서 그 집에서 이사를 가라고 그러지. 이사 가야만이 제가 수술을 해도 괜찮지, 안 그러면 생명을 잃을 수가 있대요. 그래서 이해를 못하겠어요. 그 집에서 산다 해서 그 의사가 나를 뭐, 생명을 어떻게 잘못되게 할 건 아닐 거고. 참 그게 의문스럽고 저는 뭐, 믿지는 않는데 사실 부모님이 그렇게 말씀하니깐 그게 좀 걸려서 마음이 답답하고 그래서 스님한테 말씀드리는 거예요. 이상입니다.

큰스님 그러니까요, 여기 나오신 지 며칠 안 됐는데 밤에 잘 주무시고, 인제는 그 마음에서 벗어나서 그래도 잘 주무시고 편안하시다니까 너무나 감사하군요. 그러니까 거기에서 사람의 생명을 앗아 가고 그런다는 거는 끔찍한 일이고, 모든 것이 당신 생각하기에 달려 있는 거니까 아예 그런 마음에서 벗어나십시오. 모든 거를….

질문자2(여) 큰스님께 그저 두서없는 질문을 하겠습니다. 전 다섯째 자식이 의심증이 있습니다. 그래서 자주 절에 같이 나가자고 설득을 하는데도 잘 안 나오고 이래서 어제 저희 내외가 애를 데리고 나왔습니다. 그랬는데 오늘은 같이 나오자 해도 안 나오고 그 의심증을 또 품고 있어요. 그리고 밤으로 잠을 못 자고 그래서, 제가 혼자 다니면서도 자꾸 공을 들이고 밤잠이나 우선 잘 자게 해 달라고 했더니 잠은 좀 자요. 그래서 조금 나은 것 같다가도 자꾸 저런 소릴 하고 그러니 어떻게 해야 또 설득을 해서 자주 데리고 나올 수 있을까 그게 궁금합니다.

큰스님 그거야 날더러 물으실 게 아닙니다. 그거는 그 본인의 마음에 달린 거니까요. 그건 어머니가 그렇게 나한테 물으실 게 아닙니다. 그러니까 그 본인더러 마음을 잘 먹으라고 그러십시오.

질문자2(여) 그런 부탁은 백 번도 더 하지요, 허허허…. 감사합니다.

큰스님 그러면야 어쩔 수가 없습니다. 부모님도 여기 나오신 지 며칠 안 되신 것 같은데 그래도 잠이라도 잔다니 고맙고요. 하여튼 잠은 잘지언정, 만약에 병이 낫는다 하더라도 자기의 마음은 깨달을 수가 없으니까 그저 될 수 있으면 자주 나오라고 그러십시오.

사회자 그러면 오늘 법문은 이것으로 마치시고요.

큰스님 남자분들이 한 번 더 질문을 하시겠습니까?

질문자3(남) 저는 『도』라는 책을 보고 스님의 소식을 듣고 왔습니다. 이탈리아 아시시의 성 프란체스코가 동물하고 얘기를 하고 바다의 물고기한테 전도를 했다는데 '한국에도 그런 분이 계시구나.' 해서 이렇게 뵈러 왔습니다.

전 아침저녁으로 시간이 있으면 공부를 합니다. 방에서 공부를 하는데, 저의 며느리는 천주교엘 나가요. 마루에다가는 십자가를 걸어 놓고 있고 전 제 방에서 공부를 하고 있고요. 그래서 제 며느리 보고 "야, 대한민국 헌법에 자유가 있어. 신앙의 자유가 있고, 헌법상. 우리 집안에도 자유가 있어. 넌 너대로 성당에 나가고 난 나대로 내 공부를 한다." 그러고, 아침저녁 집에서 저는 시간이 있는 대로 금강경 공부를 하고 있는데, 어떤 때는 이렇게 속으로 하면 흥이 안 나서 음성을 높여 가면서 공부를 해 나가거든요. 그런데 또 며느리가 그걸 들으면 좋은가 나쁜가 하고 한쪽으로 마음이 좀 두근두근거리면서 공부를 하게 되는데, '이게 영적인 면에서 어떠한 충돌이 있어 가지고서 혹여나 가정불화가 생기면 어떡할까.' 그런 느낌이 혹 날 적이 있거든요. 그런 생각이 나는데 스님께서는 어떻게 이걸….

큰스님 여느 절에서는 그런 질문 지금처럼 그렇게 하면 그게 질문이냐고 그러고선 주장자만 탕탕 치고선 그냥 높은 말씀 몇 마디 해 주시고 아마 일어나실 겁니다.

그러나 저는 그렇게 높은 스님, 높은 부처가 되려고 이렇게 하지는 않았으니까요. 여러분 마음이 아주 가난하다면 나도 마음이 가난한 그 틈에 끼어서 서로 토론하는 겁니다. 그런데 나 같으면 말입니다, 며느리가 천주교를 믿든지 내가 불교를 믿든지 그 마음으로서 듣기 좋게 "야, 우리 한 가정에서 화목하게 한군데로 나가자." 이렇게 위에서 존엄성 있게 말씀 한마디 웃으며 하시면서, 나쁘게는 하지 마시고 그렇게 한마디 당겨 놓고 마음으로 자기 주인공에 모든 것을 맡겨 놓으십시오.

맡겨 놓으시고, 선생님 하시는 것도 경을 봐서 소상히 이걸 따지지 마시고, 경을 보되 그것을 자기가 본다고 생각하지 마시고 자기 주인공에 모든 것을 놓고 함이 없이, 책이 나를 보게 하지 마시고 내가 책을 보지 마시고 그냥 보십시오. 그리고 마음으로는 항상, 살아나가는 생활도 당신이 하는 게 아니라 진짜 당신한테, 공한 당신한테 공한 이치를 다 놓으세요. 맡기세요. 그리고 믿으세요. 그런다면 그 며느리도 차차 한 번만 데리고 와서 서로 대화를 하게 되면 아주 참신한 사람이 될 겁니다. 며느리도 또 그렇게 미련하지는 않으니까요. 그러니까 걸리지 마세요. 사람의 마음이 걸려서 걸리는 거지 진리는 걸림이 없는 겁니다.

질문자3(남) 그런데 스님, 금강경은 아침저녁 독송을 하거든요. 독송을 하는데, 이 공부가 통 여일히 되질 않는 거 같아요.

큰스님 그런데 이런 게 있습니다. 옛날 얘기 또 해야 되겠군요. 옛날에 어느 도량에서 학인들이 결제가 되면 한 절에 모여서 참선을 하든가 경을 읽고 해제가 되면 또 나가서 공부를 하고 그랬습니다.

그래 나가서 공부를 하다가 결제가 돼서 다들 들어왔는데, 그 절의 주지 스님께서 "너희들은 무슨 공부를 하고 들어왔느냐?" 하고 물었습니다. 전부 무슨 경을 읽었다 무슨 경을 읽었다 하는데 한 분만은 "너는 무슨 공부를 했느냐?" 하니까 "저는 잠자고 밥 먹고 똥 싸고 있었습니다." 하거든요. 그렇게 똥 싸고 밥 먹고 잠잤다고 하는 말에 "예, 이놈! 공부도 안 하고 그렇게 잠만 자고 똥만 싸고 그렇게 했으니 너는 부목이나 해라." 하고 내쫓았습니다. 그래 부목을 하면서 나무를 들고 패서 스님 방에 불을 때느라고 그 앞을 자꾸 돌아다니거든요. 그럴 때에 스님께서 노래를 했답니다.

어쩌다가 벌이 말입니다, 벌 있죠? 벌이 어쩌다가 방에 들어가서, 그건 입산한 걸 말하는 겁니다. 어쩌다가 벌이 방에 들어가서 유리가 반사가 되는 거를 보고 그것이 문인 줄 알고 자꾸 입으로다가 거기를 쪼니까 고만 입이 뭉그러져 떨어졌거든요. 쪼다가 몸이 떨어지니까 입도 떨어지더라. 그게 아니라 말이 떨어지더라는 얘깁니다. 몸이 떨어지니깐 입도 떨어지고 입이 떨어지니깐 말이 떨어지더라는 얘깁니다.

그 뜻이 무슨 뜻이냐 하면, 사람이 몸으로, 사량으로 책을 보고 이론으로다가 이거를 알고 그런다면 이 몸이 없어지면 그것도 없어질 거 아닙니까?

그러나 내 참 내면세계의 참나를, 참나인 주인공을 믿고 물러서지 않고 거기다 모든 것을 맡겨 놓을 수만 있다면, 몰락 맡겨 놓을 수 있다면 바로 그 속에서, 그 가운데서 내 참맛을 볼 수 있을 것입니다. 그러니 어디까지나 사량적인 마음으로 물질을 보고 그것을 글자 풀이를 하고 그러면서 소리를 내서 읽는 것은 진짜 금강경을 배우는 게 아닙니다. 누가 경을 읽지 말라고 하는 건 아닙니다. '그 경을 누가 읽나?' 그것을 찬찬히 생각해 보시란 말입니다. '누가 읽고 있을까?' 하고.

질문자3(남) 감사합니다.

큰스님 방에서 서로 토론하는 거보다 외려 좀 어색한 것 같죠, 처음이 돼서요. 내가 저 가운데로 갈까요, 요담에는요?

대중 가운데서 네.

큰스님 허허허…. 그럭해서 내가 여러분 가운데로 들어가서 여러분이 좋을 수만 있다면, 여러분이 죽는 길에도 나는 같이, 아니 둘이 아니니깐 그냥 여러분이 죽으면 나도 같이 있죠, 뭐. 허허허…. 몸이 죽고 사는 게 죽는 게 아닙니다.

그러면 오늘은 이렇게 하고요, 셋째 일요일 날은요, 아주 우리가 둥글게 앉아서, 가깝게 앉아서 진지한 토론을 서로 하는 게 좋겠습니다. 그렇게 하고 나서 또 재차 토론을 하는 건 없앱시다, 한 번만 하고.

질문자4(남) 근데 큰스님한테 질문을 하지 않고 보살님께서 얘기하신 거에 대해서 제 견해를 얘기해도 되는 거죠?

큰스님 그렇죠. 질문만이 아니에요. 질문만이 아니라 여기 와서 느끼고 자기가 살아나가는 얘기 해도 좋습니다.

질문자4(남) 조금 전에 여기 보살님께서 말씀하시는 걸 듣고서 제가 조금 느낀 게 있어 가지고 한 말씀 드리고 싶습니다. 아까 삼재에 대해서 얘기를 하셨는데 거기서 큰스님께서도 얘길 하셨고 제 나름대로 느꼈습니다마는 저도 어렸을 적에 사실 무당들이나 점 보는 데 출입을 좀 많이 했습니다. 나이 들어 결혼해서도 많이 다녔고요. 그런데 삼재가 들면 운이 나빠서 죽는다 그러면 그렇게 믿었습니다, 저도요, 맨 처음에는.

그런데 사실은 이 공부를 하고 나서부터는 그런 것이 좀 우습게 보이더라고요. 아주 들리지도 않고 보이지도 않는데요, 제가 텔레비전에서 '전설의 고향' 을 잘 봅니다. 그것이 다 부처님의 말씀이더라고요. 그래서 그것은 제가 빼놓지 않고 보는데 제가 삼 년 고개를 봤어요. 삼 년 고개는, 삼 년 고개서 한 번 넘어지면 죽더라고요. 삼재가 들어서 죽으나 삼 년 고개서 넘어져 죽으나 마찬가지더라고요. 근데 거기서 한 열 번 구르니까 삼십 년을 살고 사십 번 구르니까 구르는 대로 살더라고요. 그거와 마찬가질 것 같아요. 전설의 고향에서 본 거를 말씀드리면 괜찮을 것 같아서 말씀드렸습니다.

큰스님 허허. 그래서요, 그 삼 년 고개를 봤다니깐, 그 얘기를 하니깐 지금 얘기를 하는데요, 삼 년 고개서 넘어지면 삼 년만 살고 죽는다 이랬는데, 한 번 넘어지고 삼 년을 잘 산다 이랬으면 아마 잘 살았을 거예요. 근데 죽는다고 생각을 했기 때문에 죽는 거 아닙니까? 그러니 삼 년을 한 번 넘어지고 '에라, 또 한 번 넘어지자. 또 한 번 넘어지자.' 이럭하고선 구 년을 좀 잘 살고, 구 년이 아니라 참, '이 구정토에서 세세생생 내가 살 거다. 잘 살 거다. 죽는 것도 없이 사는 것도 없이 나는 영원히 살 거다.' 이랬으면 영원할 것을 괜히 그렇게 고생을 하지 않습니까? 아이, 정말이에요. 거짓말 아니에요.

여러분이 100% 그렇게 믿고 그렇게 물러서지 않는다면, 감사하게 생각하고 자기 주인공, 자기 보배에게 고맙게 생각한다면 그 보배가 스스로서 활용이 되고 스스로서 온 누리…. (녹음 안됨) 이 삼천대천 세계의 주인공들이에요. 여러분이 이렇게 세상을 만들어 놓고 지금 여기서 살고 있는데 무슨 소립니까? 아이, 그게 무슨 소리예요, 글쎄? 일체 만물을 다 만들어 놓고 자기까지 형성시켜 가지고 자기 주인들이 지금 살고 있어요. 부처님들이 살고 계신데 어디를 감히…. 하하하.

요다음에 또 한번 그런 문제를 가지고 우리가 서로 웃을 수 있고 재밌는 하루를 보낼 수 있습니다. 영원히 우리가 참…, 아프면 의사도 될 수 있고 뭐, 판사도 될 수 있고 자기가 자활할 수 있는, 생동력 있는 자유인이 됩시다.

내세울 게 없는 것이 진리요 길이다

1986년 1월 6일

질문자1(남) 스님께 질문을 하기 전에 제 자신이 여기 나오게 된 동기부터 말씀을 드리고자 합니다. 저는 하는 일이 없기 때문에 책을 항상 벗 삼고 있습니다. 『단』이라는 책을 보고 난 다음에 신문에 김정빈 씨가 쓴 『도』라는 책이 나왔다 하기에 그 책을 읽어 봤습니다. 그런데 그 내용이 지금 우리 큰스님을 모델로 해 가지고 쓴 것이고 또 불교 교리에 대해서 중점적으로 쓴 건데 그것을 읽고 저는 이런 생각을 했어요. '스님은 도저히 우리 인간 세상에서는 거의 있을 수 없는, 우리와 차원을 달리한 분이다.' 그런 확신을 했습니다.

그러던 차에 우연히, 변을 보고 난 다음에 피가 쏟아져서 변기가 새빨갛게 됐습니다. 또 제가 연전에 만성 간염으로 아주 혼이 난 적도 있습니다. 병원에 가서 치료를 하다가 병원에서 완치를 못 시키고 또 이 치료를 했는데요, 애들한테 경제적으로 막대한 부담을 시켰습니다. 그래서 제가 또 아파 가지고 병원에 간다든지 이렇게 되는 날이면 부담이 너무 클 거 같아서 안사람한테만 알리고 애들한텐 절대로 알리지 말라고 그러고 나대로 어떻게 조치를 하려고 생각하고 있는데, 그러니까 사흘째 피가 쏟아지는 거예요. 그렇게 피를 쏟고 난 다음에 어지럽고 이래 가지고 이불을 덮어 쓰고 누워서 가만히 생각하니까 스님 생각이 나요.

그래서 애들은 전부 다 출근하고 출판사로 전화를 거니까 스님이 안양에 계시대요. 그래 가지고 안사람한테 당신 안양 가서 스님께서 요사이도 친견을 받으시는지 그걸 알아 오라고 그러니까 알아 가지고 올 게 뭐냐고, 같이 가는 게 옳지 않으냐고 그러기에 저도 가만히 생각해 보니까 그래요.

그래 가지고 그날 쫓아왔습니다. 와서 스님께 말씀을 드리니까 스님께서 조치를 어떻게 하라 이런 말씀을 하셔요. 그래서 그 이튿날 그렇게 했습니다. 그랬더니 딱 끊어져요. 그래서 제 속으로 이상하다 싶으면서 또 하루를 지내고 그 이튿날 보니까 또 약간 비쳐요. 그러나 비치더라도, 설령 병이 안 낫는다 그래도 저는 스님을 믿는, 존경하는 마음이라든지 또는 스님의 도력을 의심치 않았어요. 그런데 그 이튿날 보니까 없어져요. 그러고 주욱 괜찮아요.

저희 안사람도 속이 작년부터 체한 것 같고 신장도 나빠 가지고 한약도 많이 먹고 이랬는데, 그저께 또 속이 아프다고 그래요. 아프다 소리는 안 하더니만. 난 스님한테로 가자고 그러고, 애들은 병원에 가야 된다고 그러고 한참 그러다가 그럼 병원에 다녀오라고 그랬어요.

그런데 어제는 제가 스님한테 가자고 이랬더니만 순순히 따라와요. 그래서 스님께서 말씀하신 약을 어제부터 먹기 시작했습니다. 약이래야 뭐, 별것도 아니고 감자를 어떻게 해 가지고 마시도록 하라 해서 그랬는데…. 결국 뭐냐 하면 제 생각에 비단 병뿐 아니라 정신적으로나 육체적으로나 어떠한 자기 원이 있다곤 하지마는 스님의 지시를 전적으로 믿고 딴생각은 일체 하지 말고 이렇게 하는 것이 제일 긴요한 일이 아니냐 이렇게 생각돼요.

또 생사 문제를 전 생각해 보는데요, 병원에 저는 안 가요. 그거 두 번 죽음을 왜 해요? 째 가지고 뭣을 하고 해도 나중에 보면 결국 그 병으로 죽게 되는데요. 그러니까 스님께서 가르쳐 주신 대로 하면 절대로 자신 있게 회복할 수 있다 이런 생각을 했습니다.

그리고 그다음 질문을 스님께 말씀드리겠습니다. 다름이 아니고 이 세계에는 여러 가지 종교가 많습니다. 우리나라도 옛날부터 내려오는 종교 또는 외래 종교 이러한 것들이 많은데, 금세기 석학이라고 전 세계적으로 알려진 토인비 교수의 말을 빌릴 것 같으면 종교라는 게 크게 두 가지가 있다.

하나는 고등 종교고 하나는 하등 종교다. 무엇을 고등 종교라 하느냐 하면, 내 자신을 희생과 봉사로써 인류에게 공헌하는 그러한 가르침을 갖는 종교를 고등 종교라 한다. 예를 들면 불교라든지 기독교라든지 뭐, 회교라든지 이러한 등등 종교가 있고, 하등 종교란 내 자신의 기복을 위해서 복을 비는 종교 이것을 하등 종교라고 할 수 있다. 그래서 대체로 두 가지로 대별할 수 있다고 이렇게 말을 했는데, 제가 봤을 때 어떤 종교는 아주 아집이 심하고 또 절대주의적이고 타 종교를 전적으로 무시하고 내 종교 아니면 안 된다 이렇게 하는 종교가 있는가 하면, 또 어떤 종교에서는 타 종교에 대해 그다지 관심을 가지지도 않고 오로지 내 종교만 믿어 나간다 하는, 예를 들면 우리 불교 같은 경우인데요, 그래서 제 생각에는 이 불교가 타 종교까지 전부 다 포용할 수 있는 그러한 종교가 아닌가 이렇게 생각합니다. 스님께서는 어떻게 보고 계시는지요?

큰스님 그것은 항상 제가 말씀드렸듯이 종교라는 것은 이름일 뿐이라고 말을 합니다. 불교도 이름이요, 기독교도 이름입니다. 가톨릭교도 이름입니다. 알라신교도 이름이고. 그런데 우리는 한 울 안에서, 고무 주머니 안에서 그 사람들의 생각이 나누는 거지, 마음이 나누는 거지, 그 고무 주머니 자체가 나누어진 게 아닙니다. 이해하시겠죠? 그렇기 때문에 그건 자기네들 생각이지 이 진리가 나누어진 건 아닙니다. 그렇기 때문에 여러분이 생각하는 그 자체는 여러분 자체가 생각하는 거지 내가 생각하는 건 아니다 이겁니다. 또 '그건 내가 생각하는 거지 여러분의 생각은 아니다' 이렇게 될 때 갈라지는 것입니다. 그래서 마음들이 그렇게 생각을 하면 갈라지는 거고 생각을 둥글게 갖는다면 갈라지지는 않는다. 그러면 원 근본이 갈라지지 않는 것이 진리 아니겠느냐.

그러면 어저께도 얘기했듯이 삼세심이 일심이 돼서 일심으로서, 즉 말하자면 삼각원형을 이루고 돌아간다 이런 말을 하는 겁니다. 그럼 우리가 지금 과거심 현재심 미래심을 한데 합쳐서 한마음으로서 우리는 내 몸을 끌고 다니면서 고정된 관념이 없이, 고정되게 보는 것도 듣는 것도, 행하는 것도 만남도 먹는 것도 전부 고정된 게 없이 지금 돌아가고 있지 않습니까. 걸리지 않고 정말 부딪치지 않게, 똥 마려우면 똥 누고 자고 싶으면 자고 먹고 싶으면 먹고, 이게 걸리는 겁니까? 자기 하고 싶은 대로 하는 겁니다. 또 환경대로 하는 겁니다. 환경대로 흘러가는 겁니다. 그런데 기독교 믿는 사람은 달리 살고 또 불교 믿는 사람은 달리 삽니까? 마음 씀씀이는 다 천차만별이지만 생명도 다 똑같고, 다 똑같이 씀씀이를 그렇게 가지고 있단 말입니다, 몸 움죽거리는 것조차도. 이쪽으로 가느냐 이쪽으로 가느냐 하는 것도 자기 마음대로이고 말입니다. 그렇다면 진리가 반쪽으로 나누어진 것도 아니고 세 쪽으로 나누어진 것도 아니고 결국은 불가에서 '부처님이 가르친 뜻은 하나도 없다' 고 한 그 말입니다.

어저께 얘기하지 않았습니까? 만약에 이 우주 전체를 하나로 삼아서 콩 알갱이라면 콩을 쪼개고 쪼개고 쪼개 놓으면 쪼갤 게 없을 때 비로소, 어느 콩 쪼가리를 콩 쪼가리라고 할 수 없을 때 그것이 바로 내세울 게 없다는 뜻이다 이겁니다. 그래서 내세울 게 없는 것이 진리요, 길이요, 부처님이라는 얘깁니다.

지금 천차만별로 전 세계의 인구가 살고 있고 움죽거리고 있고 생각하고 삽니다. 그런데 말입니다, 전 세계가 움죽거린다 하더라도 어떤 것이 근본이라고 내놓을 수 없는 것이, 지금 모두 그렇게 움죽거리고 있습니다. 싸움을 안 싸우는 데도 있는가 하면 싸우는 데도 있고 그런데, 이거는 싸우고만 있는 게 아니고 안 싸우고만 있는 것도 아닙니다. 또 사람이 24시간 먹고만 있는 것도 아니고 안 먹고 있는 것도 아닙니다. 그러면 사람이 부자로 살다 가난할 수도 있고 가난하다가 부자로 될 수도 있고, 취직을 했다가 바로 취직이 끊어지는 수도 있고 끊어졌다 붙는 수도 있는 겁니다. 이 세상 이치가 다 그런 겁니다. 그러면 취직이 됐을 때 나라고 할까요, 취직이 떨어졌을 때 나라고 할까요?

그렇기 때문에 두 가지가 다 첨보돼서 원형을 이루고 돌아가기 때문에 그것은 '없을 무' 가 아니라 '꽉 찬 무' 라는 말입니다. 꽉 찬 공이다. 그럼 여러분이 그냥 지금 돌아가고 있는 그 자체가 그대로 여여하며, 그대로 공해서 돌아가고 있다 이겁니다. 그런데 공해서 그렇게 돌아가고 여여하게 돌아가는 그 자체를 모르고 과거로부터 내가 살아오던 그 습에 의해서 나는 잠재의식 속에 쟁여 놨단 말입니다. 그게 인과응보입니다. 잘했든 못했든 그걸로 인해서, 어저께 그렇게 해 놨다면 오늘의 여러분이 바로 그렇게 지금 살고 행하고 있는 겁니다.

영화배우가 감독한테 그렇게 자기가 기술을 배웠으면 천상 탤런트밖에 할 수 없지 않습니까? 배우밖에 할 수 없습니다. 내가 노래를 배웠다면 가수밖에 될 수가 없는 거죠, 어떡합니까? 그렇죠? 내가 한 대로 사는 겁니다. 잘했으면 잘한 대로 못했으면 못한 대로, 내가 남을 죽였으면 내가 죽임을 받아야 하고 남을 살렸으면 내가 남을 살렸다고 위대하게 이름을 칭송을 받고 이럽니다. 그러니까 모든 것이 자기가 해 놓고 자기가 받는 거지 누가 뺏어 가는 것도 없고 갖다 주는 것도 아니거든요. 부자를 남이 갖다 주는 것도 아니고 가난을 남이 갖다 주는 것도 아닙니다.

그런데 종교 이름을 가지고 나누고…. 야, 강도질을 해도 하나님만 믿는다면 그게 되는 겁니까? 고해 성사를 할 때 내가 죄 지은 걸 갖다가 신부님한테 다 얘기를 하고 고하면 그 죄가 다 감해질까요? 아무리 얘길 해도 자기 양심 속에는 그대로 남아 있는 겁니다. 찌꺼기는 없어지지 않습니다. 회포는 풀지언정 내 찌꺼기는 그대로 남아 있는 겁니다, 자기 한 거만치. 떳떳하지 못합니다. 그래서 잘못하기 이전에 잘못을 하지 않으면 회개도 할 게 없고 또 신부님한테 고할 것도 없지 않습니까.

가톨릭교만 그런 게 아닙니다. 기독교도 그렇고 불교도 그렇습니다. 모두가 자기가 만들어 놓고 귀찮게 사는 겁니다. 그냥 짐 덜렁덜렁 짊어지고 내가 이사 가면 야, 그렇게 편안한 거를 어디 가서 물어봅니다. 만들어 긁어 부스럼입니다. 어디 가 물어봐요. "스님, 이사 가야 할 텐데 오늘이 좋을까요, 내일이 좋을까요?" 요렇게 긁어. 긁어 가지고 피를 내. 그러면 또 어떤 스님은, 참 그래도 옳게 배운 스님네들은 "당신 마음이 가고 싶은 날 가는 것이 부처님 법이고 좋은 날이지." 이렇게 해 주는 분이 있는가 하면 "그믐 때 가시오. 20일께 가시오. 열흘께 가시오. 아흐렛날 가시오." 요렇게 하니까 가는 날이 있고 못 가는 날이 있다 이거야, 자기 마음에. 그러면 긁어 부스럼을 만든 거야, 그게. 그러면 식구들이 편안하게 갈 날을 빼놓고 거기에서 얘기한 거에, 자기 인생을 그 말에다가 맡기고서 자기가 사는 거야, 항상 이거는. 그러니 노예로서 맞아 가면서, 피를 흘리면서 그렇게 사는 법이죠. 노예 사는 거 보셨어요? 영화로도 보시죠? 우리가 채찍으로 맞아서만 맞는 게 아니라 만약에 자기가 긁어서 부스럼을 만들어 가지고 가환이 생긴다면 그거는 채찍으로 피가 나도록 맞는 것입니다. 똑같습니다. 꼭 채찍으로 맞아야만 맞는 것입니까? 얼마나 마음이 아프게 맞습니까. 몸뚱이 맞는 것보다도 마음이 아픈 것은 더할 수 없는 겁니다.

그런데도 종교를, 이름해서 종교를 나눕니까? 나는 그렇게 할 수 없어요. 여기 기독교가 오든지 가톨릭교가 오든지 불교가 오든지 나는 상관없습니다. "나는 기독교 믿으니까 거기 안 가." "가톨릭교 믿으니까 난 불교에 안 가." 그건 마음으로 여러분이 불교다 기독교다 가톨릭교다 이렇게 지어 놓고는 자기가 긁어서 부스럼을 만드는 거지, 부처님이 가르칠 때에 "기독교는 너희 받지 마라. 불교만 받아라." 이랬나요? 그리고 불교인하고만 얘기하고 살지 기독교인하고는 또 가톨릭교인하고는 왕래도 하지 말고 거래도 하지 말라고 이랬나요? 세상은 기독교 믿는 사람 또 불교 믿는 사람 모두 한데 합쳐서 지금 돌아가네요. 대의적인 일은 어쩔 수 없이 그렇게 돌아가는데 조그마한 일 가지고 "아이고, 나는 기독교를 믿으니까 불교에 안 가." 그럽니다. 왜? 사람이 능률을 내고 그러려면 어디는 못 갑니까? 사람이라는 게 마음이 넓으면 떡 그릇에도 엎드러져 봐야 그 떡이 어떤 줄 알듯이, 불교로 가 보기도 하고 그렇게 내 중심은 똑바로 하나로 세워 놔야 된단 얘깁니다.

자기 주인공을, 안으로 내면의 진짜 자기를 믿어야지 거기에서 바깥으로 나가면 안 됩니다. 자기 집을 자기 주인이 지키고 아래로는 자기 중생, 즉 자기 육신을 올바르게 이끌어 가면서 보호하면서 보조를 맞춰 가면서, 마음이 이렇게 아래로는 보호신이 돼야 하고 위로는 자기 근본, 영원한 자기의 실생명을 존중해야 합니다. 자기가 자기 생명을 존중을 못하는데 남이 어떻게 자기 생명을 이끌어 줍니까? 그래서 상구보리 하화중생이란 말이 있습니다. 아주 극치적으로 축소했을 때는 그렇게 되면서, 바깥으로 존중하고 예의를 지키고 그러는 것은 자기 아버지, 어머니, 윗분들 섬기는 마음, 자기는 항상 겸손해야 하고 또 아랫사람을 리드하는 데는 언제나 따뜻하게 리드해 나가는 고런 마음을 가져야 하고….

우리 스님네들이 공부하는 것은, 아까도 그렇게 얘기했듯이, 위로는 자기 영원한 생명의 그 근원을 존경하고 또 항상 그렇게 보조를 맞춰서 보호해 나가야 하고, 아래로는 자기 육신의 보호신이 돼야 하고 올바르게 이끌어 가야 하는 동시에, 바깥으로는 내 은사를 위로, 항상 제 주인공 자체의 근원, 영원한 생명 그 자체하고 같이 존경하면서, 또 아래로는 자기 몸과 자기 아픔과 은사의 아픔과 은사의 몸과 동시에 같이 생각을 하면서, 항상 그것은 더하지도 않고 덜하지도 않은 참사랑으로서, 참자비로서 해 나갈 수 있는 그런 지혜로운 예의와 겸손과 자비를 동시에 가지고 굴러야 된다는 얘깁니다.

여러분은 속세에 살면서 부모와 형제, 아래 동생들 또는 친척들이, 아랫사람들이 많고 그렇기 때문에 그렇게 얘기해 드리는 거고 우리 스님네들은 스님네들대로 입산을 했으니까 자기 은사가 아버지거든. 그렇기 때문에 그렇게 섬겨야 하고, 안팎이 똑같이 항상 그렇게 가는 것이, 즉 말하자면 하화중생이라고 한 겁니다. 내 몸과 더불어 하화중생이지 어디 하화중생이 따로 있느냐는 얘깁니다. 그래서 상구보리 하화중생이라고 한 것이지 따로따로 있다면 그렇게 말을 안 하셨을 겁니다.

그런데 모두들 그 말을 잘못 생각하고 있거든. 자기는 빼놓고, 하화중생이란다고 자기 몸과 마음을 빼놓고 저 아래 속세에서 사는 사람들을 하화중생 해야 한다고 하고 또 상구보리는 부처님 모시는 그걸로 안다 이겁니다. 그러니 이거를 어떡하면 좋습니까? 그 생각 하나 차이가 얼마큼 세세생생에 끄달림을 가져오는지 모릅니다. 한생각이 그렇게 중요하다는 것을 아셔야 합니다.

내가 그전에 염주를 메고 다니고 그런다면 '흥, 제길! 짊어질 게 뭐 있다고 저렇게 우주를 짊어지고 다니누, 그냥 돌아가는 거를. 지금 염주는 자기 몸뚱이가 돌아가는 대로 돌고 있는데 자기가 염주알인 줄 모르고….' 아, 이러곤 했죠. 고것이 생각 차이란 말입니다. 나는 그렇게 생각했는데 그분들은 그렇게 생각 안 하거든. 그러니 그걸 알고 염주를 들면 이거는 내가 그저 가볍고 좋고, 또 때로는 이 마음으로 관할 때에 여기에는 염두에도 없이, 즉 무심으로 돌아가는, 이 우주가 돌아가는 이것이 진리란 말입니다. 이걸 여기다 생각을 하고 이렇게 돌려서 내가 도는 게 아니에요. 이거는 그대로 전 삼천대천세계 우주 세계가 이렇게 무심으로 그냥 돌아가는 겁니다. 일분일초도 어기지 않고 쉬지 않고. 그래서 이거는 이렇게 그냥 돌아가는 거고, 내가 관하는 거는 관하는 대로 이것대로 돌아간다는 일치성을 갖는 겁니다. 그런데 무조건 그저 심심풀이로 그냥 이렇게 하는 분들이 있고 그런데, 이것이 이 우주의 진리와 더불어 같이 일치가 된다는 얘깁니다.

우리가 소소한 이런 것을 모르고 그저 질문을 해도 어쭙잖은 걸 한다고 어쭙잖게 생각을 해서는 안 됩니다. 우리가 어쭙잖은 것이 있기 때문에 우리 생활에서 이렇게 아픔을 당하고 사는 거니까요. 그러니 아까부터 종교를 가르고 그러는 것은 여러분이지 내가 아닙니다. 그리고 진리도 아닙니다.

부처님의 한 아름 속에 들어서 우리는 거기서 우글대고 사는 겁니다. 부처님이란 어떠한 개별적인 물질을 보고 부처님이라고 그런 건 아닙니다. 지금 우리 법당에 계신 부처님은, 그 부처님 한 아름 안에 바로 삼천대천세계의 유생 무생이 다 들어 있기 때문에 부처님이라고 한 겁니다. 우리들 마음이 동의해서 부처님이라고 생각하고 그걸 조성을 했고, 조성해 놓고 우리는 부처님이라고 불러 오고 있습니다. 그렇기 때문에 그것이 여러분의 마음이요, 여러분의 바로 몸이요, 그 몸이 우주입니다. 등신불이라고 쓸데없는 게 아니라 처음에 배울 때는 쓸데없지만 나중에는 그것이 바로 나라는 걸 알게 되는 겁니다. 그래서 처음부터 여러분한테 가르칠 때 그 몸이 내 몸이요, 그 마음이 내 마음이니 절대로 둘로 보지 말라고 애당초부터 가르치는 거 아닙니까?

그래서 어저께도 그 노인이 그렇게 질문을 해도 나는 참, 아무것도 모르는, 예전에 내가 만약에 그런 노인으로 살았다면 바로 나일 것인데, 아무것도 모르는 부모가 자식을 위해서 그런 말을 했을 때 쓸데

없는 말이라고, 아무리 법당에 있는 부처라도 그런 거를 쓸데없다고 내칠까요? 한번 생각해 볼 점이 있는 거죠. 그래서 모든 게 한 분 한 분, 여러분이 각자 소중한 겁니다. 제삼자가 볼 때는 하치않겠죠. 그러나 얼마나 아프고 얼마나 자손으로 인해서 쓰라렸기에 거기에서 그런 말을 합니까. 한번 생각해 볼 점이 있죠. 그래서 높다고 높게 생각하지 말고 얕다고 업신여기지 말고 항상 자비스럽게 같이할 수 있는 넓은 마음, 같이 사랑할 수 있는 그 마음, 같이 피를 나눌 수 있는 그 마음, 같이 먹을 수 있는 그 마음, 그 마음이 이 세상을 통치하고 이 세상을 덮고도 남음이 있는 것입니다. 행하면서 말하면서 자기 마음을 항상 자기가 생각하면서, 자기가 높은지 얕은지를 생활해 가면서 항상 지켜보십시오. 그러면 고쳐질 겁니다, 자꾸자꾸. 자기가 한번…. (녹음 안됨)

그걸 어떻게 처리를 하시렵니까. 이런 말 할 때마다 내 가슴에서는 정의의 눈물이 벅찹니다. 난 조금도 거슬거슬한 것이 하나도 없어. 모두가, 전 우주가 사무쳐요. 하나도 내 마음 아닌 게 없이 그렇게 그 한마음이, 그렇게 내 눈물 한 방울로써, 그것이 눈물이 아니라 피 한 방울로써 대변할 수 있는 그 마음이 있단 얘깁니다. 난 이날까지 부끄러움도 없고 자비한 일 한 것도 없고 내가 했다고 할 것도 없고 앞으로 한다고 할 것도 없는 겁니다. 그저 묵묵히 진실하게 한 걸음 한 걸음 거침없는 걸음이 돼야 될 것입니다.

생각을 해 보십시오. 우리가 "참 맛있다" 하는 그건 표현입니다, 방편으로. 우리가 맛있다고 음식을 많이 먹었어요. 그런데 그거 다 내려갈 동안까진 상당히 몸이 둔하고 거북합니다. 그러나 그렇게 배부르게 잔뜩 먹고 그거 내릴 동안까지 고통받는 것보다도 내가 한 끼니 안 먹고 배가 고프게 지내 본다면 그것이 더 가볍다는 얘깁니다. 이 세상 이치가 다 그렇다는 얘깁니다.

여러분이 다 같은 사랑을 할 수 있는 그런 거를 한번 생각할 때,

자손을 굶기고 자기가 배불리 먹었다고 한번 생각해 보세요. 그러면 그거 참 고달플 겁니다, 아마. 먹은 것보다도 더. 외려 먹은 나를 내가 아주 짓찧어서 좀 때려 주고 싶은 마음이 있을 겁니다. 그러나 만약에 같이 굶었다면 참, 그 참이라는 게 있습니다. 그리고 배불리 먹이지 않아도, 배고프지 않도록만 자손을 먹여 놓고 내가 만약에 굶었다고 하면 내가 좀 굶었어도 마음이 얼마나 편안하겠나 한번 생각해 보십시오.

그런 마음으로 이 세상을 살아나간다면 어느 종교 따질 것도 없고 어느 식구 어느 사람, 얕은 사람 높은 사람 이런 걸 따질 것도 없습니다. 그렇다고 해서 내가 그런 사람을 좇아다니면서 도와줘야지 하는 것은 오히려 위선입니다. 내 앞에 닥치는 인연 마다하지 않고 내가 그런 걸 좇아다니지 않고…. 그렇게 좇아다니는 것도 욕심이야, 위선이니까. 이름 내려고. 필요 없어. 열 번을 해도 필요 없어. 수억을 누굴 준다 해도 필요 없어. 그것은 공덕이 될 수가 없습니다.

참이라는 건 돈이 아니고 물질이 아니라 그 속에는 참다운 사랑의 피가 있습니다. 피! 종이짝은 써 버리면 고만이지만 그 종이짝 속에는 비밀이, 바로 피가 들어 있기 때문에 가난한 사람이 그것을 쓴다면 바로 그 피가 도는 것입니다. 피가 되고 살이 되고. 이렇게 진실을 아시란 말입니다. 진실! 진실이 없다면 살 수가 없는 겁니다, 진실이 없다면. 정말 난 그전에도 그랬죠. '아유, 내가 이거 못났구나. 아이고, 이걸 그냥 톡톡 잘라서 그냥 부스러뜨려서 가루를 만들어서 던져 버렸으면 속이 시원하겠어!' 나를 내가. 어떻게 못났는지…. 그러곤 한없이 울었어요. 그러다 보니깐 무슨 생각이 나느냐면, 나같이 모자라는 사람들은 나하고 같이 그렇게 죽어 버렸으면 좋겠다는 생각이…. 그전 얘기죠. 그랬습니다. 그래서 그런 생각을 하는 사람도 있는가 하면 또 달리 '야! 죽긴 왜 죽어? 내가 벌어서 살아야지.' 이런 사람도 있었을 거라 이겁니다, 그 나이에.

그러니까 생각 차이가 그렇게 무서운 거를 초래하고 있다 이겁니다. 생각 차이가 그렇게 무서운 거를 초래할 수도 있고, 바로 편안하고 죽 한 끼니를 먹는다 할지라도 아주 부자로 살 수 있는, 그리고 자유인이 될 수 있는 그런 사람이 되기도 하고요. 그러니까 그 한생각이 그렇게 중요하다는 걸 여러분은 잘 생각하시고….

우리가 생활에 어떤 문제가 있으면 내일 또 오셔서 질문하시고 그러십시다. 그리고 오늘 선생님께서 그렇게 말씀하신 것도 여러분 앞에 신행담이 되고 참 좋은 겁니다. 여러분도 여기 다니시면서 낱낱이 한 사람 한 사람 체험을 이야기하는 반면에 여러분도 그 소릴 들었기 때문에 나도 그렇게 할 수 있다는 용기가 생기는 겁니다. 그래서 우리 셋째 일요일 날은 모두 신행담을 하면서 질문하고 토론하고 이런 것을 포함해서 지금 그렇게 하기로 한 겁니다. 그전에는 모든 것을 비밀로 해 왔습니다. 뭐, 내가 한 것도 아닌데 내가 해 줬단 말 할 것도 없고, 그쪽에서는 그쪽들대로 그냥 비밀로 해 버렸지마는 앞으로는 여러분이 보살행을 하기 위해서도 신행담을 해 가면서 질문해 가면서 우리 토론합시다.

질문자2(남) 외숙이 안내해 줘서 대전에서 왔습니다. 근데 오래전부터 안사람이 저녁에 잠도 잘 못 자고 그럽니다. 여자들은 답답하면 점쟁이를 찾아가는 것이 아마 보통인 것 같아요. 그런데 점쟁이한테 가면 조상신의 조화라고 하고 병원에 가면 또 신경성 노이로제라고 하고 그래서 사실은 이런 것 저런 것을 다 물리치고 결국은 어느 스님한테 매달려서 절에 열심히 다녔어요. 그것이 아마 한 15, 16년 전 된 것 같습니다, 제 생각에는. 그런데 살다 보면 집도 고치고 하는데 이것이 결국은 동티가 났다는 말입니다.

그래서 제가 가만히 보니까 요새는 동네서 시끄러우니깐, 그걸 못하게 하니까 대개 산으로 가는 거 같아요. 저는 사실 그걸 반대를 합니다. 그걸 어떻게 감히 집에서 할 수가 있느냐 이랬습니다. 이웃사람들 체면도 있고 그러니까. 그런데 요새는 보니까 무당들이 산에 데리고 올라가서 하루 저녁씩 또 해 가지고 오면 그 이튿날은 어떻게 금방 또 괜찮은 것 같아요. 그리고 또 며칠 지나면 괜찮고.

그래서 그간에 정신과 병원을 많이 찾아다녔어요. 여기 용인도 가 보고 뭐, 대전 시내에서도 다녀 봤는데 역시 병원에 가면 신경성이라고 하고 무당한테 가면 역시 조상이 들어서 그렇다고 말해요. 이래서 사실 마음을 아직도…. 그것이 어떻게 하다가 또 괜찮다가 다시 또 그런 증상이 오고 그래서 식구하고 같이 올라왔습니다. 그래서 스님의 하교를 좀 받고자 왔는데 어떻게 하면 좋을까요.

큰스님 어디서 사십니까?

질문자2(남) 대전에서 살고 있습니다.

큰스님 그래, 불교를 그렇게 믿은 것이 한 15년 됩니까?

질문자2(남) 네. 그렇게 됩니다.

큰스님 그건 불교라고 이름도 붙일 수 없군요.

질문자2(남) 글쎄, 그래서 어떻게 잘못 믿어서 벌을 받고 있는 건지 저도 답답해서….

큰스님 긁어 부스럼이지요, 다. 긁어 부스럼이요.

질문자2(남) 글쎄 말예요. 그래서 하도 답답하고 그래서 딸들이 결국은 이리로 가 봐라 저리로 가 봐라 해서 그동안에 여러 곳을 다녀 봤습니다. 저도 따라다녀 보고 또 듣고 이렇게 해 봤는데 역시 또 그렇고 그놈의 증세가, 항상 그런 것도 아니고 어떤 땐 또 멀쩡해요. 그러니까 누구든지 이렇게 사람만 보고도 어떤 노인네들은 그런 소리를 해요. 저 사람은 신기가 있는 사람이니까 그 뭐, 시시하게 다뤄서는 되질 않는다고 말이에요. 그래서 또 역시 여자들은 거기에 현혹이 돼 가지고 또 합니다, 그걸 말이에요.

큰스님 자주 정성스럽게 여기 나오셔서 그 도리를 배우십시오.

질문자2(남) 감사합니다.

큰스님 처음 오신 분들이 말씀하실 때는 마이크를 안 대셔도 됩니다. 처음 오는 분을 위해서, 다니면서 자기가 흐뭇하고 좋고 그렇게 자기가 해 나갈 수 있는 그런 것만 신행담 하는 데에 필요하고 질문하는 데 필요하지, 처음 오는 분은 저렇게 할 게 아니라 여기 스님들한테 인도를 해서 초발심에서 어떻게 해 나가는지 도리를 가르쳐 주도록 이렇게 인권을 해 주시죠.

사회자 네.

부처를 이룰 수 있는 화두

1986년 1월 8일

모든 것이, 우주의 근본이 사람, 한 사람 마음에 있다고 생각했을 때 이게 전체의 공에서 내 마음 자체가 그대로 고정된 게 없기 때문에 이렇다는 것을 안다면 그것도 그거고 그것도 그거다. 즉 말하자면 '불교라는 것도 이름이고 기독교라는 것도 이름일 뿐이다' 라는 거 말입니다. 그것은 이름일 뿐이지, 인간은 공생하고 공심으로서 공식하고 있고 공체로 공용을 하고 있거든요. 그렇기 때문에 어느 종교를 믿든지 상관이 없으나 만약에 그 도리를 몰라서 지혜를 펼치지 못한다면 건건(件件)이 걸려. 마음이 '나는 기독교다' 하는 데서 멈춰지기 때문에 그렇고, 기독교가 이 모든 가르침에 있어서 절대적이라고, 내 종교가 절대적이라는 게 있습니다. 불교인들은 불교로써 절대적이라는 게 있고. 그렇기 때문에 마음에 건건이 걸립니다. 그러니까 일이 벌어지는 겁니다.

그래서 이 도리를 모르는 사람에 한해서는 기독교인이면 불교를 들이지 않고, 불교인이라면 기독교를 들이지 않습니다. 진리가 둘이라서 그런 게 아니라 마음들이 천차만별로 돼 있기 때문입니다. 그 도리를 깨닫지 못하고, 또는 체험해서 모든 것을 우리가 '이것이 둘이 아니로구나.' 하고 자기가 스스로서 감지하고 들어가야 되는데 그것을 둘이라고 볼 때는 반드시 일이 일어나죠. 상대가 있고 내가 있을 때 싸움이 일어나는 거지 상대와 나와 둘이 아닐 때는 싸움이 일어날 수가 없습니다. 마주쳐야 소리가 나지요. 그와 마찬가지입니다.

그래서 이런 얘기를 그전에도 했죠. 어느 스님이 아주 도가 높으신데 마적 두목이 칼을 들고서 "나는 당신 속에 뭐가 그렇게 묘한 게 들었는지, 보물이 들었다는데 당신 가슴속에 내가 칼을 넣는다면 안 들어가겠느냐?" 그러면서 그걸 째 보겠다고 했는데, 와서 째 보려고 하니까 그 스님께서 하시는 말씀이 "추운 겨울에 고목이 꽃을 피울 수 있겠느냐?" 했습니다. "스스로 봄이 오면 꽃이 필 것을 고목을 잘라 봤던들 그 속에서 꽃이 나오겠느냐?" 했습니다. 그랬을 때 마적 두목도 그 스님한테 마음을 숙이면서 겸손하게 몸도 숙였답니다.

마음이 숙여지면 몸도 저절로 숙여지죠. 그 마음이 근본입니다. 그렇기 때문에 마음이 얼어붙으면 겨울과 같습니다. 아주 잔뜩 얼어붙은 얼음과 같아서 마음이 녹질 못하죠. 그러나 마음이 봄이라면 산천초목은 조화를 이루고 향기롭게 푸르고 말입니다, 물은 유수와 같이 흐르고 어디에도 걸림이 없이 그렇게 흐를 뿐입니다. 그와 같이 마음도 봄이라면 그렇게 푸르고 조화를 이루면서 역력히 도도하게 강물은 흐를 것입니다.

그와 마찬가지로 정맥이나 동맥도 우리 마음이 편안해야 오르락내리락할 때 이 모든 것이 몸에도 이롭습니다. 그런데 벌써 어떠한 감정이 나서 편치 못하게 생각을 하고 내가 그것을 잊지 못하고 꼬부리고 있을 때는 그것이 차차차차 조금조금 쌓이고, 쌓이다 보면 병이 되죠. 그와 마찬가지로 우리는 마음이 항상 봄이라야 됩니다. 봄이라야 우리는 생동력 있게, 즉 말하자면 저 산천초목이 푸르듯, 소나무가 항상 겨울 여름이 없이 사철 푸르듯 마음이 항상 청새와 같이 푸르다는 얘기입니다. 그러면서도 마음이 지혜로우니 강물이 도도하게 흐르듯이 그렇게 당당하게 아마 삶의 보람을 느끼면서 사실 겁니다.

이 공부라는 것이 한쪽을 버리고, 나쁜 것은 버려야만 불법이라고 하는 거, 또 좋은 것만 해야 불법이라는 거, 어느 종교를 막론하고 이런 것이 종교가 아닙니다. 진리를 파악하고 우리가 그 진리에 순응하면서, 항상 자유스럽게, 내가 찰나찰나 나투면서 생동력 있게 용을 하면서, 개발하면서 좀 더 삶의 보람을, 우주의 섭리를 한꺼번에 쥐고서 나갈 수 있는 그런 능력을 여러분이 다 각기 가지고서 나가는 것이 부처님이 가르친 법입니다.

그렇기 때문에 어저께도 말하고 그저께도 말하고 만날 앉으면 되풀이 하는 말도 있습니다만, 되풀이를 삼 년을 하고 나도 영 그 말이 무슨 말인지 몰랐더니 삼 년이 되던 해에야 그 말이 무슨 말인지 알았다는 얘기를 들었습니다. 그러니 되풀이 안 하겠습니까? 되풀이를 안 하려야 안 할 수가 없는 거는, 어저께도 말했듯이 우리가 되풀이하고 사는 사람들입니다, 쳇바퀴 돌듯. 가는 것도 아니고 오는 것도 아니면서 우린 역력히 가고 오고 있습니다.

그러니 일체 만물이 다, 물질적인 자체가 허망한 게 아니라, 바로 자기 마음이 그렇게 개발적이면서도 아주 화합적이고, 화합적이면서도 자비스럽게 나갈 수 있는 그 생동력, 그것이 모든 것을 다 공용으로서, 공심의 능력으로 우리가 앞으로 진전해 나갈 수 있게 하는 것입니다. 어저께가 오늘이고 어저께 한 것을 오늘 갖다가 함으로써 둘이 아니기에 내일의 개발이 오늘의 개발입니다. 오늘의 내가 마음을 한생각 냈다면 나쁘게 냈든지 좋게 냈든지 내일에 있는 것입니다. 내일이라는 것은 꼭 하룻밤 자야만 내일이 아니라 지금 일을 저질러 놨든지 또는 일을 잘해 놨든지 수습을 해 놨든지 바로 오늘 해 놨기 때문에, 지금 해 놨기 때문에 이따가 다가오는 것입니다. 그래서 지금 해 놓은 것이 이

따가 다가오는 것이고 어저께 해 놓은 것이, 아까 해 놓은 것이 지금 다가오는 것이니 이 모두가, 삼심이 바로 일심으로 돌아간다는 얘기입니다. 이것이 바로 우리가 지금 평상시에 살고 있는 생활이니만큼 그 생활을 떠나서는 불법도 없습니다. 기독교, 알라신 모두 종교라는 것은 이름이지 이 생활을 떠나서 진리가 있는 건 아닙니다. 그리고 나 떠나서 부처는 없는 것입니다, 각자!

우리가 능력이 없어서 그런 점도 많지만, 그래서 그전에도 그런 얘길 했죠. 저 서대문에 있는 독립문 그 위쪽으로 그전에 능금나무가 많이 있었습니다. 그쪽을 지나서 얼마 안 가면 산모퉁이가 있는데 그전에 일본 사람이 짓고 살던 집이 있었습니다. 그랬는데 그 집에 사람만 들어가면 방에서 죽는 게 아니라 꼭 바깥에 나와서 피를 토하고 죽는다 하거든요. 그래서 흉갓집이라는 겁니다. 그런데 그 도리를 아는 사람은 그 집을 지녔는데 그 도리를 모르는 사람은 팩팩 그렇게 죽었다는 얘깁니다. 나중에 그 도리를 그래도 웬만큼이라도 알아서 한데 뭉칠 줄 알고, 한데 뭉쳤다가 다시 펼 줄 알고, 폈다가 다시 웅그릴 줄 아는 사람이, 내놓은 것도 없고 들여놓은 것도 없이 들이고 내는 것을 유유히 자유스럽게 하는 사람이 바로 그 집을 사 가지고 다 면해 놨답니다. 가난했죠, 그 집이. 그래서 그 집을 사 가지고, 지금은 애들을 유학도 보내고 그 집을 팔아 가지고 딴 데 살지만, 아주 그 집에서 그 흉갓집을 다 면하게 해 놨답니다.

그와 마찬가지로 어느 종교를 막론하고 우리의 마음 한생각에 달려 있는 건데 우리가 능력이 없으니까 부딪히고 당하는 겁니다. 이거는 내 생각이고 내 능력이지 여러분의 능력은 아니지 않습니까. 부처님이 이 자리에서 있으면서 그 능력이 있다 할지라도 그분의 능력이지 여러분의 능력이 아니고, 그분의 깨달음이지 여러분의 깨달음이 아니란 말입니다. 그렇기 때문에 못났든 잘났든 여러분의 주인공에 의해서 나고 드는 것이 공에서 나왔다 공으로 든다는 걸 아셔야 된다 이 소립니다.

그러니까 모든 것은 바깥에서 찾는 게 아니라 안으로 찾으며, 모든 것을 안으로 굴리면서, 내고 들이는 것이 내 안으로부터 나가고, 나가기 때문에 또 오관을 통해서 들이고, 내고 들이는 것이 오관을 통해서, 바로 오관이 문이란 말입니다, 보고 듣고 하는 것이 전부. 그래서 이것을 정돈해서 생각해서 처리하는 것을 책정한다고 그러죠. 그래서 우리 이 마음의 자부처가 법신이요, 보신이요, 화신이요. 그 한생각, 마음에 일체 신이 다 들어 있으니까, 누구한테다 이 종교를 믿는다 해도 아니요, 저 종교를 믿는다고 해도 아닙니다. 단지 내가 생각하기에 달린 거라 이 소립니다.

내가 그 도리를 안다면 내가 예수가 될 수 있고 마리아가 될 수 있고, 부처님이 될 수 있고 법신이 될 수 있고 보신 화신이 다 될 수 있는데 구태여 그것을 나누어서 말할 건 없죠. 그러나 그 도리를 아는 사람이라면 좋겠는데 그 도리를 모르는 사람이면 서로가 이쪽에서 조금 세면 이쪽이 집니다. 우환이 생기죠. 이쪽에서 세면 이쪽이 우환이 생깁니다. 그렇기 때문에 진실한 마음으로써 부처님의 도리, 이 뜻을 잘 파악할 줄 안다면 기독교를 믿는 사람이 주인이 되든 기독교 믿는 사람이 세를 들었든 그것을 다 커버해 나갈 수 있어, 한 사람이. 그걸 다 나로 돌려서, 하나로 돌려서 갈 수 있는데, 그 사람이 불교를 믿는다고 증오를 하며 아무리 저거 해도 그것은 여기에 화살이 와서 맞을 수 없어. 그건 자기의 생각들이지. 오히려 그렇게 생각을 한다면 이쪽에서 자비심이 없고 법으로 나간다면 화살은 여기 왔다 다시 그쪽으로 가. 되가.

그러니까 "자비의 보살행이다" 이러는 것은, 내가 그 도리를 완전히 안다면 나한테로 오는 그 화살이 다시 그리로 가서 맞게 하지도 않고 항상 굴리면서 완화하게 만드는 거지. 큰 강물에 똥물이 들어가든 흙물이 들어가든 가라앉으면 항상 깨끗하고, 들어가면 그저 강물이 되듯 이렇게 마음의 지혜가 넓고 남을 이익하게 할 수 있는 그런 도량이 크다면 아무하고 같이 살아도 상관이 없는데 그 도량이 넓지 못하다면 무슨 일들이 많이 생겨요, 가만히 보면. 그러니 어쩌겠습니까?

그래서 금 있는 데 무쇠가 가면 안 되고 또 무쇠 있는 데 금이 갈 리 없고, 세상 진리가 그러하지 않은가 이렇게 봅니다. 사람의 마음이 생각하는 대로, 지혜가 넓고 적고 이런 데서 오는 차원에 따라서 여러분은 살림살이를 하고 있지 않은가 이렇게 봅니다. 그래서 병도 그렇고 모든 게 다 그래요

나는 항상 너무 길게 말을 하기 때문에 어떤 때는 이렇게 목소리를 크게 하거나 하면 목이 컬컬하고 여기가 좀 그럴 때가 있습니다. 그럴 때는 조금 줄여서 천천히 합니다. 그러면 괜찮습니다. 그렇게 자기가 자유롭게 하시란 말입니다. 차를 끌고 가다가도 엔진이 탈 것 같으면 조금 쉬었다가, 장거리를 뛸 때는 조금 쉬었다가 찬물을 부어 가지고 가지 않습니까? 그와 마찬가지로 우린 살림살이를 그렇게 다양하고 슬기롭게 넘길 줄 알아야 한답니다.

그리고 생활에서 절 살림이든 속세의 살림이든 둘이 아니기 때문에, 남편이 여자를 이해하고 여자가 남편을 이해하고 자식이 부모를 이해하고 부모가 자식을 이해할 수 있는 그러한, 서로가 말 한마디라도 강제적으로 할 게 아니라 인의롭게 해 나갈 수 있는 그런 지혜가 필요할 것 같습니다. 말을 안 해 주는 것보다도 해 주면서 "역시 이렇게 이렇게 해야 하는데 이렇지 않으냐?" 하고 이해를 하고, 또 자식은 "어머니, 이렇게 이렇게 하는데 이렇습니다." 하고 얘기를 하고 이렇게 해야지, 만약에 얘기도 없이 이해도 하려고 안 하고 나를 이해 안 해 준다고만 하고 속에다 꼭 넣고서 자식을 미워하거나 자식이 부모를 미워하거나 해도 그것은 부처님 법에 어긋나는 것입니다. 부처님 법에 어긋난다는 것은 우리 생활 자체에 어긋난다는 얘기입니다. 우리 생활 떠나서 부처님 법이 어디 있겠습니까? 바로 우리는 이 지구의 주인입니

다. 그리고 이 몸의 내 주인공 참나가 바로 주인입니다, 또. 우린 지금 지구 배 속에 이렇게 들어 있지 않습니까? 또 우리 배 속에는 또 많은 생명들이 들어 있듯이….

우리가 담설을 하고 서로 이렇게 나누는 것도 이 불법이 생활을 떠나지 않았다는 거, 생활 속에 부처님 법이 있다는 거, 일체 만법이 조화를 이루면서 돌아간다는 것입니다. 나쁜 거 좋은 것이 한데 섞였기 때문에, 높은 거 얕은 거, 벌레 먹은 거 벌레 안 먹은 거 그것이 한데 합쳐서 조화를 이루고 있기 때문에 진리라고 하고 좋다고 하는 것입니다. 그리고 보기도 좋고. 저 산에 가 보세요. 나무가 만약에 좋은 것들만 똑같이 그냥 울창하게 있다면 볼 게 하나도 없죠. 그런데 벌레 먹은 거 또는 죽은 거, 비틀린 거 이런 나무들이 같이 섞여 있기 때문에 자연의 미가 나고 아주 조화를 이루고 있는 거죠. 만약에 그런 게 없다면 볼품이 없는 거예요. 여기 가나 저기 가나 똑같은 건데 무슨 볼품이 있겠습니까? 고목도 섞여 있고 모든 게 그래서 볼품이 있는 거죠. 그래서 일부러 그냥 이렇게 삐뚤게 꽈서 만들지 않습니까.

그러니 여러분은 일부러 그렇게 꽈서 만들 게 아니라 순조롭게, 그 꽈서 그렇게 된 것이 조화를 이루듯이, 꽜든 안 꽜든 마음을 넓게 써서, 그런 거든 저런 거든 굴려서 놓을 수 있는 지혜를 가지신다면 앞날에 사는 데 있어서 참 편안하실 거예요. 편안한 거뿐만 아니에요. "야, 이렇게 삶의 보람을 느끼고 자유롭게 자유인으로서 이렇게 살 멋이 있구나!" 어딜 가나 뭐 상 찌푸리고 괴롭고 외롭고 고독하고 이런 게 없어요. 가난하고 이런 게 없어요. 나는 이걸 선언할 수 있어요.

어떤 때 내가 가만히 생각하면 이렇게 가볍고, 사람이 삶의 보람을 가지고 항상 밝아 있기 때문에 야, 이렇게 좋다고 할 수도 없지만 '에이, 불 켰다 껐다 이런 재미가 없지 않은가?' 이런 생각이 듭니다. 하지만 한번 생각해 보면 모두가 내 벗이고 친구이기 때문에 뭐, 외롭고 고독하고 그런 게 없어요. 야! 내 주인공, 잠재의식 속의 참나라는 그 심봉은 부처님으로도 화했다가 내 남편으로도 화했다가, 내가 남자라면 여자로도 화하고 그저 이러니 전부 "사랑 사랑 사랑 사랑" 하다가 보니까 그냥 한 방울의 자비가 돼 버리고 맙디다마는, 그것이 얼마나 좋습니까? 어디를 뚜벅뚜벅 걸어도 옆댕이를 이리저리, 이 목을 돌려서 이리로 보고 저리로 보지 않아도, 따악 이렇게 눈을 내리깔고 가도 내가 보려고 생각만 한다면 볼 수 있는 거, 들을 수 있는 거….

그러나 요 두 가지가 있어요. 타의에서 나한테 신이 들렸다면 바깥으로 도는 거예요. 남이 죽 쑤는 거 밥 쑤는 거 그냥 점 다 쳐 주고 돌아다니고, 내가 제일 잘한다고 그러고 도를 깨쳤다 그러고 도력이 높다 그러죠? 그러나 그런 게 아니죠. 이건 자성에서 스스로서 내가 하고 싶어야 하고 하기 싫으면 안 하고 그런 것입니다. 자유스러운 겁니다. 보고 싶으면 보고 안 보고 싶으면 안 보고 맘대로 하는 거죠. 그렇기 때문에 정말 인간이 되려면 부처의 그 법을 따르면서 그 뜻을 알라는 얘기입니다. 그리고 그 뜻을 알면 생활에 있다는 걸 알라는 얘깁니다. 경을 보든 일을 하든 모두가, 똥을 누든 잠을 자든 선은 끊어지는 게 아닙니다. 이 세상 진리가 내가 잔다고 해서 끊어집니까? 몸뚱이가 잘 뿐이지 진리가 왜 끊어집니까? 그러니까 내가 자는 거는 몸이 자는 거고 몸이 돌아다니는 거고 그런 것인데 그 몸을 자게 하고 돌아다니게 할 수 있는 원동력을 가진 그 자체가 무엇인가 이겁니다. 말씀 좀 안 하시렵니까? 나팔을 들고 만날 나만 불게 합니까? (대중 웃음)

대중 가운데서 큰스님 앞에 나오면 아무 말씀 드릴 게 없습니다.

질문자1(남) 스님, 제 친구 중에 타 종교에 가 있는 사람이 있어요. 그 친구가 거기 간 지가 오래되지도 않았고 극히 근간에, 제가 여기 오기 바로 직전에 갔어요. 가 가지고 아주 열심입니다. 그런데 무슨 얘기를 하느냐 하면 예수가 재림하고 불교는 미륵불이 나타난다는 얘기를 해요. 그래서 제가 생각하기로는 도대체 얼토당토않은 얘기 같은데요,

불교에는 오로지 진리를 추구하는 것뿐이지 앞으로 미륵불이 나타나느니 뭐 어떠니 이러한 것은 제 생각으로서는 맞지 않는다고 생각하는데 어떻습니까?

큰스님 글쎄요. 미륵불이라는 게 지금 이 학생이 만약에 미륵불이라면, 부모가 있다면요, 이 아이가 차차 자라서 어른이 된다는, 즉 그 겁니다. 우리가 "앞으로 미륵불이 오신다. 미륵불이 나오신다." 이러는 것은 우리가 마음을 깨달으면 오늘이라도 지금 현재의 불과 미래의 불이 따로 없고, 우리가 지금 서서히 이렇게 공부해 나가는 것이 바로 미륵불입니다. 앞으로 깨달으면 불이고 지금 현재에 깨닫지 못했으면 미륵불이에요. 또 한 가지는 우리가 몸을 벗고 또다시 생해서 나올 때, 만약에 여기서 공불 해서 깨달음을 가지고 있다가 다시금 탄생을 해서 나오실 때, 몸을 받아 가지고 다시 나올 때에 그것을 미륵불이라고 합니다.

그러면 '미륵불이다, 미륵불이 아니다' 하는 얘기는 우리가 시간과 공간을 따지기 때문이지, 삼천 년 전도 오늘이요, 삼천 년 후도 오늘이라면 미륵불이라고 따로 부를 이름이 어디 있겠습니까! 그러면 지금 여기 젊은 분이 있다면 앞으로 늙을 거, 전자에 젊어 있던 거, 그것을 포함해서 자기가 가지고 있지, 내가 늙어서 아무개, 내가 젊었을 때 아무개라고 이렇게 이름을 불러야만 되겠습니까? 모두 우리가 공심으로서 돌아가고 공용으로서 돌아가고 공식하고 있는 것이지 독불장군처럼 혼자 사는 게 아닙니다. 전부 공체로서 공용을 하고 있는 것입니다. 그런데 "너 나, 너 나" 하는 것은 바로 시간과 공간을 따지는 거고, 부처님이 정말 가르친 그 뜻은 시간과 공간을 따지는 게 아니라 그대로 여여한 진리를 가르친 겁니다. 따지는 건 여러분이 따지십시오. 따지는 것도 그렇습니다. 내일 모레 온다 뭐 어쩐다 하는 것도 그분의 생각이요, 말입니다.

그러니까 이걸 무시하는 게 아닙니다. 내일이 있고 모레가 있다 할지라도 역력하게 모레는 모레고 글피는 글피입니다. 내년은 내년이고 후년은 후년이에요. 그런 것도 후년이라고 쓰고 내년이라고 쓰되 여여하게 그대로, 자기가 그것을 고집하고 착을 두고 하지 말라 이겁니다. 이걸 깨쳐 가지고 다시 한번 뒤집어 본다면 내일은 내일이고 오늘은 오늘인데, 인간 사는 데에 질서라든가 법이 있지 않습니까? 법이 있기 때문에 상식을 가지고 우리가 살고 있죠. 이건 이렇게 해서 안 되고 이건 이렇게 해서 되고…. 이런 상식을 충분히 가지고 있는 겁니다.

그렇기 때문에 그렇게 살되 그거를 누가 하느냐는 얘기입니다. 송장이 하느냐. 이 집이 합니까, 지금 우리 살림살이를? 여러분이 사는 집에 들어가서 가만히 보십시오. 그 집이 우리를 살리고 있습니까? 우리가 집을 지어 놓고 살고 있습니까? 우리가 집을 지어 놓고 우리가 그 속에서 주인으로서 살고 있는 겁니다. 지금 우리 속에, 이 몸체 내의 세포에 전부 하나하나 생명들이 살고 있습니다. 수없이 살고 있습니다. 그 생명들이 공생 공심으로 한데 합쳐서 공용을 하고 공체로서 이렇게 전부 자기 분야를 맡아 가지고 지금 돌아가고 있습니다. 그렇기 때문에 '나'라는 게 있는 겁니다. 그 생명들이 한데 합쳐서 있기 때문에 나라는 큰 어떠한 체가 이렇게 생긴 겁니다.

우리가 그 생명들이 분야를 맡아 가지고 이렇게 한데 조화를 이루지 못하면 인간이 될 수가 없습니다. 어떻게 인간을 이룹니까? 너무 공장이 많은데. 이 여러 군데를 다 맡아 줘야 세계적으로도 돌아가는 겁니다. 국내에도 국방부라든가 청와대라든가 또 법정이라든가 경찰서라든가 다 맡아 줘야 되는 거 아닙니까? 학생은 학생, 또는 국민은 국민, 경제는 경제기획원 이런 것을 다 맡아 줘야 하고 선생님은 선생님대로 있어야 학생이 갈 수 있고요. 그러니까 이 세상에 모든 것이 하나도 없어서는 안 되는 생활이지요. 그 생활이 바로 우리 체내에 다 있기 때문에, 그 역할을 해 주기 때문에 내가 하나의 사람으로, 그러니까 두 글자로 '사람'이라는 그 이름을 짓게 된 거죠.

그러니 내가 잘나서 그런 것이 아니라 여기 내 체내에도 공장이 많습니다. 심장에서 잘해서 내가 사는 것입니까? 심장에서 잘해서 대장이 사는 것도 아니고 대장이 잘해서 소장이 사는 것도 아니고, 소장이 잘해서 이자가 사는 것도 아니고 콩팥이 사는 것도 아니고 간이 사는 것도 아니고, 이거는 어느 하나 한 부분이 잘려져 나가면 같이 조화를 이룰 수 없는 겁니다. 우리나라도 역시 어느 것 하나 빠져도 아니 되기 때문에 다 조목조목이 분야를 맡아서, 소임을 맡아서 하는 겁니다.

그와 같이 모든 진리가 이렇게 천차만별로 돼 있는데 그 중에 전부 그 오온의 뜻이…, 우리가 삼각원형을 이룬다 이런 것이, 이 삼세심이 일심으로 원형을 이루고 돌아가는 겁니다. 원형을 이루고 돌아가니까 "오온 속에 칠보가 가득 차 있느니라." 그래도 과언이 아니죠? 그래서 나는 경을 많이 보고 적게 보고 이런 것도 없습니다만, 이 생활이 불법이고 부처님이 가르치신 진리기 때문에 뜻으로는 다 이렇게 서로가, 내가 내놓을 게 없다는 것을 알고 있지만, 내가 말로는 여러분처럼 책을 잘 봐서 경을 다 읽고 그러지 못해서 체계 있게 잘 못합니다. 만 원이 진리라면 그 만 원 속에 전부 들어 있듯이, 백 원을 쓰려면 백 원을 쓰고 천 원을 쓰려면 천 원을 쓰고 이천 원을 쓰려면 이천 원, 그 만 원 속에 전부 들어 있습니다. 그러니 그 전부 들어 있는 거를 가지고 자유스럽게 쓸 수 있는 그러한 지혜를 가지라고 해서…. 또 지혜가 나올 수 있는 문제는 내 참나를 홀연히 깨달으면 스스로 지혜는 나오게 돼 있습니다. 그 안에 다 들어 있으니까요.

질문자2(남) 큰스님! 제가 한 가지 여쭤 보겠습니다. 큰스님께서 지금 저희들에게 주신 말씀은 제가 듣고 정리컨대 이렇게 들립니다. 우리 인간이 살아가는 데는 크게 두 가지 법이 있다. 그 두 가지 법이란 하나는 유위의 세계의 법이고 하나는 무위의 세계의 법이다. 보통 우리 중생들은 유위의 세계의 법에 얽매여 가지고 살아가고 있는데 유위의 세계의 법만이 우리 인간세계의 전부는 절대 아니다. 그래서 무위의 세계의 법을 저희들한테 지금 바로 가르쳐 주시는 걸로 느껴집니다.

다시 말씀드리면 과학이 발달되기 전에는 이 공기 속에 질소와 산소, 수소 이것만 있는 걸로 우리 중생들이 전부 다 알고 있었습니다만, 과학이 발달됨으로 해서 라디오가 생기고 텔레비전이 생기게 되니까 라디오를 켜면 공기 속에 아무것도 없는데 저희들 귀에 온갖 방송이 다 들어오고 텔레비전을 틀면 여러 TV 방송국에서 나오는 전파가 다 들어와 가지고 저희들이 화면을 다 볼 수 있습니다. 이것이 만약에 과학이 발달되지 않았다면 어떤 선각자가 공기 속에 이런 것이 있고 사람이 이렇게 받아들일 수 있다고 얘기했을 때 아무도 그것을 깨닫고 믿을 수 없었을 것입니다.

큰스님께서 지금 저희들한테 주시는 말씀도 그와 같은 말씀, 즉 무위의 세계의 그 진리를 저희들한테 깨달으라고 말씀하셨는데 저는 그 무위의 세계가 참 귀중한 진리이고 옳은 말씀이라고 생각은 갑니다. 다시 말하면 뚜렷하게 나라는 형체가 있습니다. 그러나 이 형체를 현미경으로 분석을 한다면 수많은 세포로 조직되어 있는 것이지 나라는 하나의 형체라는 건 절대 없는 것입니다. 이 수많은 세포 속에는 또 분석을 해 들어가면 원자와 전자가 있을 것이고 거기에 원자핵이 있을 겁니다. 그러면 나라는 것은 전혀 없는 것입니다. 유위의 세계에서는 나 개인이 분명히 있지만 무위의 세계에 들어가면 지금 나라는 형체조차도 없는데, 그 나라는 형체를 만드는 질서 정연하고 수많은 세포와 원자와 전자로 구성된 나의 그 질서는 과연 무엇인가? 이것을 찾고 싶고 찾아 들어가려고 애를 쓰기 때문에 오늘 이렇게 많은 중생들이 모여 큰스님 말씀을 듣고 있는 걸로 저는 믿고 있습니다.

그래서 제가 큰스님한테 여쭤 보고 싶은 것은, 그런 것을 생각하고 무위의 세계를 깨달으려고 노력하는데 어떤 부분이 제일 중요한 것인가를 저는 꼭 큰스님한테 한번 물어보고 싶습니다. 어떤 책에서 읽기를 "생명은 호흡에 달려 있다. 그러니 숨 쉬는 과정이 깨달음에 가장 중요하다." 그런 말씀을 제가 어떤 책에서 읽어 보기도 했습니다마는 그게 사실인지 아닌지도 저는 확실하게 모르겠고요. 어떻게 하면 그 깨달음의 과정을 저희 중생들도 갈 수 있으며 거기에 가는 것도 과연 전생의 인연을 타야만이 가는 것인가? 그런 인연을 무시하고 어떤 중생이라도 노력만 하면 그 깨달음에 이를 수 있는가? 그 말씀을 좀 해주시면 감사하겠습니다.

큰스님 첫째, 아까 말씀하셨는데 나라는 존재도 지금 분석을 해 보면 없다고 했습니다. 없는 게 아니라 내세울 게 없는 겁니다. 아주 없다는 게 아닙니다. 내세울 게 없다는 얘기입니다, 너무 여러 개가 돼서. 그래서 우리가 아까도 말했던 거와 마찬가지로 근본적인 것은 무엇인가? 이게 종합된 하나. 그것을 우리가 무전자라고 일컬어 말할까요? 그것도 아마 내가 이름을 지어 놨는지도 모릅니다, 어떻게 말을 할 수가 없어서. 유전자들이 너무 한데 합쳐져서 있는 게 무전자거든.

그러면 이 많은 생명들이 한데 합쳐져서 요만한 능력, 그것을 가지고 만약에 콩씨라면 요걸 또 쪼개고 쪼개고 쪼개고 해서 어떤 거를 유전자라고 할 수 없으리만큼 됐을 때에 세울 게 없는 거거든요. 그랬을 때 바로 이것을 부처라고 한다. 이럴 때는 그걸 어떻게 말을, 이름을 붙이나. 부처님이라고도 하고 자유인이라고도 할 수 있지만 그것을 무전자라고 할 수밖에 없지 않겠느냐. 무전자로 인해서 유전자가 나고 유전자로 인해서 물질이 난다. 그렇기 때문에 무전자의 이름을 주인공이라고 하자, 부동한 그 자체를. 그럼 무전자만 있느냐? 유전자, 무전자, 육신 이것이 종합해서 지금 원형을 이루고 돌아가니까, 공했으니까 나도 사대도 공했고 오온도 공했다. 그러니 사대와 오온이 따로 있는 게 아니라 그 사대도 오온에 같이 지금 들어서 공해서 돌아가고 있다 이겁니다. 그렇다면 그 공해서 돌아가는, 자기한테서 나고 들고 나고 듣고 하는 것이 바로 하나 개체에서 나오는 게 아니라 공에서 나온다 말입니다, 합쳐진 공에서. 그러니까 합쳐진 공에다 다시 놓는 거죠. 믿고 놓는 겁니다. 그럴 때 보이지 않는 그 무(無)의 세계의, 미지수의 헤아릴 수가 없는 그 문제가 바로 이 유(有)의 세계의 헤아릴 수 없는 모체에 모든 것이 결합이 되는 겁니다. 내가 확신이 되고….

어떠한 유의 법의 물건, 이 물질이 하나도 없다면 무의 그 무체도 하나도 없는 겁니다. 씨가 있기 때문에 콩나무가 나듯, 그 모든 씨가 있기 때문에 모두 나는 거고 뿌리가 있기 때문에 싹이 나는 겁니다. 그렇듯이 자기가 이 세상에 나온 이 자체가 부처를 이룰 수 있는 화두요, 그것이 바로 근본의 모체다 이겁니다.

그렇기 때문에 여러분이 아니라면 부처가 어디 있으며 종교가 어디 있습니까. 아무것도 없는 겁니다. 상대가 어디 있습니까? 부모도 자식도 남편도 부인도 아무것도 없는 겁니다. 내가 없으니까. 그런데 내가 있기 때문에 인연법이다, 유전이다 하고 그럽니다. 그런데 내가 있는 게 공했기 때문에 그거조차도 없다 이 소립니다. 내가 내세울 게 없는데 내가 하는 일까지도 내세울 게 있느냐는 얘기입니다. 내가 먹은 것도 내세울 게 없고 하는 것도 내세울 게 없고 내가 나온 것도 내세울 게 없어. 한방에 앉았는데 나만 사람입니까? 나만 사람이라고 내세울 게 없죠? 그러니 모든 것을 내가 내세울 게 없는 겁니다. 그래서 공이라고 그러지 않았습니까! 여러분이 나와 더불어 배우기 위해서 주인이라고 했고, 그것은 차도 바퀴가 굴러가는 데 심봉이 꿰어져야 바퀴가 올바로 굴러가듯이 인간에게도 마음이 있기 때문에 "주인!" 이렇게 해 놓고 "공!" 주인이자 공이다, 너. 그냥 공이야.

그런데 '여여하다' 이런 거는 그 심봉으로 하여금, 요길 가도 심봉이 있어야 하고 조기를 가도 심봉이 있어야 해. 차가 가까운 데 간다고 해서 심봉이 없어도 되는 게 아니라 가까운 델 가든 먼 델 가든 심봉은 있어야 돼. 그렇듯이 인간의 그 생명이 있고 분별이 있기 때문에 바로 심봉이 있는 거라. 겸해서 돌아가니까 요거 할 때도 내가 있기 때문에 할 거고, 내가 능력이 있기 때문에 삼합이 합쳐져서 이런 걸 하는 거예요. 지금 말하는 것도 그렇고. 그렇다면 조그만 거 하는 데도 내가 있기 때문에 할 거고 큰 거 하는 데도 내가 있기 때문에 하고, 이거 할 때도 내가 있기 때문에 하고 저거 할 때도 내가 있기 때문에 하는데, 그것을 역력하게 그렇게 하고 돌아가니 얼마나 묘하냐는 얘기입니다. 그러니 여여하다는 소리가 나오는 겁니다, 그게. "야! 조그만 일에도 큰 일에도, 무의 법의 무의 활용도 유의 활용도 여여하게 하는구나." 그리고 '무의 법, 유의 법이 따로 없다' 하는 거죠. 내 마음과 육신이 따로 없다 또는 생명과 마음이 따로 없다, 이렇게 마음 내기 이전과 마음 내는 것과 요렇게 둘이 아니라고 보는 데는 나 하나만의 얘기입니다. 그러나 모두 여러 사람하고 같이 돌아갈 때는 무의 법, 유의 법이 이렇게 있는 거죠. 여러분 마음이 같이 돌아간다면 또 유의 물질이 같이 돌아가는 겁니다. 대의적으로 본다면 그것 또한 둘이 아니다.

그러니 모두 지금 배우는 사람에 한해서는 법당에 가도 부처님과 나와 둘이 아니요, 그 마음과 나와 둘이 아닙니다. 그렇기 때문에 어딜 가든 자기가 있기 때문에 있는 것이고, 하다못해 변소간의 휴지 넣는 그런 통도 내가 살아 있기 때문에 그 휴지통도 살아 있는 겁니다. 그러니 생명이 다 있다 이겁니다. (법상을 두드리시며) 이것도 이름을 가지고 나왔단 말입니다. 이걸 처음에는 그냥 나무라고 불렀지만 지금은 이름을 가지고 어엿하게 생산돼서 나왔습니다. 탄생한 겁니다, 이게. 문갑으로. 법상으로 이름을 가질 수도 있고, 문갑으로도 이름을 가질 수도 있는 거죠. 그러니까 여러 가지 이름을 가지고 생산되는 것은 우리가 근본이 있기 때문에 나오는 거 아니겠습니까? 그러니 근본에서 나오는 거 근본에다 놔라 이겁니다. 맡기고 놓는다면, 믿고 물러서지 않는다면, 감사하게 놓는다면, 일체를 홀연히, 자기는 스스로서 어느 사람이고 나 아님이 없을 것입니다, 사람뿐만 아니라 일체.

그렇기 때문에 사람이 죽어서 까치집으로 들어가는 것도 잡아 나꾸고 그러지 아니, 그렇지 않으면 어떻게 잡아 나꾸겠습니까? 보이지도 않죠, 쥘 수도 없죠, 빛깔도 없죠. 그런데 어떻게 잡아 나꿉니까? "야, 이놈! 너 그리로 가면 안 돼. 까치집이야, 이놈아!" 그런데 그 혼백은 그렇게 보는 게 아니거든요. 아주 좋은 기와집으로 보거든요. 그렇기 때문에 눈이 있어도 장님이라는 얘기입니다. 그래서 지금 차원이, 죽어서 혼백이 됐다 하더라도 눈이 떠지는 게 아니라 장님이라 이겁니다. 지금 장님이라면 죽어도 장님이요, 지금 눈을 떴다면 죽어도 눈을 뜬 겁니다. 그러니까 항상 밝아 있다는 얘기입니다. 지금 암흑이라면 요다음에 죽어도 암흑이에요. 지금 장님이 나중이라고 해서 장님이 아닙니까?

그래서 지금도 법사가 말했지만, 공부를 열심히 하려고 애쓰는 사람이 바깥으로 돈다면 안 됩니다. 안으로 눈을 뜨게 하기 위해서 만약에 나한테 어떠한 부딪침이 왔을 때, 나의 뜻을 알기 위해서 내가 나를 쳤을 때 바로 그것을 느끼고선 탕! 거기다 놔야 되는데 그러질 못하고 바깥으로 돌았으니, 그것은 자기를 테스트해 보려고 그랬는데 고만 자기가 얼른 챙기지 못한 거죠. 눈만 그런 게 아니라 모든 면에서 다 그렇죠. 너무 공부를 하려고 애를 쓰다 보니까 바깥으로 도는 과정에서 그렇게 온 거죠. 그래서 절대로 바깥으로 돌아서는 안 된다는 얘기입니다.

내 잠재의식 속에 깊이 들어 있기 때문에 거기에서만 내고 들일 줄 안다면 내 가족이 믿지 않는다 하더라도 전체가 다 환하게 밝아져. 한방에, 내가 앉아 있는 방에 불이 들어 왔다 이런다면 그 방에 앉아 있는 내 식구들이 다 밝게 살 수 있다 이 소립니다, 그 뜻을 모른다 하더라도. 그러면 밝은 데서 항상 살았기 때문에 거기에 또 연결돼서 미치는 게 있기 때문에 요다음에 죽어서 다시 또 태어난다 하더라도 그 빽으로 인해서 다시금 또 밝은 데서 살게끔 될 수 있고 공부할 수 있는 기회가 생긴다는 얘기입니다. 그건 일가친척 모두를 내가 알고 있기 때문입니다. 내가 알고 있기 때문에 내 한방 식구라는 얘기입니다. 그리고 내가 이 세상이 돌아간다는 걸 알고 있기 때문에 이 세상이 한방 식구입니다.

그런데 우선적으로 사람이라는 건 가까운 데부터, 가까운 거부터 먼저 짓게 마련입니다. 불이 나 가지고 우리 식구가 다 불이 막 붙었다고 합시다. 그러면 내 몸에 불 붙은 거부터 탁탁 끄는 것이 근본 원리입니다. 그렇기 때문에 내 일가친척 식구들이 그렇게 많다 하더라도 나부터 하여튼 그 뜻을 알아야 그 식구들을 다 꺼 줄 수 있다는 얘기입니다, 불타는 거를. 나부터 꺼야 어떻게 불타는 거를 꺼 줄 수 있지요.

그래서 불타는 거를 끌 수 있는 그 방법은 끈다 안 끈다 하는 것도 없이 내가 끄려면 끄고 말려면 말고 할 수 있어야 합니다. 불도 여러 가지가지니까. 불도 켜서 써야 할 불이 있고 꺼야 할 불이 있거든. 집에 불이 났으면 끄지만 내가 뭘 끓이려면 불이 올라야 끓이지. 살림으로 지금 얘길 하는데, 매사 게 다 캄캄하면 켜야 할 일이 있거든. 그러니까 내가 그렇게 들이고 내고 하는 것에 대해서 불이라고 비유를 한다면 내가 먼저, 이 모든 사상과 그 악성적인 생각, 분별 욕심 증오 이런 문제들을 다 맡겨 놓을 수 있어야, 그 자리에서 나오는 거니까 그 자리에다 맡겨 놓을 수 있어야 사상도 부리지 않고 아만이나 오만이나 그런 것을 다 놓게 되고 욕심조차도 다 그때는 끊어지니 끄달리지 않는 거죠. 그러면서 식구들을 다 밝게, 내 마음의 불이 밝으니까 내가 생각하고 있는 친척들까지도 밝게 살 수 있다 이 소립니다.

깨달음에 남녀가 있으랴

1986년 1월 8일

질문자1(여) '여자는 성불하지를 못한다' 이러지만 제가 법문 듣기로는 "불성은 둘이 아니다. 그 자리는 남녀가 없다." 하셨는데 어느 말씀이….

큰스님 옳으냐고요?

질문자1(여) 예.

큰스님 허허허…. 이런 이치가 있습니다. 참, 이게 간단히 이해가 될 수 있는 말은 아닙니다. 여자는 죽어서 남자로 태어나야 된다는 얘깁니다. 그리고 사람은 세 번 죽었다 깨어나야 사람으로서 부처가 될 수 있다는, 아주 100% 될 수 있다는 얘깁니다. 금방 짐승이 화해서 인간으로 태어났어도 그것은 아니 된다. 또 "여자는 성불을 못한다. 일곱 번 죽었다 깨어나야 성불을 한다. 남자는 세 번 죽었다 깨어나야 성불한다." 이런 구절이 있습니다. 왜 그렇게 했던가. 짐승으로 있다가 곧바로 사람으로 태어난 사람은 짐승으로 살던 습이 남아서 사람으로 태어나도 껍데기만 사람이지 그건 짐승이야. 짐승의 습이 자꾸 튀어나오기 때문에. 그래서 현재 사람으로 태어나서 사람으로 같이 어울려서 사는 습을 지금 배우는 거지, 미래에 갈 거를 배우는 거지 전자의 습은 그대로 남아 있다 이거야. 그렇기 때문에 성불을 못한다는 뜻입니다.

그러면 우리가 남자로 태어나기 전에 여자로 먼저 태어난다는 얘깁니다. 그러면 "여자가 태어난 뒤에 남자가 태어났지." 이렇게 됩니다, 인제. 여자가 한번 죽어서 또 남자로 태어날 수는 있을지언정 어찌 반대로 되느냐는 얘깁니다. 짐승이 사람으로 태어났다가 사람이 죽어 가지고 또다시 짐승으로 좌천되는 수가 있습니다, 또. 인간으로 태어나긴 태어났는데 그전에 살던 습이 그대로 남아서 습대로 행을 하니까 그대로 "너는 사람은 사람인데 사람의 행을 못하니 다시 좌천해서 가거라." 이러고선…. 그거는 누가 해 주는 게 아니라 자기가 해 놓고 자기가 거기 떨어진 거야. 또 자기가 해 놓고 자기가 올라오는 거지. 올라가고 내려감도 없는 이 자리지만 그렇게 돼 있는 겁니다. 이게 말을 하려니까 올라가고 내려가고 이런 말이 있는 거지 말, 언어도 붙지 않는 그런 자린데도 불구하고 말을 하려니까 어쩔 수가 없는 겁니다.

그런데 사람이 죽어서 그만큼 그렇게 구르면서, 억겁 년을 거쳐 오면서 그렇게 구르면서 공부한 사람들이 남자로 태어나서 또 공부를 해서 그 도리를 완전히 파악한 뒤에 또 여자로 태어나는 것은 여자가 여자가 아니야. 깨달으면 여자가 아니야. 남자도 아니야. 여자라고 해도 아니 되고 남자라고 해도 아니 되지, 이 깨달음이라는 거는. 그렇기 때문에 여자라고 못을 박을 수도 없고 남자라고 못을 박을 수도 없어. 그건 왜 그러냐. 모습은 여자로 가질지언정, 모습은 남자로 가질지언정 찰나찰나 나투는 것이 있기 때문이에요. 화해서 나툰다는 얘깁니다. 남자도 됐다 여자도 됐다가, 부처도 됐다가 법신도 됐다 화신도 됐다가, 관세음도 됐다가 지장도 됐다가 아, 신장도 됐다가 아니, 짐승도 됐다가 사람도 됐다가, 또는 용신도 됐다가 지신도 됐다가 온통 천차만별로 돼 있는 그 이름들이 다 나투어서 이렇게 화하니까 손도 천이요, 눈도 천이요, 천은 천이 아니라 전체 삼천대천세계 아니 닿는 데가 없어야 천이라고 합니다. 천도 일이요 일도 천이다. 만도 천이요 천도 만이고, 만도 일이고 일도 만이다. 시간과 공간은 사람이 지어서 시간이 몇 시, 몇 년, 몇 달, 며칠 이러는 거지 이 진리는 시간과 공간도 없고 여자와 남자도 없고 동과 서도 없고 아무것도 없는 겁니다. 왜? 이렇게 찰나찰나 나투기 때문입니다.

여러분이 사시면서 고정되게 생각하는 것도 없고 고정되게 한 가지만 보는 것도 없고 한 가지만 듣는 것도 없습니다. 한 가지만 먹는 것도 없고 한 가지만 행하는 것도 없고 만남도 한 사람만 만남이 있는 것이 아닙니다. 만날 때마다 마음이 달라지고 만날 때마다 보는 것이 달라지고 만날 때마다 행이 다르고, 사람을 만나면 말입니다. 그러니 어떤 사람 만날 때 나라고 하겠습니까? 내세울 게 없는 것이 부처라고 했습니다. 그리고 진리란 말입니다.

그렇기 때문에 깨달음에 있어서도 차원 없는 차원이 있단 말입니다. 견성이 있고 성불이 있고 열반이 있습니다. 그러면 동서가 둘이 아니라고 했는데 견성은 뭐고 성불은 뭐고 열반은 뭔가. 우리가 그걸 비유해서 얘기한다면, 어린애로 갓 났을 때는 세상을 몰라. 태어나긴 했으나 모를 때 견성이야. 내가 나를 알았을 때에 바로 견성이라고. 알긴 알았으나 이게 커야지, 응? 커서 어른이 돼야 인간이라고 사회에 나가서 그래도 알지 않남. 그렇기 때문에 육조 스님도 10여 년이나 돌았다 이거야, 깨달아 가지고도. 그렇듯이 성불이라는 것은 깨달아 가지고서 진짜 공부를 하는 거라, 그때. 화해서 나투면서 모든 걸 경험을 쌓고 모든 걸 체험하면서 굴려서 다시 놔 가면서, 다시 굴려 가면서 또 놔 가면서 바깥으로 자꾸 누설이 되지 않고 항상 안으로 굴려서 놓고 또 가고, 놓고 또 구르고 구르고 굴려서 자기가 또 성불을 하는 거라.

그런데 지금 내가 이렇게 말을 하지만 깨달은 사람들이 말을 할 때는 자기 속의 사량으로 하는 게 아니라 자기 깨달음과 같이 지금 현재 둘이 아니게 얘기를 하기 때문에 함이 없는 거다 이거야. 백 마디를 해도 함이 없어. 그러나 모순된 얘기, 그림자를…, 즉 말하자면 "진짜 내가 눈으로, 한 눈으로 보고도 봤단 말을 하지 마라." 그것은 뭐냐. 사람이 언제나 겸손하고 항상 자기의 주인공 맛을 봐야 한다는 거, 공부한 과정 이런 거는 얘기해 줄지언정 자기가 공부해 들어가는 거는 얘기할 필요가 없는 거죠. 또 도반들끼리 얘기하는 거는 이게 옳다, 저게 옳다 하기 이전에 서로 토론을 하면서 옳다는 게 없는 것을 배우는 겁니다, 지금. 옳다 그르다 하는 게 없는 거를 배우는 그 공부를 해야만이 열반으로 또 들어갑니다. 그러면 우리는 단계 없는 단계가 있어. 도랑 없는 도랑이 있고. 그렇듯이 우리가 지금 이 세상 떠나서 부처님 세상이 따로 있는 것이 아니고, 이 세상 떠나서 죽은 세상이 따로 있는 것도 아니고 산 세상이 따로 있는 것도 아니야, 그 자리가 그 자리니까. 이것을 말하려면 이렇게 길게 말을 해야만 이해가 갈 테니까 이런 말을 합니다.

그래서 여자로 태어나서 입산을 해 가지고, 입산을 했든 안 했든 여자이기 때문에 성불을 못한다는 거는, "못한다" 이렇게 못 박을 수는 없는 겁니다. 왜? 여자라고 해서 성불 못하라는 법이 어딨어? 이치는 그러하나 내가 만약에 못 박아서 여자는 성불 못한다 이런다면, 모습만 보고 그런 말 하는 거지 만약에 그 사람이 남자로 몇 수십 번을 태어났다가 여자로, 보살로, 부처로 태어났다면 어떡할 작정인고? 여자 없이 남자가 어디서 나왔나? 모두가 여자 속에서 나온 거라. 그래서 이 도리천, 즉 말하자면 이 땅덩어리가 다 여자인 거라. 일체 만물을 소생시키고 일체 만물을 길러, 땅이. 땅은 일체 만물을 길렀으나, 기른 그 모습들은 하늘을 쳐다보고 다 점령을 했으나, 뿌리를 박은 그 땅은 다 점령을 하고 있는 거야.

그래서 석존께서 이 세상을 다 항복을 받고 점령을 했으나 그 석존은 누가 낳았습니까. 그 어머니는 그 아들을 점령을 한 겁니다. 그랬으니 “여자도, 남자도” 이런 소릴 하는 거는 상당히 어리석다고 봅니다. 못한다, 한다. 못한다 해도 그르고 한다 해도 그른 겁니다. 거기에는 미묘한 뜻이 들어 있기 때문입니다. 아까 내가 얘기했듯이 갓 여자로 태어난 사람이 성불은 못한다. 그러나 몇 번 굴러서 여자로 태어난 사람, 남자도 되고 여자도 되고 그럭하면서 공부해 내려온 그 사람은…. 지금에 와서 금은 금대로 모이고 넝마는 넝마대로 모이듯이, 무쇠는 무쇠대로 모이듯이 이러한 근기가 좀 있는 분들은 있는 분들대로 모이게끔 돼 있죠. 왜? 신상에 맞지 않으니까.

그래서 ‘여자가 못한다’ 이래도 그른 거고, ‘남자만 한다’ 이래도 그른 겁니다. 그러니 그저 그르다, 못한다, 한다 이런 게 다 없는, 그 언어도 붙지 않는 그 자리의 자비라고 하고, 그 자리에서 그 자비를 깨달아야만이 부처라고 일컬어 말하고 자유인이라고 일컬어 말할 수 있는 겁니다. 그러니 그런 걱정은 아예 마시고 거기에 끄달리지도 마시고 ‘못한다, 한다’에 끄달리지 마시고, 모든 것을 자기 주인공에서 나오는 거 주인공에다가 몰락 맡겨 놓으면 됩니다. 아쉬운 것이 생각나면 그저 놓으면 그게 굴려 놓는 겁니다.

그렇게 되면 홀연히 자기 스스로 그 생명수의 참맛이 나는 거죠. 그다음에 개구리탕이라도 탕 맛을 보면 또 맛이 나는 거죠. 또 용탕을 맛을 보면 또 더 맛이 나죠. 이렇듯이 종합탕을 먹으면 맛이 또 참 희한하고 그래서 ‘아이고, 어떤 걸 넣어야 종합탕인가. 이것이 어떤 것인고.’ 어떤 것이다 할 수가 없으니까 “탕” 한 것이, 우리가 “할” 할 때 둥근 이 자리에 벌써 이 둥그러미를 긋기 이전을 말하는 겁니다. 그러니까 그을 것도 없고 안 그을 것도 없는 거죠. 그대로 여여함을 뜻하는 겁니다.

그러니 우리가 지금 생동력 있게 이렇게, 대구에서 여기까지 오시고 또 이렇게 오시고 여러분이 같이 앉아서, 멀다 가깝다도 없이 이렇게 한 장소에 앉아서 이 도리를 배우려고 하는 그 마음이 부처란 말입니다. 그러니 사량으로써 이해를 하고 금강경이나 법화경이나 화엄경이나 이런 거를 읽고 이론으로만 알아서도 아니 되고 말만 해서도 아니 됩니다. 이것은 하나도 기울어짐이 없는 거, 울고 웃고 하는 것이 그대로 한데 뭉쳐 버려서 하나 내세울 게 없는 거, 악한 거 선한 거, 독 또는 약, 이런 것이 한데 합쳐져서 어떤 걸 내세울 게 없는 것이 바로 언어도 붙지 않는 자리라고 합니다.

그러니 우리가 서로 이렇게 대화를 하고 증언을 하고 이러는 데서 활발하게 참, 참신한 사람이 돼서 떳떳하게, 당당하게, 도도하게 물 흐르듯이 이렇게 흐르면서 겸손해야죠. 세상에 아무리 높다 한들, 아무리 큰스님이라 한들 만약에 아래 애들이 없다면 늙은이가 어디 있겠습니까. 늙은이들은 다 똥 친 막대기와 같이 심부름을 해야 하는 처지인데 높다고 심부름을 안 하고 높이 앉아만 있으면 그 애들은 뭐가 됩니까. 그와 똑같은 얘깁니다. 이건 방편의 얘기지만 진실한 말입니다. 여러분이 자식들을 낳아 놓고 '나는 엄마, 아버지니까 높아.' 그러고선 심부름도 안 해 주고 아무것도 해 주지 않는다면 그 자식들은 어떻게 되나요. 차라리 낳지나 말지, 응? 그래서 높은 것이 없는 것이, 또 얕은 것도 없는 것이 부처란 말입니다. 여러분이 자식들한테는 진실하게 하시죠? 내가 엄마니까 높다, 내가 아빠니까 높다 이런 것도 없이 그저 아무 생각 없이 진실하시죠? 허허허, 그겁니다.

여긴 안 계신 줄 알았더니 여자가 여기도 계시네. 아까는 계신 걸 알았는데 말을 하다 보니까 여기 없는 줄 알았거든요. (대중 웃음) 설법 들으신 것 같군요.

아는 것을 아는 데다 되놓으십시오. 놓으시면 참, 참맛이란 그렇게 쪼개고 쪼개고 또 쪼개도 쪼갤 것도 없고, 또 쪼개지 않을 것도 없이 그렇게 여여하거든요.

질문자1(여) 저희들은 법화경의 보문품을 가지고 공부하는데 OO 스님에게 법문도 듣고 그랬습니다. 그랬는데 OO 스님이 "선과 염불이 둘이 아니니까 부지런히 관세음보살을 찾아라." 하시거든요. 근데 어떤 스님은 "선을 해라. 염불하는 것은 돌아간다." 이러시는 스님도 있고 그런데 그 스님도 하시기는 하셔요. "직접 선을 하면 대근기는 직선으로 들어가면 되는데 우리 중생계의 업보 중생인 소근기가 대번 선으로 하는 것은 잘 안되니까 이 세속살이 하면서 관음을 불러라. 대자비를 불러라." 이러시거든요. "그게 즉 자꾸 부르고 부르고 또 부르다 보면 관음과 나와 둘이 아니고, 선과 염불이 두 가지가 아니니까 두 가지로 보지 말고 부지런히 불러라." 이러시거든요.

큰스님 부르실 때에, 관세음보살을 찾으실 때에 안으로 두시고 찾습니까, 바깥으로 두고 찾습니까?

질문자1(여) 안으로 두고 찾으라 하지요, 어떤 것이 관음인가….

큰스님 그런데 멀고 가까움이 없으니까요, 여기에서 다르고 거기에서 다른 건 아니지만, 자기가 태어난 것이 화두입니다. 자기가 지금 움죽거리고 있는 것이 바로 자기가 자기를 끌고 돌아다니는 거죠?

질문자1(여) 예. 화두가 따로 없는 것이라고 이렇게 말씀하셨어요, 염불을 부지런히 하라고.

큰스님 그래서 앉아서 하는 참선이라는 것을 어떻게 생각하십니까? "참선을 해라." 이러면 어떻게 하는 것이 참선이라고 거기선 가르치는가요?

질문자1(여) 그 스님도 "인간이 돼라." 그럽니다. 성불이 급한 게 아니라 마음을 고쳐라. 마음 고쳐서 자동적으로 그릇이 바른 사람이 되고 나야 부처가 될 거 아니냐. 제가 그 스님에게 발 들여놓은 게 근 한 20년 됐습니다. 그러니까 처음 가르치시기를 보통 절에 가면 "성불합시다." 이렇게 하는데 "마음 고칩시다." 이렇게 하라 해요, 처음 법회할 때. 모르는 사람 모두 마음부터 고쳐 가지고 바루어서, 마음 그릇이 발라야 진리의 물이 흘러내리질 않는다고 "마음 고칩시다." 이렇게 하라 하시죠. 요새는 그래 안 하시지요.

큰스님 요샌 어떻게 하십니까?

질문자1(여) 요새는 그냥 밑의 사람들이…. 이전에 하실 때는 직접 정진하시는 데 나오셔 가지고 선방에 앉아서 정진하셨지요. 법당에 꽉 차게 앉아서 "관세음보살, 관세음보살!" 염불하면서 스님이 그 앞에 탁 앉으셔 가지고 같이 하시다가 죽비를 들고 다니시면서 쳐 주십니다. 쳐 주시고 바루어 주시고. 그때는 그렇게 하셨죠.

큰스님 저는 그런 격란을 많이 보기도 하고 해 보기도 했습니다마는 저는 그런 생각을 했습니다. 역시 가르칠 때 그렇게 가르쳐선 안 되겠구나 하는 생각이 들어갔거든요. 그게 빠르질 않다는 거를 느꼈기 때문에요. 왜냐하면 생활하는 사람들이 앉아서 참선만, 좌선만 할 수는 없거든요. 그러니 선이 자꾸 끊어진단 말이야. 마음에서 말입니다. 그래서 이 행선이 그대로 참선이라는 거. 일을 하는 것도 자기가 있으니까 일을 하죠. 자기 주인공에게 모든 것을 일임하고 놓고선 그대로 일분일초도 떠나지 않는 것이 진리 아닙니까. 그렇기 때문에 우리가 벌써 앉았다가 일어나면 일어났다는 생각, 앉는다는 생각을 하게 되거든요. 사람이라면 얍삽해서.

질문자1(여) 예, 그게 아니죠. 정진 시간에, 새벽에 기도 시간에 그걸 했습니다.

큰스님 시간을 여기서는 두지를 않습니다. 무시간(無時間)입니다, 아주.

질문자1(여) 그래 가지고는 행주좌와로 하라 이거죠. 놓지를 말라. 항상 놓지를 말라. 당신도 선을 많이 해 보셨기 때문에 중생 교화로서는 자비를, 대자비를 불어넣어야 되겠다 그런 생각을 하시고 교화 방침을 주로 관세음보살, 관음을 만천하에 보급해야 된다 이럭하십니다.

큰스님 그런데 누구나가 그렇습니다. 지금 보살님이 말씀하시는 거 이것은 우리가 잘못된 게 있으면 앞으로 개선하고 개발하고 그래서 나가야 합니다. 전자의 큰스님네들이 이렇게 한다고 그래서 우리도 이렇게 해서는 안 됩니다. 하다못해 불 뚜껑, 불 아궁이도 전자에 구식으로 했던 거하고 지금 신식으로 하는 거하곤 다릅니다. 그와 마찬가지로 우리는 세상이, 세태가 돌아가는 대로, 좀 더 마음이 개발이 되는 대로 따라가야 합니다. 그러니까 고정돼 있지 않다 이겁니다. 예전의 역사하고 지금 앞으로 가는 이 진리의 역사는 아마 똑같지는 않을 겁니다. 그와 마찬가지로 우리가 살아나가는 것도, 이 공부하는 방식도 달라져야 될 겁니다.

그렇기 때문에 애당초에 여러분이 자녀를 낳아서 피아노를 가르칠 때, '네가 바이엘이라도 친 뒤에 너 앉음앉음도 잘 가르치고 그래야겠다.' 요럭하고선 가르쳐 놓으면 앉음앉음이 영 틀려 버립니다. 이거는 끝까지 고칠 수가 없습니다. 그래서 앉으나 서나, 잠자겠으면 잠자되 누워서나 잘 때도 공부고 생시에도 공부다 이거야. 생시에 공부하지 않은 놈들이 꿈을 꿀 때도 공부를 못해서 쫓겨 다녀. 뭐가 나타나면 둘로 보고 쫓겨 다니지만 생시에 둘로 보지 않는다면 꿈에도 둘로 안 봐요. 그렇기 때문에 앉아서 좌선을 하는 거를 조금 더 사람이 돼 가지고 하라 하고선 그렇게 하면 그게 습이 돼서 아예 그냥 박아져 버려. 누더기가 돼 버려. 그래서 앉음앉음을 다시 고치기가 상당히 어렵습니다. 또 시련을 겪어야 돼.

그렇기 때문에 아예 애당초에 앉음앉음에서부터 피아노를 잘 배우듯이, 즉 말하자면 강제적으로 앉지는 마라. 집에서도 앉고 싶으면 앉고, 시간이 나면 앉고 시간이 안 나면 서서 일을 하되 그것도 역시, 움죽거리고 안 움죽거리고 잠을 자고 똥을 싸고 하는 게 다 자기가 있기 때문에 하는 겁니다. 그러니까 자기가, 이것이 허황된 물질이라고 그러지마는 허황되지 않다 이겁니다. 보이는 게 없으면 내가 어떻게 상대를 해서 공부를 하겠습니까.

그렇기 때문에 이것이 있기 때문에 공부를 하고 또 공부를 하기 때문에 참나를 찾는단 말입니다. 참나를 찾으면 이게 또 필요합니다.

그러면 애당초에 태어난 게 없기 때문에 죽을 것도 없다는 그 소리가, 이것이 상반이 돼서 와락 돌아가서 한번 이렇게 뒤집어 보고선 여기만 보는 게 아니라 여기도 보고 한번 다시 뒤집어야 이걸 다 알듯이, 그렇기 때문에 생활하는 분들에게 앉아서 참선하는 시간을 따로 둔다는 건 있을 수가 없습니다.

지금 현실은 인공위성이 저 위로 올라가는 시대입니다. 내 이 겉껍데기가 그대로 화두인데 이 화두를 잡고선 또 여기 겉껍데기에 군더더길 또 붙여. 그래 가지고 돌아가니까 10년 20년 해도 몸만 다치지 영참자기는 알 수가 없고 개발할 수도 없고 아주 몽땅 죽어 버릴 수도 없고 몽땅 가질 수도 없어. 몽땅 갖는다는 것은 가질 게 없기 때문에 갖는 것이고 또 가질 게 없다는 것은 몽땅 가졌기 때문에 가질 게 없다는 것입니다. 그렇기 때문에 앉는다 선다 이거를 정해 놓고 '요 시간에는 요렇게 앉아서 참선을 하는 시간이지.' 이런 건 두지 마십시오. 시간과 공간은 없어. 무종무시야. 무시무종이고.

그러면 우리가 항상 붙들고 내가 하는 것마다 '이건 주인공이 한다.' 이러고 해야 하나? 이런 게 아니라 그런 말을 안 하고 해도 모두가 여기서 나오는 거, 상대성 원리나 모든 것이 내가 있기 때문에 나오는 것이고 내가, 사대와 오온이 다 공했으니 세상이 다 공했어. 그랬으니 공에서 나오는 거 공에다 놓자. 맡겨 놓자. 그러고 놓으면 그것이 바로 뭐냐 하면, 아까 얘기했듯이 테이프에다 녹음을 해놨는데 이것이 과거의 업보라고 합시다. 그런다면 이 녹음테이프에다 또 녹음을 하면 그 앞서 녹음한 게 없어집니다. 그렇죠? 해 놓은 것에 또 녹음이 되면 또 없어집니다. 여러분의 테이프는 하나밖에 없어요. 그 하나 가지고 억겁을 거쳐 왔습니다. 그러니 우리가 발자국 하나 떼 놓으면 하나 없어지고 하나 떼 놓으면 하나 없어지듯이 그 테이프는 만날 그런 식입니다.

그러니 '내가 우정 꼭 해야지. 공부해야지.' 그러곤 그냥 신경을 잔뜩 쓰고 앉아서 좌선을 하고 이러는 거는 백네 날을 가도 못합니다. 한다는 거조차 놓고 안다는 거조차 놓고 모르는 건 모르는 것대로 놓고, 이렇게 해야 합니다. 그러니까 모든 것이 그렇게 우리가 지금 녹음 테이프에 해 나가듯이 항상 그릇은 비어 있는 건데 모두 마음으로 …. (녹음 안됨) … 모든 것을 그저 마음 편안히…. 허, 이것은 바로 차고 내 마음은 운전수야. 운전수가 끌고 다니는 대로 끌려다니고. "상구보리 하화중생이니라." 하는 것은 내가 아래로는 차를 조심해서 정비해 가면서 잘 끌고 다니고 위로는, 기름이라는 건 바로 부동자세 한 에너지와 같다. 이것은 불성을 말하는 거니까 위로는 존경하고 생각하고 받드는 마음으로써 항상 위로 모시고. 그 위로 모시는 것이 내 마음하고 둘인가. 그게 아니다. 그 생명이 있기 때문에 내가 지금 모실 수 있는 마음이 있고 마음을 낼 수 있는 거 아닌가. 망상이 아니야. 이 마음을 내지 못하면 부처를 이루지 못하는데 그걸 망상이라고 끊으려고 한다면 그건 찔깃찔깃해서, 억겁을 거쳐 온 얼기설기한 인연줄이기 때문에 끊어지려야 끊어질 수가 없어. 녹이는 거지.

그러니까 그러한 생각이 아무리 많이 나더라도 생각나는 대로 '어! 이거는 당신 주인공이 모든 것을 하는 거니까 내가 뭐 걱정할 필요 있나?' 그러고 탁 놔 버리면 그렇게 편안할 수가 없거든. 그러고도 묘하게 돌아가거든. 그 맛을 못 본 분들은 아마 '에유, 부처님 믿으나 마나 뭐….' 이렇게 생각하시겠지만 그것이 아닙니다.

그러니 참답게, 입산을 안 해도 여러분이 이렇게 공부를 하신다면 세상이 달라져. 역사가 달라지고. 여러분 하나 공부해서 하나만 편안한 게 아니라 가정도…. 자기 몸 안에도 지금 이게 우주거든. 소우주라고. 수많은 생명이 들어 있어요. 이거를 이끌어 가는 데도 자기가 사장이 돼야 끌고 가지. 그런데 가정도 있지, 또 사회도 있지, 국가도 있지. 그러면 내가 여기 이 자리에 이 모습을 가지고 태어났으니 어쩝니까. 앞에 것부터 처리를 하고 가야지 저기 쫓아가면서 저기 것 하려고 합니까? 앞의 것 못하는 사람이 어떻게 뒤의 걸 합니까. 그러니까 오는 거 마다하지 말고 가는 거 잡지 말라. 그것도 욕심이니라. 그러니 앞에 닥치는 거 생활 속에서 처리할 수 있는 그러한 개발을 할 수 있다면, 그것이 욕심쟁이가 아니면서도 우주의 섭류를 주판 하나 놓으면 극히 다 알듯이 그렇게 알아지는 겁니다. 그래서 지혜로운 생각이 생기는 거고.

부처님 한 분 모시면 보현보살, 문수보살을 양면에 모셔 놓죠? 그것이 바로 딴 분이 아니라 자기의 부동자세 한 마음의 능력이 있기 때문에 바로 자기가 법신이 되고 보신이 되는 겁니다. 그게 세 분을 앉혀도 한 분이요, 그 한 분도 없는 것이 그분입니다. 여러분이 살아나가는데 가만히 보십시오. 생명이 있기 때문에 생각을 할 수 있고 생각을 하기 때문에 몸을 이끌어 가져갈 수 있지. 그 몸이 움죽거리니까 화신이요, 생각을 하니까 그 능력으로써 법신이다 이거야. 생각을 안 하면 부처고. 얼마나 잘돼 있습니까, 표현이. 법당에 가니까 부처님이 앉아 계시더라. 저 부처님 몸이 내 몸이요, 그 부처님 마음이 내 마음이니 어찌 둘이겠나. 변소에 가니까 자기가 갔거든. 변소에 내가 들어오고 보니까 부처가 여기 앉았구나. 그래서 자기 가는 데마다, 길을 가든 변소에 가든 자든 자기가 있는 곳에 부처는 있는 것이죠. 자기가 없으면 우주 천하도 없으니까.

남을 원망하고 증오하고 그런 마음을 가져서는 안 되죠. 아무리 나한테 고가 닥친다 하더라도 공부할 수 있는 과정이라고 생각하셔야지 그걸 고(苦)로 생각을 하면 얼마나 속상한지 모르죠. 생각을 하기에 달린 거죠, 다. 사람이 나물 뜯어다가 불을 피워 놓고 깡통을 놓고선 그 나물을 삶아서 소금 얻어다가 주물럭주물럭해서 그걸 먹고 앉았어도 야, 대장부의 살림살이란 이렇게도 충만한 것을 뭘 아웅다웅하고 그 속을 썩이고 그러느냐 이겁니다. 그러면 저절로 마음이 풍부하고, 대장부라면 이 세상 돌아가는 이치, 살림살이도 풍부할 겁니다. 그런데 마음이 가난하면 가정도 가난해. 그리고 뛰고 울고 망하고, 가겠다고, 서겠다고 바둥거리고 울고 이러거든요. 이게 글쎄….

질문자1(여) 요렇게 하는 게 맞는 건지, 제가 염불은 많이 좀 한다고 했는데 지금은 염불이 안 나옵니다. 안 나오고 자기 자성을 관한다 할까? 그러고 있거든요. 그게 그네 타고 노는 겁니까, 공부를 하는 겁니까?

큰스님 하는 것도 아니고 그네 타는 것도 아닙니다. 그대로 가는 게 불법, 부처님이기 때문에 보살님 법입니다, 그게. 하하하. 보살님 법입니다. 그러니까….

질문자1(여) 그래도 되는 겁니까, 안 되는 겁니까, 그게.

큰스님 안 되는 것도 아니고 되는 것도 아닙니다. 그 가운데서 보살님이 생각하기에 달린 겁니다. 그건 왜? 염불을 해서, 즉 말하자면 염불을 해도 되는 거다, 안 해도 되는 거다 이런 게 아닙니다. 이 세상에 모든 게, 생겨난 거, 말하는 거, 모두 움죽거리는 게, 일체 만물만생이 한데 합쳐서 돌아가는 것이, 그대로 하나도 빼놓은 게 없는 것이 진리이기 때문에 "염불을 한다. 경을 읽는다. 그래서 이것이 참선이 아니다." 할 수는 없는 겁니다. 왜? 그것이 포함된 게 참선이기 때문입니다.

그런데 염불을 할 때 항상 바깥으로 두고 하니까 그게 겉돌아. 아무것도 넣지 않은 맷돌이 그냥 겉돌듯이. 그러니까 염불하는 것도 그놈이요, 염불을 안 하는 것도 그놈이요, 그네를 타는 것도 그놈이요, 전부 그놈이야. 생각하는 놈이 그놈이요, 이렇게 생각해도 그놈이요, 저렇게 생각해도 그놈이라 이거야. 그런데 왜 거기에 끄달려요? 참 이상하네요.

질문자2(여) 결론적으로 그 불씨만 가지고 있으면 기도하는 마음이라고 생각하면 됩니까?

큰스님 뭐라고요?

질문자2(여) 그러면 부처님 믿는 마음만 가지고 있으면 기도를 하다가 안되더라도….

큰스님 이거 보세요. 이거 보세요. 내가 말할 테니 좀 들어 보시려오? '꺼진다, 켜진다' 가 없는 자가발전소가, 여러분의 마음속에 자가발전소가 있다고 합시다. 그러면 자가발전소는 부동자세 해, 불은 항상 켜져 있기 때문에. 거기는 항상 충만해 있어요. 근데 스위치를 올리고 내리는 것은 내 마음에 의해서 스위치를 올려서 쓰는 겁니다. 넣고 꺼내서 쓰고, 넣고 꺼내서 쓰고 하는 건, 스위치 올리고 내리는 건 내가 해야 되는 거라.

그런데 어째서 스위치를 올리지도 않고 내리지도 않고 하면서 그 충만한 자리를 탐낼 수 있겠느냐는 얘깁니다. 이 일체 만법이 공생하고 있고 공심으로 돌아가고 있고 또 공체로 돌아가고 있고 공식하고 돌아가고 있습니다. 공용을 한다 이겁니다. 그런데 그렇게 생각으로, '아, 그래. 부처님 법이래, 다. 그렇지, 뭐.' 하는 건 이해를 하는 거예요. 즉 말하자면 사량으로 내가 이해를 하고 '그냥 그렇다더라' 하고 있는 거지. 내가 자발적으로 이것을 올리고 내려서, 내가 자유스럽게 올려서 환하게 불을 켜고, 내가 환하니까, 보이니까 집어 먹을 게 있으면 집어 먹을 수도 있고 남 줄 수도 있고 그런데, 내 마음이 컴컴하니까 켜지도 못하고 항상 깜깜하게 그냥 '이게 뭔지…. 그럭하면 그렇다는데, 뭐.' 이럭하고 있으면 항상 껌껌해서 자기는 항상 고독하고 외롭고 항상 발버둥이를 쳐야 되고 방황하고, 자기가 먹지 못하니 남도 줄 수가 없고…. 또 항상 캄캄하니 자기 혼자 항상 긁어야죠, 뭐. 그러니까 아픔만 오고 남을 자꾸 긁어서 남도 부스럼을 내 주고. 그러니까 그 한 생각에, 내 마음이 태평한 까닭에 에너지처럼 한 식구가 전부, 보이지 않는 미지수의 모든 참, 공심의 에너지가 같이 돌아간단 말이야, 향같이. 그래서 공향이라 그랬죠. 모든 것이 전체 합해서 돌아가는 그 자체를 공향이라 그랬지 우리가 보이는 향 하나를 가지고 향이라고 그랬습니까?

염불이라는 것은 내가 이름 지어서 염을 하되 불이야. 불이 아니면 염도 할 수 없고 염을 할 수 없다면 그건 송장이라. 그래서 하나로 돌아가고 그 하나도 없는 것이 불이라. 그러니 염해서 불의 그 뜻을 모른다면 염불 하나 마나 공덕은 될 수가 없다. 아무리 천만큼 만만큼 이렇게 갖다가 시주했어도 공덕이 하나도 없느니라. 이 공해서 돌아가는 이치를 모르고야, '요거를 이렇게 하면 우리 아들이 잘되겠지. 우리 영감이 잘되겠지. 우리 식구가 잘되겠지. 업보가 끊어지겠지.' 이러고선 갖다가 바치는 거는 공덕이 안 돼.

그러니까 어느 중이라도 벌어먹고 살기 위해서 중노릇한다면 죽어야 돼. 죽어도 그게 그냥 없어지면 좋은데 요다음에 또 그럴 테니 큰 걱정이지. 그러니까 여러분이 지금 돈을 가지고 쓰시는 것도 여러분의 땀이요, 피요, 그건 한 사람의 피땀이 아니야. 연쇄적으로 또는 상대성으로서, 상대적으로 이게 돌아가면서 마음과 몸으로 얼마나 애를 쓰고 굴렀는데, 먹고살기 위해서 얼마나 굴렀는데 벌어다가 무꾸리나 하고 이리저리 다니면서 허탈히 쓰겠습니까. 내가 무엇을 달라지 않아도 주인공에 모든 것이 갖추어져 있어서 내가, 주인공 자체가 의사도 될 수 있고 관세음보살도 될 수 있고 지장도 될 수 있고 약사도 될 수 있고 판사도 될 수 있고 모든 게 될 수 있는데 뭐 때문에 바깥으로 헤맵니까. 아, 이게 여래의 모든 집이지. 그러니까 어느 절에고 사람이 없다면 부처가 없다는 얘깁니다. 사람은 사람이되 사람이 아닌데 어떡합니까. 그럼 부처는 없는 거지, 뭐.

그러니 그저 누구든지 이 절을 운영을 하시는 데에 이 모두가 부처님 뜻을 주춧돌로 삼고 거름으로 삼아서, 과거로는 거름을 삼고 주춧돌이 되는 그런 입장에서 바탕을 둬야 되고, 앞으로는 개발을 해서 내가 미래로서 해 나갈 수 있는, 세세생생에 끊어짐이 없는, 끄달림이 없는, 생사윤회가 없는 그런 공간 없는 공간을 훌쩍 넘어서야 되지 않겠는가. 그러니 운영을 하되 '아 참, 이렇게 많은 사람을 먹이고 많은 사람을 이렇게 하시니까 불쌍한 사람이 있으면 부처님이 알아서 주시겠지. 그러니까 이렇게 시주를 한다.' 이러고선 하면 그것이 바로 즉시 그 집으로 되돌아가. 그게 공덕이란 얘깁니다.

그런데 내가 요걸 달라 그러고선 줬으면 공덕이 될 수가 없는 겁니다. 이게 달란 소릴 안 해도 이걸 줬으면 자기가 한 게 있기 때문에 스스로 이렇게 와, 이게 또. 그냥 있지 않거든. 우리 마음이 그냥 있지 않듯이, 고정된 마음으로 있지 않듯이 이것도 역시 돌아서 스르르…. 그래서 심부름꾼, 즉 말하자면 우리가 중으로서 위로는 부처를 섬기고 아래로는 여러분을 만나는데 그것이 자기 몸뚱이와 같은 중생이란 얘깁니다. 그러면 제도하는 데 만약에 잘못 심부름꾼이 된다면 그 사람도 덕이 없고 자기도 덕이 없고 그래서 장님들끼리 같이 구덩이에 빠지게 되죠. 그래서 이다음에 죽어서 알게 되면 "너, 내가 그렇게 저거 했는데 얻다 어떻게 했어?" 이러고선 자주 와서 달라니 저 중은 또 어떡해. 그러니까 같이 그냥 우물거리고 같이 그냥 근질근질하고 그러죠. 벌레가 되고 하나는 짐승이 되고 그래서 이렇게 그냥 우무르우무르….

그래서 자기 한 거만치란 말입니다. 그러니 '이런 게 된다, 안 된다' 이런 게 없는 것이 바로 부처님 법입니다. 그래서 여러분은 사람이 돼야 되겠다는 그 생각에도 걸리지 마시고, 스스로서 사람이 되라는 거지 "사람이 돼라." 이랬다고 해서 '사람 돼야 되겠다. 사람이 되랬는데….' 이거부터 또 착을 두지 말라 이거야. 착을 두지 말고 겸손하고 의리 있게, 자기를 낮추는 거는 뺨을 안 맞아도 높이는 거는 뺨을 맞게 돼 있어, 걸려서. 그러니 항상 겸손해야 한다.

그러면서 공부를 하게 되면 이 세상을 다 줘도 바꿀 수 없는 걸 얻게 되고, 이 우주의 삼라만상 대천세계의 유생 무생을 다 한 손에 쥐어도 쥘 게 없이 쥐는 거라. 손 없는 손이 있어야 하고 길 없는 길이 돼야 하고, 길 없는 길을 발 없는 발로써 다닐 줄…, 온 누리를 안 닿는 데 없이 그렇게 가고 옴이 없이 한 발, 평발로써 딱 디뎠다 이거야. 어떤 사람은 "아유, 부처님 발은 평발이라는데요." 그러거든. 그건 색을 보고 하는 거라. 그런 평발이 아니야.

질문자1(여) "마음을 먹어라" 이렇게 하지만 업이 두터운 중생들이 마음을 자꾸 그렇게 돌이키게 됩니까? 제 경험으로 봐서는 관음 신앙을 해서 관세음보살 염불한 덕을 많이 봤거든요. 그래도 살아나가는데 업장도 소멸이 되고 마음도 달라지고 안 믿을 때와 믿고 난 뒤가 백팔십 도 달라졌다고 생각하거든요.

큰스님 왜 여기서 주인공이라고 그렇게 했는지 아시는지 모르겠습니다마는 만약에 관세음보살을 찾을 때 '관세음보살!' 하면 벌써 내 마음으로써 위로 섬기게 됩니다. 그렇기 때문에 직선적으로 들어갈 수는 없습니다. 역대로 그렇게 찾아 왔기 때문에. 그렇게 불러 왔기 때문에. "광대무변하다. 관세음보살은 이러하다." 이러기 때문에 자기는 감히 거기에서 맞닿을 수가 없습니다. 그렇기 때문에 바깥으로 찾는 게 됩니다. 석존이 여기 앉아 계시다 할지라도, 석존이 서서 계시다 할지라도 그것은 석존이 깨달은 거지 내가 깨달은 건 아닙니다. 그렇기 때문에 못났든 잘났든 여러분의 마음을 깨달으라는 거지 부처님 걱정 하랬습니까, 누가? 부처님이 깨달은 거 누가 걱정을 하래요? 그분은 그분이 깨달은 거지. 자기도 지금 걱정이 팔잔데 아니, 깨달은 부처님 걱정 하래요?

그 이름을 부르라는 것도 아닙니다. 관세음보살은 바로 이 세상 이름입니다. 어떤 개별적인 어떠한 몸, 한 몸뚱이를 가지고 관세음보살이라는 게 아닙니다. 관세음, 이 세상을 말한 거고 우리가 전부, 일체 만물이 다 말하고 이렇게 돌아가는 것을 염이라고 했습니다. 이 세상에 다 말을 하고 이렇게 돌아간다 이겁니다. 그런데 그 이름을 불러서 참답게 내 마음속에 진정으로 꽂힙디까? 닿습디까? 만날 위대하게

만 생각되지.

질문자1(여) 그게 아니죠. 스님은 자꾸 거기다가 그걸 달아 가는데, 제 생각에는 이렇게 생각했어요. '아하, 이 망상 잡념 구더기를 한마음으로 마음을 모으기 위해서 자꾸 염불을 하게 되는구나!'

큰스님 이게 핀트가 말입니다, 활을 쏠 때 집중을 해야 될 텐데 자꾸 마음이라는 게 '관세음보살!' 하면 벌써 여기에 딱 맞아지질 않아, 높아서. '나'는 조금 낮고 조금 차이가 나요. 그래서 겨냥을 대 드리는 겁니다, 지금. 그렇게 '관세음보살'도 '나'고 그렇게 다 알았다면 그건 또 불러 뭘 합니까. 아유, 참! 관세음보살이 되라는 거지, 관세음보살 이름 부르라는 게 아니에요. 그렇기 때문에 이름을 부르면 내 마음이 벌써 그 부르는 이름의 임자가 있는 걸로 착각을 하고 있단 말입니다. 높아진다니까. 자기 마음은 조금 얕아지고, 항상. 핀트가 맞질 않아요, 여기.

질문자1(여) 거기다가 착이 붙는다고요?

큰스님 네, 그럼요. 관세음보살이, 아니, 이름이 거기 꽂혀 있는 겁니까?

질문자1(여) 그걸 뛰어넘질 못하고 착이 붙는다 이 말씀이죠?

큰스님 예, 예. 이 세상이 고정된 세상이 있습니까? 하루도 변하지 않고 돌아가는 게 없습니다. 그런데 고정된 그 이름, 그저 '관세음보살!' 그 이름만 부르고 그러면….

질문자1(여) 이름만 생각하는 게 아니죠, 그렇게.

큰스님 아니에요. 보살님은 그렇게 생각하겠지만 내가 생각할 때는 보살님 하나뿐이 아니라 전체 여기 앉았습니다. 그런다면 누구든지 때로는 '아, 관세음보살이 나라는데 내 마음속에 있지.' 이렇게 생각을 하면서도 그건 항상 겉돌아서 돌아갑니다. 그걸 아셔야 됩니다. 보살님이 보살님을 확실히 맛을 보고 쓸 수는 없는 겁니다. 내가 탁 집어서 이렇게 놓을 수 있어야 되고 이렇게 갖다 놓을 수 있어야 되고, 아무리 담아도 두드러지지 않고 아무리 퍼내도 줄지 않아야 되는 참, 그 광대무변한 법이 있습니다. 법을 응용할 수는 없는 것이라는 얘깁니다. 댁에서 편안하고 수행을 하고 그 과정은 거칠지언정 진짜 개발을 해서 내가 쓸 수는 없다 이 소립니다. 그거를 체험하고 써 보셨습니까, 그래서?

그래서 옛날 부처님들도 그런 말씀을 하셨습니다. "주인공!" "예!" 자기가 대답했습니다. "오늘 아침 공양 들었는가?" "예, 식기 닦았습니다." 여러분이 오실 때 뒷발자취 지금 들고 오셨습니까? 남아 있습디까? 이렇게 변천해서 아무것도, 한 발 디디면 한 발 없고 한 발 디디면 한 발 없는 이 세상인데, 부처님은 부처님대로 그대로 있지 않은 것이 부처님이에요. 그런데 그 이름이 고정되게 있는 이름이 아니기 때문에 '관세음' 이라고 했습니다.

그럼 '일체제불의 마음' 을 부릅시다.

참다운 인간의 미(美)

1986년 1월 9일

신도(남) 그저께 "이젠 병원에 가지 않겠습니다."라고 선서를 하고 그리고 1월 4일이었습니다. 1월 4일은 저희 회사 시무식이 있던 날이죠. 그래서 새벽 3시 23분에 일찍 일어나 세수를 하고 손을 말끔히 씻은 후에 제 나름대로 참선을 한다고 하면서 기도를 했습니다. '오늘부터는 병원에 가는 날이지만 병원에 일체 가지를 않고, 이제 복직을 해서 근무할 수 있도록 시무식에 나가 사장님 이하 여러분에게 인사드리러 가야 되겠다.' 라고요. 사실은 큰스님하고 이미 그 전날 제가 약속 아닌 선서를 했던 것입니다. 그러나 마음을 더 다지고 굳게 하기 위해서 '오늘 이 아침이 나로서는 병원에 안 가는 날이고 그리고 또 사무실에 나가는 날이다.' 라고 합장을 하고 빌었던 것이지요.

그런데 말입니다, 갑자기 '그러다가 두통이 오면, 통증이 오면 어쩌지?' 하는 것입니다, 자기 입으로. '그래, 통증이 오면 정말 내가 어쩌지?' 하면서 생각하니까 대답이 안 나오는 것이에요. 그래서 가만히 '그러면 그때는 내가 어떻게 해야 되는 것인가?' 라고 생각을 하니까 조금 있더니 자기 자신이 '옳지! 이럭하면 되는 것이 아니냐. 아, 마음속으로 주사기를 꽂고 그러고 투석을 했다고 생각하면 되지.' 하면서 무릎을 탁 치는 거예요. 그래서 '야, 이것이 그동안 50회의 투석을 하면서 생긴 습이 튀쳐나온 것인가, 아니면 이 법당에서 큰스님이 말씀하시는 대로 각의 세계와 불각의 세계가 이렇게 한마음 속에 있는 것인가?' 사실은 큰스님한테 선서를 한 것도 자기였고 또 그것을 더욱더 다지기 위해서 새벽 3시 반쯤에 기도드린 것도 자기였는데, 어째서 그 순간에 '고통이 오면 어쩌지.' 하는 걸 튕겼을까? 튕긴 것도 보면 또한 자기였더라 그런 얘깁니다. 그런데 또 '마음속으로 투석했다 그러면 되지.' 하는 해답도 또한 자기였다는 얘기죠. 그래서 이것이 습에 의한 문제냐, 아니면 각의 세계냐, 아니면 각과 불각의 세계가 이렇게 한꺼번에 있는 것이냐 하고 생각했습니다.

그런데 손을 합장하고 팔을 가운데다 이렇게 대고 있었는데요, 손과 팔에 진동이 오는 겁니다. 제 자신도 모르는 거죠. 그런데 그 진동이 공중에 그림을 그리는데 제 생각에는 그것이 촛불같이 생각이 됐으며, 또는 연꽃 같은 현상이 됐습니다. 그런데 그것을 한 번 그리는 게 아니라 두 번 세 번을 진동이 오면서 그리는 것이죠. 그래서 이게 점점 처음보다는 두 번째가, 두 번째보다는 세 번째가 좀 더 이 공중에 머리 위로 크게 그리는 것입니다. 그러더니 세 번을 그리고 나서는 다시 손이 합장한 당초의 위치에 돌아오는 것이에요. 그래서 '이게 무엇인가?' 그래서 제 나름대로는 '아, 이것이 부처요, 또 법신이요, 화신이라는 의미를 얘기하는 것인지….' 하는 생각도 가지고 있습니다.

그런데 말입니다, 제가 『도』라는 책을 읽고 한마음선원에 왔을 때가 11월 6일이었습니다. 그런데 만 열흘이 지난 다음 날, 그러니까 17일 새벽이 되는 셈인데 꿈을 꿨습니다. 근데 이 꿈은 한마음선원이나 큰스님을 위시해서 여러 스님뿐만 아니라 우리 거사님들이나 보살님들이나 우리가 다 같은 한가족이라고 생각하기에 의문을 풀고자 해서 말씀을 드리고자 합니다. 한마음선원에서 큰스님으로부터 어떤 증서를 하나 OO 스님이 가지고 오시는 거예요. 그런데 그 증서를 보니까, 문창호 하얀 백지에다 가운데는 경면주사로 쓴 것으로 제가 생각이 되는데, 동그란 원이 그려져 있고 그 원 안에는 부처님을 상징하는 만(卍)자가 새겨져 있는 것입니다. 그런데 그것을 지금 받아 가지고 왔으니 가지시라는 얘기예요. 그래서 그걸 받으니까 이마 가운데다가 날인을 해서 탁 박아 주시는 거예요. 그러고서 깨니까 꿈이었어요.

그런데 그 이튿날 18일에도 또 한차례 새벽꿈을 꿨는데 어떤 분의 영상을 보이면서 "이것이 바로 너의 전생의 그분이었다." 하는 거예요. 그래서 제가 꿈속에서도 "어머나, 제가…." 이렇게 하고서는 또 깼습니다. 지금까지 그것이 나의 힘으로는 잘 풀리지를 않지마는, 오늘까지 제가 오십 평생을 직장이라고 하는 데서, 충실히 일을 하면 그것으로 인생이 다 되는 줄 알았습니다. 그런데 한마음선원에 와 가지고 뭔진 모르지만 하여튼 뭔가 깨닫는 길로 갈 수 있었다고 하는 데 어떤 긍지를 갖고, 또 새로운 생명을 가질 수 있다는 데 또한 긍지를 갖고, 오늘은 감히 제가 그 동안에 경험된 이야기를 두서없이 늘어 놨습니다. 이상입니다.

큰스님 그러면 지금 병원에 가서 그걸 거르지 않으셔도 되시는지요?

신도(남) 네. 지금 그러니까 만 9일이 됐죠, 병원에 안 간 지가. 병원에서는 여러 번 독촉이 왔습니다. 이틀이 지나면 이 사람은 도저히 숨이 차고 못 배길 것이다. 그러니까 빨리 와서 조치를 하라는 것이죠. 그래서 저는 병원엔 안 가고 안식구만 병원에 가서 좋은 얘기로 마치고, 아직은 당초에 얘기해 주신 그 감자즙과 녹각물을 계속 복용하고 있습니다.

큰스님 그럼 소변 대변도 지금 정상입니까?

신도(남) 예. 소변 대변이 정상적으로 나오고 소변은, 원래 제가 병원에 다니면서 의심을 좀 했던 것은요, 이 투석을 한다고 하는 거는 아마 여기 계시는 거사님이나 보살님은 잘 모르실 겁니다마는, 이 주사기를 양쪽에다 꽂고 한 쪽에서는 피를 빼고 한 쪽에서는 피를 넣습니다. 그런데 이거를 5시간 동안 기계에다 넣어서 거르는 것이죠. 그런데 투석을 하는 중에도 소변이 한 방울도 안 나오고 그래서 아랫배가 통증이 생기고 막 뒤틀리고 30분 내지 1시간씩 막 기절을 하다시피 하는 것입니다. 그래서 병원 측에 얘기를 해서 엑스레이를 찍고 피 검사를 하고 소변 검사를 했는데도 병원 측에서는 아무 이상이 없다는 거예요. 나는 아파서 어쩔 줄을 모르고 통증을 느끼는데 병원에선 이상이 없다고 그러죠. 그래서 안타까웠던 것이죠. 그래서 '이왕 그렇게 될 바에야, 병원에 가도 통증이 나서 죽을 것이고 안 가도 그럴 것이라면 나는 여기에서 과감하게 단안을 내려야 되겠다.' 하는 생각에서 스님 말씀대로 약을 복용하고 병원을 아니 간 것이죠.

큰스님 약은 지금 식품으로 그냥 자시고 계십니까?

신도(남) 네.

큰스님 그런데 지난번에 이래도 죽고 저래도 죽을 거라면 왜 고생을 하고 죽느냐고 했습니다. 우리가 병이 낫는 것만이 부처님 법이 아니라, 모든 일체의 이 세상, 우주 만상이 돌아가는 그 자체가 한군데의 근본에 달려 있다는 얘깁니다. 이 도리를 알면 내 이 몸도…. 아까 꿈으로 그렇게 했다는 것은 내가 그 도리를 완전히 아직 깨치질 못했으니까 그렇게라도 일러 줘야 하는 것인데, 지금 현실이나 꿈에 그렇게 보이는 거나 아는 거나 알려 주는 것은 다 마찬가집니다. 생시자 꿈이고 꿈이자 생시니까. 그래서 낮에도 공부하고, 낮에, 생시에 공부를 하는 것이 밤에 자면서도 공부를 하는 겁니다. 끊어지지 않는다는 말입니다.

그러니까 손에서 진동이 온다 이러는 것은 우리가 이 일체 만법을 한군데에 응용을 할 줄 안다면, 이런 게 있죠. 어떤 사람은 외부에서 신이 들리면 이렇게 떠는 사람도 있죠. 이렇게 떨게 되면 자기가 자유자재를 못합니다. 그것은 외부에서, 타의에서 들어온 거기 때문에 자기가 노예가 돼 가지고선 떨면 떠는 대로 어쩔 수가 없고, 내가 돌아가면 돌아가는 대로 어쩔 수가 없는 거지마는 이 도라는 뜻에서 모든 일체…. 그거 말하기 전에 하여튼 이래도 그렇고 저래도 그렇고 모든 게 그러시니까 몸은 항상 뜨뜻하게 해 두시고요. (시자 스님에게) 뜨거운 물 한 컵만 갖다 드려라.

그래서 타의에서 들어온 것은 마음대로 내가 할 수가 없어요. 자의에서 내가 그 도리를 전체 알았을 때는 모든 걸, 이 몸의 운동을 하려도 내 맘대로 운동을 할 수 있지만, 그냥 운동하는 건 내 사량입니다. 사량에서 그냥 운동합니다. 그거는 내 겉면의 이것은 풀릴지언정 속의 정맥과 동맥이 서로가 한데 합쳐서, 우주와 더불어 같이 합쳐져서 내가 움죽거릴 수는 없는 겁니다. 그래서 그냥 이렇게 흔드는 거하고, 이럭하면 그냥 내가 이렇게 진동하는 거하고, 이렇게. 그냥 내 맘대로 이렇게 하는 거, 또 마음으로 '그만 해야겠다.' 하는 생각도 없이 '고만 해야지.' 하면 그냥 이렇게 될 수 있는 거, 마음대로, 이거는 자유자재라 이거야. 몸뚱이도 진동을 하려면 할 수 있는 거고.

그러면 모든 것이 전체, 보이지 않는 세계나 보이는 세계나 마찬가지다 이거야. 그냥 내가 생각을 '손목이 아파.' 그러면, '아이 참, 손목 이거 이렇게 해야겠다.' 이럭하면 내가 힘을 들여야 하는 거지. 그러나 내가 힘을 안 들이고도 이 운동은 할 수 있잖아, 이렇게 이렇게. 하하하…. 그리고 그만두려면 그만두잖아. 이렇게 자유로이 할 수 있지마는 타신이 들려서 하는 거는 자유롭지 못하단 말이야. 그거하고는 차이가 나는 거야. 그러니까 내가 막 미쳐도, 자의로다 안 미치려고 해도 할 수 없고, 또 내가 딴 길로 들어가도 내 마음대로 할 수 없으니까 어쩔 수 없는 거고 그런 거야.

예를 들어서 나이 먹은 사람은 드러누워서도 할 수 있는 거고 때에 따라서 몸이 뻣뻣하면 뻣뻣한 대로 할 수도 있는 거고 그렇지마는, 고것만 가지고 하는 얘기가 아니야. 그거는 큰 나무의 한 이파리밖엔 안 돼. 그래서 도는 뿌리다 이거지, 그 나무의 가지, 이파리 이런 걸 말하는 게 아니야. 그건 근본인 도에 한데 합쳐서 어우러진 걸 말하는 거야, 한데 합쳐 있는 걸. 그래서 한데 합쳐 있는데 야, 요 이파리를 하나 들고 요게 나무 이파리라고 말할 수 있는가? 요 이파리만 요 나무의 이파리라고 할 수 없잖아, 이파리가 너무 많은데. 그러니깐 이 이파리만 이 나무 이파리라고 할 수가 없다 이거야. 그래서 무(無)야. 너무 많아서 헤아릴 수가 없어서. 억겁 천 년 전서부터 거쳐서 온 것을 우리가 증명해 보일 수 없다면 나무 이파리로 생각을 해 봐도 그것은 알 수 있어. 모래를 한 줌 집어 보라고, 이게 몇억 년을 거쳐 왔는가. 이게 쓸리고 쓸려서 얼마만큼 거쳐 와서 부서졌는가. 이걸 알 수도 있는 거야. 그러나 그렇게 해서 아는 건 사량적이란 말이야. 또 내가 지금 얘기하듯이, 내가 사량적이 아닌 속으로 그대로 이것은 몇억 년이라고 그 시간조차 틀리지 않게 나올 수가 있어. 그만큼 정확해.

그러니까 주사를 꽂는다 안 꽂는다 할 게 없어요. 왜? 거기에 만법이 다 들어 있는데…. 그래서 이마에다가 그것을 한 거는 '너는 네 정신만 똑바로 차리고 그렇게 하면 광명은 스스로서 광명을 낼 수 있다' 하는 겁니다. 빛을 낼 수가 있는 겁니다.

또 한 가지는 아까 내가 이렇게 운동을 했는데, 여러분이 볼 때는 똑같이 그런 거 같지마는 내 마음은 나만 아는 거야, 그거는. 누구든지 자기네들 일만 아는 거야. 왜 괜히 미친 것처럼 이렇게 하느냐 말이야. 내가 손목이 아프거나 그럴 때는 이렇게 하는데, 내가 생각하고 하는 거는 한계가 있고 또 내가 하려고 그러니까 뻑적지근하지만, 내가 스스로서 이렇게 되는 거는 뻑적지근하지 않단 말이야. 이게 전체 운동이 되기 때문에. 그러니 그것과 그것이 다르듯이, 여러분이 이걸 한번 생각해 보세요.

악과 선이 있다 이렇게 말을 하는 걸 비유를 해서 금과 무쇠로 말해 봅시다. 무쇠로 만드는 것은 원소가 무쇠니까 다양하게 여러 가지 이름이 나올 수가 있어요, 모양도. 원소는 쇠지마는. 그렇게 해서 무쇠로 나오는데, 무쇠로 만들었기 때문에 바깥으로 돌거든. 아무리 종류가 많이, 그 이름이 각각 주어졌어도 바깥으로 돌게 돼 있거든. 그런데 금은 원소가 금이기 때문에 수만 가지의 이름을 가지고 모습이 달라졌어도 금은 금이기 때문에 사람하고 항상 같이하게 돼 있고, 항상 안으로만 돼 있고, 항상 사람의 마음이 거기에 접근이 돼 있단 말이야. 그건 빛을 말하는 거니까. 그렇기 때문에 그 양면을, 즉 말하자면 어리석은 자의 행이나 어리석지 않은 자의 행이나 요것을, 금과 무쇠를 한데 합쳐서 이렇게 하는 것도, 전체가 한데 합쳐져서 돌아가는 거를 자유자재할 수 있는 이것이 바로 내 근본이다 이거야, 응?

그러니까 내가, 이렇게 인간의 한 조그마한, 붙잡을 것도 없고 빛도 없고 볼 수도 없는 것이 그 비춰 주는 태양 빛도 무색할 정도라. 그래서 태양의 근본도 바로 여기 내 한마음 속에 들어 있다 이거야. 그렇기 때문에 조그마한 그 마음 한 자리가 좁쌀 알갱이만 할 수도 있는가 하면, 그 모래알같이 억조로, 즉 말하자면 조라고 말할 수도 없는 그 자리에 안치돼 있으면서도 그것이 없다는 말이 나온다는 얘깁니다.

"그럼 부처님은 무쇠를 왜 거기다 또 넣는가? 금으로만 따지지." 이러는데, 부처님이기 때문에 금도 아니요, 무쇠도 아니다 이거야. 왜? 무쇠를 잘 해서 금으로다가 만들어 놓으려니까 이 무쇠 속에 안 들어갈 수도 없고, 또 무쇠를 금으로 만들려니까 금 속에 안 들어갈 수도 없다 이거야. 그러니 양면에 다 안 들어갈 수가 없잖아. 그래서 '금입니까?' 그러니까 '금도 아니니라.' '무쇱니까?' '무쇠도 아니니라.' 그것이 그대로 바로 내 마음에서, 아까 말씀하셨듯이 네 마디 세 마디 생각한 것이 다 자기가 한 거라. 자기가 한 건데 자기가, '야, 모든 게 내가 생각한 건데, 나는 죽든지 살든지 당신이 하고 가는데 내가 왜 걱정을 하느냐. 어차피 한 발 더 떼 놓고 송장이 되나, 두 발 더 떼 놓고 송장이 되나, 한 발 떼 놓지도 못하고 송장이 되나 마찬가진데 말이야. 당신이 알아서 해! 당신이 알아서 하란 말이야!' 당당히 도도하게 이렇게 하란 말입니다. 탁 놓으란 말입니다.

사람이라는 이 모습으로 태어났지마는, 이 모습을 가지고 우리가 살아나가면서 참다운 인간의 미를 모른다면 다시 또 이 모습으로 나와서 그렇게 공부는 못 합니다. 다른 모습으로 태어나서 또 그렇게 구르면서 한번 또 겪어야 하는 그런 것이 너무나 길어. 어차피 이 세상에 이렇게 나와서 인연이 됐으면 된 대로 모르는 일들 또는 전체 아는 것이 너무 많기 때문에, '아이고, 나는 몰라. 네가 알면 나도 알고 네가 모르면 나도 몰라.' 이런 소리가 당당하게 나올 수 있는 거라.

진동이 오는 것은, '내가 여기 있으니 걱정하지 마라.' 하는 그 암호이며, 크게 치면 우주의 섭류요, 작게 치면 내 몸과 마음과 그 능력이 한데 합쳐진, 삼세심이 공한 것을 뜻하는 겁니다. 하도 안타까우니까 그것을 터득할 수 있게 일러 주느라고, 공부하는 과정에는 꿈에도 생시에도 항상 공부를 합니다. 내 몸은 재워 놓고 내 마음이 돌아다니면서 다 공부하거든. 그게 끊어지지 않는 참선이라. 꿈에 돌아다니는 것도, 낮에도 둘로 보지 않아야 밤에도 둘로 보지 않고, 항상 같이 응하면서 자부심을 가지고 백소가 돼서…. 즉 말하자면 그것도 방편입니다. 내 마음이 깨끗하다는 거는 더러운 거 깨끗한 걸 한데 합친 것이 깨끗한 거지, 더러운 건 빼놓고 깨끗한 것이 깨끗한 게 아닙니다. 한데 합친 것이 청정이야. 몸이나 깨끗하게 씻고, 마음을 깨끗하게 갖고, 도둑질 안 하고, 살생 안 하고 이런다고 해서 청정이 아니에요. 죽으나 사나 한데 합쳐진, 아주 여여하게, 도도하게 흐르는 그 뜻이란 말입니다.

즉 말하자면 길 없는 길! 길 없는 길을 발 없는 발이 어느 곳에 안 닿는 데가 없어야 평발이야. 우리가 이 도리를 모른다면 어떻게 해? 남들이 “아휴, 거기 가니까 엉덩이가 이만큼씩 뜹디다.” 이러는데 아, 그거야 나무의 한 이파린데, 이파리가 바람이 불면 뜰 수밖에. 내가 생각 내면 아, 그거는 습관만 되면 되는 건데, 내 기구는 벌써 가지고 있는 건데 말입니다. 아, 이 상체로만 운동하려면 상체로 운동하고 아랫도리만 하려면 아랫도리만 하고 맘대로, 내가 힘들여서 하려고 안 해도 내 마음이 하려고만, 벌써 주인공 자리에서 하려고만 한다면 몸뚱이는 저절로 흔들려. 남이 붙잡고 흔들어 주는 것 같고 남이 세워줘, 착착 아주. 어디에 핏줄 하나하나도 틀리지 않게. 그러니 모든 것이 거기에 연관성이 있으며 이 육체 내의 모든 것이 연관성이 있는 거라.

거사님이 여러 차례 이렇게 다니시다 보니까 내가 너무 손살피 잘 알게 됐고 또 그 마음이 진심으로 들어가게끔 돼 있고, 그러니까 그거 나을 동안까지는 몸을 조금 쉬세요. 좀 더 쉬고, 마음을 급히 서둘지 마세요. 언제나 사람은 노력하면서 인내력이 있어야만이…, 반드시 참아서가 아니야. 인내가 있어야 됩니다. 참아서 놓는 거하고, 인내력이 있어서 참답게 꾸준한 거하곤 달라요. 내가 꾸준히 간다고 할 때 다리가 안 아프지, 그냥 ‘저기 얼른 가야 할 텐데….’ 한다면 다리가 끊어지는 것같이 아파. 뭐 그렇게 바삐 갈 일이 있어서 그냥 마음을 바쁘게 두고 육신을 막 틀겠소?

그래 그전에도 산길을 오밤중에도 걸어 보면 문패 붙여 놓은 갈 데도 없단 말이야. 그러니까 걷는데 그냥 유유히 걷지. 막 그냥 생각을 하고 빨리 가겠다고 하니까 다리가 아프지. 백 리, 이백 리, 삼백 리를 걸어도 여기서 처음 발 떼어 놓는 것 같아. 그렇게 사람은 꾸준해야 돼요. 지켜보는 그런 마음을 가지고서 우리가 꾸준히 해 나간다면 무슨 일인들 못하겠소. 그렇게 아니 한다면 지금 현재 세상에도 성공률이 없어요. 망가져도 빨리 망가지게 되는데, 그런 성격이기 때문에 돼도 빨리 망가져. 그러니까 그러한 것을 우리가 볼 때에 모든 게 다 그렇죠.

참으로 참인간 되기가 상당히 어려운가 봅니다. 이 우주의 섭류를 내 한마음의 섭류로 생각하고 모든 걸 운용해 나갈 수 있다는 자부심을 갖고 꾸준히 해 나갈 수 있는 그 마음이 말입니다, 참 중요한 겁니다. 그래서 나는 어떤 때 누가 "그렇게 훌륭한 도력이 있어서 이렇게 뛰어오르고 그런다." 그러면 "흥!" 콧방귀를 뀌어요. 그거야 내가 귀찮으면 안 하는 거고 하고 싶으면 하는 거지 그게 뭐, 그까짓 거야. 아니, 내게 모든 일체 만법의 기구, 한데 합쳐진 종합 기구가 여기에 모두 있는데, 종합 기구가 여기에 있는 거라. 그래서 내가 스위치만 누르면, 이 방면의 스위치를 끼우면 이 방면에 해결이 돌아가고, 이 방면에 끼우면 이것이 돌아가고, 저 방면에 끼우면 저것이 돌아가고 아, 그렇게 만법의 근원이 여기 있는데 뭐 그렇게 '이게 참 훌륭하다.' 이럴 게 있느냐 이 소리야, 응? 동그란 보당 속에 다 만법이 들어 있는데.

그래 어떤 때는 이렇게, 난 앉아 있으라면 참 많이 앉아 있는데…. (녹음 안됨) … 뜀뛰기가 싫어. 그 싫은 걸 어떡해, 글쎄 그걸. 세상도 뛰어가는 것도 없고 안 뛰어가는 것도 없어. 그냥 뜸북뜸북 걸어. 그것이 바로 쉴 사이 없이 돌아가는 이 진리와 같다는 얘기예요. 그 가운데서 우리는 항상 조급하게 생각하지 말고 항상 아주 철두철명하게 내가 믿는 동시에 그냥 그대로 활을 쏘면 정면에 쏴야지, 설 쐈다가 그쪽에서 도로 살이 들어오면 오히려 내가 맞아 죽어. 그와 똑같아요. 마음이라는 게 그렇게 얍삽하고 천차만별로 변질이 되고 변하고 그러기 때문에 요런 걸 요렇게 생각도 하고, 사람이 착잡하고 괴롭고 고독하고 가난하고 이런다면 별의별 생각이 다 나지만 그렇게 됐을 때에 오히려 공부하기가 쉽다 이거야. 그것을 모조리 그냥 놓는 거야. 일체 만법을 확보해 돌아갈 수 있는 그 근원에다가, 근원에서 나오는 거니까 근원에다 다 놓는 거야. 맡겨 놓는 거라.

그래서 아주 그냥 내가 어떻게 할 수가 없고 이 벽을 뚫고 나갈 수도 없고, 요렇게 아주 급박할 때에 내가 공부하기가 쉬운 거예요. 급박하게 돌아가지 않으면 그 급박하게 만들어 놓는 것도 바로, 어떻게 빠져나갈 구멍이 없이 만들어 놓는 것도 자기 주인공이거든. 자기가 자기를 공부시키기 위해서, 즉 말하자면 자기하고 자기가 살기 위해서 몸도 만들었는데 자기가 또 살기 위해서 또 공부를 하는 거라고. 공불시키는 거라고. 그러니까 빠져나갈 구멍이 없이 만들어 놓는 거라고. 그럴 때에 어떻게 하나 이걸 보는 거야, 응? 그런데 색(色)으로만 생각하고 사량으로 생각한다면 당장 죽겠으니까 내가 어떡하든지 빠져나가려고 애를 쓴다고. 그건 소용 없는 거야. 벌써 여기에서는 어떻게 빠져나가나 그걸 보느라고 그럭하고 있는 거거든. 그런데 사량으로 빠져나가려고 한다면 저런 창문이 문인 줄 알고 나가려고 애를 쓰는 거나 같거든.

그렇게 급박할 때 모든 걸 다 맡겨 놓는 그것이 바로 내 대로를, 이 벽, 봇장이 없이 다 그냥 확 뚫어 버리는 그러한 공부를 하는 과정이라. 옴페부득 못하게 됐을 때. 사람이 가난치 않고 돈 있고 말이야, 친구들 많고 그냥 모든 게 풍족한데 내가 뭘 그렇게 답답해서 그럭하겠어? 그러니까 아예 그냥 쪼아. 진짜 공부하려고 하는 사람 앞에는 그냥 옴페부득 못하게 딱 쪼이게 만들어 놔. 그래서 껍데기를 홀랑 벗고서 우주 바깥을 벗고 나가나, 그렇지 않으면 그 껍데길 쓰고 껍데기가 빠져나가려고 애를 쓰나 그걸 보기 위해서야. 그러니 참 묘하죠, 모두가 다.

그렇게 되면 여러분도 자기 자신이 너무나 참, 모든 생활에 짓밟힌 것 같고 세상에서 버림받은 거 같고 그렇지마는 이 나의 주인은 떳떳하고 도도하기에 자기를, 유(有)의 법이나 무(無)의 법이나 같이 도도하게 흐르기 위해서 자기를 그렇게 가르치는 거라. 그런데 그것을 체득을 못하면 내가 이렇게 되니깐 "아이고, 아이고…." 이렇게 되거든요. 그러면 안 되죠. '아하, 여기서 그러는구나. 그건 당신이 다 알아서 해. 내가 이 자리에서 앉아서 죽든 나가서 죽든, 병이 들어 죽든 가난해서 죽든 나한텐 아랑곳없다. 네가 끌고 다니는 거니까 알아서 해라.' 하고 놨을 때에 비로소 주인이자 나를 끌고 다니는 시자가 되니, 이 몸뚱이가 시자라 그랬는데 고만 마음이 주인이자 시자거든. 시자이자 주인이고. 하, 이게 둘이 아니라. 처음에 배울 때는 주인공이라고 했는데 주인공이 바로 자기 시자이자 주인공이자 부처이자 자유인이야.

그래서 언젠가 원주에서도 어떤 이가 미쳐 가지고 벌거벗고선 팔을 쩍 벌리고 그냥 온통 날뛰는데, 그거 마음대로 못하잖남? 그런데 그 사람 자체도, 자기도 모르는 거야, 지금. 그러니까 이성을 잃는 거지, 다. 자기가 자기 몸뚱이를 뺏긴 거야, 남한테, 응? 그리고 전자의 그 마음이 미치광이처럼 돌아다니던 거기 때문에 남의 집을 뺏어 가지고도 미치광이 짓을 하는 거라.

그런데 이 부처님 도법은 자유자재할 줄 아는, 어느 보이지 않는 사람을 들여다가 내가 썼으면, 부렸으면 그걸 제자리에다 다시 갖다 놓을 줄 알아야 돼. 그래야 아무 일이 없잖아. 쓰고는 제자리에 갖다 놓을 줄 알아야 된다 이거야. 네지마시 하나를 내가 갖다가 썼어도 그 자리에 도로 갖다 놔야 돼. 그랬을 때에 내가 급할 때는 그 자리에서 빨리 집어다가 쓸 수 있어. 그와 똑같은 거야. 보이지 않는 세계의 어떠한, 지금 의사가 필요할 때에 내가 얼른 집어다 쓸 수 있게끔 돼 있는 거나 마찬가지야.

이 주인공에다 모든 거를 일임해서 그렇게 되면 그 주인공에서 다 그냥 자동적으로 나오게 돼 있어. 주인공에서 수술도 하고, 거기서 벌써 자동적으로 의사가 나오고 간호원이 나오고 거기서 그냥 수술이 다 돼, 자동적으로. 부처님 법은 손도 안 대고 하는 거고, 한계가 있는 것은 손을 대고 하는 것이야. 손을 대기 이전이야, 이 부처님 법은. 그렇게 빠른 것인데 왜 걱정을 하느냐 이거야. 아직도 착이 떨어지지 못해서 그렇지 않으냐 이겁니다, 선생님도.

왜? '진통이 오면 어쩌나?' 이런 문제가 무슨 필요 있어? 내가 지금 죽어도 상관이 없다고, 거기서 알아서 하라고 내던졌는데 글쎄, '진통이 오면 어쩔까?' 이런 생각이 드느냐 이겁니다, 응? 나 하나 버리면 그뿐인데, 뭐 거기에 더 붙을 게 있느냐 이거야. 욕심도 삶도 아무것도 거기 붙을 게 없어, 내 몸 하나 던지면. '이따가 죽는다 하더라도 상관없다. 가다 죽는대도 상관없다. 거기서 알아서 해라. 이따 가다 죽이든지 집에 가서 죽이든지, 쪼금 더 살다 죽이든지 아주 살려 놓든지 금방 이 자리에서 죽여 주든지, 죽이고 살리는 건 너한테 달렸다.' 하고 탁 놔 버려라 했는데 '진통이 오면 어쩔까?' 이런 생각이 듭니까?

그래서 승려들에게 예전부터 이러한 계법이 있습니다. 비구니는 348계, 그런데 비구들은 250계 이렇게 돼 있죠. 그것도 처음에는 쪼금 덜했다가, 비구니들은 250계, 비구들은 200계 이렇게 했다가 나중엔 또 늘어나 더 많이 생기고 이렇게 해서 지금 중구난방이 됐지만 말입니다. 그런데 그 계율이 말입니다, 나 하나 집어 내던지면 계율이 몰락 그냥 다 떨어져 버려. 그냥 나에게 계율이 붙은 것이 나를 내버리니까 다 떨어질 수밖에. 거기 뭐가 붙어요? 나 하나 내던졌는데 계율 280계고 300계고 그게 왜 붙어? 내가 죽는데! 내가 죽고 없는데 뭐가 계율이 거기 붙어요? 난 '계율이 그렇게 많다. 아이고, 내가 여기에 모두 끄달리지 말아야지.' 하고선 그렇게 아주 귀찮아서 길게 하지 않았어요. 왜? '250계 280계, 좋아! 나 하나 죽으면 되지.' 그러면 될 거 아냐? 귀찮게 왜 그냥 굳이 그걸 매달고 애를 쓰느냐 이거야, 나 하나 죽이면 다인 걸. 그리고 항상 나 하나 다 죽였으면, 다 거기다 맡겨 놓으면 죽은 거라. 죽고도 남이 뭐라 하면 겸손하게 대해 주고 또 어른을 보면 겸손하게 인사하고. 그건 함이 없이 하는 거라. 나 아닌 내가 함이 없이 하는 거라. 계율이 아니라 그것은 겸손과 상식이라. 인간으로 태어나 모습을 가지고 나온 일반 상식이라. 교양이고 의리고 도의고 이런 것이 첨보된 것이죠.

그래서 어떤 분은, 뭐, 어떤 분이 아니라 내가 친밀하게 아는 사람입니다. 그 아는 사람 집도 시어머니가 상자에다 모셔 놓고 이렇게 했던 거라. 그걸 마음 상하게 괜히 "없앱시다. 나는 이런 거 다 필요 없소." 이렇게 할 게 아닙니다. 시어머니나 그런 분들은 며느리가 나빠서 시어머니를 어긴다고 그럴 거 아닙니까? 그러니까 고렇게 하지 말고 속 알맹이만 싹 빼면, 거기에 모든 게 집착돼 있던 그 마음만 싹 빼면 그건 물(物)이야. 그건 물질이야, 그냥. 그거 놔두면 어때? 그건 물(物)이니까. 얼른 쉽게 말해서 상자는, 어떠한 뭘 모셔 놨던, 옷이나 뭐 이런 거 모셔 놨던 거는 그냥 근본적으로 그건 헝겊이고 상자 곽이고 그런 거뿐이야, 거기서 빼면. 여러분도 혼만 빠지면 송장이야. 쓸모없죠, 껍데기는. 그러니까 알맹이만 싹 빼니까, 그거는 상자 곽일 뿐이야.

그렇게 하고 그 부모의 마음을 거스르지 않는 그것이 지혜가 넓은 그러한 마음이라 이거야. 그래서 겸손과 지혜, 의리와 사랑, 값싼 사랑이 아니라 진실한 사랑, 이러한 것으로써 우리가 해 나갈 수 있다면 왜 엇각이 되고 싸움을 하고 가정이 화목지 못하고 그러냐 말입니다. 만날 네 거 내 거, 더 갖는다 덜 갖는다 이런 것 때문에 싸우는 거 아닐까요? 그리고 "네가 더 속 썩였지. 너로 인해서 내가 이렇게 됐어. 너 때문에 속 썩어 죽겠어." 어쩌니 저쩌니 하도 많으니깐 뭐….

그래서 인간이 살아나가는 이 도리, 이 법을 빼놓고 부처님 법은 없어요. 우리가 눈 뜨고 눈 깜빡거리는 이것이 다 진리라. 쉴 사이 없이 눈 하나 깜짝깜짝하는 대로요, 인생은 그렇게 흘러가고 있어요. 고상하고 귀중한 이 몸뚱이를 타고 나서 그래, 그대로 허탕하게 그냥 옷을 벗어 버리겠단 말입니까? 옷도 맘에 들든 안 들든 내가 어차피 옷을 샀으면 바로 입고선 더러울 때 벗어야지, 그냥 입지도 않고 후딱 벗어 버리면 그게 시원하겠습니까? 그래서 처음에 모두 여러분이 몸뚱이를 가졌을 때 내 몸뚱이, 내 마음, 내 생명 이것이 제일 근중한 겁니다. 제 아무리 친절하고 사랑을 한대도 아마 나와 나밖에는 없을 거예요.

글쎄, 집 안에서 불이 났는데 말이에요, 불 투성이니깐 들어갈 수도 없고 그래서 구경을 하는데 옷도 입지 못하고 애고 뭐고 다 그냥 자기들대로만 나오더란 얘기예요. 어때요? 그리고 또 "불이야!" 그러니깐 옆의 집에서는 어떻게 나온 줄 아세요? 팬티만 입고 나오는데, 그 남자는요, 여자 속치마를 끼고 나온 거 있죠. 어떻게 생각도 없이 그걸 끼고 나왔는지. 그러니까 모든 게 생각에 달려 있다는 얘깁니다. 그러니까 한번 생각을 이렇게 돌리는 데에 사람이 체모도 차리고 이러고 사는 거지, 사람이 한생각이 돌아가지 않는데 무슨 체모가 있고 거기에 무슨 분별이 있고 그렇겠습니까? 그래 분별이 없으면 부처를 이루지 못해요. 그러니까 분별을 끊으려고 하지 말고, 모든 거를 맡겨 놓으란 말이에요.

그러면 잠재의식 속에 다 쟁여 있으면서, 쟁이면서 없어지고 쟁이면서 없어지고…. 어저께 얘기했죠? 테이프에 다 녹음을 해서 넣었는데 내가 그거를 지우려면 거기다가 다시 녹음을 해야 그 앞서 녹음한 게 없어진다고요. 연방, 한 데다가 또 녹음을 하고 한 데다 또 녹음을 하고 그래야만이 그 앞서 인과응보나 유전성 이런 것이 다 없어지고, 연방 담으면 없어지고 연방 담으면 없어지고 이렇게 되지요. 그 자리에다 놓지 않으면 앞서 녹음한 것이 안 없어집니다. 딴 테이프에다가 아무리 녹음을 해도 앞서 녹음한 테이프가 안 없어져요. 그러니 녹음한 그 테이프에다가 다시금 하면 앞서 한 거는 자꾸 없어집니다. 이것이 바로 우리가 "놓고 그냥 여여하게 가느니라." 하는 그거나 똑같은 얘깁니다. 어저께 한 테이프 얘기를 재차 지금 하는 겁니다.

우리가 그렇게 해 나갈 수 있는 마음 자체가 생각으로 '아이고, 나는 전생에 무슨 업보를 이렇게 타고나서 이러할까?' 벌써 자기가 긁어 부스럼 만드는 거야. 테이프는 억겁을 돌아오면서 벌써 다 지워 버리고 왔는데, 자기 마음으로 지우지 않았다고 생각하기 때문에 그냥 쟁여 있는 거야. 지나간 어저께를 아무리 회상하고 해 봐도, 좋은 것도 나쁜 것도 다, 뒤를 돌아다봐도 어차피 지나간 거야. 그런데 왜 뒤를 돌아다봐요? 지금 앞을 보고 가기도 바빠 죽겠는데, 응? 그런데 앞을 보고 가는 데도 지금 바빠 죽겠는데 그냥 옆댕이, 가지 붙은 거를 다 돌아다 밟으며 가려니 얼마나 골치가 아프겠어요? 오늘 내려가시면서 고개를 이럭하고 한번 돌아가 보세요. 얼마나 골치가 아픈가. 그냥 곧장 이렇게 보고 가면 골치도 안 아픈데. 물질이 있는 거라면 팔방으로 그렇게 눈을 돌리고 귀를 돌리고 다니다 보면 그것이 인과응보가 되고 유전성이 돼서 자기가 받은 것대로, 즉 말하자면 맡은 바대로 나와서 그 맡은 바대로 출현을 해야 하거든.

예전의 선지식들은 막말로 여러분이 '구더기같이 우물댄다' 고 했지마는, 난 그러고 싶지를 않아요. 영화배우들이라고 얘길 하죠. 영화배우들이 자기 맡은 바대로 역을 맡아 가지고 나와서 지금 잘 출연들 하고 있다고 그러죠. 머슴으로 나왔으면 머슴, 정치인으로 나왔으면 정치인. 야, 영화배우들이 역을 참 잘한다. 영화배우가 뭐 따로 있나? 그거를 모두 출연해서 다 해 가지고 아마 영사기를 돌린다면 굉장치도 않을 거라고요. 천분지 일, 만분지 일, 거기에서 쪼금 그저 원고를 써 가지고선 그걸로다가 영화를 하는 거지, 이 진짜 무대는 지금 이 자리라고. 이 지금 세상 자리가 진짜 무대예요.

마음 말이에요. 우리가 지금 생각하고 있죠? 어저께 사신 거 생각나십니까? 생각나지요? 그것이 바로 이 잠재의식 속에 컴퓨터처럼 적혀 있기 때문에, 거기에 그렇게 쟁여 있기 때문에 사람의 몸뚱이가 없어졌어도 어저께 한 일을 내가 알듯이 죽어도 사후에 내가 그것을 알고 있게 되는 겁니다. 그래서 마음으로 자기 몸뚱이가 이렇게 생겼다는 걸 알고 있기 때문에 자기 모습을 가지고 다니는 겁니다. 꿈꿔 보셨죠? 아, 꿈에 그렇게 말하고 다녔는데 뭘 그러세요? 사후에도 그렇게 하고 다닐 겁니다. 자기 한 것대로, 본 것대로, 들은 것대로요. 자기가 보지 못하고 듣지 못하고 인연이 닿지 않은 사람인데 만난 사람 보셨어요? 다 인연에 따라서 보고 듣고 서로 싸우고 그래 가지고 그게 남아 가지고 찌꺼기가 항상 돌아가면서 그게 세세생생에, 내 몸뚱이가 없어졌어도 그 모습을 지어 가지고서는 돌아다니면서 서로 싸우고 아픔을 당하고…. 그래서 죽으면 이게 살은 안 아프지만, 항상 여기에 그 마음이 들어 있는 거는 세세생생에 가거든요, 그 마음이. 그러니까 그게 끊어질 줄 모르고 가기 때문에 이 지금 생시의 아픔은 잠시 잠깐이지만, 이 마음의 아픔은 세세생생에 끊임없이 꽁지에 꽁지를 물고 좇아다닌다는 말이 있어요. 그거 거짓말이 아니에요. 우리가 전자에 어떠한 아픔을 당했다면 지금까지도 그것을 지우지 못하고 있죠. 생생히 기억하고 있지 않겠습니까? 다른 건 다 잊어버려도 그런 거는 잊어버리지 못해요. 그렇기 때문에 그것이 세세생생 흐른단 말입니다.

그러니 지우지 못한 그런 거, 추억들, 모든 그런 것을 자기가 녹음해 놓은 데다가 다 도로 녹음을 해 버리면, 지금 살아나가는 대로 녹음을 해 버리면 전자에 녹음됐던 건 없어지죠. 그렇게 하세요. 그러면 사후에 또 그러한 여건들이 결부돼서 돌아가진 않을 테니까요.

일상생활이 참선이다

1986년 1월 11일

큰스님 … 목욕재계를 하고 아무것도 먹지 않고 채소만 먹고. 채소는 뭐 생명이 없나요? 그것도 먹지 말게 해야죠, 그러면. 그렇게 기복으로만 자꾸 나가게 되니까 가정은 점점 파괴가 되고 문제는 점점 커지는 겁니다.

그래서 여러분한테도 이렇게 이르는 거지마는 우리 스님네들도 절실히 명심해야 되는 것이, 바로 일상생활을 그냥 참선으로 일컬어 줘야지 만약에 그게 아니고 뭐, 기도를 붙인다, 참선을 하는데 며칠을 밤을 새운다 이렇게 해 가지고 남의 가정을 파괴를 시키거나 이런다면 그 죄는 전체 받을 것이라고 봅니다. 한 사람이 여러 사람을 잘못 끌고 가다가 만약에 몰살을 당하게 되면 그 책임이 어딨습니까?

군인도 그렇습니다. 군부에서도 여러 병들을 데리고 만약에 싸움터에 나갔는데 한 생각을 잘못해서 빠져나가지 못한다면 몰살, 함몰을 합니다. 지혜가 부족하면 자기의 병들을 다 죽이고도 남음이 있거든. 이것과 똑같은 겁니다. 그래서 길잡이 노릇 하기가 얼마나 어려우며,

여러분도 자녀를 낳고 살아 보지마는 한 가족에서도 위로는 섬기고 아래로는 제도할 수 있는 그런 부모 되기가 얼마나 어렵습니까. 그것도 그렇게 어려운데 하물며 이거는 유(有)의 법, 무(無)의 법을 겸해서 세세생생에 끄달리지 않는 그 법의 길잡이가 되는 것인데 얼마나 어렵겠습니까.

그러면 오늘은 이만 둘까요?

공양미 삼백 석과 공덕

1986년 1월 12일

큰스님 질문들 하실 게 있으면 질문들 하십시오. 처음 오신 분들도 있으실 테고.

질문자1(남) 심청전에 공양미 삼백 석이 나오는데요, 그 공양미 삼백 석에 대한 뜻이 아마 있을 거 같은데, 그 점에 대해서 말씀 좀 해 주십시오.

큰스님 '공양미 삼백 석'이라 그러는 건요, 이 내 과거심과 현재심과 미래심이 한데 합친 일심으로서 그 공덕이 돼야 성취가 된다. 즉, 과거나 미래에 올 것이나 지금 현재나 모든 마음이 한데 합쳐서 현재의 내 마음으로서 물질과 더불어 같이 삼백 석이라고 한 뜻은 '공덕이 되게 해라' 이겁니다. 즉 말하자면 여러분에게 공덕이 되지 못한다면 삼백 석 아니라 삼천 석이라도 그것은 공덕이 아니 된다고 볼 수 있겠습니다.

그래서 항상 말씀드리기를 우리가 공생하고 있고 공심으로서, 공체로서 공용을 하고 있고 공식하고 있다는 말을 하죠. 그러니깐 그것이 그렇게 우주와 더불어, 나와 더불어 같이 일심으로서 같이할 수 있는 그 능력이 주어져야 그것을 공덕이라고 합니다. 그렇기 때문에 어느 스님께서 "삼백 석을 너는 시주를 해야만이 그것이 공덕이 돼서 너의 아버지 눈을 뜬다." 했던 겁니다. 그러자 그것이 진짜로 공덕이 돼서 우주간 법계에서 서로가 마음이 돌아서 한마음으로서 책정을 했던 거죠. 그러니 모든 하늘의 이치나 일체 신들이, 또는 일체의 사람들의 마음과 더불어 그 능력이, 무수한 능력이 그 시주하는 사람에게 일심으로 한꺼번에 한마음으로 들었다는 얘깁니다. 그러니까 우주가 들렸다는 얘깁니다. 우주가 들리는 공덕을 지었으니 어찌 눈을 안 뜰 수가 있겠느냐? 그래서 성취를 했다고 봅니다.

그럼으로써 우리가 항상 말하듯이 몸이 죽으리만큼 마음이 됐을 때 '아버지의 눈을 뜨게 하기 위해서 내가 물에 빠져서 죽는다 할지라도 나는 서슴지 않겠다' 하는 그 마음이 눈을 뜨게 한 거지, 그 몸이 죽어서 눈을 뜨게 한 건 아닙니다. 그 몸은, 육신이라는 것은 마음의 시자일 뿐입니다. 기독교 다니는 사람은 종이라고 하지만 우리 불가에선 시자라고 합니다. 그렇다면 그 갸륵하고 아름답고 부모를 위한 정성이 지극한 마음이 자기를 바로 쥐었기 때문에 살린 것입니다.

여러분한테 항상 말씀드리지만 모든 것을 우리가 놓고 가는 것이 진리거늘, 어찌 놓고 가려고 하질 않고 놓을 데가 없다고 하느냐는 얘깁니다. 그건 무슨 소리냐 하면, 어저께도 그저께도 말을 했지만 내 몸이, 사대가 지수화풍으로 뭉쳐진 거기 때문에 이 세상의 모든 것들이다, 만물이 지수화풍으로 뭉쳐졌다 이겁니다. 그러면 우주 전체의 물체가 다 지수화풍으로 합쳐졌기 때문에 그 능력으로 인하여 우리가 지금 살고 있는 겁니다. 생명을 유지하고 말입니다. 그런데 내가 항상 살고 있는, '돌아감도 없고 돌아옴도 없는 이 삼각원형을 이루고 있다' 하는 이런 뜻을 생각할 때 우리 생명과 마음과 몸이 한데 합쳐서 원형을 이루고 있는 그 자체가, 바로 우리 생활에서 우리가 그렇게 하고 있는 거 아닙니까?

그런데 그것이 결국은 한 찰나 한 찰나 놓고 가는 것입니다. 놓고 가는 것이 없이 놓고 가고 있죠. 그런데 쳇바퀴 돌듯 하고 있습니다. 어저께 밥을 먹었다고 해서 어저께 밥을 먹은 것을 생각을 하고 있기 이전에, 그거는 벌써 똥이 돼서 없어지고 오늘 또 밥을 먹어야 하는 그런 이치죠. 어저께 먹은 게 그대로 있고 그렇다면 오늘의 밥을 먹을 수가 없습니다. 여러분이 어저께 먹은 밥이 체해 가지고 꽉 위를 메워 가지고 있다면 오늘 밥을 먹을 수가 없어서 결국은 죽는다고 병원에 갈 겁니다. 그러니 어저께 먹은 밥이 오늘에 없을 것이고 오늘 먹은 밥이 내일에 없을 것이니, 그것이 바로 삼세가 공했다는 뜻입니다.

그러면, 공했다면, 없다면 어떠한 것이냐. 지금 우리는 사람인데 없다고 하는 말이 그게 해당이 되는 말이냐고 하겠죠. 여러분이 사시는 데 가만히 생각을 해 보세요. 사람을 만나도 똑같은 사람을 만나고 붙잡고 있는 법이 한 번도 없습니다. 또 만남도 그렇지만, 식구들을 번갈아 가면서 만나죠. 만날 때의 생각이 번갈아 가면서 딴 생각으로써 말을 합니다, 환경에 따라서. 그런데 애를 만나면 '해라'가 나오고 어른을 만나면 존대가 나옵니다. 그건 자기가 스스로서 그렇게 돼 있다는 말입니다. 지금 과학이 발전이 됐다고 하지만 아주 스스로서의 자동적으로 영원하게 돼 있다는 겁니다, 자기가. 그래서 영원하게 돼 있는 자체가 잠재의식 깊은 속의 테이프와 같은 것이라는 얘깁니다. 그러면 우리가 테이프에 녹음을 했는데 금방 그 녹음한 데다가 또 녹음을 하니까 앞서 녹음한 거는 없어졌지요? 그러니까 연방 그 테이프에 자꾸 녹음을, 억겁을 거쳐 오면서 생활을 하면서 자꾸 놓고 가다가 보니까 전자에 짐승으로 있었던 것도 화해서 인간으로 됐으니까 짐승은 찾을 것이 없죠. 바로 그 모습이기 때문에.

그래서 그 녹음테이프에 자꾸 녹음을 하는 것을 불가에선 그릇이라고 합니다. 그릇을 비워야 담는 대로 바로 담아질 수 있는 거지, 그릇을 비우지 않는다면 어쭙잖은 거, 아상과 모든 아만과 집착과 욕심, 그런 것이 차근차근 담아져 있으면 새로 오는 그 계발적인, 생동력 있게 지금 현실에 다가오는 문제를 담을 수가 없다는 얘깁니다. 그럼으로써 우리는 항상 먹으면 싸고 먹으면 싸 버리듯이, 그래야 위가 시원하고 살 멋이 있듯이, 우리 그릇이 항상 담으면 없어지고 담으면 없어지고, 녹음테이프처럼 그렇게 돼 있는 것이 진리라 이겁니다. 그래서 "집착을 하지 마라. 욕심을 부리지 마라. 아상을 갖지 마라." 모든 점에서 그렇게, 일체의 살아나가는 생활이 바로 길이자 없는 길이다. 없는 길이면서도 당당히 이렇게 보이고 걷고 있는 것이다. 걷고 있으면서도 한 발 떼 놓으면 한 발 없어지고 한 발 떼 놓으면 한 발 없어지기에, 나는 이날까지 걸음을 걸어왔다고 말할 것도 없고, 앞으로는 떼어 놓지 않았으니까 걸음을 걸어갈 거라고 말할 것도 없다 이겁니다. 이 말이 이해가 갈는지 모르겠습니다마는 우리 생활에 근본적으로 있는 것을 말을 하지, 없는 것을 조작해서 말하는 것은 미신에 불과하다 이겁니다. 우리가 지금 없는 것을 가르치려고 하는 게 아니라 있는 것을 있는 그대로, 사실대로 얘기하는 겁니다.

그런데 여러분은 보이는 거, 색상으로만, 물질로만 치달아 올라가고 있습니다. 좋은 걸 보면 좋다 그러고, 금방 울 일을 가지고. 금방 좋다고 그것을 웃고 즐겼다가 그 물건이 없어졌을 때는 금방 울 것을 왜 웃고 좋다고 합니까? 금방 또 울 것을 왜 또 좋다고 합니까? 그렇기 때문에 좋아도 좋다고 할 게 없고 언짢아도 언짢다고 할 게 없다는 얘깁니다. 그 반면에 내 잠재의식 속에, 그 하나의 테이프 속에서 모든 소리가 나오는 거니까, 거기다가 내가 지금 현상계에서 살아나가는 그 자체 모든 걸 맡겨 놓고 돌아간다면, 과거의 인과응보나 유전성이나 모든 악보(惡報) 같은 문제들이 얽히고설킨 게 다 무너지고 없어진다는 얘깁니다. 어저께 한 일을 생각을 해 놓고 있고, 어저께 한 것에 집착을 하고 욕심이 있고 그렇다면 분별을 하지 못하고 분수를 지키지 못한 채 건너뛰게 되니깐 물에 풍덩 빠져서 울고불고 야단들을 합니다.

이것이 바로 생활이자 불교고 불교자 생활이고, 그 생활을 부처님께서 가르치느라고 49년을 설하셨답니다. 그렇다면 49년을 그 이치, 길 없는 길을 발 없는 발로 광대무변하게 우주 천하에 어디고 아니 닿는 데가 없이 닿을 수 있는 그런 자유인이 될 수 있다고 가르쳤는데 여러분이 오늘날까지 여직껏 기복으로 헤매고 돈다니 이게 말이나 될 법한 일입니까?

그렇기 때문에 여러분이 진짜 사람이 되려면 눈 없는 진짜 마음의 눈을 얻어야 하는 것입니다. 눈을 얻는다면 들음이 없이 듣는 귀를 얻을 것입니다. 냄새라는 것은 그냥 우리가 음식 냄새나 맡고 썩은 내나 맡고 이러는 냄새가 아닌, 한계가 있는 냄새가 아닌, 전 우주 천하 인간 세계 모든, 삼세가 돌아가는 이치의 그 냄새를 향으로서 바로 그 이름을 붙였던 겁니다. 보이지 않고 그러는 세계의 마음의 향이 온 누리를 돌고도 남음이 있으니 꽉 차 있다는 얘깁니다.

여러분이 그렇게 광대무변한 마음 그 자체를 가지고 있음으로써 영원한 자기 컴퓨터나 탐지기나 천체망원경이나 또는 무전기나 책정기 이러한 것을, 영사기까지도 다 가지고 있는 것입니다. 영원한 것을 가지고 있으면서도 그것을 자기가 부릴 줄 모르고 꼭 남한테 '나' 가 꼭 끌려다니면서, 노예가 돼서 '나 좀 해 주십시오. 나 좀 해 주십시오.' 뭐를 그렇게 해 달라는 게 많은지…. 또는 여기저기 다니면서 '관세음보살! 나 좀 살게 해 주십시오. 지장보살! 나를 명을 길게 해 주십시오. 좋은 데로 가게 해 주십시오. 용신! 나 고기 좀 많이 잡게 해 주십시오. 물에 빠져 죽지 않게 해 주십시오. 바람이 불지 않게 해 주십시오. 그저 우리 애 학교에 붙게 해 주십시오. 산신, 칠성님! 우리 아들, 우리 식구들 명 길게 해 주십시오.' 만날 쫓아다니면서 여기 가 빌고 저기 가 빌고 이러다 보니까 한세월 다 넘어간 거예요. 이 모습을 가지고 우리가 살아서 이렇게 움죽거리고 있으니까 부딪치고 또 닥치고, 또 가고 오고 이러는 동안에 거기에서 바로 계발을 할 수 있고 진화할 수 있고 창조될 수 있는 것이지, 만약에 그렇게 부딪침이 없다면 무슨 진화될 게 있고 창조될 게 있겠습니까? 목석이지.

그러니 이 세상의 모든 돌도 그대로만 있는 게 아니라 수백 년, 수천 년이 되면 그것도 가루가 돼서 모래가 된다는 그 사실을 여러분이 아셔야 할 것입니다. 이 모두가 물질적인 것은 그대로 있는 것이 없습니다. 전부 변화되고 변질되고 부서지고 없어지고 하는 것이 바로 물질입니다. 그러니 물질을 따라서 내 이 고귀한 생명을 맡길 수는 없습니다.

영원한 자기는 영원한 자기끼리 바로 신으로서 신을 섬길 줄 알아야 하는 겁니다. 마음의 참다운 마음, 자신(自神)! '자신' 이라 하면, 어저께도 얘기했지만 자물통과 열쇠와 같은 거니까 떨어지려야 떨어질 수 없는 것이다. 생명과 마음 내는 거는 항상 같이하고 있는 것입니다. 영원한 생명은 씨와 같고 뿌리와 같다고, 내가 콩 얘기 가끔 하죠. 작년 콩을 갖다가 올해 심었더니 콩나무로 화했는데도 불구하고 작년 콩씨를, 내 마음의 콩씨라고 해서 작년 콩씨를 찾고 있습니다. 그러나 올해 그 콩이 화해서 콩나무가 됐으면 그 콩나무에서 콩이 바로 또 열리는 것을 스스로서 알아야 할 것입니다.

그러니 그 인간의 씨라는 것은 보이지 않는 것이 씨요, 빛깔도 쥘 것도 없는 것이 인간의 씨입니다. 어디 고정되게 눈에 있는 것도 아니고 코에 있는 것도 아니고 가슴에 있는 것도 아니고 팔에 있는 것도 아니고 다리에 있는 것도 아닙니다. 그렇기 때문에 영원하면서도 광대무변하고, 광대무변하면서도 묘하고 불가사의한 내 참마음이라고 합니다. 뭘로 이름을 지을 게 없어서 진이니 참이니 각을 이루었다느니 부처라느니 자유인이라느니 이러한 말을 하고 있습니다.

그러니 우리가 지금 이 밝고 밝은 세상에 물질로써 과학이 발전이 돼서 고도에 이르기까지 된 이 시점에서, 더군다나 거기에서 또 개발이 돼서 지금 유전 공학을 하고 있는 이 시점에서 어떻게 그렇게 물질로써 치달아 가지고 마음을 해갈을 하고 다닙니까? 그리고 물질만 보고 만날 기복으로 부적이나 해다 놓고 자기의 고귀한 생명과 더불어 그 참자기를 어떻게 거기다가, 한 종이짝에다가 맡깁니까? 남이 돈 벌려고 써 놓는 거기에다가 어떻게 내 고귀한 생명을 맡기고 내 식구를 맡긴단 말입니까? 남의 말을 듣고서 이사를 가지 못하고 두 달, 석 달을 기다려서 손해를 보고 가는 사람도 있습니다. 그 날 가면, 그 달에 가면 언짢다고 해서. 이렇게 손해를 보면서 이렇게 방황하고 사는 여러분은 다시 한번 생각해 볼 점이 있고, 다시 한번 그것을 개조해서, 개혁해서 계발하고 다시금 우리가 화해서 창조할 수 있는 무의 세계의, 이 지구 바깥으로도 선뜻 넘어설 수 있는 그런 마음의 계발이 돼야 될 것입니다.

우리가 이렇게 항상 비참하게만 살아서 되겠습니까? 짐승들도 인간의 모습을 가지고 인간이 되고자 해서 천 년이고 백 년이고 그렇게 도를 닦는데, 하물며 인간이 돼 가지고 이 인간의 모습 자체를 벗지 못한다면 참말 세세생생에 그 창살 없는 감옥을 벗어날 수 없을 것입니다. 누가 감옥을 갖다 주고 누가 감옥을 만들어 줘서가 아니라 자기 마음으로 자기가 지어 놓고, 자기가 창살을 만들어 놓고 자기가 감옥살이 하는 것이지 누가 그렇게 해 주는 것이 아닙니다.

부처님 법이란 얼마나 참 신비하고 묘하고 발란하고, 한마디로 말해서 아무 걱정이 없고 좋은, 밝은 이 세상이라고 보고, 참 걸림 없이 갈 수 있고 걸림 없이 올 수 있는 이 모습을 실상으로 생활의 지침이 될 수 있고 이익이 될 수 있게끔 그냥 쓰실 수 있다면, 바로 삼십이상이 구족하다고 부처님께서 말씀하셨던 그 말씀이 실천에 옮겨질 것입니다. 그대로 '실' 이며 '상' 입니다. 그럼 실상이 그대로 유(有)의 법, 무(無)의 법을 같이 한 주먹에 쥐고 내가 용을 할 때에 모든 것이 그렇게, 이 부처님 법이자 내 법이 이렇게 좋을 수가 없다는 결론이 거기에서 설 테니까요.

그렇기 때문에 여러분더러 모든 아만과 아상, 모든 욕심, 분수를 지키라고 지난번에 오계를 드릴 때에도 그랬습니다. 남의 생명을 내 생명과 같이 생각한다면 살생할 일이 없을 것이고, 남의 물건을 내 물건과 같이 생각한다면 도둑질할 일이 없을 것이고, 분수를 지키고 남의 것을 검탈 안 한다면 바로 내 가정이 화목할 것이고, 과음을 하지 않는다면 내 몸의 피가 오르락내리락하면서 나를 건강하게 만드니 약주가 될 것이고 얼마나 좋은 것입니까? 그런데 아무리 좋은 거라도 욕심을 채워서 많이 먹어 보십시오. 그것은 부작용이 나고 체할 것입니다.

어저께도 어느 청년이 울었습니다. 왜 울었느냐 하면 다리 관절 때문에 염증이 생겨 가지고 병원에 입원을 하고 항생제 약을 자꾸 먹었더니, 그 항생제로 인해서 다리는 다리대로 나중에 그대로 그냥 나빠지고 위는 위대로 버려서, 이제는 밥이 넘어가지 않고 대장 소장 기능이 전부 마비가 됐답니다. 그러니 어떻게 살면 좋겠느냐고 울면서, 시커메 가지고 우니 그거 난들 어떻게 하겠습니까? 부처님께서는 아마도 그런 사람이 있다면 몸을 갈아서 딴 좋은 밭에다 심어서 그 고생을 면하게 해 주고 그 인과응보에 걸리지 않게 아마 녹여 줄 겁니다. 그거는 어떻게 할 수가 없으니까.

그러니 그렇게 이미 차 지나간 뒤에 와서 말하지 말고, 우리가 가정에서 어떠한 고난이 있더라도 내 주인공에 모든 것을 굴려 놓고 믿고 놓고 감사하게 놓고, '모든 것을 여기서 하는 것이지 내가 하는 건가? 여기서는 다 해결을 하고 가는구나.' 하는 걸 진짜로 믿고 물러나지 않는다면 모든 것이 다 완화돼지고 어떠한 일이라도 길이 트일 것이고 화목해질 것이고 모두가 그러한 것을, 이리저리 쫓아다니면서 그렇게 방황할 게 뭐 있겠습니까? 부처님 법당도 자기요, 그 법당 속의 부처님도 자긴데 어떻게 그렇게 방황합니까?

"그렇다면 여기 법당은 왜 해 놨습니까? 부처님은 왜 모셔 놨습니까?" 하겠죠. 그거를 지금 앉아서 잘 생각해 보십시오. 저 부처님도 여러분이 있으니까 부처님이 계신 겁니다. 여러분이 계시니깐 저 부처님을 형성시켜 놓은 겁니다. 그렇다면 바로 여러분입니다. 여러분의 몸이요, 여러분의 마음입니다. 부처님의 광대무변한 그 마음은 천체, 우주 천체의 한마음으로서 구성되고도 한마음도 없다는 그 자체의 뜻입니다. 그러니 여러분도 잘 생각해 보실 때에 법당에 들어가서 '저건 형상이니깐 난 싫어!' 한다면 자기 몸을 자기가 싫어하는 거나 똑같습니다.

모든 것이 지혜가 넓어야 되겠기에 부처님께서 가르치기 위해서…, 부처님이라는 건 법신을 말하니 부처님의 능력이 법신이란 말입니다. 법신의 능력으로서 보신, 화신이 있고 또는 문수 부처님이 계십니다. 그런데 그게 각각 있는 게 아닙니다. 문수사리보살이라고 그랬습니다. 문수는 지혜를 말하고, 인간이 있다면 지혜가 있어야 되지 않겠습니까? 마음이 있다면 지혜가 있어야 둥글리죠. 보현은 나와 남이 더불어 이익하게, 바로 지혜로써 이익하게 굴려서 용을 하는 것입니다. 그래서 양쪽에 부처를 놨는데 물질로만 보고, 바로 저 부처님 따로 있고 이 부처님 따로 있고 이 가운데 부처님 따로 있는 줄 알고 그렇게 하시니까 이것은 백네 날이 가도 나의 마음을 깨달을 수는 없는 것입니다.

그리고 또 거기에서 화신이라고 말을 했습니다. 그건 두 가지로 요약할 수 있는 겁니다. 화신이라는 것은 예를 들어서 내가, 내 몸이 지금 생활을 하는 데에 찰나찰나 고정된 관념으로 돌아가지 않고, 모든 게 어떤 것이 나라고, 내가 했다고 세울 게 없이 자꾸자꾸 돌아가는 것을 화신이라고 하기도 합니다. 작게 친다면. 여러분이 생각을 깊이 해 보십시오. 내가 어느 사람 만났을 때에 또는 내가 몇 살 때의 나를 나라고 하겠습니까? 작년의 나를 나라고 하겠습니까, 올해의 나를 나라고 하겠습니까? 늙어서의 나를 나라고 하겠습니까? 어머니를 만났을 때에 나라고 하겠습니까, 자녀들을 만났을 때 나라고 하겠습니까? 어머니를 만났을 때 마음이 달라지고 행동도 달라지고 말도 달라지듯이, 애를 만났을 때도 어머니로서의 말이 나가고 어머니로서의 행동이 나가고 또는 모든 인식도 생각도 그렇게 돌아갑니다. 그러면 매사 게 다 그런 것이죠. 그렇듯이 그렇게 돌아가니깐 화해서 돌아간다고 해서 화신이요, 그러면 어떤 것이 나라고 할 수 없는 것이 화신입니다.

대의적으로 애길 한다면, 죽고 사는 데서 한번 생각을 해 보십시오. 이 몸뚱이는 변질되지 않고 고정되게 그냥 있는 것이 없습니다. 애가 됐다면 커지고, 커지다 보면 젊어지고, 젊어지다 보면 늙어지고, 늙어지다 보면 또 모습을 바꿉니다. 그러면 이렇게 자연적으로 바꿔서 돌아가는 대의적인 이 세상의 이치가 바로, 우리들이 전부 화신이라는 말입니다. 그러니 보신 화신, 지혜로운 문수 이 자체….

(녹음 안됨) … 산신이죠, 지장 부처님이죠, 약사 부처님이죠. 또는 석존 부처님, 관세음보살 부처님이죠. 또는 신중단이죠, 산신이죠. 다 해 놓고 보니깐 여기 안 놓으면 내가 또 걱정거리가 될 거 같고, 저기 안 놓으면 저기 안 놓는 대로 또 걱정거리가 될 거 같거든. 야, 이건 명을 길게 하고 무슨, 좋은 데로 갈 수 있는 길이자 뭐, 여기 따로따로 죄 해 놨으니까 여기 다 들러야죠. 그러니깐 이건 돈이나 있어야, 다 놓고 가야 마음이 개운한데 어디에 돈을 못 놨으면 마음이 항상 무겁게 돌아간단 말입니다. 그러니 한군데다가 다 놓고 자기가 한 주인공에 모든 걸 종합해서 한생각으로서, 내가 공한 도리로서 놓으세요. 그렇게 뭐든 콩 한 쪼가리를 부처님 앞에 놨다 할지라도 이 우주 천체의 일체 유생 무생이 다 먹고도 남음이 있게끔 내가 공에서 한생각으로서 놨다면, 함이 없이 놨다면 바로 그것이 이 우주의 전체가 먹고도 그 콩 한 쪼가리는 되남아서 여러분이 또 먹게 되고 또 되남고, 또 먹게 되고 또 되남는 것입니다.

그렇게 광대무변한 부처님 법을 가르쳐 줬는데도 불구하고, 지금 경도 화엄경이니 법화경이니 반야경이니 아함경이니, 이 경이 얼마나 많습니까? 그런데도 이것을 달달달달 외우기나 하고 도대체 그 뜻을 행하질 못해요. 달달달달 외운다고 해도 몸 떨어지고 입 떨어지면 말도 떨어질 것을, 진짜로 자기가 참답게 알고 행할 수 있는, 행주좌와 어묵동정이 될 수 있는 그 사람이라면 진짜 자유인이고 법신이고 부처고 보살이고…. 보살, 부처가 따로 있는 게 아닙니다. 부처가 돼야 보살행을 할 수 있는 거지 부처가 될 수 없는데 어떻게 보살행을 합니까? 보살행을 하면서 부처가 되고 부처가 됐기 때문에 또 보살행을 하는 겁니다.

그전에도 이런 말을 했죠. 내 몸과 같이, 내 생명과 같이 아끼기 때문에 살생을 하지 말아야 하고, 내 아래 중생들을 위해서 바로 무주상 보시로서 그 모습을 바꿔 주기 위해서 먹어야 한다고요. 그래서 부처님께서는 죽여도 자비요, 살려도 자비니 모두가 아니 건지는 게 하나도 없는 것입니다.

내가 말을 길게 했나 봅니다. 그러니까 여러분께서 어떠한 말씀을 하시려면 또 질문하십시오. 우리가 토론을 하는 데서 서로가 서로를 알게 되고 집념도 생기고 믿음도 생기고 '아, 이럭하면 되겠구나.' 하는 생각도 생깁니다.

질문자2(여) 부처님의 주인공이나 저의 주인공이나 마찬가지라 그러시는데요, 부처님의 주인공은 무명을 일으키지 않는데 저의 주인공은 왜 무명을 일으킵니까?

큰스님 무명이 달리 무명인가? 그 도리를 모르니까 무명이지. 무명도 내 마음에서 나오는 것이고 무명이 붙지 않는 것도 내 마음에서 나오는 거라. 아까 얘기했죠? 잠재의식 깊은 속에 만약에 녹음테이프가 하나 있다면, '일심이라면' 하는 소립니다. 그 공한 일심이라면, 자기 주인공 그 자체가 테이프라면 말입니다, 녹음이 된 데다가 다시 녹음을 하고 또 녹음이 된 데다 다시 녹음을 하고 자꾸자꾸 이렇게 가면 그 앞서 녹음한 것이 없어지지 않을까요? 그런다면 그것은 무명이 붙지 않는 것입니다. 그대로 놓고 가기 때문입니다. 우리가 지금 그대로 놓고 가는 건데 여러분이 모르고 있기 때문입니다. 무명이라는 것도 이름을 붙여서 무명이지 무명이 없으면 부처를 이루지 못해요. 망상이 없어도 부처를 이루지 못하고. 분별이 없는데 어떻게 부처를 이루겠소? 그럼 목석이고 송장이지. 또 생명의 그 근원, 뿌리만 있다면 보이지 않으니까 무효야!

그래서 현실을 무시할 수도 없고 또 근본적인 생명의 그 뿌리를 무시할 수도 없고, 양면을 다 무시할 수 없는 우리의 마음 씀씀이를 상구보리 하화중생이라고 그런 뜻은, 넓게만 생각하지 마세요. 여러분이 생각하기에 달렸습니다. 상구보리 하화중생이라고 그런다면 위로는 부처님을 섬기고 아래로는 중생을 제도하라는 그걸로만 듣습니다. 그러나 우리 몸 하나를 놓고 축소해서 작게 생각을 해 보십시다. 그러면 내 위로는 참자기 그 자체를, 참자기를 존중하면서 아래로는 자기 몸뚱이를 올바르게 끌고 다니는 겁니다. 그럴 줄 알아야 남도 올바르게 끌어 주지 않습니까? 내 행동이 발라야 남의 행동도 스스로 "저 사람 정말 배울 만해. 말과 뜻과 행이 올바르기 때문에 저 사람은 정말 본받을 만한 사람이야." 이렇게 말씀들 하시죠. 그런데 그것이 제대로 안될 때, 하나라도 어긋날 때 그것은 업보가 되고 유전이 되고, 바로 무명이라고 이름해서 붙일 수도 있는 겁니다.

우리가 무명이라고 이름 붙일 것도 없고 부처라고 붙일 것도 없는 겁니다. 우리가 살고 돌아가려니까 뭐든, 돈이라고 이름을 지어 놨고 또는 물건에 이름을 붙여 놓은 겁니다. 이렇게 그 이름을 불러야 되겠으니까. 어린애를 낳아도 이름을 붙여서 "아무개" 이래야 알아들을 수 있으니까 이름을 붙여 놓은 것뿐이지 이름이 사실은 그 사람 진실, 참이 아닙니다. 그러나 그 이름도 무시할 수 없는 것은, 우리가 살아나가는 데 그 이름이 대동소이하게 쓰여지고 있기 때문에 무시할 수도 없는 거죠. 그러니까 같이 공했다는 얘깁니다.

그거고 저거고 다 한마음에서 나오는 거니까, 나쁜 마음이 나오는 것도 그 마음에서 나오는 거, 좋은 마음이 나오는 것도 그 마음에서 나오는 거, 좋은 마음이 나오면 좋은 행을 할 것이고 나쁜 마음이 생기면 나쁘게 행을 할 것이니까 자기 참주인공에 모든 거를 맡겨 놓고 믿고 물러서지 않고 거기다 관하면, 그저 닥치는 대로 거기다가 관해서 의정하면, 모든 것을 의정해서 놓고 모르면 모르는 대로 놓고, 알면 아는 대로 놓았을 때 비로소 참생명수의 근원이 나에게 홀연히 알려질 수 있는 그런 여건이 생긴다는 얘깁니다.

그리고 여러분은 "가정에 지금 이렇게 풍파가 많고 병이 많고 죽겠는데, 급해서 죽겠는데 무슨 주인공을 찾고 전부 거기다 맡겨 버리래? 아니, 난 지금 당장 급한데!" 이렇게 말씀하지 마십시오. 뿌리가 싱싱하면 가지도 싱싱할 것이고 썩지 않을 것입니다. 이파리도 싱싱할 것입니다. 이파리 썩고 가지가 썩고 그런다고 해서 애를 쓰지 마시고 뿌리만 싱싱할 수 있다면 그 가지는 살아날 것입니다. 그리고 이파리도 싱싱하게 아주 푸르를 것입니다.

질문자3(여) 주위를 보면 아픈 사람들이 참 많아요. 많은데 병원에 가도 안 낫고 약을 먹어도 안 낫고 그러는데, 그래서 정성을 들이는데 그다음엔 어쩔 줄을 몰라요. 일단 자기 마음대로 보시를 하는데 그다음은 자기가 어떻게 해야 하는지 모르는 분들이 참 많아요.

큰스님 이거 보십시오. 정성을 들이라고 하지 않으면 어떡합니까? 처음에 오신 분들은 아무것도 모르는데 어떻게 합니까? 당장 급해서 오신 분들에 한해서 어떻게 해야 할 거를 그분들이 알면 거기를 안 오셨게요? 오시니까 나오셔서 정성을 지극히 하시면서 자주 다니시라고 합니다. 그러면 스스로 알게 될 것이고, 첫째에 믿음을 가질 때 자기 주인공, 참자기, 마음의 근본이 있으니 거기에다 모든 걸 믿고, 거기 부처가 계시니 다 거기다 맡겨 놓고, 모든 병이든지 생활하는 걸 다 거기다가 놓고 맡기고 살라고 이렇게 말씀드립니다. 그런다면 그 뒤가 무슨 상관 있습니까? 뒤에 생각나는 것도 놓으시라는 얘깁니다. 맡겨 놓으란 말입니다.

산천초목은 푸르고 푸르고 조화를 이루는데, 또 물은 유수같이 흐르고 있습니다. 똥물이 들어가든지 구정물이 들어가든지 아랑곳없이 그냥 아주 도도하게 흐르고 있죠. 여러분이 그렇게 살 수만 있으시다면 어찌 가정에 어떤 마가 들고, 어떠한 바람이 들고 썩은 내가 나겠습니까?

질문자4(남) 사람이 욕심을 버리고 마음을 깨끗하게 가진다는 것은 어떻게 생각하면 소극적이고 발전적이 못되는 것 같고, 우리가 보다 나은 가정, 보다 나은 사회, 보다 나은 자기의 생활이, 욕망이 인간의 본능일진대 어떻게 그 마음을 깨끗하게 가지며, 욕심을 저버리면 진보가 없지 않겠나 하는 생각이 듭니다. 그래서 월급쟁이는 보다 나은 좋은 자리, 사업가는 보다 많은 돈을 버는 이런 것이 인간의 욕망인데 그것을 저버리면 하나의 목석이 아닌가 해서 저도 늘 보다 나은 가정, 좋은 체통 이것을 애들에게 이어 주고 싶어서 늘 잠을 못 이룹니다. 그 욕심이 어떻게 하면 버려지는지 이것이 항상 궁금해서 처음 온 사람으로서 말씀을 드려 봅니다.

큰스님 예. 그거는 간단합니다. 아까 테이프를 방편으로 얘길 했는데요, 우리가 장관으로 있었는데 금방 장관으로 살아나가던 그 습이 만약에 녹음테이프에 녹음이 됐다면, 지금 장관으로 다니신다 할지라도, 돈이 많다 할지라도, 수많은 사람들이 지금 살고 있는 그 모든 것들도, 누가 그렇게 하지 말라는 게 아닙니다. 모든 것이 나쁜 거든 좋은 거든 또 위대한 거든, 모든 걸 가지고 있어도 자기는 관리인이지 자기 게 아니란 말입니다. 관리인! 자기 몸뚱이는 자기 마음의 시자일 뿐이고, 자기가 만약에 재산이 많다면 그걸 자기가 가지고 있는 관리인으로 생각하라 이겁니다. 자기 거라고 생각한다면 이 육체, 사량으로서의 자기 거라고 했기 때문에 그거는 불티가 나게 나갑니다.

그래서 여러분한테 이익하게 해 드리기 위해서 모든 욕심을 놓으라고 한 겁니다. 욕심을 놓으라고 그러는 것은, 내가 이렇게 올라서겠다는 생각 자체가 스스로 돼 있는 거기 때문에, 그거는 욕심이 아닌 까닭에 "모든 건 네가 하는 게 아니니 네 주인에게 모든 거를 맡기고 놔라. 네가 스스로 욕심을 청하면 외려 나간다." 이 말입니다. 누가 그렇게 사랑을 하지 말랬나요, 돈을 갖지 말랬나요, 위대한 사람이 되질 말랬나요? 과학적으로 연구를 하지 말라 했나요, 철학을 하지 말랬나요? 모든 것을 그렇게 생동력 있게 해 가면서도 자기 주인공에 맡겨 놔라 이겁니다. 자기 주인공이 하는 거지 자기가 하는 게 아니라는 얘깁니다. 자기는 좀 빠져라 이겁니다.

운전수가 차를 몰고 다니는 거지 차가 운전수를 데리고 다니는 게 아니란 말입니다. 그래서 운전수가 차를 올바르게 끌고 다니면서 기름을 자유자재로 넣어라 이겁니다. 나쁜 데 기름을 쓰지 말고 좋은 데 기름을 써라 이겁니다. 그러되 차를 잘 끌고 다닌다면 부서지지도 않을 것이고, 인간으로 친다면 육신이 병이 나고 어디가 어떻게 돼야 된다 할지라도, 내가 아까 얘기했죠? 관음보살도 지장보살도 다 내 마음 가운데 있다고요. 그랬으니까 그 마음은 체가 없는 거라. 자기 주인공은 체가 없는 것입니다. 그렇기 땜에 불가사의한 겁니다. 그렇기 때문에 묘한 거고, 유전자가 있기 이전을 말하는 겁니다. 무전자! 즉 말하자면 꽉 찬 무전자! 그렇기 때문에 자기의 그 불성 자체가 무전자라면 바로 그 무전자로부터 내가 이렇게, 내 운전수가 운전을 하고 갈 수 있는 겁니다. 기름이 있기 때문에 내가 바로 이 차를 몰고 갈 수 있다는 얘깁니다. 내 생명이 없다면 갈 수가 없는 것입니다.

그렇기 때문에 그것을, 육체와 마음 내는 거와 생명을 아주 존경하라는 얘깁니다. 모든 걸 존경하면서도 중도로서의 중심을 갖고 양면을 다 한마음에다 넣고 모든 것의 관리인으로 살고, 관리인으로서 갖고, 올바르게 몸 끌고 다니라는 얘깁니다. 내가 그렇게 올바른 마음을 안 쓴다면 내 몸도 올바르게 행동이 나오질 않아요. "욕심, 욕심" 하는데, 내가 욕심을 내지 말라 하는 거는 조그만 거, 큰 거 이런 거를, 모든 것을 다 놓고 쉬어라 이겁니다. 즉, 불가에서 말한다면 '방하착 하라' 이겁니다. 그런데 그것을 마음으로, 사량으로 그냥 '내가 줬다. 내 것이다. 내가 공장을 하고 있다. 내가 사장이다. 이것은 내 재산이야.' 이렇게 자꾸 내는 권위가 있어. '너희들은 저 하바리야!' 이렇게 생각을 한다면 그것은 지혜가 넓지 못해서 그게 길지 못하며, 이게 길지 못한 까닭에 모든 사람의 추앙을 받는 게 아니라 증오를 받는다 이겁니다. 그럼으로써 나는 길게 갈 수도 없거니와 인간의 존엄성이나 광대무변한 그 불성 자체, 그 능력 자체를 손실하고 있다는 얘깁니다. 인간의 마음은 그렇게 무한의 능력이 있다는 얘깁니다. 그런데 그 능력을 발휘하지 못하고 쓰지 못하는 까닭에 우리가 계발을 못하는 거죠. 그걸 말하는 거지 아니, 갖지 말란다고 갖지 않고 하지 말란다고 하지 않고 그런다면 움죽거리지 않고 어떻게 합니까? 움죽거리지 않는데 부처를 어떻게 이룹니까?

그래서 이 벽을 탁 치면 봇장이 울리는 걸 아셔야죠. 우리가 지금 있는 이 자리가 이렇게 벽이 다 막히고 저 문이 다 닫혀 있습니다. 그런데 마음은 체가 없어서 마음이 나가려면 나가도 몸뚱이는 지금 나갈 수가 없죠? 마음은 지금 우주 바깥에 어디라도 갈 수 있는 겁니다. 무한의 이 능력을 가지고 있는 내 영원한 참나는 이 감옥에서 벗어날 수도 있는 거 아닙니까? 그런데 몸은 벗어날 수 없는 거죠. 그런데 마음이 벗어날 수 있는 마음이라면 몸도 여여하게 벗어날 수 있다 이겁니다. 자유스럽게 살 수 있다 이겁니다.

자유스럽게 살 수 있는 것을 뜻해서 말씀드린 거고, 어떤 거 하나도 가질 게 없는 까닭에 버릴 게 없다는 말입니다. 이 세상에 어느 것 하나라도 쓸모가 있기 때문에 나왔지, 쓸모가 없는 거라면 이 세상에 나오질 않았을 겁니다, 아마. 그래서 버릴 게 없기 때문에 가질 게 없으니 일부러 마음으로 짊어지고 다니지 말고 놓고 다녀라 이겁니다, 응? 공에서 나오는 거 공에다 놓으면, 아주 가볍게 다니면서도 내가 열쇠를 가졌기 때문에 항상 쓸 때에 쓸 수 있다 이거야. 발휘할 때 항상 발휘할 수 있고. 그것은 지혜로써 그 말뜻을 아셔야 합니다. 분수를 지켜라 하는 것은 여러분이 다 아시다시피 일반 상식적으로도 분수를 지켜야 하는 문제가 많이 있을 겁니다. 분수를 지키지 못하면 파장이 일어나니까요. 모든 일체 만법에 말입니다.

내일도 또, 모임이 항상 이렇게 있습니다. 그런데 내일이든 모레든 질문하고 싶으신 분들이 있으면 앞으로 좀 이렇게 나오셔서 서로 질문하고…. 나는 어떠한 질문을 해도 물러서지 않습니다. 진리가 그러하니까. 우리가 질문하는 그것도 보살행입니다. 왜? 질문을 한 까닭에 딴 사람들이 다 '아하, 이런 거로구나!' 하고 듣고 있으니 그게 얼마나…. 한 몸이지 두 몸입니까? 그게 한마음입니다.

그러면 오늘은 이만 그치겠습니다.

자기조차도 공한 이치, 공심(共心)을 알라

1986년 1월 13일

큰스님 … 무위심은 무(無)의 생각을 말하는 겁니다. 무위심은 시시각각으로 화해. 그래서 천신이 됐다 용신이 됐다가, 부처가 됐다가 중생이 됐다가…. 일체가 다 생명이 있는 거라면 다 시시각각으로 화해서 이 모습으로 나투고 저 모습으로 나퉈. 일체 만생 만물이 다 그런 거라. 그러니 고정되게 부처님만 부처님이라고 할 수도 없고 중생이 중생이라고만 할 수도 없다 이거야.

그러니 때에 따라서는 사람이 생활을 하는 데에 너무도 다양하게 씀씀이를 쓰고 있다는 얘깁니다. 우리가 지금 영화를 보러 가고 또 테레비에서 영화 하는 걸 보고 그러는데, 그 영화 하는 데도 탤런트들이 나와서 배역을 맡아 가지고 하고 있는데 금방 이렇게도 나오고 저렇게도 나오고 자기가 맡은 바대로 나와서 그 역을 한단 말입니다. 그와 마찬가지로 우리도 그 배역을 맡은 어떠한 탤런트처럼, 금방 쓰레질을 했다가도 금방 들어와서 안방마님이 될 수도 있는 거고, 하루에도 몇 번씩 식모가 됐다가 안방마님이 됐다가 금방 나가면 회사원이 됐다가 금방 사장이 됐다가…. 그러니깐 수도 없이, 아들을 만나면 금방 어머니가 됐다가 남편을 만나면 금방 아내가 됐다가 부모를 만나면 금방 자식이 됐다가 이렇게 화하거든, 수가 없이. 그러니까 어떤 것이 나라고 할 수가 없어.

그래서 내가 항상 말하는 것은, 이날까지 삐죽하게 내가 했다고 할 수도 없고 앞으로 내가 해 나간다고 할 수도 없어. '내가' 라는 게, '나' 라는 게 수없이, 고정되지 않게 생각도 하고 고정되게 보지도 않고 듣지도 않고 하는 그 살림살이의 다양한 활용이 그냥 수도 없이 바뀌어 가니까. 그것이 한데 합쳐진 바로 '주인공' 이란 말이야. 그래서 '공(空)' 자가 붙은 거라, 거기에. '주인' 이면서도 '공' 했다는 얘기야. 그래서 '주인공(主人空)!'

우리가 왜 일 전이다 십 원이다, 몇백 원이다 이백 원이다 삼백 원이다 천 원이다 이렇게, 이천 원 삼천 원 이런 걸 가지고 따지느냐 이거야. '만 원' 이라면 전체의 만 원 되기까지 그 숫자가, 만 원으로 부른다면 그 속에 다 들어 있지 않느냐 이거야. 일일이 따질 필요가 뭐 있느냐 이거야. 천 원이다 이천 원이다, 백 원이다 이백 원이다 이거를 따질 필요가 없다 이거야. 만 원이면 만 원 안에 다, 백 원, 이백 원, 이천 원, 삼천 원이 다 들어 있으니까. 그러니까 거기에서 자기가 다양하게 꺼내 쓰는 거는 꺼내 쓰되, 그냥 쓰기만 하면 되는 거지 그거를 이백 원이다 삼백 원이다, 이것을 따질 필요가 없다 이거야. 그 만 원 안에 다 들어 있으니까. '주인공' 하면 '만 원' 과 같은 거다 이거야. 그러니까 이 삼천대천세계를, 만약에 이 진리를 만 원이라고 이름을 지었다면 그 만 원 안에 다 들어 있다 이거야.

그와 같이 주인공 안에 다양하게 들어 있으니 어떤 걸로 따질 필요가 없죠. 의사 과목이라면 의사의 일도, 그걸 불가에서는, 즉 말하자면 약사보살이라고 하죠. 약사보살도 내가 되고 명 길게 하는 칠성도 내가 되고 또는 좋은 데로 보내는 거, 지장보살도 내가 되는 겁니다. 용신이나 또는 일체 신도…. 그러니까 만 원 안에 다 들어 있으니 그걸 따지지 말라 하는 건 "일체 신이" 하는 것과 같기 때문입니다. 그러면 올챙이도 마음이 있고 신이 있어. 자기의 씨가 있기 때문에 씨가 낮든지 높든지 그것을 막론하고 생명은 다 똑같단 말이야. 그러니까 일체 공생으로서의 공심으로 돌아간다 이거야. 차원이 얕아서 그렇지.

그러니까 그 만 원 안에 다 들어 있고, 바로 우리 주인공이라 하면 주인공 안에 전부 의사도 있고 일체 신이 다 들어 있으니 내가 꺼내 쓸 때, 몸이 아프면 의사로 쓰여질 거고…, 자동적이니까. 자동 기구 아닌 자동 기구라, 영원한. 그렇기 때문에 주인공에, 그 기구는 거기에 아주 다양하게 천차만별로 다 들어 있는 거라. 이 세상에 있는 거는 다, 없는 거 없이 주인공 안에 다 들어 있으니까 거기에서 내가 다양하게 꺼내 쓰되 여러분이 똑같이 물건을 꺼내 쓸 수는 없는 겁니다. 어떤 사람은 배고파서 밥 먹게 되고, 어떤 사람은 아파서 병원엘 가야 하고, 어떤 사람은 참 좋아서 즐겁게 웃기도 하고, 어떤 사람은 아파서 뼈아프게 저리면서 눈물을 흘릴 그런 사람도 있고, 집이 없어서 거리로 나앉는 사람도 있고, 옷이 없어 헐벗은 사람도 있고, 연탄이 없어서 방이 추워서 벌벌 떨고 있는 사람도 있고, 너무 더워서 문을 열어 놓고 있는 사람도 있다 이거야.

그러면 그 천차만별로 돼 있는 이 살림살이의 우주의 섭류가 다 주인공 안에 들어 있으니까, 내가 만약에 주인공에서 나오는 거 주인공에다 다 놓고 쉴 때, 진짜로 믿고 맡겨 놓을 때 비로소…. 거기에서 나도 형성시켰고, 그러니까 모든 것이, 만물의 만용이 거기에 다 들어 있으니까, 아프면 의사가 자동적으로 되고…. 1번을 누르면 엘리베이터가 그냥 내려오고 또 10번을 누르면 엘리베이터가 그냥 올라오고 이렇듯이, 생각이 그 보당이라. 자가발전소의 보당처럼, 스위치 올리는 것처럼.

그러면 자기 마음이 더 잘 알지 누가 더 잘 아느냐 이거야. 내가 아프면 내가 더 잘 알지 남이 더 잘 아는 게 아니거든. 내가 어떤 것이 궁하면 내가 더 잘 알지 남이 더 잘 아는 게 아니거든. 매사에 일체 만법을 다 내가 더 잘 아는 거라. 그렇기 때문에 내가 궁하면 궁한 대로 '마음이 궁하다, 내가 살다 보니 궁한 생각이 든다' 그럴 땐 벌써 여기 주인공이 알아. 주인공은 일체 신이 다 합쳐진 거예요. 만 원에 합쳐졌듯이. 우주 삼라대천세계가 한데 합쳐진 거예요. 그러니까 그 속에는 다양하게 들어 있어요.

그런데 내가 어떠한 것이 궁하다 이런 마음이 들었을 때는 실질적으로 벌써 현실의 내가 궁한 걸 알기 때문에 내 여기 마음에 드는 거거든. 마음에 들면 벌써 자기 주인공이 알고 있다 이거야. 그 아는 것이 어떠한 일에든지, 자기가 시시각각으로 궁하고 아프고 괴롭고 외롭고 고독하고, 좋고 나쁘고 즐겁고 더럽고 깨끗하고, 크고 작고 높고 얕고 하는 것이 전부 거기에 들어 있으면서 그렇게 다양하게 나투어서 화해서 돌아가는 그 살림살이의 씀씀이가 어디에서 생기느냐? 보이지 않는, 잠재해 있는 그 속에서, 이 체는 하나지마는 그 만물의 마음의 용이, 그대로 활용하는 것이 내 생각에 의해서 나툰다 이거야.

예를 들어서 내가 '아, 아프구나. 여기가 이렇게 아프니 어떡하면 좋지?' 할 때 '어떡하면 좋지?' 하기 이전에 '아, 주인공이 이 몸을 끌고 다니는 것인데 아프게 하면 주인공이 끌고 다니지 못하지, 뭐. 주인공이 할 탓이지.' 그게 진실히 믿어야 그렇게 나오거든. 믿지 않으면 그렇게 안 됩니다. 믿으니까 벌써 그냥 거기다 맡겨 놔 버려, 아픈 것도. 그러면 걸어가다가 아픈 것이 그대로 그냥 스무드하게 해결이 난단 말이야. 왜 그것이 해결이 나느냐? 자기가 거기에 믿고 놨기 때문이다 이거야! 일임했기 때문에. 내가 열 사람의 자식을 뒀든 열 사람의 일꾼을 뒀든, 그냥 일꾼을 뒀다고만 생각을 하고 쓰지 않을 때는 바로 목석이나 한가지라. 열 명의 일꾼이 있는데 내가 어떤 때 '아, 내가 저 일을 하고 싶다.' 할 때는 이 일꾼이 '나' 기 때문에 이 일꾼이 벌써 그 일을 해요. 이것이 바로 무전자의 활용이다 이거야. 즉 말하자면 무전자로서 유전자를 통해서 몸으로 나오는 거라, 이게. 우리가 유전자라 하면 혼백이라고 해도 과언이 아니다 이거야. 혼백의 근원이 바로 지금 유전자다 이거야. 인간에게도 있고 짐승에게도 있다 이거야, 다. 그래서 미역이나 어떠한 풀이나 그 유전자가 없는 게 없어. 생명이 있는 건 다 있어요, 근원이. 그걸 가지고 유전자라고 하는데, 풀포기나 또는 짐승이나 사람이나 어떠한 생물이라든가 유전자는 하나씩 다 있다 이거야. 그런데 그 유전자의 차원은 있을 거다 이거야, 차원이. 콩이면 콩 차원이 있을 거고 팥이면 팥 차원이 있을 거다 이거야. 그러면 그 팥 차원의 유전자를 만약에 크게 하거나 작게 하거나 이것을 분류한다면 그것이 팥으로 나왔다가도 콩하고 한데 합쳐서, 유전자를 한데 합치면 콩 반 팥 반일 거다 이거야.

그와 마찬가지로 우리 인간은 고등 동물이라고 항상 하죠. 인간이라면 벌써 90% 부처가 될 수 있다는, 몸을 벗을 수 있는 능력이 있다는 것을 증명하는 거다 이거야. 그렇기 때문에 이 무전자의 능력으로서, 무전자의 능력은 우리가 '주인공' 하면 전체 공생(共生)으로서 한데 합쳐진 거를 말합니다. 그래 공생으로 한데 합쳐지니까 그 능력이 아니라면 공기가 없어서 우린 못 산다 이거야. 그렇게 합쳐졌기 때문에 이게 지금 사는 거지. 향처럼 돌아가면서, 에너지처럼 이렇게 돌아가면서 우리 생명을 호흡을 시켜서 살고 있다 이거야. 그런데 공생을 하고 있으면 공심(共心)으로 또 돌아간다 이거야. 혼자 사는 게 없어, 전부. 그래서 공심으로 돌아가는 데에는 반드시, 천차만별로 돼 있는 그 공심은, 즉 공생의 능력으로서의 공심으로서 그렇게 다양하게 천차만별로 돌아가게끔 돼 있기 때문에 진리이자 길이다 이거야, 이거는.

아무리 사람이 죽고 또 나고, 떴다 가라앉았다 떴다 가라앉았다 하지마는 이 진리만은 절대로 변동을 시킬 수 없는, 그대로 여여하고 그대로 참 부동한 거죠. 그러니 우리 자체가 그렇게 살림살이에 하나도 빼놓을 게 없는데 뭐가 불법이고 뭐가 불법이 아닌 게 있겠습니까? 얕다고 불법이 아니고 또 높다고 불법이고, 더럽다고 불법이 아니고 깨끗하다고 불법이고 이런 것은 없어. 역대의 조사들도 그렇지마는 우리 인간이 잘 파악해 본다면, '하나도 버릴 게 없기 때문에 하나도 쓸 게 없다' 하는 건 너무 많기 때문에 짊어지고 다니는 그 사량적인 마음이 아니라 공한, 자기조차도 공한 이치를, 공심을 알아야 된다 이거야.

공심이라면 그 마음이 내 마음이고 내 마음이 그 마음인데 어떻게 그렇게 할 수 있나. 공생이기 때문에 공심으로 돌아간다는 것은, 저 사람이 나쁘고 내가 좋고 이런데 내가 만약에 공심을 안다면 아, 저렇게 나쁜 마음 쓰는 것도 바로 나인 것을…. 내가 본 것이 인연이라. 들은 것도 인연이야, 고 순간 만남에 의해서. 그러니까 그 인연에 따라서 내가 생각하기에 달렸다 이거야. 넓히려면 넓히고 좁히려면 좁히고, 둘로 보고 싸움을 하려면 싸움을 하고, 하나로 보고 공으로 돌린다면 그렇게 지혜가 넓을 수 없는 거야. 우주를 덮고도 남지. 그러나 각각 보고 싸워진다면 그거는 이 허공에 바늘구멍도 안 들어간다고 그러죠.

이 기묘하고 불가사의한, 광대무변한 이 법을 우리가 손살피 볼 수 있는, 이 우주 전체를 한눈에 볼 수 있는 그런 광대무변한 실상! 우주 전체의 실상이 될 수 있는 '나'가 되려면 그것을 둘로 보고 싸우고 마음으로 증오하고 이렇게 해서는 될 수가 없고, 또 '이런 거는 불법이고 이런 거는 불법이 아니다' 하는 그런 마음이, 둘로 돼서는 안 된다는 얘기죠. 내가 만약에 '아, 내가 바람 좀 쐬고 싶다.' 그러면 산에 올라갈 수도 있는 거고, 내가 '아, 졸리니까 자겠다.' 그럼 잘 수도 있는 거고, '아, 내가 오늘 이렇게 바쁘니까 일을 해야지.' 하면 일을 하는 거고, 환경에 따라서 이렇게 아주 여여하게, 환경에 따라서 그대로…. 안 한다 한다, 이거는 아니다 기다 이런 게 없이, 남이 그르다 옳다 하더라도 여여하게 넘길 수 있으면서 서서히 그냥 물이 흐를 수 있다면, 그대로 얼마나 다양한 법이겠느냐 이거야.

그러니 안도 바깥도 없는 것이 주인공이거든. 그러면 그 주인공 안에서 수없는 일체 신이 전부 '나'라. 내 안에 들었으니까. '나'라는 데도 없기 때문에 주인공이거든. 그러니 그 안에 다 들어 있는데 어디로 찾으러 다니느냐 이거야. "그러면 바깥의 거는 전부 삿된 일이 아닙니까?" 한다 하더라도 그것은 바깥의 것도 안의 것도 둘이 아니기 때문에 주인공이라고 그러지 않느냐 이거죠. 그렇기 때문에 바깥의 '나쁘다' 이러는 것을 이것은 나쁘니까, 이거는 선한 일이 아니기 때문에 '아, 이건 부처님이 가르쳐 주신 법이 아니고, 이건 삿된 마음이고 망상이기 때문에 끊어야지.' 한다면 도라는 건, 자기 마음 깨닫기는 영영 그른 거라. 사람이 참사람이 되려면 이런 데도 엎드러져 보고 저런 데도 엎드러져 보고, 이런 데도 들어가 보고 저런 데도 들어가 보고…, 응?

어떤 강도가 하나 있었는데, 강도가 어떻게 강도질을 묘하게 그렇게 잘하나. 그건 돈을 받고도 못하겠거든. 그래서 그것을 많이 하면 물이 들까 봐 무섭다고 하지만 한번 잠깐 돼지 소굴에도 들어가 볼 수 있는 거야. 돼지가 하는 습에 완전히 물들까 봐 걱정이지만, 우리가 그 도리를 안다면 돼지 소굴에 들어가서 돼지로 내가 며칠 동안을 산다 할지라도 그건 물들지 않아. 또 강도 속에 들어가서 내가 강도가 돼 본다 하더라도 강도의 물이 들질 않아. 그렇기 때문에 오히려 향기로운 그 내음 없는 내음의 그 불빛이 너무 밝아서 캄캄한 강도의 마음도 녹일 수가 있더라 이거야. 그러면 강도가 만약에 내 집에 들어와서, 어느 사람의 집에 들어오더라도 '저 강도도 바로 나인 것이다' 라는 것을 알면, 육신은 나요, 바로 그 마음은 내 마음이니 둘이 아닌 주인공에 모든 것이 일치했을 때, 한마음이 됐을 때 비로소 그 강도는 자기가 자기를 죽일 수 없게 돼. 분명코 둘은 둘인데 죽일 수가 없이 돼. 이쪽 사람은 그렇게 일치했기 때문에 알고 있지만, 그쪽 사람은 모르지마는 이 공용 공심으로 돌아가기 때문에 벌써 알고 있단 말이야. 그 속의 자기 주인공은 알고 있어. 그렇기 때문에 그 주인공으로 인해서 육신이 움죽거리는 건데, 그 마음으로 인해서 육신이 움죽거리는 건데, 그 마음이 스르르 녹는데 어떻게 칼로 사람을 찔러? 그러니까 자기를 자기가 못 찌른다 이 소리야, 금방 마음이 약해져서.

그러니 사람의 마음이 그렇게 겨울과 같이 딴딴히 얼었다가 일치하니까 금세 봄이 되더라 이거야. 그러면 우리가 시간적으로 볼 때 겨울에서 봄이 되는 기간이 이렇게 몇 달 있는데 한순간에 겨울이 봄이 된 거야. 허허. 그러니까 녹았단 말이야. 그 강하게 얼었던 얼음이 그냥 순간 녹아 버리니까 물이 돼 버렸어. 물이 됐는데 뭘, 얼음이라고 할 수 있겠어? 깨트릴 게 뭐 있어? 그러니까 찌르지 못하지.

그래서 이 도리를 우리가 말로 할 수는 없는 거지마는, 이렇게 말로 해서 여러분이 듣는다면 주인공에다가 놓을 수 있는 그 자신이 생긴다 이겁니다. 주인공이라는 것은 아까도 얘기했듯이, 삼라 우주 전체가 한데 합쳐진, 즉 주인공이다 이거야. 그렇기 때문에 주인공에서 나오는 일들은 바깥에서 하는 일이나 안에서 하는 일이나, 안에서 생각나는 거나 바깥에서 내 몸뚱이가 움죽거리는 거나 상대성이 있는 거나 모든 게 나로 인해서 생긴 거라 이거야. 주인공에서 나오는 거는 주인공에다 되놔라 이거야. 그러면 거기에서 다, 강한 건 녹는다. 강한 것이 부러지지 않고 그냥 용광로에 넣으면 녹는다. 딴딴한 건, 쇠는 용광로에 넣는 거고 봄이 오면 다 녹는 거라, 한마디로 말해서.

그러니 우리가 이 탓 저 탓 할 것도 없고, 이것 저것 불법이 어떤 건가 하고 눈을 희번덕거리고 찾아다닐 것도 없어. 반면에 우리가 이렇게 인연이 돼서 어떤 법당에 들어갔을 때, 아무 법당에라도 들어갔을 때 그 등상불을 '아이, 저건 등상불이니까.' 이렇게, 즉 말하자면 버리지 말라 이거야. 그건 왜? 그 때 그 순간, 그 법당에 자기가 들어갔기 때문에 바로 거기에 부처가 있는 거라. 자기가 거기 들어갔기 때문에 인연이 돼서, 그 부처의 형상도 내 형상이라. 그 형상을 배척한다면 내 몸뚱이가 망가져. 모든 게 중하지, 중하지 않은 게 하나도 없어. 남을 못 믿고 남을 배척한다면, 남을 욕을 한다면 바로 내가 욕을 먹게 되고 내가 몸이 망가지고 남을 배척하는 것만큼 자기가 망가져요. 또 모든 것에 욕심을 부려서 '배척하지 말랬으니까 전부 내 거다.' 이렇게도 생각하지 말라 이거야. 모두가 내 것이기 때문에 놔 놓고 써라 이거야. 놔 놓고! 그러면 무겁지도 않고 가볍지도 않고, 가벼운 것도 없고 무거운 것도 없고 그냥 여여하게 씀씀이에 의해서 내가 만 원 쓰려면 만 원 쓰고, 천 원 쓰려면 천 원 쓰고, 몇천 원 쓰려면 몇천 원 쓰고, 이렇게 다양하게 써라 이거야. 그 주인공 안에 다 들어 있으니까.

그런데 중요한 말이 하나 있죠. 이거는 색(色)만 보고 모든 것에 급급하게 돌아가지 말라 이거야. 주인공에 일임하면 그렇게 화목하게 되고 남을 죽이지 않게 되고, 욕심이 안 나고 사상(四相)이 안 생기고 모든 욕심이, 삼독이 빠진다 이거야. 그건 왜 그런가? 보이지 않는 무(無)의 세계의 그 무전자의 능력으로 유전자로 하여금 유유히 우리의 모든 것이…. 무전자는 부동하지만 능력이라 이거야. 그래서 그 능력으로 하여금 유전자는 수가 없이 생기는 거야. 수가 없이. 이게 금방 아팠다가 금방 이게 가난하고 돈도 없고 고독하고 이렇게 여러 가지로, 회사의 일도 안되고 뭐, 술집을 하는데 술도 안 팔리고 밥집을 하는데 밥도 안 팔리고, 전부 이렇게 여러 가지로 되어 있는데 '이걸 주인공에다가만 맡기면 이게 되나?' 이렇게 생각하겠지마는 거기에는 수가 없이 다양하게, 아무리 꺼내도 꺼내도 줄지도 않는 거라. 넣어도 넣어도 두드러지지도 않고. 그러면 그게 뭐냐? 유전자로 해서 분신이 화한다 이거야. 즉 말하자면 유전자로 하여금 이 전부, 내가 저 사람이라면 저 사람으로 그냥 돼 버리는 거야, 이렇게. 그러니깐 이건 체가 없는 거라. 수천수만이 된다 할지라도 손이 없는 손이라. 그렇기 때문에 그 손이 되고, 그 손이 된다면 이거는 아무리 손이 많이 있어서 많이 쓴다 하더라도 쓴 사이 없이 쓴 것이고, 그 손은 되남는 거야.

그래서 그걸 떡으로 비유한다면, 부처님께선 공양 한 그릇으로 표현을 했어. 그러면 떡 하나라면 이 세상만사에 다양하게 천차만별로 씀씀이가 되는 거를 그 떡 하나로 다 해결을 하고는 떡 하나가 되남더라는 얘기야. 그건 그대로 고정, 즉 말하자면 부동하게 그냥 있다 이 소리야. 그렇게 무궁무진한 거야. 그러니 그걸 말로 어떻게 다 해? 말로는 다 할 수 없는 거라. 한 가지만 돼 있어야 한 가지 '이런 것이다' 하고 말할 텐데, 천차만별로 돼 있으니 이것이 다양하게 여여하게 돌아가는 거를 어떻게 요런 것이 요렇다, 조런 것이 조렇다 하고 얘길 할 수 있겠나.

그러나 부처님 경전에도 화엄경이니 금강경이니 반야경이니 아함경이니 이 모두를 해 놓은 게 바로 여러분의 근기에 따라서, 어느 거든지 하나만 그것을 깨치면 바로 여러 가지가 다 주산이 놔진다고 해서 그렇게 했던 거라. 그래서 "천칠백 공안이 다 도의 문이니라. 그것이 바로 화두니라." 했는데 모르는 사람 앞에 화두를 또 준다면…. 사대가 공한 이 자체가 이 세상에 나오고부터 그대로 화두며 그것이 진리라. 그런데 사대가 공한 이것이 진리거늘 여기에다가 또 화두를 남한테 받아 가지고 이렇게 하니까…. 이게 근래에 있는 거라. 전자의 부처님 당시에는 그런 법이 없었어. 그냥 네가 생긴 것이 태초요, 네가 생긴 것이 화두니라. 그러니 네가, 사대 오온이 공했으니 사대 오온이 공해서 돌아가는 것이 그대로, 즉 말하자면 삼심이 공해서 일심으로 이렇게 돌아가니 모든 걸, 너한테서 나오는 거 너한테다 놔라 이거야. 그것이 화두자 바로 길이니까 진리야.

그런데 딴 사람이 내 밥을 대신 먹어 줄 수 없는데도 불구하고, 항상 구원을 받으려고 그러고, 내가 잘되는 걸 항상 타의에서 받으려고 한다면, 이게 전자의 석존으로부터 가르쳐 내려오신 조사 스님네들에 누가 되는 거라, 첫째. 둘째, 내게 이롭지 못하고 세세생생에 끄달릴 테니 얼마나 누가 되는 거냐 이거야. 얼마나 불충이냐 이거야. 육신적으로 뼈를 빌리고 살을 빌려서 이렇게 생긴, 이 나를 낳아 준 육신 부모한테도 누가 되는 거라, 전부. 나 하나만 깨치면 전체가 다 공해서 일심으로 공용으로서 돌아가기 때문에 내 가정, 내 집들도 다 유유히 편리하게 돌아가는데 아, 나 하나가 그렇게 모르니 전부 끄달려서 인과응보와 유전성이 그냥 얽히고설켜서 뭐, 녹아지기는, 풀어지기는커녕 외려 덧붙여지지 않으면 다행이지. 그러니 우리가 녹인다고 하는 것이 오히려 덧붙여 놓는 셈이다 이거야, 몰락 놓지 않는다면. 왜?

이런 거 보셨죠? 큰 얼음덩어리가 있는데 그거를 녹이려고 끓는 물 한 바가지를 갖다 부어 보십시오. 잠깐 그 거죽만 이렇게 녹는 듯했다가 다시 끓는 물 한 바가지 부은 것이 되얼어서 같이 두더기가 돼 버려. 안 그럴까요? 그러니까 모든 것을 몰락 그냥 놔 버리면, 봄이 오면 끓는 물 한 바가지 떠 가지고 다니지 않아도 그 딴딴한 얼음은 스스로서 녹을 것이라 이거야. 그래서 금방 사람을 때려 죽일 듯이 속이 상해도 주인공에 넣어서 한번 돌려놔라 이거야. 그러면 금방 칼이라도 있으면 찔러 죽이리만큼 속이 상한다 할지라도 그것이 스르르르 봄이 와서 그 얼음장 같은 딴딴한 마음이 다 녹아 버리는 거라.

그래서 이걸 말로만 듣고 가서 '그냥 그러더라' 이렇게 이해만 하고 돌아가지 말고 실천으로 옮겨 보시라 이겁니다. 내가 가정에서 실천을 한번 해 본다면 스스로서 벌써 알게 되고 절대로 부처님은 거짓말을 안 한다는 걸 실감하실 거다 이거야. 말을 들었으면 행해 볼 줄도 알고, 행해 봤으면 지켜볼 줄도 알고 또 내가 그렇게 해 봤으면 한번 상대에게 보당도 눌러 보고 그러세요. '나는 그렇게 할 수가 있는데 내 식구들이 그렇게 안 하니까 저건 미워.' 이러면 그냥 또 엇갈리거든. 밉다고 하는 생각을 말아요. 아무리 여기 같이 안 나온다 하더라도, 또는 아무리 그 도리를 모르고 식구들이 애를 쓴다 하더라도, 어느 식구든지 그런다 할지라도 그것을 나로 생각할 때 바로 그 사람에게 봄이 와서 스스로서 녹아서 "여보! 나도 한번 가 봤으면 좋겠어." 하고 어느 땐

가는 나와. 그리고 그런 걸 몰라도 스스로서 벌써 여기에서는 자기를 인도를 잘해 줘. 그런데도 불구하고 "응, 요놈아! 너는 그런 도리를 몰라서 그러니까 나가자." 뭐, 어쩌자 이럭해 가지고 감정을 사게 해 가지고 외려 애쓴다 이거야.

그러니까 모든 것을 스스로서 하게끔 해라 이거야. 스스로서! 유도리 있고 지혜 있게 스스로서 이렇게 감동을 시켜서 나오게끔 돼야지, 안팎이. 속으로 단단하게 '나는 그런 거….' 이러면서 배척하고 있는 그런 사람한테다가 그냥 겉으로 듣기 싫은 말을 자꾸 할 때 오히려 더 저항력을 느끼곤 도망가요. 언제나 풀어놔 줘. '나' 이기 때문에. 값싼 사랑이 아니라 언제나 진짜 사랑, 값비싼 사랑, 값비싼 눈물 이것이 자비라. 나쁜 거는 아니고 좋은 거는 기고 이런다면 값비싼 자비가 아니야. 그건 그냥 자비라고 말만 할 뿐이지 땅에 떨어지는 말이라.

오늘 얘기하는 이 자체가 바로, 내가 지금 혀를 빌리고 입술을 빌려서 이렇게 말을 하고 있지만, 우리가 공생 공심으로서의 공용을 하고 있기 때문에 내가 지금 이렇게 말을 했다고 할 수도 없습니다. 그러니 여러분이 혼자만 들은 게 아니라 여러분이 다 같이 들었습니다. 그런데 여기 방통에서만 들은 게 아닙니다. 우주 전체가 다 듣고 있는 겁니다. 그렇기 때문에 삼천 년 전에 이렇게 말씀하신 그것이 바로 오늘이 될 수도 있는 겁니다. 삼천 년 전이라고 하는 거는 우리가 만들어 놓은 가상의 이름입니다. 삼천 년 후라고 하는 것도 가상의 이름입니다. 내일이라고 하는 것도 가상의 이름이요, 어저께라고 하는 것도 가상의 이름이다 이겁니다. 우리는 어저께가 따로 없고 내일이 따로 없는 겁니다. 그것은 가상의 이름일 뿐이고 또 우리가 생각하는 것도 발자취가 없이 자꾸자꾸 놓고 이렇게 오는데, 태어나서부터 여직껏 잡수신 거 쌓아 놓으셨다면 내놔 보십시오. 잡수신 거 말이에요.

얼른 쉽게 말해서 한 가지만 아니라 수없이 여러 가지로 배 속에 들어가서 스끼야끼가 됐는데, 그걸 스끼야끼라 하면 그것이 또 말이 어폐가 있겠군요. 그러니까 그것이 종합된 뭐라고 그럴까요? 전골? 응. 종합 전골이 됐는데, 들어가는 것마다 종합 전골이 돼 가지곤 그게 어디 쌓여 있습니까? 여러분이 되쌓아 놓고 되먹었습니다. 되먹고 지금 쳇바퀴 돌듯 하고 있습니다. 서로 주고 서로 받아먹고, 서로 먹이고 서로 먹고 삽니다. 우리가 똥 누는 것도 쓸모없는 게 아니라 똥을 먹고 사는 게 또 있습니다. 말똥을 눠 놔도 말똥은 말똥대로 또 먹고 사는 게 있습니다.

모든 게 이렇게 연쇄적으로 먹고 살고, 주고받고 이렇게 공용하고 공식하고 있는 겁니다. 그런데 이것이 쌓아 놓은 게 없이 먹으면 없어져, 먹으면. 그냥 녹아 없어져. 녹아 없애야지 그걸 끊어 없애려면 됩니까? 그걸 비유를 해 보세요. 우리 공부하는 것도 그렇죠? 망상이라고 끊으려고 한다면 끊어집니까? 그럼 위를 갖다 끊어 버려야죠, 아예 넣지도 말고. 그런데 그것을 다양하게 넣고 "우린 인간인데 어떻게 놓으랍니까? 뭐든지 살아야 하는데…." 이러죠? 살아야 하니까 놔라 이거야, 응? 그냥 넣으면 녹아서 슬슬슬슬 내려가니 그냥 놔라 이거야. 먹을 때 '요것이 체하면 어쩌나? 요것이 어디 막히면 어쩌나?' 이러고 먹습니까? 배고프면 그냥 먹는 겁니다. 그런데 먹으면 그냥 자동적으로 녹아서 내려갑니다.

그와 같이 우리가 지금 생활하는 것도 자연적으로 놓는다, 안 놓는다도 없이 지금 놓고 가는 겁니다. 그런데도 불구하고 놓을 데가 어딨느냐는 겁니다, 지금 놓고 가는데도. 그럼 놓고 갈 데가 있어서 가느냐? 그게 아닙니다. 가는 것도 없고 오는 것도 없습니다. 본래 이 자리에서 그대로 일어났다가 그대로 가라앉았다가, 일어났다 가라앉았다 하는데 그것도 보이는 것만 이 육신이 없으니까 가라앉았다고 하는 말뿐입니다. 가라앉을 것도 없고 일어날 것도 없습니다. 그럼 질문하십시오, 또.

질문자1(남) 예. 인간의 본성을 선으로 규정한 그러한 성현들도 계셨고 또 악으로 보는 그러한 선철들도 있었습니다. 그런데 제가 어린 애들이 성장하는 것을 보니까 어떤 애는 양보심이라는 게 하나도 없고요, 무엇이든지 제가 전부 다 가져가야 된다고 하는 그러한 애들도 있고 또 어떠한 애들은 양보심이 너무 많은 애들도 있고, 또 방금 태어난 아기를 봤을 때요, 어떤 애는 아주 앙칼지고 모지락스럽게 우는 애도 있고 또 어떤 애는 순하게 우는 애도 있는 걸 봤을 때, 본성을 갖다 선하다고 규정하는 것도 옳지 못하고 악하다고 규정한 것도 잘못된 것이라고 저는 그렇게 생각했어요.

그런데 이제 스님 설법을 듣고 결국 '인연에 의해서만 모든 것이 정해진다.' 이 원칙에 적용시켰을 때 그 해답을 얻을 수 있다고 생각하는데 스님은 어떻게 생각하시는지, 제 생각이 옳은지 그른지 말씀 좀 해 주시면 좋겠습니다.

큰스님 아까도 그러지 않았습니까? 잘됐다 못됐다, 악하다 악하지 않다 이러는 것이 종합돼서 이렇게 돌아가기 때문에 공했고, 바로 공했기 때문에 우리가 이것저것 따지지 않는 것이 불법이라고요. 아까 어린애들이 다글심이 많은 애가 있고, 모두 주는 애가 있다고 했습니다. 그랬는데 불법이 주는 것만도 불법이 아니요, 자기가 갖는 것만도 불법이 아닙니다. 단지 그것은 공했기에, 아무리 갖는다고 하더라도 가진 것이 없고, 아무리 준다고 하더라도 준 게 없어. 그 도리를 알았을 때, 걔도 나무랄 수 없고 얘도 나무랄 수 없습니다. 따라서 그거는 자기가 생각하기에 달린 거죠.

질문자2(남) 우주의 별이 수없이 많지 않습니까? 지구라는 별도 그 수많은 별들 중에 하찮은 하나의 별에 불과하잖아요? 우리는 지금 지구라는 별에 살고 있는 인간이라는 생명체인데요, 인류라는 것이 생겨났다고 그러는 것이 불과 몇만 년 전에 불과하고, 우리의 상상으로다가 생각할 수 있는 미생물에서부터 모든 동식물, 그리고 걸어 다니는 사람들이 생겨난 지구라는 역사가 겨우 몇십억 년에 지나지 않습니다. 그런데 지금 이 시각에도 우주 안에서는 수많은, 우리가 별이라고 말하는 것들이 새로 생겨나고, 또 수많은 별들이 같은 별들끼리의 부닥침이라든가 다른 별들로부터의 점령에 의해서 순식간에 사라지고 있는 그러한 상태입니다.

그리고 사람이라고 하는 것은 그 수많은 별들 중에서 지구라는 하나의 별 안에서 생활하고 있는 그런 것들인데, 이 지구라는 것도 수명이 다하면 언젠가는 우주 안에서 사라지고 자취조차도 없어지는 상태가 필연적으로 일어나게 될 텐데, 우리가 여기 이렇게 앉아 가지고 이러한 얘기를 하고 있는 자체가 어떤 의미를 가지고 있는 것인지 잘 이해가 안 갑니다.

큰스님 허허허…. 그래요. 어떤 의미가 없을 것 같죠? 그러나 우리가, 영원한 자기가 한마음으로 지금 공생을 하고 있고 공심으로 돌아가고 있기 때문에, 우리는 이 집을 없애고 다시 큰 집을 지니고 살 수도 있는 거죠.

예를 들어서 이 지구가 아무 때라도 멸한다고 하지마는 그건 우리 마음에 달려 있어. 우리가 이 지구의 주인이기 때문이에요. 의미가 너무도 많아요, 없는 게 아니라. 너무도 당연히 우리는 있어야 할 존재인 거고, 해야 할 존재가 바로 우리들입니다. 우리가 한 생각을 잘못하면 지구가 멸망할 수도 있고 한 생각을 잘하면 지구가 잘 순탄하게 갈 수도 있는 반면에, 지구 안에도 혹성이 또 생길 수도 있어서, 집이 또 생길 수 있어서, 우리 생명들이 또 위대하게 살 수 있는 그런 집이 또 하나 생길는지도 모르죠. 저 북극 쪽으로 말이에요. 그것을 개발할 수 있는 그 정신력을 가진 것도 우리가 인간이기 때문이죠.

예를 들어서 말한다면 한 다리를, 가깝게 다리를 놓는 셈이나 한가지죠. 목성 같은 데, 토성 같은 데 이런 데는, 물론 천왕성도 있고 해

왕성도 있고 그렇지마는, 목성 같은 데도 우리 지구 같은 혹성이 그 안에 수도 없이 많지 않습니까? 그러면 그 대의적인 큰 집에, 그 안에 또 집이 있다는 얘깁니다.

그렇듯이 우리 조그마한 요 지구 덩어리 하나의 별성 자체가 우리 몸뚱이 하나라고 친다면 몸뚱이 속에…, 좀 보세요. 의미가 없나 있나. 많은 생명들이 자기의 소신껏 분야를 맡아서 살고 있습니다. 그럼 이거는 혹성이 아닌가요? 이것도 별성이란 말입니다. 그러면 이게 하나하나, 별 하나 나 하나 하듯이 그렇게 많은 별이 떠 있는데, 우리도 지금 많은 별이 이렇게 살고 있습니다. 많은 별이 지금 움죽거리고 돌아가고 있습니다. 삼각원형을 이루면서 말입니다. 물물이 물물이 지어서….

그런데 태양이 은하계 가운데에 박혀 있는 게 아니라 은하계는 은하계대로 입구에, 즉 말하자면 마음의 밝음에 의해서 모아져서 이것이 반사가 된 태양이 바로 이렇게 중간 지점에 있다고 해도 과언이 아닙니다. 그렇기 때문에 여기서 볼 때는 가장자리에 있는 걸로 보이죠. 머니까, 떨어졌으니까 이것이 바로 보일 수가 없죠. 그것은 우리가 코끼리를 장님이 만져 보고 벽 같다고 하는 거나 똑같아요. 우리가 혜안이 밝아서 은하계의 모든 별성과 더불어 둘이 아니라면 직접 거기서 그대로 볼 겁니다. 둘이 아니니까! 별과 나와 둘이 아닐 때에 비로소…. 그 별이 거기서 볼 때 그건 상당히 거리가 떨어진 겁니다.

그런데 우리가 의미가 없기는 왜 의미가 없습니까? 이 지구 안에 우리가 주인인데. 만약에 이 지구가 몸뚱이라면, 이 몸뚱이 안의 생명들이 다 소멸되면 이 껍데기는 그냥 송장이 돼 버리는데! 그건 우리의 탓이야. 내 속에 들어 있는 생명들이 잘해 주면 이것이 잘 유지되고 있는 거야. 그런데 만약에 그 속의 생명들이 잘못될 때는 이 몸도 송장이 돼 버려. 썩어 들어가고 또는 침체돼 들어가고, 피가 통하지 않고 또는 굳어 들어가고 이렇게 되거든. 그런 거나 마찬가지예요.

그러면 내 속에 들어 있는 그 자체의 생명들이 한데 합쳐진 생명이 바로 나인 것이지, 이 껍데기가 나인 것이 아니란 얘깁니다. 지금 이 지구가 아주 높은 것이 아니라 바로 지구 속에 들어 있는 우리가 지금 주인이란 얘깁니다. 이 지구를 망가뜨릴 수도 있고 잘 끌고 아주 성하게 잘 갈 수도 있어. 이 주인이 잘못하면, 만약에 오는 것도 모르고 가는 것도 모를 때는, 다른 혹성이 만약에 지구에 부딪칠 때는 거기에 그냥 엄청난 구멍이 나게끔 돼 있어.

그리고 지구의 모든 것이, 지구뿐만 아니라 전체의 법망이 다 이렇게, 정말 천체망원경으로 자세히 보면 보일 듯 말 듯 한 그런 것이, 우리 세포가 그렇게 돼 있듯이, 얽히고설켜서 있듯이 다 돼 있단 말이야. 우리의 몸뚱이란 말이야, 이 지구가. 그런데 우리가 잘못하면 우리가 그냥 이 속에서 들끓고, 온통 보당을 누르고, 온통 저희들이 잘났다고 막 저거 하면 한군데가 그냥 다 무질러져 버리지, 뭐. 그러곤 그냥 발칵 뒤집히면 송장 되지, 뭐, 이 지구가. 허허허. 고렇게 비유를 하는 겁니다, 내가 지금. 그거는 부정 못해요.

만약에 이 안에서 서로들 자기네들끼리 분야를 맡아 가지고 심장 공장 또 대장 공장, 소장 공장 뭐, 이자 공장, 콩팥 공장 이런 공장이 많은데 이 공장에서 만약에 '네가 공장이 더 크다, 내가 공장이 더 크다' 하고서 파벌이 생긴다면, 한마음으로 돌아가질 않고 파벌이 생긴다면, 우리 마음이 지금 살아나가는 데 그렇게 파벌이 된다면 이 속의 생명들도 그렇게 파벌이 생겨요. 그러니까 이 속에서 파벌이 생긴다면 그땐 뭐가 되느냐 하면 망그러지는 거는 이 육신밖에 없어, 망그러지는 거는. 자기네들도 싸움을 해서 죽고 살고 하지마는. 그럼 만약에 심장 공장이 망그러졌다 하면 그냥 거기엔 침체가 되는 거라.

우리 지구 안에서 세계적으로 볼 때 미국하고 소련하고 만약에 싸움이 붙었다 하면 이건 세계에 문제가 벌어지는 거라. 그건 전체 몸에 그냥 부작용이 오는 거라. 그러니 만약에 어떠한 공장에서 잘못 파

별이 생겼다, 그 공장 안에서. 딴 공장하고 붙는 게 아니라 공장 안에서, 그 안에서 생명체들이 부작용이 났다 하면 그 공장만 망가지는 거라. 그래서 병이 나면, 어디가 나쁘다 그러면 떼어 내야 하고 수술해야 하고 이런 게 생기는 거다 이겁니다. 그러니 그런 일이 없도록 하려면, 내 한생각이 이 모든 생명의 근원이 돼 가지고 끌고 가라 이거야. 그러니 이 생명체들이 한데 합쳐진 근원이 바로 내 잠재의식 그 자체의 참이란 얘기야. 이 껍데기가 참이 아니라.

이거는 과학적으로 생각한대도 그렇고, 철학적으로 생각한대도 그렇고, 천체물리학으로써 생각해 봐도 이거는 전체 해명이 나오질 않아. 그러나 유전자로서의 해명이 나올 수 있는 문제는, 무전자와 유전자가 둘이 아니라는 데서 나올 수 있다 이거야, 시쳇말로 한다면. 그래서 불과 법이 둘이 아닐 때 바로 "육신도" 이러는 거를 "승보도 그러하니라." 그냥 따르느니라, 이거는. 이 지구 덩어리는 우리가 생각하고 사는 대로 지구는 따라 줄 뿐이야. 그런데 왜 의미가 없어? 네가 주인인데. 네가 이 지구의 주인이야. 그런데 그 무슨 소리야? 섭섭한 말을 하고 있어? 하하하….

그리고 참이란 이 몸뚱이를 벗었다고 해서 벗는 것이 아냐. 즉 말하자면 별성도 한때에는 늙으면 옷을 벗어, 저 별들도. 옷을 벗고 옷을 벗는 반면에 바로 새 별이 나올 수 있어. 그래서 별 하나에 별 둘이 나올 수도 있고 셋이 나올 수도 있는데, 별 둘이 나올 수 있는 것이 보통이야. 그러면 그건 껍데기가 돼서 떨어질 때 찌끄러기는 어디로 떨어지는 줄 알아? 이런 데로 떨어지지, 뭐. 저런 데로 떨어지고, 다. 그래서 거기에서 또 생명이 살던 습이…, 우리네 왜, 산소에 사람 갖다가 묻지? 그러면 그 혼이 살던 습이 있어 가지고 '내가 저리로 간다, 온다' 요런 걸 생각을 하기 때문에, 내가 거기서 살았다 이러기 때문에 집에도 하나 붙어 있고, 거기도 붙어 있고 저기도 붙어 있고, 죄 붙어 있기 때문에 그런 걸 없애기 위해서 이 공부를 하는 거라.

일체 만법이 내 주인공에 있다

1986년 1월 14일

질문자1(남) 스님 말씀을 들어 보면 내 마음에 우주가 있으니 내가 우주가 될 수도 있는 것이고 또 우주에 내 마음이 있는 것일 수도 있는 것이고, 그런 거 아니에요? 그러면 스님 앞에 놓여 있는 박카스 병을 갖다가 스님이 그걸 쳐다보시면 박카스 병이 스님이 되는 거고 스님이 박카스 병이고, 그런 논리가 성립되는 것 같습니다. 그러니까 다시 말해서 유일한 생명체라는 것은 마음이고, 겉으로 나타나 있는 물질이라는 거는 마음에 의한 하나의 도구에 불과하다고 생각이 됩니다.

그런 식으로다가 논리를 전개해 나가다 보면 현상 세계에서 볼 수 있는 껍데기들은 실제로 아무것도 아니고 마음에서 모든 것이 시작돼서 마음으로 모든 것이 끝나는, 다시 말해서 변하지 않고 영원히 움직여 나가는 것은 마음이라는 거 하나뿐이라고 생각이 됩니다. 근데 우리가 살고 있는 세상을 이렇게 둘러볼 때 느끼는 몇 가지 점을 얘기해 보면, 못생긴 여자는 자신이 못생겼기 때문에 못생긴 걸 느끼고 그걸 커버하기 위해서 자신을 더 가꾸게 되고, 키가 아주 작은 남자는 자신이 또 키가 작기 때문에 보다 다른 면으로다가 발전하려고 노력을 많이 하게 되고, 가난한 사람은 자신이 가난하기 때문에 보다 잘살아 보려는 의지력이 거기서 생기게 되는 것이고, 몸이 아프기 때문에 마음이 아픈 것을 느끼게 되고, 어떻게 보면 겉으로 나타난 것에서 마음이 비롯되는 것이지 겉으로 나타나는 것이 없으면 마음에서 비롯되는 그 시작도 없는 거 같다는 생각이 듭니다. 그런데 제가 말하는 그러한 마음이라는 것이 진짜 자신의 참주인공이 아니라면 진짜 자신의 참마음이라는 것은 무엇인지 잘 모르겠습니다.

큰스님 내가 어저께도 얘기했잖아? 먼저가 없고 나중이 없다고. 알도 필요하고 닭도 필요하다고. 그래서 알과 닭이 둘이 아니라고. 그 뜻이나 똑같아. 알만 쓰고 닭은 필요 없는 것도 아니고 닭만 쓰고 알이 필요 없는 것도 아니야. 만약에 생명이 없다면 마음이 존재하지 않고, 마음이 없다면 육신이 존재하지 않아. 그렇기 때문에 육신과 더불어 삼합이 공존한다 그랬잖아? 그래서 우리는 참, 발랄하고 또 계발해서 어디까지나 인간의 그 삶의 보람을 느끼면서 나와 남을 이익하게 하면서 보람을 느끼는, 눈물을 흘려도 아주 기쁜 눈물이고 감사의 눈물이 흐르게 되고, 웃어도 어처구니없어서 웃는 웃음이 아니라 즐거운 웃음으로써 웃을 수 있다 이거야. 사람들은 울되, 아주 비참하게 우는 사람도 있고 아파서 우는 사람도 있고 별의별 사람이 다 많지 않아? 삶의 보람을 느끼지 못하고, 또 허하고 고독하고 허무하고 이래서 우는 사람도 있어. 꼭 눈물을 흘려서만 우는 게 아니라 마음속으로 항상 울고 지내는 사람이 많아요.

그런데 그러지 않게 하기 위해서 지금 이렇게 공부를 하는 거야. 필요 없는 것이 하나도 없다고 그랬잖아. 이걸로 인해서 내 부처를 찾게 되는 근본, 원형이 되고 또, 이 속의 내 참마음을 찾게 되면 이 거죽도 실상이라니까, 그대로. 우리가 이 공부를, 이 도리를 모르고서 몸뚱이가 사는 것은 깊은 그 뜻을 몰라. 자기를 자기가 위한다고, 아주 가장 위한다고 하면서도 자기를 구덩이에 집어넣을 수가 있고, 자기를 가장 위한다고 하면서도 외려 흠집을 더 만들어 놓을 수가 있어. 그러나 이 도리의 근본, 그러게 '본본심본' 이라고 그랬어. 왜 본이 세 번씩이나 들어가느냔 얘기야. 하늘과 땅, 인간, 이 세상 이것이 마음의 근본이라는 뜻이야. 본본심본이, 응? 하늘도 땅도 인간 세계도 다, 마음의 근본이라. 마음으로써 이 육신도 자기가 이끌어 가고 모든 것을 올바르게 이끌어 가지고 가는데 왜 그것이 아무것도 아니냐는 얘기야.

예를 들어서 공부를 할 때, 아무것도 아닌 이 껍데기가 있기 때문에 공부를 할 수가 있어. 콩나무가 났기 때문에 콩이 열릴 수가 있어. 안 그럴까? 콩나무가 없다면 콩이 열릴 수가 없지? 그래 콩으로 인해서 콩나무는 또 나게 돼. 이게 어떻게 둘이겠나? 이건 비유야. 인간도 인간의 뿌리가 아니라면 이 육신이 생길 수가 없고 바로 이 육신이 아니라면 뿌리를 찾을 수가 없어. 둘로 생각을 한다면 둘뿐이 아니라 천차만별로 갈가리 헤져. 갈가리 뜯어져서 이거는 일일이 살아나가는 게 악조건으로만 돌아가. 상대성이 생기고.

그러면, 이 박카스 병 얘기를 했는데, 아까 박카스가 여기 있었어. 만약에 이 속에 박카스가 없었다면 이건 우리 인간으로 치면 송장이 되기 때문에 이 박카스 병이 여기 올라오지도 않아. 빈 병이기 때문에. 이 박카스 병에 박카스가 들어 있기 때문에 이 병이 올라오는 것뿐이야. 박카스가 있기 때문에 이게 온 게 아니라, 박카스 병이 있기 때문에 여기 박카스가 들어갔던 거야. 담겼어. 담겼기 때문에 박카스 병이 필요하다는 얘기야, 또. 그러면 이것이 박카스가 담겼으니까 내 마음이, 만약에 '이거 먹고 싶다.' 하는 생각이 들었을 때 순간 둘이 아닌 거야. 삼켜 버리는 거야. 바로 이것은 내가 되는 거야, 응? 그래서 어떤 사람은 "이 도리를 그냥 그렇게 가르쳐서 되겠느냐. 자기가 깨달아서 스스로 알게 해야지. 그런 말을 하면 못쓴다." 그러지만 생활 속에서 요런 것만은 걸리지 않고 갈 수도 있다 이거야. 꼭 각을 이루어서만이 아니라 상식적으로 알아야 한다 이거야.

만약에 부모나 자식이나 급한 병이 들었어. 그래서 내가 토끼를 한 마리 잡아 고아서 그것을 드렸다고 하자. 또는 내가 먹는다고 하자. 그럼 이 박카스 먹는 거나 똑같아. 그 실(實)이 나요, 상(相)이 또 나야. 이 물질이 나고 그 물질이 나야. 내가 먹었어. 그럼 약으로 먹은 거지 그것이 어떠한 살생을 한 건 아니야. 그 토끼는 토끼의 마음이 내 마음으로 되고 그 토끼의 몸뚱이는 약으로 내 몸이 됐단 얘기야. 그러니까 한마음 한몸이 된 거야. 일치된 거야. 그렇다면 이건 손해날 거 없어, 토끼가. 왜? 이익이지. 몇억 겁을 거쳐야만이 토끼가 인간 환생을 할 텐데도 불구하고 몇 생을 거치지 않고도 인간이 됐다는 얘기야. 인연이 닿아서 이런 거 하나를 먹어도 이익하게 무주상 보시로 해라 이거야. 둘로 보면 안 된다 이거야. 즉 말하자면 남을 이익하게 하는 것이 보살행인데, 만약에 토끼는 토끼대로 나는 나대로 이런다면 이건 토끼가 화해서 창조되지도 못하고, 나는 나대로 이거 살생이 돼 버려. 이건 상식적으로 알아야 해.

그렇다고 해서 남의 생명을 아무렇게나 생각해서는 안 돼, 또. 우리가 살생을 하지 말라 했지마는, 작은 생명이나 큰 생명이나 아픔은 똑같이 아파. 식물이라고 해서 살생이 아니라는 법은 없어. 동물만 살생이 된다는 법은 없어. 그것도 다 생명이 있기 때문이야. 그런데 어떤 점에서 그러느냐. 만약에 큰 동물을 살생을 하면, 벌써 큰 동물이라는 건 그만큼 진화돼서 벌써 이 마음이 계발됐다는 거야, 작은 미생물보다는. 그렇기 때문에 증오심을 갖게도 되고 원수를 갚겠다는 앙심을 먹게도 돼. 생각이 없는 게 아니야. 그러니깐, 즉 말하자면 원수가 되고 인연에 따라서 업보가 되는 거야. 살생이 되는 거고. 그리고 얼기설기 업보로 그렇게, 유전으로 인해서 그냥 얽히고설키고, 왔다 갔다 왔다 갔다, 이놈이 죽이면 저놈이 인제 또 죽이러 가고, 이놈 죽이면 저놈 죽이러 가고, 그냥 연쇄 반응을 일으켜.

그러니까 아예, 먹었으면 통틀어 먹어 버려라 이거야. 이것이 내가 아니라고 하고 나라고 하고 이런 생각조차도 없는 거야. 내가 먹었으면 나야, 그냥. 둘이 아니라고 생각했으면 둘이 아닌 거고, 내가 저 사람이 가엾다 하면 바로 내 마음이 그렇게, 그거를 내가 살아오면서 겪었기 때문에도 그렇고, 내가 가엾은 생각이 났으면 즉각 그 가엾은 마음이 생긴 게 자비라. 그냥 그 즉각 둘이 아니라. 고 순간! 고 마음이 떨어졌을 땐 둘로 또 돌아가지? 그러다가 또 순간순간 만나서 이렇게 나투면서 돌아간다 그러는 거지, 그래서.

이거를 말로 자세히 가르친다기보다도 말을 안 할 수도 없고 할 수도 없는 거야. 그래서 서로 담설이라고 할까, 말로 여러분한테 이렇게 얘기하는 거는 여러분이 인식을 해야 주인공에다 놓든지 찾든지 할 것 같아서 그럽니다. 그래서 허구장천 날이면 날마다, 비가 오나 눈이 오나 추우나 더우나 마다 안 하고 물러서지 않는 것이 나였어요. 다른 사람은 자기가 괴로워서도 그렇고 편안하게 좀 놀러 다니기도 하고, 좀 어디 가서 편안하게 있기도 하고 그러려니까 이렇게 여러분하고 만나는 게 어려워. 그러나 나는 여러분이 나와 더불어 둘이 아닌데다가, 이 머저리 같은 못난 나를 여러 만물이, 즉 말하자면 만생 만물이 여러분과 더불어 이 세상 돌아가는 걸 풀포기 하나 빼놓지 않고 산천초목이 나를 가르쳤어. 흘러가는 물이 나를 가르쳤고, 태양의 근본이라는 것을 마음이 또 내게 가르쳤어. 그리고 여러분이 계시기 때문에 나는 여러분을 보고 공부를 한 거예요, 공부 아닌 공부를. 그러니까 마음을, 즉 말하자면 이해를 했다 이겁니다. 인간 살아나가는 데의 모든 걸 말입니다. 여러분이 전부, 일체 만물이 다 내 스승이라. 스승이라고 하는 것은 나로 인해서 더불어 같이예요. 같이지, 나를 떼어 놓고 여러분만 스승이 아니고 여러분 떼어 놓고 나만 스승이 아니란 얘기예요. 내가 있기 때문에 여러분이 있고 여러분이 있기 때문에 내가 있기에 더불어 같이 중생이자 스승이다 이거야.

그런데 세상에, 그렇게 고맙고 감사하고 인간의 삶의 보람이 바로 이런 데 있는 것을 모르고 모두 고(苦)로 생각을 하고 고로 사는구나. 유전성으로 얽매이고 업보의 인연법에 의해서 얽매이고 악령에 얽매이고 또 무슨, 그 뭡니까? 악성 또는 어떠한 세균, 그것도 악성이 있기 때문에 세균이 있는 건데, 세균이라고 하면 좋은 세균도 있고 나를 도와주는 세균도 있고, 나를 배척하는 세균도 있고 나를 파먹는 세균도 있어. 그렇다면 사람의 마음도, 사람도 나를 해치는 사람이 있고 도와주는 사람 있고 언제나 어디 가든지 남 잘되는 거 좋아하지 않는 마음이 있고 그래요. 그렇듯이 똑같이 그런 거 당하고 사는 사람이 많거든요.

그러니까 우리가 둘로 보지 말고 이 보이지 않는 세계, 이 미지수의 미생물이 나기 이전까지도, 하다못해 풀 한 포기도 돌 하나도 배척하지 말라 이거야. 또 내 거라고 갖지도 말라 이거야. 본래 나 아님이 없기 때문에 나 아님이 아닌 것이 없어. 그렇기 때문에, 본래 둘이 아니기 때문에 배척하고 갖고 이러는 게 없다 이거야. 그러니 그 좋은 법을 부처님께서 내내 가르쳐 오셨는데도, 또 그 후에 조사들이 많이 깨치고 그랬는데도 오늘날 기복이나 학술이나 이걸로만 해 나가려고 하거든.

그리고 그 마음이 주장자라면 육신은 쓸데없지 않으냐 이러지마는, 이런 애기가 있어. 어느 친구를 하나 만났거든. 그런데 물질이 없는 친구예요. 물질이 없는 친군데 그 친구 하는 말이 어이구, 자기가 어딜 가는데 아, 그 한마음선원에 다니는 그분이 차에 그냥 충돌이 되겠더라는 애기예요. 근데 그 생각을 하는 순간 아, 그 친구를 끌어냈다는 애기죠. 살렸다는 애기야. 말하자면 차가 난간을 들이받고 그냥 딩그르르 굴러서 아래로 뚝 떨어지는데 차를 받쳤다 이거야. 차를 들었다 이거야. 근데 난간이 어딨냐 하면 낭떠러지로 뚝 떨어지는데 이 양회 공구레가 떨어지면서 양회 콘크리트가 이만큼 나와서 이렇게 됐단 말이야. 요 받침대가 돼 있어 가지고. 그랬던 모양이야. 그런데 이게 뚝 떨어지면서 여기 그냥 섰다 이거야. 그래서 그 친구가 그렇게 그 차를 받았다고 하거든.

근데 그 친구만이 아니라 말이야, 그 차를 타고 있던 사람도 친구란 말이야. 그 누구냐? 내 분신도 되고 그 분신도 되는 거야. 마음을 그렇게 갖는다면 일체 신이 나를 돕고, 때에 따라서는 험한 일을 하면, 즉 말하자면 내가 신장이 되고, 또 피치 못할 어떠한 싸움이 일어나서 군인들로 하여금 문제가 생겼다, 군부가 들썩했다 할 때는 군인으로서의 내가 되고 또 정치가가 돼야만 저거는 해결을 하겠다 하면 정치가가 되고…. 어저께도 그랬지마는 그것이 참 묘한 게, 이 얘기는 똑같은데 그것을 여러분이 모르니까 애석하단 말이에요.

그러니 표현을 내가 이렇게 하더라도 그 이치만 알고 열심히 공부를 해요. 열심히 자기 주인공에다가 모든 걸 일임해서 놓고 자꾸 관해요. 모든 거 일체가 다 주인공에서 들고 나는 거니까. 그것이 왜 그렇게 내 친구도 됐다가 내 부모도 됐다가, 조상도 됐다가 부처도 됐다가 전부 그러느냐 하면, 이 일체 만물만생이 한생각, 주인공이라는 이 자체 속에 다 들었다고 인식을 하란 말이야, 사실이 그러니까. 이해를 시키려니 참, 이해만 해 가지곤 공부가 되는 게 아니지만 이해를 해야 공부를 하든지 말든지 하지 않아? 그렇기 때문이야. 무조건 믿질 않으니까.

그래서 내가 요런 말을 간단하게 했죠. 다섯 가지 종류가 있다고. 공생이다, 공심이다, 공용이다, 공체다, 공식하고 있다 이거요. 그러니까 한생각을 하면 수없이 다양하게, 만약에 차를 고치는 사람이라면 일을 할 때 작업복을 입죠? 또 내가 어떠한 모임에 갈 때는 양복을 싹 빼서 입고 가죠. 일하는 대로 자기가 만남에 의해서, 장소에 의해서 내 옷도 바뀌지는 거란 말입니다. 그렇듯이 화해서 나투면서 변화가 되면서 모습을 바꿔 가지고, 성모마리아가 됐다가 예수가 됐다 부처가 됐다 이러는 것도 바로 한생각에 달린 거야. 즉 말하자면 현관에 불이 있었다. 내가 들어왔으니깐 끄고 들어온다. 내가 들어왔으니까 또 여기 불 켜야 된단 말이야, 방에. 그렇듯이 다양하게 쓰는 대로 그것이, 즉 말하자면 모습이 바뀌진다 이겁니다. 생각도 모습도, 또는 하는 일도.

그러니깐 우리 그 무한한 한생각의 마음이라는 건 우주를 싸고도 남고, 덮고도 남고, 들고도 남는다 이거야. 모든 게 거기 다 들어 있으니까. 그러니까 공부를 하는 데에 이런 거를 내 이 주인공 안에 다, 우주 전체가 나와 더불어 같이 다 한데 공했으니까, 내가 하나하나 체험을 하면서 살림살이를 지켜보면서, 자기가 생각하면서 지켜보면서 한 번 체험을 해라 이거야. 하나 해 보다 보면 '아, 그런 것도….' 또 안 되면 안 되는 대로 또 놓고, 되면 되는 대로 감사하게 놓고, 이럭하면서 물러서지 말고 자꾸 믿고 들어가면서 공부를 해 봐라 이거야. 그러면 어느 순간에 홀연히 나는….

전자에, 과거에 수천 년, 수만 년 콩을 심어서 콩씨를 받았다 하더라도 콩씨는 콩씨입니다. 작년에 받은 콩씨라도 올해 심어서 올해 콩씨를 추수를 했는데 만약에 몇백 년, 몇천 년 전서부터 콩을 심어 내려왔다 할지라도 그거는 다 없어지고 오늘 콩씨만 남아 있는 거예요. 그래서 '내가 예전에 과거에 업을 지어서 이렇다.' 팔자 운명 타령이나 하고 '과거에 내 팔자가 어떤가.', '과거에 무슨 죄를 지어서 이런가.' 이런 것도 다 내가 생각을 그렇게 하기 때문에 팔자가 있는 거고 운명이 있는 거니까 그렇게 하지 말라 이거야. 여기다 놓으면 다 없어진다는 인식을 가져라 이거야, 내 주인공에다 다 놓으면. 공했으니깐 공한 데다가 그냥 놓으면 되는 거야.

예를 들어서 예전엔 바람 넣는 풀무를 나무로 해서 이렇게 만들었는데 그다음에는 쇠로 만들었다고. 그러니까 나무로 풀무를 했던 것이 바뀌었을 뿐입니다, 풀무는 풀문데. 이렇게 화해서 돌아가는 거예요. 그러면 그것이 나무의 풀무하고 쇠의 풀무하고 다르냐 하면 다르지 않아요. 이게 화해서 좀 바뀌었다는 거예요. 개발이 돼서 바뀌었다는 얘기죠. 그럼 콩씨가 아주 작은 콩씨였는데 거름을 잘 주고 그래서 굵어졌다고 해서 그 콩씨가 달라진 것이 아니라 사람이 노력을 했기 때문에 더 콩씨가 굵어진 거죠.

우리의 마음도 아주 지혜가 넓고 이 우주를 한꺼번에 굴릴 수 있는 그런 능력이 바로 자기한테 주어져 있고 지혜도 모두에게 주어져 있다는 얘기예요. 그래서 삶의 보람을 느끼게 해 주고, 생동력 있게 이 세상을 살아나가는 데에, 개발하면서 우리가 살아나가는 데에 우주 천하를 그냥 한 주먹에 쥐고 나갈 수 있는 그런 여건을 쥐어 주기 위해서 이럭하고 있지 그렇잖으면 왜 이럭하고 있겠소? 물질이라는 거는 한계가 있기 때문에 수천수만의 헤아릴 수 없는 물질 없는 모습이 이 우주 공간 안에 꽉 찼단 얘기야.

그럼 억지로 살지 못한다는 소리가 여러분에게서 나올 수도 있죠. "야, 자빠져도 코가 깨져. 왜 이렇게 안 돼? 꼭 될 줄 알고 딱 했는데 안 된단 말이야." 그거 어떡하죠? 그렇게 말할 때 어떤 사람은 "그래도 뭐 여우 꼬랑지라도 좀 봐 줘야 살지, 못 살아!" 이러거든. 그게 속담의 말입니다. 그런데 사실은 정말 나의 그 참나로부터 헤아릴 수 없는 그 마음의 능력이 한데 합쳐져서 돌아가니까 내가 다양하게 꺼내 쓸 뿐이야. 꺼낼 것도 없고 들여놓을 것도 없는 그 능력을 내가 쓸 뿐이에요.

지금 다양하게들 이 세상에 태어났는데, 우리는 공기를 호흡을 하고 지금 살고 있잖아요? 또 비교해서 얘긴데, 저 나무들을 봐요. 비가 오면 작으면 작은 대로 물을 당기고 나무가 크면 큰 대로 물을 당겨요, 스스로. 그래서 나무들이 살거든요. 우리도 스스로서 그렇게 일체 만법이 다 주인공 하나에 있는 거를 다양하게 내가 여기 쓰려면 여기 쓰고 저기 쓰려면 저기 쓰고 마음대로 할 수 있는 거예요. 그렇다고 해서 나쁜 거를 하는 거기에도 쓰여지는 건 아니에요, 이건 자동기기 때문에. 즉 말하자면 칼은 칼인데 나쁜 데 쓸 수도 있고 좋은 데 쓸 수도 있는 게 칼이거든. 남을 죽일 수도 있는 게 칼인가 하면 남을 살릴 수도 있기 때문에 칼을 쓸 때에 나쁜 데는 안 쓴다 이거야. 남을 찔러 죽이려고만 칼이 생긴 건 아니니까.

그러니깐 그것을 잘 생각해 보면 물을 말도 없고 할 말도 없겠지. 그래서 여기서 공부한 분들은 질문커녕 오히려 그냥 입 꾹 다물고 계신 거예요. 그러나 그런 분들은 그런 분들대로 도반들끼리 모이면 얘기가 잦아지죠. 그래서 우리가 그런 것을 믿지 못하고 있는 분들에 한해서 이해를 하고, 이렇게 자꾸 듣고 나면 이해력이 생기고 마음이 넓혀지고, 좁아졌던 것도 넓혀지고 믿게 돼요. 그러면 그때서부터 자기로 들어가는 거야. 믿어야 들어가지, 믿어지지 않으니까…. 얘도 지금 아리송하거든. 왜 아리송하냐 이거야. 진짜 이 세상에 자기가 나왔기 때문에 이 세상도 있는 거지, 자기가 없다면 뭐가 있어? 얼마나 소중해, 자기가. 그런데 왜 못 믿어? 못났든 잘났든 자기가 얼마나 소중하냐 말이야. 아까 얘기했듯이 콩이 있었기 때문에 콩나무가 났다고 그렇게 해도, 콩은 그 속에 있다고 해도, 그 나무에 콩은 있다고 해도 왜 못 믿어, 자꾸?

우리가 미역이든지 뭐 어떤 생선이든지, 또는 조개든지 이런 거를 지금 많이 기르고 있잖아요. 그런 것도 유전자가 없으면 기를 수가 없어. 그런데 왜 못 믿어? 인간에게도 그런 게 다 있잖아. 그거 믿으라는데 왜 못 믿어, 다 있는데! 지금 전부 그런 걸 연구해서 기르고 있는데 그래, 미역 한 줄기 그 유전자 하나를 가지고 미역이 수천수만 개가 날 때는 어떡하느냐 말이야. 수만 수천 개가 달렸단 말이야. 그러면 지금 콩씨 하나를 심었는데 콩씨가 수십 개가 달렸더라고. 깨씨 하나 심었는데 깻조자리가 그냥 쪼록 붙어 가지고 깨씨가 헤아릴 수가 없어.

많아. 그게 증거라. 인간은 그러한 식물처럼, 그러한 조그마한 낮은 동물이나 그런 것처럼 그렇지가 않고 고등 동물이란 말이야. 그래서 인간의 씨는 고상하고 아주 고급이거든. 그렇기 때문에 인간의 씨는 남이 받아서 이렇게 하고 그러는 게 아니지. 그런데 요새는 받아서 애기도 낳을 수 있는 그런 방향을 지금 연구하고 있는 것도 사실이니까. 그런데 못 믿으면 안 되지.

그런데 한번 받아서 그렇게 했다고 해서 거기 유전자가 없는 게 아니거든. 항상 꺼내도 줄지 않고 항상 넣어도 늘지 않아. 영원한 거야. 그러니까 어느 한군데 있는 것도 아니다 이거야. 유전자는 한군데에서 항상 지출이 되지마는 무전자는 영원히 부동하기 때문에 유전자가 나올 수 있다는 얘기야. 유전자가 나오기 때문에 물질이 나와. 이걸 못 믿으면 안 돼. 이건 어디까지나 인간이 수십 년, 수백 년 전서부터 걸어오면서 연구하고 또 연구한 사람이 없어지고 거기서 되받아서 또 연구하고 또 연구하고, 사람이 얼마나 죽어 가면서 이 연구를 해 나왔느냐 이거야. 그런데도 믿지 않아? 답답해서…. 그러니까 믿지 않는다는 건 아니죠. 여러분이 믿기 때문에, 우리가 이것이 제일 시급하니깐 지금 이럭하고 서로 토론을 하고 이러고 있는 거죠.

우리가 앞으로 살아나가는 데에 이것이 얼마나 보배인지 모를 거예요. 이 보배! 인간에게는 참 보배죠. 이 보배가, 오색 나는 보배가, 즉 말하자면 사람이 삼각원형을 이루고 돌아가는 반면에 그 원형 속에 칠보가 가득 차 있다 하는 거는, 그 원형 속에, 나 자체의 마음에, 헤아릴 수 없는 보배가 그 속에 다 들어 있다는 거라. 주인공 속에 다 들어 있단 말입니다. 주인공이라 하면 작게만 생각하지 말고 또 우주라고 한다면 크게만 생각하시지 말라 이겁니다. 만약에 내 이 체가 없는 마음으로 한번 지구 바깥을 나가서 훌쩍 올라가 보세요. 그럼 이 지구 자체가 얼마만해 보이나. 우주 전체 말고 요 지구 덩어리만 이 마음으로 생각해 보셔도 까맣게 요만해 보일 거예요. 그러니까 큰 것을 크게만 보지 말고 작은 것을 작게만 보지 말라 이거예요. 아무리 작은 거라도 현미경으로 볼 때는 크게 보이듯이 우리가 마음의 눈을 뜬다면 어디고, 보이지 않는 세계의 보이지 않는 생명들도 다 보이는 거예요.

그러니깐 그런 거 보려고 애를 쓰거나 알려고 애를 쓰지도 말고 내가 알고 보고 듣고 지금 생활해 나가는 것이 다, 거기에 콩씨가 있기 때문에 콩나무가 나고 가지가 있고 이파리가 피고 그러는 거니까, 꽃도 피고 그러는 거니까 '아이, 콩나무의 살림살이는 다 콩으로 인해서 생기는 거로구나.' 그러고 콩을 믿으세요. 콩을 믿으면 콩에서 모든 게 다 나오는 거니까요. 콩 하나에 지수화풍이 또 거기도 다 배역을 맡아서 하고 있고 또 그렇게 한데 뭉쳤고 그렇거든요.

체가 있는 거라면 얼마나 숫자가 많겠소. 헤아릴 수가 없기 때문에 모래알 같다고 했고 억, 조라고 했고 물로 비유했고…. 여북하면 불성이라고 했겠어요? 그런 데다가 어디고 아니 닿는 데 없고 아니 보는 데 없다고 해서 천수천안이라고 했지 않습니까? '통' 자는 왜 넣었겠습니까? "천안통" 이렇게. 이 우주 천체 삼라만상을 한데다 합해서 구멍 뚫린 통, 통을 하나 만든 거라. 무식한 생각으로 이렇게 한번 생각해 보는 것도…. 요 구멍 뚫린 박카스 병에 우주가 전체 담겨 있을 수도 있다 이거야. 그러니 박카스 한 방울을 이 박카스에다 던져 넣으면 그게 박카스하고 딴 것이 되는 것도 아니고 전부가, 전부가 그렇다는 거죠.

하여튼 나만 말 시키지 말고 여러분이 말씀해 보세요. 나도 좀 듣고 배우고 그러게. 어떤 때는 내가 했던 말 또 하고 시시껄렁한 말을 하고 앉아 있어요. 그런데 그 시시껄렁한 게 없으면 좋은 게 없거든요. 그래서 걸레가 없으면 좋은 옷이 없고 헌 옷이 없다면 깨끗한 옷이 없어요. 헌 옷 없어 보세요. 막일할 때는 아주 곤란합니다. 모두가 그렇죠. 새 옷이 헌 옷이 되고 헌 옷이 또 새 옷이 되고.

질문자2(남) 스님, 질문 한마디 드리겠습니다. 마음과 물질이 둘이 아니라고 그랬는데 저희들이 세상을 살아나가다 보면 생각으로 죄를 짓는 경우가 있고, 아니면 실제적으로 도둑질을 한다든가 또 사람을 구타하게 된다든가 외부 현상으로 나타나는 그런 죄도 있고 그런데, 거기에 대해서 설명 좀 해 주십시오.

큰스님 아이 참, 했던 말 만날 또 하라 그래요? 아니, 이날까지 그런 것이 한마음에서 이것도 나오고 저것도 나오니깐 모든 것을 주인공에다 놓고 갈 때에 그 주인공은 잘못 끌고 가지를 않는다 이거야. 어떤 학생이 이런 일이 있었어요. 그런 예가 허다하죠. 고등학교 학생인데 "스님!" 그래서 "왜 그러니?" 그러니까 "어딜 갔다 오는데요, 보충 수업을…." 작년인가 봐. 보충 수업을 하고 오는데 아, 젊은 애들이 쭉 늘어서더라는 거야. 그러더니만 돈 내놓으라더래요. 그런데 급하니까 그 생각이 무뜩 나더래요. 급하니까 '이거 죽겠구나.' 하는 생각이 나서 거기다가 그냥, 주인공에다 모든 것을 일임하고서 아주 얼마나 절실하게 갖다 맡겼는지, 급하니깐! 그러니까 걔네들이 딱 저거 해서, 이렇게 확 쥐면서 주머니를 뒤지니까 돈 삼백 원 있는 거 그거를 "이거밖에 없어요." 그러니까 "야! 왜 돈을 넣고 다니질 않아, 이놈아!" 하하하, "아, 삼백 원 가지고 뭐 해?" 그러면서 "없으니 뭐…." 하고선 막 뒤져 보더래. 그러더니 그 삼백 원만 가져 가더랍니다.

그렇지 않고는 그거 참 힘들죠. 그냥 무조건 때리고 뺏으니까, 그냥. 그런데 자기 깐에는 참, 돈도 없는 어머니가 돈 오천 원을 주셨대요. 요거를 가지고 열흘을 쓰라고요. 그랬는데 그걸 꽁지 꽁지 해서 요 안주머니에다 탁 넣고 있는데 그걸 내놓을까 말까 하다가 어머니 생각을 하니까 기가 막히더래, 그 돈 오천 원이. 그래선 여기다 그냥 콱 '아이고, 살려 주시오.' 하고선 그냥 여기다 콱 맡기고선 그러니까, 급하게 되니까 아주 그렇게 절실해지더랍니다. 그래서 맡기고 나니까 "이놈아, 요다음부턴 돈 넣고 다녀!" 이러면서 "오늘은 용서해 줬다." 이러면서 가더라는 겁니다. 이게 좀처럼 해서는 그렇질 않죠. 샅샅이 뒤지고요, 뭐, 죽게 맞는답니다, 그게. 그런데 손 한 번 안 맞고, 어디 요런 델 샅샅이 뒤지지도 않고, 그냥 요다음부터는 돈 넣고 다니라고 그러면서 호령을 치면서 그냥 가더라는 겁니다. 그래서는 '야 참, 날 살려라.' 그러고 한참 뛰어오다가 감사한 생각이 들어가서 감사하다고 그러고, 숨을 훅 돌리고 그때서야 천천히 인제 걸어왔다는 겁니다. 그런 얘기를 해요.

그래서 "애야!" 잔등일 두들기면서 그랬어요. "착하다. 어디 가든지, 그런 일이 있든지 저런 일이 있든지, 네가 무슨 일이 안되든지 그냥 모든 거는 거기다가 일임해서 맡겨 놓고 살아라. 모든 거를 맡겨 놔라. 그러면 네 주인공이 알아서, 네 참나가 다 알아서 처리할 거야. 네가 하고자 하는 대로 끌고 가는데 나쁘게는 끌고 가지 말고, 생각을 나쁘게는 하지 말고 사람이 살아나가는 데에 항상 겸손하고 올바르게 나가는 데에 역점을 둬라." 이러고서 했더니마는 그 후부터 항상, 대학을 들어가서도 그러고 그래요, 지금도 잘 다니고 있지만. 그전에는 중학교 때도 많이 맞았고 고등학교 일 학년 들어가서도 많이 맞았다는 거야. 걔 때문에 내가 참 많이 배웠어요. 어떤 때는 끌려가서 다 뺏기고 그래 가지고 그래서 그것이 훈련이 됐다는 거야. "뭐가 훈련이 됐니?" 그러니까, 한번은 그냥 여길 주먹으로 치는데, 내놓으라 그러고 치는데, 신발도 새로 사 신고 갔는데 헌 신을 주고는 이걸 벗겨 갔다는 거야. 그러니까 그 골목에 그런 애들이 있는 모양입니다.

그래서 "신발 벗어, 임마!" 그러고는 그냥 여길 치는데, 여기가 쑥 들어가면서 배가 아파서 못 견디겠더래요. 그래서 이력이 생긴 게 뭐가 있냐 하면 치려고 하면 배에 힘을 주는 게 이력이 생겼다는 거예요. 난 걔한테 그걸 배워서 우스워 죽겠어요. 배에 힘을 탁 주니까 이게 탁 튕기면서 배가 안 아프더라는 겁니다. 그래서 수차에 걸려 가지고 그것을 그렇게 해 가지고선 어머니한텐 그런 말도 못하고 무척 울기도 많이 울었다고 그래요. 그래서 맞아서 어딜 다쳐 가지고 저거 하면 어머니가 "너 이거 왜 그랬니?" 그러면 애들하고 장난하다 넘어져서 그랬다 그러고, 이렇게 해 왔다는 거예요. 그러다가 스님 얘길 듣고 여길 와서 다니면서 그런 일이 한 번도 없었다는 거예요.

그러니까 우리가 뭐든지 다 그렇죠. 어른도 그렇고 애도 그렇고. 잘되는 거 못되는 거 이런 거는 우리가 인간으로서 전부 알고 있지 않느냐 이거야. 그러니까 내 마음이 올바르고 내가 삶의 보람을 느끼게 끌고 가는 거지. 그건 다 상식적으로 알지 않남요? 아, 나쁜 일을 하고 도둑질을 하고 이런 거를 왜 거기다 끌어넣고 하느냐 말이야. 그거는 빼놓고 하는 것도 아니고, 그런 거 그렇게 하라고 "도둑질을 하고도 주인공에다, 거기다가 놔라." 이러는 것이 아니라, 어차피 한 거라면 그것도 놔 버리고, 앞으로 다시는 그런 일이 없도록 그런 것도 거기다가 놓고 가면, 절대로 그렇게 시키지 않습니다. 그렇게 되질 않아요! 주인공에다 일임해서 놓고 가는 사람들은 절대로 그런 일이 생기지도 않거니와 그런 일을 그렇게 끌고 가지도 않아요.

그런데 자기가 타신을 믿으면서 타신이 들린 사람들은 그렇게 끌고 가거든. 마구 그냥, 바깥으로. 그래서 타신이 들린 사람들은 나쁘게 이끌고 가는 종류가 되고 안에서 내가, 잠재의식 깊은 속에서 스스로서 깨친 사람들은 얼마나 참, 아주 조용하고 자비하고 발란하고 묘하고, 그 모든 데서 그 겸손함과 모든 것이 빛이 난다고. 자기는 모르지만 남들이 이렇게 보면 벌써 달라! 달라 보이게 돼 있어! 그러는데요, 뭐.

그리고 또 어딜 가다가도 '참 이거 불쌍한 사람이 이렇게 죽게 됐구나.' 한다면 아무 저거 없이 한생각만 내 주면 그 사람 꼭 일어나. 어디 길을 지나가는데 어느 사람이 가게를 하다 문을 닫았더라고요. 몇몇 일을 봐도 문이 닫아져 있어. 그래서 젊은 색시가 가게를 하다가 왜 이렇게 문을 닫았느냐고 그러니까 "남편도 없는데요, 애들을 데리고 그 가게에서 먹고살았는데 요새 병이 들어서 그렇게 저거 해 가지고 동네 사람이 돌봐 준대요." 이런단 말이야. "어, 그래?" 그러고선 지나갔지만, 한 삼 일 되니까 가게 문을 열었더라고. 얼마나 반가웠겠어요? 남이 마음을 내 준다는 게 그게 얼마나 고마운 얘긴지 몰라요. 이게 부처님이에요. 보살행이고요. 꼭 해 준다고 하고 또 안 해 준다고 하고, 해 주고 안 해 주고 이러는 게 부처님 법이 아니니 내 자비한 마음, 진실한 마음 그거를 알려면 하나하나 체험을 하고 하나하나 가 봐라 이거야, 우리가 살아나가는 데서.

질문자3(여) 스님, 일반적으로 사람이 성장 과정에서도 주변 환경의 여건에 따라서 지능지수가 많이 개발이 되지만, 일반적으로는 부모의 유전자를 받아서 그렇다고 그럽니다. 그러나 불교 입장에서 보면 전세에 자기가 모든 행을 바르게 했기 때문에 두뇌가 명석하다고도 볼 수 있죠. 그런데 지금 두뇌가 저능아일 경우에도 현재 살아가면서 밝고 올바른 방향으로 마음을 주인공에다 맡겨 놓고 행을 하면 다시 죽어서 몸을 바꾸지 않고도 그렇게 지능이 개발될 수가 있습니까?

큰스님 난 지금 당신이 이야기하는데 어딜 갔다 왔는지 모르겠소마는 허, 이 사람사람이 무전자가 있어. 무전자. 아예 유전자라는 물체가 하나도 없는, 물질이 아닌 무전자가 있다고. 유전자는 엄마 아빠의 유전자야, 이게. 난 무전자라고. 나의 무전자가 있기 때문에, 즉 말하자면 유전자가 한데 합쳐지는 동안에, 삼합이 한데 합쳐지지 않으면 절대로 이게 애기가 안 돼요. 이게 무전자 하나만 있어도 애기를 낳을 수가 없어. 번연히 그 집에 들어갔어도 그 집에서 엄마 아빠 어떤 한 사람의 유전자만 없어도 안 돼요. 즉 말하자면 그게 없어서가 아니라 나오면 죽고 나오면 죽고 자꾸 이렇게 되거든. 녹아 버리거든. 그래서 물질이 아닌 거라면 안 된다는 얘기죠. 그건 유전자니까. 그래서 이것이 합쳐지는 겁니다. 즉 말하자면 자기 살던 영원한 생명의 근원, 그 근원이 여기에서 같이 결부가 되는 거죠.

그래서 애들을 낳으면 아무것도 없을 때에 부모가 사는 것을 자식들도 그렇게 받거든요. 부모 살아나가는 대로 애들 적부터 자꾸 보고 듣고 행하고 이러다 보면 꼭 그게 닮아져. 닮아진다니까! 생각을 그럭하고 가니까 이것이 부모하고 같아지지. 그래서 얼마만큼 커서 이 세상의 모든 것을 알 때, 잘못된 것도 알고 잘된 것도 알 때 다시 바꿀 수도 있는 거죠. 자식들이 '아, 이런 건 우리 부모가 참 잘하셨구나. 참 이런 건 우리 부모가 완고할 줄만 알지, 이렇게 좀 유도리 있게 해 나가시질 않았구나.' 이런 걸 다 알게 되죠. 그때서는 자기가 부모의 마음을 나쁘게 해 드리지 않고도 자기 스스로서 생각을 하면서 자기 삶의 그 길을 자기가 택하는 거죠. 가고 있는 거죠. 그래서 어머니나 아버지가 살던 길과 아들이나 딸이나 자기가 살아나가는 그 길이 다른 겁니다, 바로 생각에 따라서.

그런데 이 도리를 모르고 사람들이 살기에 급급하니까 "아이고, 이건 왜 함부로 이렇게 쓰느냐. 이거는 아껴 써라." 어떤 때는 "갔다가 빨리 오너라." 조금만 늦으면 뭐 야단법석이 나고 이렇게 되니깐 애들이 살아나가는 데도, 이 공부 하기도 어려운 겁니다. 사실 노동보다도 더 어려운 겁니다, 지금. 그런데도 머리가 산란해서, 과목이 몇 갭니까, 이거를 다 하려면. 불쌍해 죽겠단 말입니다. 그런데 그렇게 하루 종일 몇 시간을 그렇게 하고 온 사람한테 어디 가서 뭘 하고 이렇게 늦게 왔느냐, 저렇게 늦게 왔느냐? 응? 이거는 뭐 말이….

부모가 그러니까 야, 이렇게 피곤하게 하고 왔는데도 불구하고 또 피곤하게 만들어 주는 거야. 이러니 공부를 할 수가 있어? 외려 시간을 줘야지, 쉴 시간을 좀. 그저 금방 와서 얼마 안 있다 밥 먹고 좀 앉아 있으려면 "얘, 들어가 공부해라." 이러거든. "좀 쉬어라." 이런 말을 좀 해 보라고. 그러면, 한참 쉬면 들어가서 공부할 수 있는 건 제가 살 길을 제가 알아서 한다고. 아무리 어린애라도, 지금 세 살 먹은 어린애, 요런 애를 갖다 놔 보시라고. 벌써 먹을 거 달라고 하고, 벌써 자기가 좋은 건 집으려고 하고, 집어서 입으로 가져가는 거 보세요. 살 양으로. 그런데 아, 지금 학생들이 저 살 궁리 못해요? 제 앞길을?

지금 남편들이 나가서 하루 여덟 시간이고 일곱 시간이고 일하고 들어오는 게 문제가 아니에요. 애들 공부하는 데 과목 숫자를 보면 너무 지겹고, 학교 학생 가방을 들어 보니까 그냥 내 팔이 척 휘는 거야, 그냥. 그때 버스 타고 오는데 하도 무거워서 "내 무릎에 놔라." 그러고 받아서 이럭하는데 '어휴! 너희들은 참 장사고, 너희들은 지금 세상에 태어나서 야, 참 앞으로는 어떻게 될 것인가. 저놈의 가방을 들고 다니지 않으면 안 되나. 학교 내에 아예 그냥 거기다 넣어 놓고 좀 배우고, 내가 집에서 공부할 것만 가져와서 공부하고 또 가져가고 이랬으면 어떤가.' 그냥 이 생각이 들고 그렇게 그냥 가여울 수가 없는데 아니, 어떻게 보면 애들을 붙접을 못하게 하는 부모들이 있거든요. 그런 거 좀 잘 생각해 보실 점이 있어요. 다 자기 살 궁리를 한다고요.

그렇게 하면 오히려 의욕이 생기지 않고, 반항이 생기고, 그리고 집에 들어올 생각이 없어지고, 이렇게 되면 정말 우리는 화목하지 못한 겁니다. 그리고 앞 장래가 아주 구겨집니다. 학생들이 여기 있다고 그래서 그런 거 아니에요. 정말이에요. 생각을 해 보세요. 한번 여러분이 책 한 권 가지고선 요 몇 줄을 외우라고, 그냥 외우라고 해 보세요. 엄마들 그렇게 하라면 아마 돈을 주고 하래도 못할 거예요. 그런데 이거 배워서 알아야 하고 저거 배워서 알아야 하고…. 이것은 대수롭지 않은 말 같지만 속세에서 살아나가는 가정에서는 신중한 말입니다. 신중하게 생각해 볼 점이 있다는 얘깁니다.

난 어떤 어머니가 하도 공부 안 한다고, 공부 안 한다고 그래서 학교에서 오거들랑은요, 아무 소리 말고선 "애, 너 하루 종일 공부하고 왔으니…." 안 했든 했든, 안 한 걸 번연히 알면서도 그렇게 해라 그랬어요. "공부하고 왔으니 좀 쉬어라." 이러면서 그냥 내내 그렇게 하면

서 안으로만 넣고 항상 이렇게 좀 의합하게 나가라고 그랬어요. (녹음 안됨)

서춘보 스님의 자재법(自在法)

1986년 1월 16일

큰스님 … 태장동에 사는 그분이 어느 신도님의 말을 듣고 상원사를 찾아 올라왔습니다. 그랬는데 "논마지기 있던 거 다 팔아서 병원에 갖다가 다 바치고 나도 이 병이 안 고쳐지고, 인제는 움막살이에 부모님을 모시고 이렇게 사는 것밖에는 없습니다." 이랬습니다. 그래서 그 때에 내 말이 "응, 이담에 돈 벌어서 살면 쌀 두 섬만 해." 이랬습니다. "절 짓는 데 시주 좀 해." 하고서 거길 떠날 때의 마음은 아팠습니다. 왜? 늙은 부모를 모시고 사는데 젊은이가 그러한 병이 들었다면 '내가 바로 그 사람이라면 어떻게 했을까.' 하는 생각이 들었습니다. 내가 그 사람이 잠시 잠깐 돼 봤습니다.

이 말끝에 하고 넘어가야 할 일이 있습니다. 여러분은 내가 그 사람이 돼 볼 생각을 한 번도 안 해 봅니다. 해 보는 양반들도 있겠지마는 대부분 안 해 보고 넘어갑니다. 서로가 말다툼을 할 때도 한번 내가 그 사람이 돼 본다면 그것이 어떻게 돌아가는지를 잘 알 수 있을 텐데도 불구하고 말입니다. 내가 말하는 그 사람 자체가 돼 본다면 그것을 이

해하고 고깝게 듣지도 않을 것을, 내가 그렇게 돼 보지도 않고 내 주장만 하는 그런 사람이 돼서는 안 됩니다. 그래서 내가 잠시 그 사람이 돼 보니까 너무나도 참혹하고 괴로웠습니다. 마치 내가 병을 앓는 것처럼 얼마나 고달팠던지 그 사람이 문전에 나가는 것이 바로 내가 나가는 것 같고, 내가 나가면서 생각해 보니 눈물이 주르르 흘렀습니다. 그 사람도 역시 눈물이 흘렀거니와 나 역시 눈물이 흘렀습니다.

그 후에 그 사람의 병은 나았죠. 물론 내가 낫게 한 것도 아니고 그가 낫게 한 것도 아닙니다. 모두가 공심으로 공용을 하고 있으니 공심이 된 것을, 공한 자체가 바로 부처님이니까 내가 했다고 할 수도 없지만, 내가 있기 땜에 길을 인도하지 않았나 하는 생각입니다. 그리고 길을 인도했으면 인도한 사람도 있거니와, 내가 있으니까 길을 인도를 받고 생각을 낸 겁니다. 이게 길잡이입니다. 생각을 내지 않는 것이 부처라면 생각을 냈으니깐 그것이 바로 우리가 사는 도리이자 법입니다. 사랑할 수 있는 마음. 그래서 모든 것을 고깝게 듣기 이전에 내가 그 사람이 한번 돼 본다는 거, 또 남이 아프면 그 아픔을 내가 대신, 그 사람이 한번 돼 볼 수 있는 그 마음 가짐가짐, 모든 것을 그렇게 해 나갈 수 있다면 가정이 화목하고 남남끼리도 화목할 수 있고, 또 친척들하고도 화목할 수 있건만 어디 그렇습니까, 지금 세상이.

나는 그렇게 생각한다 할지라도 상대방이 그렇게 생각을 안 해 주니까 할 수 없이 말다툼을 하게 되고 이러는 수가 또 많습니다. 그럴 때는 말을 아예 하지 말고 그저 마음으로만, 마음과 마음끼리 통할 수 있게끔 하는 것이 제일 적합하다는 얘깁니다. 말을 해서 듣기 좋은 말은 하고 또 듣기 싫은 말은, 해서 소용없는 말, 외려 더 악화를 일으킬 말들 이런 거는 좀 삼가고, 자기 주인공에 일임해서 맡겨 놓으면서 항상 이렇게 마음과 마음이 통할 수 있게끔 지혜를 갖는다면 우리가 공부하는 데도 '야, 우리가 집안에 이렇게 급한 일이 있는데 공부하라고? 나는 제일 급한 것이 공부보다도, 참선하기보다도 지금 아프고 괴롭고 가난하고 또는 우환이 끊는데 어떡하면 좋으냐.' 하고 그걸 급하게 생각합니다. 그런데 그 우환과 가난, 또 병 이런 것들이 다 내 주인공 그 '공' 안에 들어 있기 때문에 내가 그 공에 모든 것을 맡겨 놓는다면 거기에서 그것이 다 슬슬슬슬 봄이 오듯이 녹는답니다. 모든 게 다요. 그러니 얼마나 좋습니까?

사람사람이 누구나가 자기가 겪어 보지 않으면 모릅니다. 그래서 여기 한 분 한 분 여러분이 각자 이렇게 오시는 분들이 있는데, 여러분이 적게 아프든 많이 아프든 또는 몸이 아파서 아픈 게 아니라 마음이 진정코 아픈 사람이 많아. 진정코 마음이 아픈 거. 몸이 아파서가 아니라 마음이 아프고 참 그럴 때마다 나는 항상 그 사람이 돼 주는 마음으로써…. 아니, 이건 가면이 아닙니다. 그리고 내가 가면을 쓰고 이런 말하는 것도 아니고 가설하는 것도 아닙니다. 항상 마음을 같이해 주고 있습니다. '네가 아프면 나도 아프지. 우리 아픈 거 아프지 않은 거를 다 한데 합쳐서 우리 아프지 않게 하자.' 하고 항상 같이해 줍니다. 그러면 어느 땐가는 꼭 삶의 보람을 느끼면서 살 겁니다.

우리 인간이 부처님 법을 배우는 것은 종교에 미쳐서 어떠한 한 군데로 이렇게 기울어지라는 게 아닙니다. 평등한 진리를 파악하고 개성이 뚜렷하고 참, 인간이라는 이 두 글자 자체가 얼마나 성스럽고 개발적이면서도 연구적이고, 포괄적이면서도 어디까지나 생동력 있고 자유스럽고, 얼마나 좋은 일인지 모릅니다. 누가 종교를 믿으면 "아니, 왜? 우리는 사람입니다. 그러니까 놓으라는 것이, 다 놓으면 뭘 어떻게 하고 산단 말입니까? 그럼 죽어야 하지 않습니까?" 이렇게 말을 합니다. 그런데 그게 죽으라는 게 아닙니다. 오히려 죽는다 하면 사는 길이 있다는 얘깁니다.

우리는 모든 것을 사량과 더불어 육안으로 보는 거고, 육의 이 모든 달린 데서 오관을 통해서 들이고 내고, 이것은 사량적인 문젭니다. 그러나 잠재의식 깊은 속에서 같이하고 100%가 움죽거린다면, 연구한다면, 계발한다면 우린 인간으로서 첨단을 걸을 수 있는 것입니다. 그것을 가지고 자유인이니, 각을 이루었느니, 도니 이렇게 합니다. 그러니 우리가 이 공부를, 공부라고 할 것도 없고 참선이라고 할 것도 없지마는 평상시에 일분일초도 떼어 놓지 않고 자기가 사는 것이 그대로 참선이라는 걸 아셔야 합니다.

그것을 주인공이라고 이름을 붙여서 자기를 세우고, 모든 것을 자기가 하는 건 자기한테 놓으라는 얘깁니다. 사량적으로 아만을 일으키고 아상을 일으키고, 내가 제일이고 내가 하는 거고, 내 거고, 내가 줬고, 내가 줬기 때문에 살고, 모든 것을 이렇게 마음을 먹어서는 절대 이 공한 진리를 알 길이 없습니다. 모든 것은 이 미지수의 천차만별로 돼 있는 어마어마한, 작다면 아주 모래알 같지마는 크다면 엄청나게 큰 것입니다.

지금 우리가 사는 것이 무리를 지어서 이렇게 다니기도 하고 각자 하나하나 떨어져서 가기도 하고 오기도 합니다. 저 하늘을 쳐다보십시오. 별성들이 무리를 지어서 돌고 있고, 별성들이 떨어져서 또 군데군데 이렇게 움죽거리고 있는 것입니다. 그런 거와 우리가 사는 것이 뭐가 다를 겁니까? 별성 그 자체가, 그 생명 자체가 우리의 생명도 되고 우리의 생명 자체가 바로 물질과 더불어 똑같이 삼각원형을 이루고 돌아가는 것인데 그 별성과 우리 인간이 뭐가 다릅니까? 우리도 바로 별성입니다. 우리도 바로 별성의 혹성입니다. 그렇기 때문에 별성도 때에 따라서는 옷을 벗습니다. 그리고 새 별이 나오죠. 인간도 역시 몸이 망가지면 바로 옷을 벗고 다시 새 출발을 하게끔 생하죠.

일체 만물이 다 그렇게 살림살이가 돌아간다는 거를 우리는 하나하나 우리 생활 속에서 체험하고 연구하고, '한군데서 나와서 한군데로 드는구나.' 하는 것을 안다면 지금 학생들도 그렇고, 학생들은 지금 배워서 앞으로 현실에서 그렇게 첨단을 걸을 것이고 지혜가 넓게 온 우주를 한 아름으로 안고 한생각에 용(用)을 할 것입니다. 또 노인네들은 노인네들대로 지금 아는 것이 요다음 생에 다시 생산이 돼서 나올 때, 또 진화되고 창조되고 이래서 생산돼서 나올 때, 그 사람은 그 인연에 의해서 첨단을 또 걸을 것입니다.

그러니 우리가 이 도리를 아는 것이 우리 몸에도 그렇지마는 가정에도 그렇고 사회, 국가, 세계, 우주적인 문제에 문제를 낳고 이러는 것에 얼마나 이익입니까? 그런데 이것을 모를 때에, 전부 해(害)만 돌아올 때 그것을 바로 인간의 고(苦)라고 합니다. 그러니 그 이익이라는 것은 말도 못합니다. 한 사람이, 이 도리를 아는 사람이 남한에 하나가 있다면 바로 한국의 보배고, 누가 알아주든 안 알아주든 그건 상관이 없습니다. 내가 할 일만 하고 뚜벅뚜벅 흐르는 일이니까요.

그래서 옛날에도 이런 예가 있었죠. 중국에서 조선을 집어삼키려고 의인이 있느냐 없느냐를 알기 위해서 사신을 보냈는데, 중국에서 사신을 보내면 한국에서 꼭 한 대 맞고 가고, 한 대만 맞는 게 아니라 석 대 넉 대를 맞고 갔거든요. 그랬으니까 지금 말로 한국을 그렇게 얕보지 못했죠. 그래서 이런 이야기가 한 가지 있습니다. 그전에도 내가 몇 번 한 거 같습니다.

예전에 서춘보라는 스님이 계셨습니다. 그 스님은 책을 보지 않으시고, 경을 보지 않으시고 항상 세상을 파악하고 자기가 자기 마음을 들이고 낸다는 것을 파악했던 겁니다. 그래서 도인으로서 산중에 가든지 들에 내려오든지 항상 그렇게, 참 뭐라고 이름을 붙여야 옳을지 모르겠습니다. 도인이라고 그냥 해 두죠. 선종풍이 둘이 아니니까.

그래 그 서춘보 스님이라는 분이 산에 계시다가 들에 내려왔습니다. 내려와서 자기 친구였던 분의 집엘 들어가니까 정승으로 살던 분이 고만 너무나 가난해져서 말도 못하더랍니다. 양반이라고 해서 상놈처럼 나가서 일을 할 수도 없고 참, 짚세기를 꽈서 종한테 내보내서 팔아다가 연명을 하는 판국이기 때문에 자기가 깔고 앉았던 그 호피도 그만 짚세기 꼬는 방석이 돼 버려서 아주 더럽기가 말도 못했고 털이

다 빠지고 말이야, 이랬던 거죠. 그래 내려와서 그것을 보고, 저녁을 해 들여오랬는데 보리쌀을 들들들들 타서 조금 넣고 우거지를 삶아서, 그것도 많이도 넣지 못하고 우거지죽을 쒀 왔는데, 전부 우거지더랍니다. 우거지도 많지 못해서 칠 부씩 담아서 겸상을 해 놨는데 기가 막히더랍니다. "여보게, 자네 이럭하고 어떻게 사나? 자네 깔고 앉은 그 방석을 날 주게. 내가 한 삼백 냥만 받아다 줌세."

그때 삼백 냥이면 아마…, 내가 이렇게 더듬거리는 거는 이름을 몰라서 그래요. 저거 있죠? 당나귀. 허허, 그게 그렇게 입에서 빨리 나오질 않잖아요. 당나귀에다 실어도, 한 당나귀에다 잔뜩 실어도 되는 거예요, 삼백 냥이라면. 그래서 그 방석을 달라고 그러니까 "아니, 여보게. 지금 이 호피 껍데기가 털도 다 빠지고 다 저거 한 거를 자네 어디 가서 삼백 냥을 받나? 자넨 참 홍길동이네." 하면서 "그런 소리 하지도 말게." 이러면서 그냥 농담으로 듣고 있더랍니다. 그런 거를 "여보게, 자네가 정히 못 믿겠걸랑은 내가 해 가지고 올 테니 그걸로다가 빚이나 갚고 어떻게 좀 쌀가마나 들여놓게." 하고선 방석을 그냥 홀떡 빼 가지고서는 갖다 바깥에다가 털어 가지고서는 옆구리에다 끼곤 가더랍니다.

서춘보 스님은 그걸 가지고 어디로 갔느냐 하면 지금 현직 정승한테로 갔습니다. 삼정승한테 가서 하는 말입니다. "이 호피가 앞으로 9년만 있으면 큰 보배가 돼. 조선의 큰 보배가 될 테니까 이걸 꼭 사서 그냥 삼백 냥만 달라." 하면서 얘길 했어요. "9년만 있으면 이 호피는 조선의 큰 보배가 되고 보물이 돼. 그러니까 이게 없으면 조선이 망해, 이게 없으면. 그러니까 이게 조선의 보배야." 만약에 내가 그런 말을 했다면 지금 여러분 하나도 안 믿을 겁니다. 그런데 믿으셔야 합니다. 그 도리는 묘법이기 때문입니다. 묘한 도리가 있기 때문입니다.

그래서 그거를 사서 아무렇게나 두지 말고 백지로 열 번을 싸고 또 공단 헝겊으로 열 번을 싸고, 겹겹이 상자에다가 또 넣어서 큰 나무로다가 아주 상자를 짜서 이렇게 해서 넣어서, 아주 이것은 앞으로 큰 보물이 되니 절대로 이거를 없애서는 안 되고, 누가 집어가도 안 되고 그러니 고이 모셔 두라고 하더랍니다. 아주 사람이 몇 사람이 죽는 거보다 이게 중하다고 하더랍니다. 그러니까 서춘보 스님의 말씀은 그냥 뭐 팥으로 메주를 쑨대도 곧이듣는 사람들이거든요. 왜냐하면 그 서춘보라는 분이 동네 다니면서도 그렇지만 가가호호 다니면서, 길을 지나다니면서도 악화된 병도 낫게 해 주시고 모든 걸 그렇게 하셨거든요. 그러니 '서춘보 스님' 하면 그 이름을 어느 사람이고 어느 고을이고 모르는 사람이 없었답니다. 그래서 이 정승의 귀에까지 들어갔던 거죠. 그러니까 두말 안 하고 "그렇습니까, 스님? 참 고맙습니다." 하면서 그냥 삼백 냥을 내드렸습니다. 외려 달구지에다 실어서 이렇게 해서 보냈죠.

그래서 얼마 안 있어 저녁나절이 되니까 그걸 끌고 왔더랍니다. 끌고 와서 "자네 이거 받게. 그거 팔았네." 그러니까 "여보게 자네, 이거 뭐, 도인이랍시고 도둑질한 거 아냐?" 하니까 "아니네. 왜 도둑질인가? 자네 살리고 나라 살리고 그러는 거지. 그리고 또 정승들 살리고. 이게 일거양득이 아니라 일거삼득일세." 그러거든요. 그래서 그걸 가지고서 빚을 진 거를 다 갚고 나니까 얼마 안 남더랍니다. 서춘보 스님이 그걸 어떻게 다 알았겠습니까? 또 갔죠. 두 분이 아주 절친한 친군데, 그분은 정승이 되고 이분은 산으로 올라간 거죠. 그래서 인제 한 삼 년 있다가 '이 친구가 또 어떻게 사나?' 하고 가니까 아, 도로 그럭하고 있더랍니다. 이걸 어떡합니까?

그래서 물건 주는 건 어쩔 수가 없다고 그랬어요, 내가. 요새도 얘기하죠? 그게 무주상 보시라야지 잠시 잠깐 먹으라고 주는 거는, 그저 잠시 잠깐 배불렀다가 그냥 그거 없어지면 또 그만이야. 그래 갔다가 인제 또 와 보니까 또 그 지경이라. 가만히 생각해 보니 '야, 내가 이걸 주고 가 가지곤 밥 한 그릇을 해 주지 못한 채 이건 또 우거지죽을 먹게 되는구나.' 하고선, "나는 우거지죽이 참 좋지마는 자네 내내 이렇게 되니 이 노릇을 어쩌나?" 하면서 "여보게, 또 뭐 줄 거 없나?" 하니까 "여보게, 자네 그 호피 껍데기도 나 정승 자리에 있을 때 깔던 건데 내가 뭐가 있겠나." 하니까 그냥 집 뒤 안팎을 돌아봤습니다.

돌아보니깐 굴뚝 뒤에 말입니다, 벽에 떡 걸어 놓은 삿갓이 하나 있었습니다. 그 삿갓에는 새똥이 뭐, 말도 못하고 바슬 바슬 바슬 했습니다, 그냥 다 말라서 아주. 그걸 가만히 떼었습니다. 바스러질까 봐. 그래서 그걸 떼어 가지고 물을 조금 이렇게 뿜었습니다. 그래 가지고선 떠억 가지고 들고 가서 "여보게, 이걸 주게." 그러니까 "그건 또 뭘 하나?" "이것도 삼백 냥 해서 다 자네 갖다 줘야지." 이거 얼마나…. 이걸 얘기하고 인제 다음 얘기를 하겠습니다.

그래서 그거를 가지고 또 제이 정승을 찾아갔습니다. 또 찾아가서 하는 소리가 "고대로 6년만 있으면 이게 보물이야. 그러니 이 보물을 지금 마련 못해 놓으면 요다음에는 이 보물 때문에 나라 전체에 큰 우환이 닥쳐. 그러니까 삼백 냥만 주게." 두말없이 줬습니다. "그리고 이거를 둘 때 바스러질 테니까 아주 곱게곱게, 보들보들한 백지로 싸고 공단으로 열 번을 싸고, 아까대로 상자에다가 넣어서 이 상자가 움죽거리지 않게 딱 놨다가 요다음에 6년 있으면 쓰게 되네." 했거든요. 그래 삼백 냥을 또 갖다 줬습니다. 갖다 주고 나니까 그 3년 동안에 빚을 다 갚곤 없어서 또 그렇게 빚을 졌단 말입니다. 그 참…. 그래서 또 갖다 주고 갔습니다.

그래 3년 만에 오니까 또 그 지경이 됐습니다. 그래서 생각을 하기를 "야, 뭐 없는 가난은 나라도 못 당한다고 참, 자네는 어째서 이 모양 이 꼴인가? 어떻게 살기에 이 모양 이 꼴인가?" 하고선 그런 말을 하면서 또 바깥으로 나갔습니다. 바깥으로 나가서 보니까 밭두렁에 질요강 삐뚤어진 게 하나 있었습니다. 그런데 안에 말도 못하게 버캐가 누렇게 썩어서 끼었단 말입니다. 그것을 오줌을 쏙 쏟아 버리고는 "여보게, 자네 마누라더러 이것 좀 부셔 달라고 하게." 그러니까 "여보게, 그런 걸 가져와선, 그 말 같지도 않은 소리 하지도 말게." 그러니까 "에이, 그럼 그만두게." 그러더니 나가서 짚수세미로 자기가 닦으니 그게 집니까?

그냥 임시로 아주 고약한 냄새나 지워 가지고, 모래를 넣어서 닦아 가지곤 그거를 물로 말갛게 씻어 가지고 물기가 없이 말려 가지고 갔습니다. 제일 정승한테 또 그걸 팔아넘겼죠. 3년만 있으면 이게 보물이 될 것이니 이거를 삼백 냥만 주고 사서 그렇게, 그와 같이 싸 놓으라고 그랬습니다. 그래서 인제 삼백 냥을 받아다 줬죠. 주고 나니까 "여보게, 자네는 참 알다가도 모를 일일세. 나도 그 공부 좀 할 수 없겠나?" 그러니까 "여보게, 아무나 마음에도 없는 한마디 내던지는 말로 그렇게 하는 게 공부가 아닐세. 자네 정승으로 과거 볼 때 나는 이렇게 간 사람일세." 그랬습니다. 이미 차는 지나간 얘기죠.

그래 인제 그렇게 해 놓고 3년이 어언간 닥치고 9년이 지났습니다. 그런데 중국에서 사신들을 보내서, 지금 얘기로 하겠습니다. "한국의 보물을 중국으로 들여라." 이러면서 사신을 보냈습니다. 그러니 한국에 내놓을 만한 보물이 있어야죠. 보물을 한국에서 내놓지 못하면 아예 그냥 한국을 치겠다 이랬거든요. 그러니까 인군도 죽을 판이요, 목 달아날 일이요, 중국과 우리가 작은집 큰집 할 때에 그렇게 됐으니까. 인제 인군도 목 달아날 일이요, 그럼 인군이 그렇게 되지 않으려면 정승 판서들이나 지금으로 치면 청와대의 경호원이나 이런 사람들이 다 잘해야 할 텐데 이거를 아무것도 모르는 거라. 그러니 보물을 어디 가서 찾습니까? 그런데 그 세 정승이 가만히 생각을 하니까 그것이 딱 맞았단 말입니다. 그런데 이게 그렇게 되는 줄은 알겠는데 아니, 이거를 내놓고 뭐라고 말을 해야 할 줄을 모르는 겁니다. 그러니 서춘보 스님을 찾아야 될 거 아닙니까?

이러니 나라에서는 지금 아주 인군은 식사도 안 하고 계시고 야단들 법석이 났는데, 서춘보 스님을 찾으려고 방방곡곡 다녀 봐도 못 찾았는데 서춘보 스님이 그거를 알고 내려오셨습니다, 한참 만에. 아주 뜸을 많이 들여 가지고 내려왔습니다. 내려와 가지고서는 “걱정할 게 없네.” 하는 겁니다. 지금 나라에서는 신하들이 입이 부르트고 뭐, 말도 못하거든요. 그러면 나라가 망할 징조인데 어떡합니까?

그런데 서춘보 스님은 그런 거 걱정하지 말라고 그러시는 겁니다. 중국에 갈 때 나라에서 서춘보 스님을 모셨습니다. 그전에는 중국에 들어가려면 강을 건너야 했답니다. 그래서 정승들이랑 모든 그 참, 이름을 모르니 그냥 합시다. 나라에 권위가 있는 사람들은 다 따라나선 겁니다. 몇 사람만 여기 남고선 다 따라나서서 군졸들을 다, 지금으로 치면 국방부의 군인들도 전부 인솔해서는 모래톱에다가 갖다가 대놓고 배를 타고 건너가려고 그러는데, 저쪽 강 건너에서는 한국에서 보물이 온다 하니까 그쪽 나라에서도 군졸들을 인솔해 가지곤 아주 까맣게 그쪽에 있는 거예요.

그래서 이쪽 조선에서 서춘보 스님이 중국의 사신더러 뭐라고 그랬느냐 하면 “이 보물은 상당히 귀한 거니까 만약에 그쪽 모래톱으로 건너가서 잃어버린다면 너희들에게 그것을 다 추궁하겠다.” 이랬습니다. 그러니까 세 가지 여건을 지었습니다. “그걸 잃어버린다면 앞으로 한국은 한국대로 나라를 세운다.” 이런 조건을 세웠습니다. 그러니까 얼마나 저쪽에 군졸들이 많았겠습니까? 그래 건너갔습니다. 건너가서 거기다가 놓고, 그전에는 걸어가니까 쉬어야 갑니다. 그래서 거기다 내려놓고서, 그 군졸들을 그냥 뺑 돌려서 사방에 불을 놓고선, 그 세 개를 지키느라고 말입니다, 하여튼 인산 떼같이 빽빽하게 그냥 쌓여 가지고선 밤을 지켰습니다. 그래서 밤을 새우고선 그 이튿날 또 신고선 그냥 뭐, 지금 대통령 경호해 가지고 다니듯이 그렇게 중국으로 들어갔습니다.

그래 중국에서 그걸 받아서 놓고 또 지키고 있습니다. 지키고 있는데 조선에서 들어간 분들은 야, 이거를 어떻게 해결할 줄 모르니까 입이 질질질질 타고 밥을 못 먹었습니다. 입이 전부 헤지고. 그러니까 서춘보 스님이 따로 계시다가 오셔서 하는 말이 "허 참! 아니, 죽어도 살 구멍이 있다는데 요렇게 마음들이 좁아 가지고야 이 세상을 어떻게 살아나간다고 하며 나라를 어떻게 통치해 나가려느냐!" 그러고 호령을 했습니다. 그냥 입이 죄 부르트고 밥을 못 먹고 갱신을 못하니까요.

그래서 그 대신들이 있다가 하는 소리가 "서춘보 스님께서 앞장을 서서 말씀을 해 주십시오. 우린 도저히 어떻게 말을 해야만 될는지 그걸 도대체 모르니까요." 그래서 그러면 그러마고, 그러니 밥 먹으라고 그랬습니다. 그래도 스님이 말씀을 어떻게 해서 이게 잘못되면 나라가 그냥 통 달아나가는 판국인데, 목이 달아나갈 판국인데 이걸 어떡하나 해서 그 밥이 먹히지 않더랍니다. 그렇지만 스님이 그렇게 말씀하셨으니까 그걸 믿고 그래도 조금씩이라도 이렇게 넣고선 기운을 차리고 그래 일주일 만에 그것을 푸는 날이 됐습니다.

그래서 일주일 만에 가서 거기 천자는 천자대로 위에 그냥 높다랗게 터억 앉고, 이 밑에는 신하들이 그냥 쭉 둘러앉고, 그것은 가운데다 놓고 신하들이 쭉 둘러앉았습니다. 그리고 서춘보하고 이쪽의 신하들과 정승들이 주욱 이렇게 앉았습니다. 이쪽에서 간 사람들은 이 뒤에서 벌벌벌벌 떨고 있었죠. 그랬는데 하나를 끌렀습니다. 첫째, 뭘 끌렀느냐 하면 호피를 끌렀습니다. 그걸 하나 하나 끄르는데 얼마나 많이 쌌는지 하나 끄르면 또 끄르고…. 이거는 이 천자가 지치는 거라. '얼마나 좋은 거기에 저렇게 쌌을까.' 하는 겁니다.

그래서 이거를 펴 보면 또 싸여 있고, 또 펴 보면 또 싸여 있고, 또 펴 보면 또 싸여 있고. 그래서 한 스물댓 번 풀어 보니까 그때서야 나오는데 털도 없는 그 방석이 글쎄, 아주 때가 그냥 꼬자자하고 조자리한 그거 아닙니까? 그래서 "이것이 어째서 보물이 된다고 하느냐?" 하니까 서춘보 스님이 말씀하셨습니다. "아, 이것은 공자님께서 삼천 제자를 가르칠 때 이 방석을 깔고 앉아서 그렇게 제자들을 가르치신 바로 그 호피입니다." 이러거든. 이 천자가 가만히 생각을 하니까 자기 나라에서 자기 보물도 추리지 못했다 이거야. 그러니 너무 창피한 거라. 아, 그러냐고, 너무나 그냥 몸둘 바를 모르는 겁니다. '야, 우리 이 신하들은 아무것도 아니고 이 조선의 이게 정말 사람들이구나!' 이렇게 생각했죠. 그래서 그냥 아주 코를 납작하게 만들어 놓은 거죠, 인제. 그래서 인제 들여갔단 말입니다. 아, 그러냐고 이러면서. 그러니까 아주 곱게 모시라고, 그게 중국의 보물인데 조선에서 챙기다니 이게 될 말이냐고. 그것도 아닌데 인제 그런단 말이야.

그래서 그렇게 해 놓고 또 하나를 풀기 시작했습니다. 풀어 보니까 살살한 저, 새똥이 죄 앉은 그 삿갓이 나왔습니다. "이거는 어째서 보물이 된다고 하느냐?" 했습니다. 그러니까 뭐라고 하느냐 하면 서춘보 스님이 말씀하시기를 "그렇습니다. 이거는…." 저이, 너희도 그 이름 알지? 저 뭐야? 강태공이! 강태공이 시절을 낚을 때, 그때 쓰던 삿갓이라고 그랬어요. 그렇게 총총하게 알던 것도 인제는 이렇게 자꾸 잊어버립니다.

그래서 그것이 강태공이 쓰던 거라니까 이것도 놀랄 일이란 말입니다. 이것도 중국 것 아닙니까? 그러니 이것도 놀라고 정말 코가 납작하게 그냥 짜부러지는 거죠. 그렇게 놓고서는 또 풀었는데, 이거는 찌그러진 냄새나는 요강이 나왔습니다. 그러니까 "이거는 뭐 때문에, 어디의 보물이 되느냐?" 하니까 "조선에서…." 이건 조선으로 들어가요. 이건 조선에서 지금 말로 치면 처음 생산할 때, 처음 구운 거라 이거야. 그래서 아주 이게 조선에서 보물이라 이거야. 그렇게 내니까 아, 그러냐고 이러면서 그때서야 이 천자는 코가 납작해지고, 납작해지는 것보다도 천자가 호령을 했습니다. "이 중국의 신하들이 말이야, 응? 이 중국의 보물이 조선에 있다니 말이 되느냐!" 이러고 호령을 내렸습니다. 그리고 지금 조선의 인군한테, 신하들한테 그냥 전부 상을 내렸습니다. 공단이며 돈이며 보물이며 산더미같이 배로 바리바리 실어서 줬습니다.

그래서 조선에 그걸 가져와서 서춘보에게 국사로 있어 달라니까 허, 나는 국사 같은 거 소용없다고, 필요 없다고 그러고서는 산으로 올라가니까, 서춘보 스님한테 절에 시주를 한다고 보물 한 배를 드렸습니다. 그래서 반은 그 가난한 친구 말이에요, 그 친구를 주고 반은 가난한 동네에 골골이 다니면서 나눠 줬습니다. 그러니 나라의 인군이나 나라의 기강을 얼마나 세웠습니까?

그랬는데 말하고 넘어갈 것은, 만약에 여러분이 이 공부를 해서 터득을 하실 수 있다면 이것은 이거를 갖다 붙여도 붙일 수 있고 저걸 갖다 붙여도 붙일 수 있으니 이것은 어디에고 안 붙어 돌아가는 게 없습니다. 만들면 되는 겁니다. 예를 들어서 그때에 그렇게 하게끔 만들어 놓고 이쪽에서는 그걸 대비해 놓고 이럭하면 되는 거죠. 그것도 그쪽에서 그 마음을 조절할 수 있다면, 스님이 마음을 조절할 수 있기 때문에 그때에 중국에서 인군이 보물을 해 들이라고 얘길 했고, 또 마음을 조절하니까 중국에 조절을 해 놓고는 이쪽에 그 대비를 미리 해 놨단 말입니다. 그건 누구의 조작입니까? 그분의 조작이 아니라 그분이 이 우주의 전체를 파악을 하고 깨달았기 때문에, 같이 공용하고 있기 때문에 그 도리를 그대로 갖다가 자기가 법을 만든 겁니다. 그러니 얼마나 중요합니까?

만약에 그 스님 같은 분이 이 자리에 계시다면 우리 한국이나 이북이나, 지금 일본으로서도…. 그것은 길목이 되는, 일본은 저 주막거리가 되는 셈이죠. 이쪽에서 보기에는 주막거리, 주막. 이쪽에서 와도 이쪽에서 가도 주막이죠. 그런데 중국이나 소련이나 미국이나, 이런 강대국의 문제들도 그렇고, 영국이나 이런 모든 나라의 그 마음을 조절할 수 있고 내가 될 수 있는 그런 참 톡톡한, '도력' 이라고 하기 이전에, 그것을 얕게 도력이라고 이름해서가 아니라, 이름할 수 없는 이름입니다. 전체 만법을 다 응용할 수 있고 만법을 다 굴릴 수 있는, 한꺼번에 우주를 들 수 있는 그런 분이 있다면 그것을 앉아서 다 조절을 한다 이겁니다. 그러니까 그렇게 나 아님이 없다, 내 자리 아님이 없다, 내 아픔 아님이 없다, 나 아님이 없다, 내 마음 아님이 없다 하는 그 뜻이 바로 거기에도 쓰여지는 것이니 하나를 알면 열 가지를 다 응용할 수 있다는 겁니다. 그러니까 그러한 도리를 안다면 그것도 가능하죠, 모든 것이.

내가 만약에 이렇게 해야만 그 집안이 살 수 있을 때는, 그 마음을 내게 하기 위해서 내 마음이 거기 첨보가 된다면 그 마음이 그대로 생길 겁니다. 그런다면 내가 이리로 가면 구덩이에 빠지는데, 요리로 가게 마음을 해 주면 그냥 요리로 갈 거 아닙니까? 몸은 그냥 따라가니까. 그래서 여러분과 더불어 그런 분이 있다면, 우리가 알아도 그분이나고 내가 그분이다 이겁니다. 여러분이 그분이고 그분이 여러분이니까. 부처님도 내가 부처요, 부처가 나요. 이렇게 둘이 아닌 한마음으로 돌아가는 이 도리를 알면 말입니다.

그러니까 그렇게 해서 그 마음과 마음이 오고 갈 때, 모습은 다를 지언정 그 마음이 한데 합쳐질 때에 그분은 구덩이에 빠지지 않게 되니, 여기 오시는 분들이 다 요렇게 가서 구덩이에 빠지려고 하면 저리로 가게 만들고 그러는 것이 여러분이 주인공을 믿고 거기다가 맡겨 놓기 때문입니다. 그리고 또 여러분 자체의 참자기 주인공, 자부처가 자기를 테스트해 보기 위해서, 자기를 알게 하기 위해서는 우정 이리로 가게 만들어서 구덩이에 빠지게 하는 수도 있습니다. 그럴 때에 '아, 구덩이에 빠졌구나. 이건 아니야! 에이그, 이거 해 봤더니 뭐 별것도 아냐. 이런 건 아니야.' 하기 이전에 '아하! 나를 테스트해 보기 위해서, 어떻게 생각을 하나 이걸 보기 위해서 나를 여기다, 구덩이에 이렇게 넣는구나. 몰아치는구나.' 이렇게 생각만 하면 그 구덩이는 완전히 없어지는 겁니다. 그게 그냥 한순간에, 한생각에 그거는 아주 무마가 돼 버리고 말죠.

요렇게 자세히 가르쳐 드려도 만약에 모르신다면 이 생활에 이익이라는 것이 없습니다. 여러분의 생활에 이익이 있고 여러분이 연구하고 개발해서 자유인이 되라고 하는 거지, 창살은 없지만 우리가 얼마나 감옥 속에서 고를 겪고 있습니까? 마음대로 못하고 말입니다. 돈을 가지고도 마음대로 못하는 게 허양 많습니다.

그러니 우리가 그렇게 앉아서 세계를 운영할 수 있다는 그 살림살이, 또 앉아서 호국 불교를 할 수 있다는 겁니다. 서산 대사나 사명 대사가 그렇게 호국 불교를 해서 천 명 이천 명을 모아서 임진왜란 때 그렇게 쳤고 또 그 후에 사명 대사가 일본까지 가서 태자들을 다 데려왔고 이랬듯이 그전에는 몸으로 그렇게 했는데 지금은 과학이 발전이 돼서 무전도 다니고 모두 이렇게 다니기 때문에 무전 뭐, 컴퓨터, 탐지기, 그 뭡니까? 영사기 뭐, 다 있지 않습니까?

그러니 이거는 몸으로 해서 될 일이 아냐, 지금은! 지금은 껑충 뛰었다고! 넘어섰단 말입니다. 그렇게 몸으로 바둥바둥하고 창과 칼과 활을 가지고 싸우던 시절은 벌써 능큼 뛰었단 얘깁니다. 그 후에 소총, 이런 거 가지고 싸우던 때도 벌써 건너뛰었다 이겁니다. 대포나 이런 거 가지고 싸울 때도 뛰었어요. 그러니 어쩌겠습니까? 지금은 앉아서 호국 불교를 안 하면 서서는 호국 불교를 할 수 없습니다. 앉아서 하실 수 있는 그 도리를 연구하십시오.

이것이 바로 부처님께서 삼천 년 전부터 가르쳐 오신 그 뜻입니다. 삼천 년이 지나도록 그 공부를 가르치시려고 여직껏 그렇게 말씀을, 하나를 앉혀 놓고도 얘길 했고, 길바닥에 앉혀 놓고도 얘길 했고, 둘을 놓고도 얘기했어, 응? 그렇게 해서 팔만대장경이 나온 것인데, 우리가 그걸 보고도 그냥 말로만 "아, 부처님 불법은 이렇대. 이렇대." 하고 금강경을 달달달달 외우고 화엄경을 달달달달 외우고, 이것이 진짜 불교가 아니란 말입니다. 우리가 그것을 응용할 수 있는, 이 마음을 깨쳐서 능력을 발휘해서 그와 더불어 오신통을 바로 내가 굴릴 수 있어야 하고, 오신통에 그 경(經)도 다 들어갑니다. 오신통을 내가 굴릴 수 있어야지 내가 오신통에 말린다면 안 됩니다. 그건 도가 아니요, 그건 자유인이 못 되는 겁니다.

그렇기 때문에 스님네들이나 여러분이 공부하다가 뭐 조금 보이는 게 있고, 뭐 좀 들리는 게 있고 이렇다고 해서 '아이고, 나는 이게 참 장땡이야.' 이렇게 하실 게 없다 이겁니다. 만약에 그게 잘못 들어간다면, 그것을 위주로 하고 그것이 도라고 잘못 알고 들어간다면 노예가 될 것입니다. 귀신의 노예가 돼. 들끓는 귀신의 노예가 된다면 미친 사람이지 그게 성한 사람입니까? 지금도 자기가 자유스럽게 살지 못하고 노예로서 아파도 어쩔 수가 없고 속상해도 어쩔 수가 없고, 가난해도 어쩔 수가 없고 우환이 닥쳐도 어쩔 수가 없지 않습니까? 그럼 여러분이 노예죠. 자유로이 어떻게 해결할 수가 없으니까. 왜? 옷을 벗게 되면 그냥 '있다 내가 벗게 됐구나.' 하고 벗고 가면 되지, 왜 그렇게 고통스럽게 삽니까? 부처님이 그걸 가르쳐 놓으신 거예요.

인간으로 진화돼서 창조가 됐으면 다시 이것을 벗고 다시 마음의 공부를, 즉 말하자면 마음을 깨친다면 인간의 모습 이 자체도 억겁을 거치면서 윤회로 끄달리진 않는다 이거야. 자유스럽게 사는 거다. 어디고 네가 가고 싶으면 가고 오고 싶으면 와. 여기만 혹성이, 이것만 우리 집이 아냐. 이 지구만 우리 집이 아니라고요. 전체가 내 집이 되는 거야. 내 도량! 내 도량 하면 전체, 우주 전체가 다 내 집이 되는 것입니다. 내 땅이요, 내 자리요, 내 자리 아님이 없는 겁니다. 어저께도 얘기했지만 그 가운데 산천초목은 저렇게 조화를 이루고 저 물은 유수와 같이 흐른다. 흘러가는 것도 아니고 흘러오는 것도 아니다. 단지 우리가 움죽거리고 이렇게 여여하게 그냥 흘러 도는 것밖엔 없다. 흘러 돌고 이렇게 돌면서 우리는 다양하게 자유스럽게 흘러 돌아야 될 거 아니냐 이거야.

그런데 어떤 분들은 맡겨 놓으라면, "일임해서 놔라." 이러면 허, 사람인데, 사랑도 하고 돈도 좀 가져야 하고 그러는데 그런다고 그러거든요. 아, 누가 돈을 갖지 말라나요? 사랑, 외려 진짜 사랑을 하라는 거죠. 진짜 사랑을 하고 또 진짜 부자가 돼라 이겁니다. 진짜 부자가 되라고 그러는 거지, 요만한 값싼 사랑을 가지고 사랑이라 그러고 진짜 요만한 돈 가지고선 그걸 재산이라고 그래? 아, 우주 천하에 다 내 재산, 나 아님이 없고, 내 거 아님이 없는데! 욕심을 내려면 아예 한꺼번에 내라 이거야! 그까짓 놈의 거 마음으로 짊어지고 무겁게 다니지 말고.

그저 아프더라도요, 죽기 아니면 살기 아니에요? 그냥 이렇게 자주 다녀 보세요. 오늘 다르고 내일 다르고 모레 다르고 이렇게 달라지면 나 가볍고, 그러면 좋지 않겠어요? 아, 내가 선생님한테 약을 그냥 듬뿍 주려 해도 받아먹어야 주지, 응? 내가 이렇게 손으로 집어서 주는데 받지 않으면 이게 떨어진다고. 땅에 떨어져. 내 말도 지금까지, 이날까지 한 거, 잘못 들으면 한데 떨어져, 그냥.

그래서 석존께서는 자기의 제자들한테 "말 한마디 해서 한데 떨어뜨리지 말라." 그랬는데 듣지 않는 사람에게, 또 해서 될 수가 없는 자리에는 말을 하지 않아야 되겠죠. 그런데 나는 그냥 장사치 모양으로, 장돌뱅이 모양으로 여러분이 그저 적게 오든 많이 오든, 모르는 분이 오든 아는 분이 오든, 부자가 오든 가난한 사람이 오든, 거지가 오든 그런 거 상관없이 '이런 말이라도 듣고 보면 어느 땐가 생각날 때가 있겠지. 살다 보면 어려운 일이 닥쳤을 때 문득 그 생각이 나겠지. 그런다면 그것이 바로 자기 마음의 계발인데, 그게 바로 불법이자 우리 종교인데…. 그리고 일체 만물이 없다면, 여러분이 없다면 크나큰 이 도리를 내가 알았을 게 뭐냐. 이것을 갚아야 하지 않느냐. 갚을 것도 없고 줄 것도 없고 가질 것도 없지만 여러분이 이 도리를 안다면 더불어 같이 이 세상에 모두 살아나가는 분이나, 국가적으로나 사회적으로

나 모두가 이익이 아니냐.' 이러는 겁니다. 그리고 세세생생에 이익이 다 이겁니다. 그러니 어찌 말을 안 하겠습니까? 입에 침이 말라도 이렇게 묻혀 가면서….

거지의 옷 한 벌 시주

1986년 1월 17일

옛날에 스님네들이 걸어간 발자취 얘기를 한마디 먼저 하겠습니다, 입이 안 떨어지신다면. 말할 것도 없고 안 할 것도 없지만, 그래도 말을 안 해서도 아니 되고 해서도 아니 되는 그 이치를 아셔야 하니깐 말입니다. 예전에도 내가 얘기한 것 같습니다마는, 우리의 마음이 얼마나 중요하고 광대무변하고, 이 사람 사는 도리에 얼마나 마음 한 생각 한 생각이 참 새로운가를 들어 보십시오.

옛날에 어느 도반 스님 두 분이 길을 걷게 됐답니다. 그랬는데 가다가 보니까, 예전에는 움을 묻고 산다고 그랬죠. 땅속을 파 가지고 땅 위로 이렇게 지붕을 하고 말입니다. 그러고 한 발 한 발 디뎌서 땅속으로 이렇게 들어가게 되면 거기에 거적때기로 문을 해서 단 움집이 있었습니다. 예전엔 그런 게 더러더러 시골 촌에는 있었습니다. 그랬는데 두 분 스님이 가시다가 그 움집을 보시고선 한번 들여다봤습니다. 들여다보니까 한 분은 거적을 이렇게 두르고 있고, 마대 있죠? 푸대. 푸대로다가 이렇게 위를 하나 두르고 아래로 하나 두르고 이럭하고 있더랍니다. 그런데 거적을 쓴 분은 옷을, 바지저고릴 입었는데 솜이 쳐져서 다 내려가고 아주 헌털뱅이 옷을 입기는 입었는데 홑겹이라 너무 추우니깐 거적을 쓰고 있더랍니다. 그래서 그 스님께서 보시고선 너무 가엾어서 마음 한편으로는 안된 마음을 가지고서 볼일을 보고 갔습니다.

그래서 절에, 자기 도량에 가서 은사 스님한테 그렇게 얘기를 했습니다. 오늘 볼일을 보러 가다가 보니까 그러그러한 일이 이렇게 있었다고요. 그러니깐 그 선사 말씀이 "이놈아! 내일이라도 가는 길이 있으면 가서 그 옷을 한 벌 시주를 하라고 그래라." 이랬단 말입니다. 그래 "다 떨어진 옷 한 벌로 두 분이 사는데 어떻게 그걸 시주를 하라 합니까?" 하니까 "이놈아! 그것이 바로 그 사람들을 괴롭히는 고에 빠져서 허덕이게 하는 것이니라. 그러니 그것을 시주하라고 해서 주걸랑은 받아 오고, 또 그것도 주지 않걸랑은 할 수 없는 거지 어떡하느냐." 하더랍니다.

그래서 그 이튿날, 하도 불쌍한 생각이 들어서, 그렇게 해서 그 사람네들이 잘살 수 있다면 그렇게 하리라고, 그 이튿날 두 분이 볼일도 없는데 직접 거길 갔습니다. 가서 문을 떠 들고선 보니깐 "아이고 스님, 또 오셨군요." 하거든요. 공손히 그런 인사를 하게 되자 "내가 여기 온 것은 처사님 옷 입은 거, 바지저고리를 시주하셨으면 하고 왔습니다." 했습니다. 두말없이 "어차피 없는 것을, 이거 하나 달라고 그러시는데 제가 못 드릴 바가 있습니까?" 하면서 "잠깐만 기다리십시오." 하고선 마대를 두리두리 두르고선 끈으로 매고 이러고선, 바지저고릴 해서 그냥 드릴 수가 없으니까 착착 개서 새끼 오락지로 묶어서 요렇게 당그마니 들게 이렇게 해서 드리더랍니다.

그래서 그 시주 받은 거를 가지고 절로 갔습니다. 절로 가서 "인제 받아 가지고 왔습니다." 하니까 은사께서 말씀하시기를 "그 솜 내리뭉친 그거, 또 실밥이 있는 걸 안팎을 다 뜯어서, 아무리 해졌다 할지라도 아주 깨끗이 빨아서 또 삶아서 또 빨아서 그렇게 해서 윗도리는 형이 갖고 아랫도리는 아우가 가져서, 형은 윗도리를 가지고 그걸로 위 법당을 닦아서 걸레가 다 닳아서 없어질 때까지 깨끗이 빨아서 닦아라." 했고, 아랫도리는 아래 동생이, 즉 말하자면 사제죠. 사제가 그것을 가지고선 아래 요사채를 닦게 그렇게 명을 내렸습니다.

그래서 그것을 가서 뜯어서 빨려고 보니까, 이가 아마 거짓말 보태서 한 섬은 나왔답니다. 허허허…. 그래서 그것을 뜯어서 빨아서 잿물에다 삶아서 깨끗이 빨아서 법당을 치우기 시작을 했답니다. 훔치기 시작을 한 지 근 보름이 되자 선사께서 하신 말씀입니다. "너희들 이리 오너라. 이것을 줄 때의 그 사람 마음이나 네가 받을 때의 그 마음이나 그 마음이 둘이 아니었고, 준 그 사람의 손이나 받은 네 손이나 그 손이 둘이 아니었으니 바로 네가 훔치는 것이 그 사람이 훔치는 것이요, 그 사람이 닦는 것이 바로 네가 닦는 것이니라. 그래서 아침저녁이고 수시로 이걸 빨아서 이렇게 닦는 것이 바로 그분이 닦는 것이니라. 그러니 네 마음이 언제나 각각 보지 말고 한마음으로서 봐. 그리고 한마음으로서 생각하고, 그 한마음도 없는 마음에 놓으면서 항상 굴려라." 하고 그렇게 얘길 하셨답니다. 그래야 그 사람이 거기에서 벗어날 수 있노라고요.

그래 그 두 분 스님은 '그 사람이 그럭해서 벗어날 수만 있다면….' 하는 생각에서 서슴지 않고 추운데도 항상 그것을 춥단 말 없이 찬물에다가도 깨끗이 빨아서, 손이 부어오르고 그래도 그 사람보다는 낫다고 생각을 하고 빨아 가지고 또 올라갔습니다. 올라가니까 스님께서 하신 말씀이 "그 사람 고생하는 거보다 네 손 부은 것이 낫다니! 그렇게 각각 둔다면 그 사람은 언제 이 모든 업과 더불어 이것이 소멸돼서 그 사람이 살 수 있겠느냐? 그 사람이 바로 너이고 네가 그 사람인지라, 어찌 둘로 보고선 그런 생각을 하게 하느냐." 하고 호령을 하더랍니다. 그래서 참, 호령하는 소릴 듣고 홀연히 그분들은 그분들대로 깨치시고…. 이쪽을 또 얘기하겠습니다.

이쪽에서는 보름이 닥쳐서 올 때에 이분들이 그 옷을 번찰아 가면서 갈아입고선 근근히 밥을 얻어다 먹었는데, 그 옷 한 벌마저 없으니 밥을 얻으러 가질 못했답니다. 동네 동네에 다니면서 밥을 얻어먹되 그분은 항상 허드렛일을 해 주면서 밥을 얻어다 먹었답니다. 그래서 급할 때는 논일도, 나무도, 심부름도 해 줘 가면서 항상 밥을 얻어다 먹었는데 그래도 그때에 당해서는 너무 사람들이 냉랭하고 아주 그렇게 냉정했답니다. 만약에 일을 한 바가질 했다면 받는 것은 찬밥 한 덩이 겨우 얻어 가지고 와서 먹었답니다. 그렇게 덕이 없었다고 생각합니다. 그러니 마음이 풍족하여야, 그리고 마음이 참, 봄과 같이 그렇게 넓은 마음이 생겼어야 되는데, 그분네들이 그렇게 잘못한 게 아니라 이분이 덕이 없으니까 그렇게 된 거죠.

그런데 사람이 나가질 않으니깐 동네에서 급한 일은 생기고 그러니까 그 사람 생각이 무뜩무뜩 이 동네에서 나고 저 동네에서 났답니다. 그래 노인네들이 한데 모여서 하는 말이 "아, 그 사람 얼어 죽었나 봐. 이 동네에 이렇게 안 오니 그 움에 좀, 우리 가 봅시다." 인제 불쌍하게 생각이 든 거죠. "그 불쌍한 사람 얼어 죽었으면 시신이라도 치워 줘야 되지 않겠는가. 우리 동네 동네 다니면서 그렇게 허드렛일을 해 줬는데 우리가 그냥 있어서 되겠나." 해서 동네 노인네들이 거기를 가 봤습니다. 가 보니까 푸대로다가 감고서 거적을 쓰고선 이러고 둘이 옹크러져서, 보름은 굶었으니깐 영 다 죽게 됐더랍니다. 나와서 물을 마시고 어떻게 해서 그래도 연명이라도 했기에 목숨은 붙었으나 벌써 다 죽게 됐더랍니다.

그래서 할 수 없이 그 노인네들이 부랴사랴 허둥지둥 동네로 내려가서 먹을 거를 해 가지고 죽을 쒀 가지고 와서 떠 넣고 그래서 살렸답니다. 살렸는데 그 동네분들이, 옷 한 벌도 없어서 그렇게 해도 안 주던 그분들이 아, 옷을 모아 가지고 가서 또 입히고, 그러고선 제일 큰 동네에서 행랑채를 줬답니다. 행랑채를 주고서 동네 동네 다니면서 일을 보게 함으로써 그 사람은 살게도 됐거니와 또 이 동네에서 주고 저 동네에서 주고, 논마지기를 농사해 먹으라고 도지를 받고라도 하여튼 줬습니다. 그래서 그 후부터 살게 되면서 그 동네의 일판에서 다 그 사람을 그렇게 좋은 사람이라고, 착한 사람이라고, 정직한 사람이라고 이렇게 칭호가 붙었죠.

그러다 어느 때에 어린앨 낳아서 키우기 시작을 했는데 그 어린 애가 너무도 영리하고 참 똑똑했답니다. 역시 마음이 착하니까 그렇게 되고, 스님네들이 또 한마음을 같이해 주니까 그렇게 똑똑한 아들을 낳아서 잘 키워서 공부도 잘했답니다. 이것이 몇백 년 된 것도 아닙니다. 바로 몇십 년밖에 안 된 일입니다, 촌에서. 그럭해서 그 아들이 똑똑해서 참 공부를 잘하니깐, 일제 시대 때 그 아들을 데려다가 기술을 가르치고 그래서 큰 부자가 돼 가지고, 그 고을 안에서 부자랍니다.

그러한 부자면서도 자기네들 옛날 생각을 하면서 어려운 사람들을 다 구제를 하러 다녔기 때문에 그 사람네 가정에는 재산이 없었답니다. 그저 뭐 팔러 다닙네 하고선 이고 지고 모든 동네에, 부락에 다니면서 그저 조금만 뭐가 생겨도 집안에 들어가 봐서, 자기가 줄 분이면 주고 안 줘도 된다 할 때는 안 줬고. 그렇게 해서 이분이 그렇게 착하게 참 의리 있고 도의, 사랑을 가지고서 부처님 법을 믿으면서 진실히 하고 이렇게 살다 보니까 동네 마을의 없는 사람을 다 구제했고, 또 좋은 직업을 아들이 가지고 있으면서 그 재산은 하나도 없고, 그저 당일 당일 먹을 것만 있었답니다. 그래서 나라에서 8·15 해방이 되고 난 뒤에 큰 상을 내렸답니다. 그래서 참 잘 사는 사람을 저 춘천에서 봤습니다.

그런 예도 있듯이, 아마 몇백 년 전이라고 해도 지금이고 지금이라 해도 몇백 년 전입니다. 몇백 년 전에 그렇게 하고 몇십 년 전에 그렇게 하고 그랬다 할지라도, 오늘에도 그러한 사람이 있습니다. 또 그렇게 내 거를 내 거라고만 끼고 도는 게 아니라 참마음을 가지고서 사랑할 수 있는 그 마음, 어저께도 얘기했지만 한번 그 사람이 돼 볼 수 있는 그러한 마음을 가지고 안으로 굴려 보는 그런 인식을 갖는다면, 모든 오해 산 걸로 우리가 싸울 일도 없고 또는 배반할 일도 없고 증오할 일도 없죠.

그러면서도 온 누리의 모든 생명체들, 모든 인간, 모두 한데 합쳐서 나 아님이 없다고 생각했을 때, 하다못해 개 한 마리가 가다가 다리에 부상을 입어서 절룩거리고 피를 흘리고 가도 불쌍하게 보일 겁니다. 그것이 바로 나이기 때문입니다. 스스로 마음에서 가엾은 생각과, 스스로 마음에서 참 즐거운 생각, 스스로 마음에서 저 사람 아픔이 바로 나와 둘이 아니라고 생겨나야지, 억지로 가면적인 생각으로 남이 그러니깐 나도 "그, 불쌍하구먼!" 이렇게 말을 해서는 아니 됩니다. 말을 안 하더라도 좋습니다. 마음 지극한 그 속에서 스스로 내 아픔을, 스스로 생각하고 눈물을 흘릴 수 있는 그 지극한 마음이라야 되지 않을까 생각이 됩니다. 개의 다리 부상에 흐르는 피도 바로 내 아픔의 피라고 생각했을 때 바로 참다운 눈물을 흘릴 수 있는 자비입니다.

또 우리가 생활하면서도 그렇지만 이런 예도 나는 다니며 봤습니다. 많은 신도를 겪다 보니깐 참, 그런 분들을 많이 보기도 했습니다. 저 원주에 소태면이라고 있습니다. 소천면인가? 그런데 거기에서 외아들을 데리고 어머니가 그 외아들을 기르느라고 새벽이면 콩나물 장사를 해서 공부를 열심히 가르쳐서 서울에 와서 높은 학교를 나왔습니다. 그 아들도 열심히 해서 대학을 나왔죠. 대학원은 시키지 못했다 할지라도 너무 여기저기서 끌어갔습니다. 그러니까 그 사람은 어머니를 근중히 생각하고, 이러던 중 어느 때에 장가들 때가 돼서 장가를 들었습니다. 그 장가를 들고 나서, 장가든 지 육 개월 만에 고만 그 아들이 외국에 나가게 됐습니다. 외국에 나간 뒤에 외국에서 돈 부치는 걸 가지고 노름을 하기 시작했습니다, 며느리가. 노름을 크게 하려고 했던 건 아닙니다. 역시 친구들하고 심심하니까 앉아서 쪼끔쪼끔 하던 게 고만 커진 거죠. 누가 처음부터 그렇게 하려고 그래서 하는 건 아닙니다.

그런데 그 어머니는 그대로 콩나물을 이고 다니는데 창피하다고 며느리가 막 나무랐습니다. 난 어머니 그러는 거 창피해서 못 본다고 그러던 며느리가 그렇게 화투를 쥐더니만 눈이 뒤집혔습니다. 그래서 아들이 월급 보내는 걸 다 자꾸 없애니까 어머니는 야단을 쳤습니다. "그 뼈아프게 번 돈을 가지고 네가 노름을 하다니 그게 말이나 되느냐? 그리고 또 여자들이 이리로 몰려다니고 저리로 몰려다니는 걸 난 보고 살 수가 없어. 난 이거 볼 수가 없어. 네가 그걸 놓지 않는다면 내가 차라리 나가는 것이, 너 안 보는 것이 좋겠다." 하니까 "아이, 그게 편안하시다면 나가시죠. 어머니가 그렇게 편안하시다면 나가시는 것도 좋겠습니다. 저 보기 싫으면 나가시죠, 뭐." 이렇게 해 버리니깐, 그 어머니는 어처구니가 없고 얻다가 마음을 둘 데가 없었습니다. 그렇다고 해서 아들한테 고자질을 할 수도 없고 말입니다. 어머니 생각에 그 어떤 아들인데 내가 며느리가 그렇다고 얘길 해서 신경을 쓰게 하며, 만약에 그거를 알면 우리 아들은 병이 날 거라는 생각에 도무지 아들한테도 얘길 못했습니다. 그러고 멀리 남의 집에 살러 갔습니다.

그랬는데 말입니다, 그 아들이 일 년 만에 와서 어머니를 찾으니까 그 며느리가 어머니가 어디로 가신 줄 몰라서 찾으려야 찾을 수도 없고 그렇다고 했습니다. 그러니까 "네가 잘못했으니까 그렇지." 하니깐 자기는 잘못한 거 하나도 없다고 그러거든요. 그렇게 하던 중 그 어머니는 아들이 수소문 수소문 해서 찾았는데 말 안 하고 사시다가 나중에서야 며느리가 "어머니, 잘못했어요." 이럭하니까 "뭘 네가 잘못한 게 있니?" 눈을 꿈쩍하면서 절대로 아들한테 알리질 않았습니다. 그때에 며느리가 무슨 생각을 했느냐 하면 '내가 그렇게 해도 어머니가 저러시나….' 그러면서 그 어머니는 자기가 품 팔아서, 남의 집 살아서 돈 번 거를 며느리더러 그 돈 축나는 거를 채워 놓으라고 채워 줬습니다. 그랬을 때에 그 며느리는 눈물을 흘리면서 어머닐 껴안고 울었습니다. "이렇게 이해가 많으시고 이렇게 지혜가 많으시고, 그리고 부처님 믿는 그 마음이 지극하신 어머니가 바로 보살이자 부처님이십니다." 하면서 며느리가 부처님을 지극하게 믿게 됐고 또 그 어머니를 지극하게 섬기게 됐더랍니다.

그래서 사람은 어디까지나 악으로 다스리는 거보다도 선으로 다스리는 것이 한 덕이 된다고 생각합니다. 그리고 또 아랫사람도 역시 부모에게 어떠한 오해가 생기더라도 좀 너그럽게, 내가 시어머니로 돌아가서 다시 한번 생각해 볼 수 있는 그런 생각을 하시면서, 또 시어머니도 내가 며느리로 돌아가서 한번 생각해 볼 수 있는 그 지혜로운 마음, 그것이 바로 우리를 화목하게 만들 수 있고 우리 가정을 참 잘 살게 만들 수 있는 그런 화목함입니다. 그렇게 화목한 집안에 어찌 가난이 오겠습니까?

우리 불법이라는 것은 조그마한 데서 큰 게 있고 큰 데서 조그마한 게 있지, 조그마한 것은 아니고 큰 것만 불법이라고 할 순 없으니 여러분이 그저 마음 탁 놓고 언제든지 질문을 하실 수 있게끔 하십시오.

질문자(남) 스님께서 얘기하시는 주인공이라는 것의 개념이 수와 양의 많고 적음에 전혀 구애받지 않는 어떠한 상태라고 볼 때 윤회라는 것에 대한 약간의 의문점이 생깁니다. 만약에 윤회라는 것이 어떠한 한 생명체가 껍데기를 벗으면서 새로운 생명체로 다시 바뀌는 하나의 일대일의 관계라면 지구상에 존재하고 있는 많은 생명체들이 불과 백 년 사이를 놓고만 보더라도 우리가 눈에 볼 수 있을 만큼 증가하고 있는데, 그중에서 단순하게 인간들 하나만 놓고 생각을 하더라도 사람의 머릿수가 기하급수적으로 늘고 있는데 그렇게 기하급수적으로 늘고 있는 인간들 자체라는 것이, 다른 생명체로부터 윤회의 과정을 거쳐 가지고 새로 인간으로다가 발전해 가는 그러한 단계를 밟게 되기 때문에 인간의 수가 늘어나는 것인지, 그렇지 않으면 윤회에 전혀 끄달림이 없는 새로운 생명체가 탄생하는 것인지, 또 그것도 아니라면 그것을 뛰어넘는 어떠한 개념이 존재하는 것인지 의문이 갑니다.

큰스님 질문을 할 때 말입니다, 한 가지를 딱 얘기를 하고 고것이 풀어진 다음에 또 요런 거를 차례차례로 해 주셨으면 좋겠어요. 그런데 말입니다, 윤회라는 것은 나쁜 것만 윤회가 되는 게 아니에요. 좋은 것도 윤회요, 나쁜 것도 윤회인 것입니다. 사람의 마음이, 즉 말하자면 요즘 유전 공학을 연구하는 사람들이 많이 있죠? 그런데 유전 공학이라는 것은 물질을 가지고서 그것을 크게도 할 수 있고 작게도 할 수 있고, 여러 개를 만들 수도 있고 아주 작게 축소할 수도 있는 그런 문제가 있습니다. 그리고 다른 모습으로 바꿀 수 있는 그런 문제도 있죠.

그러나 부처님 법이라고 하는 이 뜻은, '무전자다' 하는 거는 보이지 않는 마음이 계발이 되는 것입니다. 이 마음이 살면서 '아, 나는 이게 참 아쉽다.' 이러면 이거 아쉬운 거를 보충해 주는 그 무전자 말입니다. 그리고 광대무변한 것입니다. 그래서 예전의 그 참 높으신, 공덕이 많으신, 닦으신, 각을 이룬 선지식들이 말씀하신 대로 '그 하나에, 손가락 하나 드는 데에 그 모든 우주가 들린다' 고 한 말씀 자체가 그 이치를 알았기 때문에 그렇단 얘깁니다. 모르는 세계까지 전체, 무(無)의 세계 유(有)의 세계를 다 포함해서 알았기 때문이고. 그리고 한생각에 진화돼서 창조가 된다는 얘깁니다, 유전자로 연구하거나 내 마음 나오기 이전과 더불어 마음을 내서 한다기보다는.

그렇다면 한생각이라는 것이 유전 공학으로써 물질을 가지고 연구하는 게 아니라, 마음을 가지고 연구를 하기 때문에 그 연구한 자체가 없으면서도 진화되고 바로 창조가 되는 것입니다. 그 진화력을 가지고 우리가 찰나찰나 진화되는 것을 바로 윤회라고 그럽니다. 그러면 윤회가 따로 있는 것이 아니라 우리가 지금 24시간 살아나가는 데도 찰나찰나 이게 고정된 관념으로 살지 않으니까 그것이 바로 윤회라고

일컬어 이름하는 것입니다. 그런데…. (녹음 안됨)

자기를 믿는 데서 나오는 무수한 능력

1986년 1월 19일

질문자1(남) … 조금 알고 싶은데요, 스님. 좀 말씀해 주십시오.

큰스님 그렇게 얘기해 드렸잖아요. 지금 현재에 이렇게 살아나가면서도 습을 가지고 우리가 고정되게 나가기만 한다면 그것은 걸린다고요. 그냥 거기서 차원이 멈춰 버린다니까요. 그러니깐 이 진리가 멈춰 버리지 않고 찰나찰나 돌아간다는 걸 아시면, 거기서 찰나찰나 돌아가면서 생각나고 행하고 말하고 했던 것을 거기에다가 다시 놓을 때는 걸리지 않는 겁니다. 그러면 사후의 문제라는 건 생각할 것도 없이 우리가 지금 현재에 알면 사후에도 그렇게, 즉 말하자면 눈 멀고 귀머거리고 그렇지를 않으니까요. 현재에 알면 바로 미래에도 알 수 있는 거고 만약에 어저께 모른 것이라면 오늘도 모를 거 아닙니까? 그렇기 때문에 아까도 얘기했듯이 사후 일이라는 것은 오늘 겸했다는 얘깁니다. 과거 일이 현재로 겸했기 때문에 미래에도 그러하다는 얘깁니다. 우리가 억겁을 거쳐 오면서 억겁을 거쳐 온 것이 이렇게 따로따로 있는 게 아니고, 그 많은 억겁이 그렇게 쌓여 있는 게 아니고 많이 거쳐 오면서 축소됐다는 얘깁니다. 아까 콩나무 얘기도 했듯이 말입니다.

그럼 콩나무는 콩나무대로만 그냥 있는 게 아닙니다, 또. 만약에 콩나무도 생명이 있고 마음이 있다면, 콩나무도 '콩나무로 되기 싫다. 콩나무에서 좀 더 화해서 나는 어떠한 다른 모습으로 돼 보고 싶다.' 하는 생각이 있다면 그것은 바로 콩나무라는 그 범위 내에서 벗어난 겁니다. 콩씨에서 벗어난 거죠. 우리도 인간에서 벗어난다면, 바로 '자신' 으로서 벗어난다면 중생을 벗어나는 겁니다. 그러니까 사후나 또는 과거의 업보나 그런 것이 없다는 얘깁니다. 없는데 사람의 마음으로 지어서 그렇게 자꾸 만들어 놓는다는 거죠. 그거는 우리가 없다고 할 수 있는 게 아니라 우리는 자유스럽기 때문에 끄달리지 않는다는 문제입니다.

그런데 이 도리를 모른다면, 만약에 우리 부모들을 죽였다든가 또는 우리 집에 와서 도둑질을 해 갔다든가 그렇게 되면, 또 어느 회사에 다니는데 저 사람으로 인해서 나나 우리 가족이 전부 죽게 됐다 이랬을 때에 그 증오심을 갖게 됩니다. 그런다면 그것이 누적돼서 사후의 일로 벌어져요. 현실에도 너로 인해서 내가 망했다든가 너로 인해서 내 가족의 밥줄이 끊어졌다든가 내 돈을 떼어먹고 어디로 가서 우리 식구가 십 년이 되든 몇 년이 되든 이렇게 고초를 받고 지낸다든가 이렇게 해서 엉클어진 이 문제를, 즉 말하자면 고정되게 내가 증오하고 있거나 그런다면 그것이 인제 사후 일로 벌어집니다. 현재에 내가 또 갚을 수도 있고요. 그놈을 징역을 시키지 않는다면 내가 그냥 물씬 아주 반쯤 죽여 놓고 '저희 죽고 나 죽는다.' 이렇게 또 벌어지는 수도 있고요. 그렇게 벌어져서 만약에 물씬 두들겨 주고 말았다 할지라도 그것이 그대로 거기서 끊어지는 게 아닙니다. 거기에서도 자기도 고통스럽고 그 사람도 고통스럽게 되고, 그걸로 인해서 네가 앙갚음을 했으니까 나도 앙갚음을 하겠다는 생각으로 자기 잘못한 생각은 안 하고 앙심을 품게 되지마는, 그거는 또 좀 덜합니다. 그네 대의 가정, 즉 말하자면 자식들이나 거기에 딸린 식구들이 모두 원한을 품고 있습니다, 또! 그러면 그 한 사람 때문에 몇 사람이 업보를 짓는 거죠. 그러니까 자기가 해 놓고 자기가 받고, 자기가 해 놓고 자기가 받고 얼크러지고 설크러지고 이런 것이 사후에 돌아오는 거죠. 현재에도 들어올 뿐 아니라 사후에도 들어오죠.

그래서 이런 얘기가 있지 않습니까? 옛날이나 지금이나 나라의 국록을 먹는 사람인데 아, 그 사람이 말을 한마디 인군 앞에서 해 가지곤 밥줄이 끊어졌단 말입니다, 다! 그러니까 그때에 밥줄이 끊어진 것보다도 양반으로서…, 옛날에는 그런 걸 중시했죠. '무슨 낯으로 얼굴을 들고 조상을 만나 뵐 수 있을까?' 하는 그런 마음을 가지고서 아주 그 집을 증오하고 이렇게 했는데, 어느 날은 그 아들이 말입니다, 하도 고통스럽고 아버지가 그렇게 참, 방에서 나오시질 않고 그러니까 아버지의 원수를 갚는다고 그 집에 들어가서 죽였지 않습니까?

그래서 또 그 집에서 원수를 갚는다고 하다가 그만 미수에 그치곤 말았습니다. 그 뒤에 방에만 계시던 그 아버지가 이 마음으로써 무척 닦으셨던 모양입니다. 그 후에 머리가 허옇게 다 돼 가지고서는 하시는 말씀이 "얘야, 네가 그렇게 한 까닭에 원수는 원수대로 갚지도 못하고…. 그게 갚아서 갚아지는 일이 아니니라. 그렇게 네가 했기 때문에 요다음에 삼 대에 내려가서 태어나는 네 손주가 그렇게 또 죽게 됐으니 어떡하면 좋으냐." 하더랍니다. "그러면 그것을 어떻게 하면 면하겠습니까?" 하니까 "앞으로는 그러한 일을 말고 그걸 풀려면 그 집 가서 매일같이 아침 문안을 드리면서 전자에 그런 모든 걸 그저 잘못했노라고 하루 한 번씩 가서 사과를 하되 백 일을 해라." 그러더랍니다. 백 일을 해야 그것이 녹는다고 하더랍니다. 그 사람 마음들이 녹아야 그게 업이 되지 않으니까요. 그래서 마음이 중요한 겁니다, 우리가 지금.

예전에 그런 얘기도 있지 않습니까? 9대조 할아버지가 돌아가시면서 "9대손 손주가 그러한 문제로 인해서 죽을 테니까 이 함을 끄르지 말고 9대손 손주며느리한테 전달해 달라. 그러면 거기 다 써 있을 테니까 그거를 꼭, 만약에 살인으로 몰려서 죽게 되걸랑은 이 함을 갖다가 그 고을 원한테 이 봉한 거를 끄르지 말고 갖다 바쳐라. 그러면 살 길이 생긴다." 했더랍니다.

그런 거와 마찬가지로 이것이 돌고 돌아서 우리 살아나가는 것도 지금 고정된 관념으로서의 생각도 고정된 행도 고정되게 보는 것도 듣는 것도 하나도 없지 않습니까? 그렇기 때문에 찰나찰나 우리가 사는 거지 고정되게, 그냥 뭐 백 년을 살았다 하더라도 백 년을 산 게 없습니다. 여직껏 걸어 다니셨다 할지라도 걸어 다니신 그 자체가 남아 있습니까? 우리 살림살이도 역시 그러합니다. 그런데 마음으로 짓는 거, 그것은 마음의 영원한 그 자기의 전체 컴퓨터가, 자기를 리드해 가지고 가는 자연 컴퓨터가 있습니다. 잠재의식이죠. 그 잠재해 있던 그 자체가 바로 자기 한 거를 일기장 써 놓듯이 자기가 해 놓고 자기가 하나하나 돌아가면서 받게 돼 있거든요. 잘했으면 잘한 대로 못했으면 못한 대로요. 그러니 사후를 갖다가 우리가 지금 짐작하고도 남음이 있는데 사후를 물을 게 뭐 있습니까?

우리가 무슨 일을 하든지 간에, 사장이 되셨든 직원이 되셨든 회장이 되셨든 또 장사하는 상인이 됐든 기술자로서 어느 회사의 직원이든 그건 상관없이 자기 해 나가는 데에 지혜로써 해 나가고 믿고, 하여튼 일단 여러 가지 말할 필요가 없습니다. 단지 나한테서 나온 거 나한테다 다시 놓는다는 거밖에는. 그것만 알면 됩니다. 믿고 거기서 한다는 것만 알면. 이날까지 살아온 것도 내가 하고 내가 모든 것을 상대를 맺어 놓고 내가 거기다가 들이고 내고 들이고, 오관을 통해서 내가 들이고 내고 한 거지 누가 들이고 내 주는 게 없단 얘깁니다. 모든 것이 자기로부터 이 세상에 나와서 자기가 한 거지 누가 한 겁니까? 그러니까 자기가 한 거를 자기한테 놔라 이겁니다. 그러면 "자기는 부처도 아니고 중생인데 어떡합니까?" 이러는데 아닙니다, 그게. 중생이 몸이라고 한다면 바로 이 마음 있기 이전, 마음 내기 이전은 부처님니다, 바로. 그렇다면 구태여 중생이다 부처다 따로 생각할 게 아니라 포함해서 삼합이, 그래서 삼위일체로 그냥 돌아가는 거죠.

그래서 우리 이 지금 지구도 그렇지만 우주의 섭류도 은하계로 인해서, 은하계의 그 샛별 뒷면에 삼각으로 이렇게 돼 있습니다. 이게 컴퍼스 있죠? 이렇게 돌리는 거. 그러면 하나는 여기 짚었습니다. 하나는 옆으로 돕니다. 하나는 땅으로 이렇게 그어야 둥글어지죠? 그런데 하나는 위, 이렇게 있거든요, 맞춰서. 하나는 위로 맞춰서 있고 하나는 아래로 맞춰서 있고 하나는 중간으로 돌거든요. 그러니깐 우리가 이 땅으로 이렇게 컴퍼스로 동그랗게 그으려면, 이렇게 되면 이것도 땅이 아니고, 이것도 땅이 아닙니다. 이것이 전부, 이 우주의 섭류라는 것이, 한 개의 덩어리 속에 우리는 집을 지어 놓고 그 안에서 살고 있습니다, 지금. 이 지구가 태양을 끼고 이렇게 돌아가는 것이 삼각원형을 이루고 있는 겁니다.

우리 지금 한 몸뚱이가 살아나가는 것도 생명과 마음 내는 거와 육신과, 그게 삼합이 한데 합쳐져서 지금 돌아가고 있는 겁니다. 우리가 돌아가고 있는 거는, 우리 지금 움죽거리고 살고 있는 이게 돌아가는 겁니다. 그럼 이 돌아가는 것이 눈 깜빡거리고 숨 쉬는 거나 마찬가집니다. 숨 쉬는 것이, 자도 숨을 쉬고 깨서 이렇게 다녀도 숨을 쉬지 않습니까? 숨 쉬는 것이 끊어지지 않는 것은 당연하죠. 그러면 이렇게 사시면서 숨을 한 번도, 자면서도 깨서도 언제나 숨 안 쉬어 본 일이 없는데 그게 참선이 아니겠습니까? 그게 진리고. 끊어지는 게 아닙니다. 잠시 잠깐 자고 깨는 것뿐이에요. 항상 숨은 쉬고 있어요, 같이. 우주의 모든 일체 만물과 더불어 만생이 그냥 호흡을 같이하면서 돌아갑니다. 잠잔다고 해서 숨 안 쉬고 자는 분 보셨습니까? 그렇게 끊어뜨리지 않고 끊어지지 않는 숨 쉼과 마찬가지로 진리가 그렇게 끊어지지 않고 돌아가거든요. 항시도 끊어지지 않는 그 숨 쉬는 그놈이 바로 주인공이라고 한다면 끊어지지 않고 돌아가거든요.

그래서 그것이 영원한 생명의 근원이라고 봅니다. 그러면 바로 이 근원으로 인해서 내가 숨을 쉬고 이러는 것이 쉬지 않고 돌아가니까, 우리 생활이 바로 이렇게 움죽거리게 되고 말을 하게 되고 이러니까 모두를 포함해서 원형을 이룬다 이겁니다. 그럼 과거도 원형 속에 있는 거고, 미래 사후도 바로 원형 속에 있는 겁니다. 그럼 공(空) 속에 있다는 얘깁니다. 그러면 우리가 사후고 또 과거 미래 현재가 바로 이 공 속에서 현재 우리가 생각하기에 달렸다 이겁니다. 생각을 크게, 넓게, 걸리지 않게 한다면 '모든 것을, 거기서 나온 거 거기다 다시 놓자. 놓고 믿자. 그리고 물러서지 말자.' 마음이 물러서지 않는다면 이 공한 진리에 모든 탐욕과 창살 없는 감옥과 애착과 모든 게 몽탕 거기에서 끊어지게 돼 있습니다. 끄달리지 않게 되자 나는 훨훨 마음의 창살을 벗어나는 겁니다.

벗어나게 되면 그때는 너무도 이 우주의 섭류와 인간의 살림살이에 모든 게 적합하게, 모든 게 공해서 돌아가는 거를 알게 되고 진실로 알게 되고…. 그냥 이렇게 하다가도 내 한생각이라면, 아까도 얘기했지만 '아, 저 사람을 구해 줘야지.' 하는 생각이 무뜩 나는 것도 여기서 생각난 게 아니겠습니까? 그렇기 때문에 몽탕 들리는 겁니다, 몽탕! 그 힘이! 그렇기 때문에 그것은 다양하게, 내가 아픈 사람이 불쌍해서 그렇게 생각을 했다면 그대로 보이지 않는 약이 그리로 갈 것이고, 또 가난해서 불쌍해서 생각을 해 줬다면 보이지 않는 데서 자기가 그 업보를 면해 주니까, 바로 그게 없어지니까 가난함을 없애죠. 그러니까 그걸 가지고 보이지 않는 데서 마음으로 하는 거, 무주상 보시! 그 마음으로 한생각 냈기 때문에 한생각이 거기에 융합이 되고 통틀어 그 힘이 한데 가해지게 되자 그건 들리게 되는 거죠.

그러니까 이거 말로만 이렇게 할 게 아니라 실험을 통해서, 여러분이 생활하시면서 실험을 통해서 지켜보세요. 해 보시고 실험해 보시고 체험하고 지켜보고 또 하고 이렇게…. 차 운전을 배웠는데 만약에 양면에 그 심봉을 끼지 않았으면 차를 끌고 갈 수도 없고 배울 수도 없습니다. 반드시 차 운전을 배웠어도 한번 내가 실천을 해 보고, 또 경험하고 체험하고 이러면서 자기의 그 마음을 크게 만들고, 그걸 자꾸 해 봐야 경험이 돼서 자기가 늠름해지고 그거를 잡아도 떨리지 않지, 그걸 안 해 보면 떨리고 안 해 보면 영 안 해집니다. 겁나서 못해요. 그러니까 항상 숙달이 돼야 되는 거죠.

그렇기 때문에 항상 이렇게 숨 쉬는 게 그냥 그대로, 내가 항상 참선하고 있다는 걸 아셔야 됩니다. 숨이 끊어진 사이는 없으니까. 그 숨 쉬고 있는 것이 진리요, 길이요, 바로 부처님 법이요. 내가 만약에 이 몸이 없어진다 하더라도 숨은 쉬고 있는 거니까요. 그건 절대, 몸만 무너졌다가…. 그래서 우리가 지금 그걸 비유한 건데 숨 쉬는 건 하나도 끊어지지 않는데 잠을 자도 그냥 몸만 자고, 잠깐 자고 일어나는 거 같은 거다. 그렇기 때문에 영원한 너의 생명의 근본은 그대로 영원히 살아 있는데, 네 몸만 없어졌다가 다시 모습을 갈아 가지고 나올 뿐이지 죽고 사는 건 없다. 본래 살아났다고 할 게 없기 때문에 본래 죽을 것도 없다고 한다.

그렇기 때문에 남자분들께서도 때에 따라서는 생활하는 데서, 자기가 차를 타고 오고 가면서, 회사에서 일을 하든지 장사를 하든지 어쩌든지 자기가 '아, 저건 한번….' 이렇게 지켜보는 그런 사람이 돼 줬으면 좋겠어요, 자기 분야에 따라서. 그런다면 그 사람도 좋고 나도 좋고, 나는 거기에서 체험을 하게 돼요. 만약에 그것을 나쁘게 체험을 하려도 나쁘게 되지 않고 좋게 체험을 해도 좋은 거고. 그러니깐 결국은 부처님 법이라는 게 그렇게 묘하고 좋죠.

이런 예가 있죠. 저 김 대리라고 하는 분하고 김 과장하고 인제 둘이, 처음에 김 과장이 배울 때 얘깁니다. 김 대리한테 인제 실험을 얻으려니깐 낚시질하러 가서, 저기 내려가는데 '야, 너 한번 좀 넘어져 봐라.' 그렇게 실험을 한번 했답니다. 그러니까 아, 가다간 곧장 넘어지더랍니다. 그걸 체험을 하고 '아, 이게 우연인가.' 이렇게 생각을 했답니다. 그래 다시 한번, 아주 일러 주고 그랬답니다. "얘, 너는 꼭 넘어질 거야." 그러니깐 "왜?" "내가 넘어진다고 했으니까." "예 이놈아, 그따위 소리 하지도 마라." 그렇게 하더랍니다. "틀림없어!" 그러니까 정신을 바짝 차린 겁니다, 김 대리는. 친구니까요. 정신을 바짝 차리고 가서 할 때는 아무 일 없었답니다. 막 다 하고 일어서서 '응, 나 인젠 다 왔으니깐 괜찮지.' 그러고 마음을 탁 놓으니까 그때 그냥 팍 넘어졌다 이겁니다. 그러니까 그것이 결국은 모든 게 이 마음으로 자기가 자기를 믿는 데서 나오는 그 능력이 무수하다는 얘깁니다. 자기를 자기가 믿지 않거나 이런다면 내가 백 마디 천 마디 해도 그건 백문선이 헛문선*이에요.

그러니깐 처음부터 모든 것을 믿어야 내가 놓을 수도 있는데 믿지를 않으니까 놓을 수가 없거든요. 그래서 믿게 하기 위해서 내가 이럽니다. 믿으면 그때는 누가 놓지 말래도, 거기다가 맡기지 말래도, 맡겨 놓지 말래도 그냥 탁 맡겨 놓고 자기가 떳떳하게 해 나가거든요. 믿지 못함으로써 바로 거기다가 맡겨 놓을 수가 없는 거죠. 그래서 맡겨 놓을 때까지 내가 지금 리드해 나가고 있는 겁니다. 그러니 체험을 해 보시라 이거야! 우리가 생활하면서 체험을 함으로써 자기를 믿고, 믿는 반면에 물러서지 않고 즐거움을 느끼고 삶의 보람을 느끼면서…, 진실히 믿기 때문에 거기다가 다 맡겨 놓을 수 있는 겁니다. 누가 곧장 죽는대도 그까짓 것 겁도 안 나. 다 맡겨 버리니까! 맡겨 놓으니까! 내가 금방 죽는다 하더라도 걱정이 없어. 이만큼 돼야 된다 이겁니다. 그

* 옛날에 백문선이라는 사람이 거짓 문서로 남을 속인 데서 유래된 '백문선허문서(白文善虛文書)'의 뜻이거나 백 가지 좋은 글을 가려서 뽑은 것(百文選)이 다 헛된 것이라는 뜻으로 보임.

런데 여러분은 그렇게 믿을 수가 없는 거죠. 체험을 못해 봤기 때문에. 자기 위력이 그렇게 광대무변하다는 걸 체험을 못해 봤기 때문이죠.

어떤 사람이 이런 사람이 있었습니다. 물건을 잔뜩 해 놨는데 아, 외국에서 괜히 트집을 잡고선 물건을 도로 빠꾸를 시켰단 말입니다. 그러니까 어떻게 됐겠습니까? 자금은 딸리는 데다가 그렇게 됐으니 큰 문제가 생겼죠. 그래선 딴 데다가 그것보다도 더 싸게 다 넘겼답니다. 그런데 돈을 못 받는다는 겁니다, 또. 그러니 진퇴양난이에요. 밑지고도 지금 넘겼는데. 그래서 인제 여기 와서 설법을 듣고 갔습니다. '예라, 당신이 계시다면 당신이 알아서 돈을 받게 하든지, 우리 식구를 다 죽이든지 맘대로 하라.' 하고 그냥 아예 인젠, 너무 이게 골치가 아프니까 다 놓고선 그냥 방에 뒤쓰고 덜컥 드러누웠답니다. 그랬는데 얼마쯤 자다가 보니까 꿈에 "일어나, 인마! 드러누워 있는다고만 해서 뭐, 다 맡기고 놓는 건 줄 알아? 일어나서 다니는 것도 다 놓는 거야, 인마. 일어나!" 그러더랍니다. 그런데 꿈에 쓱 보니까는 아무것도 보이지 않는데 발만 보이더랍니다. 그래 발은 어떻게 보이느냐 하면 그, 삼베 있죠? 삼베로다가 행전을 치고요, 그냥 짚신을 신은 것만 보이더랍니다.

그래서 깜짝 놀라 깨 가지곤 '이거 이러고 있는 게 아니로구나. 내가 맡겼으면 바로 내 몸뚱이는 움죽거려야 되는 거구나.' 그러고선 받으려는 생각도 없이 슬슬 그냥 갔답니다. 그랬더니 아, 반가워하면서 말입니다, 그렇게 쌀쌀하고 돈 없다던 사람이 "아이고, 당신. 그걸 나를 믿고 그렇게 줬는데 참 내 고마웠소. 그러니 돈 가져가시오. 그러고 조금 떨어지는 건 우리 한 닷 새 있다 드릴 테니, 당신같이 이렇게 좋은 분인데…." 아, 그러더랍니다. 그래 그 돈을 받아 가지고 말입니다, '야, 내가 생각하고 맡겨 놨으면 몸도 움죽거려야 되는구나!' 또 그걸 배웠답니다.

그래서 이 마음으로 믿는 것도 부지런하게 진실로 믿고 몸도 또 부지런하게 뛰어야 합니다, 같이. 뛰는 것도 거기서 뛰게 하는 거니까. 그러니 일체 사는 게 거기서 내고 들이고 하는 거죠. 믿고 그렇게 한다면 모두가 일이 좀 순조롭게 풀리지 않겠습니까? 그러니 자기 몸뚱이는 갔어도 마음에다 맡겨 놓으니까 말하는 것도 화가 안 나더랍니다. 왜, 그전에는 가서 "그래, 이 도둑놈아! 왜 여직껏 돈을 안 주고 그래! 떼먹으려면 아주 떼먹어라, 이놈아!" 이러고 했는데 아, 그때는 그렇게 하니까 마음이 누누해지는 게 영 뭐 그랬는데, 이번에는 상도 찌푸려지지 않고 그냥 싱글싱글 참 마음을 편안하게, 온화하게 가니까 아이, 처음에는 그냥 놀라는 기색을 하더랍니다. 그래서 아주 좋은 얼굴로 해 가지고 한번 다녀온 후로 또 가니까 그렇게 반가워하면서 주더랍니다.

그런 일도 있듯이, 내 마음이 그렇게 넓고 슬기롭고 좋은데 왜 그 사람 마음이 좋지 않겠습니까? 내 마음이 오그라지고 펴지 못하고 원망하고 이렇게 나가면 상대방도 그렇게 나오거든요. 그것은 왜 그러하냐. 안 보이는 데의 그 향기처럼 내 마음의 에너지가, 즉 말하자면 그쪽의 주인공과 내 주인공이 함께 공생 공심으로 돌아가기 때문입니다. 그래서 내가 악하게 쓰면 그쪽도 악하게 나옵니다. 그거는 내가 몸뚱이로 그렇게 악하게 안 해도 스스로서 벌써 악하게 되는데 어떡합니까? 그런데 몸뚱이, 말 이것만 중요시하지 이 마음 씀씀이는 중요시하지 않거든요. 저놈이 나를 가지고 욕하고 말이야, 한 대 쳤다고 그러고 그런 걸 중요시하지 마음 씀씀이를, 자기가 생각했던 건 생각 안 해 보거든요.

그러니까 장사를 하든지 사원 노릇을 하든지 회장 노릇을 하든지 사장 노릇을 하든지, 하다못해 쪼그마한 무엇을 한다 하더라도 모든 것을 거기에서 실험을 해 보세요. 그래서 아까도 얘기했듯이 안 되는 것도 '아하, 나를 실험해 보기 위해서 안 되는구나.' 하는 것을 알면 벌써 금방 없어져요.

그런데 나도 옛날에 속은 예가 있었던 걸 내 얘기해 드린 적이 있습니다. 옛날에 나는 산에 올라가서 항상 모든 거를 맡겨 놓고서 이렇게 살아나가는 사람이었죠. 그랬는데 하루는…, 나는 잠을 자면 묘지를 찾아서 묘지에 기대고 잠을 잤거든요. 그냥 나무에다가 기대고 자고요. (녹음 안됨) 그런데 가만히 생각을 하니까 "왜 침입을 했느냐." 하면서 뭘 훔치러 왔다는 겁니다. 그러면서 이 머리를 산발을 하고 그런 게 와락 나타났습니다. 그냥 갑자기 생기는 일이라 어떻게 놀랐는지 말입니다. 적이 갑자기 생기지 그럼 뭐, 적이 갑자기 안 생깁니까? 그러면 그때에도 대치할 수 있는 뭐가 완벽해야 되는데 완벽하지 못했단 말입니다. 거기서 놀라선 뒷걸음을 쳐서, 여기서 치면 저 버스 종점 나가는 데까지 뛰었단 말입니다, 뒷걸음을 쳐서. 뛰다 보니까 발뒤꿈치가 차이면서 그냥 넘어졌죠. 펄떡 주저앉는다는 게 어디 가 앉았느냐 하면 이만한 풀 덩어리, 예전에 삘기풀이라고 있죠? 거기 그냥 어떻게 엉덩방아를 찧었는지 정말 눈에 불이 번쩍 났습니다.

그 순간 뭘 생각을 했느냐면 '옳지! 네가 그런 놈이지!' 어디서 들어오는 게 아니다 이거야. 이 주인공, 즉 공생 공심으로 돌아가기 때문에 만약에 '영 영' 하면 영 영 영 영, 수만 개가 있어도 영 하나로 돌아가지 그것이 딴 데 따로 있는 게 아니거든요. 그렇기 때문에 보이지 않는 것은 체가 없는데 '아이구, 딴 데서 나온 게 없다. 저한테서 나오고 제가 놀라는구나! 저 방구에 제가 놀랐어!' 하면서 도로 그 자리로 올라갔습니다. 올라가서 떡 버티고 탁 앉아서 생각을 한 것이 '흥, 나갈 것도 없고 들어올 것도 없는데, 네놈이 그래 놓고 네가 놀랐구나.' 하고선 탁 틀고 앉아 있으니깐 웃음이 저절로 나오는 거예요. 그리고 그건 간 곳이 없어진 거죠. 그래 웃음이 저절로 나와서 척 기대고 싱긋이 웃으면서 눈을 감고선 있으려니까 야, 사람이 참, 아무것도 없어도 그렇게 부자일 수가 없어요. 세상에! 묘지 하나를 가지고 이 우주의 삼라만상 전체라고도 볼 수 있거든요. '야, 참 가르쳐도 톡톡히 가르친다. 다

짜고짜 그냥 칼이 들어오는구나!' 은사가 무예를 가르칠 때 무예를 웬만큼 가르쳐 가지고선 자기하고 시합을 또 하게 하거든요. 그래서 자기를 능가할 수 있어야 "넌 나한테 더 배울 게 없다." 하고 내놓을 수 있는 거거든요.

그렇듯이 바로 그런 시험이 오는 겁니다. 웬만큼 체험을 하고 돌아갈 때는 바로 그런 시험이 옵니다. 급작스럽게, 자기에게만 왔으면 좋겠는데 그 집안 식구들한테 오거나 그럽니다. 이거는 정말 죽을 노릇이죠. 그러니 그런 것에도 속지 마시라 이겁니다. 속으면 내 꼴이 되니까요. 나도 그때 한번 속아서 그렇게 뛰어 본 예가 있거든요. 하하. 그러니까 나는 그때 식구도 없고 홀홀히 그렇게 다녔으니깐 아마 나한테 그렇게 됐지마는, 여러분은 속가에서 살림하면서 식구들을 위해서 사시는 분들 아닙니까? 그러니까 제일 위한다는 식구들한테 그 시험이 오거나, 그렇지 않으면 제일 여러분이 귀하게 생각하는 돈에 오거나 이럽니다. 그러니까 거기에도 속지 않는다면 금방 돌아섭니다. 그래 그런 체험을 해 보시면 절대로 속지 않습니다. 그 속지 않는 자기 참마음이 바로 부처니까요.

질문자2(남) 큰스님, 이달 첫 주에 제가 큰스님께 질문한 것입니다. 그 질문한 것에 큰스님 답변은 "그 사람이 아직 인연이 안 돼서 공부를 안 한다. 언젠가는 인연이 닿으면 공부를 할 것이다." 그 말을 제가 열심히 지금까지 믿고 있었는데, 오늘 셋째 주 아닙니까? 며칠 전에 그 남편은 못 오지마는 부인을 보냈어요, "내가 부처다." 그랬던 사람이. 오늘 저도 올 줄 알고 뒤에 보니까 벌써…. 그래 참 감격의 마음에 눈물이 납디다. 그래서 큰스님의 그 법문이 상당히 참 고맙습니다.

큰스님 그래요. 세상살이 살아나가는 데도 자기의 귀한 힘이 또는 능력이 그렇게 참 우수하다는 거를 모르시고, 자기 마음속에 이 우주를 주고도 바꿀 수 없는 보배가 있다는 걸 모르시고 여러분이 그것을 착각하고 계시는 겁니다. 그렇기 때문에 "내가 부처다, 내가 큰스님이다, 도인이다" 이러기 이전에 여러분이 그렇게 큰 보배라는 걸 아셔야 된다는 겁니다.

나는 도를 이루어서 딴 사람들한테 귀중한 몸이 되려고 그런 게 아닙니다. 이 물질이라는 건 귀중한 게 없습니다. 아무리 귀중해도 무너집니다. 영원하지 못합니다. 그러나 이 진실한 마음만은 이 우주를 주고도 바꿀 수 없는 진실한 마음입니다. 이 마음은 어디를 간다 할지라도, 수천 년, 수만 년, 억겁을 지난다 할지라도 그 마음은 절대로 움죽거리지 않습니다. 변함이 없는 겁니다. 괜히 사량으로 마음 내어 가지고 이리 왈 저리 왈 방황하고, 자기는 우습게 생각하고 부처님 앞에서 하는 것만 그냥 진짜로 생각하죠. 그걸 좀 더 우리가 생각을 깊이 해 볼 점이 있다고 봅니다.

그러면 아까도 얘기했듯이 그 모습도 바로 형상이 돼서 나한테 있다니깐, 그건 떼 버리라는 게 아니라 그 모습도 내 모습 아닙니까? 우리가 만약에 이 세상에 나지 않았다면, 부처님이 계시다고 누가 조성을 해 놨겠습니까? 우리가 해 놓은 거 아닙니까? 우리가 있기에 해 놓은 겁니다. 그 형상도 우리가 해 놨기 때문에, 우리의 마음으로 '부처를 이렇게 조성해야지.' 하는 마음이 있었기 때문에 바로 그 마음이 둘이 아니요, 그 모습이 둘이 아니란 얘깁니다.

그러니 이 참 어려운 세상에서 살아나가시는데 될 수 있으면 세상 살아나가는 데서 실험해 보시고 지켜보시고 체험하시고…, 안으로만요. 그런 걸 하는 거를 또 남한테 공개하면서 하지 마시고요. 그렇게 해 보세요. 또 진짜 그런 걸 좀 알았다고 해서 '이게 부처님 도' 라고 이렇게 일컬어서 이름 짓지도 말고요. 그렇게 하시다 보면 진짜 도인이 되실 수도 있습니다. 하하하.

그래서 오늘 없는 내일도 없고, 내일 없는 오늘도 없습니다. 그래서 내일이 간다고 해서 내일만으로 이렇게 고정되게 있는 게 아니라 내일을 돌아서 오늘로 또 오는 걸요. 그래서 과거도 오늘이요, 미래도 오늘이니 오늘에 영원한 나의 그 자심으로서 체험하고 굴리고 믿고 지켜볼 수 있는 그런 계기를 갖는 것이 행선이자 참선입니다. 항상 선이란 말입니다. 행하면서 참선이죠, 그게.

이게 방이 뜨듯하고 좋으니깐 뭐, 일어날 생각도 별로 없네요.

질문자3(남) 큰스님, 한 가지 여쭈어 볼 말씀이 있습니다. 십 년 전에 큰스님께서 무전통신 말씀을 하신 게 지금 기억이 새로워지는데요, 생활 불교, 실천 불교를 위해서 자꾸 체험을 하라는 큰스님의 오늘 말씀도 계셨고 해서요, 실천하는 과정에 생활 불교의 측면에서 말씀을 드리고 싶은데, 제 집사람이 십 년 이상 불제자로 여기서 공부를 했는데 참으로 공부를 했는지 어쨌는지, 체험 단계인지 테스트 단계인지 그걸 모르겠어요. 최근 일주일 전에 제 집사람이 갑자기 아파 가지고 구토증이 나고 어지러워지고 해서 밥을 전혀 못 먹고 그렇게 있는데, 아파서 밥 못 먹고 있었던 다음 날, 회사로 저한테 전화를 했어요. 큰스님에게 전화를 한 통화 해 달라고 말씀이죠. 전화를 했더니 큰스님은 치과에 가셨더군요. 그래서 통화를 못하고 그랬는데 제가 직접….

큰스님 아, 그건 통화한 게 아닌가요?

질문자3(남) 아니, 했어요.

큰스님 예. 하하하.

질문자3(남) 했는데, 제가 집사람한테 전화로 "큰스님하고 통화해서 이미 다 얘기가 끝났다." 했거든요. 아, 이랬더니 집사람이 기분 좋아서 집에 있었는데 본인의 병이 안 낫는 겁니다. 그날 밤에도 안 낫고 오늘 이 시간까지도 일어나 걸을 수가 없어서 오늘도 여기 못 나왔거든요. 그래서 일주일 동안 낫지 않고 있는데 제가 그끄저께도 "병원에 가서 주사 한 방 맞으면 되지 않느냐." 했는데도 "절대 병원에서 주사

안 맞겠다. 큰스님의 무전통신으로 이렇게 이루어지면 되는데….” 이것만 믿고 있는데 오늘 이 시간까지도 병이 안 낫고 지금 처져 있거든요. 이게 체험인지 시험인지 한 말씀 듣고 싶습니다.

큰스님 무전통신이라고 하는 건 이, 듣는 겁니다. 이게 도일 수는 없는 겁니다. 근본일 수는 없어요. 예를 들어서 지난번에도 얘기했잖습니까? 천안통이 만약에 천체망원경이라면 천이통 이건 무전이다. 컴퓨터 이것은, 즉 말하자면 숙명통이라고 볼 수 있겠죠, 잠재해서 나오는. 즉 말하자면 우리 생각하는 대로 다 거기에서 나오듯이. 그런다면 타심통이라는 것은 결국은 지금 이 탐지기나 이런 거겠죠. 전체 또, 영사기가 있지 않습니까? 우리 보는 거, 아까 그 말한 것도 있지마는 이것이 영사기로 돌아가고 또는 망원경으로 보고 이렇게 하는 거 아니겠습니까? 이것을 통틀어서 오신통이라고 합니다. 그러면 이 오신통을 누가, 항상 찰나찰나 돌아가면서 듣고 보고 이렇게, 들이고 내고 들이고 내고 하면서 책정을 하느냐는 얘깁니다. 책정을 하는 거는 바로 내 마음에서 이 오신으로서 명령을 하는 거나 마찬가집니다. 그럼 오신의 명령을 하기 때문에 바로 누진통이라고 합니다, 이거를. 이 마음으로부터 내가 한번 결정을 내는 거를. 이 결정을 내는 데 벌써 다섯 가지가 전체 혼합이 되지 않습니까? 공했으니까. 거기에서 다섯 가지가 겸해서 돌아가면서 내가 판단을 하게 되는 겁니다. 그 판단을 하는 나 자체에 참나가 있는 것인데, 스님이 통신을 해서 낫게 해 준다니 이건 말이 안 되는 얘깁니다. 생각을 잘못하고 있는 겁니다.

자기 주인공이 바로 내 주인공이고 내 주인공이 자기 주인공이라고 생각을 하면서 믿고, 자기 주인공에 스님의 주인공만 여기 계신 게 아니라 전 우주의 섭류가 다, 그 생명이 다 같이 한데 공해서 돌아가고 공심으로 돌아가는데 어째서 나의 아픈 거 이 자체를…. 이렇게 아프게 한 놈도 그놈이요, 낫게 하는 놈도 바로 그놈이라고 생각했을 때 전화나 한번, “내가 이렇군요.” 하고선 그냥 전화나 해 놓고선, 전화하는 것도 그놈이거든, 바로. 그러니까 전화한 것도 없단 말입니다. 전화를 해도 한 사이가 없단 말입니다. 전화 안 한 놈도 그놈이요, 한 놈도 그 놈이니까. 그리고 또 대신해 준 놈도 그놈이요, 또 받는 놈도 그놈이라 이거야.

옛날에 이런 일이 있었어요. 저 상원사에 있을 당시죠. 회장님 아드님이 OO라고 해요, 이름이. 근데 내가 이렇게 토굴에 있는데요, 그 사람이 중간에 내려가다 보니까 아, 노인네가 그냥 요렇게 지팡이를 짚고 그 높은 산을 올라오더랍니다. 그래서 하도 딱해서 "어딜 가십니까?" 하니까 "아, 저 상원사에 있는 그 스님 있잖아. 이생 스님을 찾아 뵈려고 간다." 그러더랍니다. 그래서 "이생 스님이 지금 할머니 오시는 걸 알고요, 집에 가면 곧 낫는다고, 일어나서 밥을 먹는다고 내려가다 만나면 전해 주라고 그러십디다." 하니까 "어머, 벌써 이생 스님이 아시느냐?" 하면서 나이 먹은 시집갈 손녀딸이 드러누워서 일어나질 못하니까, 그것이 오 년 동안이나 그랬답니다. 바늘로 찌르는 것같이 몸뚱이가 따갑다고 하면서 일어나질 못해서 밥을 못 먹었답니다. 그래 드러누워 있는 거 떠 넣어 줘서 조금씩 연명을 하고 살았는데, 그거 곧 일어난다고 하니까 거기에서 고만…. 그 얘기한 놈도 그놈이요, 그놈도 그놈이란 얘깁니다. 나를 판 것도 그놈이요, 다 그놈이 같이 돌아간 겁니다. 그 사람이 그토록 믿었기 때문에 '이렇게 내가 해도 틀림없이 벌써 아시고선 하실 거다.' 라는 얘기야. 그러니까 그렇게만 안 거죠. 그래 OO라는 사람은 '둘이 아니어서 바로 내가 이렇게 아는 것을 당신이 아시고 계실 테니까.' 하고, 전체 부처님이 다 한마음 한뜻으로 그게 옮겨진다는 그거를 모르니까 그렇게만 생각한 겁니다.

그래서 인제 그렇게 생각을 하고 얘기를 하니까 그냥 좋아서 거기서 "그러면 이거 스님 갖다 드리시오." 이러면서 엽전 세 닢을 이 손에다 쥐여 주더랍니다. 그거를 주머니에다 넣고선 그날 저녁에 심부름을 해 가지고 올라와서는 그걸 내놓으면서 하는 소리가 "아, 내려갈 때

노인네가 그렇게 예까지 오시려면요, 또 여기서 주무시고 가셔야 하고 그 다리 아픈데 저거 할 거 같아서 하도 고생스러워하시기에 내가 이렇게 이렇게 얘기했습니다." 그러기에 아무 소리 안 했어요. 자기가 하고 자기가 저거 하는 거니까. 그래 내버려 뒀는데 며칠 후입니다. 그 노인이 올라왔습니다. 올라와서 하는 소리가 "아, 여기 회장님 아드님 되는 그분이 나한테 그렇게 말씀을 해 주셔서 내가 올라오지 않고도 집에 가니까 아, 진짜 그냥 일어나서 밥을 먹고 있지 않습니까?" 하고선 고맙다고 하더군요.

그게 왜 그렇게 됐을까요, 나도 모르는데. 이 마음이 이렇게 하고 있는 그 능력을 그만큼 같이하기 때문입니다. 내 개별적인 그 하나의 생명만 있는 게 아니고 하나의 마음만 있는 게 아닙니다. 첨단을 걷고도 남음이 있는 그 능력이 여러분 앞에 다 있는 겁니다. 같이하고 있고 공생하고 있기 때문입니다. 그리고 공심으로 돌아가기 때문에요, 전체 우리가 아니 닿는 데가 없습니다. 우리 마음이 말입니다.

그래서 이런 말도 있죠. 뇌물을 어느 사람이 갖다 바치니까 "아이, 이걸 왜 가져왔나?" 하니까 "아니, 아무도 없는데 뭘 그럽니까?" 하니까 "여보게, 자네 미쳤나? 자네가 알고 내가 알고 일체 신이 아는데 이게 무슨 소린가?" 하더랍니다. "아무도 없는 게 뭔가? 자네도 있고 나도 있는데." 하더랍니다. 그런 것과 마찬가지로 우리 마음이 아는 거를, 내 자신이 아는 것을 우주 만물, 일체 신이 다 알고 있는 겁니다. 그렇기 때문에 내 마음을 내가 속일 수는 없는 겁니다.

그러니 오늘은 이것으로써….

고추 하나와 물 한 모금

1986년 1월 22일

큰스님 … 먹기 싫다. 이렇게 삼 일 동안을 전전했습니다. 물론 여러분은 그게 이해가 안 갈는지 모릅니다. 그러나 나는 그렇거든요. 그것이 지금 내가 말하듯이 그렇게 가벼운 마음이 아니고 말이에요. 말하기도 다 싫어졌거든요. 그랬는데 오늘 무뜩 이런 생각이 나는군요.

예전에 제가 단식이라고 하기 이전에 말입니다, 그냥 다닐 때에 어디 갈 곳이 있어서 가는 것도 아니고 말입니다, 먹을 게 있어서 약으로 먹는다 이런 생각도 없었습니다. 단지 먹을 게 없었으니까 없는 거고 그랬습니다. 첫째, 처음에 나가서 한 달이 지났을 땝니다. 서리가 막 오고 그랬을 때 고추나무에 조그마한 고추가 서리를 맞아서, 다 따 가고 이파리도 다 거둬 가고 찌끄러기죠, 인제.

그런데 처음에 요만한 고추, 쪼그마한 거 하나를 거기 앉았다 무심히 그걸 따게 됐습니다. 지금 생각을 하니까 '얼마나 배가 고프고 쓰러지게 생겼으면 그걸 땄을까.' 이런 생각이 듭니다. 그걸 하나 딴 것으로 인과법을 배운 겁니다. 그 고추 하나 딴 것에서 인과법이라든가,

모든 잘못 저질러서 유전성을 가져오게 하는 그런 것을 배운 것입니다. 왜냐하면 남의 거를, 고추를 땄는데 '아무도 없는 것 같지만 네 마음으로 딴 거는 네 마음이 알기 때문에 일체 신이 다 알고 있는 것이니라.' 하는 겁니다. 목소리가 들려서가 아니라 나한테서 곧바로 느낌이 그렇게 나왔습니다.

그랬을 때에 '이 고추 하나가 잘못되면 고추 하나가 만 개 도둑질한 것도 되고 천 개 도둑질한 것도 되고, 그 도리를 안다 하면 만 개를 배가 고파서 먹었다 할지라도 그것은 만 개도 만 개가 아니니라.' 하는 생각이, 느낌이 온 겁니다. 그럴 때 또 한 가지는 '그 한 개를 네가 먹고 살겠다는 마음으로 따긴 땄는데 그 고추의 생명은 네가 앗아 갔다'는 얘깁니다. 다 따 가고 헌 찌끄러기, 버릴 건데도 불구하고 내가 그렇게 생각이 들었을 때는, 그것은 그냥 사회적인 그런 생각이 아니었다는 생각이 들어요. 나를 내가 가르치기 위해서 그 고추 꼬다리 하나를 잡아 가지고 그걸 가지고 몇몇 달을 배운 겁니다.

또 이차적으로 가서는, 사람이 너무 먹질 않으면 첫 번에는 뭐가 오느냐 하면 몸에서 불이 납니다. 부증이 나요. 그 부증 나는 것이 한 번 되게 났다가, 그다음에 두 번째는 조금 덜 나고, 그다음엔 아주 쪼끔만 나고 그다음엔 아예 없어지는 겁니다. 근데 처음에 부증이 나니깐 자연히 물을 엎드려서 마실 수밖엔 없죠? 그런데 한 모금 마시니까 거부를 가져왔어요. 그건 왜냐? 그런 느낌이 온 겁니다. 한 모금 이외에는 그것도 흔한 물이라고 해서 흔한 게 아니다 이겁니다. 그것도 생명이 있고 그것도 바로 귀중한 샘물이단 얘기죠. 너의 생명만큼이나 같이 똑같은 귀중한 거다 이거야. 그러니까 한 모금 이외에 더 마시면 안 된다는 그런 느낌이 탁 왔습니다. 그래 그런 줄만 알았는데요, 그다음에 또 물을 마시는데 그땐 너무 지쳤습니다. 그래서 세 모금을 아무 생각 없이 먹었는데 세 모금 이외에는 또 멈췄습니다. 세 모금 이외에는 더 먹어선 안 된다는 거예요. 그러자 그 후에 또 벌떡벌떡 들이켰는데, 벌떡벌떡 들이키는 도중에 아홉 모금 이외에는 더 먹어선 안 된다는 그 느낌이 온 겁니다.

그게 왜 내가 고맙기도 하고 귀중하기도 하고 그러냐 하면 나중에 그걸 가지고 의정을 가진 것입니다. 야, 이 한 모금 이외에 더 먹어선 안 된다는 느낌이 들더니, 그걸 가지고선 의정을 삼았는데, 그다음에 또 그런 게 왔어. 세 모금 이외에 더 마시면 안 된다는 거. 또 그다음에 아홉 모금 이외에 더 마시면 안 된다는 게 또 의정이 온 겁니다. 그 세 가지 의정이 한꺼번에 그냥 몰려서 얼마나 돌아치면서 '그, 그 무엇인가?' 하고 그렇게 의정을 냈던 거죠.

그런데 그다음에 그 의정이 풀리기 시작을 하는데 뭘 뜻하느냐 하면 시간과 공간이 없는 이치를 거기에서 풀었습니다. 아홉 모금이 세 모금이 되고 세 모금이 아홉 모금이 되는데, 아홉 모금이 세 모금이 될 수도 있고 세 모금이 한 모금도 될 수 있는데, 그 한 모금조차 없는 것은, 나중에 안 거지마는…. 물이 그렇게 줄줄줄줄 많이 흘러 내려가는데도 그거밖엔 못 먹었으니 그런 이치가 어딨겠습니까? 그거조차도 마음대로 못 먹었으니…. 흔하다고 흔하게 먹고, 적다고 적게 먹고 그러는 게 아니라, 나한테 기준을 둬서 적당히 먹는 것을 말하죠. 그러면 적당히 먹는 거라고 해서 적당히 먹는 거 이거…. 그러면 그 세 모금이 아홉 모금이 되고 하는 거는 이 세상 삼라대천세계에 시간과 공간이 없이 돌아가는 그 자첸데, 누구든지 다 "시간과 공간은 초월돼서 없는 거야. 둘이 아니야." 이렇게 그냥 해 버릴 말이 아니라는 얘깁니다.

첫째, 속에서부터 내 스스로서 그것을 알고 바깥으로 나오고, 바깥에서 들이고 내고 하는 데에 참 여여하게, 그게 그대로 진실하게 들어가야 되지 않겠나, 진실하게. 억지로 한다고 그래서 되는 것도 아니고. 처음에 배울 때는 진실하게 내가 할 양으로 노력해야 되는 거지, 노력 없이 관해서는 안 됩니다. 관하는 것도 노력해야 되는 거죠. 주인공을 하나 잡고 장님이 지팡이 짚듯이 그렇게 가다가 보면, 눈 뜨면 지팡이는 저절로 둘이 아니게 되는 것이죠. 지팡이 안 짚어도 다닐 수 있으니까. 그때야 둘이 아니라고 하지마는 하여튼 자기가 잡은 거조차도 없다고 할 때까지는 그것을 쥐어야 된다는 얘기죠.

그래서 그걸로 시간과 공간이 없는 도리를 배웠고, 또 한 가지는 어디쯤 가다가 내가 아마 쓰러졌던 모양입니다. 근데 누가 거적때기를 덮어 놨어요. 나중에 보니까요. 그 거적때기 씌워 놓은 거를 이렇게 젖히려니깐 이 팔이 움죽거려지질 않았어요. 그게 웅그러져서 한참이나 이렇게 움죽거려 가지고 근, 지금으로 치면 한 서너 시간, 너덧 시간 아마 그렇게 됐을 거예요. 그래서 이걸 젖혔는데, 젖히는 순간 무슨 생각을 했느냐 하면 '아, 이 거적때기 하나에 이 우주 삼천대천세계가, 이 거적때기 하나에 전부 유생 무생이 다 들어 있건만 아니, 이렇게 들어 있는 거를 내가 어디를 가고 올 게 있다고 이렇게 몸으로서 돌아다녔나?' 하는 생각이 거기에서 들면서 눈물이 주르르 흘렀습니다. 그러니까 이 거적때기 하나가 우주 전체, 삼라대천세계를 전부 덮고도 남음이 있다는 걸 거기에서 알았습니다.

그래서 인제는 거기서 '가고 올 것도 없는 거를, 내가 무슨 문패 번지수를 두고, 목적지를 두고 다닌 건 아니지만 왜 내가 갈 곳도 없고 올 곳도 없는 걸 이렇게 부지런히 돌았던가.' 하는 생각이 들면서 '응, 인젠 저 백련사로 가야겠다.' 하는 생각이 또 무뜩 들었습니다. 어디에 백련사가 있는지도 모르지. 내 주인이 가는 대로 난 이 다리만 떼어 놓으면 되니까.

그렇게 해서 거기에서 알기도 했지만 음식을 가지고도 이 세상 돌아가는 이치와 더불어 세상 살림살이, 우리 마음 쓰고 이러는 것이 다 나옵디다, 음식에도. 이건 두서없는 말이지마는 어느 땐가 한번은 칡뿌리를 요만큼 씹었습니다. 입에 기운이 없어서 많이 넣지도 못했어요. 그런데 요렇게 넣고 조금 많이 떼어졌다고 할까? 그랬는데 내 느낌에서 뭐가 나오느냐 하면, 이것이 정도껏 들어가야지 정도껏 들지 않는다면 모든 것에 부작용이 난다는 그 뜻이 나오는 겁니다. 그럼 이 칡뿌리 쪼그마한 거 하나 씹는 것이 이 세상 살림살이 해 나가는 것인데, 모든 살림살이 잘못하는 거나 똑같아요.

살림살이라고 하면 인간이 살고 죽고 하는 데서 모두 우리가 생활을 해 나가는 것을 말하는데 거기에서 정도에 넘치게끔 한다면, 예를 들어서 음식이 많으면 많은 대로 지천이 되고 그러면 뭐, 음식 아까운 줄 모르고 남 배고픈 줄도 모르는 거죠. 이런 것뿐만 아니라 우주의 섭류가 그렇게 돌아간다는 그 점 말이에요. 그것이 그 칡뿌리 하나 입에 넣고 씹다가 생각이 난 겁니다. 그럼 그 칡뿌리 하나 씹는 거하고, 큰스님들이 주장자 한 번 탕 치는 거하고, 또는 세 번 씹은 거하고, 이 빨을 이렇게 올렸다 내렸다 세 번 한 거하고, 주장자를 세 번 친 거하고 뭐가 다르냐는 얘기예요.

칡뿌리를 정도껏 해서 딱 씹는데 그것이 바로 온 누리의 전체의 약이 될 수도 있고, 한 번 씹는 데에 온 누리의 우주 근본이 움죽거릴 수가 있는 그 자체예요. 그러니까 유생 무생, 일체 신이 다 한꺼번에 움죽거리는 거나 똑같은 얘기예요. 그걸 느꼈단 말입니다. 그러니 우리가 공부하는 데에 내가 내 주인공이라고, 이름해서 내 주인공이라고 하는 그 자체가 얼마나 나를 아끼고 사랑하고 자비스러운지, 너무 감사해서 아, 막 울었다니깐!

그러니 우리가 지금 밥 먹고 또 음료수 먹고 뭐, 이런 거 모두 먹는 거 있죠? 그런 것도 이게 음식이 많은 것 같으면 전부 모두 대중공양을 시키고, 정도껏 놔 두고, 손님네를 치를 것만 놔 두고 우리 정도껏 먹을 것만 이렇게 먹어서 대중공양하고, 당일 당일 없애야지, 손님네들 용으로 여축하는 것만 여축하고서 우리 먹을 건 당일 당일 없애야 된다 이거야.

그건 왜? 사람이라는 것이 벌써 뭐가 많으면 든직한 거야, 이게. 거죽으로나 안으로나 내 마음이 그렇게, 이 눈으로 보고 들이고 들이고 하기 때문에 벌써 많으면 많은 대로, 좋으면 좋은 것대로 욕심이 생기는데, 이 도리를 알면 자기의 그 주인은 절대로 그것이 많아도 좋게 보이게끔 하지도 않고 그냥 무심히 다 넘기게끔 돼 있어. 그리고 음식을 많이 먹게끔 하지도 않아, 본래. 자기가 뭐, 덜 먹는다 더 먹는다 소리 없어도 자기 먹고 싶은 양 그대로 먹으면 그냥 거기에 딱 맞는 거야. 이 세상 살림살이도 다 그래. 자기가 알맞게 먹듯이 자기가 알맞게 살아야지 조금이라도 넘치게 내가 욕심을 낸다거나, 넘치게 내가 먹는다거나, 넘치게 한다면 부작용이 나게끔 돼 있거든.

그래서 이런 예도 있어요. 욕심이 많은 주인이 하나 있었거든. 그랬는데 자기 일꾼을 일을 시키는데 아니, "이거를 해라." 그랬으면 그걸 끝마치도록 놔둬야 되는데, 이것저것 해야 할 게 급하긴 한데 자기가 욕심을 내서 긁어 부스럼을 만드는 거지. "야, 아무개야!" 또 부르거든. "예." 그러고 가면 "이거 해라." 또 그래. 주인이 하라니깐 하던 거 놔두고 이쪽 걸 하는 거야. "아무개야!" 얼마 있더니 또 부르는 거야. 또 가는 거야. 그럼 "저거 해라." 그러면 저거 하는 거야. 그러면 하나도 끝 못 마치고 저녁때까지 끝 못 마치고 돌아가는 거야. 저녁때 가서는 불호령이 나는 거야. 왜 이것도 하고 이것도 하고 이것도 하랬는데 아직도 끝을 마치지 못했느냐고. "주인님께서 이걸 하던 도중에 부르셔서 고만 이걸 하다가 이걸 끝을 못 마쳤습니다." "그럼 이건 왜 끝을 못 마쳤느냐?" "저거 하라고 해서 이건 끝 못 마쳤습니다." 이거야. "그런데 이거 하는 중에 해가 다 갔으니 어떡하면 좋습니까?" 하니까 주인이 있다가 "부지런히 했으면 다 할 거 아니냐? 네놈이 게을러서 그렇다." 이러는데 그게 한계가 있는 거야.

몸으로 하는 것은 모든 게 한계가 있기 때문에 남을 부려도 그렇게 부린다면…. 우리가 심복을 만나는 것도 자기가 심복을 부릴 줄 알아야 심복이 될 수 있는 거지 심복을 부릴 줄 모르는데 어떻게 심복이 될 수 있겠나? 자기와 둘이 아니게 아픔을 알고 제 몸과 같이 사랑할 수 있다면 심복을 부릴 수 있지만, 또 심복도 될 수 있지만 진실치 못하고, 심복을 부릴 줄 모르고 진실성이 없다면 그렇게 할 수가 없어.

그것뿐만 아니야. 이 세상살이 살아나가는 게 다 그런 거라. 모두가 분수에 맞게 살아야 하는 거라. 분수에 맞지 않으면 부작용을 이루어. 또 이 몸을 가지고 부지런하답시고 너무 과로를 해도 내가 분수에 맞지 않으면 내 몸에 지장이 와. 아까 일을 끝마치지 못했듯이 말이야. 여기 와서 하고 저기 가서 뛰고 저기 가서 뛰고 이러다 보면 몸에 부작용이 와서 누구를 망치느냐 하면 내 몸에 있는 생명들을 귀찮게 구는 거야. 자기가 귀찮은 게 아니라 여기 몸에 들어 있는 그 생명들을 못살게 구는 거야. 그러니까 그 생명들이 너무 귀찮아서 부작용이 일어나면 인제 그때 가서야 자기 몸에서 부작용이 나와. 그러니까 자기도 못살게 만드는데 나중엔 자기가 있는 게 아니야. 자기 물건이 있는 게 아니라 자기 속의 생명들이 한데 합쳐져서 그 능력이 나온 게 자기 생명이야, 그게.

그러니까 세상의 모든 것이, 우리가 모든 것을 한 발 한 발 옮겨 놓을 뿐이지, 없는 것도 아니고 있는 것도 아니야. 단지 옮겨서 놓을 뿐이야. 옮겨 갈 뿐이야. 돌아 옮겨 갈 뿐이고. 먹었다고 해서 없어진 것도 아니고 옮겨 갈 뿐이야. 연쇄적으로 주고 받고 먹고 또 주고, 이렇게 옮겨서 돌아갈 뿐이야. 하나도 여기서 먹어서 없어지는 것도 없고 또는 항상 있는 것만도 아니고, 항상 서로가 서로를 주고 서로가 서로를 먹고 사는 거지. 세상살이 전부 돌아가는 것이 그렇게 해서 돌아가니까 너무 내가 과도하게 해 가지고선 몸에 병이 나거나 이런 점도…. 또는 병이 나는 것도 그래. 모든 게 나한테 붙을 것도 없는데 만날 나한테 이렇게 병이 들렸다고 하거든. 내가 없는데 나한테 어떻게 병이 붙을 게 있는가. 내가 모든 게 공했는데 어떻게 그 공한 물질이 나한테 또 붙을 게 있느냐는 얘기야. 내가 없기 때문에 붙을 게 없다는 거를 어떻게 표현을 할 수 있을까? "나는, 체가 있는 것이나 없는 것이나 모두가 다 공했다." 이렇게 말할 수밖에 없잖아? 그러면 '나'가 없어, '나'가. '나'를 '나'라고 세울 게 없는 거야, 자꾸 옮겨 가기 때문에. 자꾸 변질되고 부서지고 옮겨 가, 자꾸! 그렇기 때문에 나라는 거를 내놓을 건덕지가 없기 때문에, 나라는 게 없기 때문에 전부 붙을 게 없단 말이야. 붙을 게 없는데 무슨 병이 붙었다고 하고 병이 있다고 하느냔 얘기야.

그것은 체가 없는 내 진실한 그 마음과 마음이 오고 갈 뿐이지, 옮겨서 오고 갈 뿐인데 그 마음은 내놓으려도 내놓을 게 없고 보려야 볼 수도 없는 거라. 금방 퍼뜩했다가 금방 사라지고 하는 것뿐이야. 천둥 번개 같은 거야. 번개가 퍼뜩 일어났다가 퍼뜩 없어지곤 하지. 그와 같은 것이 우리 살림살이야. 그런데 무얼 세울 게 있어서 '나'라고 세울 게 있느냐 말이야. 그래서 '나'라고 세울 게 없기 때문에 병도 나한테 붙을 것도 없다 이거야. 병이라고 또 고정적으로 병으로 고정되게 "병" 이렇게 이름을 붙일 필요도 없다 이거야.

그러니 결국은 업보, 인과응보…. 인과응보에서는 내가 한 것대로 나한테 올 것이다. 그런데 내가 없는 도리를 안다면 그 또한 없기 때문에 붙을 것도 없고 갈 곳도 없어. 뗄 것도 없어. 그러니까 나에게 병 들 건덕지가 있느냐 이거야! 내가 있어야 병이 들고 자시고 하지, 내가 없는데 무슨 병이 들어?

그래서 그것도 "색이자 공이요, 즉 공이자 색이니라." 이 말이 그대로 공했는데 남들이 보이니까, 전부 상대와 상대가 보이니까 보이는 걸 색이라고 했을 때 색이자 그냥 공이다 이거야. 그러니까 어떻게 색이라고만 이름 붙일 수도 없잖아? 그러나 보이니깐 색이라고 하되, 이것이 색도 아니요, 공도 아니다. 그러니까 그대로 옮겨서 갈 뿐이다 이거야, 옮겨서. 옮겨서 가는데 도중에 이게 물이 오르락내리락 오르락내리락 하듯이 사람이라는 것이 모든 게 가고 오는 것도 고정되게 가고 오는 게 없고, 먹는 것도 고정되게 먹는 것이 없고 보는 것도 고정되게 보는 게 없고, 또는 듣는 것도 고정되게 듣는 게 없고, 생각하고 돌아가는 것도 고정된 생각으로 돌아가는 게 없으니 어찌 내가 세울 게 있느냐 이거야.

그래서 그 도리를 알면 붙을 곳이 없어서 '병이 붙는다, 인과응보가 있다, 윤회가 있다, 팔자 운명이 있다' 이런 것이 거기 해당되지 않는다는 소리지. 모든 것을 자신들이 지금 배우게 될 때, 우리가 이 도리를 배우는 그런 과정에 있어서는 지금 앞에 닥치는 고생이 있다 할지라도 '어, 이건 내가 나를 공부시키느라고 테스트해 보는 거니까 참 감사하다.' 하는 생각을, 오히려 감사하다는 생각을 해 봐.

그럼 요거를 비유해서 한번 말해 볼까? 도둑놈이 도둑질을 하러 들어왔는데 도둑놈이라고 하질 않고 "아유, 선생님! 얼마나 급하시면 이렇게 오셨겠어요?" 하고서 자기 있는 대로 주니까, 그 도둑놈이 도둑이라고 안 그러고 저렇게 대접을 하니까 '세상에, 나는 처음 이런 대접을 받아 봤다.' 이거야, 인간으로 태어나서. 그러니까 그때서부터는 도둑질을 안 하게 됐어. 도둑놈이 진짜 안 됐어.

그렇듯이 우리가 지금 그렇게 나한테 붙을 병이 어딨느냐는 생각을 할 때 진짜 그렇게 붙을 데가 없는 거야. 그런데 "붙을 데가 없는 거야." 하기 이전에 인과응보로, 예를 들어 내가 어떤 사람을 한번 많이 패 줘서 병이 들었는데, 그리고 그런 줄을 몰랐는데 죽은 뒤에 다시 그것이 인과응보로 나를 또 때리러 들어오게 생겼단 말이야. 그걸 모르고 지은 죄라 나는 스스로서 병이 들었다 이거야. 그런데 그쪽에서는, 즉 말하자면 영계가 와서 나를 한번 두들겨 준 거거든. 보이지 않는 영계가. 나를 두들겨 줬는데 나는 때리는 것도 모르고 그냥 아픈 거지. 아팠는데 그 후에 그 도리를 알고 보니까 '아하, 너도 만약에 영이라면 나도 영이요, 둘이 아닌데….' 할 때 그것도 붙을 데가 없는 거야. 우리가 살아 있으면서도 그건 역력하게 있잖아? 영력이라는 그 자체는 누구나가 다 있는 거라.

그래서 우리가 이 공부를 하게 되면 육체가 보이지 않는다 하더라도, 그 마음과 나와 둘이 아니기 때문에 붙을 것이 없다 이거야. 싸울 것도 없고 때릴 것도 없고 맞을 것도 없단 얘기야. 그러면 애당초에 저 사람을 때려 주었기 때문에, 그래서 병이 들어 죽었기 때문에 그거는 반드시 죄가 되고 응보가 될 텐데, 공부를 하고 나니까 저 사람 때려 죽인 그 마음하고 내 마음하고 둘이 아니어서 딱 이렇게 같이 결부가 되니까 자기가 자기 때릴 수도 없고…. 그렇지? 둘이 아니니까! 그, 없는 거 아니야? 모두가 그렇게 돌아가니까 인과응보도 없을 뿐 아니라 유전성도 없고 팔자 운명도 없게 된다 이거죠.

그래서 우리가 살아나가는 데에 위대하게 공부하는 사람, 위대하다고 하는 사람, 이게 문제가 아니라 부처라고 칭호를 받기 이전에 인간의 도리, 진실된 인간의 그 삶, 아픔, 서로가 사랑할 수 있는 마음, 그 마음이 제일인 거라. 그리고 보이는 것만이 아니라 안 보이는 세상에 번득거리고 돌아치는 그 생명들, 또는 혼백들, 혼백이라고 그래야 알아듣겠지? 혼백들. 그러한 그 모두를, 보이지 않는 생명들을 다 내 생명과 같이 사랑할 수만 있다면 어찌 그게 둘이겠어요? 차원이 낮은 데는 낮은 데대로 들어가서 같이하고, 높으면 높은 대로 들어가서 같이하고 이럭한다면 누가 나를 둘로 보고 마다할 수 있겠어요. 나도 둘로 안 보는데 그쪽에서 둘로 볼 리가 없거든. 그래서 강도도 들어왔다가 칼을 떨어뜨린다고 했어. 그건 왜? 마음과 마음이 동시에 둘이 아닐 때 비록 몸은 각각일지언정 마음이 좌우하는 거기 때문에 이 손이 그냥 떨어지게 돼 있어. 자기가 자기…. (녹음 안됨)

조금은 해 볼 수 있겠지만 될 수 있으면 남이 싫어하는 건 하지 않도록 하는 것이 좋겠죠, 될 수 있으면. 남이 싫어하는 것도 한 번쯤은 해 봐야 그 도리를 알기 때문에 공부할 때는 그런 점이 있죠. 그것은 남이 싫어하는 거는 그 싫어하는 사람이 모르기 때문에 싫어하는 거지 만약에 그 도리를 안다면 싫어할 일도 없겠죠.

사람들이 아무리 높고 배운 게 많고, 부처님이라 할지라도 높은 게 높은 게 아니에요. 아무리 거지고 보잘것없지만 얕은 게 얕은 게 아니고요. 아무리 못 배우고 아무리 병신이라 할지라도 마음과 마음이 서로 사랑할 수 있고, 만약에 여러분을 낳아 준 부모가 병신이라 할지라도 그 자식 생각하는 마음은 그지없거든. 그러니까 그것은 못난 게 못난 게 아니에요. 바로 마음이 아름답고 사랑하기에, 그리고 자비를 베푸는 그 마음, 그 마음이 없다면 우리는 효도도 할 수 없고 충성도 할 수 없고, 우린 인간의 도리를 상실하게 되는 거예요. 부처님 법을 알 수가 없는 거예요. 그러면 자기를 자기가 소중히 생각하고 간직할 줄도 몰라요. 남을 그렇게 아무렇게나 생각했기 때문에 자기도 아무렇게나 생각을 받게 됨으로써 자기 몸뚱이도 아무렇게나 돼 버리고 말아요. 금이 못 되고 말이에요. 남들한테 금과 같이 소중하게 생각하게끔 되질 않아요. 이거를 상식적으로 우리가 생활하는 데에 알아야 하는 것은 바로 이게 생활이자 그것이 깊은 도에 이르게끔 되기 때문이거든요.

우리가 이런 것 저런 것을 다 팽개치고 먼 데서 귀중한 보배를 얻으려고 아무리 높이 올라가도, 그 높이 올라간 데 있는 것은 아니니까요. 우리가 살고 있는 데에 부처도 계시고 보배도 있는 것이고 또 천당 지옥도 있는 것이고, 자기가 살고 있는 그 자리에 곧 있는 것이지 다른 데 있는 게 아니거든요.

모르든지 알든지 여러분이 질문을 한마디 하면 내가 또 대신 설명해 드릴 테니까요. 난 아주 참, 고상하고 그런 데서 이 도리를 배운 게 아니라 너무 지치고 하치않은 데서 그런 걸 얻었거든요. 그저 서리 맞은 고추 하나 따 가지고 인과응보를 알았고, 남들이 다 그저 발로 건너가고 건너오는 하치않은 흘러 내려가는 그런 물 한 모금도 맘대로 마실 수 없다는 그 도리를 알았고요. 그리고 그 한 모금이 한 모금이 아니라, 한 모금이 헤아릴 수 없는 물이 될 수도 있고, 그 한 모금이 아홉 모금도 될 수 있고, 구정토가 될 수 있다는 얘기죠. 아홉 모금도 될 수 있고, 바로 여섯 모금도 될 수 있고 세 모금도 될 수 있고, 그러나 한 모금도 될 수 있다는 거. 그 한 모금도 없다는 그 점을 배웠거든요. 그러니까 하치않은 데서, 죽었다고 거적 씌워 놓은 데서 그 거적을 보고서 우주 삼라만상 대천세계로서 이 거적보다도 한 주먹거리도 안 되는 걸 가지고 내가 '그 자리가 뭔가.' 하고 이렇게 찾아다닌 것이 너무나 우스워서 허 웃었다는 그 점입니다.

그러니까 웃었다고 해서 좋아서 웃기보다도 너무 어처구니가 없고 감사하고 그래서 나는 이렇게, 이런 거적때기 하나도 내 스승이 아닌 게 없으니 이 거적때기에도 감사해서 절을 했다니깐. 거적때기에다 한 건 아니지마는 나한테다가 했으니깐 그 거적때기에다가도 한 거야. 왜? 거적때기가 없었더라면 내가 생각을 그렇게 할 수가 없었거든. 그 한번 보여 준 것도 다 그것이 내 모습과 같은 거라. 동시에 같이하기 때문에 모든 게 하치않다고 버릴 게 하나도 없다는 말이지.

그래서 여러분 마음 가운데, 높고 정법이고 그런 것이 높이 그렇게 따로 있는 게 아니라 하치않은 우리들 마음 가운데 그 부처님 진짜 보배가 바로 거기에 있는 거야. 질문하실 분 있으면 질문들 하세요.

질문자(남) (녹음 안됨) … 도대체 누가, 왜 그런 걸 정한 거예요?

큰스님 그거 말 잘했어요. 그런데 왜 홀수 짝수를 갖다가 그렇게 말했느냐고 할 게 아니라 셋을 하나로 친다 이러는 거는, 하나를 셋으로 친다 이러는 거는 우리가 지혜를 넓혔다가, 한 손으로 들 때도 있지만 두 손으로 들어야 할 때도 있어요. 때에 따라서는요, 여러 손이 들어야 또 들릴 수가 있는 물건이 있거든요. 그와 마찬가지로 이 세상 돌아가는 이치가 바로 한마음에서 일체의 모든 것이 돌아가거든요. 과거도 미래도 바로 이렇게 돌아가거든요. 그래서 한마음에서 과거 현재 미래가 같이 돌아간다는 거예요, 한마음에서. 그랬는데 마음은 체가 없거든요.

그래서 '삼라대천세계' 하면 구정토를 말하죠? 그럼 구정토 하면 이것이 전체, 정말 억겁 전년과 더불어 지금 현재와 다시 돌아서 또 억겁 전년으로 돌아간다 할지라도 하나로 돌아가는 구경계를 말하죠. 그러면 유생 무생이 다 같이 돌아가는 걸 말하는 거예요. 그리고 저런 다른 혹성들과 이 혹성과 더불어 같이 돌아가는 걸 말하고요. 그러면 그런 구경계를 다 우리가 터득할 수 있는 그것을 말하기 위해서 "그것이 전부 한마음이 하나가 아홉이 될 수도 있다. 그러니까 한 모금이 아홉 모금이 될 수도 있다. 아홉 모금이 한 모금도 될 수 있고." 이러거든요.

그러면 우리가 단호히 조그마한 건 다양하게 조그맣게 이렇게 마실 수 있지마는 큰 거는 큰 것대로 같이 다 마실 수도 있지 않습니까? 또 많은 물은 같이 이렇게 떠다가 쭉 음료수로 따를 수도 있고 이렇듯이, 이 우주의 섭류가 다 같이 그렇게 공식하고 공용하고 공심으로서 공체로 이렇게 돌아가고 있거든요. 그리고 공생이고요. 그러니까 그걸 의미해서 구경계라고 말을 하죠. 그런다면 지금 우리가 살아나가는 이 자체가 바로 구경계예요, 모든 것을 종합해서.

질문자(남) 스님한테 절을 하는 것도 삼배를 하잖아요?

큰스님 그래서 그걸 가르치기 위해서예요.

질문자(남) 그럼 이배는 안 돼요?

큰스님 이배는, 즉 말하자면 안 되는 것도 없고 되는 것도 없어요. 그건 우리가 삼배를 하는 것은 하늘과 땅과 인간이 있듯이, 부처님이 있고 중생이 있고 또는 하천세계에 하생이 있고 보이지 않는 무생이 있고 이렇기 때문에 그런 것들을 모든 걸 가르치기 위한 방편이에요. 그래서 이배를 하기 이전에 삼배를 하지 않으면 일배를 하고, 일배를 하지 않으면 삼배를 하는데, 우리 보통 사람들은 사(四)배를 한다 해요. 그럼 사배는 왜 하느냐? 삼배를 하고 난 뒤에는 일체 사람들과 일체 신, 조상들 전부 다 한꺼번에 사람을 말하는 거거든요. 하늘, 땅, 인간 이렇게 해서 한꺼번에 해 놓고 한 번은 진짜로 자기를 키워 주신 그 부모나 또 웃어른이나 은사나 이런 사람들한테 그냥 하는 거죠. 또 대통령이나 이런 데에.

글쎄, 나는 그렇게 알고 있는데, 이렇게 붙여도 되고 저렇게 붙여도 되는 건데, 그것을 조목조목 그렇게 이름을 붙여 놓은 거는 우리 인간이 그렇게 붙여 놓은 거지 뭐, 이배다 삼배다 일배다 이렇게 고정돼 있는 건 아니에요. 그리고 사람이 그렇게 일배다 이배다 하기 이전에 바로 마음으로 진실하게 내가 절을 할 수 있는 겸손을 가져야 어디고 한 번을 하든 두 번을 하든 자기가 몸을 구부릴 수가 있는 거지, 마음으로 구부리지를 못하는데 어떻게 몸이 구부러지겠어요? 그래서 안팎이 마음으로써 겸손을 가지고 구부릴 수 있다면 몸도 구부릴 수 있다. 마음이 구부러지지 않는 데엔 몸도 구부러지지 않습니다. 허락이 되지 않는데요.

그러니까 일체 살아나가는 그 도리가 바로 한마음 속에서 나오는 거니까 항상 마음을 겸손하게 갖고 '우리가 스스로 가지고 있는 능력으로 유(有)의 법 무(無)의 법을, 만법을 다 할 수 있는 그 능력이 나한테 있구나.' 하는 그것이 바로 보배예요. 부처라고도 하고요.

청새의 눈

1986년 1월 24일

우리 이 선법 도리를 배우는 사람들로서는 마음 가짐가짐과 행동과 말을 항상 겸손하고 조심하게 해야 합니다. 선법 도리는 선법 도리라는 언어도 붙지 않는 도립니다. 그리고 진리가 바로 불법이라고 말을 해도 바로 저질러지는 말입니다. 만약에 불법 도리가 어떻고 어떻고 말만 한마디 했다 하면 거슬리는 거죠.

그 반면에 선법 도리라는 이 자체는 우리가 항상 말했듯이 삼각원형을 이루고, 즉 말하자면 "원형을 이루고" 하는 그 말은 우리가 생활을 지금 하고 있다는 겁니다. 전부 만 불(萬佛)이라고 해도 그것은 언어가 붙는 자리기 때문에 그것도 또한 걸리는 소리죠. 진불(眞佛)이 어디 따로 있겠습니까? 진불이 있고 가불(假佛)이 있어야 그것이 진불, 가불 이렇게 말이 되는데 가불도 진불도 없기 때문에 언어도 붙지 않는 자리라는 얘깁니다. 그렇기 때문에 '진리는 바로 우리 살림살이' 라고 말을 해도 그것은 때가 묻는 일이죠. 하지만 안 할 수도 없고 할 수도 없기에 여러분하고 이렇게 입씨름을 하고 있습니다. 그렇다면 그만 불 가운데 누가 진불이겠습니까? 이 수많은 부처와 중생이 둘이 아닌 가운데에 누가 부처라고 생각이 됩니까? 남의 말만 들으려고 하지 말고 답변들을 좀 해 보세요.

그래서 여러분이 항상 들은 바와 마찬가지로 '홀로이 높다' 는 얘기가 있습니다. 천상천하 유아독존이라고 하신 부처님 말씀은, 우리가 개별적으로 하나하나가 있으면서도 개별적이 아닌 그 자체 내에 여러분이 각자 바로 홀로이 나인 것입니다. 그 마음 가운데 항상 여여하게, 여러분이 아무 생각 없이 미리 선언하지 않고 밥을 먹을 수 있고, 미리 선언하지 않고 똥을 눌 수 있고, 미리 나는 잔다고 선언하지 않고 졸리면 자듯이, 그렇게 지금 움죽거리고 있는 이 자체가, 그대로 여러분이 홀로이 독특하게 당당한 것입니다.

이 도리를 모른다면 만날 어긋나는 일만 하게 되고, 만날 걸리게 되고, 부질없는 일을 해서 나오려고 울고, 또는 번연히 잘못되는 줄 알면서도 저지르는 일이 많고…. 그건 잘되겠다고 생각을 했는데도 저질러지는 일도 많습니다. 그것은 여러분이 진짜 자유스러운 법을 모르기 때문입니다. 인간이 그렇게 자유스럽고 그렇게, 저 강에 아무 말 없이 흐르는 물과 같이 몇 번이나 돌았겠습니까? 돌고 돌고 또 돌아도 돌았다는 말도 없이 여여하게 흘러 돌고 있습니다. 이 강이 흘러 돌고, 이 세상이 아무리, 또는 태양이 아무리, 이 우주가 아무리 크고 또는 위대하다 할지언정 조그마한 내 마음만은 못할 것이며, 또한 내 마음의 그 향기와 빛은 어느 누구도 꺾지 못할 것이요, 파괴를 시킬 수가 없습니다. 일체 신이 다 있다 하더라도 또는 부처님이, 석존이 여기 계시다 할지라도 내 마음의 그 근본은 파괴시킬 수 없습니다.

"왜 우리 스님은 저렇게 만날 빙빙 돌려서 말씀을 하실까?" 이렇게 흉보는 사람도 있습니다. "단호히 끊어 버리지. 단호히 하지. 단호히 몇 마디만 하고 고만두시지." 이런다면 여러분하고 같이 이렇게 앉을 수가 없습니다. 그러나 같이 앉았으면서도 그 도리를 여러분이 모르기 때문에 나도 모르는 게 돼 버리고, 여러분이 만약에 안다면 나도 아는 것이 되기 때문에 여러분이 차원이 높다면 나도 차원이 높아서 말할 건덕지가 뭐 있겠습니까? 눈만 한번 꿈벅해도 아는 것을! 구태여 말할 건 뭐 있습니까? 하지만 우리가 마음과 마음이 오고 감이 없이 전달이 되는 것은, 아무 말 없이 오고 가는 방향에서 악수를 하면서 씽긋이 웃고서, 기쁘다고 하하 웃는 그 자체가 바로 마음이 둘이 아니게 전달이 되는 것입니다. 말을 해서만이 전달이 되는 게 아니라 근본적으로 마음이 오고 감이 없이 전달이 되는 것은, 온 우주에 꽉 찼다고 하는 그 도리가 바로 가고 옴이 없이 전달되는 뜻입니다.

사람 빼고 부처가 없다고 한 말, 그 자체가 얼마나 중요합니까? 만약에 사람이 없고는 우주 천하도 없고 부처도 없어요. 또 반면에 다른 사람이 다 없어도, 혼자 있어도 아무도 없단 말을 못합니다. 왜 그럴까요? 내가 있기 때문입니다. 내가 있기 때문에 내가 생각하는 거, 내가 모든 살아나가는 거, 내가 알고 있는 것을 이 우주 삼라대천세계 법계에서 다 알고 있으니까 말입니다. 그런데 어떻게 아무도 없다고 말하겠습니까? 나 하나가 여러분이 될 수 있고 여러분이 나 하나가 될 수 있으니 내 일심에서 만법이 나가며 그 만법은 일심으로 들며 일심에서 만법이 나가는 그 도리가 바로 여러분이 지금 하고 계신 겁니다.

그 도리를 완벽하게 모르시기 때문에 "모든 거를 쉬고 모든 거를 놔라. 쉬어라." 또 "방하착하라." 불가에서 이러한 말들을 합니다. 그래도 못 알아들으니까 여기에서 어떻게 내가 말을 하고 있습니까? "주인공에 모든 것을 맡겨 놓아라. 그리고 믿어라. 그리고 물러서지 말라. 그리고 감사해라." 이러는 것입니다. 주인공이라 하는 것은 아까 얘기했던 거와 마찬가지로, 만법이 일심으로 들고 일심으로서 만법이 나간다는 얘깁니다. 그러면 그 일심이라는 자체도 없기에 바로 주인공이라고 이름해서 말을 했던 겁니다. 이름해서 주인공이라고 했던 것은 일심에서 나오는 것도 일심이 아니요, 만법을 용을 한다 해도 용을 한 사이 없이 일심으로 들고 일심에서 나가고 하는 거니, 일심으로 만법으로 더불어 같이 공했으니 어디 일심이라고 내놓을 수가 있겠습니까? 그랬을 때 비로소 모든 것을, 그 공에서 나오는 거 공에다 맡겨 놔라. 왜 맡긴다는 말을 한마디 더 붙였나? 너무도 여러분이 허해서 애를 쓰니까 "주인공에다가 맡겨 놔라!" 하는 겁니다.

여러분의 차원이 높지 않으면서도 질이 높을 때, 높지 않은 거와 높은 거와 평등하게 돌아갈 때 비로소 언어가 붙지 않는 자리가 되는 것입니다. 여러분이 이 도리를 모를 때에 '어느 부처가 따로 있고, 제일 높은 부처가 따로 있고 제일 얕은 부처가 있고, 만 부처가 다 똑같은 게 아니라 부처님은 부처님대로 석존은 석존대로 제일 높다.' 하고 생각하시는 그 마음 자체가 바로 어리석은 겁니다. 그렇다고 해서 석존을 무시하라는 게 아닙니다. 만약에 무시했다 하면 여러분 자체가 무시를 당하게 되니까요.

그렇게 말하는 그 자체를 가만히 생각해 보세요. '부처님을 무시하는데 왜 내가 무시를 받을까?' 이겁니다. 그것이 삼천여 년 전 부처라 할지라도 바로 각자 여러분이 지금 여기 앉아 계시기 때문에 여러분인 것이라, 그 삼천 년 전 부처는 바로 지금 각자 이렇게 앉아 계신 여러분이 그 분입니다. 이렇게 말하면 알지도 못하는 사람 그렇게 호칭을 붙인다고 말하겠지만 손바닥 하나 벌렸다 다시 오므리는 데 있는 것입니다. 한 번 벌겼다 한 번 젖히는 데도 있는 것입니다. 이것이 바로 부처님이 그 뜻을 전달해 주신 거지 말을 전달해 준 게 아니란 말입니다. 마음으로써 마음을 전달했지 언제 말로써 말을 전달했습니까?

그런데 여러분은 가난과 아픔과 쪼들림이 동시에 가정에 다가오는 것을 어찌할 바 몰라서 그것을 의논하고, 서로 이렇게 대화를 나누게 되고 또 스님을 만나서 얘길 해야 되고, 이런 문제가 생깁니다. 그런데 그건 문젯거리가 아니 됩니다. 이 선 도리에는 왜 문젯거리가 아니 되느냐 하면, 벌써 이 도리를 알려고 하고 맡겨 놓는 데 의해서 그 가난과 쪼들림과 아픔은 거기에서 다 사그라지는 일이 되기 때문입니다. 한마음이 그렇게 온 누리를 덮고도 남고 들고도 남고 굴리고도 남음이 있다는 그 사실을, 그 광대무변한 법이, 그 보배가 바로 여러분한테 지녀져 있다는 사실을 모르셔서 그것을 괴로워하시는 겁니다. 만약에 여러분이 부처님의 마음으로서 마음을 전달한 그 뜻을 아신다면, 괴로워하고 외로워하고 가난해서 허덕이고 아파서 허덕이는 그런 거, 사사건건이 물고 늘어지고 걸리고 이러지는 않으실 겁니다.

그럼 "선 도리를 배우라는데, 당장 급한데 그런 거 그렇게 버리면, 여기에서나 그런 말을 훨훨 잘하고 스님이나 그렇게 하지 우리가 어떻게 합니까?" 이러는 사람도 있습니다. 그러나 그게 아닙니다. 그러니까 묘법이죠. 그러니까 진심으로서 내가, 하나에서 만법이 나가고 그 만법이 하나로 들고, 더불어 그 하나와 만법이 둘이 아니게 공전한다는 사실을 안다면 그 아픈 거 모든 게 거기에 포함돼서 더불어 같이 돌아가니 어찌 녹지 않겠습니까? 모든 게 텅텅 비었다고. 빈 거! 그 빈 것 안에 여러 가지가 들어 있습니다. 여러 가지가 들어 있는 가운데에 빈 것이 들어 있고. 그런데 말입니다, 빈 게 들어 있고 모든 여러 가지가 들어 있고 같이 더불어 돌고 있다는 언어도 붙지 않는 그런 이치입니다.

지금 현재 구정토가 따로 있는 게 아니라, 구경계가 따로 있는 게 아니라 구정토나 구경계나 바로 우리가 지금 살고 있는 이 자립니다. 그래서 대의적으로 친다면 과거에 삼각이 하나 그려져 있으면 또 삼각을 거기다가 덧붙여서 현재 삼각을 그려 놓고, 그렇게 된다면 또 원형을 이루고, 삼각을 거기다 또 한 번 그려 넣는다면, 만약에 삼각을 그리고 또 삼각을 그리고 그런다면, 그게 별성이 되죠. 그 안에 또 삼각을 그려 넣는다면 그 안에 바로 청새의 눈이 있습니다. 그 청새의 눈으로서 우리는 온 누리에 아니 닿는 데 없이, 그 빛으로 인해서, 그 향기로, 지혜로 이렇게 그냥 여여하게 뚜벅뚜벅 쉴 사이 없이 돌아가고 있는 것입니다. 이렇게 말입니다.

우리가 한 번 손을 가슴에 대고 한 번 손을 내려놓고 절하지 않으십니까? 천상천하에 유아독존은 어디에 문제가 붙습니까? 한 손은 가슴에 대고 한 손은 내려놓고 고개를 수그릴 때 어떠한 생각이 드십니까? 이렇게 수억겁을 거쳐 오면서, 굴러 오면서 끄달리고 메말라진 그 가난한 마음에서 가난한 살림살이를 해 나가는데 무슨 그렇게 풍족한 샘물이 나겠습니까? 아주 가난한 그 속에도 샘물이 있는 것을 앎으로써 그 가난이 무너지고 풍부한 대진리를 바로 우리는 깨달을 것입니다.

이 세상천지의 만물 중에 뉘 덕으로 사는가? 어머니의 살을 빌리고 아버지의 뼈를 빌려서 우린 한 기둥을, 하늘을 받치고 돌아가는 심입니다. 이 마음, 마음 심, 중심! 이것을 우리는 중심이라고 할 수도 없는, 말, 언어가 붙지 않는, 빛이라고 할까? 향기라고 할까? 지혜라고 할까? 그것을 어떻게 말을 해야 될까요? 그래서 청새의 눈은 파란 눈. 이것이 이 세상을 덮고도 남고 굴리고도 남고 받치고도 남고…. 바로 탕! 탕! 탕! (법상을 세 번 치심) 이겁니다. 나는 예전에 그랬죠. 탕! 탕! 탕! (법상을 세 번 치시면서) '세 번 칠 필요는 뭐 있는가.' 이랬습니다. 그러나 여러분이 생각할 때 세 번 쳐서 될 일이라면 얼마나 좋겠습니까마는 세 번을 쳐도 모르니 어떡합니까?

그럼 오늘은요, 기도 날이고 그러니깐 제가 말씀드린 거를 곰곰이 생각하시면서 우리 총무 스님하고 이 공부하는 도리와 더불어 생활에 대한 문제도 서로 대화를 나누어 보십시오. 이것도 우리가 한번 들어가 보지 못한다면 나올 줄도 모르니까, 들어가 보기도 하고 나와 보기도 하고, '나올 건 뭐 있고 들어갈 건 뭐 있나.' 하는 거기까지 우리는 숙달이 돼야 되는 것입니다. 그러면 우리 총무 스님하고 스님의 경험담이나 또 여러분이 살고 있는 이런 생활 속에서 서로 대화를 잠시 잠깐 나눠 보시는 것도 친근감이 가는 거고, 이것이 사랑입니다.

질문자1(여) 저희 동생이 지금 3기인데요, 암 수술을 두 번을 했어요. 그래 가지고 작년에 다 죽는다고 그랬는데, 정말 아주 착실한 불잔데요, 살아났어요. 그런데 다시 재발을 해 가지고 지금 사경을 헤매고 있는데, 아직까지 할 일이 많고 지금 굉장히 어려운 고비에 있습니다. 어떻게 하면 좋겠는지요?

큰스님 난 말입니다, 죽고 사는 거 그렇게 염두에 두지 않습니다. 물론 어떤 사람이 이런 소릴 듣는다면 냉정하다고 할 테죠. 그러나 본래 죽는 것이 없고 사는 것이 없습니다. 텅텅 빈 데 텅텅 빈 것이 오고 갈 뿐입니다. 오고 가는 사이도 없이. 그런데 우리가 그걸 죽는다고 생각을 하기 때문에 그렇게 애통해하는 것입니다. 만약에 죽는다고 생각이 안 들 것 같으면 그렇게 걱정이 없죠. 만약에 여러분이 아주 맨 꼭대기에, 나무 꼭대기에 동그마니, 천야만야한 데, 이 아래는 물입니다. 천야만야한 데 오뚝하니 섰으면 거기서 벌벌 떨고 한 발짝도 떼 놓을 수 없지만 우리가 평지에 섰다면 아주 활보를 할 겁니다. 마음입니다. 바로 마음입니다.

사람이 그 옷을 벗고 또 새 옷을 입게 돼도 마찬가지고 지루하지도 않건만, 사람이 옷 벗으면 옷을 벗는다고 야단…. 찢어진 옷이라도 그대로 입고 있어야 속이 후련한 모양입니다. 만약에 그것이 세 군데나 찢어져서 너털거리고 살이 보인다면 창피스럽다고 할 겁니다. 그래서 옷을 얼른 벗어 버리겠다고 생각을 할 겁니다. 하지만 그것은 찢어진 걸 모르기 때문입니다. 왜 옷을 벗는데 눈물을 흘리십니까? 진정으로 사랑하고 진정으로 부처님 도리를 알 것 같으면, 옆에서 그냥 그렇게 해서 옷을 벗는다고 하더라도 오히려 기쁜 마음으로 보내 줄 것입니다.

물론 죽는다, 산다 이런 것에 착을 두지 마십시오. 살 수도 있는 거고 죽을 수도 있는 거니까. 그것은 여러분이 말하는 언어죠. 옷을 벗을 수도 있고 입을 수도 있는 겁니다. 입은 거를 벗지 않을 수도 있고 또 벗을 수도 있는 겁니다. 그거는 자기의 근본에 의해서 찢어지지 않았으면 더 입을 것이고 찢어졌으면 벗을 것이니까. 모든 것은 자기 각자 주인공이, 불성이 다 같이 있기 때문에 거기에 맡겨 놓는 것이, 우리가 참도리를 배우는 사람으로서 부처님을 믿기 이전에, 저 바깥을 믿기 이전에 자기 자아 부처를 진짜 믿는 것이라고 봅니다. 그럼 또 질문하실 분이 없습니까?

질문자1(여) 다시 한번 말씀드리겠습니다. 저는 오늘 여기에서 처음 스님을 뵙게 됐습니다. 누가 그래요. 거기 가서 스님이 살 수 있다 그러시면 살고 죽는다고 그러면 죽는다고, 가 보라고 그러더라고요. 그래서….

큰스님 나는 점칠 줄 모릅니다. 허! 이 세상에 나와서 점을 치는 그러한 일을 하려고 내가 내 모든 것을 전폐해 놔 버렸겠습니까? 난 나를 살려 달라고 한 번도 손을 꼽아 본 일이 없습니다. 만약에 지금 동생이 아프다고, 죽게 됐다고 지금 말씀하신 보살님이나 말씀하신 분도 있고 들은 사람도 있습니다. 그런데 말하고 들은 사람이 들은 사이도 없고 한 사이도 없기 때문에 이 우주간 법계에서 일체 신이 들었을 것입니다. 그렇기 때문에 부처님의 그 광대무변한 묘법을 헐뜯거나, 또는 '아이고, 거기 가니깐 살려 준다고 하지도 않고 뭐, 그거 아무것도 아니야!' 이렇게 생각하면 여러분이 진짜로 아무것도 아니게 돼 버려집니다. 그러니 그 마음을 항상, 물러서지 않는 마음을 항상 가지십시오. 만약에 남을 무시하고 그렇게 한다면 댁 자체가 알고 있는 거기 때문에 댁이 바로 그렇게 또 남한테 헐뜯음을 받습니다. 그러니 부처님 법이란 그렇게 묘한 것입니다.

내가 막상 대답을 안 했다 하더라도…, 저 부처님이 말씀하십디까? 그러시면서도 여러분을 다 건지고 살리고 계시지 않습니까? 일단 말씀하셨으면 그걸로써 족한 것입니다. 좀 있으면 되겠지요. 아니 그렇습니까? 허허.

걱정하시지 마세요, 먼 데로는 안 가셨을 테니까요. 잠시입니다. 그런 줄 아세요. 딱해서 이렇게 말을 해도 이렇게 하면 나를 아는 사람으로 생각을 하니, 나는 안다고 하지도 않았고 또 모른다고도 하지 않습니다. 단지 그저 여러분이 나와 둘이 아니라면, 말을 하고 들었어도 듣고 말한 사이 없이 우리가 진짜로 부처님 앞에 물러서지 않는다면, 틀림없는 사실 그대로 청정할 것이고 향기로운 그 빛은 바로 여러분 앞에 비춰질 겁니다.

질문자2(여) 스님, 공부 열심히 하겠습니다.

큰스님 그래그래. 아마도 부처님 빛으로서, 아마 네 마음 빛으로서 수술하게 될 것이다.

질문자3(여) 스님! 저는요, 부처님 믿고 절에 다닌 지 10년이 됐어요. 그런데 아빠가 사업을 해서 전부 실패를 해서 오고 갈 데가 없어졌거든요. 그랬는데 쑥을 뜯어다가 떡집에다 갖다 판다고 쑥을 뜯어 가지고 숭인시장에 가져갔는데 토큰 하나밖에 없었어요. 그래서 토큰 하날 가지고 시장엘 갔는데 차를 탔으니까 토큰이 하나도 없죠. 그런데 시장 앞 떡집에 갔더니 떡집의 문이 닫혔어요. 그러니 올 차비가 없잖아요. 그런데 차에서 내리자 토큰이 내 발에 딱 밟혀요. 그래서 그걸 가지고 집에 왔는데, 저도 누군가가 나를 보살펴 줘서 고맙다고 생각을 했죠. 근데 또 한번, 제가 도선사에 다니는데요, 내가 또 벌어야 되니깐 삼 일 동안만 가서 기도를 하면 부처님이 저를 도와주려니 생각을 하고 삼 일 동안을 갔는데 마지막 회향 날 오천 원을 줬어요. 애들 아빠가요. 그랬는데 법당에 가서 절을 한 번 하고 나니까 누군가가 목소리로 나한테 들려주는 거예요. "야, 나가라. 나가, 나가." 그래서 제가 '부처님, 저는 너무나 답답하고 너무나 살 길이 없어서 삼 일 기도를 했는데, 절이라도 세 번 해야지 어떻게 한 번 했는데 저를 나가라고 그러십니까?' 그러고 제가 이렇게 세 번을 하니깐 어떤 아이가 와서, 내 지갑을 요렇게 놨는데 지퍼를 착 열면서 그 돈을 마저 가져가요. 그래서 '아휴, 부처님이 그 돈을 지키라고 저렇게 말씀하셨나?' 그러고 불전에 가서 천 배를 했는데도 한 한 시간 한 거 같은 기분이 나요, 너무 감사해서. 나를 보이지 않는 손으로다가 보이지 않게 말씀을 들려주시는 그분이 바로 영원한 그 부처님이신가. 지금 스님 말씀 들으니까 그런 생각이 나서 너무 감사합니다. 그리고 이렇게 멍청한 저희들에게 법문을 소낙비같이 해 주시는 데 너무 감사합니다.

큰스님 (잠시 침묵) 지금 말씀하신 대로 귀에서 들린다고 해도 모든 것을 놔 버리셔야 됩니다. 귀에서 들리지 않고 마음에서 스스로서 그 맛을 봐야 되는 것입니다. 마음에다가 모든 것을 맡겨 놓으셔야 될 것입니다. 보인다거나 들린다거나 이런다고 해서 내가 '이거 부처님이지!' 이렇게 알아서는 아니 됩니다. 자기 자신의 마음의 향기와 빛을 스스로서 내가 바로 받을 수 있고 그것을 스스로서 맛을 볼 수 있어야만이 되는 것입니다.

그렇기 때문에 전체 바깥으로 찾아서도 아니 되고, 바깥에서 들려도 아니 되고, 바깥으로 보이는 것도 아니 됩니다. 그것은 안으로 바깥이 보여야 되는 것이고, 그 들리는 것도 안으로 들어야 하는 것입니다. 바깥으로 보이기만 하고 끄달리고 돌아다닌다면 아니 되고, 바깥으로 보이는 것도 바로 안으로 놔야, 일심에서 만법을 응용하는 것이 일심으로 든다 했습니다. 그러면 모든 것을 그렇게, 바깥으로 보이는 건 안에다 놓고, 안에서 나가는 거는 나가는 것대로 또 여여하게 걸림 없이 사시면서 또 안에다 놓고 감사하고 이렇게 할 것입니다. 그래야 그 마음으로 전달하신 부처님의 뜻을, 우리 선배 부처님의 뜻을, 허허, 똑바로 아마 진행하실 겁니다. 우린 그 뜻을 똑바로 받지 못해서 오늘날까지 이렇게 허덕이고 있는 것입니다.

만약에 그것이 지금도 산다 그러면 살고, 죽는다 그러면 죽고,

허, 그런다면 그것은 타의에서 하는 소리지, 자의에서 그대로 빛이 나오고 향기가 나오고 또 맛이 나는 건 아닙니다. 자기 마음 가운데서 스스로서 자기 능력이, 빛이, 지혜가, 향기가 나오니 그 맛을 스스로서 아는 것이 바로, "바깥으로 내 몸도, 승보도 그러하니라." 했으니 그것도 일으키려면 일으키고 죽이려면 죽이고…. 죽는 게 죽는 것이 아니니까 옷을 벗으려면 벗고 말려면 마는 것도 자기라. 자기한테 다 보배가 있고 자기한테 그 무수한 능력이 있으니 자기한테 맡겨 두면, 그리고 시봉만 잘 들어 주면 혹시 옷을 천천히 벗을 수도 있죠. 허허허.

질문자1(여) 제가 하는 걸 스님한테 여쭤 보고 싶어서 그러는데, 아까 그건 동생 일이고요, 저도 재작년 4월에….

큰스님 이거 보세요. 한 마디 하면 열 마디를 알아들어야지! 그 마음에서 일체 만법을 다 한다고 안 그랬습니까? 그러면 일체 만법이 한마음에서 다 응용하고 지금 원형을 이루고 돌아가고 있지 않습니까? 찰나찰나 여여하게.

질문자1(여) 그러니까 이쪽 분들이 공부하시는 분들이에요. 근데 만날 선방에 다니시면서 뭐 이렇게 그냥 툭 치시면서 '누가 왔니? 누가 왔니?' 그전에 그러시면서 자꾸만 그런 말씀을 하시더라고요. 그러는데 정말 나름대로 그냥 '이 뭣고'가 뭔가 하고 항상 그걸 좀 이렇게 염하다가요, 어느 날 목욕을 하는데요, 물을 이렇게 떠서 이쪽으로 끼얹고 한 번 더 이렇게 끼얹으려고 그러는데 어디서 천둥 벼락 치는 소리가 나는 듯하면서 그냥, 눈이 번쩍하면서 청정한 그 세계를 제가 느꼈어요. 그래 가지고는 '아, 이것이 정말 그건가. 이게 난가.' 하면서 그때 저는 거기서 저라는 형태를 이렇게 보았는데요, 큰 맑은 물에 사공이 배를 젓는 그런 형태를 보면서 '그것이 나로구나.' 했어요. 그때 달과 빛이 한눈에 막 이렇게 불이 번쩍하는 그것을 보고 '아, 이것이 나로구나.' 이렇게 생각하고 '그 청정한 마음자리가 그것인가.' 이러하고 그냥 그대로 살고 있는데 그것이 옳은 건지 그른 건지 말씀 좀 해 주세요.

큰스님 '그것이 나로구나.' 하는 것도 나를 내세울 게 없다고 안 했습니까? 일심도 만심이요, 만심이 일심이니 일심도 내세울 게 없다 안 했습니까? 그럴 때 바깥으로 내가 어떠한 청정한 세계가 보인다 할지라도 본 바가 없고, 들었다 할지라도 들은 바가 없어요. 또 나라고 한다, 내가 그렇게 했다 하는 것은 육안으로써, 즉 말하자면 오관을 통해서 본 것이지, 진짜 누진에 의해서 마음 심 그 자체가 내세울 게 없는 것입니다. 아까도 얘기했죠? "그 청눈이, 진짜 이 온 누리를 다 볼 수 있는 그러한 천안통이 있다 할지라도 도가 아니니라." 했어요. 오신통을 내가 부릴 줄 알아야지, 오신통에 내가 말린다면 안 되니까 철저히 그걸 막았죠. 보는 것, 듣는 것을 가지고, 헤아리고 냄새 맡고 이러는 거 가지고, 타심통이니 또는 숙명통이니 천안통이니 천이통이니 신족통이니 하는 것 그 따위들을 가지고서 "내가 도를 통했다." 한다든가 "내가 나를 봤다." 한다든가 그러면 아주 극히 그것은 선종들에게 누를 끼치는 일들입니다.

질문자1(여) 스님, 그러면 앞으로 어떻게….

큰스님 그것은 자기가 밥을 먹어야 배부른 줄 알기 때문에 자기 오신통에 의해서 우리가 지금 여여하게 돌아가는 이 자체를 알아야 합니다. 오신통이라는 이름 자체도 없이 여러분은 지금 그렇게 하고 있습니다. 하고 있는 그 자체를, 바로 그 하고 있는 자체 속의 바로 그 눈을 보십시오. 그러면 그 맛이 거기서 스스로 나올 것입니다. 그래서 어떻게 들리고 보이고 한다 할지라도 감사하게 거기다 놓으십시오. 그것은 우리가 있기 때문에 바로 부처도 이룰 수 있는 것이기에 망상을 끊는다든가, 또 그런 게 있으면 끊어 버린다든가 이래서는 아니 됩니다. 모든 것을 한마음, 한 그릇, 빈 그릇에 담아도 담음이 없이, 모든 것을 한데 융합해서 감사하게 놓으십시오. 그럼으로써 시큰둥하게 익어 들어간다 할지라도 아마 제 나무에서 무르익을 것입니다. 만약에 시큰둥하게 익은 것을 익었다고 온통 이것이 이건가 보다 하고 모두 야단들을 한다면, 그것은 그냥 떨어지게 되는 이치도 있습니다. 미해집니다. 그 시큰둥한 건 뭘 합니까?

그러니 여러분이 난 게 화두야! 이 세상에 내가 색이자 즉 공이고 공이자 즉 색이니 어찌 이게 공한 것이 아니겠느냐는 얘깁니다. 그럼 이게 공해서 텅 비었다는 거는, 없다는 건 없어서 없다는 게 아니야. 너무 이것이 찰나찰나 화해 가면서 돌아가니까 공했다는 거지. 그러니 공한 데서 나오는 거 공한 데다 놔야지. 이것이 화두라! 내가 이 세상에 난 것이 태초요, 내가 이 세상에 난 것이 바로 화두라. 이 몸뚱이가! 이 몸뚱이가 화두거늘 화두에다가, 공한 데다가 공한 놈의 화두를 또 잡아?

예전에 석존 시대에는 화두를 따로 주지 않았다는 얘깁니다. 그리고 부처님을 따로 모셔 놓지 않았고, 선방을 해 놓고 따로 그렇게 앉아 있는 시간을 정해 놓지 않았고, 우리가 앉고 싶으면 앉고 서고 싶으면 서는 거라. 숨 들이쉬고 내쉬고 하는 것이 그냥 참선이거늘 어찌 앉았다가 일어나면 다했다고 할 것이고, 앉았으면 참선한다고 할 것이고, 선방에 가서 하면 선방에 왔으니까 나는 지금 참선을 한다고 생각을 할 것이고 집에 오면 난 집에 왔다고, '선방에서 지금 집에 왔어, 방금.' 이럴 것이고 그러니 선은 항상 쪼금 갔다 쪼금 그만두고, 쪼금 갔다 도로 오고, 쪼금 갔다 도로 오고 이런 형국이나 마찬가지야. 그렇기 때문에 선은 끊어져. 항상 선이라야지! 항상 선이라는 이름조차도 붙지 않는 자린데도 불구하고 선방에 가서 참선을 하고 앉아 있어야만 참선이 된다고 한다면 말도 안 되고, 내가 어느 큰스님한테 화두를 받아야만 그것이 공부가 된다고 한다면 말도 안 되는 소리야!

모든 큰스님네들이 너무도 여러분이 모르니까 고기를 건지려고 낚싯대를 던졌던 거지, '사람이 좀 있나?' 하고선 낚싯대를 던져 보니까, 그걸 미끼를 삼아 가지고 여러분이 말 몇 마디 하면 벌써 그런 얘기 쑥쑥 해 버리고 말고, "부처님이 어디 있는가?" 하면 아, 손을 훌떡 들기 일쑤고. 부처님이 말씀하실 때 그 말씀은 한 사이가 없이 마음으로 전달을 하고 받았거늘 우리가 함부로 가볍게…. 그 가벼운 손가락 하나 들기가 뭐 그렇게 어렵겠습니까? 그거는 여러분이 다 들을 줄 알아, 그 손가락은. 그건 손가락이 아니야. 손가락이 아니야.

그럼 오늘은 이걸로써 마치겠습니다. 공부하시는 분들 나중에 또 질문하십시오.

선지식이 나신 뜻

1986년 1월 27일

질문자(남) … 또 공부하신 분이, 트집 아닌 트집이겠죠, 이를테면. 부처님께서 영산회상에서 꽃을 들어 보이신 그 까닭. 그랬을 때 가섭이 웃었지 않습니까? 어느 말씀을 들어 보니까 가섭도 큰 죄를 지었다고 그럽니다. 왜 죄를 지었느냐 하니까 뭘 웃느냐는 말씀이죠, 이를테면. 하하하….

큰스님 그게 아니지. 왜냐하면 까닭이 없으면 이게 돌아갈 수가 없어요. 까닭이 있기 때문에 진리거든. 우리가 공생 공심 공용으로 돌아가는 것도 까닭이 있기 때문에 돌아가는 거거든. 그 '까닭' 때문에 모두들 헐뜯고 뜯고 그러는데 그것은 공부하는 사람의 괴팍함이지 까닭이 있어야 성사가 되는데 어떡해. 까닭 없이 무슨 성사가 돼? 그러면 장 안에 넣어 놓고 그냥 있는 셈이니 다른 혹성에서 개발 못하고, 무용체로다가 그냥, 무용신으로 그냥 있는 거나 마찬가지지. 그러니까 까닭이 있는 거다. 만약에 꽃을 들었으면 벌써 봄이 왔다는 뜻이거든, 응? 또 이쪽에서 웃었다 할 때는 그것도 꽃이라 이거야. 이쪽도 꽃을 들고 저쪽도 꽃을 들었다 이거야. 생면부지인데 말이야, 이 육신으로서는. 마음과 마음으로 전달하는 데는 마음과 마음으로 이거를 들었지 아니, 물질을 든 거야, 이게? 그래 마음에 까닭이 있으니까 이걸 든 거야. 마음에 까닭이 없어 가지고 들었을까? 그래서 이쪽도 마음에 까닭이 있으니깐 웃은 거야. 왜 들고 웃는 걸 가지고 말을 해? 왜 석존이 꽃 든 거는 탓을 안 해? 웃는 것은 탓을 하면서. 까닭도 모든 게 없다 하면 "꽃은 왜 들었느냐?" 그러고 탓을 하지. "왜 팔만대장경을 내놓고 왜 말을 했느냐?" 이러지. 아예 본래부터 그냥 있는 거 그대로 두지 왜 이렇게 말을 해 가지고, 팔만대장경을 해 놓고 사람 속을 썩이느냐고 그런 사람도 있을 거야, 아마.

질문자(남) 평지풍파를 일으켰다는 거죠. 석가모니가 공연히, 사람들 그냥 밥이나 먹고 똥이나 싸고 자식이나 기르면서 살게 하지, 공연히 법의 이치니 공의 이치니 깨달음의 이치니 설해 가지고 평지풍파를 일으켰기 때문에, 내가 그때 석가모니가 태어날 당시 옆에서 봤다면 아마 사지를 찢어 가지고 개를 줬을 것이다 하는 그런 선사도 있는데….

큰스님 사지 찢을 게 뭐 있어? 사지 찢을 게 있나, 찢게? 그런데 지금 만약에 그만큼 그래도 선지들이 나서서 그렇게 가르쳐 주시지 않았다면, 지금 우리가 이렇게 개발이 돼서 모든 혹성들이, 전체 개발이 되지 못했을 거라고 생각이 돼요. 얼마나 고마워요.

그래서 이것이 그래요. 우리가 마음으로 마음을 전달하는데 이게 있는 얘기를 하지 없는 얘기를 해서 여러분의 가슴에 감응이 될 수도 없는 거고. 참 무궁무진한 그 이치를 어떻게 다 말로 하리까? 모르는데 어떻게 말로 해!

어떤 때는 여러분이 이렇게 오실 때 "욕심 부리지 말고요, 마음 속에서 푸뜩 나오는 대로 그냥 하세요. 학교를 넣는 것도 그렇고. 마음 속에서요, 이 분수를 지켜요. 언제나 여기에서 나오는 거는 항상, 속일 수 없는 자기가 있는 거예요." 하고선 일러 준다고요. 그럼 "알았어요." 그러고 간다고요. 그렇게 일러 주는 사람도 있거니와 그렇게 하고 또 생활을 하는 사람도 있고.

어떤 때는 터무니없이 "아이고, 스님!" 시골 참, 저런 데서 와 가지고서 지금 간질을 앓아서 죽게 됐고 뭐, 이럽니다. 그것만 있는 겁니까? "이것도 이렇게 있고 그렇습니다." 그러면 "예, 알았습니다." 그럽니다. 이거는 외려 모르는 사람 앞에는 꼬박이 꼼짝 못하게 돼 있어, 내가! 그냥 "네에." 심부름꾼이 돼야 돼. 그 사람이 모르니까 내가 심부름꾼이 돼야 되는 거야. 그 사람 앞에는 뭐 정성이고 나발이고 그런 것도 없어! 그냥 '이분이라면 내가 가서 얘기만 하면 된다.' 하는 그것만 하나 가지고 오는 거야. 그럼 일갓집까지, 저 마을의 동네 거까지 가지고 와요. "안 해 주시면 어떻게 해요? 그래도 스님이 꼭 해 주실 거라고 믿는데…." 이런다면 어떻게 해요. 그땐 "알았어요." 대답밖에는 없어요. 그러면 쳐다보고 "네, 알았어요." 그러고 웃을 수밖엔 없는 거야.

웃는 그 마음! 그 마음이 언제나 제일 아래, 하에 있는 사람, 제일 하에 있는 그 계발 되지 않은 마음, 그런 마음이 오히려 진실한 건 더 가지고 있다는 얘깁니다. 진실한 거! 요리 생각 조리 생각 하지 않고, 방황하지 않고. 그저 미련스럽게 그냥 뚫는, 그런 마음만 가지고 있단 얘기죠. 그럼 심부름하긴 쉬워요. 이것이 여러분과 나와, 그분과 나와 그럭할 때 마음이 둘이 아니기 때문에, 그이는 그 마음을 가지고 갔기 때문에 벌써 된 거야. 얼마나 그 사람의 믿음이 돈독하면 그렇게…. 자기를 믿고 둘이 아니라고 믿기 때문에 왔다간 얘기만 하고 쏜살같이 가죠. 그렇게 하는 사람도 있어요. 그러니까 가지각색이에요.

육조 스님이 그렇게 말씀하신 것도 꼬투리 잡으려면…. 그러나 "테가 없는데 뭐, 거울이 어디 있고 거울이 없는데 먼지 앉을 게 어디 있느냐?" 이렇게 막 해 버리는 것도 거기까지 가야, 그렇게 물질로 나오는 사람 앞에는 그렇게 무찔러 주고, 또 그 공부를 웬만치 해 간 사람 앞에는 “그것도 아니다.” 이렇게 나오게 되는 거죠. 그러니까 하여튼 사람에 따라서, 근기에 따라서 맞추는 거죠. 그때 환경에는 육조 스님이 그렇게 대답 안 할 수가 없었겠죠. (녹음 안됨)

춘하추동 만 백화

1986년 1월 28일

부처님께서 내 자리 아님이 하나도 없고 또 나 아님이 하나도 없다 하셨습니다. 그리고 만생이 다 불성이 없는 것이 없다고 하셨습니다. 다 생명이 있고 다 움죽거리고, 식물도 모두가 다 생명은 있는 것입니다. 그래서 불성이 있는 것이죠. 근데 우리 선법 도리에는, 그것을 익히려면, 불성이 있다 없다 그걸 다 떠나서 이르는 거죠.

그런데 제가 항상 그러죠. 축생이 있기 이전에, 미생물이 나기 이전부터 억겁을 통해서 거쳐 오면서 그 모습 모습이, 갖가지 모습을 다 가지고서 화해서 살면서 구르면서 이날까지, 인간이 되기까지 그렇게 어려웠노라고요. 그래서 그, 살면서 순간순간 진화돼서 창조가 되고 하는 그 찰나찰나가, 우리가 금방 마음이 변해서 이 마음이 들고, 이 마음 변해서 저 마음이 들듯이 모습도 그렇게 찰나찰나 변화한 거죠. 그리고 마음이 진화돼서 우리가 차원이 높아지니까 바로 진화율도 커진 거죠.

어저께도 그런 말을 했지만 무신이, 즉 말하자면 어떠한 물질적이 아닌, 즉 말하자면 어느 귀신이 사람의 형체를 보고야 자기가 그 사람의 모습을 가지고 나왔다 합니다. 사람의 모습을 보지 않고는 도저히 사람으로서 태어날 수가 없었답니다. 그래서 옛날에도, 옛날뿐만 아니라 내가 생각할 때는 어떠한 짐승이라도 사람의 탈을 봐야만이 진화된다고 생각합니다. 백 년을 묵은 구렁이가 이 세상에 사람의 모습을 타고 나야만이 부처님의 뜻을 알 수 있을 텐데 사람의 모습을 타고 날 수가 없어서 사람이 사는 데 내려와서 간장을 먹고, 사람을 해치지 않으면서 사람을 보고 숨어서, 즉 말하자면 백 년을 또 공부해야 사람의 모습으로서 탄생을 한다 합니다. 그런다면 백 년이 꼭 백 년이 아니라 한순간도 백 년이 될 수 있는 것이죠.

그러니까 내가 보지 않고 듣지 않는 것이 어떻게 생각이 납니까? 그래서 인간은 그 생각 자체가 무한의 생각이 날 수 있는 무한의 능력을 가지고 있기 때문에 짐승이나 축생이나 이런 것들도 인간을 보고서 인간이 하는 대로 눈여겨보고 듣고 하는 것입니다. 그래서 사람을 가까이 하지 않는 짐승들은 사람 되기가 상당히 어렵다는 얘깁니다. 또 그 모습을 가지고 연방 굴러야만 하니까 말입니다. 그래서 빨리 진화되는 축생이나 짐승들은, 소, 말, 돼지, 개 이런 거는 상당히 사람 될 확률이 아주 많은 거죠. 그래서 '소는 조상'이라고 한 뜻은, 사람하고 너무 접촉을 많이 하기 때문입니다. "개고기도 먹지 마라." 한 것도 개도 사람하고 너무 접촉이 우리 이 조선에는 많았죠. 그러니까 한국에는 더군다나 더, 한국뿐만 아니라, 개하고는 아주 가까운 거죠. 고양이도 그렇고 모든 게 그렇습니다. 제일 사람 가까이에 있는 것이 축생 아닙니까? 그렇기 때문에 축생이 사람 될 확률이 높다는 얘깁니다.

그런데 그것이 머리가 아둔해서 진화가 늦으면 늦는 대로 그 모습을 가지고 또 떠돌고 떠돌고 떠돌다가 어느 때에 한순간 '아! 나는 이 고통 때문에 못 견디겠다. 아! 저 사람들은 우릴 가지고 이렇게 마음대로 하는데….' 하는 생각이 들면 사람의 모습을 갖겠죠. 이 마음에 모든 게 달려 있는 거니까요.

그래서 축생도 축생이라고 보지 말라. 사랑하라. 내 생명과 같이 아껴라. 남의 생명을 내 생명으로 알아야지 만약에 그것을 그냥 죽인다면 곧 살생이 되는 거죠. 그러나 우리가 이 도리를 알아서 축생 그 자체도 바로 나 아님이 아니라고 생각할 때…. 예전에 억겁을 거쳐 올 당시에 우리의 몸도 그렇게 축생의 몸을 타고 나서 굴러 왔는지도 모르지 않습니까? 그렇기 때문에 그 축생도 나의 몸이요, 내 마음이요, 내 생명이라고 사랑할 수 있을 때, 자비를 베풀 수 있을 때에 비로소 부처님이라고 말을 할 수가 있는 거죠. 보살이라고 하고요, 법신이라고 하고. 그러니까 우리가 남인 것이 하나도 없어요. 남의 몸이 하나도 없고요. 우린 한 번씩은 다 거쳐 왔으니까요. 우리가 높게 이렇게 됐다고 해서, 만약에 얕은 게 없다면 높은 게 없듯이 축생이 없다면 큰 짐승들도 없거니와 인간도 없단 말입니다.

그래서 있다 하면 없는 것이고 없다 하면 있는 것이니 이것이 모두가 다 우리들의 살림살이요, 진리요, 불법이 아닌가 이렇게 봅니다. 그러니까 있다 없다 모두가 다 도는 물과 같은 겁니다, 진리가. 돌고 도는 물 같은 겁니다. 또 흰 구름 같은 거고요. 구름이 수만 개가 한데 합쳐서 뭉게뭉게 떠다니다가 바람이 불면 바람이 부는 대로 흩어졌다가 또 모이고 흩어졌다 또 모이고 하는 것이 그 흰 구름이죠. 흰 구름과 같은 것이 인생이라고 할까요? 그리고 진리죠. 또 굽이치면서 돌아가는 이 물 이 자체가 바로, 있다 없다를 떠나서 우리가 돌고 도는 물 한 방울이라고 해도 과언이 아니고, 또 그 물방울이 한데 모여서 바다를 이루니 물이라고 해도 되는 거죠. 물이 흘러가는 거 같지만 흘러가지도 않고 흘러오지도 않는 겁니다. 항상 돌고 돌아서 그대로, 말 그대로 물이죠.

그러니까 그 물은 얼기도 하지만 파도도 치고 또 우주에 오르고 내리고 같이 돌고 있고 같이 먹고 같이 행하고 있지 않습니까? 우리가 하루도 물이 없이는 살 수가 없듯이, 우리 몸도 하루도 피가 오르락내리락하지 않으면 못 살듯이, 우린 물 없이도 못 살고 바람 없이도 못 살고 또 흙이 없인 못 살고 불이 없어도 못 삽니다. 바깥에서도 그렇게 없어서는 못 사는데 우리 몸 안에도 그렇게 있다는 얘깁니다. 그렇기 때문에 축생과 사람과 다른 것이 있다면 모습이 다를지언정 어떻게 근본 생명이야 둘일 수 있겠느냐는 얘기입니다.

그리고 우리가 사람이 되기 이전에도 축생의 몸을 받아 가지고 그렇게 억겁 년을 거쳐서 굴러 왔으니까요. 우리가 지금도 모자라는 마음을 가지고 공부를 해서 차원이 높아지면 그 모자랐던 내가 아주 달라지죠. 그러니 애당초부터 배워 가지고 나오는 건 없습니다. 하물며 벌레도 또는 나무 껍데기도 나무도, 이런 것도 다 생산이 돼서 다른 이름을 가지고, 다른 모습을 가지고 이 세상에 바로 출현합니다. 그런데 나무는 나무대로, 그 나무의 속은 속대로 갖은 물품으로 다 생산이 되지만 나무 껍데기는 나무 껍데기대로 또 생산이 된답니다. 그것은 가공해서 종이로도 나올 수 있는 원소가 되죠. 그러니까 우린 무궁무진하게 인간의 그 마음의 차원대로 이 세상을 활보하고 있다는 얘기입니다. 어디 안 닿는 데 없이, 축생의 몸을 받아 가지고도 활보했고 또는 인간의 몸을 받아 가지고도 활보했고 여여하게 이 진리를, 그냥 굳건히 이날까지 끊임없이 이렇게 살아왔다는 것을 아마 실감하셔야 될 겁니다. 우리가 이 세상 돌아가는 걸 잘 지켜볼 수 있다면 그것이 바로 팔만대장경 아닐까요?

그래서 이런 문제도 있죠. 원효 대사가 밤에 물을 먹었을 때는 그렇게 맛이 좋더니 아침에 밝아서 물을 먹으려니까 벌레가 들어 있어서 구역질이 나더라. 구역질이 나니 그 구역질이 나는 그것을 생각해 보니까 '야, 사람은 더럽고 깨끗하고, 보지 않으면 바로 깨끗한 것이고 보면 더러운 것이로구나. 그러니까 이 눈으로 보는 걸로 인해서 안으로 들어서 내 마음을 움죽거리게 하는 것이 바로 눈 귀 이런 것이 아닐까, 오관을 통해서. 그러니까 나는 이 오관을 통해서 들고 나는 데에 속지 않겠다. 자유자재하는 것도 내 마음에 달려 있고 걸리는 것도 내 마음에 달려 있고 속는 것도 내 마음에 달려 있는데, 어찌 대장부로서 태어나서 그런 오관을 통해서 눈으로 보고 듣고 하는 것에 내 마음이 말려서 이리 끌리고 저리 끌리고 갈대와 같이 그럴 수 있겠느냐. 나는 중국으로 법을 구하러 가지 않겠노라. 내 마음에 달린 법을 오늘에서야 내가 깨달았노라.' 그렇게 했듯이 우리는 마음에 있는 것입니다, 그 모두가.

그래서 나는 그렇게 여러분한테 말했습니다. 축생을 어쩔 수 없이 잡았을 때 자기 손으로 자기가 잡지는 않았어도 자기가 잡아 달라고 했으니까 그건 자기가 죽인 거죠. 그래서 그것도 살생이니만큼 살생이 안 되게 하려면 이 공한 이치를 알아야 한다고요. 모두가 나 아님이 없고 내 마음 아님이 없고 내 생명 아님이 없는 줄만 안다면, 바로 그 몸도 내 몸이요, 그 마음도 내 마음이니, 순간 그 축생을 죽였을 때는 바로 나로, 인간으로 화하게 하는 것입니다. 그 살은 약으로 쓸 뿐이지 그 마음은 죽이지 않았으니, 생명은 죽이지 않았으니 내 생명과 그 생명과 둘이 아니요, 그 마음과 내 마음과 둘이 아니요, 그 몸과 내 몸이 둘이 아니어서, 그 몸을 그렇게 했다 할지라도 그 살은 내가 먹고 있으니 내가 어떤 사람을 위해서 그 살을 준다 하더라도 그 몸에 그 살이 들어간들 둘로 나누어지겠습니까?

그 도리를 아십시오. 바로 내 살이 되는 것입니다. 내 몸이 되는 거니 그 축생은 따로 있는 게 아니라 바로 환토하는 것입니다. 나로 환토하는 것입니다. 그래서 찰나, 즉시 인간으로 화하는 거죠. 아마 닭을, 토끼를, 돼지를 수백 마리를 잡아서 여러분이 한 점씩만 집어 먹으면서 그 뜻을 안다면, 먹지 않아도 그것이 바로 인간으로서 즉시 환토가 될 것입니다. 그 도리는 스무 마리, 백 마리, 천 마리를 넣어도 두드러지는 바가 없고, 만약에 여러분의 마음으로 수많은 사람을 탄생해 낸다 하더라도 줄어지는 법이 없습니다. 마음은 체가 없어서 무한량이니까요.

이 우주를 덮고도 남음이 있고 또 들고도 남음이 있고 굴리고도 남음이 있는 것이고, 우주 삼천대천세계의 어느 곳에 아니 닿는 데가 없는 것입니다. 우리의 마음은 지구 바깥을 떠나서 우주와 공존할 수도 있는 것이지만 마음이 그렇게 지혜를 넓히지 못한다면 이 혹성 가운데에, 이 주머니 속에 들어서 한 치를 내다보지 못하고 한 치 발을 떼놓지 못해서 이렇게 갇혀 있지 않으면서도 갇혀 있는 감옥이죠. 마음이 밝지 못하면 항상 어둠 속에서 헤어나질 못하고요. 우리가 이 마음이라는 게 얼마나 중요하고 중요한지 모릅니다. 마음이 피곤하고 아주 죽겠다고 생각을 할 때는 피곤함이 오고, 잠을 안 자고도 '응, 잠을 안 잔 놈도 그놈이요, 잔 놈도 그놈인데, 그놈이 잠을 안 자고 자고가 어디 있겠나.' 하는 생각을 했을 때는 바로 피곤이 어디로 갔는지 흔적이 없어지는 것입니다.

밥을 많이 먹지 않고도 공기를 양식 삼아 먹는다는 뜻은…, 우리가 식탐이 많아서 될 일도 아닙니다. 여러분이 이 도리를 알면 가는 대로 밝아서 자기 있는 자리에서 항상 이렇게 밝습니다. 밝고, 먹는 것도 항상 이 한 울 안에서 빵떡, 즉 말하자면 떡을 항상 내려주시니까요. 그래서 내 이외의 식탐을 내거나 욕심을 내거나 분수를 지키지 못한다면 먹은 사이 없이 먹는 그 양식은 얻어 보려야 얻어 볼 수도 없을 것입니다. 밥을 한 알캥이 먹지 않고도, 물만 먹고도, 풀뿌리만 먹고도 사람이 살기 위해서 먹는다, 먹기 위해서 사는 게 아니라 살기 위해서 먹는다는 얘기가 있습니다마는, 살기 위해서 먹는다는 것조차도 놓는다면 바로 그 공기의 그 능력의 양식은 모든 생명들이 같이 친구가 돼 주면서 같이 호흡을 하면서 같이 식사를 할 것입니다. 보이는 식사가 아니라 안 보이는 마음의 그 식사 말입니다. 그런데 식사를 하던 사람들은 하루만 안 먹어도 어지럽고 골치가 아프고 그렇지만 그렇게 유념해 오던 사람들은 그렇게 식사를 안 하면 가볍고, 오히려 많이 먹지 않으면 그저 오며 가며 한 쪽 먹고 마셔도 그렇게 좋답니다. 그리고 더운밥, 찬밥을 가리지 않죠. 따끈따끈한 밥 이런 거 가리지 않고, 찬밥이라도 오며 가며 한술 떠먹었으면, 그리고 한 젓갈 집어 먹으면 그걸로써 바로 양식이 되는 거죠. 이거 너무 가려도 뭐, 별로….

그런데 난 그렇게 많이 저거 하지도 않는데 왜 이렇게 남 보기에 살이 우둥퉁하고 이런가 하는 생각을 합니다. 남들은 용약에 그냥 뭐, 약들을 큰스님네들도 잘 자시고 그래요. 선방에 가는 양반들도, 예전에 도반 되었던 분들도 그렇고 또 지금 다른 분들도 가만히 보면 아니, 선방에 갔다 와서는 꼭 용약을 잡숫고 좋은 약을, 인삼을 또 백만 원을 주고 사 와 자셨다고 그러는데 말입니다, 나는 어쩐 일인지 아, 이게 싫은데도 어쩔 수 없이 그냥 그런 거예요. 그래서 '어, 싫은 것도 별로 없고 좋은 것도 별로 없고 언짢은 게 없구나. 아, 남 보기에 두둑하면 좋지, 뭐.' 그냥 이러는 겁니다.

그러니 이렇게 우둥퉁하면서도 가볍고 좋은 것은, 식탐이 없으면 가볍습니다. 우리가 항상 먹는 밥, 항상 먹는 거 한 끼니 거르면 어떻고 한 끼니 안 먹으면 어떻습니까? 그런데도 한 끼니 안 먹으면 뭘 잃어버린듯이 허전하고 배고프고 그렇다거든요. 또 역시 저도 그럴는지도 모르죠. 여러분이 나 아님이 없으니까 바로 여러분이 나이기 때문에 그렇지 않다, 그렇다 말을 똑 떨어지게 할 수가 없어요.

하여튼 제가 어느 때엔가 이런 예가 있었습니다. 밥을 한 사발을 줄이려니까 줄일 수가 없더군요. 한꺼번에 안 먹으면 배고프고 죽겠는 걸요. 미리 그걸 연습을 하고선 나가려니까 한 그릇을 가지고서 한 숟갈씩 줄이니까 일주일이니까 한 사발이 다 없어지더군요. 허허. 그래서 그렇게 한 일주일 그래 보니까 그다음서부터는 유념 물만 좀 먹어도 그냥 대략 괜찮을 수 있더군요. 그래서 그때서부터는 '아, 인제는 아무것도 없어도 될 수 있구나.' 또 '없어도 될 수 있구나. 있어도 될 수 있구나.' 했습니다. 그런데 '먹어야지.' 하고 이런 거 챙겨 가지고 다니는 사람은, 아니 내가 죽었다고 하고 내가 붙을 게 없다고 하고 내가 공했다고 한다는 사람이 뭘, 먹을 걸 챙긴다 입을 걸 챙긴다 덮는 걸 챙긴다 하고 또 생식을 해야 된다 이런 문제가 있다면, 이거 빼고 저거 빼고 이거 생각하고 저거 생각하고 언제 내가 죽을 날이 돌아옵니까?

그래서 어느 때에 "어떻게 하면 빨리 죽습니까? 얼마만치 가야 죽습니까?" 하니까 "그저 눈 뜨고 푸욱 자면 죽느니라." 그러거든요. 그것도 옛날에 한암 스님이 그러시더군요. 그래 눈 뜨고 푸욱 자는 것이, 어떠한 것이 눈 뜨고 푸욱 자는 건가 했습니다. 여러분은 그 뜻이 어떠한 뜻으로 생각이 됩니까? "얼마만치 가야 죽습니까?" 하니까 "눈 뜨고 푹 자면 죽느니라." 그러거든요. 아는 분 있으면 일러 보십시오.

신도1(여) 분별심이라든가, 탐진치 삼독 그런 것에서 벗어날 수 있는 그런 상태를….

큰스님 왜 이렇게 길게 말이 많아? 허허허.

신도2(남) 제가 한마디 하겠습니다.

큰스님 그래요.

신도2(남) 이 자리 아닌가요, 그냥.

큰스님 응?

신도2(남) 그냥 이 자리 아닌가요?

큰스님 글쎄. 그냥 이 자리, 이 자리를 누가 지금 가지고 나왔나, 그럼?

신도2(남) 본래 가지고 나온 것도 없고 또 가지고 나오지 않음도 없는 것 아닌가요?

큰스님 글쎄, 그러면 어떻게 두루뭉수리가 돼 버렸는데? 허허허. 그러면 육조 선사가 그, 한 물건도 없다는 소리나 마찬가진데 그렇게 해서 될까?

신도2(남) 한 물건도 없다는 것도 제 생각에는 옳지 않다고 생각이 되는데요. 있고 없고가 없는 것이 아닌가요?

큰스님 그건 그 말이나 그 말이나, "꼭 없고가 없는 게 아닐까요?" 이러면 또 마찬가지지.

신도2(남) 모르겠습니다, 스님.

큰스님 허허허. (대중 웃음) 시를 한번 읊어 보죠?

신도2(남) 저요?

큰스님 으응, 그 문구에 대해서.

신도2(남) 예전에 읊었던 건데요.

수줍은 밤하늘 별빛도 많고
봄날 먼 산은 아지랑이 보이네
이 모두 세상 모습이거늘
뉘라서 자신의 눈을 탓하랴
봄눈은 자신도 모르게 녹고
얼음은 이미 강물에 녹아나거늘
뉘라서 눈과 얼음을 강물과 구분을 하리오

큰스님 또 마찬가지가 됐네, 응?

신도2(남) 모르겠어요, 스님.

큰스님 어느 시를 읊든지 선문답이든지 그런 걸 진짜로 할 때는 끝마무리가 아주 투철해야 돼. 흐리멍덩하면 안 되지. 이것도 아니고 저것도 아니고.

그런데 육조 선사께서는 그때 당시에는 신수 대사의 억양에 의해서 그렇게 칠 수밖엔 없었지. 거울에 때가 끼지 않도록 닦는다니까 그렇게 틀이 없는데 뭐 앉을 게 있느냐 하는 소리를, 한 물건도 없는데 때 낄 게 뭐 있느냐 하는 한마디로 규정해서 이렇게 그냥 칠 수밖에 없었지, 그때에 당해서는. 그러나 그것이 지금도 누(累)가 적지 않다고 볼 수 있는데, 선문답에서는 그렇다는 얘기지, 모두가. 그런데 그렇다고 해서, 그런 말을 이렇게 한다고 해서, 육조 스님 그 한 구절을 누른다고 해서, 여러분이 말로 하고 내가 또 말로 한다고 그래서 이게 되는 노릇이 아니기 때문에 언급하는 거라. 말로만 배우면 뭘 해요. 진짜 자기가 느끼고 알고 감응이 되고 그래야 이게 말로 해도 그때는 말이 아니라 법이 되는 것이지. 만약에 사량으로만 알고 말을 한다면 그건 사량으로 떨어지는 것이지 법이 될 수가 없는 거니까.

그래서 참, 이것이 문인데 말이에요, 저 문이 있잖아요? 사람이 들어올 줄만 알고 나갈 줄을 모르면 아니 되고, 나갈 줄만 알고 들어올 줄을 몰라도 아니 되거든, 또. 사람이 자유스럽게 들고 나야 되는 것이지. 그래서 문이 필요한 거 아니겠어요? 그런데 보통 이렇게 공부하는 사람들이 예전에도 공부할 때 보면 이런 게 있거든요. 자기 주장자는 보되 이 주장자가 나고 드는 걸 몰라. 그럴 때에 비로소 "야, 이놈아. 네가 주장자는 봤어도…." (녹음 안됨) 그래서 내가 이 손바닥에서 손등으로, 손등에서 다시 손바닥으로 오기가 그렇게 어렵다는데, 우리가 한 내 주장자만 봤다면 그 일에서 만법이 나가는 것이고 만법을 함으로써 알 수 있는 것인데, 만법이 이리로 또 드는데 어째서 그것이 오르락내리락할 줄을 모르느냐 이거야. 주장자 하나만 봤지, 그 주장자가 수천수만인 것을 몰라. 예전에 선문답을 할 때도 "이 주장자를 봤느냐?" 하고 "이 주장자의 눈이 있는데 이 주장자를 봤느냐?" 할 때 그 참 별의별 사람이 다 많죠. 그냥 주장자를 뺏어서 후려 팽개치는 놈도 있고 별의별 사람이 다 많은데 그게 그럭할 게 아니거든요. 또 법상을 그냥 둘러메쳐 버리고 그러는데 그것은 자기 주장자만 봤지, 일체를 볼 수가 없어서 그런 짓들을 하는 거예요.

우리가 조용히 앉아서 토론을 한다면, 선문답이라고 하기 이전에 사랑스러운 마음으로 얕다 높다가 없이 한방에 한 식구로 앉아서 내 몸 네 몸 따로 찾지 말고, 내 마음 네 마음 따로 찾지 말고, 높은 거 낮은 거 따로 찾지 말고 우리 같이 여기에서 서로 토론할 수 있다면 얼마나 좋은 자리겠소.

어떤 사람이 "부처님의 법은 어떠한 것이 부처님의 법입니까?" 하니까 주먹을 불쑥 내밀거든요. 그러니까 그 물었던 사람이 또 말을 하기를 "그 주먹은 어디에서 왔습니까?" 하고 물었대요. 그러니까 말문이 막혔대요. 그랬듯이 우리가 그 뜻을 안다면 주먹을 주먹으로 봐서도 아니 되고 말을 말로 들어서도 아니 된다는 뜻이죠. 물었던 사람이 시 한 구절을 읊었는데 그것은 말로만 배워서는 아니 되니까 그만둡시다. 그리고 밥을 먹는 거는 여러분이 먹는 거니까, 혹시나 하고 주먹을 내밀었는데 그 주먹이 어디로부터 왔느냐고 했던 전자의 조사들의 말들이 어떻게 돼서 그런가 하고서 한번 관해 볼 수 있는 그런 마음자세들을 가지고…. 참으로 없대도 아니 되고 몰락 놓으라고 해도 아니 되고 몰락 놔서도 아니 되고, 이게 몰락 놓는다고 해서 참, 아까 틀도 없는데 거울이 어딨고 거울이 없는데 때 낄 게 어딨느냐고 했듯이 참으로 없다 해도 아니 되고 있다 해도 아니 되는 이 엉거주춤, 이 자세는 어디에서 나온 것인가 하는 거….

우리가 일상생활에서 항상 여여하게 살면서도, 그리고 떼 놓는 사이 없이 발길을 재촉하면서 떼 놓으면서도 불법을 따로 찾으니 이렇게 난감한 노릇이 어딨겠소? 떡이나 해 놓고 밥이나 해 놓고 이 신 저 신 찾으면서 이렇게 해갈을 하고 다니고 이런다면 요다음에 얼마나 누(累)가 되는지 여러분이 그걸 짐작도 못하실 겁니다. 지금도 얼마나 고초를 받는 사람이 많은지 아십니까? 그렇게 해 가지고서는 절을 다 지어 놓고 정성을 지극히 들이던 사람들이 정신이 돌아 가지고서는 헤매고 다니는 사람 많이 봤습니다. 또 물을 떠 놓고 산 기도 드린다고 다니면서 그렇게 해 가지고 미친 사람을 내가 많이 봤습니다. 또 부처님을 집 안에다 모셔 놓고 정안수 떠 놓고선 빌던 사람이 정신이 도는 거, 자기만 도는 게 문제가 아니라 대대로 내려가면서 그것이 풀리지 않으니까 자기 한 생각 잘못해 가지고는 그 고초를 그냥 대대로 내려가면서 그 곡경을 당하게 만드는 그런 문제가 어디에서 나올까요?

그러고서는 귀신을 그저 무슨 신 무슨 신 끌어다 대기만 했지, 자기가 만들어 놓고 자기가 해결을 못했으니 그것은 어머니라면 어머니, 아버지라면 아버지 그분들이 그렇게 만들어서, 온통 자기가 마음으로 만들어서 신들을 해 놓고선 그 신들을 해결을 못하니까 대대로 내려가면서 그냥 그렇게 연관성이 생기고 유전성이 생기고 얽히고설키고, 인과로서 벌어지는 일들을 어떻게 말로 다 하리까?

그리고 또 한 가지는 여러분이 기복으로 절에 다니면서 정성을 지극히 하던 사람 자손들이 어머니나 부모가 하듯이 잘하는 사람이 어딨습니까? 어떻게 나처럼 잘한다고 자부하겠습니까? 그거를 생각해 봐야죠. 지극히 기복으로 다니던 사람들의 자손들이 나중에는 시대가 변하는 대로 잘못하는 게 많지 잘하는 사람이 많습니까? 부모가 그랬다고 해서 자식도 기복으로 그럭하고 다니라는 법이 어딨습니까? 그러면 그 자식이 그렇게 하지 않아서 오는 그 연관성으로 인해서 폐단을 당합니다. 그 마음으로 지어 놓은 신들, 귀신의 신들이 그 폐단을 주는 거는 말도 못합니다.

그래서 바로 내가 귀신이라면 모두가 귀신이고 내가 바로 선신이라면 모두가 선신인 것입니다. 내가 모든 것을 지어 놓고, 귀신을 만들어 놓고 그 귀신에 말려 가지고 대대로, 몇 손 대대로 내려가면서 그러다가 그냥 아주 시신도 없이 거리로 나앉게 되는 사람들을 많이 봤고, 자손들이 폐병이 들어서 대대로 그냥 그렇게 애를 쓰는 사람도 봤고, 자식들이 홀딱 망해서 5대 6대가 그렇게 되는 사람도 봤어요. 또는 며느리가 그렇게 되지 않으면 딸이 그렇게 되고 딸이 그렇게 되지 않으면 누가 그렇게 되고, 아들도 연방 그렇게 되고…. 야, 이런 경과가 어디에서 오는 것입니까? 여러분은 그 무서운 일들을 잘 모르실 겁니다.

대략 짐작은 하시겠지마는 나는 그것이 너무 무섭다는 걸 알았습니다. 여러분은 모르고 저지른 일이지마는 인과의 법칙에 의해서 유전성으로 유전되는 그 이치들이 너무나 이거는 무섭게 돌아갑니다.

우리가 지금 공부하는 것은 그런 걸 감안해서, 내가 너무나 많이 봤고 겪었고 그랬기 때문에 여러분한테 그저 오기만 하면 그냥 그거 녹여 주는 데 볼일을 못 보는 겁니다. 여러분은 그냥 왔다 가시지만 나는 그렇지 않습니다. 돈이 있든지 없든지 그것이 중요한 게 아닙니다. 찰나에 한 물건이 나왔다가 찰나에 한 물건 쓰다가 그 물건이 떨어지면 그 물건도 떨어질 것을, 뭣 때문에 그 물건에다 착을 두고 그 진정한 사랑과 아픔을 서로 하지 못합니까? 그렇기 때문에 그런 걸 떠나서 그 아픔을 같이할 수 있는 것뿐만 아니라 같이 그 아픔을 다 녹이자는 얘깁니다. 그런 일을 저지르지 않을 때 우리는 마음이 평화롭고 춘하추동 참, 꽃의 향기처럼, 그래서 만 백화라고 하죠. 춘하추동 만 백화. 이 마음들이 이쯤 돼야 모두를, 악조건에 있는 구린내 나는 것도 그것이 향기로서 우리는 맛을 알게 되고, 그래서 이 불법이라는 것이 네 방귀 내 방귀 귀신 방귀, 귀신 방귀 내음이 온 누리에 두루 하고 있습니다. 마음에 따라서 귀신이고 마음에 따라서 선신이야.

그러니 우리가 지금 여기에서 쌀 안 가져올까 봐 걱정, 돈 안 가져올까 봐 걱정, 이런 걸 떠나서 부처님이 말씀하셨듯이 울고 웃는 것에 포함한 자비의 한생각이 방울이라면 그 한 방울의 피를 서로 하면서 이렇게 서로가 서로를 알고, 주고받는 사이 없이 마음과 마음으로 전달을 하면서 마음으로 그 마음을 녹이고, 그 연관성 있는 인과에 끄달리지 않게 녹이는 그 작업을 쉴 사이 없이 해야만 된다는 뜻입니다.

여러분과 나와 각각이라면 나는 편안하고 할 일도 없고 아주 자유스럽고 좋습니다마는, 아까 말했죠. 일체 만물만생이 춘하추동 만 백화라고요. 내 입에서 이런 말이 나오는 것도 만약에 여러분 속에, 내 속에 같이할 수 없다면, 나만 편안하게 내 주장자만 봤지 남의 주장자가 바로 내 주장자고 내 주장자가 남의 주장자고 둘이 아니라는 것을 전부 봤다면 그건 만 백화가 될 것입니다. 그럼으로써 아마 법상도 쳐 버리지도 않을 거고 주장자도 뺏어 버리지 않을 것입니다. 그리고 또한 그가 나고 내가 그고, 그 말이 어디서부터 나왔는지 바로 역력히 그 소리를 들을 수 있고, 서로 둘 아닌 그 뜻이 참 향기로이 온 우주를 덮고도 남고, 흘러가고 흘러옴은, 그 청정한 물방울은 세세생생에 돌고 도는 물일 것입니다.

여기 지극하게 내 마음공부 하느라고 모든 것을 일임해서 놓아 버리는 그런 공부를 하고 다니는 분들은, 한 번 오고 가는 사이에 벌써 발부리 한 번 친 거를 녹이고 발부리 두 번 친 거를 녹이고 세 번 친 거를 녹인다면 그때는 바로 이 세상에 두루 만 백화의 그 향기로운, 서로 마음 뜻을 주고받을 수 있는 그런 여건이 우리에게 충만히 주어진다는 뜻입니다.

사람이 아무것도 모르고 주장자나 들고선 꽝꽝 치고 전자의 선지식들의 흉내만 낸다면 무엇이 이득이 있을까 생각이 됩니다. 무엇이 이득이 있을까요? 남의 흉내를 내는 거는 지극히 좀 삼가해야 할 일입니다. 못하든지 잘하든지, 말을 잘하든지 못하든지 남이 말을 잘하는 걸 보고서 부러워하지도 않을 것이고 남이 못하는 걸 보고서 흉볼 것도 아닐 거고, 오직 자기 마음 가운데에 모든 일체의 생활이 "아!" 하고선 한 번 숨 내리쉴 때에 그 일체의 생활이 바로 거기에 다 붙어 있다는 그 뜻을 아셔야 합니다. 한 번 숨을 들이쉬고 내쉴 때에 일체 우리가 이날까지 억겁을 거쳐 오면서 살아왔던 그것과 더불어 지금 현재의 생활, 자기한테 주어진 그 모두가 거기에, 한 번 들이쉬고 내쉬는 데에 달렸단 말입니다. 이름을 찾을 건 뭐 있습니까. 이름도 성도 아무것도 없으면서도 그렇게 역력한 것을.

의정 나는 일이 있으면 말씀하십시오.

신도3(여) 가축이 인간 옆에 살면서 인간이 되고 싶다 하고 한생각을 냈을 때 인간으로서 환생을 한다고 그러셨는데요, 그러면 우리 사람이 업이 많아 가지고 축생으로 떨어지는 건 그건 어떻게 되는 것이죠?

큰스님 나 좀 봐요. 아까 말한 거, 이래서 외착이 나는 겁니다. 그래, 축생이 사람 되고 싶어 하면 사람이 된다고 내가 그랬나요?

신도3(여) 인간들이 하는 거 보고….

큰스님 그것이 된다 안 된다를 떠나서 이런 게 있죠. 사람도 우리가 지금 부처님 공부를 하려고 그러는 것도 부처님이 그렇게 가르쳐 놓으시고 그 뜻을 설해 놓으셨으니까 우리가 지금 부처님 그 뜻을 알 양으로 이렇게 공부하고 있지 않습니까? 그렇듯이 축생들도 사람들을 많이 보고 그렇게 자유스럽게 자기네들도, 마음대로 죽이려면 죽이고 살리려면 살리는 그 능력을 보고 감탄하면서 자기도 그런 거를 공부하려고, 공부라고 할 건 없지마는 마음으로 아주 새기고 새기고 또 새기고 자꾸 지혜를 넓히고 축생들도 사는 겁니다. 인간이 되려고 말입니다.

그러면 그것도 또한 지금 우리나 마찬가집니다. 우리도 인간의 이 모습을, 이 모든 얽히고설킨 것을 벗어 버리려고 지금 노력하고 있지 않습니까? 그와 같은 겁니다. 그런데 인간이 인간의 모습은 탔다 할지라도 전자의 축생이 하던 습, 짐승이 하던 습, 자기가 그 모습을 가지고 살던 습을, 그대로 인간이 돼 가지고도 그 습을 가지고 놓질 못한다면 다시 그 짐승의 모습을 가지고 나올 수밖엔 없지 않습니까? 그렇기 때문에 모든 그 마음 자체를 자비스럽게 생각하라. 높은 걸 보고도 높다 생각하지 말고 얕은 걸 보고도 얕다 생각하지 말라. 미운 걸 보고도 밉다 생각하지 말고 예쁘고 잘생긴 걸 검탈하지 말고. 모든 게 그렇다는 얘깁니다.

그러면 그 가운데 내가 하고 싶은 대로 하는데, 그런 마음을 가진 사람들은 자기 하나만을 위해서 자기가 잘생겨야겠다고 그런 생각은 안 합니다. 만약에 내가 올바르게 틀을 잘 만들어서 이 세상에 나와 가지고 모든 만백성을 다 살릴 수만 있다면 틀을 잘해 가지고 나올 수도 있는 거죠. 그러나 틀을 잘해 가지고 나와서만이 되는 게 아니고 마음도 틀도 잘 돼서 여러분을 잘 이끌어 줄 수 있는 보살과 더불어 법신이 될 수 있다면 그렇게 할 수도 있는 거고요.

꼭 머리 깎고 목탁을 쳐야만이 중이 아니라 이 세상에서 다른 사람으로서, 저런 데 나가서 무슨 큰 회사를 하든지 지금 조중훈이나 이병철 같은 사장, 이러한 회장들처럼 이렇게 돼 가지고도, 그분들 이외에 다른 분으로 그렇게 하면서도 수많은 사람을 살리면서 유(有)의 법으로나 무(無)의 법으로나 지혜로나 이렇게 감싸 주면서 살린다면, 그리고 건져 준다면, 그리고 거기에서 인과에 의해서나 유전성에 의해서나 그 도리를 가르쳐서, 육으로나 또는 마음으로나 모든 것을 그렇게 적합하게 리드해 나갈 수 있는 길잡이가 된다면 그건 그렇게 해야 되겠죠. 그래서 자유자재권을 갖는다는 얘기죠. 그 사람들도 역시 중이란 말입니다. 그래서 유마힐 거사가 방 거사고 방 거사가 유마힐 거사입니다. 그런데 그러한 분들이 나와서 부처님을 모습만 보고서 찾지 말라는 그 뜻을 역력히 가르쳐 주시지 않았습니까?

그러니까 아까 내 말은 여러분이 몰라도, 깨닫지 못했다 할지라도 우선 생활하는 데 급급하니까, 생활하는 데 급해서 만약에 어떠한 병자 하나를 위해서 돼지를 잡는다든가 소를 잡는다든가 닭을 잡는다든가 토끼를 잡는다든가 이런다 할지라도 그것이 살생이 되게 하지 말고, 각각 두지 말고, 바로 그 살은 내 살이요, 그 마음은 내 마음이요, 그 생명은 내 생명이라는 공생으로서의 공심으로 돌아갈 수 있는, 공체로 돌아갈 수 있고 공용으로 돌아갈 수 있는 그 넓은 마음을 가질 때 비로소 살생이 되지 않는다는 얘깁니다. 그 얘길 해 드린 겁니다.

사람사람이 모두 '아이고! 저걸 죽였으니 지장보살! 저것 좀 천도

해 주십시오.' 이러는데 누구더러 해 달라는 거예요? 자기가 죽여 놓고 누구더러 해 달라는 거예요? 대답하던가요, 누가? "어, 내가 천도시켜 주마." 그러고요. 천만의 말씀입니다. 인과도 그 모든 것을 다 누가 갖다 주는 것도 아니고 뺏어 가는 것도 아닙니다. 자기 한 것만치, 좋게 했으면 좋게 한 것만치 나쁘게 했으면 나쁘게 한 것만치 자기가 하는 것이지, 누가 잘 풀어 주고 그러는 게 아닙니다. 이것이 진정한 부처님이 가르쳐 주신 법입니다.

그럼 오늘은 이걸로써 끝마칠까요? 그냥 앉아서 찬불가나 부르죠.

(법회 의식곡을 대중과 함께 합창하신 후) 감사합니다. 우리가 만나면 항상 "성불하십시오!" 그러죠? 누구한테나 의미 없이 성불하라는 거야. 그러지 맙시다. 그냥 마음으로 마음을 던지듯이 "감사합니다!" 하세요. 항상 감사해야 돼! 남이 하는 소리니까 그냥 해 버리는 그런 말로다가 그냥 "성불하십시오!" 그러지 말고요. 성불 누가 하란다고 하고 말란다고 마나? 허허허.

우주를 덮고도 남는 마음의 향기

1986년 1월 29일

부처님 법을 부처님께서 마음과 마음으로 전달해서 가르치신 그 뜻은 너무나 크고 묘한 것입니다. 여러분이 불교라는 종교를 가지고서 이미지를 흐리게 하고 행동과 모든 보는 것, 듣는 것을 만약에 기복으로 한데로 떨어뜨린다면 그 묘한 이치와 무한의 그 진리를 알 수가 없다고 하셨습니다. 우리가 우주적인 문제보다도, 근본적으로 내가 살고 있는 이 지구 자체에 세계적으로 퍼지고 퍼져서 또 줄어들고 줄어들면서 또 퍼지고 하는 이 이치, 생했다 멸했다 생했다 멸했다 하고 반복되는 진리지마는 이 속에는 여러분이 겪어 보지 않고 실감해 보지 못한 뜻이 너무나 어마어마하고, 너무나 많은 법과 더불어 무서운 도리가 있다고 생각됩니다. 만약에 알면 너무나 좋고 자비하고 묘하고 광대무변하고 홀로이 우뚝 선 뜻이지마는, 모른다 하면 너무나 무섭고 두렵고 참으로 말로 형용할 수 없는 그런 이치 속에서 여러분은 구르고 아픔을 받아야 하고 피를 삼켜야 하는 고통 속에서 헤매고 돌게 되는 것입니다.

그 한마디를 잘 이해를 해 주신다면 우주적으로도 그게 확산되는 것입니다. 임제 스님께서 말씀하시기를 "네가 공부를 해서 주장자가 있다면 내가 너에게 주장자를 줄 것이로되, 네가 주장자가 없다면 바로 네 주장자를 내가 뺏을 것이니라." 그랬습니다. 그 뜻이 무슨 뜻이냐 하면 만약에 여러분이나 모든 분들에게 '주장자가 없다면' 하는 건 '이 도리를 모르면' 하는 소리로서, 자기 각을 이루지 못했다는 뜻에서 말한 겁니다. 그래서 없다면 빈집이나 한가지가 돼서 누구를 막론해 놓고 들락날락해도 그건 빈집이고, 주인이 없기 때문에 어쩔 수가 없는 거죠. 그와 마찬가지로 몸으로 비유한다면 세포를 뚫고 어느 고장에 문이 없이 들락날락, 눈으로도 귀로도 이 세포로도 천만 가지의 문이 그렇게 많은 대로 갖가지 형상을 하고 갖가지 모습을 가지고 갖가지의 행을, 악조건으로 들락날락하면서 내 집을 마음대로 해도 어쩔 수 없이 나는 어디서 오는지, 뺏기는지 그것도 모르면서 항상 끄달려야 한다는 뜻입니다.

우리가 이거를 가만히 생각해 볼 때 보이지 않는 무체의 신은 선신이라고 하고 악신이라고 하는 두 가지로 나눌 수가 있습니다. 우주적으로만 있는 게 아니라 이 지구 안에도 역시 사람으로 살던 악령이라든가 선령, 이 둘로 나눌 수가 있습니다. 그런데 여러분이 이 도리를 몰라서 주장자가 없고 바깥으로만 기복으로 찾는다면 어떠한 문제가 생기느냐. 요것 말씀드리기 전에 요거 한마디 하고 넘어가야 되겠습니다. 만약에 깡패가 애들을 데려가면 깡패 짓을 가르치지만 선한 사람들은, 올바르고 정직하고 선한 사람들은 사람을 만났으면 올바르게 이끌어 주고 선량하게 인도를 합니다.

그런 거와 같이 여러분에게 보이지 않는 그 형상 없는 악한 마음, 즉 악령은 악령대로 시시각각으로 바꾸어 가면서 여러분 앞에 그 모습을, 여러분이 아는 사람의 모습으로 나타나게 해서 '아, 이건 조상이 이러나 보다.' 이럭하게 만들고 '아, 이건 부처님이 이러신가 보다. 그럼 정성을 들여야지.' 이러한 생각을 하게 해 주고, 헝겊 하나만 들여도 그 집안이 난리가 나게 만들고, 그 집안에 떡을 좀 해 먹어도 난리가 나게 만들고 일일이, 건건이 문제를 일으키는 그런 문제가 있는가 하면 서슴지 않고 사람의 혼백을 빼기도 하고 넣기도 하는 그러한 악조건을 가진 것입니다.

악령들은 자기가 악령으로서 억겁을 돈다 하더라도 그 억겁을 악조건으로 해서, 자기가 잘못하기 때문에 선령으로서, 인간으로서 몸을 받지 못하는 걸 알면서도 그렇게 악행만 하게끔 되는 것입니다. 강도가 사람을 죽이면 붙잡혀 들어가고 나쁘다는 걸 번연히 알면서도 하듯이. 그렇게 여러분 앞에 고난과 피해를 갖가지로 주는 것입니다. 만약에 우리가 이 도리를 알아서 선하게 선신으로서 이끌어 주는 길잡이가 될 수 있다면 그 악한 사람 마음도 녹여서 선하게 길을 인도하는 것입니다.

이 도리를 요렇게 두 가지로 얘기를 해 드렸지마는 이것이 우주적으로나 세계적으로나 국가적으로나 또는 이 지금 사회, 이 한 가정 이런 데로 보풀리는 것입니다. 그러면 그것은 어떻게 각각 보풀려야 되는가. 가정에서는 가정대로 일가친척으로 돌아가고 또 내가 사회에 있으니 사회로 돌아가고 국가가 있으니 국가로 돌아가는 것입니다. 우리 한생각을 잘못하면 잘못하는 대로 그러한 여건으로 인해서 국가적으로도 역시 이익지 못한 많은 일들이 생기는 것입니다. 하나를 나쁘게 하려면 열 개를 나쁘게 해야 하나가 나빠지듯이 별일이 다 많이 생기죠. 그렇게 되는가 하면 그런 거나 마찬가지로 그런 악조건에 의한 세계적인 문제, 그건 우주적으로 오는 싸움이라고 볼 수 있겠습니다.

우리 지구 안에만 있는 것이 아니라 딴 데서 인간의 모습을 보지도 못하고 듣지도 못한 그 악령체가, 체가 없는 그런 악령들이 모습 없이 많이 가지고 있다면, '가지고 있다면' 이 아니라 '있는 것' 입니다. 여기도 반은 있고 반은 없으니까요. 또 반이 있는 데서 선과 악이 있고, 우리 지금 현재의 산 생명들이 있는 데서 반은 있고 반은 없는 거거든요. 그러니 우리가 그러한 데서도 악령으로서 체가 없이 인간의 모습도 모르고 사랑도 모르고 짐승으로만 악하게 살던, 잡아먹고 피를 흘리고 서로 이렇게 하고 악다구니들처럼 살다가 죽은 그 영과 보이지 않는 영계, 또는 그 모습을 받아 가지고 나왔다가 그 모습이 무너지면 또 영계로 변하고, 이렇게 해서 모습이 없는 거, 모습이 있는 거 찰나찰나 이렇게 바뀌어서 돌아가고 있거든요. 만약에 그 생명들이 살고 있다면 악하게만 살던 짐승의 습은 우리들 인간이라는, 사랑이라는, 자비라는, 도의라는, 의리라는 이러한 것을 도무지 생각조차도 못합니다.

그러하기에 부처가 되려면 인간의 모습을 가지고 살아야만이 부처가 될 수 있는 90%의 가능성이 있다고 한 것입니다. 인간이 돼 보지 않고는 부처를 이룰 수가 없는 것입니다. 사람은 모습이 없어도 왜 사람인가 하면 사람으로 살던 습이 바로 잠재의식 속에 있기 때문에 그 모습이 없어도 영계를 보면 그 모습이 탁 나타나게끔 돼 있습니다. 그 잠재의식 속에 살던 의식이 있기 때문에, 컴퓨터에 찍혀 있는 것처럼 그렇기에 그러한 악조건의 악령들이, 짐승의 악령들이 어떠한 거든지 서슴지 않고 덤비는 그런 조건 위에서, 사람으로 살지 않던 짐승의 영계도, 인간의 영계를 봤을 때는 짐승의 영계는 무조건 그것을 착취한다는 얘깁니다. 자기네들이 그렇게 악조건으로 악하게 쓰니까 착취해서 무조건 갖다가 악으로 쓰이는 데에 응용을 할 수밖에는 없다는 얘깁니다. 그렇기 때문에 그 모습을 해 가지고 또 다른 혹성에도 가서 생할 수 있고 여기 이 세상에도 생할 수 있고, 모습을 똑같이 해 가지고 나와도 그것은 자기도 모르는 사이에 여건이 그리로 정보가 수집이 되는 것입니다.

이 광대무변한 법을 여러분은 어떻게 생각하실지 모르겠습니다마는 이것이 들이고 내고 하는, 이 숨 쉬고 내쉬고 하는 이 우주의 근본이, 한 우주가 숨을 들이쉬면 쑥 들어갔다가 한 번 내쉬면 쑥 나왔다가, 한 번 들이쉬고 내쉬는 데에 들어갔다 나왔다 들어갔다 나왔다 하는 것입니다. 그 안에 그런 형상 없는 영계의 그 모습 없는 행들을 자아내고 있는 것입니다.

그래서 세계적으로, 우리의 세계만 있는 게 아니라 딴 혹성도 세계라고 하지요. 그 혹성 안에서는 거기를 세계라고 하지만. 그래서 대의적으로 따진다면 "삼천대천세계" 이렇게 하죠. 그러니 그런 문제, 여건들을 가만히 생각해 보시면 우리가 지금 이 공부를 안 해서는 안 된다는 거…. 모든 조건에 의해서 이 도리를 모른다면 가정적으로나 사회적으로나 국가적으로나 또는 세계적으로나 우주적으로나 우리가 앞으로 세세생생에 돌고 돌면서 그 역경을 당해야만 하는 문제가 바로 앞에 놓여 있는 겁니다.

그렇기 때문에 어떤 사람은 "왜 부처님이 이러한 법을 설해서 평지풍파를 일으켜 놓고, 팔만대장경을 설해 놓고 이렇게 해서 이렇게 어려운 것을 우리가 배우려고 이렇게 고통을 받게 만들었나?" 이러겠지만 이것이 우리가 살아나가는 생활 속에 근본적으로 우주의 그 광대무변한 악조건과 선조건이 포함돼서 교차하고 있다는 거를 여러분은 상세히 아셔야 됩니다. 그렇기 때문에 우리는 자기가 자기를 지키지 않는다면, 자기가 자기의 집을 지키지 않는다면, 자기가 자기의 가족을 지키지 않는다면, 자기가 자기 나라를 지키지 않는다면 안 되는 것입니다. 자기가 자기 세계의 여건을, 모든 거를 역력하게 눈 밝게 보고 귀 밝게 듣고 한순간에 뛰어넘을 수 있는 자기 능력의 여건을 자기가 가지고 있어야 된다는 뜻입니다. 그래야만이 모든 악조건에도 우리는 얽히고설킨 그 뜻을 풀어 나갈 수 있으며 밀치고 뛰어넘을 수 있으며, 우리가 여여하게 생활할 수 있으며 유유히 걸어갈 수 있으며, 아주 당당하게, 도도하게 바로 물이 흐르듯이 그렇게 살 수 있는 것입니다.

그래서 이렇게 말할 수 있겠죠. 백 청 흑 춘하추동 만 백화라고요. 우리가, 이 세상 모두가 다 그러한 만 백화라면 그 향기는 이 우주의 전체를 덮고도 남음이 있으며, 그 향기로 인해서 모든 악한 냄새는 모두 사라질 것입니다. 그럼으로써 악령들의 그, 냄새 피우는 역겨운 문제들을 우리가 그 향기로써 다 소멸시킴으로써 세계적인 문제도 세계관이 달라지고 역사가 달라지고 우리의 삶, 생활이 달라지고 삶의 보람이 있게 되는 것입니다. 이것이 바로 연꽃의 근본인 것이고 부처님이 가르쳐 주신 그 뜻이 바로 우리 얼굴에 웃음을 잃지 않게 하는 그런 여건이 생김으로써 이것이 불국토라고 이를 수 있겠습니다.

그러니 우리 모두가 부처님 법이 어떻고 저떻고 하기 이전에 하늘 천, 인간 나기 이전, 미분전(未分前) 이 도리를 우리가 깨달아야만 하겠기에 부처님께서 허구장천 신도 없이 맨발로 말입니다, 그 나라는 더워서도 그랬겠지마는, 한 사람을 봐도 설해 주셨고 두 사람을 봐도 설해 주셨고 또 아무도 없으면 아무도 없는 대로 보이지 않는 그 중생들을 또 제도했고, 자나 깨나 자나 깨나 제도하신 것입니다. 그러면 그때 제도하신 그 부처님이 지금은 안 계신가 하면 그게 아닙니다. 여기 우리 앉아 있는 이 방에 여러분이 계시기 때문에 계신 겁니다. 여러분이 안 계시다면 그분도 안 계실 거지만 여러분이 계시기 때문에 일체 만물, 저 청산이 저렇게 조화를 이루고 청청한 솔잎이 바람 불어 솔솔 날리고, 솔바람에 물은 흘러가고 흘러옴도 없이 흐르고 있습니다. 모든 생명들은 다, 저런 깜빡새 모양 청새처럼 모두 지저귀고 꽃은 화창하고, 봄에 저렇게 날이 환하지 않습니까? 이런 거와 같이 우리는 지금 이런 것이 그대로 진리라는 거, 부처님 법이라는 것을 상세히 알아야 합니다.

우리가 "어느 절에 가면 이렇게 잘해 준다더라. 어느 절에 가면 이렇게 잘되더라." 이런 것을 따지지 마시고 근본적인 타개를 할 수 있는 내 깨달음의 길을 택하셔야 할 것입니다. 내가 생활 속에서 가는 그 생활이 어떤 때는 참 안되는 때도 많지요. "스님! 모든 걸 자꾸 거기다가 관하고 거기다 놓으면 잘된다더니 왜 안됩니까?" 이러는 분들도 계시겠지만 그것은 안되는 것도 놓는 것이지마는 되는 것도 놓는 것입니다. 깨달음의 길이란 되는 것도 놓고 안되는 것도 놓는 것인데, 가을에 단풍을 모두 바숴 버리면 봄에 꽃 피는 것을 다 바숴 버립니다. 그래서 가을 단풍을 위해서 봄을 깨뜨리고 봄을 위해서 가을 단풍을 깨뜨릴 때 바로 거기에서는 꽃이 스러지면 열매가 맺고, 맺은 그 열매는 무르익어서 만 가지 맛을 내니 우리의 살림살이 이만하면 족할 것을 무엇이 답답해서 그렇게 애를 쓰느냐는 말을 할 수 있겠습니다.

이 마음의 열매란 남이 익혀 주는 것도 아니고, 남이 열리게 해 주는 것도 아니고 남이 맛을 봐 주는 것도 아닙니다. 그래서 진실히만 믿는다면, 진실히 물러서지 않고 감사할 줄 알고 모두가, 전체가, 일체 만물이 공했다는 그 자체를 안다면 여러분은 스스로서 광명이 오고, 스스로서 마음이 맑아지고, 스스로서 조용해지고, 스스로서 객담할 말이 없고, 스스로서 망상 일으킬 이치가 없고, 스스로서 가난이 들 리가 없고, 스스로서 우환이 끓을 리가 없습니다. 모두들 여러분의 마음이 그렇게 만들어서 가환이 있고, 만들어서 복잡하고, 만들어서 싸우고, 만들어서 엇각이 나고, 엇각이 나 가지고 이혼들을 하고, 만들어서 그렇게 하는 것이지 누가 그렇게 하랬나요?

내가 이렇게 말씀드리는 것은 이대로 해 놓고, 여러분이 질문을 하십시오.

질문자1(여) 어떤 무기수가 종신형 언도를 받고 감옥에서 '과연 인생이 살 만한 가치가 있는 것인가.' 하는 생각을 해 봤대요. 그런데 곰곰이 생각해 보고 그 사람이 내린 결론이 '인생의 목적은 인격의 도야에 있는 것' 이라는 생각을 했다고 그래요. 그러고 나서 생각을 해 보니까 부처님께서도 그럴 수 없는 고매한 인격자이셨거든요. 근데 불가의 목적은 견성 해탈하는 데 그 목적이 있다고 그러잖아요? 그 인격 도야 하고 견성 해탈하는 거하곤 어떤 연관이 있는 건지 그것 좀 말씀해 주세요.

큰스님 인간의 인격과 더불어 인간이 없다면 부처를 이룰 수 없으니까 말이야. 인간의 인격, 그 모두가 한데 합쳐진 것이 인간 아닐까? '인간' 하면 인간에게, 모든 만법에 조건이 붙어 있지요. 그렇기 때문에 인간의 인격도 바로 내가 있기 때문에 인격이 있는 거라. 내가 없으면 인격도 없는 거라. 그러면 인격을 인격대로 세우지 못하는 것도 각자 나인 것이요, 인격을 세우는 것도 각자 나인 것이라.

그렇기 때문에 무기징역을 받는다, 또 금방 지금 죽는다, 사형을 받는다 이런다 할지라도 만약에 그 한생각을 넓혀서 뛰어넘을 수만 있다면 무기징역도 또는 사형 받는 것도 또 징역을 받는 것도 뛰어넘을 수가 있겠죠. (녹음 안됨) 그러면서 이 도리를 알면 요런 게 있죠. 그 도리를 알아서 인간 됨됨이가 참, 질서를 지키고 문란치 않게 하고 사회 상식이나 모두 또렷또렷하게 수행하는 것처럼 만약에 일을 잘한다면, 갇혀 있으면서도 고거는 좀 더 '아, 이 사람은 모범수다.' 이렇게는 할 수 있겠죠. 그러나 이 도리를 안다면 거기 들어가지도 않을 뿐 아니라, 자기 몸을 자기가 한번 그렇게 보려고 일부러 그렇게 할지는 몰라도 절대로 그렇게 갈 수도 없거니와, 그렇게 됐다 할지라도 그것은 한 계단을 뛰어넘는 것입니다.

그렇기 때문에 모범수가 있기 이전에, 아까 얘기했죠? 하늘 천, 인간이 나기 이전에, 이전 우리를 바로 보려고 하는 것입니다. 그러면 '그 바로 보는 내가 전체를 바로 보았을 때에 그것은 내 한 주먹에 들어 있구나.' 하는 그런 생각이 들 겁니다. 그러니 그것은 무기징역을 받는다든가 사형 언도를 받는다든가 이런 거, 그거 지금 우리가 저 문지방 하나 뛰어넘고 저 한 걸음 걷는 거밖엔 안 돼요. 이 자리가 그 자린 걸요. 그러니 그렇게 그 기묘한 법이 우리들에 잇해서 있다는 것을 부처님께서 그렇게 상세히 가르쳐 주신 겁니다. 그러니 인간이 성실하고 삶의 보람을 느끼는 것도 자기 마음에 있는 것이고 애당초에 거기를 가게 만든 것도 자기요, 거기 가다가 그런 생각을 하는 것도 자깁니다. 그래서 버스를 타기 전에 그런 생각을 했더라면 좋았을 거를 버스를 타고 나서 그런 생각을 했으니까 좀 늦어지겠지마는, 그래도 그런 생각을 했다면 또 어떻게 잘 풀리겠죠. 물론 부처님의 법에 의해서는 그런 생각도, 죽는 것도 사는 것도 모든 것을 자기한테 일임해 놓고, 무기징역을 받는다 하더라도 '거기도 그 자리, 거기도 그 자린 것을 내가 공했는데 무기징역이 어딨고 갇힐 게 어딨는가?' 하고선 다 놔 버리는 이런 속에서 자기는 살아날 수 있는 것이죠.

본래 우리는 불이 항상 켜져 있기 때문에 켜졌다 꺼졌다 이런 말이, 언어가 붙지 않는 거나 마찬가집니다. 우리는 인간의 마음이기 때문에 지금 '아, 밝구나. 아, 컴컴하구나.' 이거를 인식하게 돼 있습니다. 그러니까 그 밝고 컴컴하고를 다 놔 버릴 때 비로소 모든 천지가 다 밝아지는 것입니다. 모든 건 사람의 마음이 움죽거리게 하고 법을 정해 놓고 그러는 걸요, 뭐. 그런데 아니, 사람의 마음을 전체, 사람뿐만 아니라 일체 유생 무생의 모든 만물을 다 조절할 수 있고 한마음으로 돌아갈 수 있는 그 광대무변한 내 참마음이 있다면 어찌 그런 걸 탓하리까?

그러니 여러분이 신지무니 넘기시지 마시고, 남이 말하는 데 끄달리지 마시고 어떠한 문제가 생기더라도 모든 것은 만법귀일이라는 거를 아시고, 말을 그렇게 거창하게 하기 이전에 한 번 숨 쉬는 데 전체가 들어가고 한 번 내쉬는 데 전체가 나온다는 그것만 아시면, 그것이 바로 주인공이라고 생각했을 때, 우리가 이 육신을 가만히 재워 놓고도 한 번 들어갔다 들락날락합니다. 그래서 한 번 숨 쉬는 대로 들락날락한다면 우주가 들먹들먹하는 거죠. 그런 거나 마찬가지로 그 속에 천차만별로 가지가지 각색의 그 행이 벌어지는 문제들을 여러분은 모르실 겁니다. 말로 이루 어떻게 다 하리까?

질문하실 분 있으면 질문하세요. 한마디만 질문 듣고….

질문자2(남) 질문드리겠습니다. 다른 스님들은 계율에 대해서 중요시 말씀을 하시고 그러시는데 스님께선 계율에 대해서 특별히 말씀하신 적이 없었던 것 같습니다. 그냥 법문 중에서 조금씩 말씀하시고 그랬는데, 계율과 깨달음과는 어떤 연관이 있는지 여쭈어 보고 싶습니다.

큰스님 계율이라 하는 것은 내가 있기 때문에 계율이 다 있는 것입니다. 우리가 인간으로 태어났다면 벌써 자기가 상식과 교양, 교육을 다 받고 잘못된 거, 잘된 거를 다 아는 사람들입니다. 인간으로 태어났다면 벌써 근본적인 상식을 가지고 있기 때문에 구태여 그런 말은 안 해도 좋지만 사회에서 사시는 분들은 사회의 계율이 있고 질서가 있고 상식이 있습니다. 그리고 또 승려들이 사는 도량에는, 여러분이 사는 데나 우리 승려들이 사는 도량이 따로 있는 게 아니라 그냥 '도량' 하면 전 우주의 근본입니다.

그런데 절 도량에서 사는 승려들은 승려들대로 계율이 있고 그렇지마는 그 계율을 무시하고 공부하라는 건 아닙니다. 그 계율도 거기에 근본적으로 바란스가 맞아야지 만약에 맞지 않는다면 그건 어긋나는 것입니다. 그러니깐 인간으로 태어났다면 근본적으로 상식을 알기 때문에 내가 절에 들어가면 절의 계율을 지켜야 하고, 들에 나가면 들에 나가는 대로 계율을 지켜야 한다는 얘깁니다. 계율은 근본적으로 자기가 가지고 있는 거 아닙니까? 남이 시켜서 하는 일이 아니지 않습니까? 그러면서도 절간에서는 시켜서 하는 군대식 같은 그러한 계율이죠.

사회에서는 어느 회사에 들어가거나 하면 거기는 계율이 없습니까? 모든 게 계율은 제가끔 받고 있기 때문에 그 계율이 따로따로 있는 것은 아니에요. 우리가 지금 계율을 지키고 살고 있지 않습니까?

차를 피해서 보도로 간다. 차 속에 들어가지 말라니까 우리가 안 들어가는 게 아닙니다. 죽을까 봐 안 들어가요. 그건 저절로 그렇게 돼 있죠? 차가 오는데도 무조건 내가 차 속으로 들어가지는 않죠? 차를 피해서 내가 또 갑니다. 그것이 바로 계율이에요, 근본적인. 집안에서도 그럽니다. 아, 더러운 것은 좀 더 훔치고 깨끗하게 씻고 다듬어 놓는 것도 계율이고, 모든 것이 하나서부터 열까지 계율 아닌 게 어디 있습니까? 우리 사는 것이 계율에 의해서 올바르게 살고 올바르게 생각하고 올바르게 보고 올바르게 듣고 올바르게 행한다 이 소립니다. 그것은 근본적으로 우리가 돼 있어요. 여기에 앉아 계시는 분들에 한해서는 돈을 천만 원을 주고 오늘 강도질을 한번 하라고 그래도 못해요.

계율을 지키지 않는다고 하기 이전에, 계율을 지킨다 안 지킨다 이걸 떠나서 우리는 계율을 지금 지키고 있지 않습니까? 그런데 구태여 '계율이다, 아니다' 그런 말을 붙일 필요가 없죠. 그리고 요것을 계율에다가 딱 얽매어 놓는다면, 이북의 저 김일성처럼 딱 묶어 놓는다면 이건 독재! 자유 계율이 아니라 독재! 이러면 살 수가 없는 거예요. 공부를 할 수가 없습니다. 그런 계율 속에서는 공부를 할 수가 없죠, 강제 계율 속에서는. 그래서 지금 미국에 가 계신 행원 스님이 중국으로 순례를 하시는데도 거기 선맥이 끊어진 듯해 아쉽다고 말씀하셨습니다. 강제 계율이란 말입니다. 그런 속에서 어떻게…. 마음이 자유스러워야지, 노동을 하면서도 죽을 먹으면서도 마음이 자유스러워야 공부가 되는 거지 강제 계율을 받으면서 어떻게 공부가 됩니까?

그리고 어저께 '식탐을 갖지 마시라' 한 것도 우리가 공부를 하려면 외로워야 하고 고독해야 하고 배고파야 하고 언다 기댈 데도 없을 때에 우리는 자기의 생명수가 홀연히 나서 맛을 보는 거지, 배부르고 호화롭고 안락하고 마음이 이래서는 일심으로 그 철벽을 뚫을 수가 없다는 얘깁니다. 그래서 있어도 자기 게 아니고, 먹을 게 많아도 자기 게 아니고, 호화로워도 자기 게 아니고, 모든 게 자기 것만은 아니다 이겁니다. 일체 같이 돌아가고 있으니 언짢아할 것도 없고 또 슬퍼할 것도 없고 좋아할 것도 없이 항상 마음을 중도에다 두고 중심을 지키면서 해 나갈 수 있는 그 공부가 필요한 거죠.

그리고 계율 이 자체가 말입니다, 계율이라 하면 이런 게 있습니다. 아침에 일찍 일어나면 몇 시까지 공양을 끝내고, 또는 아침에 몇 시에서부터 예불을 올리면 그다음에 법당에 앉아서 몇 시간 동안 또는 몇 분, 5분이면 5분, 10분이면 10분, 30분이면 30분 좌선하고 앉아 있는 거, 참선한다 이런 계율, 또는 오늘은 오늘의 소임을 맡은 사람들의 짜임새가 똑똑 떨어지게 요렇게 돼 있는 것을 이름해서 계율이라고 합니다. 그런데 그것은 승려라면 그렇고 여러분도 아침에 일어나시면 으레 계율을 지키고 있는 것입니다. 아침에 일어나면 손 씻고 여자는 밥한다. 남자는 아침에 일어나면 뭣을 하고 내 몸에 있는 모든 것을 처리하고 몇 시간이면 벌써 어디까지 간다. 회사에 나간다. 장사를 한다. 이렇게 시간을 맞춰서 나가는 것도 역시 그것도 이름 붙이다 보면 계율이죠. 그리고 나가서도 올바로 해야만 그게 계율이죠. 우리가 올바로 못하는데 어떻게 계율이 됩니까? 그것은 우리가 상식화돼 있단 얘깁니다, 근본적으로. 그런데 그거를 시간을 요렇게 요렇게, 요땐 요거를 하고 요때는 요거를 하고 요땐 요거를 하고, 요렇게 짜 놓는 거를 계율이라고 이름해서 부릅니다.

그런데 여러분은 입산한 분들도 아닌데 계율 뭐, 이런 거 찾으실 필요가 없습니다. 여러분은 여러분 가정에서 계율을 지키면서 해 나갈 수 있는 그런 것만 아마 철두철명하게 하셔야 될 겁니다. 그것도 참선이니까요. 어느 거 하나 참선 아닌 게 없습니다. 똥도 옆으로 누면 계율에 어긋나는 것이고, 똑바로 누면 쏙 똥이 들어가니 계율에 어긋나지 않는 것입니다. 그것은 여러분이 더 잘 알고 계시죠. '무슨 계율을 지키랬으니까 난 똥을 올바로 눠야겠다.' 이럽니까? 똥 눌 때도 그냥 저절로 '아, 한데다 누면 안 되지. 삐뚤어지면 저기 묻으니까.' 그리고

'가래침을 뱉으면 이거 모두 더러우니까.' 이렇게 스스로서 계율을 지키는 겁니다.

이게 전부 우리가 교양이나 교육이나 또는 상식이나 이런 걸 가지고 그대로 이렇게 계율을 지키고 나가는데, 그래서 인간 자체가 첨단을 넘고도 남음이 있다고 봅니다. 이건 벌써 그 재력을 아주 충만하게 가지고 나왔기 때문에 앉아서 이 우주를 그냥 굴릴 수가 있다는 얘깁니다. 그러한 굴릴 수 있는 능력을 여러분이 다 가지고 있다는 얘깁니다. 계율 따위 그런 것은 거기에 포함해서 한 부분에 지나지 않지만 말입니다.

그러면 오늘 이것으로써 끝마치겠습니다.

나는 어디로부터 왔는가

1986년 1월 30일

신도1(여) (청취 불능)

큰스님 몸을 끌고 다니는 주인공은 있는데 우주를 끌고 다니는 주인공은 어떻게 됐느냐고요? 누구냐고요? 당신이지 누구예요? 일체 만생명이 다 주인공이 있어요. 그렇기 때문에 부처님께서는 샛별을 보고 깨달으셨다고 하지 않았습니까? 그런 거와 같이 어떠한 물질이든 생명이 있고 마음이 있어요. 그런데 그 물질과 더불어 우리는 같이 공해서 이렇게 돈다고, 같이 삼각원형을 이루고 있다고 했지 않습니까, 우주 전체가. 그랬는데 내 주인공이 따로 있고 남의 주인공이 따로 있단 말입니까?

신도1(여) 근데 이해가 안돼요, 아무리 생각해도.

큰스님 이해를 하려고 하지 마시고요, 그 이해를 하려고 생각이 드는 것까지 놓으세요.

신도1(여) 근데 저는 기독교를 다니다 왔기 때문에요, 거기선 하느님이라고 생각을 하거든요. 근데 하도 인간들의 죄가 많아서 말세가 올 것이라고 생각하고….

큰스님 이거 보세요. 옛날에 불로 심판을 받는다고 그런 말들을 했죠. 그런데 불이라는 건 어떠한 걸 뜻하겠습니까? 우리네 생명, 즉 마음입니다. 그 마음과 더불어 마음으로 자기가 하는 대로 자기가 심판을 받는 거지 누가 심판을 주는 게 아닙니다. 그렇기 때문에 하나님이 될 수 없다고 하는데 이거를 부처님께서는 "하나님이 즉 나이면서도 공했다." 이런 말을 하셨습니다. 그렇다면 지금 생명은, 개구리의 생명도 댁의 생명도 둘입니까, 하납니까? 말씀을 해 보세요.

신도1(여) 저는 둘이라고 아직까지 생각하고 있는데요, 여기 와서 배운 바로는 하나라고….

큰스님 예. 일체 생명은 둘이 아닙니다. 진리가 그러하니까요. 어떻게 둘이 될 수 있겠습니까? 모습은 작고 크고 할지언정 어떻게 생명이 둘입니까?

신도1(여) 아니, 그런데요, 닭이나 달걀이나 뭐가 생겼기 때문에 달걀이 먼저냐 닭이 먼저냐 그걸 자꾸 얘기하잖아요? 생명의 근원에 대해서요. 근데 쭉 캐고 들어가면 맨 처음에 뭐가 생겼을 때 그걸 만든 사람이 있었을 거 아니에요?

큰스님 그러니까 '내가 어디서부터 왔는가.' 이걸 관하세요. 그럼 댁이 어디서 온 걸 알면 일체 만물만생이 다 어디서 온 걸 알 테니까요. 우주의 근원이 어떠한 것인가를 알 수 있을 테니까요. 댁의 주인공에 모든 것을…. 주인공이라는 것도 이름입니다. 하나님이라는 것도 이름일 뿐이에요. 실제 존재가 되지 못해요. 그러니까 그걸로 지팡이를 삼아서, 그 이름을 지팡이 삼아서 모든 것을, 사대 오온이 다 공했으니 거기다가 모든 것을, 자기가 주인이자 공이니까 공에서 나온 거 공에다 다시 놔라 이겁니다. 맡겨 놔라! 그리고 믿어야 한다. 그리고 그 믿음에 의해서 물러서지 않아야 한다. 그리고 의정 나는 게 있으면 안에 굴리면서 관하라.

신도1(여) 제가 생각만 하면 그게 깨쳐지는 거예요?

큰스님 그 생각 모든 걸 전체 다 맡겨 놓으세요. 이 세상의 모든 것이, 살림살이가 다 댁이 이날까지 해 왔지 누가 해 줬습니까? 자기가 있고부터 이 세상이 있는 줄 알았고, 이 세상이 있는 줄 앎으로써 생활이 어떻게 돌아간다 또는 나쁘다 좋다를 알았지 않습니까? 모두가 다. 그러니까 자기로부터 알아야지요. 자기가 어디서 왔나, 어디로부터 왔나? 자기 주인공에 모든 것을 관하되 '내가 어디로부터 왔나? 참나가 어딨나? 이 몸은 어디서부터 왔는가? 참나는 무엇인가?' 이러고 관하십시오. 바깥으로 그러고, 말로만 그냥 그대로 해서는 안 됩니다. 말도 없이, 생각 자체를 깊숙하게, 침착하게, 정성스럽게 믿음을 가지고 말입니다. 앉으나 서나, 깨나 자나, 변소에 가나, 나나 드나 하여간에 말입니다.

여러분 가운데서 '내가 어디서 왔는가, 어디로부터 왔는가' 그것을 일러 보십시오. 어디로부터 왔습니까? (잠시 사이) 화창한 날씨에 안개가 자욱하게 끼게 하지 마시고, 본래 어디서 나왔느냔 말입니다.

신도2(여) 마음에서 나왔습니다.

큰스님 그 마음은 어디로부터 나왔습니까?

신도3(여) 부처님의 근본에서부터 나왔습니다.

큰스님 예?

신도3(여) 부처님의 근본에서부터 나왔습니다. 부처님의 근본은 삼라만상의 산실이라고 생각합니다.

큰스님 부처님의 근본! 부처님의 근본은 어디서 나왔을까요? (잠시 사이) 그것은 물론 이렇다 저렇다, 돌고 도는 물과 같은 것이지마는 말 한마디 규정해서 아퀴 짓기가 상당히 어렵습니다. 그러나 스스로서 내가 알면 아는 대로 안다는 것을 세우지 않고 말할 수 있고 화할 수 있으니 그것이…. 여기 마이크가 있습니다. 마이크 안에서는 별의별 소리가 다 나옵니다. 지금 마이크의 근본은, 씀씀이가 없다면 이 마이크

도 소용이 없죠. (잠시 사이)

이전도 아니요, 이후도 아닙니다. 단지 화창한 날씨에 꽃이 피고 새가 울고 물이 흘러 돌 뿐입니다. 사람사람이 누구나가 다 이 세상 살아나가는 데에 "근본, 근본" 하지만 모든 게 근본은 마음의 근본이겠지요. 그런데 그 마음마저도 세울 게 없으니 어디로부터 세울 게 없는 게 생겨났는지…. 하여튼 모두 여러분이 그렇게 지금 자꾸 무르익어서 남이 먹기 참 맛있다고 하리만큼 익어 갈 수 있는 그런 분들이 많으니 내 한층 더 기쁩니다. 그리고 여러분 중에 "내가 어디로부터 왔습니까?" 하는 이것은 계단이 없으면서도 한 계단이 있고 "한 번 죽기 어렵다 했더니 두 번 죽기 어려워라. 두 번 죽기 어렵다 했더니 세 번 죽기 어렵더라." 하는 얘기가 있습니다. "한 번 죽어서 알고 두 번 죽어서 몰랐더니 세 번 죽고 보니까 알고 모르고 혼비백산이 돼 버렸네." 하는 겁니다.

여러분 중에서는 당치도 않은 말을 한다고 할 분도 있겠지만, 여러분께서 그러면 질문을 하십시오. 여러분이 질문하는 대로 대답해 드리겠습니다. 줄창 말씀드렸지 않습니까? 우리가 이전도 없고 이후도 없다고. 그런 소리는 무슨 소리냐 하면 억겁을 거쳐서 진화가 돼서 나왔지마는 그것이 바로 오늘에 의해서 모든 게 귀합이 됐다는 얘깁니다. 그건 무슨 소리냐 하면 어저께 콩씨였더니 오늘에 보니까 금방 콩나무가 됐더라는 얘깁니다. 그와 마찬가집니다, 그 뜻이.

그러니까 억겁을 거쳐 나왔다 할지라도 오늘 내 이 몸 하나 난 것이, 전체 그 습을 두리둥실 뭉수리처럼 다 짊어지고 안고 이고 이러고 지금 살고 있죠. 그러면 전자에 살던 습을 지금 하고 있지 않습니까? 여자라 하면 여자의 행동을 하는 습을 가졌고, 남자라 하면 남자의 습을 가졌고 또는 애들하고 있으면 애들하고 같이하면서 어른이라는 습을 가졌고 또 어른을 보면 나는 젊은이라는 습을 가졌습니다. 살림살이의 모든 전체, 맛이 있다 맛이 없다 이 모든 것이, 전체가 이날까지 살아온 습입니다! 사람이라는 두 마디 글자는 똑같지마는 사람이라고 해서 차원이 똑같은 바가 없습니다. 비유한다면 넝마도 있고 깡통도 있고 무쇠도 있고, 동도 있고 금도 있고 은도 있고 이렇듯이 이 세상 돌아가는 이치가, 서로 만나서 사는 것도 서로 모이는 모임도 끼리끼리 모인다는 얘깁니다. 그건 왜? 자기의 습대로 자기 차원의 모임이 그렇게 모이게 되는 거니까요. 그래서 그걸 가지고 인과라고도 합니다. 자기 습에 의해서 인과를 짓고, 인과를 지음으로써 또 그 습을 떼지 못하면 그게 유전으로 변화하고, 유전으로 변화한다면 바로 자기가 생각하고 아끼고 그러던 착을 둔 데에 유전성이 거기에 꼭꼭 붙어 돌아가고, 항상 얽히고설키고 그렇게 붙어 돌아가고, 그러니까 끊임없이 끄달리면서 이렇게 여직껏 내려온 거죠.

그러면 앞으로도 그렇지 않은가. 이 습을 모두 뗀다고 하기 이전에 내가 떼려고 하는 마음도 공이요, 또는 내 몸도 공이다 이겁니다. 그러면 붙을 데가 없는데 떼려고 하는 게 어디 붙을 데가 있느냐는 얘깁니다. 붙을 데가 없는데 뗄 거는 어딨느냐는 얘기예요. 그러면 "붙을 데가 없는데 뗄 것이 어딨겠느냐." 하는 소리를 하게 되면, 육조 스님은 "틀이 없는데 면경이 어딨으며, 면경이 없는데 때 앉을 게 어딨겠느냐." 하는 말을 했습니다. 그런데도 그 말씀 구절을 볼 때에 우리가 일체 대의적으로 근본을 두고 말을 한다면, 근본 자체도 만약에 세울 게 없다면 그 소리는 상당히 누가 되는 문구가 될 수 있는 겁니다. 본래는 있다 없다가 흰 구름과 같은 겁니다. 그러면서도 여전하죠?

그래서 우리가 만 사람의 그 생명이 있는 거, 일체 유생 무생의 그 만 사람의 마음의 꽃이 향기로써 이 우주를 덮는다면 우리는 이 마음이 어떻고 저 마음이 어떻고 이렇게 갈라서 사는 게 하나도 없습니다. 꽃의 향기와 같아서 마음이 그렇게 똑똑하고 착하고 어질고 도의, 의리, 사랑을 저버리지 않는 지혜 높은 그런 넓은 사람이라면, 또는 이 도리를 알아서, 공한 도리를 알아서 자기의 아상도 세우지 않고 욕심도 착도 두지 않고 둥글둥글 걸리지 않게 돌아갈 수 있는 사람이라면 바로 법신이자 부처인 것이죠.

그래 한암 스님도 어느 목사님이 와서 "우리는 하나님이 될 수 없다." 그랬는데 스님께서 "부처가 될 수 있다."라고 말씀하시니 "스님께서는 어찌 '부처가 될 수 있다.' 라고 말씀을 하셨습니까?" 했습니다. "스님께서는 부처가 될 수 있다는데 나는 하나님이 될 수 없습니다." 그러니까 한암 스님 말씀이 거기에서 더 말씀하실 수가 없는 게 아니라 그 사람 자체가 모르니까 "당신이 그것밖에 모르니까 나도 그것밖에 모르오. 만약에 당신이 안다면 나도 알지." 하시더랍니다.

사람의 몸뚱이는 한계가 있는 겁니다. 아무리 똑똑하고 아무리 뛰어난 사람이라 할지라도 한계가 있는 겁니다. 엊그저께 폭발이 된 문제들을 신문에서도 보고 또 테레비에서도 보고 뉴스에서 많이 들으셨죠? 물질적이라는 건 한계가 있는 겁니다. 영원하지가 못해요. 그 탄 사람이나, 탄 사람의 몸이나, 탈 수 있는 집이나 역시 물건이란 한계가 있는 거죠. 그러나 우리의 마음의 근본, 이 우주를 덮고도 남음이 있는 마음의 근본은 절대로 한계가 없는 겁니다. 무한의 그 능력과 무한의 그 생동력을 가진 것입니다.

그렇기 때문에 내 항상 얘기해 드리죠. 인간이 그 도리를 안다 하면 몸을 나라고 하기 이전, 참나로 하여금 일체 만물만생과 더불어 같이 호응하면서 공용하면서 어느 고장이라도, 어디든지 보고 듣고 가고 오고, 가고 오지 않으면서도 가고 올 수 있다고요. 빛보다도 더 빠르고 말로 세워서 말할 수 없는 그 찰나, 한 찰나. 각자 여러분 마음 깊이 한 찰나선은 그렇게 생동력 있을 뿐만 아니라 우주를 받치고도 남고 굴리고도 남고 들고도 남음이 있는 겁니다. 그렇다 하면 거기에서 서로 응용하면서 서로 공존하면서 이것을 활용하는 것은, 갖은 각색 천차만별로 돼 있는 거를 다 찰나찰나, 바로 찰나, 번갯불 같은 찰나선입니다. 어떻게, 한다 하리까, 하지 않는다 하리까? 없다 하리까, 없지 않다고 하리까? 있다 하리까, 없다 하리까? 그 언어가 붙지 않는 자리에, 바로 한 찰나선에 우린 번갯불 같은 것입니다.

이렇게 광대무변한 법을 부처님께서 마음으로 마음으로 전달을 해서 이 뜻을 이날까지 가르쳤건만 오늘날에 참, 그 가르친 마음의 선맥을 찾아보려야 찾아볼 수 없는 그런 문제들도 있다고 어느 스님네들은 말씀하십니다. 세상의 모든 여러분의 차원은 실과가 만 가지 맛이 나듯이 만 가지의 차원이 있으니 그 차원의 그릇대로 우리는 바로 자기가 산다고 살아나가는 것입니다. 그런데 그 그릇은 모두가 텅텅 비어서 한계가 없고 무한의 능력이, 자기가 한다 안 한다 말 없이 항상 늠름하고 여여하게 해 나갈 수 있으며 그것이 우리가 가지고 있는 뜻입니다.

그래서 내가 어디로부터 나온 줄 알아야 모든 일체 만물이 다 공해서 우리가 지금 현재의 실상을 그대로 실상으로 여여하게 살 수 있지 않겠습니까? 찰나찰나 고정된 게 없이, 듣는 것도 고정된 게 없고, 보는 것도 고정된 게 없고, 말하는 것도 고정된 게 없고, 만남도 고정된 게 없고, 행하는 것도 고정된 게 없어서 모든 게 찰나찰나 자기가 화해서 돌아가고 지금 현재에도 그렇게 화하고 돌아가고 있습니다. 화해서 돌아가고 있는 것을 어떤 거 할 때 나라고 세울 게 있어서 나라고 하겠습니까? 그렇기 때문에 주인이자 공이니 바로 그 공이면서도 찰나찰나 여여하게 해 나가는 것이 세울 게 없으면서도 여여하지 않으냐는 얘깁니다.

그러면 그런 대로 우리는 보이지 않는 나의 무전자와 더불어 유전자, 유전자와 더불어 이 물질, 육신과 삼합이 공존하면서 이렇게 광대무변한 것을, 우리는 무전자나 유전자 이런 따위는 생각지도 않고 내가 지금 살아나가는 데에 내 몸뚱이, 말, 생각 그저 이걸로써 그냥 족한 줄 알고 살죠? 그러니 구덩이에 빠지니 압니까? 자기가 어디서 온 줄 모르기 때문에 자기가 지금 뭐를 하고 가는 건지 그것조차도 가

늠을 하지 못하고 천방지축 걸어가고 있는 거예요.

그전에 원주에서 이런 얘기가 있었습니다. 원주뿐만 아닙니다. 여기서도 그런 얘기가 있죠. 얘기뿐만 아니라 그런 걸 많이 봤습니다. 예전에 노인네들은 쪼그만 애들이 경기를 하면 체를 씌우고선 물을 입으로다가 확확 뿌려 주는 걸 봤습니다. 그러니 얼마나 그 마음이 깊습니까. 또 의학이 발달되지 않았으니깐 그랬을 테죠. 그렇지만 무식이 오히려 그런 때는 낫다는 얘깁니다. 유식한 사람들이 오히려 애를 병신을 만들고 또는 간질병 환자를 만들고 머리 두뇌를 마비를 시키고, 또 몸을 못 쓰게 만들고 말을 못하게 만들고 이러는 부모들이 허다히 많습니다. 모두 유식하고 그래서 그렇습니다.

그래서 좀 반반 가졌으면 좋겠다 하는 생각이 있습니다. 반반 지혜를 가지고…. 아주 뜨거운 것을 찬물에다가 같이 동봉하면 어떻게 될까요? 서서히 그것이 식어야지 찬물에다 그냥 넣으면 굳어져 버립니다. 쇠를 달구어서 두들기기도 전에 찬물에다 집어넣는다면 그냥 일그러진 자체로서 그냥 굳어져 버리죠. 그런 거나 마찬가집니다. 열이 너무 과한 연에 열을 제거할 수 있는 주사를 맞는다면…. (녹음 안됨) 소아마비처럼 그렇게 되는 애들도 많고 여러 가지 문제들이 많습니다. 그러니까 그것을 특히 우리는 심사숙고해야 합니다. 찬 수건으로다가, 너무 차지도 않게, 너무 찬 걸로 해서는 아니 되죠. 좀 더 시간을 보내면서 잘, 머리쪽으로나 요런 데로 좀 이렇게 해 주면서 기다리는 것이 좋습니다. 그렇게 되면 주물러도 아니 됩니다. 발끝 손끝만 물에다 담가 주는 게 좋습니다, 따뜻한 물에다. 이 모두가 지혜가 있어야 어려움을 극복해 나갈 수가 있는 거지 지혜가 없다면 어려움을 극복해 나갈 수가 없습니다.

어느 때 우리 신도님 한 분이, 한 20여 년 전 얘깁니다. 그 아들이 무기징역을 받았습니다. 무기징역을 받고서 있다가 나중에 모범수가 되었는데, 그 어머니가 아주 정성스럽게도 서울에서 원주로 내려왔습니다. 그러면서 그 어머니가 우리 아들은 무기징역을 받았지만 어느 아무개 아무개는 사형 선고까지 받았다고 했습니다. 그랬을 때에 이렇게 가르쳐 줬지요.

내가 내 주인공을 '주인공' 하고 부를 때는 내가 그 아들 생각을 하고 있기 때문에 그 아들 주인공도 되고 내 주인공도 되고 한꺼번에 합쳐서 주인공이 된다. 그러니 주인공이라는 이름을 부르지 않아도 속으로 '주인공!' 하면 벌써 그 아들과 나와 같이 한데 합쳐지는 그런 경향이 있으니, '주인공!' 하면 벌써 그렇게 되니 해 달라, 안 해 달라 그런 것도 생각지 마세요. '아들이 나왔으면…. 그렇게 되지 말았으면….' 하는 거는 내 여기 간절하게 본래 있지 않느냐는 얘깁니다. 그런데 뭘 또 해 달라 말라, 응? 잘되게 해 달라, 못되게 해 달라 이런 말을 또 해야 되고 또 생각을 거푸거푸 해야 됩니까? 내가 소원 풀 수 있는 그 생각은 벌써 여기 간절하게 본래 있는데! 그럼 덧붙이기로 벌써 두더기가 돼 버리고 마는 거죠?

그러니깐 내가 본래 아는 거에다가 '아휴, 주인공!' 하면 한데 합쳐지니까 그냥 마음속으로, 그것도 겉으로만 하는 게 아냐. 마음속으로 '주인공' 하면 벌써 거기에 다 한데 부합이 되어서 같이 돌아가는데 뭐 해 달라고 안 해 달라고가 있습니까? 그렇게 빠르게 직속 놓고 돌아가야지 그렇게 어치정어치정, 어물어물하다가는 치입니다. 그렇게 빠르기 때문에, 한 찰나 찰나 돌아가기 때문에 어치정어치정하다가는 벌써 치인단 말입니다. 여러분이 가다 보십시오. 명동 거리에 가다가 사람들이 많은데 어치정어치정하다가 보면 이리 치이고 저리 치이고, 이리 치이고 저리 치이고…. 지금 여러분이 살림살이하는 게 그 쪼거든요. 이리 치이고 아프다고 그러고, 저리 치이고 아프다고 그러고, 갈 길은 다 못 가고 여기서 그냥 "이이가 왜 이래? 이이가 쳐서 내가 넘어졌잖아?" 하고서 싸우듯이 살림살이를, 인생살이를 그렇게 하고 가는 것과 같다 이겁니다. 그러니 자기가 갈 길은 못 가고 싸우다 볼일 못 보지, 한 발 떼다 볼일 못 보지 또 그러면 이쪽에서 치이지, 그러면 싸우지, 이러다가 한 세월 다 보냅니다.

그런데 이 육신이 있어야 부처를 이루지 육신이 없고야 어떻게 부처를 이룹니까? 그건 왜냐하면, 육신이 없고 내가 만약에 보이지 않는 그 영혼만 남았다고 합시다. 그러면 육신이 없어서 부닥침이 없어. 더하고 덜함이 없어. 이거는 심령이기 때문이에요. 영이기 때문에 더하고 덜함도 없으니까 내가 체험하고 배울 게 없거든. 진화될 수가 없어. 계발될 수도 없고. 내가 뭐, 물건이 있어야, 물건으로 상대가 있어야 어떻게 해 볼 텐데, 더 발전이 되고 계발하고 이렇게 나갈 텐데 이 영이라는 것은 더하고 덜함이 없는 거라. 물질이 아니기 때문에. 단지 이렇게 생시에 살다가 차원에 따라서 삼차원이다 하면 삼차원대로 그냥 있고, 이차원이다 하면 이차원에 그냥 있고, 머물러서 더하고 덜함이 없는 거예요. 다시 그 차원에서 생산이 될 뿐이에요. 원소가 무쇠라면 무쇠로 물건을 해서 생산을 할 수밖엔 없는 거죠. 금이라면 금대로, 원소가 금이니까 금에 의해서 반지를 하든지 목걸이를 하든지 바로 생산을 해내죠.

그런 거나 마찬가지로 우리의 마음의 차원도 차원대로, 죽으면 몸이 없으니까 더하고 덜함이 없다, 고 차원에서. 그러니까 생산이 돼 나와도 고 차원에서 나와야 되니까, 고 차원끼리 인연에 따라서 만남이 된단 얘깁니다. 한 식구가 모였다 할 때는 고 차원대로 딱, 보는 사람도 고 차원 또 당하는 사람도 고 차원. 그러니까 고(高) 차원이 아니라 고 차원이란 말입니다. 사람들이 차원에 따라서 이차원끼리는 이차원끼리 만나고 삼차원은 삼차원끼리 만나고 사차원은 사차원끼리 만나. 그러니 만나는 대로, 예를 들어서 깡통끼리 만났다면 쪼끔만 건드려도 와르르 부서져서 소리가 그냥 엥그랑뎅그랑 엥그랑뎅그랑 나는 거죠. 그런데 넝마끼리 만난다면 넝마는 소리는 안 나는데 내성적으로, 그저 그냥 항상 빠느라 볼일 못 보고, 꿰매느라 볼일 못 보고 이런 거나 마찬가지로 식구들이 전부 같은 넝마로 만났기 때문에 그렇다는 겁니다. 아주 가난하다 이겁니다. 마음이 아무리 착하다 할지라도 가난하면, 정말 가난에서 벗어날 수가 없다면 무슨 짓을 할는지도 모르는 일들이 생기는 거죠. 한 생각 잘못하면 그 한 생각 잘못한 걸로 연관성을 가지고서 세세생생에 끄달리니까요. 그러니까 그 차원대로 나오는 것입니다.

그러니 지금 사람이 없다면, 또 망상이 일어나지 않는다면 부처를 이룰 수가 없다는 얘깁니다. 망상을 끊으려고 하지 말고 녹여라 이겁니다. 네가 망상을 내는 거지 딴 데서 내 주는 게 아니니까, 네가 망상을 하고 있으면 하고 있는 놈도 바로 그놈이고 하고 있다고 하는 놈도 그놈이니 모든 것을 거기에, 찰나찰나 화해서 돌아가는 공한 너에게 모든 것을 다 놔라!

그래서 우리가 이 모습이 없어도 아니 됩니다. 이 모습이 없다면 어떻게 우리가 화해서 이 모습을 벗어날 수 있겠습니까? 모습이 있기 때문에 벗어날 수 있는 것입니다. 그리고 벗어나려고 애를 쓰는 겁니다. 만약에 본래 모습이 없다면 벗어나려고 애쓸 필요도 없고 그런 거 아니겠습니까? 우리가 몸이 있기 때문에 보고 듣고, 오관을 통해서 크고 작은 것도 알게 됐고, 고상한 것도 알게 됐고 더러운 것도 알게 됐습니다. 그래서 부처님의 뜻이 이렇게 좋은 것을 참 미처 몰랐다고 이런 생각을 하는 것도 역시 우리 이 몸뚱이가 있고 오관을 통해서 들이고 낼 수 있으니까 바로 그런 생각을 할 수 있는 거 아닙니까? 그런 생각을 하는 것이 바로 진화력으로서, 우리가 앞으로의 발전을 위해서 미래의 법신으로서 부처로서 등장하는 것입니다.

그래서 '미륵보살, 미륵부처' 이러는 것이 미륵부처가 따로 있는 게 아니라 우리가 지금 공부를 해서 앞으로 나올 것을 미륵보살이라고 그러고 미륵부처라고 합니다. 본래 부처가 된 사람은 부처라고 하지마는 우리가 지금 공부해서 앞으로 차차 부처님이 돼 나오실 것은 미륵보살이라고 하죠. 미륵부처라고 하고요. 그러니까 미륵부처가 따로 없고 부처가 따로 없고, 우리가 있기 때문에 부처가 있는 거고 미륵부처도 있는 것입니다. 그래서 초대 대통령이 있다면 후대 대통령도 있고, 그것이 바로 우리가 사람이 있기 때문에 부처를 이루고 또는 계발을 하고 이 천체에 어디고 걸림 없이 그 능력을 활용할 수 있는 그런 사람이 있다면 참, 천지 만물 다, 우리는 아주 흰 꽃처럼, 향기처럼…. 그래서 그것을 만 백화라고 이름을 할 수도 있는데 만 백화의 향기는 바로 만민의 양식이라고 볼 수 있겠습니다.

여러분이 나를 이렇게 말을 시켰으니깐 하긴 했는데 내가 한 게 아니고 여러분이 시킨 것도 아닙니다. 이렇게 같이할 때는 여기 하나도 내가 말한 예도 없고 여러분이 말 시킨 예도 없고 대답한 예도 없습니다. 모습만 다 각각이지 생명도 같아. 마음도, 또 우리가 같이 공존하는 것도 그래. 같이 이렇게, 독불장군 없으니 얼키설키해서 이 세상 살아나가니 공체고 말입니다. 남이 하나도 없어요. 그래서 이런 인식을 하셨다면 그 '참나'를 알기 위해서 좀 더, 내 이 몸이 공해서, 몸 하나 공한 것과 세상 공한 것과 둘이 아니라 전체 더불어 같이 공했으니, 공한 데서 나오는 거 공한 데다 놓으면 참자기의 그 익은 맛을 알게 되고, 한 맛을 알게 되면 만 가지 맛을 알게 되는 것입니다.

오늘은 이만 그치겠습니다만 질문하실 게 있으면 한마디 더 질문하시고요, 그렇지 않으면 이만 마치겠습니다.

배우려고 하지 말고 놓아라

1986년 1월 31일

사계절이 있으면서 나날이 화창하게 햇볕만 나는 것도 아니고 구름도 끼고 비도 오고 눈도 오고 춥기도 하고 바람도 붑니다. 그와 마찬가지로 사계절을 지낼 때에 우리는 모두 그런 역경을 겪으면서 돌아가야만 하는 인생살입니다. 그런 거와 마찬가지로 설법하는 것도 여러분에 의해서 때에 따라서는 하치 못하게, 때에 따라서는 귀중하게, 때에 따라서는 '그 별것도 아닌데….' 할 수 있으리만큼 이렇게 그대로 말이 나가는 것입니다.

우리가 말로 배우려고 하고 글로 배우려는 생각은 하지 마시고 항상 자기 공한 주인공, 즉 말하자면 자기 몸이 공했다는 것은 누구나가 다 알리라고 믿습니다. 이 세상에 자기가 공했기 때문에 세상도 공했듯이 전체가 공했다는 걸 알게 된다면 모든 것을, 아까도 얘기했지만 내가 배워야겠다는 생각은 쑥 빼 놓으시고 항상 놓는 습을 가지십시오.

그 놓는 것을 본다면, 엊그저께도 그랬고 항상 말을 하고 나가지마는, 그렇게 많은 나날을, 나날이라고 할 수도 없는 억겁 년을 거쳐 오면서, '년' 자도 들어가지 않습니다. 억겁을 거쳐 오면서 우리는 사람으로서 등장을 했습니다. 그럼 사람으로서 이렇게 형성된 지금 오늘 이 시점에서, 우리는 억겁을 거쳐 온 그 자체의 습이 지금 현실의 나한테 있는 것입니다, 각자. 그렇기 때문에 현실의 시점에서 내가 공한 줄 알고, 공한 데서 나오는 거 바로 공한 나 자체가 화두인 줄 알고 거기다가 모든 것을 놓는다면, 진심으로 맡겨 놓을 수 있다면 거기에서는 자기 자신의 일체 생동력 있는 생수 물이 자기에게 맛을 보일 수 있고 상봉할 수 있겠지마는, 우리가 배우려고 한다거나, 경이 자기를 보고 자기가 경을 보고 학으로다가, 말로다가, 이론으로다가 이렇게 배우려고 한다면 우리는 백네 날이 가도 공부는 못할 것입니다.

그러면 우리가 날이 밝고 아주 화창한데 꽃이 피었다고 합시다. 봄이 돼서 꽃이 폈는데 그 꽃이 떨어지면 왜 여러분의 마음이 허황되고 또는 쓸쓸해지고 외로워지고 그러겠습니까? 꽃이 핀 것도 좋은 것이 아니라면, 꽃이 진 것도 좋은 것이 아니라면, 그것도 아니요, 그것도 아니라면 무엇이 좋은 것이겠습니까? (잠시 사이) 우리에게 근본적으로 일체 이익이 갈 수 있는, 근본에 이익이 갈 수 있는 것이 무엇인가. 꽃이 피는 것도 아니요, 지는 것도 아니라면 무엇이, 그 가운데 무엇이, 나한테 일체 이익하게 할 수 있는 무엇인가를 일러 보실 수 있다면 일러 보십시오. (잠시 사이) 피는 것도 아니고 지는 것도 아니라면 무엇인가를 일러 보시라는데 여기에서 이 대중이….

우리가 여태 놓는다 안 놓는다는 말 없이 여여하다는 말을 했지만 그런 문구 자체를 내 스스로서 함이 없이 이르실 수 없다면 저, 아주 날은 창창하지마는 안개와 아지랑이가 끼어서 앞을 가릴 수밖에 없는 그런 지경에 이른 거와 같은 겁니다. 그래서 옛날에 선지식들은 "이 눈을 봤느냐? 봤으면 일러라!" 하고서 주장자를 쳤습니다. 그러나 그것을 이르지 못했을 때는 "그 참, 날은 어둡구나!" 하고선 그냥, 그렇게 한마디 한마디 읊으시고 내려가고 이러한 점들이 많이 있었습니다마는 그런 걸 떠나서, 우린 근본적으로 말과 그 흉내 내는 거를 떠나서 진실한 나의 참나를 알고자 해서 날이면 날마다 이렇게 오는 겁니다.

참선이라는 것은 우리가 '이 뭣고' 화두나 '무(無)' 자 화두나 '시심마(是甚麼)' 화두를 쥐어서 외려 겉두더기를 붙이는 그런 게 아닙니다. 그것을 들면 드는 대로 벌써 상대방에서 나에게 들게 해 줬으니까 의식적으로 벌써 그걸 알고 있습니다. 또 내가 공해서 없다는데도 불구하고 거기다가 그것을 또 받아서 그것을 들고서 온종일 헤매도, 해는 점점 저물어 가는데 온종일 들고 헤매도 도대체 알 길이 없어서 그만 저녁에 옷을 벗게 되는 그런 이치들이 많습니다.

그러니 어저께도 얘기했듯이 우리 몸이 없으면, 공한 몸이 없으면 또 무효입니다. 더하고 덜함이 없어서 무효니만큼 우리 몸이 있을 때 그 이치를, 부처님이 마음을 전달하신 것을, 그 뜻을 알면 부처님의 그 마음을 헤아릴 수 있기 때문에, 바로 내 마음부터 헤아릴 줄 알아야 부처님 마음을 헤아릴 수 있지 않겠습니까? 그러니까 나부터 알아야 된다는 얘깁니다. 몸이 무너지기 전에. 무너지면 더하고 덜함도 없으니까 말입니다. 어저께도 얘기했죠? 무너지면 차원에 따라서 넝마면 넝마로 그대로 있을 거고, 무쇠면 무쇠대로 그대로 있을 거고, 금이면 금대로 그대로 있을 거다 하지마는, 금은 금대로 금이기 때문에 더하고 덜함이 없어도 그대로 여여하고, 여러분이 있는 대로 그 부처도 계시니까요. 그러나 무쇠나 넝마, 이러한 차원에 따라서 더하고 덜함도 없기 때문에 공부를 할 수가 없는 거죠. 그러니까 몸이 있을 때에 공부를 하셔야 할 것입니다.

우리는 몸이 있어야 되는 건데 고정됨이 하나도 없어서…, 아주 없어서 "무" 했던 게 아닙니다. 텅 비어서 빈 게 아니라 꽉 찼기 때문에 비었다고 했습니다. 그것을 바로 나투면서, 나투는 것은 뭘 뜻하느냐 하면 여기서 이렇게 돼 있다가, 즉 말하자면 몇 해 전에 조그마한 사과 나무를 심었습니다. 그랬는데 누가 거기에다가 잘라 버리고 접을 붙이라고 했습니다. 그래서 큰, 굵은 거를 접을 붙였더니 그만 그 잔 것이 굵은 걸로 됐습니다. 그런 거와 마찬가지로 우리는 개발해서 옮기는 것입니다. 즉 말하자면 금방 찰나찰나 옮겨 가는 것입니다. 찰나찰나 옮겨서 화하는 것입니다. 다른 걸로 화하고 다른 걸로 화하고. 만약에 고정되게 물을 한 컵을 가지고 요렇게 옮겨 놨다면 옮겨 놓은 걸로 고정되게 그냥 옮겨지기만 하겠지만, 요 물이 요리로 옮겨질 때는 바로 빈 그릇이 될 수도 있고 더 많은 물품을 담을 수도 있는 것입니다. 이렇게 화해지고 변해 가는 것입니다. 그러면 우리가 나툰다는 것은 바로 이렇게 옮겨지면서 바꿔진다는 것입니다.

우리의 마음도, 어저께도 얘기했죠? 수차적으로 이런 말을 해 드립니다. 우리는 24시간 살면서도 항상 마음이 고정되지 못하고 화해서 돌아간다고요. 금방 어머니 만났을 때 마음, 친구 만났을 때 마음이 달라지고 또 동생 만났을 때 달라지고 이러듯이, 고정되게 옮겨 가는 게 아니라 그렇게 화해서 옮겨 간다는 말입니다. 그러니 없다 있다 할 수도 없거니와 또는 내세울 것조차도 없는 것입니다. 그래서 없다는 것은 꽉 찼기 때문에, 그렇게 나투고 한시도, 일분일초도 머무르지 않기 때문에 없다고 한 것이지 없어서 없다고 그런 건 아닙니다.

그러니 참선이 어떻게 돼서 생활 속에서 그대로 참선인가 하는 걸 한번 생각해 보십시오. 우리가 화두를 쥐고 좌선을 할 때는 반드시 좌선을 하는 시간이 있어야 하고 그럴 때는 계율을 지키고, 물론 인간으로 태어났으니까 상식과 더불어 계율은 스스로 지킬 거지마는, 그렇게 시간을 지켜서 참선을 합니다. 참선을 하면 벌써 '참선을 하러 가야지.' 하는 생각이 듭니다. 그거는 그런 말을 안 해도 생각이 그렇게 듭니다. '참선을 다 했으니까 집에 가야지.' 하는 생각이 듭니다. 그것은 선이 끊어지는 일입니다. 그렇기 때문에 항상 평상시에 일분일초도 떼어 놓지 않는 참선이, 우리 생활 그대로 자고 깨고 똥 싸고 먹고 이렇게 생활하는 것이 근본적으로 일 초도 떼 놓지 않고 돌아갈 수 있는 그러한 참선입니다. 그러니 끊어지지 않죠. 그러니 그 도리를 알라는 얘기입니다.

그렇게 돌아가면서도 아는 거 모르는 거 몽땅 바로 내가 믿고 주인공에 일임해서 놓는다면 거기에서 새싹이 나오듯…. 지금 육이 나온 것은 육의 탄생이지 참나의 탄생은 아닙니다. 참나의 탄생을 하려면 그만큼 마음의 근본인 참나가 새싹이 터지도록 해야 되는 것입니다. 그래서 거기에서 다시금 씨가 여물어서 무르익어야만이 우리가 맛이 난다고 합니다. 그런다면 내 나무에서 무르익은 실과는, 온 누리의 모든 여러분이 같이 맛을 볼 수가 있고 같이 먹을 수가 있고 같이 살 수가 있는 것입니다. 우리가 공기가 없으면 왜 죽는다는 말이 나오겠습니까? 바로 그 뜻입니다.

우리가 돈을 내지 않고 사지 않고 이렇게 생명을 유지하니까 아주 값싸게 생각을 하시는 것 같은데, 우리가 한마음 한뜻으로 공생 공용 공심으로 돌아가기 때문에 이렇게 생명을 유지하고 살고 있다는 것을 우리는 절실히 느껴야 할 것입니다. 우리가 공심으로 공용을 할 수 있기 때문에 공체로서 이렇게 일체 만물이 생기고 만생이 이렇게 같이 융합해서 조화를 이루고 이렇게 사는 것입니다.

그런데 때에 따라서는 '내가, 나, 내가 줬고, 내가 망했고 또는 내가 가졌고' 이렇게 생각하니까 항상 그 껍질은 벗어날 수가 없고, 그 습은 벗어날 수가 없고, 그 욕심은 뗄 수가 없고…. 도대체 자기 겁니까? 여러분이 지금 사시는 데에 모든 게 자기가 관리인밖에는 안 되지, 자기 겁니까? 돌고 도는 것인데! 돈도 자기 것만이 아닙니다. 돌고 도는 거기 때문에 내 것도 아니고 네 것도 아니고 관리인밖에는 안 돼요. 그런데 자기 거라고 하거든요. 자기 거라고 자꾸 독재를 쓰니까 돈이 생각을 할 때 '흥! 네 거라고? 좋아하네.' 그러고선 간단 말입니다. 그래서 돈을 좇아가는 게 아니라 관리를 잘해 주면 '아! 여기 가면 관리를 잘해 줘. 그러니까 내가 가야지.' 하고서 스스로서 돈이 들어오는 거지 돈이 달아난 거를 쫓아가고 내 거라고 쫓아간다면 한없이 달아나 갑니다. 가난도 붙을 데가 없어서 주인공에다 맡겨서 다 일임해 버린다면 '어어, 내가 이거 정말 원수를 갚으려고, 저 속을 썩이려고 이렇게 나왔는데 씻은 듯 부신 듯 하니까 에이, 이거 뭐, 안되겠어!' 그러고서는 달리 생각을 하고, 착한 마음과 더불어 자기도 그 뜻을 알고서 착해진다는 뜻입니다. 그래서 한마음 한뜻이 된다는 뜻입니다.

그래서 망상을 끊으라는 게 아니라 녹이라는 겁니다. 놔서 녹이라는 거지 끊을 게 어디 있습니까? 망상이 없다면 부처를 이룰 수가 없으니 망상을 끊는 게 아니라 녹이는 것이고 한마음으로 돌리라는 것입니다. 이렇게 부부지간에 살면서도 내 마음이 '저놈! 조거! 너! 너, 두고 보자. 들어오기만 해 봐라.' 하고 있어 보십시오. 들어오면 미안한 거를 갖는 게 아니라 엉뚱나가게, "야! 뭐!" 그러고 꽥꽥 악을 쓰고 외려 한술 더 뜹니다. 그러나 한마음으로 굴리고 돌리고 놓고 이렇게 하다 보면 더 싸울 수가 없는 거죠. 그 말을 할 수가 없는 것입니다.

그렇기 때문에 모든 것을 자기로 본다면, 자기와 같이만 본다면 자비도 나오고 사랑도 나오고, 의리도 나오고 도의도 나오고, 거기에서는 무궁무진하게 자비가 나오는 것입니다. 그래서 내 자비가 향기와 같이 거기까지 풍겨서 에너지와 같이 거기에, 바로 여러분이 공생을 하고 있으니까 공심으로 공용을 하고 있고 공체거든요. 그렇기 때문에 가고 옴이 없이 그 마음의 향기 에너지는 거기까지도 다 밝아지게 된단 말입니다. 그러니까 아, 외려 들어오기도 전에 바깥에서는 '아, 이거 미안한데.' 하고서 들어오게 되죠. 그러면서 "여보! 나 참 미안했어." 하고서 이런 말 한마디를 들을 때 겨울에 고드름이 그냥 녹아서 떨어지듯이 그렇게 녹아 떨어지죠. 그러한 마음이 녹아 떨어질 수 있게끔 만드는 것이 장본인입니다.

사랑을 주는 거지 받는 것은 아닙니다. 왜냐하면 "사랑을 주는 것이지 받는 것은 아니다."라고 해도 주기만 하면 언젠가는 받게끔 돼 있으니까요. 내가 해 놓은 거 어디 가겠습니까? 나쁜 일을 해 놨어도 나한테 올 것이고 좋은 일을 해 놨어도 나한테 올 것입니다. 그렇기 때문에 내가 사랑을 준다면 자비롭게 의리를 도모하고 참, 그렇게 믿는 데에 인내가 있다면, 물러서지 않는다면 모두가 그렇게 조화를 이루고 사랑하고 또 화목하게 이렇게 생활이 진행돼 나가는 것입니다.

지금 현실뿐만 아닙니다. 세세생생입니다. 현실에 나쁘고 좋은 게 다 그냥 우리가 죽어서 끊어진다면 별문젠데, 세세생생에 억겁을 거치면서 또 얽히고설키고, 그것이 자기 한 대로 얽히고설킬 테니 그거를 어떻게 끊으렵니까? 물질이라면 아예 단번에 끊어 버리고 말겠는데 물질이 아니고 보이지 않는 그 찔깃찔깃한 인연줄! 그 인연줄은 아무것으로도 끊을 수가 없는 것입니다. 마음에서 나온 거 마음으로 끊을 수밖에는 없는 것입니다. 그렇기 때문에 끊는다고 생각을 한다면 둘이 되니까 녹인다고 생각을 하십시오. '모든 것을 당신이 한 것이니 당신한테 놓는다면 당신이 해결해라!' 이겁니다. 그러니까 나왔던 자리로 다시 놓는 거죠. 나온 자리에 다시 놓는다면 다시 들어가서 계발이 돼서 하나가 돼 가지고 만법을 응용하게끔, 거기에서는 생동력 있게 계발돼서 나오죠.

이렇게 일러 드려도 내가 모자라는지 여러분이 모자라는지 분간도 못하겠습니다. 내가 모자란다면 모자라는 대로 할 수밖엔 없는 거죠. 여러분이 모자란다면 나도 모자라고 내가 모자란다면 여러분도 모자라는 겁니다. 우리가 이 자리에서 더 높고 낮고 이런 게 없습니다. 만약에 높다고 생각한다면 얕고 얕다고 생각한다면 높습니다.

그렇기 때문에 여기서 오늘 한자리 한 여러분과 저는 똑같이 인간이자, 부처님의 마음으로 전달한 이 뜻을 서로 파악하고 길 없는 길을 발 없는 발로 지금 한 발 한 발 떼어 놓으려고 하고 있습니다. 그래서 길 없는 길을 갈 줄 아는 발 없는 발이 된다면 바로 만법을 응용할 수 있는 손 없는 손이 돼서, 눈 없는 청안이 돼서, 참, 평이마가 돼서 평발로서 아주 일체 우주 삼라만상 대천세계에 드디어 우리는 한자리를 하는 것입니다.

아까 "꽃 핀 것도 아니요, 진 것도 아니니…." 이 말을 그냥 그대로 넘겨 버리지 마십시오. 하나를 주판을 놓으면 만 원도 주판을 놓을 수가 있습니다. 만 원 안에, 일체 만물 만생 만법이 만 원 안에 들어 있다면 일 전을 놓고 십 원을 놓고 백 원을 놓고 천 원만 놓을 줄 알아도 그 천 원, 이천 원, 만 원까지 다 놓을 수 있습니다. 바로 그 만 원 안에 다 들어 있는 것이니까, 내가 천 원을 쓰든지 만 원을 쓰든지 그 안에서 다 씀씀이도 쓰는 것이고 갖다 놓는 것도 그 안에다 놓는 것입니다.

그래서 옛날에 마포 황 부자는 새우젓을 팔았는데 요만한 됫박을 해 놓고 말입니다, 팔아도 갖다가 넣고 또는 새우젓을 받으러 가도 그 안에서 꺼내서 받으러 가고 이랬답니다. 여기에서 아주 도가 틔었어요. 한군데서 들이고 내고 하기를 참 수년, 수십 년을 그렇게 했다는 얘깁니다. 그러자 홀연히 어느 날 그 됫박 속에서, 바로 거기에서 깨달음을 얻어서 학교도 짓고 그랬다는 얘기가 있습니다. 그런 거와 마찬가지로 새우젓 장사지마는, 사람으로서 등장을 해 가지고 다시 탄생을 해 가지고 이 옷을 벗었으니 세세생생에 거리낌 없이 그것은 대 인가를 받은 사람으로서 이 세상을 활보할 것입니다.

우리는 늙으면 "아이, 늙은이가 아무렇게나 살다 죽지, 뭐." 이러지마는 늙은이가 더 급한 것입니다. 그러니까 노인네들은 천타불 만타불 해야 되겠고…. 천타불 만타불 하는 것은, 얼마나 능통해서 그 어떤 노인께서 그렇게 했겠습니까? 그거는 여러분을 가르치기 위해서 방편으로써 보살이 한 행입니다. 시간과 공간이 초월돼서 우리는 공했으니까 천타불 한다면 어떻게 되겠습니까? 만타불 해도 천타불이요, 천타불 해도 만타불이요, 그러면 "하나!" 해도 천타불이 될 수 있고 "하나!" 해도 만타불이 될 수가 있는 것입니다.

그러니까 이런 거를 우리 말해 봅시다. 왜 붙을 자리가 없다 하나? '공해서 붙을 자리가 없다' 하는 것을…. 비행기가 말입니다, 앞에 그 뭡니까? 그거 이름이? 그 돌아가는 거.

대중 가운데서 프로펠러.

큰스님 프로펠러. 그것이 막 공중에서 돌아갈 때 말입니다, 거기 그냥 일분일초도 쉬지 않고, 그냥 이게 보이질 않습니다. 그게 돌아가는 게 보이지 않을 때에 먼지 붙을 게 있습니까, 없습니까? 그리고 거기에 갔다가 머물렀다가, 이런 게 있습니까, 없습니까? 그거와 같은 것이 이 세상 진립니다. 그렇게 쉬지 않고 이렇게 보이지도 않습니다. 너무 빨리 돌아가기 때문에 보이길 하나요? 분명코 있기는 있는데 보이지를 않습니다.

그런데 우리가 그걸 가지고 무전자라고 할 수도 있는 거죠. 분명코 있긴 있는데 보이질 않는다. 그러나 거기에서 조금 빠져나온 것은 유전자라고 하죠. 그것은 보이긴 보이나 아주 찾기가 힘들다. 어느 누구한테나 그것은 있다. 그러면 유전자라고 하는 것은 아까 얘기했듯이, '자꾸 바꾸어서 나투어 돌아간다' 이런 거를, 운행하는 그 자체를 말하는 겁니다. 우리가 금방 사람의 모습으로 이렇게 돼 있었는데 금방 또 위대한 사람으로서 모습을 바꿔서 나올 수도 있고 그렇지마는, 이건 옷을 벗어야 그렇게 되지만 그 옷을 벗기 이전에 우리가 24시간 살아가면서 사람이 자꾸 바꿔서 이렇게 나투어 돌아가는 걸 짐작할 수 있으시다면, 바로 그 프로펠러가 그와 똑같이 돌아간단 말입니다. 그러니 유전자가 보입니까? 유전자라는 것은 그렇게 바꾸어서 돌아가는 걸 말하는 겁니다. 바꾸어서 돌아가는, 운행하는 그 자체를 말입니다. 그래서 무전자와 유전자와 지금 육신, 물질 이 자체와, 색신 자체와 세 가지가 같이 공존하고 있는 겁니다.

그런데 우리가 너무 빨리 돌아가기 때문에 보이지 않고, 그것은 자꾸 돌아가는 데에 운영을 하기 때문에 찰나찰나 이렇게…. 가만히 생각해 본다면 우리 살아나가는 것이 그렇게 하고 있다는 거를 증명할 수도 있는 거죠. 그런데 그것이 너무 빨리 돌아가기 때문에 부동하다는 말까지 나왔습니다. 너무 빨리 돌아가서 보이지도 않고 그냥 그 자체가 그대로 있는 것 같습니다. 그러나 그대로 있는 것도 아니고, 고정되게 있는 게 아니라 너무 빨리 돌아가기 때문에 "항상 밝아서" 이런 소리가 나옵니다. 항상 이게 너무 빨리 돌아가기 때문에, 보이지 않기 때문에 그것은 부동하다는 얘깁니다.

그래서 그걸 표현을 하기를, 항상 밝아서 '컴컴하다, 밝다' 이런 언어가 붙지 않는 자리라고 말을 합니다. 그러니까 우리 인간 자체 돌아가는 것도 그렇지만 은하계가 돌아가는 것도 역시 마찬가지요, 샛별이 돌아가는 것도 역시 마찬가지요, 이 살림살이 모두가 다, 우주 섭류가 다 그렇게 해서 돌아가고, 제가끔들 소임을 맡아서 돌아가는 그 자체가 크나 작으나 똑같다는 얘깁니다.

이 도리를 알면 우리 이 도량에서 여러분이 각자 이렇게 공부를 하면서 가시는데도 이런 게 있죠. 야! 어린애가 되어서 작은 것만 하는 건 줄 알았더니 큰 거나 작은 거나, 어린애나 어른이나 두루 없고, 한다 안 한다 말 없이 모든 걸 일체 할 수 있으니 할 수 있단 말도 내세울 수가 없다는 거를 알았다고 말씀하시더군요. 그러니 세상의…. (녹음 안됨) … 전체 이 혹성들이 돌아가는 이 이치, 바로 인간의 미분전(未分前)의 일로부터, 바로 이 시점의 일로부터 모든 것을 못하는 일이 없게 됐기 때문에 세울 게 없다는 얘기입니다.

그러니 여러분이 생각해 보실 때에 부처님께서 '나는 49년 설하고도 한마디도 설한 예가 없다' 고 한 이치가 왜 그런 줄 아십니까? 이전도 없고 이후도 없기 때문입니다. 그게 무슨 소린 줄 아십니까? 그렇게 프로펠러가 막 돌아가는데 이전이 있고 이후가 있겠습니까? 그저 돌아갈 뿐입니다. 그래서 흰 구름이 아주 꽃처럼 뭉게뭉게, 백화로서 뭉게뭉게 돌아가면서 꽃을 피우고 있듯이, 돌고 도는 물처럼…. 말을 어떻게 붙일 수가 없는 거죠, 그렇게밖에는.

꽃은 피고 화창하고
꽃이 지니 열매 맺어 무르익으니
이 세상 만 실과가
만 가지 맛이 나고 만 가지 맛을 보니
어찌 이 맛이 좋다 저 맛이 좋다 말할 수 있으랴

이럴 수밖에는 없는 거죠. 이 세상 이치가 다 그렇습니다. 그러니 배우려고 하지 말고 좀 더 믿고 맡겨 놓을 수 있는 그 공부에 유념하신다면 우리는 거기에서 그 만 가지로 나는 실과 맛을 꼭 볼 것입니다. 어떻게 거짓이 있겠습니까?

오늘은 이걸로써 마치겠습니다.

심봉과 프로펠러가 둘 아니다

1986년 2월 1일

여러분한테 말씀드리고 넘어갈 일이 있습니다. 우리가 딴 데서도 그렇고, '이 뭣고' 화두나 '무(無)' 자 화두나 '시심마(是甚麽)' 화두를 받아 가지고 공부하는 분들이 많이 있으리라고 믿습니다. 그런데 가르치는 분들은 허물이 없고 잘 가르치시는데도 불구하고 여러분께서 '무' 자 화두나 '이 뭣고' 화두를 어느 스님께서 주셨다 하면, 벌써 어느 스님께서 주셨다는 생각 자체를 하고 있는 겁니다. 의식으로 벌써 그 생각을 하고 있기 때문에 둘이 되는 것입니다. 둘이 되는 데다가 또 그것을 놓치지 않으려고 애를 쓰는 착을 둡니다. 벌써 첫째부터, 두 번째부터 그릇돼 들어가는 것입니다. 그러면 그것을 매달고 '이 뭣고'로부터 내내 그것을 '이 뭣고'로, 전체 '이 뭣고'로 들어갑니다. 그것이, 즉 방하착 하는 게 아니라 오히려 그릇되게끔 착을 갖는 것입니다.

그래서 "이 세상에 모두 여러분이 난 것이, 이 육신을 가지고 나온 것이 공이자 색이고, 색이자 공이니까 그대로 그 공이 화두니라." 한 겁니다. 내 이 육신 나온 것이 화두자 공이고 공이자 화두니까, 화두를 드는 게 아니라 공이니까 지금 원형을 이루고 돌아가고 있다 이겁니다. 과거심도 현재심으로 돌아오고 미래도 아직 가지 않았으니 현실입니다. 그래서 우리 마음이 그대로 내가 있다고 하면서도 그것이 고정됨이 없이 공하였으니, 공에서 나오는 것을 화두로 삼고 그대로 공에다 일임해서 맡겨 놔라 이겁니다. 그것을 일일이 맡기다 보면 그것이 진실로 내 참나를 발견하고 찾는 데 극히, 아주 지름길이 되는 일이라고 생각합니다. 그래서 의단이 나온다 할지라도 모든 것은, 부처님의 참뜻이라는 것은 부동한 자세이기 때문에 부동하다 이겁니다.

어저께 얘기했듯이 프로펠러가 막 돌아가는데 아주 쉴 사이 없이 돌아가는 그 심봉! 차바퀴나 마차바퀴나 또 프로펠러가 돌아가는 그 심봉, 그러한 심봉은 어디고 돌아가는 데는 다 있습니다. 심봉은 움죽거리지 않으면서도 그 능력으로 인하여 프로펠러가 돌아가고 있는 겁니다. 그래서 심봉 자체는 전 우주 삼천대천세계 근본을 뜻합니다. 내 육신으로 본다면 내 근본이 작다 하지만 작은 것도 아니고, 우주의 심봉이 크다 하더라도 우주의 근본 심봉이나 내 심봉이나 둘이 아니라는 얘기입니다. 왜? 우주의 전체적인 심봉 안에 내가 들어 있으니깐 말입니다. 각자! 심봉 안에 내가 같이 들어 있어서 내 심봉과 우주적인, 대의적인 심봉과 둘이 아니요, 또 프로펠러가 돌아가는 이 자체도 내가 지금 살림을 하고 돌아가는 것과 둘이 아니요, 그 돌아가는 자체도 우리가 지금 돌아가는 자체를 볼 때에 돌아간다고 하고 돌아가지는 않습니다. 우리가 이거 한다 저거 한다 일일이 따지고 이름을 정해 놓고 사는 건 아닙니다. 그저 가다가 보면 그냥 누구 만나고, 살다가 보면 또 얘기하게 되고, 시장에 가다 보면 뭐 사게 되고 또 살다가 보면 이것도 있어야 하겠고 저것도 있어야 하겠고, 이 사람도 만나야겠고…. 이렇게 고정됨이 없이 돌아가는 그 뜻이 프로펠러가 돌아가는 거나 마찬가지로 우리가 돌아가는 것입니다.

그런데 생각으로 화두를 들고선 '이 뭣고?' 하고 그 심봉은 믿지 않고…. 심봉은 진실로 믿어야 하고, 프로펠러가 돌아가는 것이, '아! 이렇게 찰나찰나 돌아가는 것이 도대체 무엇인가?' 하고 모르면 의정을 내는 그 관하는 마음이 바로 나 자체의 '아들' 이라고 볼 수 있겠죠. 그걸 '법' 이라고 하죠? 그러면 내가 마음을 내서 그렇게 하는 것도 있지마는 또 마음을 내지 않아도 스스로서 갑자기 한 찰나에 그냥 움죽거려서, 그냥 생각나서 그냥 사는 거 있죠? 무심으로. 생각을 해서 그렇게 하는 것과 둘이 아니에요, 또. 생각을 해서 사는 것하고 무심코 생각을 하고 그냥 사는 것하고 둘이 아니라는 얘기입니다. 걸려서는 안 된다 이겁니다. 그냥 프로펠러가 돌아가는 그 식처럼 우리가 지금 그렇게 돌아가니깐 어디에 붙을 자리가 없다는 얘기입니다. 붙을 데가 없다는 얘기입니다.

"공했다! 색이자 공이요, 공이자 색이다." 이런 것은 프로펠러가 돌아가듯 그렇게 돌아가는 데에 먼지 묻을 것이 뭐 있는가 이겁니다. 육조 선사께서 "틀이 없는데 거울이 어디 있으며 거울이 없는데 먼지 앉을 게 어디 있느냐?" 이랬는데, "테가 없어서도 아니고 있어서도 아니다." 하는 뜻은 뭐냐? 없다고 하면 없는 데 치우치고, 있다고 하면 있는 데 치우치기 때문에 그것은 없어서 없는 게 아니라 프로펠러가 돌아가듯 그렇게 빠르게 돌아가니까 먼지 앉을 게 없다 이 소립니다. 그래서 "무!" 했던 겁니다.

세상은 그렇게 빨리빨리 시간과 공간을 초월해서 돌아가고 있는데 사람의 사량적인 마음은 이런 게 어떠니 저런 게 어떠니, 내가 했느니 내가 줬느니 항상 그렇게 하기 때문에 업보가 되고 유전이 되고 윤회에 끄달리고 그런 문제점이 생기는 것입니다. 우리가 마음으로 지어서 긁어서 부스럼을 내고 아프다고 울고 또는 긁어서 부스럼을 만들어 놓고 '그것은 또 무엇인가?' 하고 관한다면, 이것은 일치되는 그 한마음이 참, 부(父)와 자(子)가 상봉할 수 없는 그런 일이 됩니다. 심봉과 프로펠러가 돌아가는 데에 심봉이라고 따로 부르지 않고 프로펠러라고 따로 부르지 않지 않습니까? 그냥 '사람' 하면 사람 안에 그 진실한 마음도 거기에 있듯이, 또 프로펠러라고 부르면 프로펠러 속에 바로 심봉이 들어 있듯이, 물질적인 것은 심봉이 보이지마는 우리 물질적인 이 자체 색신 속에 있는 심봉이라는 것은 내놓을 수도 없고 보이지도 않고 쥘 수도 없는 겁니다. 그러면서도 프로펠러가 돌아가듯 여여하게 돌아간다 이겁니다. 그러니 우리 인간만 그런 게 아니라 우주도 역시 그렇게 삼각원형을 이루고 돌고 있다는 얘기입니다. 어느 별성도 삼각원형을 이루지 않고 도는 것은 없습니다. 즉 말하자면 우리 지구도 그렇게 삼각원형을 이루고 돌아가고 있고 은하계도 그럴 뿐 아니라, 우리 무전자와 유전자, 바로 유생, 이것이 같이, 바로 유체가 같이 돌아가는 겁니다. 유체, 유전자, 무전자가 같이 돌아가는 것입니다. 그래서 전자에 불교에서 말하는 거와 마찬가지로 불, 법, 승 삼보가 같이 원형을 이루고 돌아간다 이겁니다.

그러면 삼심이 같이 돌아가는데 그 삼심이 일심으로 인해서 돌아간다 이겁니다. 그럼 '삼심이 일심이 된다' 이런 것은 무엇인가? 과거에 살던 일들은 잠재해 있는 우리 의식 속에 들어 있기 때문에 자기도 모르는 사이에 자기 차원이 자기한테 주어져서 바로 탤런트처럼 자기 배역을 맡아 가지고 여기 나오듯 생산이 된 거란 말입니다. 그러면 생산이 됐으면 생산이 된 대로, 그 차원대로 내가 그 배역을 맡았기 때문에 거기에서만 뱅뱅 돌고 있는 거죠. 그 배역을 맡아 가지고 내가 이렇게 살고 있는데 전자의 과거심에서 내가 행하고 습을 익혔던 그것이 오늘날에 한데 부합이 됐기 때문입니다. 또 지금 살아나가는 습이 앞으로 미래에 가서 오늘로 다시 올 것인데, 지금 공부하는 분들은 미래에 그 습을 짊어지고 가기 이전에 습을 놓는다는 얘기입니다. 미래에 갈 것은 오늘에 녹이고, 과거에 지은 것도 바로 오늘에 녹인다 이겁니다. 과거에 지은, 즉 말하자면 습을 오늘에 놓는다면 미래에는 습이 붙을 것이 없죠. 현재에 붙을 것이 없는데 어찌 미래에 붙을 것이 있겠습니까?

그렇기 때문에 프로펠러가 돌듯이 인간 자체가 과거심으로부터 그 습을 짊어지고 나온 현실에, 바로 오늘에 놓지 못하면 미래의 오늘날 다시 또 짊어지고 나오니 세세생생에 우리는 업보에 끄달리면서, 윤회에 끄달리면서, 유전에 끄달리면서 항상 살아야 하는 그 고된 아픔, 고독함, 외로움, 가난함 이러한 시절을 다 겪어야만 하는데, 한 번만 겪고 그만두는 게 아닙니다. 그것이 유전되어 항상 업보로써 얽히고설켜 돌아가니까 끝이 없는 겁니다. 그렇기 때문에 이왕지사 이 몸을 받아 가지고, 배역을 맡아 가지고 나왔으면 오늘날에 아예 그냥 녹여 버리는 것이, 끄달리지 않고 녹여 버리는 것이 좋을 듯합니다.

그러면 집안에 한 사람만 깨달아도 그 집안의 12대 종손의 조상들을 다 이끌어서 건진다고 했습니다. 여러분이 얼마나 위대하고 이 공부하는 것이 얼마나 참, 하지 않으면 안 되리만큼 그렇게 돼 있는지 모릅니다. 그러면 오늘에 우리가 익히고 새긴 그 공부가 세세생생에 가면서 자기의 인연줄을 다 녹여 풀어 버리고 벗어나는 공분데 어찌 이게 대단하지 않겠습니까? 오늘날에 만약 이 공부를 못한다면 천추의 한이 될 것입니다. 천추의 한이 될 뿐 아니라 세세생생에 끄달리는 거, 어디서 오는지 어디로 가는지도 모르면서 자기가 아픔을 당하는 그것은 차마 볼 수가 없는 것입니다.

나는 여러분이 항상 아픔을 견디고 울고불고할 때에 남의 일이라는 생각이 조금도 안 들어갑니다. 만약에 내가 억겁 전에서부터 거쳐 온 내 자신에 의해서 그것을 느끼지 못하고, 내가 그 도리를 알지 못하고, 내가 그렇게 거쳐 온 거를 몰랐다면 바로 나 아님이 하나도 없고, 내 자리 아님이 하나도 없고, 내 아픔 아님이 없다는 것을 아마 느끼지도 못했고 알 수도 없었을 겁니다. 그렇기 때문에 이 도리를 알면, 국내에뿐만 아니라 전 세계, 우주적으로도, 내 가정적으로도, 내 몸적으로도 모든 것을 못하는 일들이 없고, 갖은 각색대로 천차만별로 돼 있는 거를 하지 못하는 일이 없으나 어떠한 거 할 때 내가 했다고 할 수 없기 때문에 세울 게 없다 해서 '나는 한 것이 없노라' 고 말을 하는 것입니다. '나는 말한 예도 없고 한 예도 없고, 앞으로 할 것도 없고, 전자에 했다고 할 것도 없노라' 고 말입니다.

우리가 인간으로 이 모습을 가지고 출현해 가지고서 만약에 이 광대무변한 인간의 법을, 그 도리를 모르고 그냥 사라진다면, 정말이지 다시 생산이 돼 나와도 그 차원에서 그대로, 무쇠로 생산이 또 된다면, 깡통으로 또 생산이 된다면 어떻게 되겠습니까? 원소가 무쇠고 원소가 깡통이니만큼 또 그렇게 생산이 돼서 이 세상에 출현했을 때에 또 부대끼고 바깥에서 돌아야 합니다, 귀하게 돌질 못하고. 여러분 차원이 금이라면 귀하게 돌고 집안에서 돌고 몸속에서 돌고, 정말이지 바깥에 나갈세라 또 땅바닥에 떨어질세라, 이렇게 귀하게 되는데, 그리고 빛이 나는데…. 온 누리를 싸고도 남음이 있는 광대무변한 그 빛으로 인해서 모든 중생들을 건지고도 남음이 있고, 내 조상들을 건지고도 남음이 있고, 둘이 아니게 모든 아픔을 다 같이 할 수 있는 그러한 여건이 될 수 있을 때 비로소 우리는 인간이라고 할 수 있으며, 또 어디서 온 줄도 모르고 지금 어디로 가는지도 모르게 끌려가는 이런 일은 없을 것입니다. 지금 우리가 창살 없는 감옥에서 살면서 어찌할 바를 모르고, 나갈 수도 없고 들어올 수도 없는 형편 속에서 살면서, 또 그뿐인가요? 어디로 끌려가는지도 모르게 죽는다는 것만 알고 가는 이러한 형편에 이르고 있습니다.

우리가 불교를 왜 믿어야 하고 찾아야 합니까. 진짜 믿는 거는 내 그 심봉을 자부처로 알고 진심으로 믿고, 바로 그 프로펠러가 돌고 도는 것이 우리 살림살이니 잘 궤도를 지키면서, 우리가 올바르게 보고 올바르게 듣고 올바르게 말하고 올바르게 냄새 맡고 올바르게 정진하고 올바르게 모든 행을 해 나가면서, 그것을 진실하게 믿고 거기다가 놓는 작업을 한다면 우리는 스스로서 그 모두를 다 몰락 놓는 것이 되며, 녹이는 것이 되며, 인과응보, 유전성, 이 악성, 그 모든 얽히고설킨 것들을 다 녹이게 되고 풀게 되는 것입니다.

우리 불가에서 불법을 믿는 사람들에게 참으로 참혹한 일들이 많습니다. 자기도 들 게 없거늘, 자기도 공했거늘 화두를 받았다 하고 10년이고 20년이고 그것을 들고서 온종일 돌다가, '아이고, 이 뭣고? 관세음보살! 이 뭣고? 관세음보살! 이 뭣고?' 이렇게 들고 10년 20년 가면서도 자기 그 참뜻을 모르고 돌아가다가, 이 몸이 떨어지면 말도 떨어지고 입도 떨어질 것을…. 응? 무엇이 되겠습니까, 그것이? 사람이 일체 사념이 들어오는 대로 다 놓을 수 있게 된다면, 그렇게 막중하게 돌아갈 때 거기다 놓는다면 스스로서 자동적으로 돌아가는 것입니다.

내가 서독에 갔다 오면서 남의 짐을 받아 가지고 오는데, 내 걸로 알고 거기서는 통과를 하는데 거기 걸릴 물건이 많이 들어 있었던가 봐요. 나는 그것도 생각 안 한 거예요. 어느 스님이 그것을 좀 들어 달라고 하니까 아, 내가 질질 끌고선 왔죠. 거기 뭐 든 것도 생각 안 한 거예요. 질질 끌고 오니까 "에이그, 스님! 그냥 가져가시오." 그런단 말이에요. 그래서 나는 그냥 통과가 됐는데 그 맡긴 스님은 통과를 못하고는 그냥 거기서 그걸 들켜 가지고 땀을 쭉쭉 흘리시면서 아, 배보다 배꼽이 더 크게 물고 땀 빼고, 또 스님이니까 창피 당하고…. 그래서 "아이고, 스님. 왜 그런 걸 사 가지고 오십니까? 스님이 무엇이 답답해서 그런 걸 사 가지고 오십니까?" 하니까 "그러게나 말이오. 내가 땀이 지금 방울처럼 뚝뚝 떨어지오. 아이고, 이걸 어떡하면 좋소?" 하고 고개도 돌리지 못하곤 땀을 뻘뻘 흘리면서 그놈의 걸 묶으시더라고요. 그런 걸 볼 때 나는 어린애처럼 그걸 의식을 안 했기 때문에 그냥 보냈다고 생각합니다. 내가 만약에 나쁜 것이 거기 들었다고 의식을 했더라면, 내가 사 가지고 오는 거라면 거기다 뭘 넣었으니깐 다 잘 알 텐데, 나는 내가 안 넣은 거기 때문에 의식을 안 했단 말입니다. 모든 것을 의식을 두지 않고 우리가 모든 것을 놓고 간다면 그렇게 걸리거나 그러지 않을 텐데, 안 그러면 그런 데만 걸리는 게 아니라 우리 마음 씀씀이가 항상 걸리고 돌아갑니다. 그런데 거기다가 턱 놓으니까 아, 그냥 막 돌아갑디다. 거기다가 턱 놓으니까 아, 빈 몸으로 나왔죠. 아주 좋아요, 가볍고. 그래서 나와서 끄트머리에 와 있으니깐 그 물건이 쭉 같이 나와요. 나와선 자기 쓸 것만, 자기에 부합된 것만 들고 나오니까 얼마나 간편해요?

그래서 우리 살아나가는 것도 그렇다 말입니다. 모든 것을 놓고 좀 가라고요. 자기가 생각하고 가는 일은 자기 쓸 때에 자기 쓸 건 벌써 거기에 놓여져 있어. 놓고 가도 자동적으로. 진리가 그러하니까. 이거를 없어질까 봐 그냥, 누가 집어갈까 봐 거기 놓지 못하고는 부둥켜안고 다니니 얼마나 무겁고 고통스럽소? 남들은 놓고 가는데 나는 짊어졌죠, 이쪽에 부둥켜 들었죠, 저쪽에 들었죠. 이러고선 끌고 오더란 얘기입니다. 내 그런 사람 봤거든요. 거기서도 거기다 놓지 않고 그냥 끌고 가더라고요. 그래서 "왜 여기다 놓지 않고 그냥 가십니까?" 하니까 "바뀌면 어떡합니까?" 이러거든요. 그래, 그거나 뭐가 다릅니까? 없어질까 봐 겁나서 놓지 못하는 거죠.

여러분이 진짜로, 자기가 자기 심봉을 믿지 못한다면 아예 세세생생에 끄달릴 것입니다. 진짜로 믿어야 합니다. 진짜로 믿고 물러서지 말고 감사하게 생각하면서, 항상 거기에서 무한의 능력이 나오기 때문에 불가사의한 문제가 나오더라도 '아, 참 이럴 수가 있나! 참 감사하구나!' 이러고, 또 어떤 게 나왔는데 모르걸랑은 '아이고, 이렇게 광대한 이런 것이 나왔는데 나는 도대체 알 수가 없으니 이게 무엇인가?' 하고, 그러면 그때 의정이 나는 거예요. 내 심봉, 즉 말하자면 내가 가지고 있는 참심봉을 의심하면 안 됩니다. 내 심봉에 대해 의정을 내서가 아니라, 내 심봉을 진짜로 믿되 거기서 나오는 불가사의한 일들에 내가 의심이 났다면 그게 의정을 낸 거란 얘깁니다. 그러니까 우리가 참나를, '내가 뭐 힘이 있나?' 이러거든요. '내가 뭐 힘이 있나?'

하는 이 자체가 바로 그 능력으로 이렇게 형성됐을 뿐만 아니라 이 우주 전체가 이렇게 돌아간다는 뜻을 아셔야 할 겁니다.

질문하실 것 있으면 질문하시고요. 아까서부터 얘기해 드렸는데 너무 길게 해도 이것이 뒤범벅이 될 수가 있으니까 오늘은 이만하겠습니다. 그리고 질문하실 분이 있으시면 질문하십시오. 오늘 내가 얘기한 데에 대해서, 어떤 점에서 안된 점이 있으면 질문하시고 또 자기가 의심나는 일이 있으면 말씀해 보십시오.

또 재차 한마디만…. '상구보리 하화중생' 이런 뜻이, 위로는 진짜 자기 심봉을 믿고 아래로는 자기 중생을 제도하는, 이 육신을 끌고 다니면서 올바로 보고 올바로 듣고 올바로 냄새 맡고 올바로 맛을 알고 올바로 행할 수 있는, 올바로 정진할 수 있는 그 길을 인도하는 내 마음! 그것이 바로 철저해야 '상구보리 하화중생' 이란 얘기입니다. 내 몸을 내가 이끌어 가지 못하는 자가 어떻게 남의 몸을 이끌어 줄 수 있겠습니까? 내 마음을 올바로 쓰지 못하는 자가 어떻게 남의 마음을 올바로 인도하겠습니까? 내가 깨닫지 못하는 자가 어떻게 남을 깨닫도록 길을 인도하겠습니까? 그렇기 때문에 여러분의 손과 발, 육신은 한계가 있는 것이고 각자 여러분의 심봉 자체는 영원한 것이며, 바로 이 우주를 덮고도 남음이 있는 능력을 발휘할 수 있는 부동자세 한 뜻입니다.

그러니 진짜로 믿고 물러서지 않아야 되겠습니다. 그리고 모든 것은 거기다 놓아야 되는 것입니다. 맡겨 놔야 프로펠러 돌아가듯 돌아가면서 우리는 그 모든 일체를 요리를 해서 용탕도 먹을 수 있고 맛을 볼 수 있고, 개구리탕도 맛을 볼 수가 있고 천 탕 만 탕, 천 가지 만 가지 다 맛을 볼 수가 있는 것이기 때문에, 우리가 어떤 맛이 좋다 나쁘다 할 수 없으리만큼 돼야 '무' 소리가 나옵니다. 그리고 여여하다는 말이 나오는 거지 덮어놓고 사량으로 알고 "무!" 해서도 아니 되고, 덮어놓고 사량으로 알고 이해만 하고서 여여하다고 말해도 그것은 한데 떨어지는 말입니다.

그럼 오늘은 이만 그치겠습니다.

마음 밖에서 부처를 구하지 말라

1986년 2월 3일

우리가 수 해를 두고 이렇게 진행해 오고, 이날까지 봐 왔고 들어 왔습니다. 그런데 모든 사람들이 기복으로만 많은 세월을 흘러왔습니다. 그것이 아주 배서 인제는 바깥에서 빌고 또 바깥에서 구하는 일들이 아주 습으로 남아 있어요. 그래서 그것을 녹이기가 매우 힘든 것입니다. 우리가 평생토록 가도 만약에 그렇게 마음 바깥에서 부처를 구하고 그런다면…. 이 성품을 성격이라고 해도 됩니다. 성품에 의해서 역시 팔자 운명이나 인과응보에 끄달리는 이치가 많이 있습니다. 그래서 성품 바깥에서 법을 구하면 안 된다는 얘깁니다. 마음 바깥에서 부처를 찾아도 안 되거니와 성품 바깥에서 법을 구해도 안 된다 이 소립니다. 그래서 누구나가 이 몸으로써 내가 고행을 해서 법을 구하겠다고 한다든가, 또 옛 성현들이 마음을 깨달아서 하신 그 말씀을 좇고, 그분들을 좇아 구하려고 하는 마음들을 가져서는 절대, 그것은 바깥에서 구하는 게 되기 때문에 결국은 성품을 보지 못하는 것입니다.

그렇기에 내 몸으로써 하루 종일 앉고 눕지를 않고 그런다고 해서 되는 것도 아니고, 또 머리를 짜내서 대경(大經)을 쓴다고 해도 아니 되고, 또는 내 몸을 잘라서 태운다고 하더라도 그것은 내 부처를 구하지 못하고 성품의 법을 구하지 못하는 것입니다. 내 몸을 정말 분주히, 발이 부르터서 디딜 수가 없이 만들어서 고행을 하면서 몸을 이리 뒤치고 저리 뒤치고, 이리 잘라지고 저리 잘라지고, 이리 찢어지고 저리 찢어지도록 고행을 한다 하더라도, 만약에 마음 바깥에서 구한다면 절대로, 겁을 거쳐서 한다 하더라도 자기의 참맛을 볼 수가 없는 것입니다. 그렇기 때문에 옛 어른들께서 이런 말씀을 하셨죠. 그렇게 찾는 자는, 바깥에서 그렇게 구하고 성품 바깥에서 법을 구하는 자들은, 또 몸을 그렇게 패대기쳐서 고행을 해서 구한다고 생각을 하는 자들은 모래로 밥을 지어서 먹으려는 거나 마찬가지라 하셨습니다. 모래로 밥을 지어서 밥이 되는 것입니까? 그렇기 때문에 그걸 비유해서 말씀하신 것입니다.

엊그저께도 얘기했지만 우리가 말을 많이 듣는다고 해서 이루어지는 것이 아닙니다. 진실한 믿음을 갖되 어느 절이든 가 봐서 말과 뜻과 행을, 세 가지를 종합해 봐서 이 견해에 어긋나지 않는다면 바로 그것을 진실히 믿고 따르면서 자기 마음 안에서 부처를 구하고 자기 성품 안에서 법을 구하는 그런 이치가 틀림없는 사실이어야 되는 것입니다. 그래서 진실히 믿는다 해도 기복을 가지고 한다면 견해가 밝지 못해서 십중팔구 마구니로 빠지기가 쉽다는 얘깁니다. 그러니까 견해가 밝아야 밝게 보고, 옳게 행을 하면서 믿음을 진실하게 마음 안으로 굴려서 자기를 자기가 구해야 되는 것입니다.

그렇기 때문에 우리 이 도량의 스님네들은, 앉는다 선다 생각 없이 공한 자기 몸을, 즉 말하자면 화두로 삼아서 일상생활에 일분일초도 끊어지지 않게 참선을 하고 있는 것입니다. 우리가 그렇게 하지 않는다면 처음에는 넓으나 점점 가면서 좁아들고 막다른 골목이 생기는 것입니다. 그러나 우리가 그렇게만 한다면 처음에는 좁되 점점 가면서 넓어지면서 이 천지만물이 다 화창하게 빛을 보는 것입니다. 나와 더불어 말입니다. 그렇게 넓어지는 것입니다.

이 공부가 그렇게 묘하고 광대무변한 것은 내 마음 안에, 심원 안에, 온 누리에 삼천대천세계 모두가, 모든 법이, 찰나찰나 천차만별로 돼 있는 그 법이 한마음 심원에 들었다는 얘깁니다. 그래서 갖가지로 이름을 붙여서 따지지 않아도, 무슨 경에는 무슨 말씀, 무슨 경에는 무슨 말씀 하지 않아도 그 말씀 자체나 그 뜻 자체가, 그 하나하나의 이름이 심원 속에 다 들어 있습니다. 이거를 각자 눈 따로 귀 따로 코 따로, 눈은 뭘 보고 뭘 보고 이렇게 봐야 하고, 그렇게 보는 것 따지고 또 귀로 듣는 것 따지고 이러다 보면, 내 몸 전체의 모든 것을 일일이 따지게 되면 한이 없는 것입니다. 그렇기 때문에 그 몸 전체를 가지고 우리가 내고 들이는 것이, 그 천차만별로 돼 있는 법이, 다 내 몸 안에 마음이 있고 마음 안에 법이 있고 법 안에 바로 행이 있다는 것입니다. 그러니 우리가 적든 많든 이 뜻을 정렬하게 생각해서 마음 밖에서 내 부처를 찾아서는 아니 됩니다. 그리고 내가 생각하는 이 성품 안에서 법을 구해야 되겠죠.

그렇기 때문에 어저께도 얘기했듯 그 저울과 다는 것이 바로 맞맞이 이렇게 섰습니다. 소동파와 승호 선사가 양면에서 마주 섰는데, 근수가 얼마나 되느냐고 물었습니다. 어저께 얘기했죠? 성을 물으니까 칭(秤)가라고 해서 그 소리가 떨어지자마자 "악!" 하고 악을 썼다고요. 그러면서 그 뒷말이 "이 소리가 몇 근이나 되느냐?" 했을 때에 그것이 몇 근이나 되는가 한번 생각해 볼 점이 있지 않은가 하는 말을 했죠? 그런데 소동파는 왜 말을 타고 가다가 그렇게 승호 선사한테 삼배를 올렸는지? 무슨 생각으로?

그래서 여러분 중에서 그 두 가지의 뜻을 가지고 심시구(心詩句)로 역시 한 구절 지어 올리는 게 좋지 않은가. 이것도 우리가 공부하는데 한 길입니다. 가지가지 묘법이 그 마음 안에 들어 있기 때문에 한 구절 짓는 것도 공부의 한 길이라고 보는 것입니다. 자기의 그릇대로니까요. 그런데 경을 보고 시구를 지어도 아니 되고, 사량으로써 시구를 지어서도 아니 됩니다. 그것은 여러분이 더 잘 아시겠지마는 우리가 스스로 내 마음만 깨닫는다면 만법의 원리가 내 심원 안에 들어 있기 때문에 모든 게 문 아닌 게 없고, 시 아닌 게 없어! 법 아닌 게 없고! 보배 아닌 게 없고! 그렇기에 우리가 마음을 깨닫는 데 역점을 둘 때에 바깥에서 끄달리지 않아야 된다는 점입니다.

그런데 우리는 수 해를 걸쳐 놓고 바깥에서 끄달리고 부적이나 해 들고 다니고, 또는 밥이나 놓고 빌려는 생각이나 하고, 내가 잘되려는 생각이나 하고…. 잘되는 거는 뿌리만 승승하면 가지도 승승하고 이파리도 승승할 것을, 뿌리는 썩어 들어가면서도 아니, 괜히 그렇게만 하고 돌아다니면 내 가정의 풍파나 우환이나 가난이나 그 아픔의 쓰라림이 다 메워질까요? 점점 더할 것입니다.

우리의 마음을 밝힘으로써 가정이 화목하고 그 가정이 조어되면서, 우리가 또 조어되면서 조화를 이루고, 조화를 이루면서 우리는 화목하게 웃음을 웃을 수가 있는 그런 가정이 되며 사회가 되며 국가가 될 것입니다. 우리 한생각이 얼마나 묘한지 이 국가를 다 다스리고도 남음이 있고, 우주를 상응하고도 남음이 있는 것입니다. 이렇게 묘한 인간의 법이 얼마나 좋은 법입니까? 이런 것도 모르고 급급하게 내가 가난하다고 울고 빌어야만 하고…. 그런 값싼 울음은 울지도 말아요. 어차피 울려면 온 우주에 근원을 두고 한 방울을 떨어뜨리는 그 눈물이 아마 온 바다를 메우고도 남음이 있을 겁니다. 값싼 웃음도 웃지 말 것이며, 값싼 눈물도 흘리지 말 것이며, 값싼 생각도 하지 말라는 얘깁니다.

우리가 생각 생각 하는 것을 끊으라고 옛 성인들이 말씀하셨습니다. 어떤 분들은 모든 거를 쉬라고도 하셨습니다. 말은 각각이지만 그건 똑같은 이치입니다. 내가 모든 걸 맡겨 놓으라고 하는 말이나 똑같습니다. 비행기에 프로펠러가 돌아가는 대로 돌아가는 것이, 기사가 발동을 걸기 때문에 돌아가는 것입니다. 발동을 걸지 않는다면 부처요, 발동을 걸었기 때문에 법입니다. 프로펠러가 돌아가는 대로 그 법에 의해서 우리가 성품에서 나오는 대로 놓고 간다면, 바로 프로펠러가 돌아가는 대로 거기에다가 스스로 놓으면 자기가 돌아가는 데에서 스스로 먹을 거를 집어 먹을 수가 있는 것이며, 쓸 것을 거기서 그냥 집어서 쓸 것이며, 지고 다니고 무겁게 가지고 다니지 않아도 스스로서 올 것이다라는 얘깁니다. 자동적이기 때문입니다. 자연이며…. 이건 너무나 묘한 것입니다. 우리가 물질로 만든 게 아니라, 인위적으로 가는 게 아니라 자연적으로 이렇게 돌아가는 거기 때문에 파도가 친다 하더라도 잔잔한 물이 흐르듯이, 그것은 잔잔한 물에서 그대로 무심으로서 파도는, 그냥 우리 삶의 보람에 의해서 파도가 친다면 그것은 바로 아주 꽃이 망울망울 웃는 거나 마찬가지인 것입니다.

이 사계절이 없으면 참다운 우리 한국의 보람을 느끼지 못할 겁니다. 한번 저 서독에 가서 보니까 그저 낮에도 침침해. 볕 나는 날이 며칠 안 돼. 그러니 만약에 춥지도 덥지도 않고, 후덥지근하고 볕도 안 나고 그런다면 아마 한국의 그 멋을 모를 것입니다. 그러나 그런 데가 있고 이런 데가 있기 때문에 우리는 그 멋을 알고 참맛을 알 수 있는 것입니다. '야, 우리 한국에는 사계절이 있어서 사람이 살기엔 너무나 좋구나!' 하는 느낌을 느끼게 되는 것입니다. 노냥 비가 찌질 찌질 찌질 오고, 노냥 어둠침침하고 볕이 나도 잠깐 볕이 나고 금방 없어지는데, 잠깐 볕이 나니깐 모두 그냥 웃통을 벗어부치고 죄 나와서들 앉아 있으니 말입니다. 내 그걸 보고 말입니다, 참 우리나라 살기 좋다고 했습니다. 야, 물을 한번 얻어먹으려니 물을 마음대로 얻어먹을 수가 있습니까? 우리가 어디 가서 물 달라면 물 안 주는 사람 봤습니까? 이렇게 살기 좋은 요 노른자 안에서 이 노른자 공부를 못 한다면 어떡합니까?

우리가 이날까지 기복으로 참 많은 세월을 흘러 내려왔으니까 이

제부터라도 정신을 바짝 차려서 옷깃을 다시 한번 여미고 진심으로 내 마음 안에서 내 자부처를 구하면서, 내 성품 안에서 모든 법을 구하면서…. 만법의 진리가 바로 내 마음 안에 들어 있으니 이 마음 안에 들어 있는 묘법을 두고 어떻게 이 세상에 나왔다가 그냥 가시렵니까? 그 만법 좋은 거를, 묘법을 두고도 그냥 가시렵니까?

어렁더렁 우리가 인간으로 태어나서 이렇게 살다가 그냥 또 허무하게 떨어진다면 세세생생에 이렇게 굴러야 하는 것을 면치 못하며, 더 나아가서는 좌천이 돼서 짐승의 허물을 쓰고 또 그렇게 굴러야 하는 이치를 우리는 자세히 알아야 합니다. 우리가 미거하고 바깥에서만 구하고 항시 그렇게 어리석게만 나간다면 인과응보를 떠날 수가 없으며 유전성을 떠날 수가 없다고 수차에 말을 했죠. 자기가 한 것만치 받는다고요. 그러나 공한 도리를 알고 묘법을 안다면, 내가 한 것도 없고 안 한 것도 없이 그렇게 화창한 날씨에 온 누리에 꽃이 필 수 있고 열매가 맺을 수 있고, 그 열매가 무르익어서 온 누리에 여러 부처들이 다 그 맛을 볼 수 있는 불국토가 될 수 있다는 얘깁니다.

나는 여러분이 아시다시피 글자 한 자 배우지 못한 사람입니다. 그러나 사람이 마음을 깨달으면 모든 게 보는 대로 글이요, 말이요, 법이요…. 이것이 말 한 번 한 번 할 때마다 한데 떨어뜨린다면 안 되는 진실, 그 진실을 마음 가운데에, 모르는 사람이든 아는 사람이든 거지든 부자든 다 누구나가 똑같이 가지고 있는 것입니다. 그런데 '나는 지질하고 못 배우고 했으니까 이 부처님 법도 못 배우지.' 이런 생각은 아예 마십시오. 그렇게 훌륭한 소동파도, 그렇게 영리해서 말을 타고 가면서 병풍 글씨를 다 외워 두는 그 소동파도 승호 선사한테는 대답 한마디 바로 못하고 분해서 묵묵히 달아나가 버리고 만 것입니다.

그건 글자로 따지려도 따질 수 없어요. 글귀에 들어 있는 것이 아니기 때문입니다. 진리는 글귀에 들어 있는 것이 아닙니다. 그렇기 때문에 우리는 마음을 깨달아서 결국은 그 글귀의 말씀을 말씀대로 쓸 수 있어야만 되는 것입니다. 말이 한데 떨어지면 말인 것이고 그 말이 말씀이 된다면 바로 법인 것입니다. 그래서 하나도 한데 떨어뜨릴 게 없고 하나도 버릴 게 없고, 버릴 게 없기 때문에 산천초목의 그 푸른 잎은 전부 여러분의 몸이 되고, 폭포수가 흐르는 것은 바로 지혜로서, 설법이 되는 것입니다. 우리가 이런 이치를 모두 잘 안다면 어느 거 하나 떨어뜨려서 던질 게 없다는 것입니다. 던질 게 없기 때문에 우리는 "무!" 했던 것입니다. 너무 문이 많고 너무 묘하기 때문입니다.

그리고 한 가지, 여러분이 이렇게 오시니까 또 한 말씀 드리죠. 우리 가정에서도 말입니다, 전화를 받아도 말씨에 있어서 윗사람에게나 아랫사람에게나 존칭을 해서 말할 때가 있고 하대를 해서 말할 때가 있는 걸 적절히 알아야 할 것입니다. 젊은 사람이라도 어떤 때는 나한테 이렇게 말합니다. "우리 아빠께서 지금 몸이 이렇게 편찮으셔서 지금 나가시질 못하고 있습니다." 이러거든요. 허허허. 나한테뿐만 아닙니다. 이건 상식입니다. 이거를 수차적으로 말을 하려다가 좀 쬐맷쬐맷하고 말을 안 했습니다. 그러나 오늘 이런 말을 합니다.

내가 존대를 받고 싶어서가 아닙니다. 그건 여러분의 부모라든가 또는 일가친척이라든가 남의 노인네라든가 또는 어른들한테 말을 할 때는 반드시 자기 남편의 그 존칭을 내려야 합니다. 아랫사람한테 말할 땐 존칭을 하고 윗사람한테 아빠에 대해서 하려는 말은 언제나 존칭을 내려야 됩니다. 무슨 말이든지 상하를 잘 구분해서 말씀하시길 바랍니다. 그 말 자체뿐만 아니라 모든 것을 그렇게 적절히…. 한국말은 너무나 어렵다는 말이 있습니다마는 한국 풍습도 참 어렵습니다. 또 자기가 성질이 나면 전화를 받을 때도 아주 괴상하게 전화를 받고 또 전화를 합니다. "저, 거기 스님이십니까? 어느 스님이십니까?" 이렇게 묻고서 말을 하는 것이 옳은데, 댓바람부터 전화를 걸어서 "거기 절이죠? 우리 아빠가요, 아무 데 아무 데 아무 데…." 이렇게 말을 합니다. 이것은 교양 상식이 좀 부족하다는 뜻입니다.

우리가 이런 것도 부끄럽게 생각할 게 하나도 없습니다. 내가 이런 말을 한다고 해서 나를 욕하지 마세요. 우리는 한자리에 이렇게 앉아서 너 나가 따로 있는 게 아닙니다. 바로 여러분이 내 몸이요, 내 몸이 여러분 몸이요, 여러분의 마음이 내 마음이요, 내 마음이 여러분의 마음이거늘…. 그리고 전자의 부처의 마음도 전자의 부처의 몸도, 법도 전부 우리의 현실에 있는 것입니다. 그래서 일체제불의 마음은 내 한마음이라고 노래까지 지었지 않습니까? 그 노래를 부르면서 잘 생각을 해 보십시오. 그것이 무진 법문이 될 것입니다. 우리가 그 노랫소리만 잘 들어도 기복으로 흐르지는 않을 것입니다.

질문이 있으시면 질문하십시오. 참, 어저께 7번에서 뭐 나왔죠? 전설의 고향인가? 하하하…. 그거를 볼 때도 우리는 참고해야 하고 참구해야 됩니다. 사람이라면 자기가 한 것만치 온다는 거, 좋은 거든 나쁜 거든. 우선 착해야 하고 살림살이를 적절히 생각해야 하고, 마음 씀씀이가 그렇게 적절해야 된다는 얘깁니다. 어떠한 고난이 있다 할지라도 우리는 적절해야 합니다. 그리고 우리는 착하고 성실해야 됩니다. 주인공에다 놓으라고 그런다고 성실하지 않고 모든 걸 전폐한다면, 그건 성실한 사람이 아니고 불법을 구하는 사람이 못 됩니다. 양면이 따로 있지 않고 그렇게 적절하게 해 나갈 수 있는 그 도리를, 지혜를 넓게 편다면 우리는 아주 참 대인이요, 항상 말씀드리듯이 자유인인 것입니다. 내내, 세세생생 말입니다.

그전에도 내가 이런 말씀 드렸죠. 어떤 사람이 뇌물을 가지고 가니깐 호젓하게 혼자 앉아 계시더랍니다. 그래서 뇌물을 갖다 바치고선 뭐를 잘되게 해 달라고 언질을 드리니까 하시는 말씀이 "나의 힘 닿는 대로는 하겠네. 그러나 이것은 왜 가져왔나? 여러 사람이 있는데." 했답니다. 그러니까 "여기 아무도 없으니 받아 주십시오." 하더랍니다. 그러니깐 "자네가 있고 내가 있고 일체 신이 보고 있는데 어찌 아무도 없다고 그러는가?" 그랬답니다. 그와 마찬가지로 우리 마음 씀씀이를 아무도 못 듣고 아무도 모른다고 하지만 내가 생각하는 그 자체가 바로 일체 만법에 의해서 법계에서 다 듣고 있는 것입니다. 내 마음이 아는데, 내가 마음이 공하고 몸이 공하고 다 공해서 찰나찰나 돌아가서 하나도 세울 게 없는 것이 부처라고 했거늘 어찌 그 마음 씀씀이를 모르겠습니까? 이 천지가 다 알 것입니다. 아마 풀포기 하나도 모르는 게 없다고 하리만큼 다 알 것입니다. 그 묘한 법을 여러분이 등한시해서는 아니 됩니다.

(녹음 안됨) 오고 가는 사이 없이 들고 나는 것을 귀신도 모르는 법입니다. 찰나찰나 화해서 들고 나는데 어찌 귀신이 알겠습니까? 누구도 그것은 헤아릴 수가 없는 것입니다. 그래서 내 마음을 헤아릴 줄 안다면 부처의 마음도 헤아릴 수 있어서 우리가 둘이 아니게 부처인 것이고 바로 법신인 것이고 화신인 것입니다.

그럼 질문하실 게 있으면 질문하시죠.

신도(남) 어제 시 쓴 게 있어요. 읽어 드릴 테니까 좋으면 칭찬해 주시고 변변치 않으면 야단쳐 주세요.

승호 선사의 일 할은 몇 근이나 되며
소동파의 물소리를 듣고 깨쳤다 함은 어떤 소식인고
눈 아래 작은 풀잎에도 수미산이 들어 있고
뒤뜰 바람소리는 봄 내음을 품고 흘러간다네
일 할은 몇 근인고?
손바닥 마주침과 다름이 없고
물소리에 깨쳤다 함은 곡차 한잔으로 답을 한다오
아해야! 우리 점심 설거지나 하자꾸나

큰스님 그런데 이것은 칭찬하기 이전에 조금 무의미한 데가 있어.

그것은 만약에 우주가 이거라면, 여기에서 근수로 따진다면 반 근밖에 안 돼. 그러니까 마저 채우라고. 채울 게 없는 걸 마저 채워.

신도(남) 저, 오늘 아침에 쓴 것도 하나 있는데요, 그것도 마저 읽어 드릴게요.

큰스님 허허허….

신도(남)

산 아래 쌓인 눈에 눈물이 그렁하고
이 몸을 어디서 찾을꼬
기쁨은 온 누리에 충만커늘 내 울지 않고 어이 참으리
한 세월이 흐름에 시비하던 모습들마다
늘 도도히 흐르던 강물

큰스님 정말…. 이거 봐! 이것이 두 눈이라고 하세. 지금 소동파하고 승호 선사하고 이 두 주먹이라고 하세.

신도(남) 예.

큰스님 그런데 그 눈물이라 하는 이것이 이렇게 쳐서, 이 친 것을 빵 치는 그 멋이 없어. 그것을 바깥 사량으로써 하지 말고 안에서 스스로 그 물방울이 나와서 그대로 흘러 돌게 하라고.

요새 말간 청수로다가 소지를 해낸다면서? 하하하….

청눈의 빛깔은
그 물소리도 무색하네
기막힌 사연들은
우수수 우수수

그럼 오늘은 이만 그치겠습니다.

마지막으로 우리 그 뜻에서 시 한 구절씩 지어서 한데 모아서 요 다음에 '아, 옛날에는 이랬는데 오늘에는 온데간데없더라.' 하는 그런 생각을 한번 해 볼 수도 있는 것이니까 말입니다. 아는 사람이라면 시 한 구절씩…, 감사하겠습니다.

생활 속의 보림

1986년 2월 6일

음력으로 친다면 오늘이 벌써 여드레인 거 같습니다. 물론 이 선종 도리에는 올해가 따로 없고 내년 해가 따로 없고 작년이 따로 없지만 우리가 유(有)의 법과 무(無)의 법을 한데 합쳐서 현실도 무시할 수가 없으니 지금 아마 정월이 가까워 오는 것 같습니다.

이렇게 나날이 시계추가 쉴 사이 없이 돌아가듯 우리 인생도 이렇게 쉴 사이 없이 돌아가는군요. 쉴 사이 없이 돌아가는 이 때에 우리는 지금 어떻게 하고 어떻게 보고 어떻게 걷고 있는가를 되돌이켜 한번 생각할 점이 있겠습니다. 그럼으로써 이 선법 도리에 의해서 우리가 관문을 통과한다 하는 것은, 그 관문이라는 자체도 예전에 성현들이 바로 관법에 의해서 그 말씀을 하신 건데, 방편이라고 하지만 그 방편을 우리가 안 해서도 아니 되는 것입니다. 예전에 어른들이 해 오신 것을 우리가 무시하고 이렇게 나가는 게 아니라, 내 마음을 밝혀서 아주 역력하게 나를 봤다면 성현들의 그 가르침의 뜻을 언제나 참구하고 관하면서 내 마음으로 돌려서 항상 내 거를 만드는 그러한 이치가 있어야 하며, 내 거를 만들었으면 또 내 거를 같이할 줄 알아야 합니다. 내 거라고 착을 둬서도 아니 되는 그런 이치가 있죠.

예전에 어느 중이 귀한 선종 스님한테 묻기를 "부처는 어느 것이 부처입니까?" 하고 물었답니다. 그러니 "바로 네가 부처니라." 이런 말을 했답니다. 그 말끝에 그 중이 하는 말이 "보림을 어떻게 하오리까?" 했답니다. 그러니까 선종께서는 말씀하시기를 이렇게 말을 했답니다. "눈병이 나면 허공에 꽃이 어지럽게 떨어지니 그것을 관찰하라." 했답니다. 예를 들어서 눈병이 나면 허공에 꽃이 어지럽게 떨어지니 이것을 잘 관찰하라고 했답니다. 그 묻는 분이나 대답한 분이 그렇게 묻고 대답을 했다는데, 그러면 여러분이 생각할 때 그 스님께서 말씀하신 그 뜻이 무엇일까요? 내가 수차적으로 이렇게 날이면 날마다 여러분과 같이 의논하고 이 도리를 알기 위해서 이렇게 가고 있습니다. 말은 달라도 뜻은 같으니까요. (잠시 사이) 왜, 부처가 너라고 하니까 "보림을 어떻게 하리까?" 하는 묻는 말과 더불어 말대답이 "네가 눈병이 나면 허공에 꽃이 어지럽게 떨어지느리라." 하신 이 뜻은 무엇일까요? 내가 나를, 참나를 알았다면 거기에서 다 해답이 나오는 것입니다.

예를 들어서 우리가 깨달았다고 해서, 엊그저께도 어저께도 얘기했습니다만 깨달았다고 해서 여러분의 주장자를 보지 않고 내 주장자에 맞춰서 산다면 도리가 아닌 것입니다. 그래서 내 주장자를 여러분과 같이하면서 '나는 옛날에도 죽었고 지금도 죽었고 후일에도 죽을 것이다.' 그래서 '죽었다' 이렇게 된다면 '작년에 죽은 게 없어서 올해도 죽을 게 없고 내년에도 죽을 게 없다' 이겁니다. 그렇게 한다면 모든 것이 바로 이 마음 근본 자리에서 그 회답은, 어떠한 말을 했든지 그 뜻은 똑같아.

그래서 여러분이 지금 색신이 살고 있는 데서 말씀하시는 그러한 투로 말을 안 하고 달리, 뜻은 똑같지만 달리 이렇게 말을 자꾸 해서 여러분이 그 뜻을 어떻게 처리하나 하는 것을 알기 위해서도 그렇게 말을 했고, 또 여러분이 익었나 안 익었나 그걸 보기 위해서도 그랬고, 또 한 가지는 여러분이 모든 것을 놔서 참말 보림을 잘했으면 거기서 싹이 틔어 나올 테니까 보림을 하게 만드느라고 그랬을 거고, 나중에 깨쳐 가지고도 또 잘 나투면서, 터득하면서, 체험하면서 안으로 굴려서 보림을 시키기 위해서 그렇게 하는 법도 있고 그러하니 말입니다. 그것은, 그 말씀은 어떤 점에 속할까요?

그럼 그건 눌러 두고요, 요새 내가 말씀드리는 것은 그렇게 하는 분들이 더러더러 있을 거 같아서 참고적으로 이렇게 얘기합니다. 그렇게 하는 분들은 없겠지만 혹시나 몰라서…. 요새 종종 그런 말을 자꾸 해 드립니다. 이것이 물에 빠져 본 놈이 물에 빠져 본 놈 사정을 안다고 했습니다. 그렇듯이 만약에 공부를 해서 내 마음을 봤다고 했을 때에 그때가 공부하기 더 어렵습니다. 이건 벌써 수차에 말씀드리는 겁니다. 그건 왜냐하면 사람이 오관을 통해서 듣고 보고, 이렇게 육안으로 보는 것, 듣는 것 말고 내 참 여기에 안으로 굴려서 내 눈으로 본다 하더라도 그것은 진짜 보는 게 아닙니다.

왜냐하면 거기 두 가지가 있습니다. 또 요것을 반복합니다. 하나는, 우리가 상대방이라는 대상이 없으면 습이 일어날 수도 없고 생각이 일어날 수도 없는 겁니다. 마주칠 수가 없으니까 생각이 일질 않습니다. 그래서 내가 깨쳤다 할지라도 항상 상대방을, 내가 굴려서 보림하기 위해서, 공부하기 위해서 보는 것입니다. 보고 듣고 사방을 둘러봐도 내가 체험하고 돌아가면서 그 자리에다 다시 놓는 것입니다. 그렇기에 좀 본다고 하더라도 본단 말을 바깥으로 하지 말아야 하는 것입니다. 접때도 그랬죠? "내가 가만히 보니까 너는 똥을 누고 가더라. 내가 가만히 보고 있으니까 너는 밥을 먹더라. 내 가만히 보고 있으니까 너는 잠을 자고 있더라." 이렇게, 참나가 나를 가르치기 위해서 뜻으로 그렇게 보게 했더니 요걸 가지고 자꾸 장난을 해. 그러니까 그거를 말없이 쓰되, 말없이 굴리되 그 굴린 자리에 다시 놔라 이거야. 알면 자기가 알았지 남이 아는 게 아니야. 그러면 알았어도 아는 게 아니다 이 소립니다. 이때가 애들 사춘기처럼 얼마나 어려운지 몰라요, 이때가!

그래서 그런 걸 급한 일이 있으면 쓰되, 그 썼단 말도 하지 말라 이거야. 또 그걸 보되, 듣되 그것은 도반들끼리나 서로 주고받고 공부를 하기 위해서 얘기하는 거지. 그것은 도반들끼리 앉아서 공부하기 위해서 해도 좋습니다. "글쎄, 네놈이 말이야, 이거를 봤지 않아? 그랬더니 이렇게 이렇게 한다고 하더군. 아, 고놈도 고놈이더군." 하면서 참 재미있게 문답을 할 수가 있죠. 그런데 우리가 만약에 "너는 이렇게 이렇게 하는 거를 내가 봤더니 이렇게 하니까, 넌 이렇게 이렇게 해라." 이런 거는, 바로 선신이 되라고 했더니 귀신이 되는 거라!

기껏 배기무가 되라고 묻어 뒀더니 아, 이건 공다리씨 그대로 있는 거라. 아무짝에도 못 쓰지. 심어 봤자야 무도 밑에 안 앉고 공다리만 올라오니깐 뭐, 이파리를 먹을 수가 있나, 씨를 쓸 수가 있나? 그와 같이 아무짝에 못 쓰는 거라. 그러고도 나만 본다면, 거기서 멈춘다면, 지난번에 주장자를 갖다가 받아서 이렇게 법상에 놓는 거 보시지 않았습니까? 그 짝이 나는 겁니다. 거기서 멈추면 그 짝이 나는 거라. 그리고 나라는 아만만 서고 아상만 서고 그것을 버리지 못하는 거예요.

그래서 마음으로는 당당하고 도도하되 내 모든 행으로는 겸손하고 언제나, 위를 보면 위 보는 대로 아래를 보면 아래를 보는 대로 항상 염렵하고 자비한 마음으로 남한테 할 수 있는 그런 가짐가짐이를 잘 가져야 된다는 얘깁니다. 여러분이 말 한 번, 행 한 번 잘못하고 돌아가면 연쇄적으로 잘못되는 게 어디까지인 줄 아십니까? 나에게만 미치는 게 아닙니다. 역대의 조사들한테도 미칠 뿐 아니라 저 끄트머리로 가서는 석존까지 일컬어져 버린단 말입니다. "저 불자들이 하는 일이 저게 뭐야? 저 행동 좀 봐!" 그런다면…. 불자라고 했습니다. 불자는 누구를 말하는 겁니까? 석존이 따로, 그분이 따로 있는 게 아닙니다. 그분이자 여러분입니다. 여러분이자 나고 내가 여러분이거든요. 동시에 욕을 먹는 겁니다, 동시에! 누구를 막론해 놓고.

우리가 앞으로 정월 1월 1일, 2일, 3일, 촛불재를 하는데, 그 촛불은 왜 켜는 것입니까? 우리가 눈으로 보지 못하고 듣지 못하면 알 수가 없기 때문입니다. 모두 여러분이 본래 아는 거라면 아마 전자에 선조들이 그렇게 방편을, 많은 설법을 하지 않았을 거고 또 여러 말씀 안 하고도 될 수 있었지마는, 부처라는 이름도 없었을 겁니다, 아마. 그런데 그걸 모르시니까 모든 것이, 염불도 있어야 했고 촛불재도 있어야 했고, 그 옛 법을 다 갖추어야 했고, 지금 현 법도 예전 법도 둘이 아니게 항상 그걸 따라야 하는 것이 예의로 아주 이렇게 돼 있습니다. 그러나 우리가 그걸 알고 해야 합니다. 모르고 남이 하니깐 그냥 따라 해서는 아니 되죠.

지금 보통 우리는 마음을 밝힌다고 합니다. 본래 마음이 밝혀져 있기 때문에 그 촛불을 들고 있을 수 있는 것입니다. 우리가 만약에 마음이 밝아져 있지 않다면 촛불 자체를 들 수도 없는 것입니다. 그리고 밝다고 생각을 할 수도 없고 내 마음을 밝힌다고 생각도 할 수 없는 것입니다. 그래서 우주의 근본도 마음의 근본이요, 태양의 근본도 마음의 근본이라. 전체의 근본 자체가 바로 마음의 근본이니까.

우리가 부처를 이루려고 하는 것도 마음의 근본이라. 그 근본 성품에 의해서 우리는 이렇게 무수히 작용을 하고 있습니다. 작용을 하면서도 자기가 부처인 줄 모르고 그 조그마한 내 마음의 촛불, 티끌만도 못한, 아니, 보이지도 않는 그 마음 자체가 천차만별로 작용을 하고 있거든요. 얼마나 묘합니까? 어쩌면 그렇게 묘한지, 슬프다고 눈물이 나고 즐겁다고 웃고, 또 사랑한다고 즐거워하고 이렇게 오고 가고, 찰나찰나 천차만별로 행을 하고 보고 듣고 이렇게 지금 연결 연결 해서 옮겨 가고 있는데, 옮겨 돌고 있는 거죠? 옮겨서 돌고 있는 이 자체가 바로 자기의 그 밝은 마음에 의해서 옮겨 다니고 있지 않습니까? 마음과 말과 행이 동시에 삼합으로서 한데 합쳐지면서 옮겨 가고 있는 겁니다. 옮겨서 돌고 있는 이 자체가, 바로 자기의 성품이라고 하는 것이 마음이라고 하는 거와 무엇이 다르겠습니까?

그러면 마음이라고 그러는 건, 한마음이라고 하는 거는 우리가 전체를 말하는 것이고 성품이라고 하는 것은 조금 다른 점이 있는 것입니다. 왜 그러냐. 성품이 이러냐 저러냐. 변덕스러우냐 조용하냐, 나쁘냐 좋으냐 하는 자기의 성품에 따라서 팔자 운명이 바로 거기에서 나온다 이겁니다. 차원에 따라서, 차원이 일차원이냐 이차원이냐 삼차원이냐 하는 것도 자기 성품 가운데에서 나오는 거라. 모른다 하는 것도 성품이요, 안다 하는 것도 성품이라. 성품 가운데에서 모든 것을 하고 있는 거예요. 여러분이 지금 손이 없으면 잡을 수가 없고, 발이 없으면 걸을 수가 없고, 눈이 없으면 볼 수가 없고, 귀가 없으면 들을 수가 없고, 코가 없으면 냄새 맡을 수가 없고, 혀가 없으면 말을 할 수가 없듯이, 몸이 없으면 몽땅 다 없듯이 그것이 다, 움죽거리는 그 성품에서 나오는 작용이 바로 여러분의 불성에서 나오는 작용이라고 봐야 되지 않겠습니까? 불성이라는 것은 성품을 조성하고, 성품은 작용을 조성하는 것이란 얘깁니다.

왜 내가 인간의 이 혹성, 이 자체의 몸을 가지고 얘기를 하느냐. 이것은 바로 지수화풍으로 완벽하게 바탕이 되고 있기 때문입니다. 야, 나도 공했고 이 허공도 다 공했어! 그랬는데 생명이 없는 송장이 어떻게 가고 오고 움죽거릴 수가 있겠습니까? 허공이 어떻게 움죽거릴 수가 있겠습니까? 일체 만물만생이 이렇게 조화가 돼서 돌아가기 때문에 바로 그것조차도 움죽거리는 것입니다. 그것은 바로 그 성품이, 어떠한 걸로 비유를 할까요? 우리가 지금 성품 자체, 마음 자체를 그냥 마음이라고 한다면 "사람" 이러는 거나 똑같죠. 그러나 성품은 그렇질 않습니다. 성품은 지혜가 넓은 성품이 있고, 지혜가 낮은 성품이 있고 성품도 천차만별로 돼 있으니까요.

성품이 천차만별로 돼 있어서 자기 성품으로 인해서 자기가 긁어 부스럼을 만들 수도 있고, 긁어서 부스럼을 만들 필요도 없이 자기라는 것도 몽땅 공했다는 것을 알고 났을 때에, 아까도 얘기했지만 몽땅 다 아주 보지 않으면, 내가 죽었다고 생각한다면 그 색색 가지가 다 떨어질 거 아닙니까? 떨어지면 뭐가 되죠? 접때 말했죠? 열매가 맺는다고요. 눈 감으면 모든 것이 다 떨어져. 그 어지러운 것이 다 떨어져. 그래서 이게 우리 인간 살림살이하는 데 지금 근본 목적인데, 그렇다면 모든 것을, 일체를 남의 탓 하지 말라는 얘깁니다. 아주 감아 버려!

"나 하나만 죽으면" 하는 소리는 내가 살아서 죽을 줄 알아야지, 죽어서 송장이 돼 가지고 죽는다는 건 죽는 게 아니야. 그래서 유위 열반이 있고 무위 열반이 있어. 그런데 무위 열반이 될 수 있어야 유위 열반으로 돌아올 줄 알지, 무위 열반을 모르면 유위 열반을 몰라, 진짜! 그래서 무위 열반과 유위 열반이 둘이 아니어야 진짜 열반인 거라.

모든 것을 남의 탓을 하지 말라고 하면 "그러면 저기서 이렇게 욕을 하고 이렇게 때렸는데도 탓을 하지 말랍니까?" 이럽니다. 그렇죠! 자기가 있기 때문에 상대가 있지, 자기가 없다면 뭐가 있어? 인연에 따라서 자기가 지었기 때문에…. (녹음 안됨) 이 주인공 그 성품에서 나온 거, 공한 성품에서 나온 거 공한 성품에다 놔라 이거야. 네가 한 거니까 네가 해결해야지 누가 해? 자기가 시자 노릇을 하면서 말이야. 그래서 자기가 시자가 된다면 죽는 것이라. 자기 몸뚱이는 아예 관 속으로 좀 들어갔으면 좋겠고, 아예 눈 감았으면 좋겠고…. 그러면서 역력하고 참, 외착이 없이 소소영영하게 우리 살림살이를 똑바로 여실히 해 나갈 수 있다면, 그 여실히, 똑똑히, 역력하게 생활을 할 수 있는 그 자체가 바로 누가 하는가? 누가 하는가?

참자기로서 바로 그 성품에 의해서 자기가 행동을 하는데, 거기에서 모든 것을 우리가 하나하나 요렇게 시계추가 돌아가듯이 하는 겁니다. 그러니 야, 시계를 세 시라고 고정되게 해 놓을 수가 있나, 두 시라고 해 놓을 수가 있나, 한 시라고 해 놓을 수가 있나. 어떤 시간을 제일이라고 할까요? 오전입니까, 오후입니까? 우리가 인간으로 태어나서 이 공부를 할 때를 오전이라고 한다면 지금 앞으로 다가올 그것은 오후입니다. 이 지금 오전 오후를 단계라고 볼 때에, 우리가 오전에 잘하면 오후는 걱정할 것도 없죠. 미래를 왜 걱정해요? 과거에 내가 생각하고 그 생각한 것이 또 진화돼서 이렇게 무겁게 짊어지고 온 것들 때문에 지금 오전에 이렇게 애를 쓰고 있는 거거든요. 오전에 모두 몽땅 놓지 않는다면 오후에도 여전히 무겁게 짊어지고 아마 끊임없이 돌 겁니다.

그래서 우리는 조그마한 촛불이지만 언제나, 촛불을 켜든지 생활을 하든지, 만남이 있든지 사랑을 하든지, 생활을 하는 데에 회사에 나가든지, 모든 것을 하는 거나 먹는 거나 자는 거나 깨는 거나 또 만남이나 모든 것을 자기한테로 돌릴 때 그때에 진짜, 내가 나를 만나기 위한 보림이에요. 또 만나고 난 뒤에 잘 보림을 해야 되는 것이기 때문에 여러분이 잘해야 됩니다. 우리는 진심으로 그 조그마한 촛불 하나가 이 우주 전 세계를, 아니 우주 전 세계, 삼라만상 대천세계를 다, 닿기만 하면 몽탕몽탕 타 버린다는 걸 아셔야 합니다. 촛불 하나가 뭐를 태우는 줄 아십니까?

그래서 예전에 이렇게도 표현을 했죠. 내 조그마한 마음 하나가 자석이라면 이 우주 삼천대천세계의 모든 것이 그 자석에 붙어서 녹아 버린다고요. 붙기만 하면 녹아! 그게 한 덩어리가 돼 버리니까. 그러니 우리가 말 한마디 어긋나게 할 수가 있겠느냐 이겁니다. 내 마음이 밝아지면 이 마음을, 예전 선종들의 그 관법을, 또는 깨친 그 도리를 어긋나지 않게 할 수 있지만, 우리가 그 뜻을 모른다면 도대체 말하고 행하고 뜻이 전부 어긋나 버려. 내가 이거를 한다 했어도 그놈의 게 안돼 버려. 다른 데로 돌아가. 그리고 내가 이거를 한다고 했다가도 또 달리 돌아가. 절로 가고 절로 가고 이러니까 말과 행과 뜻이 맞지 않는다 이 말이야. 그러나 내 마음을 밝히면 말과 행과 뜻이 똑같이 돌아간단 말입니다.

그래서 활구법이니 청법이니 이런 말씀들을 많이 했고 방편으로 그런 말씀을 잘했지만, 그 방편, 그 활구를 우리는 몰라서도 아니 되지마는 나를 깨쳐 가지고는 그러한 책을 봐도 책이 나를 보지 않고 내가 책을 보지 않을 겁니다. 그러나 나를 깨치지 않고 책을 보면 책이 나를 보고 내가 책을 보기 때문에 그 글씨 쓴 백지를 아는 도리가 없어. 글을 보고 해석을 하고 야단들이지. 그렇기 때문에 그 백지를 모르면 바로 내 백지를 모르는 거라. 그러니 그분들이 하시고 내려오신 그 문제가 바로 내가 하고 있는 거나 똑같은 거라. 내가 한다고 그래서 나만이 내가 아니라, 여기에 앉아 있는 분이 동시에 하납니다. 하난데 너무 수효가 많기 때문에 어떤 분을 내세워서 나라고 할 수 없으니 이건 무(無)라! 그렇듯이 우리 생활도 역시 그런 거예요.

그래서 우리가 하룻날 저녁에 예불을 모시고 저녁때에 촛불재를 하고, 촛불재를 하면 그 촛불 하나가 우주 삼천대천세계를 집어삼킨다는 거를 아주 실감 나게 실천에 옮기면서, 내 모두를 불태우면서 나까지도 거기 더불어 같이 태우는 법이죠? 그렇게 해서 그 촛불 자체는 볼 수도 없고 쥘 수도 없고 바로 내가 가질 수도 없는 겁니다. 그러나 역력하게 이렇게 여러분이 가지고 있지 않습니까?

그런데 이렇게 쉽게 공부할 수 있는 법을 모르고 화두를 들고 10년 20년 돈다거나, 10년 20년 좌선을 하고 앉았다가 해제가 되면 나오고 이렇게 하는 분들도 많습니다. 그러나 결제 해제는 없는 것입니다. 선방에 가는 분들이라면 해제가 없고 결제가 없어야 합니다. 그래서 우리는 될 수 있으면 그 도리를 알아서 어느 날짜를 정해 놓는다 하더라도 그건 율법의 질서를 지키기 위해서 시간을 정해 놓은 거지, 지금 선 도리를, 선을 하는 사람은 일일이 따지는 그것을 놓고 들어가야 합니다. 그렇게 질서는 지키되 바로 그것이 둘이 아니라는 거. 일체를 놓고 들어가야 되거든. 앉는 것만이 선이 아니고 서는 것만이 선이 아니야. 눕는 것만도 선이 아니야. 눕고 앉고 서고 하는 것이 다 참선이라!

우리 일상생활에서 보고 듣고 먹고 행하고 사랑하고, 어느 거 한 가지도 빼놓지 않고 하는 것이 다 참선이라. 이거를 누가 하는가. 한군데서 나와서 한군데로 들고, 한군데서 나와서 한군데로 들고, 쳇바퀴 돌듯 만법의 이치가 이러한데 이것이 참선이 아니고 뭐겠습니까? 만약에 앉아서만 참선을 할 수 있다고 고집한다면 이건 죽은 참선이야. 우리가 생동력 있고 조화를 이루고 발전하고 이렇게, 정말 프로펠러처럼 돌아가는 이 세상을 한숨에 꿰어 들 수 있는 그러한 멋있는 자유인이 될 수 있어야만 하지 않나 이런 생각이 듭니다.

그럼으로써 그런 공부를 하시려면 모든 걸, 줄창 말씀드렸듯이 사대가 공한 자기, 이 세상이 공한, 그 둘이 아닌 나와 더불어 세상은 공했어. '나, 내가 있기 때문에 그걸 바탕으로 해서 모든 걸 들이고 내는데 그 들이고 내는 놈이 바로 공한 내 주인공이로구나.' 하고 믿고 물러서지 말고 거기에 모든 걸 맡겨 놓는다면 내가 스스로 갈 때는 스스로 잘 가지고, 올바르게 스스로 행해지고, 올바르게 생각해지고, 올바르게 눈이 떠지고, 올바르게 듣게 되고 이렇게 해서 잘 진행해 나갈 수 있는 것이죠.

내 마음이 가난하다면 가정이며 모두가 가난해지는 것입니다. 내 마음이 풍족하면 죽을 먹고도 허허 웃을 수가 있는 것입니다. 그럴 때에 비로소 내가 돌아가면서 내가 쓸 때에 여여하게 내 앞에 다가오는 것입니다. 내가 왜 짊어지고 다닙니까, 무겁게? 접때도 얘기했듯이, 공항에 가면 짐을 놓으면 슬슬슬 돌아가서 내가 내 거는 집어서 들고 나오게끔 되는 그러한 것처럼 배고플 때는 각설이가 밥 먹듯이 내가 먹고 싶을 때는 꺼내 먹고, 안 쓸 때는 거기 놓고, 또 쓸 때는 꺼내 쓰고 이러면 됐지, 왜 짊어지고 다녀요? 모두가, 이 세상천지 모두가 다 내 것이라면 말입니다.

세상천지가 모두 내 거기 때문에 내 거 아닌 게 없고, 내 거 아닌 게 없기 때문에 바로 내 게 없다는 것입니다. 그래서 모든 것을 놓고 간다면 구태여 내가 가난하고 외롭고 고독하고 살 수 없고 속상하고, 이런 게 하나도 없어요. 잔잔한 물이 돌고 도는 거 같아요. 그러니까 화창한 날씨에 만방에 꽃이 핀 거 같고요.

그러니까 항상 우리가 촛불재를 하더라도 그 촛불 하나가 우주 대천세계, 이 삼천대천세계를 태울 수도 있다는 이런 관념 아래서 고정되게 착을 두지 않으면서…, 그런 것조차도 생각을 했다면 얼른 놓는 것이 상책입니다. 그런 생각을 일으키지 않는다면 또 공부를 할 수가 없으니까요. 생각을 했어도 놓고 돌아가는 겁니다. 여러분이 여기 오실 때 뒷발자취가 없듯이, 앞으로는 아직 집에 가지 않았으니까, 떼놓지 않았으니까 또 발자취가 없어요. 그러니까 우리가 지금 현실, 여기 앉아 있는 이 순간, 바로 우주 삼천대천세계의 그 모두가 한마음 촛불 하나에 다 들어 있다는 걸 아셔야 합니다.

오늘은 이만 그치렵니다.

선지의 길을 따라

1986년 2월 12일

큰스님 … 그런데 때에 따라서는 사람마다 누구나가 다, 둘이 아니라는 것은 알지만 그 둘이 아닌 것이라고 하는 데서 둘이 아님을 또 다시 알아야 하는 것이 우리가 지금 공부하는 것입니다. 그래서 둘이 아닌 것은 아나 '둘이 아니다'라는 것을 알아야 한다는 얘깁니다. 그런데 보통 흔히 말들 하기를 "둘이 아닌데 뭘 그래? 뭐 할 말이 그렇게 있다고…." 이렇게들 시원하게 아주 해 버리는 말로 합니다. 그런데 우리가 이 자연의 진리가 물론 물도 얼음도 둘이 아닌 거는 알죠.

그런데 우리가 허구장창, 지수화풍이 뭉쳐 있다고 했죠? 그런 거와 마찬가지로 우리가 얼음과 물이 둘이 아닌 줄은 알았으나 그 씀씀이대로 하고 돌아가는 데서 배우는 이치가 있습니다. 상황에 따라서 물을 크게도 쓰고 상황에 따라서 작게도 쓰고, 흘러내리는 물이라도 좀 더 우리가 생각해 봐 가면서 쓸 수 있는 상황이 있고 이렇듯이, 항상 그 물에 의해서 말갛게 씻을 수 있는, 씻는다고 해서 또 물에 물건을 씻는 것만 생각하지 마시고요. 항상 말갛게 씻을 수 있는 그러한 마음 자세는 우리가 선지들의 그 길을 따르지 않으면 안 된다는 것입니다. 아무리 내가 알고 알아도 선지들의 그 큰 발은 너무 커서, 작다 못해 티끌 안에 우주가 다 들어 있다는 말로 표현을 합니다. 그런데 보통 우리가 말은 안 해도 마음으로 '에이, 그까짓 걸 가지고….' 이렇게 아주 허심탄회하게 생각을 내서는, '아이고, 그럼 그렇게 되어 있는 거를 뭘 그래? 뭐, 그 말이 그 말이고 그 말이 그 말인 걸. 그게 바로 그 도리인 건데, 뭐.' 이렇게 그냥 알아 버리는, 쉽게 아주 간단하고 가볍게 그렇게 안다는 그 생각은 좀 더 우리가 생각해 볼 점이 있습니다.

예전에도 그런 말이 있었죠. 선지들께서 말씀하시기를 "얘야, 내가 지금 급하게 오던 길에 아주 무겁고 요지부동한 돌계집이 어린애를 낳았어. 그런데 지금 해산간을 안 해 줄 수도 없고 해 줄 수도 없고, 어떡하면 좋겠니? 너희들은 이 뜻을 어떻게 해석을 할 수 있겠느냐?" 하고 "이 한 길을 일러 봐라." 했습니다. 그랬더니 '그것은 방편으로써 말씀하시는 거.' 하고 가볍게 "우리 이대로가 그냥…." 하고선 가볍게 말하는 사람이 많이 있었더랍니다. 돌계집이 따로 있고 애 낳는 게 따로 있겠느냐고 말을 그렇게 가볍게 해 버리기 쉽습니다. 하지만 그 속에는 그분이 하신 말씀하고 대답하는 사람이 대답한 말하고는 천지차입니다. 알고 대답하는 거하고 모르는 걸 이르는 말하고는 다릅니다.

우리가 공덕이다, 또 공덕이 못 된다 하는 이유가 어디에 있는가? 예전에도 그런 얘기를 많이 했습니다마는 "부처님은 자비로우셔서 사람을 죽이지도 않고 살생도 안 하고 해하지도 않고 모든 일을 착하게만 하시는데, 범부들은 항상 죽이고 먹고 이렇게 살생을 해서 지옥에만 갈 처지건만, 부처님께서는 어째 범부와 부처와 둘이 아니라고 합니까?" 이런 질문을 했어요. 그러니까 부처님께서는 말씀하시기를 "이 해가 만물을 다 비춰 주는 것도 중생을 위해서고 저 서산에 지는 것도 중생을 위해서니라." "그러면 그렇게 뜨는 것도 중생을 위해서고 지는 것도 중생을 위해서라면 거기에 어떤 것이 부처입니까?" 했어요. 그러니까 들고 있던 주장자로 탕탕 발목을 치더랍니다. 그런데 여길 쳤는데 왜 발목이 쳐집니까? 법상을 쳤는데 왜 발목을 쳤다 합니까? 그 한 대목이 관문입니다. 이 한 구절이 바로 일차적인 관문을 통하는 데에 문제가 있는 것입니다. "우리가 법상을 쳤는데 어째서 발목을 쳤다 하느냐? 이 소식을 한 구(句) 일러 봐라." 하는 뜻입니다. 이 모두가 방편이라고 하지만 이것은 실천이자 현실이고, 과거도 미래도 없는 현실입니다. 깨달은 분이 '없다' 고 하신 말을, 그것을 귀동냥으로 해서 듣고 사량으로 알고 이론으로 알고 그래서 "아, 그거 그냥 둘이 아닌데, 그냥 무(無)야!" 하고 이렇게 해서는 아니 됩니다.

그래서 이 만법의 근원이 어디에 있는가? 나에게 있다. 우리가 자도 숨을 쉬고, 깨도 숨을 쉽니다. 이게 그대로 참선입니다. 우리가 사량적으로 잘못해 놓고 또 뒤에 생각을 하고 거론을 하고 이런다면 그것은 또 걸리는 법입니다. 잘못한 데다가 또 잘못이 거듭거듭 붙어요. 만약에 가정에서 잘못하든 어디에서 잘못하든 잘못해 놓은 거라면 그것 또한 자기 성품에 의해서 이리 용(用)을 하고 저리 움죽거리고 조리 생각해서 하는 것인데, 이런 것을 일일이 걸린다면 그것은 더더기가 붙는 거나 마찬가집니다. 그러나 그렇다고 해서 '이건 주인이 하는 거니까, 다 놓으라고 그랬으니까 잘못해도 이건 내가 한 게 아니야.' 이렇게 회피를 해서는 아니 됩니다. 그래서 그 도리가 쉬우면서도 까다롭고 까다로우면서도 쉬운 것입니다.

내가 항상 말을 하기를 "마음은 허공을 갈 수 있고 허공을 돌 수 있고 이 지구를 벗어날 수가 있지만 육신으로서는 벗어날 수도 없고 또 이 온 누리를 돌 수도 없는 것입니다." 하고 말을 하니까 그게 쉬운 줄 알고 그냥 그러시는 분들도 있을 거라고 생각합니다. 그러나 쉬운 게 아닙니다. 그러나 또 어려운 것도 아닙니다. 오직 나 하나 깨닫는 데는 너무도 당연하고 쉬운 것입니다. 그건 왜? 모든 게 진심스럽고, 믿고 물러서지 않는다면…. 그전에도 말했지만 억겁을 거쳐 나온 그

습을 지금 현실에 내가 짊어지고 있는 것입니다. 그것만 모두 찰나찰나 놓고 가면…. 한꺼번에 놔지는 게 아닙니다. 찰나찰나 놓고 가다가 보면 몰락 다 놓게 되는 것이죠. 또 그걸 놓고 깨닫는다고 해도, 깨달아서도 금방 그것이 다 체험이 돼서 성불의 길로 드는 게 아닙니다. 찰나찰나 가면서, 내가 아까 얘기했듯이 씻고 또 씻고, 씻고 또 씻고 가다 보면 그렇게 되는 거죠.

사람이 지혜가 넓으면 바다의 물이 더러운 물, 깨끗한 물이 다 들어가도 받아들일 수 있듯이 큰 손이 되지마는, 만약에 그렇지 못한다면 고인 물에, 연못에 더러운 물이 들어간 것처럼 아마 활칵 뒤집힐 겁니다. 그런 거와 마찬가지로 사람은 생각해서 지혜를 넓히고 지혜를 넓혀서 응용을 하더라도 그 하나하나를 모두 '어디서 이것이 나고 드는가.' 하는 참구를 해야 합니다. 그렇게 관하지 않는다면 하루하루 24시간 살아나가는 데에 항상 되풀이하는 이 살림살이에서 어떻게 내가 되풀이하는 말이 안 나오겠습니까.

그런데 때로는 이런 게 또 있죠. 그전에 이런 말을 들었어요. 그때 한암 스님 살아 계실 당시의 얘깁니다. 거기 관중들이 많이 있었습니다. "제 일차적으로 관문을 통해야 한다." 하면서 무슨 말씀을 하시느냐 하면, 예전에 어떤 스님이 "공부를 많이 한 사람은 업보를 받지 않는다." 했더랍니다. 인과를 받지 않는다는 얘기죠. 그런 대답을 한마디 해 가지고서는 여우 몸을 받아 가지고 오백 생을 지냈답니다. 그 말 한마디 잘못해 가지고 오백 생을 지냈는데, 그러면 매이지 않는다는 말과 업보를 받지 않는다는 말이 뭐가 달라서 여우 몸을 받았겠습니까? 그래서 그것이 일차적인 관문이라고 그러더군요.

그런데 나같이 지금 이렇게 얘기로 하는 게 아닙니다. 우린 알아듣기 쉽게 이렇게 말을 하죠? 지금 여기 보살님들이 많이 계시고 그런데 '얽매이지 않는다'는 말 하고 또는 '업보를 받지 않는다'는 말 하고 어느 것이 잘못됐기에, 본래 공부를 많이 했으면 업보를 받지 않는 법인데 그게 뭐가 잘못돼서 여우 몸을 오백 생을 받았다는가 하는 얘길 하더군요.

그런데 나는 그런 생각을 했어요. 그때의 얘깁니다. '제기랄 것, 여우의 몸을 받았다 할지라도 여우는 여우의 살림이 있을 테니 여우로 씌워 놓든 구더기로 씌워 놓든 그것도 아무것도 아닌 것을….' 하고요. 여우의 몸을 받았다 할지라도 진실하고 근면하고 착실하게 그 나름대로 활보하면서 살아가면 아니, 진실치 못한 사람보다 외려 낫지 않겠습니까? 그렇다면 여우의 몸을 받았다고 그렇게 애를 쓰고 울면서 불면서 애원하지 않을 것을 말입니다.

그전에도 또 이런 생각을 한 예가 있죠. 내가 이런 생각을 하는 걸 잘못됐다고 어느 누가 나를 구더기로 해 놓는다 하더라도 구더기는 똥통에서 아주 좋다고 활보하고 있지 않습니까? '우리가 사람으로서 태어난다. 내가 부처가 되겠다. 구더기로 되면 안 되지. 내가 업보를 받아서 안 되지. 내가 귀신이 되면 어쩌나.' 이런 거, 모든 것을 다 놔야 합니다. 그런 것을 다 놓지 않고는 아마 올바른 구더기도 될 수가 없다는 얘깁니다. 왜냐? 부처는 "구더기도 나 아님이 없다." 그랬거든. 그랬다면 그 이치를, 그 뜻을 알아야 되지 않겠습니까? 구더기도 구더기 나름이지.

어떤 분이 중생을 제도하기 위해서 돼지 속으로 쑥 들어갔거든. 돼지가 돼 가지고선 몇 개월 있다 보니까 아, 천상에서 보니까 이건 외려 돼지 물이 들겠거든, 오래되면. 그래서 천상에서 글씨 한 장을 써서 돼지 갖다 주라고 하니까 돼지가 그걸 받아서 꿀떡 삼키고선 금방 돼지 옷을 벗고선 천상으로 올랐다는 얘기가 있습니다마는, 말은 똑같지 않아도 그 뜻은 똑같습니다. 잘 새겨서 들으세요. 그러니 우리가 그 뜻을 새길 수 있는 것은, 내가 그런 것을 진행해 보지 않는다면 그 뜻을 하나도 모르는 거예요. '그렇게 나툰다는 그 뜻이, 지금 우리 몸뚱이로 24시간 살아가면서 찰나찰나 변질되면서, 찰나찰나 화해 가면서 나투는 것이 바로 무(無)의 법이나 유(有)의 법이나 다 같구나.' 하는 것이 즉각적으로 들어오는 겁니다. 그러니 유의 법과 무의 법이 어찌 같지 않겠습니까? 다르지는 않으나 선지의 길을 따라서 항상 닦고 씀씀이를 알고 그 도리를 알아서 우리가 깨달아야 하는 법이 아닌가 이렇게 봅니다.

여러분께서 질문하실 게 있으면 질문하십시오. (녹음 안됨) … 더하고 덜함도 없다 하지 않았습니까? 세상에서 원소가 쇠라면 쇠로서 형성될 것이고 원소가 금이라면 금으로 형성될 것입니다. 그렇기 때문에 우리 마음은 이 우주를 덮고도 남음이 있지만, 체가 없는 그 마음과 성품이 똑같다고는 하나 차원대로의 성품과 마음이 좀 다릅니다. 성품이라는 건 요리 쓰고 조리 쓰는 걸 말하고, 근본적으로 "마음" 하는 건, "한마음" 하는 건 그냥 대의적인 용어입니다. 그래서 성품을 쓰는 데는 천차만별로 성품을 쓰죠. 이 씀씀이에 의해서, 성품에 따라서 우리는 몸이 있을 때에 공부를 안 하면 세세생생에 여러분이 가슴을 찢고 울고불고, 창살 없는 감옥에 갇힌 것처럼, 그리고 끌려가는 것처럼 자유스럽지 못하게 항상 지낼 터이니 어찌하겠습니까?

노인네들이 전자에 "천타불 만타불" 했는데 그 얘기를 들을 때 말입니다, "천타불 만타불" 이럴 때 그것도 한 관문으로서 지켜지는 한 구절이라고 볼 수 있겠습니다. "천타불 만타불" 하는데, 그 노보살님은 어떻게 해서 천타불 만타불 부를 생각이 들었느냐는 얘깁니다. 그것은 어떻게 생각하면 시간과 공간이 초월되는 얘기기도 합니다. 아무리 모르고 그렇게 했다 하지마는 참 지혜가 풍부한 노보살님이라고 생각됩니다. 그건 보살의 뜻이 아니고는 그런 생각을 낼 수도 없는 겁니다. "천타불" 하는 것도 일심이요, "만타불" 하는 것도 일심이라. 그 일심마저도 없으니…. "없으니" 하니까 정말 없는 줄만 알고 그래서 "없어서 거둘 게 없다고 하지 마오." 하는 얘깁니다. 없다고 해서 거둘 게 없다고 하지 마시오. 아, 봄바람에 짱짱히 볕이 나고 봄바람에 남풍 불면 오곡이 무르익는데 어찌 거둘 게 없다고만 하겠습니까?

여러분과 저와 모든 사람들이, 지수화풍 그 자체가 바로 지금 여기 한동네 살고 있어요. 항상 말하지만 한동네에 살고 있는 요거 하나를 다 파악한다면 바로 이 세상을 파악하고, 세상을 파악한다면 우주를 파악하는 것입니다. 그래서 어느 분이 선문답을 하는데 백지를 써서 보냈더니 점을 턱턱 찍어 놓고서는 "쯧쯧!" 하면서 "아니, 거둘 게 없다니…." 그러면서 하는 소리가 "봄이 오고 사월이 되면 보리 이삭이 무르익었건만 거둘 게 없다니…." 하고 허허 웃더랍니다. 그런 거와 마찬가지로 우리는 거둘 게 너무 많아서 거둘 게 하나도 없지, 왜 없겠습니까? 이론으로만 아시지 말고 오늘부터 꼭 자기 주인공, 밑 빠진 두멍에다가 모든 걸 그저 생기는 대로 넣어요. 그러면 걱정할 게 없어. 자꾸 자꾸 자꾸 그저 넣으면 빠지고, 넣으면 밑으로 빠지고 넣으면 밑으로 빠져.

지난번에도 말을 했지만 "저녁 늦게 잠을 자고 아침 일찍 일어나서 밥을 짓고 임의 소식 기다려도 임의 소식 돈절하여 밥 식기를 비울 수가 전혀 없노라." 하는 이런 것도 있습니다마는 왜 전혀 없겠습니까? 사람이 나와 내가 상봉하면 저절로 식기는 비울 수 있으련만….

참, 여러분을 보는 순간 이런 생각이 납니다. 어쩌면 그렇게 예쁘고 아름답고 아주 묘하게 눈 달리고 코 달리고 입 달리고, 나와 더불어 말입니다. 이렇게 묘하게 생겼습니까? 그리고 또 내다보니 산도 우뚝, 푸르름이 온 누리에 저렇게 푸르르고, 흰 눈이 덮여서 그 푸르름은 종적을 감추고 있어도 그래도 속생각은 하였던지 봄이 오길 기다리더라는 얘깁니다. 그래서 우리도 봄을 기다리듯이 꾸준히 항상 밑 빠진 두멍에 모든 것을 놓는다. 믿고 놓는다. 줄창 말을 하지만 항상 먹고선 싸지 않으면 우린 부작용으로 죽습니다. 싸야 삽니다. 싸야 살듯이 놔야 삽니다, 세세생생.

그래도 이런 도리라도 들을 줄 알고 여기 오시는 분들이 나는 눈에 넣어도 아프지 않으리만큼 고맙습니다, 정말. 어떤 때는 나보다 좀 더 여러분을 위해서 세세생생에 끄달림이 없이 해 줄 수 있는 그런 분들이 있다면 나를 버리고 다 가도 좋다고 생각합니다. 내가 먹고살기 위해서 이렇게 앉아 있는 것이 아닙니다. 여러분은 본래 서 말 서 되를 가지고 있고 충분히 배를 두드릴 수 있는 양식이 본래 있습니다. 그러나 여러분은 배가 불러서 배 두들길 그러한 도리를 전혀 모르고 있어서 항상 가난하고 배고파서 허덕거리니 어쩝니까!

옛날에도 중국에서 조선에 의인이 있나 없나 알아보려고 사신을 보내도, 조선에서 한 번도, 중국의 사신이 와도 한 번도 져 본 예가 없었답니다. 지고 이기는 것도 둘이 아니기에 지는 게 없지요. 항상 지혜롭고 또 도인들이 항상 선맥이 끊어지지 않아서 말입니다. 그래서 손을 탁 들어서는 배를 탁 두드리니까 그냥 앞발 뒷발 다 들고선 도망쳤답니다. 그 소식은 무슨 소식이기에 중국 사신이 그렇게 도망을 갔을까요? 주먹을 번쩍 들어서 팍 치고서는 배를 터덕터덕 두들기니 그냥 도망갔더랍니다. 그 소식을 알아야지, "난 저런 소식은 도대체…." 그러니까 "이놈, 쥐새끼같이 감히 어디를 넘나들려 하느냐!" 하고선 악을 벽력같이 썼답니다.

(녹음 안됨) … 하하하. 여러분한테 한 구절 이르라고 얘기를 해 봤자 그렇고, 우리가 같이 손목을 잡고 어디만치 가다 보면 그렇게도 할 수 있겠죠.

예전에 선지들이 주장자를 큰 주장자는 나가실 때, 작은 주장자는 항상 들고 계시고 그랬거든요. 그래서 "스님께서는 법상에 앉으셔서 왜 담배를 피우십니까?" 하니까 "이리 오너라. 그 소식을 내 일러 주마." 불러 가지고선 담뱃대로 그냥 골통을 내리치면서 "이게 바로 그 소식이니라. 이 소식을 알걸랑은 일러라." 하더랍니다. 그래도 그걸 지키고 앉아서 '내가 저 스님한테 꼭 저걸 물어야겠다.' 하고 있었던 사람은 그 학인 한 사람밖에 없더랍니다. 그 맞는 순간 "이것이 바로 법이니라. 이게 바로 소식이니라. 이 소식을 알걸랑은 일러라." 하는데 그만 거기에서 홀연히 깨달았답니다. 글쎄, 옛날의 선지들도 얼마나 가르치려고 애를 썼기에 긴 장죽에다 담배를 물고 법상에 앉으셨겠습니까? 대안 대사가 원효 대사를 데리고 왜 삼악도에 나갔겠습니까? 얼마나 자비하기에….

이 산 저 산
하얀 눈 덮인 산
언제나 봄이 와 푸른 잎들 소생하나
탕! (법상을 치는 소리)

백장 스님과 여우

1986년 2월 14일

내가 말하고 싶은 것을 옛날 귀종들이 하시던 그것과 비교해서 내 생각나는 대로 얘기할 테니까 한마디 들어 보세요. 그것을 얘기가 아니라고 해도 아니 되지마는 이 한마디 한마디가 얼마나 귀중한지 모를 것입니다. 우리가 말입니다, 우리 대중 스님네들이 옛날에 있었던 대중 스님네들이라면, 나도 또한 옛날의 그 어떤 귀종 스님이라고 합시다. 지금과 예전을 둘이 아니게 생각하면서 잘 들어 보세요.

옛날 사람이 그렇게 생각한 거와 그렇게 하던 일들이 여러분한테 손살피 알려지고 있던 그 말보다도, 지금 내가 생각하는 그 마음과 둘은 아닐 것입니다, 내가 옛날 그 귀종 스님이라면. 그때 옛날의 그 귀종 스님은 대중이 공부하게 하느라고 노력을 무진 했습니다. 그런데 먹을 것도 주저롭고 아침에는 항상 죽을 쒀서 일찍 먹게 했다고 합니다. 그것도 적어서 타인이 한번 오면 멀건 죽 한 그릇 뜬 데서 한 국자씩 덜어서 한 그릇을 만들어서 대접을 했다 합니다. 지금 우리가 그렇다고 합시다.

그런데 어느 날 그 스님께서 저 풀밭에 나가서 서 계시면서 "얘들아! 너희들이 배고파서 애를 쓰니 오늘은 그 죽그릇을 이리로 가져오너라. 배부른 도리를 가르쳐 주마." 그랬다 합니다. 그랬다 합시다. 그래서 큰 자배기에다가 죽 한 솥 쑨 것을 다 퍼 가지고 나갔습니다. 그런데 그 스님께서는 얼개미를 가져오라고 그랬습니다. 그래서 얼개미를 가지고 나갔습니다. 얼개미라는 것은 굵은 체를 말하는 겁니다. 그래서 스님네들은 그걸 갖다 드리면서 생각하기를 '아, 오늘은 봄이 왔으니까 야, 들에서 아마 공양을 드시려고 하시나 보다.' 하는 생각으로 나가서 채비를 차리고 그릇을 주욱 갖다 놓고 있는데 그릇에다가 붓지는 않고 그 굵은 체에다가 한 그릇 한 그릇 한 그릇 한 그릇 퍼서 주욱 거기다 담으니까 줄줄 밑으로 새더랍니다. 그러니 온 풀밭이 죽물이 돼 버리고 말았습니다. 그리고 그 찌끄러기는 체와 더불어 물이 흐르는 데다가 그냥 던져 버리더랍니다.

지금 내가 그렇게 했다 합시다. 옛날이 지금이고 지금이 옛날이라고 생각하고. 그랬는데 그 스님네들이 가만히 생각하니까 인제는 스님이 망령이 들어서 저런가 보다 하고 한참을 웅성웅성했습니다. 야, 저녁 땟거리도 없어 배는 고파 죽겠는데 저걸 풀밭에다 다 뿌리시고서 그릇에는 한 알갱이도 남아 있지 않으니 대중 수좌들이 얼마나 배는 고프고 얼마나 기가 막혔겠습니까? 그런데 스님께서는 "야! 앞으로 배고프지 않게 배부른 도리를 가르쳐 줬으니 너희가 고맙다고 생각을 해라." 하고선 들어가서 입 쓱 닦고선 앉아 있거든요. 그러니 이것은 망령이라 할 수도 없고 망령 아니라고 할 수도 없는 거라. 그래서 수좌들이 같이 들어가서 눈치만 슬슬 보고 앉아 있으니 말이 없으신 거라.

그런데 저녁 공양을 뭘로 할 게 없으니 '나물이라도 뜯어다가 어떻게 소금이라도 쳐서 먹어야 할 텐데….' 하는 생각이 들어서 수좌들 몇이서 나가서 나물을 뜯기 시작을 했습니다. 나물을 뜯고 해는 뉘엿뉘엿 넘어가다시피 했습니다. 서산에 해는 지고 풀기는 없어서 몸은 쇠약해서 엎드러질 것 같고, 그래서 오다가 풀밭에 그냥 널브러져 앉아서 조금 쉬었다 가자고 했습니다. 그래서 풀밭에 앉았다가 홀연히 생각이 떠올랐습니다. '옳지! 참으로 우리 스님은 자비도 하셔라. 세상에, 이런 줄도 모르고 나는 망령이라고 했던가!' 그러면서 하는 소리가 "그 죽물은 자비의 물방울이요, 그 물방울은 온 생명들을 다 배불리 먹여 주셨네. 내 어찌 배고프다고 하랴, 이렇게 배가 부른 것을. 본래 가지고 있어 배고프지 않은 것을 모르고 이렇게 울었구나. 내 울음소리는 울음소리가 아니라 온 누리의 생명의 샛별 같은 비춤일세." 했더랍니다.

그러니 우리 공부하는 스님네들이나 여러분이 다 그렇지만 우리가 이 마음의 도리를 이렇게 지켜보고 알고 이랬을 때, 스님네들은 더욱더 지금 노력해야 하면서도, 정진해야 하면서도, 관해야 하면서도 생각하지 않을 줄 알아야 하고 하지 않을 줄 알아야 하고, 보지 않을 줄 알아야 하고 듣지 않을 줄 알아야 하고, 몸을 움죽거림이 아닌 줄 알아야 하고 걸어도 걸은 게 아니라는 것을 알아야 하고, 손으로 천만 가지 만지고 쥐고 움죽거렸다 할지라도 그 움죽거림이 아니라는 걸 알아야 우리는 손살피, 임신한 어머니가 어린애를 불쑥 낳듯이 그렇게 될 것입니다.

어저께도 얘기했지만 어린애는 불쑥 나오나, 이것을 가리켜 활연히, 홀연히 깨쳤다는 얘기입니다. 어린애는 불쑥 나왔으나 성장하려면 아직도 멀었으니 차차, '차츰차츰' 하는 것이 그겁니다. 차츰차츰 우리가 한 번 한 번 한 발짝 디딜 때마다 딛는 사이 없이 디뎌서…. 우리는 스스로서 몰락 한꺼번에 깨칠 수는 없어. 그건 왜? 너무도 어두운 습이 많아서, 갖가지로 살던 습이 너무 많아서 한꺼번에 그 습을 뗄 수는 없는 거라. 그래서 하나하나 체험하면서 놔 가면서 보림할 줄을 알아야 진짜 어른이 되고 성장이 되듯이 우리는 그런 거라고 봐야 옳죠. 그렇기 때문에 홀연히 깨쳤다 해서 깨쳤다고 성사됐다고 하지 말고 하나하나 타의의, 즉 말하자면 나와 남과 더불어 같이 돌아가면서 우리가 또 죽을 줄 알아야 하는 것이 바로 우리가 차차 성장하는 길이죠.

그럼으로써 이 선이라는 자체는 내가 한다는 생각도 할 줄 몰라야, 한다는 생각 자체도 '내가 빨리 해야지. 급하다.' 이런 것도 할 줄 몰라야 하는 것입니다. 그렇게 하면서도 할 줄 모르는 사람이 돼야 빨리 성장이 되고 홀연히 깨칠 수도 있는 것이지 만약에 그것을 '빨리 한다. 그냥 쥐고 늘어진다.' 또 '나는 이렇게 해야 한다.' 이 모든 것을 하나서부터 열 가지, 백 가지, 천 가지, 만 가지…. 다시 반복하겠는데 우리가 첫째, 생각할 줄 몰라야 한다. 빨리 하겠다고 하는 생각을 할 줄 몰라야 한다. 일을 하면서도 일을 한 줄 몰라야 한다. 자면서도 잔 줄 몰라야 한다. 보면서도 볼 줄 몰라야 한다. 들으면서도 들을 줄 몰라야 한다. 발로 딛고 다니면서도 디딜 줄 몰라야 한다. 만 가지 법을 손으로 주무르고 일을 했다 하더라도 한 줄 몰라야 하는 그것이 홀연히 깨칠 수 있는 직접적인 지름길이라고 볼 수 있겠습니다.

여러분이 다섯 분이 있든 한 분이 있든 열 분이 있든 백 분이 있든 이렇게 중요한 이 대목을 얘기할 때, 그것도 한 관문이라고 볼 때 첫째, 왜 그 스님은 죽을 풀밭에다가 다 뿌렸을까? 그것도 왜 얼개미 체를 놓고선 거기다가 들고는 다 부어 버렸을까? 그리고 왜 체째 그 찌끄럭지는 물에다 다 띄웠을까? 첫째, 그게 과목이요, 둘째는 수좌 스님은 무엇을 생각했기에 무릎을 치고 그렇게 한탄을 하면서 그러한 말씀을 했을까? 그것도 첫째 과목이 될 수 있는, 관문이 될 수 있는…, 지금 말로는 과목이지만 관문이라 할 수 있는 그런 이치가 될 수 있을까?

우리는 근거 없는 그 길을 걸으려면 상당히 어려워요. 그래서 언제나 말씀드릴 때에 한 가지씩은 근거를 남기고 말씀을 드리고 있습니다. 그렇건만도 그걸 체득을 못하면서 항상 꼬집어 줘야만이 이것이 근거인 양 생각하십니다. '옛날 선지식들은 주장자를 가지고 그렇게 하시는데 당신은 왜 이렇게 할까.' 하는 그런 의심을 내면서 또 놓고 돌아가야죠. 모든 걸 의심을 내지 말고, 세상에 높은 사람이 있다 할지라도 못난 나만은 못하다고 항상 여러분한테 일깨워 드렸죠. 세상에 아무리 잘난 석존이 있다 할지라도 나와 둘이 아니고 바로 나이기에, 높다고 생각을 한다면 또 그르치는 일이라. 그 부처님의 마음을 헤아릴 줄 몰라.

거지라고 해서 아래로 보고 내가 위에 앉으면 그 마음이 어리석은 마음이라. 또 자기를 자기가 보기는 어려운 것이라. 못났으면 못난 대로 잘났으면 잘난 대로 모든 것을 놓고 돌아갈 때…. 옛날의 선지식께서도 그런 말씀을 많이 하셨으리라고 믿어요. 그것은 뭐냐 하면 아주 똑똑한 자보다 좀 둔한 자가 낫다고요. 그것은 무슨 뜻을 가지고 그런 말씀을 하셨느냐 하면, 아주 어리석고 못나서 둔한 자라고 그런 게 아니라 무조건 들어가는 둔한 자를, 지혜가 풍부한 사람을 둔한 자라고 말했던 것입니다.

여러분이 절에 다니면서 큰스님들한테 다 들으신 거라고 생각됩니다. 어저께도 거론만 했지만 오늘은 좀 자세히 한 번 더 이 얘기를 할까요? 관문이 세 개가 붙었습니다, 이 말 한마디에.

옛날에 백장 스님이 수좌들을 데리고 한도량에 사셨습니다. 그런데 항상 법문을 하셨더랍니다. 법문을 하셨는데, 어떤 노승이 와서 법문을 듣곤 가고, 다들 헤어지면 또 가고 그러더랍니다. 줄창 그렇게 하는 거를 봤는데 어느 날 설법이 끝나도 그 노승은 떡 버티고 서서 가지를 않더랍니다. 수좌들은 다 못 봤을지언정 백장 선사는 아마 그 노승을 봤으리라고 생각됩니다. 그러면 '체가 있는 노장이었던가, 체가 없는 노장이었던가.' 그것도 생각해 볼 일이죠? 그런데 그 노장에게 "무슨 연고로 이렇게 가지 않고 있습니까?" 하니까 "나는 고명하신 스님에게 꼭 말씀드릴 게 있어서 이렇게 남아 있습니다." 하더랍니다. 그래서 무슨 말인데 그러느냐고 하니까, 가섭 존자 있던 그 시절에 자기는 어느 사찰의 주지였는데 어느 수좌가 와서 묻기를 "공부를 다 해서 도를 통한 분은 인과에 떨어지지 않습니까, 떨어집니까?" 하고 물었더랍니다.

여러분도 알아듣기 쉽게 이런 얘기를 하는 겁니다. 그런데 그때의 말씀은 인과불락이냐 인과불매냐. 거꾸로 말을 해도 여러분이 다 알아들으시겠죠? 불락인과냐 불매인과냐 이런 얘기입니다. 그런데 그게 무슨 말이냐 하면 "공부를 많이 했으면 인과에 떨어지지 않습니까, 떨어집니까?" 하고 물었습니다. 그런데 그 노승은 백장 선사한테 "그때에 그렇게 묻는 거를 내가 수좌한테 그렇게 대답을 했습니다. 불락인과라고. 그랬는데 여우의 몸을 받아 가지고 오백 생을 이렇게 고생을 하면서 지냈으니, 내가 지금 그때에 그 수좌가 질문하는 것처럼 똑같이 질문을 할 테니 스님께서 대답을 해 주십시오." 했습니다.

그래서 똑같이 그 노승은 그렇게 물었습니다. "공부를 많이 한 사람은 인과에 떨어집니까, 안 떨어집니까?" 하고 물었습니다. 그러니까 "매이지 않느니라." 하고 대답을 했습니다. 인과에 매이지 않느니라. 그 대답을 하는 순간 그 노승은 여우의 몸을 벗고 홀연히 깨달았습니다. 그러면서 하는 소리가, 저는 지금 몸을 벗고 홀연히 깨달았으니 그 벗은 몸을, 지금 저 위 돌 틈에 끼어 있으니까 장례식을 치러 달라는 겁니다.

그래서 스님께서는 알았다고 하면서 대중들을 모아 놓고서 식사가 끝난 뒤에 장례식을 치르러 가자고 했습니다. 그러니까 대중들은 죽은 사람도 없고 앓은 사람도 없는데 무슨 스님이 돌아가셔서 장례식을 치르나 하고 웅성웅성했습니다. 그러나 다 갖추어 가지고 가서는 북 두드리고 뭐, 전부 예식을 차려서 다 지냈습니다. 그래서 그걸 태워서 다 화장을 하고 그러고 내려왔습니다. 내려와서 전부 모여 앉았습니다. 모여 앉아서 백장 선사는 그 얘기를 좌악 했습니다. 딴 사람은 그 노승이 왔는지도 모르고 간지도 모르고 할 테니까 그 얘기를 좌악 했죠.

이것도 옛날에 들은 소리지만 어저께는 그냥 얼추 이렇게만 띄워 놓았다가 오늘 이렇게 얘기를 하는 겁니다. 여러분이 수차에 들은 얘기겠지만 한번 이렇게 다시 들어 보는 것도 좋을 겁니다. 그래서 그 얘기를 죽 하니까 황벽이라는 수좌가 열이 벌컥 났습니다. 열이 나서는 "야, 그럼 아주 정렬하게, 틀리지 않게 대답을 했더라면 그 노승은 뭐가 됐겠습니까?" 하고 물었습니다. 그러니까 백장 선사는 "이리 오너라! 내 가르쳐 줄게." 불렀습니다. 그런데 황벽은 선수를 쳤습니다. 스님이 "이리 오너라!" 하는 손을 벼락같이 쳤습니다. 조금 말이 다르더라도, 그런 뜻을 아십시오. "이리 오너라" 하는 손을 가서 이 손을 마주 쳤다 이 소립니다. 그러니까 백장 선사는 뭐라고 하느냐 하면 껄껄 웃으면서 하는 소리가 "오랑캐의 수염은 붉다 하더니 붉은 수염의 오랑캐도 있었구나." 하는 말을 하더랍니다.

예전에는 호인이라고 그랬습니다, 중국 사람들을. 그런데 우리가 말할 때는 오랑캐라고 그렇게 거슬리는 말로다가 했지만 그 사람네들은 그렇게 거슬리게 듣질 않습니다, 호인이라고 해도. 보통 중국 사람을 호인이라고 했으니까요. 제가 어려서 들었어도요. 그런데 그것이 어떻게 해서 일차적인 관문이 있고 이차적인 관문이 있고 삼차적인 관문이 있느냐는 얘깁니다. 첫째 관문은 공부를 많이 해서 도를 통해 있는데 인과에 떨어지지 않는다고 똑바로 얘기를 해 줬는데도 불구하고 왜 여우의 몸을 받았는가? 일차적인 관문입니다. 그러면 '떨어지지 않는다', '매이지 않는다' 둘이 어떻게 다른가? 이차적인 관문입니다. 또 그 수염이 붉다 하더니, 얼른 쉽게 말하죠. 꽃이 붉다 하더니 붉은 꽃도 있었구나. 오랑캐는 빼고 얘기하는 겁니다. 알기 쉽게 이렇게 얘기합니다. 꽃은 붉다 하더니 붉은 꽃도 있었구나. 이렇게 말을 하면 아마 쉬울 겁니다. 그것이 관문입니다.

그래서 우리가 '관문이다' 하면 문을 찾아서 드는 사람들은 정말 참자기를, 참자기의 그 보배를 이룰 수가 없습니다. 우리가 문을 찾아서 들고 문을 찾아서 나고 한다면 한계가 있어. 본래 사방이 터져서 문이 없는 것을 문이 있다 하고, 문이 많은 것을 문이 없다 하고 이러는 이치는 무엇인가? 사방이 터져서 문이 하나도 없는데도 문이 있다 하고, 전체 문인데도 문이 없다 하는 이치는 무엇인가? 내 집의 보배를 간수하고 내 집 보배를 찾을 줄 알고 내 집 보배를 닦을 줄 알고 빛을 낼 줄 알아야 하는 것이지, 남의 집의 보배를 아무리 탐내 봤던들 소용이 없어!

예전에, 저 스님은 두서도 없이 했던 말 또 하고 했던 말 또 하고 그런다고 그런 말 많이 들었습니다. 그러나 여러분이 이것도 모르고 저것도 모르고 그러니까 나도 이것도 모르고 저것도 모르죠. 우리가 "살생을 안 한다." 전자에도 그런 말을 많이 했습니다. 모든 것은 착하게 하고 살생도 안 하고 내 생명과 같이 아껴서 내 아픔같이 생각하고 이렇게, 내 자리 아님이 없고 내 몸 아님이 없으니 살생하지 말고 자비로 베풀어야 한다. 이 자비가 무엇을 뜻하는가. 자비라는 것은 살리는 것만 자비가 아냐. 죽이는 것도 자비기 때문에 죽이는 거 살리는 거 한데 합쳐서 자비라. 값싼 사랑이나 이런 걸 가지고 자비라고 하는 것이 아니다 이 말입니다.

그래서 예전에도 그런 얘길 많이 했죠. 내 생명과 같이 아끼고 내 몸과 같이 아낀다면 살생을 하지 않아야 하고, 또 반면에 나와 같이 그렇게 사랑하고 아끼기 때문에 죽이기도 한다고요. 유생 무생을 다 살리고도 남음이 있는 이 한 방울 자비의 눈물이 그토록 광대무변한 줄은 아마도 여러분 마음의 보배의 불빛이 나지 않는다면 절대 보지 못할 겁니다. 글을 읽어서 시를 읊고 또는 구변이 좋아서 말을 잘하고, 똑똑해서 영리하게 행하고 눈치 빠르게 한다고 해서 그것이 다가 아니다 이 소립니다. 첫째는 마음에서 스스로서의 샘물이 퐁퐁 솟아 나와야 그 물을 가지고 씻기도 하고 쓰기도 하고 먹기도 하고 퍼 주기도 하고, 나와 남과 더불어 둘이 아닌 이 중생을 배부르게 하고, 또는 본래 있는 그 샘물로 내 중생을 내가 다룰 줄 알고, 남의 중생도 내 중생과 둘이 아니니 그렇게 다뤄야 하고, 그렇게 서로 공식해야만 하는 것이 본래 근본적으로 진리라는 얘깁니다.

때로는 여러분이 시주를 한다 뭐를 한다, 또는 사람이 죽으면 아주 죽은 줄 알고, 없어진 줄 알고 말을 함부로 하고 그러는데 때에 따라서는 "아이고, 우리 집은 글쎄, 조상이 이렇게 이렇게 한대. 아무리 저거 해도 살아서 자식들을 저거 했으면 죽어서라도 조상이 좀 도와줘야지, 이렇게 그냥 우릴 못살게 구니 글쎄, 어휴!" 아, 이럭하고 한탄들을 하거든요. 내 이런 소리를 수차적으로 들은 거라고요. 여러분의 생각이 그르지 그래, 어느 부모가 자식을 그렇게 합니까? 물에 빠진 자식을 건지고 내가 죽을지언정 그 자식을 건지려고 하는 마음이지 부모가 어디 그렇겠습니까? 죽어서나 살아서나 마음일지언댄 어찌 그럴 수가 있겠습니까?

그런데 여러분의 마음들이 그렇게 만들어 가지고 자기 마음을, 즉 말하자면 귀신을 만들어 가지고, 그 조상은 가만히 있는데 괜히 만들어 가지고 자기가 자기 업보를 받는 거야. 인과를 받고 업보를 받고, 만들어서 부스럼을 내 가지고 아프다고 울고 야단들을 하니 그것이 묵은 빚 갚는 본입니까? 어찌 그런 말들을 함부로 할 수 있겠습니까? 세상에 열 달 내내 배서, 열 달 내내 그 고초를 당하면서 기른 자식인데 말입니다. 나는 지금도 육의 어머니든 법의 아버지든 잊을 수가 없습니다. 나는 잊을 수가 없어. 누구를 은사라고 정해 놓지 않았어도 전체가 은사야. 잊을 수가 없어. 잊을 수가 없어서 그 잊을 수 없는 것까지 놨기 때문에 꾸준히 이렇게 앉아 있는 겁니다. '너무 아름답고 밝아서, 너무 성스러워서 감히, 내 몸을 부숴서 가루가 된들 도대체, 어찌 그것을 다 말로 할 수 있으리까!' 하면서 말입니다.

그런데 때로는 자식을 원망하고 때로는 부모를 원망하고 조상을 원망하고 친구를 원망하고 친척을 원망하고 이러는데, 이렇게 해서 무슨 소득이 있겠습니까? 모든 것이 자기로 인해서 생긴 거고, 자기가 만들어 놨기 때문에 생긴 거고, 자기로 인해서 인과가 생긴 거 아니겠습니까? 자기로 인해서 상대가 있는 거고. 그런데도 불구하고 나는 예전에 어려서 우리 아버지 원망을 많이 했습니다. 원망을 많이 한 건 아니지마는 그렇게 슬플 수가 없었습니다. '세상에, 얻어 오지 않고야 그럴 수가 있었던가.' 하고 말입니다. 너무도 어린 마음에, 열 살도 못 된 그 어린 마음에 '세상에, 이럴 수가 있나.' 지금으로 치면 오 리가 넘는 그 길을, 하늘도 보이지 않는 나무 속으로 길이 난 데를 밤중에 가서 담배를 사 오라니 말입니다. 안 사 오면 내쫓기고 밤을 새워야 했고 그럴 때 너무도 원망스러웠습니다.

그런데 아버지를 원망을 한 거보다도 나 혼자 슬펐습니다. 원망할 줄도 몰랐죠. 어린 마음이었기 때문에 그랬는지 모르지만 아버지를 원망한 게 아니라 아버지하고 엄마하고 싸우는 것만 나는 아주 겁났습니다. 그래서 그걸 마다하지 않고 가서 사 오고는 하면서도 때로는 너무나 겁이 나면 돈을 마루에다 내던지고선 슬며시 그냥 나가서 밤을 새웠죠. 그런데 나중에 생각한 건데, 밤을 나가서 새웠으나 가서 사 왔으나 마찬가지인 것을 괜히 그렇게 안 사 오고는 밤을 새웠지 않습니까, 글쎄. '한 걸음 더 나가서 짐승한테 잡아먹혔으나 또는 가까운 데 나가서 산에 가서 짐승한테 잡아먹혔으나 마찬가지인 것을 왜 내가 그랬을까.' 하는 생각이 들었죠. 그 후에는 조금도 불응하지 않고 그러다가 아, 엄마하고 아버지하고 나로 인해서 싸우시는 게 너무나 애처롭고 엄마가 불쌍해서 내가 차라리 보이지 않는 것이 엄마에게 오히려 좋은 일이 아닐까 싶어서 떠난 것이죠. 어린 심정에 얼마나 울면서 돌았던가…. 그래서 그런 노래를 했습니다. "피고 지고 물방아 돌듯 얼마나 울었던가. 끊임없이 울고 돌며 들었던 어머니의 말씀, 나는 잊지 못해라." 하면서 말입니다. 이것이 바로 내 어머니만 내 어머니가 아닙니다. 이 세상의 모든 노인은 내 어머니요, 내 형제요, 바로 내 오빠요,

내 아버지요, 내 동생이요, 내 언니요, 어디 하나 다른 살림살이가 아닌 이상에 전부 안타깝고 가슴에 눈물이 맺히고 그래서 얼마나 울었던가 말입니다. 그런가 하면 사람들만 그런 게 아니라 짐승들이나 나는 새들도 또는 산천초목의 푸른 잎들도 모든 게 조화를 이루고 돌아가는 것이 여러분은 보기에 좋다고 하지만 내 가슴에는 그 하나하나가 너무도 애처롭고 너무도 나와 같고, 인생살이나 푸른 풀잎들 살림살이나 짐승들 살림살이나 어쩌면 그렇게 같았는지….

예전에 저 상원사에 있을 당시에 이런 생각도 했습니다. 사흘을 울었습니다. 왜 울었느냐 하면 열 사람이 오든 백 사람이 오든, 다 그 아픔에서 고달프고, 고달프면서 가난하고, 가난하면서 그런 사람을 하나라도 빼놓지 말아야 할 텐데, 그때에 아무도 나를 보지 못했습니다. 나는 토굴 문을 걸어 잠갔으니까요. 여기 나하고 인연이 된 사람은 나를 보지 않더라도, 그저 한 발짝만 딛고 한 생각만 해도 모두 같아야 할 텐데 어째서 열 명이라 한다면 아홉 명은 그렇게 되고 한 명이나 두 명은 떨어지나? 그 떨어지는 사람은 무슨 까닭에 떨어지나 하는 생각에서 너무나 애처로워서 '그것이 뭐냐?' 하고선, '그게 떨어지는 이유가 뭔가?' 하고 의정을 가지면서 너무나 울었습니다. 울다 울다 보니까 어느 날 저녁이 됐습니다. 거기는 아주 호젓했습니다. 저 숯장수나 가끔 왔다 갔다 하지 거긴 사람이 돈절했으니까요.

그래 돌에 나와서 하늘을 쳐다보고 풀잎들을 보고 또 그 나무들 웅성한 거를 보면서 저 먼 산을 바라보니까 서산에 해가 기울어져 아주 참 싱그럽게 노을이 졌습니다. 그 서산에 지는 해를 보고 저는 울음을 그쳤습니다. '오! 지고 뜨는 바로 그것이, 지는 것도 모든 사람들을 위해서 지는 것이고 뜨는 것도 모든 사람들을 위해서 뜨는 것인데 내가 왜 울어! 내가 왜 울어! 값싼 눈물을 흘려서 이것이 될 일이 아니거늘 왜 울어! 내가 있다면 내 눈물 이 한 방울이 전체의 모든 생명의 피일 것이고 진정 내가 없다면 헛되이 떨어질 것이라.' 하고 다짐을 하면서 나는 울음을 그쳤습니다. 여러분이 여기 오실 때 무슨 생각을 하고 오시는지, 처음은 처음대로 내가 이렇게 고달프고 아프고 가난하고 그러니까 거기 좋다더라 하고 하치않게 오셨지만 여러분의 마음의 그 보배는, 바로 그런 마음이 생기는 데에 그 보배는 있는 것입니다.

달도 밝은데 해는 저물어 가고, 해는 저물어 가는데 또 달은 고요하게 떠서 온 누리를 비춰서, 온 강에 그 달빛은 수만 개로 비추더라는 얘깁니다. 그러니 여러분의 마음이 온 강에, 만 강에 비친 달처럼 그렇게 달이, 달빛이 여러 강에 도장을 찍은 듯이 그렇게 많이 찍었다 할지라도 그것이 여러분의 모습일 뿐이지, 마음으로써 그렇게 도장같이 찍을 수 있다면 만생 만물이 나와 더불어 같이 항상 밝을 것입니다.

오늘은 이걸로써 끝을 마치죠.

구저 스님의 손가락 법문

1986년 2월 15일

어저께 말씀드린 거 납득이 가십니까? (잠시 사이) 여러분은 한 손으로만 사시는 모양이야. 두 손이 마주쳐야 소리가 나는데….

어저께 말씀드린 것이 첫째, 불락(不落)이라고 해서 여우 몸으로 오백 생을 지냈다 했습니다. 공부를 많이 해서 깨달은 분은 인과에 떨어지지 않는다고 말한 대목에서 잘못됨이 어디에 있나 하는 것입니다. 그다음에는 불락과 불매(不昧)와, 즉 인과에 떨어지지 않는다, 매이지 않는다는 데서 어디에 잘못됨이 있는가? 셋째는 "꽃이 붉다 하더니 붉은 꽃도 있었구나." 하는 말을 했습니다, 쉽게. 그런데 예전에 말씀하신 걸로 보면 "오랑캐의 수염이 붉다 하더니 붉은 수염의 오랑캐도 있었구나." 했더랍니다. 그런 걸 어저께 말씀드린 것은 "꽃이 붉다 하더니 붉은 꽃도 있었구나."라고 쉽게 해 놓은 겁니다. 거기에 어떠한 문제로 그런 말씀을 했을까 하는 데서 세 관문이 있는 것입니다.

그러나 이 말을 오늘 하는 것은…, 공부를 많이 한 사람들은 인과에 떨어지지 않는다. 또 얽매이지 않는다. '얽매이지 않는다' 도 아니요, 즉 말하자면 '인과에 떨어지지 않는다' 하는 것도 아니에요. 여러분한테 이런 말까지 해 줘서 쓰나 하는 생각이 있습니다마는 그것도 둘 다 아니라는 점. 그것을 놓고 볼 때에 우리가 아침밥 먹고 또는 일하고 잠자고 똥 눌 때에 아무 생각 없이 여여하게 똥 싸 버리는 것입니다. 그거를 한번 참작해서 잘 생각해 보시고 이것도 아니고 저것도 아니라는 그 뜻을 우리는 깨달아야 할 것입니다. 그건 그걸로써 마치고 옛날 얘기들을 한번 해 볼까요? 여러 마디를 여러분이 들었을 거라고 생각합니다. 보고 듣고 한 거라고 생각하지만 내가 말하는 것이 어떤 것인지, 내가 말할 때 거기에 진미가 있을는지도 또 모르죠. 똑같은 말입니다.

옛날에는요, 내가 탄생을 했다면 한 발짝 두 발짝 걸어다니면서 이렇게 장난도 해 보고 저렇게 장난도 해 보고 해 보듯이, 어린애를 낳으면 어린애가 자랄 때에, 일곱 살 뭐, 다섯 살, 네 살 이럴 때는 아마 개구쟁이로 다니면서 다 놀고 그러죠? 그러는 것처럼 우리가 한 소식 얻었다 하면 각 사찰에 다니면서 점검을 했습니다. 그랬는데 그때에도 아마 그런 일이 있었던 모양입니다. 그때는 지금보다도 한창 더했으리라고 믿습니다. 만약에 아주 무르익었다면 물으러 다닐 필요도 없건만 말입니다.

그런데 그거 물으러 다닌 것은 어째서 물으러 다녔느냐 하면, 어떠한 사람에게 인가를 받기보다도 점검을 해서 어떠한 스님과 더불어 참, 같이 법문을 통하고 또 상통해서 인정을 받는 그러한 문제가 생긴다면 그것은 조계라고, 중국으로부터 나온 이 종법에 의해서 인가를 받는 거나 마찬가집니다. 그렇기 때문에 어느 한 분을, 자기가 마음이 맞고 선문의 도리가 맞을 때에는 반드시, 인정을 받기 위한 거보다도 같이 말담을 하다 보면 한 번도 그 말담 한 사이가 없이 서로 통하게끔 되는 이치가 있습니다. 그래야만이 모든 수좌들이 공부를 하게끔 되고 그런 이치가 있거든요.

그래서 그랬는지 여러 가지로 다양하게 점검하기 위해서 어느 비구니가 절에 갔답니다. 어느 절에 갔는데 거기가, 내가 듣고도 잊어 버렸습니다마는 그 무슨, 무주라고 하던가? 그랬는데 하여튼 얘기만 합시다. 그래서 그 절의 주지가 앉아서 일을 하는데 비구니 스님이 삿갓을 쓰고 석장을 짚고선 들어오더니 아무 말 없이 빙글빙글 그 스님을 끼고서 세 번을 돌더랍니다. 그러면서 대담하게 하는 소리가 대답을 하라고 하더랍니다. 그러니 이 주지 스님은 아무것도 모르는 이치라 도대체 대답 한마디를 못했죠. 그러니깐 아무 소리 없이 그냥 나가거든요. 그래 이 주지가 한다는 소리가 "날은 저물어서 다 기울었는데 지금 어디를 가시려 합니까? 하룻밤 드새고 가시죠." 이 말밖에 못했다 이겁니다. 그러니까 당당한 어조로, 태도로 "말대답을 한마디 한다면 자고 가겠다." 하더랍니다. 그러니 이차적으로 또 말대답을 못했단 말입니다.

그렇게 하고 보니까 그날 저녁에 격동이 일어나고 분해서 견딜 수가 없더랍니다, 그 주지가. '도대체 대장부로서 이 세상에 나서 비구니 스님도 공부를 해서 저렇게 하시는데 대장부로서 이 세상에서 다 버리고 입산을 해 가지고 이렇게 못한대서야 어찌 내가 대장부라고 할 수 있겠나!' 하면서 너무도 격동한 나머지 그날 저녁에 전부 정돈을 하고, 절을 정돈을 하고는 보따리를 쌌습니다. 그 이튿날 새벽이면 내 어디 선방으로 줄달음쳐야겠다 하고선 보따릴 싸서 베고선 드러누워 잠깐 눈을 붙이는 동안에 꿈에 산신이 나타나서 백석 장주를 들고서 하는 소리가, 이거를 탁 들면서 "얘야! 네가 참, 그러한 마음이고 그렇게 공부를 하려고 애를 쓰는 마음이 지금 생겼다면 가도 그 자리요, 이 자리도 이 자리인데 그냥 이 자리에 있거라. 그런다면 너를 인도할 큰스님이 머지않아 오실 거니라." 하더랍니다.

그러자 눈을 번쩍 뜨고선 생각을 하니 참 아주 묘하고 이상스럽고 마음이 안정되게 놓이고 그러더랍니다. 그래서 보따리를 다시 풀어 놓고서 기다리기를, 배고픈 어린애가 엄마 젖 찾듯이 나날이 바깥에 나가서 기다렸습니다. 그렇게 기다리다 보니까 어느 날 청룡 스님이 오시더랍니다. 대선사로 일컬어지는 선사죠. 그런데 그 선사가 오시니까, 너무나 격동한 나머지 분하고 죽을 맛이죠. 그래서 앉으시라고 모셔 놓고 예배를 올리고서는 앉아서 엉엉 울었습니다. 울면서 하는 소리가, 사실 얘기를 다 했습니다. "남자로 나서 이렇게 이렇게 수모를 당하고 이렇게 했으니 스님께서 이끌어 주십시오. 스님이 길잡이가 아니 되신다면 저는 이 자리에서 그냥 죽겠습니다." 하고선 그렇게 말씀을 여쭸더랍니다.

여쭙고 나니까 그 말이 떨어지자마자 손가락을 하나 번쩍 쳐들었답니다. 그러는 동안에 고만 홀연히 거기에서 아, 해산을 했지 않습니까? 아, 그 무거운 배를 들고 있던, 그 어린애를 뱄던 그 사람이 말입니다. 아니, 해산을 했어요. 홀연히 깨쳤다 이 소립니다. 그런데 그분이 그렇게 깨쳐 가지고 그저 누가 와서 "어떠한 것이 불법입니까?" 해도 손가락을 하나 들었고 "지금 날이 추운데 들어가십시오." 해도 손가락을 들었고 "공양을 드셨습니까?" 해도 손가락을 들었고 "아유, 날씨가 덥습니다." 해도 손가락을 들었다 이거야. 그러니 입으로는 아주 언구를 띄우지 않고 손가락만 들었단 말입니다. "스님! 공양하십시오." 해도 손가락을 들었다 이거야. 그래서 별호가 아주 구저 스님이 돼 버리고 말았죠?

그런데 어느 날 말입니다, 이 구저 선사께서 어디 출타를 하시게 됐습니다. 출타를 하시고 난 뒤에, 그 절에는 동자가 하나 있었는데 그 동자가 스님께서 항상 무슨 말을 물어도 손가락을 쳐들었으니까 자기도, 어느 객인이 와서 물으니까 손가락을 번쩍 쳐들었단 말입니다. 그렇게 쳐들었는데 스님이 갔다 오시고 나서 "얘! 무슨 일이 없었느냐?" 하니까 "어느 객인이 와서 이렇게 이렇게 묻기에 이렇게 손가락을 들었습니다." 했습니다. 그랬더니 "얘 아무개야! 이리 온." 하고선 칼로 그냥 손가락을 딱 잘라 버렸습니다.

그러니까 피는 흐르고 동자는 울면서 이 손가락을 붙들고 도망을 쳤습니다. 도망을 칠 때 그 뒤에서 스님이 "아무개야!" 하고 부르니까 울면서 돌아다봤습니다. 돌아다보니까 손가락을 하나 번쩍 쳐들었습니다, 그 스님이. "너도 쳐들어 봐라!" 했습니다. "내가 손가락을 쳐들었으니 너도 쳐들어 봐라." 했는데 손가락을 쳐들려니 손가락이 잘려서 없었더라 이거야. 거기에서 홀연히 깨쳤단 말입니다. 그러면 내가 그 동자가 된 예전으로 돌아가서 시 한 수 읊을까요?

손가락이 잘라진 것은 평등이요
피가 흐르는 것은 만인의 작동이라
붉은 빛은 만인의 마음의 꽃이로다
오월에 떡 한 시루 익었고

했더랍니다.

우리가 모두 공한 줄만 알았지 오곡이 무르익어서 누렇게 익은 거는 모르거든. 모두가 '무'로만 통해. 그러니 문이 많다고 해도 아니요, 문이 없다고 해도 아니야! 이것은 모두가 자비한 마음으로 여러분을 가르치기 위해서 모든 과정의 방편의 말씀들이라. 그러면서도 실지라! 그리고 현실이고 역력하고. 이 부처님의 말씀 하나하나가 얼마나 중요하고 얼마나 금싸라기 같고 보배인지, 여러분의 마음속에 보배가 있다면 바로 부처님의 보배도 내 보배요, 내 보배가 바로 부처님의 보배니 둘이 아니요, 둘이 아닌 그 속에서 하나하나 작동하고 지금 똥 싸고 밥 먹고 일하고 이러는 것이 그대로가 참선이요, 그대로가 진리요, 그대로가 바로 우리 삶의 보람이라. 나 자체를 모르고서야 어찌 남을 알며, 남을 모르는 데서 오는 시비가 갖은 각색으로 얼마나 많았던가? 얼마나 아팠던가? 지금도 그렇게 하고 있으니 말입니다.

그러니 어저께도 말했듯이 우리는 하되 할 줄을 몰라야 하고 봐도 본 줄을 몰라야 하고, 들어도 들은 줄 몰라야 하고 몸을 움죽거리고 손발을 움죽거렸어도 움죽거렸다는 그것을 몰라야 바로 해산을 할 수 있다 이 소립니다. 이 세상에 '나'가 난 것이 태초랍니다. 거슬러 올라갈 것도 없고 또는 과거를 볼 필요도 없죠. 왜 그렇게 어렵게 삽니까? 우리는 인간으로서 이렇게 태어났으니까 근본대로 100%가 부처라고 하는데, 단지 50% 미완성이기 때문에 50%를 완성하게 하기 위해서 얼마나 그 귀종들이 애를 썼느냐는 겁니다.

그 역대의 선종들이 석존하고 둘이던가요? 몸은, 그 모습은 다를지언정, 그리고 연수가 다를지언정 어찌 둘이던가요? 그리고 우리가 그 도리를 알면 삼천 년, 아니 천 년 그것이 바로 오늘인 것입니다. 빛보다도 더 빠른 그런 이치로 과학적으로도 드러났지만 그 빛보다도 더 빠른 것이 아마 일 초에 콩 볶듯이, 번갯불이 번쩍할 때에 이 지구를 일곱 바퀴 반씩 돌아. 아니 열 바퀴도 돌아. 아니 열 바퀴라고 말할 것도 없어. 한순간이야, 한순간! 지구뿐이 아니야. 안 보려면 안 보고 보려면 봐. 자재력이야.

그래서 본다고 해서 도가 아니다 이거야. 듣는다고 해서 도가 아니야. 냄새를 잘 맡는다고 하고 타심통을 알고 숙명통을 알고 죄 안다 그래도, 오신통을 다 안다 그래도 이것은 도가 아니야. 아니라고 한 것은 그것도 아닌 것이지마는 그것을 우리가 부리는 거기 때문에 말리지 말라 해서 아니라고 한 거지. 우리는 항상 지금 오신통을 부리고 있고 오신통을 하고 있지 않은감? 오관을 통해서 말이야. 그렇게 여여하게 하면서도 자기가 하는 줄 모른다면, 자기가 어디서 왔는지 어디로 가는지 그것조차도 모를 때 어찌 사람이라고 하며 어찌 부처님 제자라고 할 수 있을까 말이야.

불법이라는 것은 지금 이렇게 삶을 가지고 우리가 살고, 우리 마음에 따라서 나쁘게 생각하면 나쁘게 행을 하고 좋게 생각하면 좋게 행하고, 좋은 마음을 갖는다면 좋게 이루어지고 달리 생각한다면 나쁘게 자연적으로 돌아오고, 이런 자기의 마음의 작용, 마음의 그림자, 마음의 모든 일거일동이 다 그 마음에서 나오고 그런 것을 말합니다. 그러니 어찌 남을 탓하며 어찌 부처님한테 가르쳐 달라고 할 수 있으랴 이거야. 부처님은 길을 인도해 줄 뿐이지 배불리 먹여 줄 수는 없어. 모두 여러분이 다 갖추어서 가지고 있기 때문이죠.

그래서 어저께도 그런 얘기 했잖아요? "네가 가지고 있는 것을 배부르게 알지 못하니 배부르게 먹을 수 있는 방법을 가르쳐 주마." 하고 아침 공양 죽 쒀 놓은 거를 다 갖다가 풀밭에다 쏟았다고요. 어저께 얘기했죠? 그래서 어느 수좌는 먹을 게 없으니까 나물을 뜯고 오다가 고만 홀연히 깨쳤다고요.

참으로 우리가 밥이나 해 놓고 떡이나 해 놓고 가서 백일기도나 부치고 부적이나 갖다가 넣고 이러는 것이 부처님 법이 아니라는 것을 여러분은 역력히 알아야 해요. 지금 이렇게 밝고 밝은 세상에 다시 한 번 옷깃을 여미고 생각해 볼 수 있는 그런 생각이 필요합니다. 뛰면서도 생각하고 생각하면서 뛰는 이러한 바쁜 세상에 어떻게 죽치고 앉아 있으면서, 그것이 참선이라고요? 참선은, 자비는 더럽고 깨끗한 걸 종합해서 한 방울의 물방울, 한 티끌에 전부 우주가 담겨 있는 것을 말해요. 티끌이라는 말, 언어가 붙지 않는 자리죠. 여러분이 똥 마려울 때 똥 눈다는 생각 하고 가서 똥 눴던가요? 아무 소리 없이 똥이 마려우니까 그냥 뛰어간 거죠? 똥 누고 나니까 어떻던가요? 시원했죠. 여러분이 배고파서 밥 먹었을 때 얼마나 참, 달고 맛있던가요. 여러분이 일을 하고 아주 고단해서 곤하게 잠을 잘 때 얼마나 맛이 있던가요. 이것이 진리요, 이것이 우리의 근본이요, 이것이 삶이라!

여러분 가만히 보면 그저 그냥 앞뒤를 다투어 가면서 향을 내가 켜야만 되는 줄 알고, 초를 내가 켜야만 되는 줄 알고, 물을 떠다 놔야만 하는 줄 알고, 내가 밥을 지어다가 꼭 올려야만 되는 줄 알고, 그러고도 또 그것도 모자라서 바깥으로 일일이 찾아다니면서 산신이 나를 도와주지 용왕이 도와주지, 뭣이 도와주지 뭣이 도와주지 하고선 일일이 찾아다니는 그 마음 자체가 얼마나 어지럽습니까. 가뜩이나 사는 데도 복잡한데 그것 저것 죄 안겨 가지고선 머리가 무겁게 하나 잔뜩 싣고 돌아다니면서 그렇게 해야만이 불교입니까? 불교는 그런 게 불교가 아니야. 성스럽고 광대무변하고 우리 그대로, 더하지도 않고 덜하지도 않고 이렇게 좋은 법을….

그래서 여기가 중천세계라고 볼 수 있어요. 왜? 갖은 게, 오만 게 다 모여 있으니까. 그래서 얼개미로 치고, 고운 체로 치고, 아주 고운 체로 치고 이렇게 해서 우리는 자기가 그린 대로, 생각한 대로 그 차원대로 어디 가서 나겠죠. 그래서 상천세계, 중천세계라고 말을 해 놓은 거죠. 차원이 높으면 높은 자리에 같이 어울리고 얕으면 얕은 대로 같이 어울리고. 세상을 가만히 보세요. 얕은 사람들끼리는 얕은 사람들끼리 모이고 지게꾼은 지게꾼대로 모이고 넝마쟁이는 넝마쟁이대로 몰리고. 야, 물건도 넝마하고 금하고 같이, 깡통하고 모두 한데 합쳐 놨습디까? 세상을 잘 보세요. 팔만대장경이 세상이에요. 이 세상이 전부 팔만대장경이라 이겁니다.

그래서 예전에 귀종들께서는 수좌들한테 책을 못 보게 했어요. 삼 년을 어디 나가지 못하게 했어요. 또는 일가친척을 보지 못하게 했어요. 찾아오는 사람을 금지했어요. 왜 그랬을까요? 그것이 모두가 야속하지마는, 이 공부하는 데는 전부 외롭고 모든 것이 홀로이 자기가 그대로 그 눈물 한 방울, 그 한 방울이 바로 만민의 피가 되고 그 만민의 피가 자기 눈물 한 방울이 되게 하기 위해서입니다. 이 세상이 전부, 어느 바닥 바닥이 법상 아닌 게 없어요. 여러분이 딛고 다니는 이 법상이 어디든 전부 법상이자 우리 한 방통이자 우리의 모든 여래의 집이에요. 문지방 너머가 따로 있고 문지방 이 안이 따로 있는 게 아니에요. 죽었다 하더라도 죽은 게 아니고 살았다 하더라도 산 게 아니에요.

내가 예전에도 그런 말을 했지마는 어느 두 친구가, 절친한 친구가 있었더랍니다. 그랬는데 한 분은 중이 되고 한 분은 사사로운 이 속가에서 사는데, 속인으로 사는 그 친구 어머니가 돌아가셨거든요. 그래서 그 친구를 불렀습니다. 기껏 청해서 불러 놓으니까 들어오자마자 하는 소리가 "에이그 에이그, 이 세상에 나지나 않았더라면 죽지나 않을 것을…." 아, 이러하고선 그냥 훌쩍 가더란 말입니다. 얼마나 야속했겠습니까? 너무도 몰랐기 때문에 야속했겠지마는 만약에 그 자리에 그분 도반이 계셨더라면 손바닥을 쳤을 겁니다. 그러고 하늘을 보고 그냥 껄껄대고 웃었을 겁니다.

꽃이로다 꽃이로다 만민의 꽃이로다
이 세상살이가 이렇게도 좋았던가?
물이 흐르고 새가 울고 만산에 꽃이 피었으니
이 좋을시고 좋을시고 좋을시고

했을 겁니다. 오늘은 이만 그치죠.

마음과 마음의 전달

1986년 2월 17일

마음이 부처라고 한다면, 마음이라는 게 이상야릇하게 생각 내는 것이 아니라 생각나는 겁니다. 그것을 어떻게 말해 줄 수 없어서…. 생각 내는 것이 아니라 생각나는 것입니다. 생각나는 것에 의해서 생각을 또 내게 되죠. 그래서 생각 내기 이전을 말하는 겁니다.

우리가 항상 살아나가는 데도 스스로 마음 가운데에서 느낌으로 이렇게 생각이 저절로 나는 게 있고, 또 우리가 생각을 내서 내는 것이 있습니다. 그러니까 그렇게 우리가 공부를 하다 보면 티끌 하나 걸리지 않아야 된다는 뜻이죠. 그러면 의정도 없어지는 겁니다. 의정이 없어질 때까지 우리는 이날까지 역설을 했고 또 여러분 앞에 많은 말을 안 했다는 것은 했다는 거와 진배가 없는 것입니다. 그래서 안 했대도 아니 되고 했대도 아니 되는 것이죠. 우리가 그러면 뭘로 증명을 할까? 지금 이 자리에서 이렇게 하고 있는 거 있지 않습니까? 어저께 것도 내일 할 거 걱정도 없이 말입니다.

그런데 앞에 앉아 있는 학생을 위해서 한 가지 얘기해 주지. 공만 알았지 나투는 방법을 우리가 생각지도 못해. 모두가 나 하나로 뭉쳐서 나 하나도 세울 게 없다는 뜻은 무엇인가? 금방 엄마하고 만났을 때, 금방 만났을 때에 둘이 되었는데 금방 나 혼자 있으니까 혼자가 됐단 말이야. 그래 또 비켜 놓고 또 이모를 만났단 말이야. 그러니까 그거를 한번 생각해 봐. 나 하나라고 그래서 하나만이 아니라 모두가, 일체 만물만생이 나투면서 같이 돌아가. 나투며 화하면서 창조하면서…. 그래서 그 뜻을 여러 귀종 성현들이 별의별 수단을 다 써서 수좌들한테 가르쳐 주기 위해서 무척 애를 썼다고 보고 감사하게 생각하는 거죠.

그러니 옛날에도 이런 말씀이 있었어요. "서천의 호자(胡子)는 어찌 수염이 없는고?" 하고서 수좌들한테 물은 바도 있거든요. 그 소리가 무슨 소리냐 하면 "달마는 어째 수염이 없는고?" 하는 거나 똑같아요. 서천이라는 거는 중국에서 그, 인도를 서쪽으로 보니까요. 그래서 중국 사람들은 호인이라고 불렀으니 호 자를 넣어서 자를 붙인 거죠. 그렇게 내가 생각이 듭니다.

그러면 그것을 왜 그렇게 입담 좋게 그런 말들을 자꾸 건넸던가? 그래서 그것을 대답을 할 때 말이 없이 하지도 말고 말이 있이 하지도 말라. 사람도 때에 따라서 다양하게 '묻는 사람이 누구인가? 또 어떠한 차원에 있는 사람인가? 아리송한 사람인가?' 이거를 봐서 되받아서 질문할 수도 있는 거며 또는 거기에서 대답 없이 대답을 할 수도 있는 그러한, 서로가 마음을 전달할 수 있는 대답을 할 수 있는 거거든.

우리가 지금 마음, 이 마음으로 말없이 여러분한테 이런 말을 하죠. 듣기 싫은 말은 남편에게도 하지 말고 아내에게도 하지 말고 자식에게도 하지 말고 인의롭게 슬슬 돌려서 좀 거북하게 걸리지 않도록 말을 잘해 주면서 안으로 굴리라고요. 안으로 굴리는 그 마음은 절대적으로 그쪽 마음으로 전달이 되거든요. 왜? 내가 그쪽을 생각하고 생각을 했기 때문입니다. 그래서 역대의 선지식들도 부처님도 역대 조사들도 다 마음과 마음을 전달해서 우리가 한마음이라는 거지, 마음과 마음이 전달이 되지 않는다면 한마음이라고 할 수도 없거니와 진리라고도 할 수 없고 또는 묘법이라고 할 수도 없는 거죠. 만약에 그렇지 않다면 역대의 조사들이 어찌 쓰러져 가면서, 불을 태우면서 온갖 노력을 다해서 그 공부를 했겠습니까?

여러분이 속가에서 사는 것처럼, 우리도 이렇게 승려 노릇을 하고 사는데 입산을 한 스님네들이나 입산을 안 한 여러분이나 생각을 가만히 해 보세요. 어떠한 것을, 공장을 하나 하든지 무슨 기술을 하나 배우든지 피 나는 노력을 안 하고는 돈을 벌 수도 없거니와 기술도 배울 수 없는 것입니다. 어떠한 과목이든지 어떠한 부분이든지, 어떠한 기술이든지 공장을 하든지, 과학자든지 철학자든지 또 행정 과목이든지 뭐든지, 하여튼 피 나는 노력이 아니라면 그것은 이루어질 수가 없는 것입니다.

그저 흥청망청 흥청망청 해 나가다가 보면 그냥 흐지부지해 버리고 망해 버리는 것입니다. 그렇게 집안이 망하는 거죠. 집안이 망하면 나라도 좋지 못해. 나라도 망해. 인군이 마음이 흔들리면 신하도 마음이 흔들리고 국민이 마음이 흔들리고 전부 안돼. 그렇듯이 이 몸에도 지금 내 오장육부 속에 세포를 통해서 수많은 생명들이 있는데 내 한생각이 흔들린다면 그것들이 다 흔들려서 내 집안은 망하게 되는 거지. 내 육신이 망하게 되는 거지.

그러니 작든 크든 내 몸으로나 가정으로나 또는 국가적으로나, 세계적으로 우주적으로 전체가 우리는 거기 환경에 따라서 나투면서 아, 가정에 들어와선 내 가정, 몸으로 봐서는 내 몸, 또 사회에 나가선 국가, 이렇게 모든 것을 다양하게 해 나갈 수 있는 이 나툼이, 옮겨 다니면서 수없이 천차만별로 생각 생각 해 가면서 성품의 활용을 그대로 하고 있는 것이거든요.

그래서 우리 스님네들도 그렇고 공부하는 여러분도 그렇고 피 나는 노력이 아니라면…. "노력하는 것도 놔라" 하는 것이 그걸 놓고 노력을 하라 이겁니다. 노력하는 것마저도 놓고 노력하라. 하지 말되 하고 하되 하지 말라. 노력하고 하고 하고, 세 마디만 하면 벌써, "안 하고" 하면 부정이지만 또 "안 하고" 하면 긍정적으로 하는 것이 되거든요. 그래서 안 하되 하고, 하되 안 하라. 놔라. 놓되 해라. 이 모두가 다른 사람은 다 몰라도 각자 내 마음은 내가 아는 거라. 그런데 내 마음도 내가 모르니까 그 마음을 알자고 해서 지금 하는 거거든.

그래서 이 도리를, 내 마음을 헤아릴 수가 없다면 세세생생에 우리가, 했던 말 항상 하지마는, 야! 그걸 모르면 어떻게 될까요? 모르고 또 옷을 벗고 모르고 또 옷을 벗고, 그러면서 좌천돼서 이 모습으로 저 모습으로 끌려다니면서 그 아픔은 이루 말할 수 없을 거라고 생각돼요. 그래서 어차피 여러분이 사시면서 돈을 벌려고 또는 살 양으로 피나는 노력을 하는 것은…, 우리 스님네들은 그것을 떠나서 노력을 또 해서, 똑같은 노력이라면 참 으뜸나가는 노력이죠, 지름길이고.

그런데 '내가 그럼 지름길로 빨리 입산을 해야겠다. 그랬으면 좋지 않을까?' 이런 것도 아닙니다. 그러한 욕심도 없어서는 아니 되지만, 앞에 있는 걸 버리고 내가 먼 데 있는 거 좋은 거 찾으려고 하다가는 구덩이에 빠지거든. 그런 인정, 도리, 의, 사랑 이런 걸 모르고서야 어찌 도를 이루겠습니까? 앞에 있는 거 다 팽개치고. 옛날에는 사명 대사나 그런 분들은 다 팽개치고 갔다지만 팽개칠 수 있는 그런 환경이 되니깐 팽개친 거지, 환경도 되질 않는 걸 억지로, 강제로 팽개치고선 내가 도를 이루겠다고 달아나가 봤자지. 자기에게 주어진 대로….

어저께도, 그저껜가 그끄저껜가 얘기했지만, 말 한마디 잘못 대답해 가지고서 여우의 몸을 받아 가지고 오백 생을 지냈다는데, 왜 울고불고하면서 간절히 그 여우 몸을 벗으려고 무척 애를 썼을까? 어차피 여우 몸으로 바뀌었다면 여우로서 이 우주를 통치해서 그냥 집어삼킨다면, 여우의 몸이라 할지라도 사람이 그 도리를 모르는 것보다도 더 위세 있지 않을까? 내가 여우의 몸으로 이렇게 받으니까 고생이 되지, 여우의 몸으로 받아서 여우로서 지내는 그 삶도 자기가 착을 버리고 여우라는 그런 생각도 없었다면 아마도 여우로서 온 우주를 활보했을 거라고 생각이 돼요.

그러면 스스로서 모습도 여우의 모습만 되겠습니까? 나는 어떤 때 그렇게 생각이 됩니다. '내가 무슨 모습이라고 할꼬? 내가 어떤 사람이라고 할꼬?' 이 세상에 구더기도 마다하지 않았는데…. '구더긴들 어떠랴.' 이거야. 구더기면 똥통 안에 들어가서도 구더기기 때문에 그 구린내가 아주 좋은 요리 냄새로 되거든. 그러니 구더기도 구더기로 된다고 애타할 것도 없는 거지.

우리 공부하는 사람들은 '앞으로 내가 어떻게 될까? 인과를 받아서 잘못될까? 좌천이 돼서 어떠한 모습으로 또 나오면 어쩌나. 또 앞으로 고를 받으면 어쩌나.' 이런 것도 모든 걸 놔 버려야 해요. 순리적으로 물 흐르는 대로 흘러서 내가 뭐가 되든지 뭐 그렇게 걱정이 됩니까? 우리 인간으로서 보자면 벌레를 봐도 '아유! 저거 저렇게 하고 어떻게 살아?' 이러고, 파리를 봐도 '아유! 저거 저거 어떻게 저렇게 하고 살아?' 이러지마는 파리는 파리 나름대로 재미가 있는 거거든. 그러니까 거기에 염두를 두지 말고 모든 것을, 어떠한 물건이 나에게 부닥치더라 할지라도 모든 거를 자기 주인공에서 나온 거, 그 그림자니까 모든 거를 거기다 놔라 하는 것은 당연하지, 어떤 성현이든지.

지금 여러분이 오죽이나 공부하기 좋은 시댑니까? 테레비가 세계의 테레비가 나오죠. 우주적으로, 과학적으로 또 옛날 그 참, 뭡니까, 그거? 여러 가지로 인과에 대한 설법도 거기서 나오고 모두 많이 나와요. 그런데 우리가 그런 거를 보지 않았으면 생각조차도 없을 거예요. 그런데 보니까 생각이 나는 거거든. 그리고 세상을 다시 한번 돌아다볼 수 있는 거고, 자기를 한번 돌아다볼 수 있는 기회가 생기는 거죠. 그럼으로써 얼마나 공부할 수 있는 그 계기가 주어져 있는 것입니까?

우리가 잘못하면 잘못한 대로, 잘하면 잘한 대로 그것이 자기에 따라서 그냥 주어지는 거니까요.

그러나 우리가 이 공부하는 사람들은 잘못하는 거든지 잘하는 거든지 잘된 거든 잘못된 거든, 어떠한 물건이 되든 어떠한 물질이 되든 그런 거를 다, 좋은 거든 나쁜 거든 상관없이 놔라 하는 것이 바로 이 선 공부입니다. 어떤 스님네들은 "야, 거기는 앉아서 좌선도 안 하고…." 접때 책을 모두 상 탄 것들이라고 누가 내놨기에 이렇게 들춰보니까, 좌선을 해야만이 수행이 된다고, 그 한 줄을 이렇게 봤더니 그러더군요.

좌선을 해야만이 되는 것은 선이 아니에요. 일상생활이 모두, 일거일동이 다 참선이거든. 앉아서 좌선을 해야만이 되는 게 아니라, 앉아서 좌선을 해서 내 마음을 숙연히 하고 내 마음을 가라앉히고 편리하게 이렇게 수행은 할 수 있을지언정 도는 이룰 수가 없어. 그래서 부처님의 자비는 크고 작고 악하고 선한 것을 한데 합친 눈물이 바로 자비라 그랬거든. 참선도 악하고 선하고 앉고 서고 눕고 일상생활의 모든 것을, 움죽거리는 거 하나하나, 티끌 하나 버리지 않고 모든 것을 놓는 것, 우리가 놓고 돌아가는 거, 나중에는…. 이렇게 말하면 아주 쉽겠군요. "색즉시공" 이랬죠? 색으로부터 들어갔어요, 공으로. 공에서, '공즉시색', 색으로 다시 나왔거든. 그랬으니까 색으로 들어서 공을 돌아서 색으로 다시 난다 이겁니다.

그러니 참선이라는 것이 어떠한 것이 참선인가 말입니다. '동쪽의 샛별을 보고 깨쳤다' 부처님께서 그랬는데, 우리는 육신이 임신을 해서 이 세상에 이 육신이 났다. 육신이 나 가지고 성장을 하니까 마음을 깨쳐라. 우린 다시 마음이 나야지 육신과 더불어 실상이 된다. 하나하나 버릴 게 없는 것이 그때는 또 나오지 않느냐 이거야. 하나도 가질 게 없고, 가질 게 없는 걸 알아야 하나도 버릴 게 없는 것이 나와. 그때 색으로 다시 나와. 그럴 때 하나하나에 소소영영하게 이것이 법 아닌 게 하나도 없고 또는 물질 하나하나 버릴 게 하나도 없는 거라. 버릴 게 없다고 하는 그 도리를 알면, 버릴 게 없기 때문에 하나도 내가 가지고 다닐 게 없어.

그래서 우리가 좀 더 나를 깨쳤다면 이 관문법이라든가 예전의 성현들의 선문답이라든가 이런 것을, 좀 더 내가 다 익혀서 성장이 될 때, 이 세상에 마음을 깨쳐서 다시 또 반복해서 보림을 해 가면서 성장이 됐을 때에 비로소 선문답이라든가, 귀종의 말씀이라든가, 관문이라든가 그런 것을 한번 쭈욱 훑어보는 거지, 이 종지를 그대로 우리가 따르지 않고 있는 것이 아니라, 우리는 옛날부터 그대로 사람인 거라, 사람. 옛날부터 마음으로 마음이 전달돼서 화해서 계발해 가면서 우리는 성장이 된 것이니까. 그리고 우리는 변동을 하나 저 산은 그대로 있는 거라. 그래서 이런 말이 있죠. "산은 없으나 나는 있고 나는 없으나 산은 있구나. 이 세상에 어느 물 하나 버릴 것이 없노라." 하고 말입니다.

육조 스님이 그 모든 것을 "무(無)다" 이렇게 버린 그 자체, '무일물(無一物)' 이라고 한 그 자체, 그것을 우리가 생각한다면 그것도 또한 이론인 거라. 하지만 수좌들이나 학인들을 위해서, 할 일이 없어서 그 말씀을 모두 한 게 아니거든. 그 말씀 하나하나가 우리에게는 양식이 되고, 우리의 마음 깨닫는 데에 큰 도움을 모두 줬기에 모든 게 고마운 거예요.

허구장창 날더러 이렇게 설법을 만날 해 주신다고 하는데, 난 해준 게 없어요. 왜냐? 내가 이것을 만날 할 양으로 신경을 쓰고 이런다면 나 벌써 죽었게? 허허허…. 그런데 이 세상 사는 거, 꽃 피고 사계절이 돌아가는 거, 물 없으면 못 살고 불 없으면 못 살고 길 없으면 걸어 다니지 못하고 야, 모두가 바람 없으면 또 못 살고 이 사계절이 없으면 못 사는 게 그대로 설법이고 그대로 법이라. 그대로 진리야. 여러분이 이 도리를 알면 우주의 다른 동네도, 동네라는 뜻은 다른 혹성도 위성도 항성도 그런 도리를 전부 알게 돼. 왜, 자유자재하지? 왜 그런가 이거야. 아니, 내가 이 동네에서만 꼭 살아야 한다고 써 붙여 놨나? 내 마음대로지. 아, 저 동네로 이사 가려면 이사 가고 이 동네로 이사 가려면 이사 가고.

이 중세계, 이 지금 지구 안에서는 없는 게 없이 다 있는 거예요. 왜 있느냐? 여기에서는 아래로 좌천도 될 수 있고, 위로 고운 체로 걸러서 고운 가루를 해서 따로 놓는 것도 있거든. 체 치듯이. 체에 떡가루 치듯이. 다른 어떠한 혹성에는, 어떠한 동네에서는 마음으로만 살고 있다는데, 그래서 먹는 것도 생각해서 먹고, 생각이 떴다 하면 그대로야. 그런데 여기선 왜 이렇게 움죽거려야 먹느냐 이거야. 그리고 물건을 하나 만들어 놓으면 이놈의 게 바숴질 때까지 끼고 돌아야 하고, 얼마나 고초가 많으냐 이거야. 여기가 사람 되고 안 되고 교차로가 아닌가 이렇게 봐요. 사람 잘 만들고 못 만들고 하는 공장 같아요, 내가 볼 때에.

가만히 보면 모두가 지수화풍으로 뭉쳐 가지고, 억겁 전으로 가서 본대도 현실과 똑같거든. 억겁 천 년 전으로 돌아가서…, 년(年) 자도 붙지 않지. 지수화풍으로 뭉쳐서 거기서 위력이 생겨서 별성이 생기고, 별성이 생겨서 바로 그 일심에 불성이 생겨서 삼세심이 됐고, 삼세심에 불성이 생겨서 북두칠성이 생겼고, 북두칠성이 생겨서 은하계를 이루었고 태양계를 이루었고, 그 많은 혹성들을 이루었고 위성들을 이루었다. 그 항성의 뜻이 그렇게 한생각으로 살기 때문에 그 항성이 얼마나 많았던가 이겁니다, 음? 우리한테도 항성이라고 이름을 지어 놨으니까 항성이지 우리의 근본, 아주 자성이라고 합시다. 뭐가 다르냐 이거야. 그 씨라, 모두가!

그러니 거쳐 온 게 그거니 내가 하나를 알면 전체가 알아질 수밖에는 없지. 염주알 꿰어지듯 했으니까. 이게 따로따로 있어야, 구슬이 따로따로 붙었어야 이게 글쎄, 저기 가서 배우고 저기 가서 배우지. 삼천대천세계의 우주 전체가 한마음에 든 거라. 한마음에서 우주 전체가 나고, 들고 나고 들고 난다. 이게 말로만 그러는 게 아니에요. 내가 조끄마해지려면 조끄마해지고 커지려면 커지고, 빛으로도, 빛이 제일 빨리…. (녹음 안됨) … 생각하면 말로 이끌 수 없는 그런 문제들이, 참 이거는 어떻게 말로 해야 될까? 어떻게 이걸 글로 써야 되는 걸까? 이걸 말로 형용할 수가 없어. 너무 많아! 우리 이 국민 수효만 하더라도, 태어나는 사람이 많고 죽는 사람은 적고, 이렇게 해서 강제로 못 낳게 하고 이렇게 하지마는 우리들 인간들뿐만 아니거든. 버러지까지, 미생물까지 이 얼마나 수효가 많으냔 말이야. 그런데 이거는 문제가 아니라요 손가락 끝의 요 티끌 같은 거라, 또. 요 지구 혹성 하나만 친다면 티끌 같은 거라, 또 이게.

그러니 야, 모습이 똑같으냐 하면 여기서도, 우리 이렇게 많은 중에도 똑같은 사람이 없어. 그런데 하물며 다른 혹성에 있는 사람들 생명들이 어떻게 똑같을 수가 있겠느냐 이거야. 지금 내 배 속에 있는, 오장육부에 있는 이 생명들이, 이거는 촌챙이 다르고 거위 다르고 전부 달라. 이 한동네가 요 한집안 속에서 있으면서도 고렇게 다를 수가 없어, 모습이. 그러면서도 모습은 다르지만 한 사람의 뜻을 받아서 그대로 운행을 하거든. 그건 그것대로 있어야 하고 저건 저것대로 있어야 하기 때문에, 모습도 그래야만이 그 환경에 의해서 공장장이 될 수가 있고 또는 인부가 될 수가 있는 거죠. 위 사장이 있는가 하면 위 공장장 또는 장 공장장, 직장 공장장, 허허허…. 이 공장장들이 여기 얼마나 많겠습니까? 그런데 그 공장 모습들이 전부 달라. 똑같은 게 하나도 없어. 그와 같이 다른 혹성, 다른 데도 그렇게 모습들이 전부 달라. 자기가 편리한 대로 하는 거라. 편리한 대로 그려 가지고 나온 거라.

우리가 왜 허리띠를 매게 됐느냐? 생각해 보셨습니까? 여기에서는 일을 하기 때문에 허리띠를 매지만 딴 데서는 허리띠도 없습디다. 왜? 일을 안 하니까. 선신들의 모습을 가만히 볼 때에, 허리띠 질끈 동여맨 그림 보셨습니까? 못 봤죠? 바로 일을 안 하기 때문이에요. 중세계에서 골고루 잡숴 보기도 하고 골고루 보기도 하고, 이 공부의 도리를 잘 알아야, 봐야 생각이라도 해서 그걸 생각하면 내먹지, 보지도 못하고 먹어 보지도 못한 건 생각조차도 안 나고 먹고 싶지도 않아요. 그 먹는 거뿐만 아니에요.

우리가 지금 이 국내에서나 세계에서나 어디든 다녀 보고, 보고 알고 듣고 이렇게, 요새 얼마나 좋은 세상입니까? 안방에 앉아서 세계를 볼 수 있으니 말입니다. 그러니 공부하기 얼마나 좋아요. 옛날 같으면 탁마를 하러 다녔지만 지금은 안방에서 탁마를 한다고. 왜 바깥으로 다니면서 얻으러 다니고 그래야만 합니까? 물으러 다니고. 안방에 앉아서 탁마를 하면서 다 익어지면 의정조차도 없어지는 거라. 그런데 뭘 물어?

옛날에는 무슨 라디오가 있었습니까, 테레비가 있었습니까, 전화가 있었습니까? 유유히 이렇게 다니는 차가 있었습니까? 뭐가 있었습니까? 그렇기 때문에 몇백 리 몇십 리를 걸어서 탁마를 하러 다녔죠. 그렇지만 예전 시대하고 지금 시대하곤 다릅니다. 우리는 시대를 좇아서 물 흐르듯이 흘러야죠. 세상에, 하룻저녁에도 어디를 갔다 오고 이 국내 안에서도 어디 갔다 오고 어디 갔다 오고, 춤추는 거 보고, 여기 보고 저기 보고 또 세계 어디도 보고 뭐, 소련도 좀 잠깐 다녀오고, 어디 몇 군데를 다녀오십니까, 모두? 그러니 지금 시대가 공부할 수 있는 아주 너무도 좋은 시대예요.

그러니 우리 신도님들은 의합하고 화목하고, 자기가 알더라도 모르는 사람을 그저 안아 주고 키스해 주고, 허허허…. 서로 사랑하면서, 모르는 사람은 모르는 사람대로 서로 화목하게 이렇게 지내면서 우리가 서로 마음과 마음을 전달할 수 있는, 또는 전달하기 이전에 우리가 그렇게 유유히, 뭐든지 한생각을 내지 않아도 내 부하들이 여기 수두룩하게 많으니까 나가서 다 할 수 있게끔 만들고, 바깥에선 바깥에대로 해 주고 안에는 안에대로 하고, 우주적인 일은 우주적인 일대로 그 자리에 모두 부하가 있고 내가 있는 거라.

여러분이 내가 저 목성이나 저 천왕성이나 이런 데서 만약에, 그런 전체에 내가 다 있다고 그런다면 못 믿을 거예요, 아마. 그걸 어떻게 믿습니까? "달마 대사의 수염은 왜 없는고?" 해도 못 믿는데, 허허허…. "털이 많은데 왜 없다고 그래?" 이러고 못 믿는데, 허허허. 그 모습을 가지고 말한 게 아니에요. 그 뜻을, 마음과 마음을 서로 전달하는 표현을 어떻게, 알면 어떻게 하나 요것을 보기 위해서입니다. 그것도 아주 사람 봐 가며 다양하게, '어떠한 사람으로서 나한테 물었나. 알쏭달쏭한 사람이 나에게 물었나. 모르는 사람이 이론만 가지고 나한테 물은 건가. 나를 근수를 달아 보려고 했던가.' 이런 걸 다 요렇게 파악해서 한마디 대답하고, 어떤 때는 대답하지 않고 할 때가 있고, 어떤 땐 되물어서 다시 한번 찌를 때가 있어요. 이렇게 다양하게 할 수 있는 것은 내 마음을 깨치지 않고는 그렇게 할 수가 없는 거예요. 속이려야 속일 수가 없어!

오늘은 그만 일어날까요.

뱀이 된 주지

1986년 2월 19일

만날 왜 내 말만 들으려고 해요? 있었던 얘기나 좀 할까요? 옛날 얘기가 뭐 지금 얘기지마는…. 예전에 치악산 상원사에 있을 땝니다. 그때 한철 작대길 들고서 버섯을 따러 갔습니다. 버섯을 따러 가니까 아, 가랑잎이 그냥 수북하게 쌓여 있는데, 그 가랑잎을 헤치면 싸리버섯들이 굵은 게 많이 나오거든요. 그래서 헤치려고 작대기를 들다가 멈췄습니다. 왜 멈췄느냐 하면 그것을 헤치면 반드시, 뭐가 있었겠습니까? 그래서 그걸 헤치지 않고 돌아서 가려 하니까 날 멈추게 했습니다.

그래서 왜 멈추게 하나 하고 생각을 순간 해 보니까요, "만나기도 어려운 당신을 만났는데 어찌 그냥 가시려 합니까? 내 말 한마디 듣고 가십시오." 하는 겁니다. 그래서 헤치기도 싫고 그래서 안 헤치고서 나는 나대로 "넌 어쩌다가 말이야, 그렇게 내가 싫어하는 모습을 가지고 나와선 그러니? 너의 마음은, 다 물론 그 살림은 살림대로 똑같지마는 모습이 나는 징그러워." 이랬습니다.

그러니까 하는 소리가 이렇게 말을 했습니다. "내가 절의 중이었는데…." 그게 토굴 있는 바로 위, 이렇게 내려가기 이전에 밭이 있었습니다. 밭에 그전에 암자가 있었는데, 그 얘길 합니다. 암자가 있었는데 절에서 아파서 죽게 되면 그 암자로 내려왔답니다, 병자는. 그래서 암자로 내려와서 죽게 돼서 죽었는데, 죽기 전에 그 암자에서 수좌로 공부하다가 주지도 하고 이랬답니다. 그래서 주지가 됐으면 그 돈 들어온 걸 모두 이렇게 모아서 비석도 다시 해서 세우고 그래야 하는데, 그게 나무로다 했기 때문에 전부 썩고 갈라지고 쪽이 떨어지고 이랬거든요. 그런데 그게 망가졌는데도 불구하고 돈이 모자란다는 구실로다가 그걸 못했다 이겁니다.

못하고 병이 들어서 죽게 돼서 그냥 죽었는데 죽고 나서는 그 자리에서 맴을 돌다가, 말하자면 이 중이 어디로 가느냐 이거야. 그래서 절 근처로 맴을 돌다가 어디에 들어가니까 돌기둥에다가, 돌받침에다가, 그렇게 좋은 튼튼한 집이 있더랍니다. 그래서 마음에 '여길 들어가서 살면 공부를 하겠구나.' 이렇게, 생시에 마음 먹은 대로 그렇게 공부를 하러 들어간 겁니다.

그런데 공부를 하려고 들어가고 얼마 안 돼서, 이게 자기는 자기의 그 감각을 몰랐답니다. 그랬는데 "오늘 지금 현재에 당신을 만나고부터 내가 이렇게 된 걸 알았습니다." 이거야. "그러니 나를, 이 모습을 벗겨 주고 가십시오." 이겁니다. 그리고 돈 해 놨던 거를 다락의 어느 벽에다가 넣어 놓고 벽지로 발라 놓고선 그냥 갔답니다. "그랬으니 그것을 어떻게 하면 좋겠습니까?" 하고 물었습니다. 그리고 "죄를 많이 지어서 스님까지도 보기 싫어하는 그런 모습으로 타고 났으니 이 내 모습을 벗겨 주셔야 되지 않겠습니까?" 그래서 그런 말을 했어요. "전자의 중도 없었는데 그 돈은 어디 있으며 지금 그 모습은 어딨겠느냐? 다만 지금 말하고 있는 그 자체가 순간 붉게 핀 꽃과 같은 것이다." 그런 얘기를 한마디 던지고 나니까 한숨을 후욱 쉬면서 "참 감사합니다.

인제는 이 순간 옷을 벗게 됐습니다." 하고 수풀로 돌아갔습니다.

이런 건을 나는 한두 번을 본 게 아닙니다. 절 근처로 가면 절 근처에, 또 양이나 돼지 기르고 소 기르는 데를 가면 그 근처에, 사람 사는 집 근처라면 집 근처에, 그저 여기저기 가면 발에 걸리느니 걸려. 그러니 여러분만 살았다고 할 수는 없어요.

그런데 왜 그렇게 됐는가 하는 것을 지금 잠깐 얘기하고 넘어가렵니다. 우리가 이 공부를 안 하면 무서운 도리가 있다는 겁니다. 지금 우리가 학으로써 배우고 염불이나 하고 이렇게 해서 그냥 아무것도 모르고, 그 도리를 모르고, 둘이 아님을 모르고, 둘 아닌 데서 참나라는 것이 있는 거를 모르고, 우주 전체와 나와 더불어 같이 있는 거를 모를 때, 너무나 애석한 것은 우리가 이 도리를 모르고 만약에 이 옷을 벗는다면 식(識)만 있지 분별이 없어. 눈도 없고 귀도 없고, 식만 있어. 분간을 못해. 여러분, 지금 현재에 아주 눈과 귀를 싹 싸매 보세요. 여러분이 금방 지금 이 자리에서 죽었다면 볼 수도 없고 들을 수도 없고 부닥침도 없고 아무것도 없습니다. 그와 같이 식만 남았으니 그것을 증명해 보시려면 지금 아주 오관을 딱 가려 보세요, 귀도 막고 다. 그럼 어떻게 하시렵니까?

사람은 눈 아닌 눈이 있어야 하고 귀 아닌 귀가 있어야 해. 그래야 분별을 하지. 그리고 책정을 하고 판단을 해서 내가 이렇게 해야겠다는 뭐가 있지, 도대체 식만 남아 가지고서 아니, 보기를 하나 듣기를 하나. 사람인지 짐승인지 그 도리를 몰라. 집이 어떤 집인지, 요만한 굴속인지 큰 집인지 그것도 몰라. 그 굴속도 크게 보여. 그리고 기와집으로도 보이고 보석으로도 보이고 이렇게 하니 눈이 없다 이거야. 욕심에 꽉 찬 그 눈은 식만 남아서 생시에 살던 그 식으로써, 좋은 것만 가지려고 했던 그 식만 남아서 하다못해 돌 틈을 봐도 돌기둥으로 보고 돌집으로 보고, 공부를 하겠다고 들어갔으니 그렇게 될 수밖에, 응? 그러니 여러분이 지금 보이지 않는 세계라고 해서, 지금 살았다고 해서 그걸 아무렇게나 생각할 수는 없죠. 그저 값싼 말로, 붙을 데가 없는데 뭐 붙을 게 있으며 내가 없는데 뭐 붙을 게 있느냐고 이렇게들 허양 말해 버리고 마는데 그 무서운 도리는 누가 처리할까요!

또 한번 이런 예가 있었습니다. 어느 길을 가다 보니까 한 노파가 병이 들어서 가다가 엎드러져서 헤매고 있었습니다. 나는 그런 꼴을 많이 봤습니다. 그래서 여북하면 구더기 눈에는 똥만 뵌다고, 중얼중얼하고 갔습니다마는 말이에요. 그래 인제 가다 보니까 엎드려서 저거 하더니 고만 다 죽어 버리는 겁니다. 죽는 그 순간 뭘 생각했느냐 하면, 그때의 그 식이 아무 분간을 못하는 겁니다. 그러니 그냥 놓고 갈 수가 없는 겁니다. 그래서 다시 거기 혼합을 시켜서 거기 다시 붙여 놓은 겁니다, 그걸 잡아서. 그래도 자손들이 있으면 자손들 집에 가서나 어떻게 해결을 해야지 어떡합니까? 그러고 생각을 했습니다. '응, 집으로 찾아가든지 어디로 가든지 간에 내가 이 자리에서 본 것만이라도 인연이야. 그 즉시 본 게 인연이야. 그러니까 그게 나한테 닿은 게 아닌가? 그 또한 누군가? 옛날에 내가 모를 때 내 모습이야.' 하고 나는 뚜벅뚜벅 갔습니다. 조금 있더니, 한 오 분 죽더니 깨어나더군요. 그래서 가는 걸 봤습니다.

가는 걸로 끝난 게 아닙니다. 언제나 사람이 밥을 했으면 밥을 해 먹고서 그릇을 닦아서 다 마무릴 지어 놔야 밥을 해 먹고 치웠다고 하는 겁니다. 이 도리가 아주 작고 협소하지마는 이 우주를 굴릴 수가 있는 그런 도립니다. 요 밥이라고 한다고 그래서 밥을 말하는 게 아니라, 조그만 방편이든 큰 방편이든 그것은 방편이자 진실입니다. 하도 버릴 게 없고 진실이기에, 나온 게 없기 때문에 갈 것이 없다고 합니다.

그래서 옛날에도 참 여러 가지 많은 것을 보고 그랬는데, 옛날에 사람이 죽으면 재를 이렇게 놓거나 쌀을 놓거나 그러면 뭐가 됐나 하고 볼 때에 새 발자국도 있고 뱀이 기어간 것도 있고 또 사람 발자국도 있고 별의별 발자국이 다 난다 합니다. 그것이 왜 그렇게 되는가? 그것이 식만 남아서 자기가 분간을 못하기 때문입니다. 여러분이 아까 얘기한 거와 마찬가지로 눈 가리고 귀 막고 코를 막아서 만약에 그렇게 놓는다면 어떻게 될까요? 그와 똑같습니다. 그래서 암흑이라고 합니다. 도대체 밝은 불빛을 못 봐. 내 마음의 불빛이 없으니 어찌 보겠습니까? 그래서 이리로도 가고 저리로도 갑니다. 부처님의 그 뜻은, 만사만생이 다 이렇게도 되고 저렇게도 되고, 저렇게도 되고 이렇게도 되는 원리가, 누구나 잘되고 싶지 못되고 싶어서 못되는 게 아닙니다. 자기가 눈이 없고 귀가 없으니까 그렇게 되는 겁니다. 그러니 그게 얼마나 무서운 법입니까?

그때에 그걸 알았을 때 난 허허 웃으면서 이렇게 생각을 했습니다. 내가 만약에 구더기가 된다면…. 내가 그것도 알았으니까 그렇지 만약에 몰랐으면 구더기가 돼도 구더기가 된 줄 알겠습니까? 나는 그렇게 생각했습니다. 허허, 구더기가 된들, 구더기는 똥을 보고 좋아하는데 말이야. 사람은 똥을 보고 구리다고 하고 싫다고 하지만 아마 똥구덩이가 있으면 구더기는 좋다고 할 거다, 우리가 금은보화 본 것처럼. 그러니까 구더기가 된다 하더라도 난 '그까짓 거' 했습니다, 그때. 그건 왜 그렇게 했느냐면, 그런 걸로써 끝난 게 아니라 거기에서 큰 뜻을 배웠다는 얘깁니다.

이렇게 무서운 뜻이 있는가 하면, 나는 그것을 알았으니까 구더기 될 걱정을 안 하지마는 여러분을 볼 때 모두 모르고, 알고나 됐으면 좋겠는데 모르고 그렇게 모두가 천차만별로 벌어지고, 오므라지고 벌어지고 흩어지고 벌어지고 흩어지고 하니, 모아지고 흩어지고 모아지고 흩어지고, 흩어지는 반면에 그렇게 모두들 돼 가지고 그렇게 되니, 그리고 끼리끼리들 모이니 이 노릇을 어떡합니까? 어떤 때는 하늘을 보고 땅을 내려다보면서 씁쓰름한 웃음을 웃으면서 말도 하기 싫습니다. 그럴 때가 있습니다. 많아요. 어저께도 말도 하기 싫고 그래서 안 했더니 아, 안 한 대신 여전히 말을 하게 됩디다. 그러니 어떡합니까?

다른 볼일이 또 생기더군요. 그래서 나는 '어쩔 수 없구나. 그저 제 가는 길대로 마다하지 말고 가는 것이 옳겠지.' 하고선 그 생각을 하고 말았습니다마는….

옛날에 어떤 큰스님이 있었는데 말입니다, 이 절에는 쥐가 많았습니다. 그래서 고양일 갖다 놨겠죠? 그런데 고양이가 물어 죽였던지 아, 뒷짐을 지고 큰스님이 왔다 갔다 하시다가 쥐 새끼 하나를 봤거든요, 죽은 거를. 요 꽁지를 탁 들고선 가만히 이렇게 보더니 거기다가 척 놓더니만 부리나케 들어갔습니다. 수좌들을 다 모았습니다. 그러고는 큰스님이 "지금 승이 하나 죽었으니 이거 장사를 지내야 하고 화장을 해야 되지 않겠느냐?" 했습니다. 그래서 오고 가다가 또 스님이 돌아가셨나 보다 하고선 수좌들이 다 뛰어나왔습니다. 아, 그러니까 쥐 새끼 한 마릴 보고 그런단 말입니다.

그러면서 이게 다비식을 해야 하니까 장작 쌓아 놓은 거를 전부 내다가 쌓으라고 하거든. 그래서 쌓았죠. 누구 영이라 안 쌓습니까? 그러면서 우리 스님은 칠십이 되더니 팔십도 안 됐는데 망령이 들었다고 하거든. 아, 그래도 어떡합니까? 호령호령하니. 그래서 쌓아 놨죠. 한 서너 짐 갖다 쌓아 놓으니까 "그만큼 해도 된다." 하거든요. 아, 쥐 새끼 요만한 거 하날 가지고 말입니다. 그 승의 껍데기를 갖다가 인제 거기다 터억 놓고선 그 위에다가 또 풀 베어다 묶어 놓은 거를 또 놓으라고 하는 겁니다. 그렇게 해 놓곤 또 장작을 놓으라 하는 겁니다. 장작을 놓고 다 하고 두르고, 예전에 다비식 하듯 다 놓고, 그럭하고선 "불을 질러라." 하고선 하는 소리가 만약에 뼈다귀가 나오걸랑은 잘 주워서, 그 속에 사리가 있나 없나 잘 보라 하거든요. 허허허….

아, 이러니 쥐 새끼 한 마리 속에 뼈다귀는 어딨고, 허허허…, 사리는 어딨겠습니까? 그 얼마나 우습겠습니까? 그렇지만 아, 호령호령하면서 이건 뭐, 난 지금 웃고 하지마는 웃지도 않으시고 참 그거 뭐, 아주 심각하게 하시거든요. 그런데 그 말씀을 하시는데 이거는 전부

이 사람네들이, 수좌들이 전부 '이 노인네가 망령이 들었나?' 하는 사람도 있고…. 그렇게 그것을 다 하고 나중에는, 그냥 차려 놓고 북 두드리고 목탁 두드리고 다 지내고 난 뒤에 "너희는 사리를 못 봤느냐?" 하거든요. 그러니 못 봤다 봤다 할 수도 없는 거예요. 글쎄, 말이 얼토당토 않으니까, 말대답도 할 수 없고 안 할 수도 없죠. 스님이 그러신 것도 "쥐 새끼 한 마릴 가지고 그럽니까?" 할 수도 없고요. 그래서 이 말 저 말도 영 묵묵히 묵언을 하고선 그냥 스님이 하라는 대로 하고는 지냈답니다.

그랬는데 아, 얼마 몇 달 안 가더니만 열반을 하시더랍니다. 열반을 하시면서 "그전에, 그때의 그 사리를 너희가 못 봤느냐?" 또 한마디를 하고선 그냥 운명을 하시더랍니다. 그래서 그 해가 지나고 수 해가 지났어요. 수십 년이 지났지요. 그 제자가 또 열반을 했습니다. 그 제자가 또 열반을 하고 난 뒤에 그 제자도 그것을 깨닫지 못하고 또 열반을 하고 그 밑의 제자들도 그것을 아직까지도 모릅니다.

그렇다면 누가 사리를 볼까요? 그건 어떻게 됐기에 그 스님이 그렇게 말씀을 하고 행으로써 그렇게 하고 그랬을까요? 그 스님이 얼마나 애쓰셨겠습니까? 내가 아까 얘기한 대로, 그 식만 남아서 분별을 못하고 이렇게 아무 그, 뭡니까? 토끼 굴로 안 들어가나, 개집으로 안 들어가나 뱀 굴로 안 들어가나 야, 까치 굴로 안 들어가나. 이렇게 분간을 못하니 어쩌다가 인연이 돼서 사람을 만나면 사람으로 되는 겁니다, 응? 이러니 사람 되기가 얼마나 어렵습니까?

그런데 사람의 몸을 받아 가지고 우리가 그런 분간을 못해서 또 좌천이 되고, 또 좌천이 안 된다 할지라도 그렇게 자기 차원대로 또 울고 아프고 부닥치고 서로 모였다가 헤어져서 또 그렇게 되렵니까? 그것을 그렇게 하지 않게 하기 위해서 한 사람을 이루어 놓으면 전 우주를 이루어 놓은 것처럼 그렇게 성과가 있는 겁니다. 그렇기 때문에 예전에 성현들이, 선 스님네들이 그렇게 애를 쓰고 자비하게 그렇게 애쓰셨답니다.

그러니 거기에 무슨 말, 답변이라도 좀 있었으면 좋겠습니다. 질문할 거 없습니까? (잠시 사이) 우리는 쥐 새끼 한 마리든 우리 큰 몸뚱이 한 사람이든 생명은 똑같고 죽은 송장은 똑같아요. 그리고 우리들이 이렇게 각각 남의 집 내 집, 내 형제 남의 형제 이렇게 만나지만, 왜 부처님께서 수좌들을 데리고서 길을 가시다가 그 뼈다귀들 모인 데 가서 거기서 절을 하셨습니까? 수좌들을 가르치기 위해서 그 자비를 베풀었던 겁니다. 그리고 진실입니다. 그건 왜 그랬던가? 바로 여러분이 이렇게 모였다가 헤어지면 또 그 차원대로 뿔뿔이 헤어져서 차원대로 또 모입니다. 수백 년 수천 년 가다 보니까 전부 남이 아니야.

그러니 그 뼈다귀가 수없이 무더기 무더기 진 데…, 옛날에는 중국 그쪽, 또 인도나 이런 데는 전부, 그런 뼈다귀들을 관을 해서 갖다가 놓고 또 거적때기로 둘둘 말아서 갖다 놓고 이렇게 했거든. 그러니 썩어서 그냥 뼈다귀가 무더기 무더기 진 데다가 절을 하는데 "사생자부이신 어버이신데 어찌 이런 하치않은 뼈다귀에다가 절을 하십니까?" 하니까 "그것이 우리 부모의 뼈다귀인지도 모르고 인척의 뼈다귄지도 모르고 형님의 뼈다귄지도 모르고 동생의 뼈다귄지도 모르고, 그 모두가 남의 뼈다귀가 아니니라. 모두가 둘이 아니고 이 세상이 모두가 전체가 남이 아니니라. 그 뜻을 알라." 하시는 그 말씀에 고만 홀연히 수좌들은 탄복을 하고 "그 뜻을 미처 몰랐습니다." 하고 울거든요.

그러니 이 만법의 이치를, 한생각에 들었다가 놨다가 들었다가 놨다가 하는 이 도리를 우리는 참답게 알아야 되는 것입니다. 오늘 나는 이런 생각을 했습니다. 우리 여기, 참 이 세상에서…. (녹음 안됨)

그러나 인제는 이것이 도(道)와 겸해야 되는 것입니다. 우린 겸하지 못하면 아니 되는 거죠. 그래서 말하기에 달린 겁니다. 어디에서 내가 이런 말이 나오느냐 하면, 사람이 손 한 번 들었다가, 붓 한 번 들었다가 딱 내려놓는 데에 우주가 들락날락한다 이 소립니다, 네? 그런데 교와 도와 둘이 아닌 그 뜻을 우리가 알아야 되겠기에 이러는 겁니다. 우린 생활과 모두가 둘이 아니라는 그 점을 알려면 나부터 알아야 하겠습니다. 이것을 알아 놓으면 무지렁이라도 쓸모가 있고, 다양하게 우주 삼천대천세계의 어느 곳 안 닿는 데 없이 쓸모가 있다는 겁니다. 진짜 일꾼이지요. 일을 하는 사이 없이 일꾼이요, 일꾼이면서도 광대무변한 참보배인 것입니다.

상원사에서 진짜 이런 일도 있었죠. 상원사에 한참 신축을 하고 거기에서 준공식을 하는데 큰스님네들이 다 모였습니다. 그때 마침 거기 시주도 많이 한 사람의 자식이 죽어서 그리로 와서 삼 일 되던 날 재를 지내게 돼 있었습니다. 그러자 스님네들이 계시니까 "참, 이런 복이 어디 있느냐!" 하면서 어머니가 통곡을 하고 울면서, 큰스님네들이 이렇게 우연히 한자리에 참석을 하게 된 것도 참 복이라고 하면서 좋아했습니다.

그런데 그날입니다. 지내는 날, 난 그때 내 방에 있었습니다. 그랬는데 그 어머니가 그걸 알았던지 이렇게 말을 했습니다. 스님께서 우리 자식 재를 지내는데 잠깐이라도, 좀 앉았다가라도 들어가셨으면 좋겠다고 자꾸 불렀습니다. 그래서 "네, 알았습니다." 이러고선 방에서 생각을 하니까 그 지내는 순간에 말입니다, 벌써 자기네 돼지 기르는 데로 들어가게끔 돼 있었습니다. 자기네 집에서 맴돌다가 돼지 소굴에 들어가. 들어갔어, 벌써. 삼 일이 됐는데 벌써 돼지 소굴에 들어갔다고. 그러니 여기서 천도를 시킨들 무슨 소용이 있겠습니까? 벌써 돼지가 잉태를 해 버렸단 말입니다, 응?

그러니 이 노릇을 어떻게 해야 되겠습니까? 이것을 저 어머니한테 얘길 해야 되겠습니까, 안 해야 되겠습니까? 이걸 얘길한다고 믿겠습니까? 믿지 않아도 할 수 없는 거고 믿어도 할 수 없는 거고 이런 문제…. 이것은 내가 봤으니, 이건 내가 하는 것도 아닌 바로 내가 해야죠. 봤으니까 말입니다. 이건 부처님이 보신 거나 똑같은 얘깁니다. 나를 세울 게 없는 것이 부처니까. 그럼 봤다 하면 벌써, 이건 보살로 내려서서 하는 겁니다. 부처님은 움죽거리지를 않으면서도 움죽거립니다, 다 같이.

그래서 부동하다 하는 것까지도 '부동하다' 해도 아니 되고 '부동치 않다' 해도 아니 되는 것입니다. 난 그걸 느꼈으니까. 왜냐. 부동한 것도 부동하지 않은 것도 같이 항상 나투기 때문에 부동하대도 아니 되고 부동하지 않다 해도 아니 되는 것입니다. 그걸 스스로 느낀 겁니다. 만약에 부동치 않은 게 있다면 부동한 게 있고 부동한 게 있다면 부동치 않은 게 있어요. 그렇기 때문에 같이 이게 삼합이 돌아가지 않는다면, 삼각원형을 이루지 않는다면 이게 뭐든지 되질 않아. 때에 따라서는 생각을 안 할 때는 부처고, 부동하고, 생각을 하고 봤을 때는 바로 보살행을 하는 겁니다. 법신이야.

그래서 거기서 빼냈습니다. 빼서 다른 데로 천가를 하고…. 땀이 부쩍 흘렀습니다. 왜 땀이 흘렀느냐. 아, 난 가만히 앉았는데 왜 땀이 흘렀겠습니까? 내가 만약에 일을 했으면 몸뚱이도 거기에 이렇게 연결이 돼 있기 때문입니다. 그래서 실상이에요, 그대로! 그래서 그날 재를 지내고 가 가지고선 돼지가 죽었다고 야단났었습니다, 응? 지내고 왔는데 돼지가 죽었다고. "잘됐습니다. 잘됐습니다. 천도 잘됐습니다." 이렇게 보냈는데 그 이튿날 그 암컷, 새끼 밸 수 있는 돼지가 죽었다고 하는 겁니다. 아무 소리 못했습니다.

이런 문제하며, 소가 아파도 소 죽지 않게 해 달라고, 저 돼지나 소, 개 이런 것도 정성 들이러 오는 거 있죠? 촌에서는 그게 큰 돈이니까. 그런 일들을 많이 봤습니다. 사람도 그 집안에서 죽어 가지고서는 어디인지 분간을 못하니까 소로 들어가는 사람도 있고, 소가 사람으로 들어가기도 하고 천차만별입니다.

그러니 그 식(識)에 의해서, 우리가 이 공부의 도리를 모르면 그렇게 눈 가리고 코 막고 귀 막고 다 이렇게 아주 송장…, 송장이 무엇을 보고 무엇을 분별하겠습니까? 그거를 한번 생각해 보십시오. 우리가 금방 이 자리에서 죽었다 한다면, 썩지도 않은 그 송장이 왜 보지 못합니까? 죽었기 때문입니다. 의식이 없습니다. 분별이 없습니다. 선천적인 식만 남아서 이리저리 자기가 분간을 못하고 캄캄하니까, 암흑인데 어떻게 발을 한 발 떼어 놓을 수가 있겠습니까? 그와 똑같은 겁니다.

횡설수설 얘길 해서 죄송합니다마는 그 속에서도 여러분은 다 가슴에 닿는 그런 게 있으시리라고 믿습니다.

신도(남) 스님, 제가 말씀 좀 드리겠습니다. 제 얘기를 해도 좋습니까?

큰스님 네.

신도(남) 제가 작년 10월에 처음 스님을 친견했거든요. 오늘까지 세 번입니다. 그때 처음에 와서 스님한테 말씀드렸습니다. 제가 높은 데 올라가면 보통 사람보다 더 공포증을 느끼는 병이 있는데, 그 병을 십 년 동안 앓았거든요. 다른 사람은 모르지만 이 병을 아는 사람은, 직접 병 앓는 사람이 아니면 모릅니다. 그래 십 년 동안 병원에 갔지만 의사도 못 고쳤어요. 그래서 제가 스님을 찾아왔습니다. 그때 그 병하고, 하나는 가슴이 아팠던 열병 두 가지를 말했거든요. 그때 스님께서 다 들으시고 나중에 "낫겠죠." 이렇게 평범하게 말씀하셨습니다. 난 그 말을 믿었습니다.

그리고 집에 가서 또 책을 보니까 스님께서 어느 책에서 환자에게 이렇게 말씀하셨더구먼요. 그 말이 가슴에 울렸습니다. 무엇이냐 하면 "열심히 하시고 마음의 나쁜 것은 다 비워 버리세요. 믿는 마음으로 사시노라면 저절로 병이 다 나을 테니까요." 그래 스님이 어느 환자에게 말한 것이 내 맘에 딱 들어와요. 그래서 아, 이것이 약방보다 훨 낫구나 하고 생각했습니다. 한 책에서 다른 것은 머리에 안 들어오고 그 말만 들어와요. 그래서 아침저녁으로 염불하듯이 길을 가다가는 생각나면 그 말을 하고, 어느 의학 책을 보니까 사람 마음이 깨끗하면 몸도 깨끗해지고 따라서 병 있는 것도 점점 나아지고 없는 것은 미연에 방지된다 이런 말도 있거든요. 이렇게 보니까 들어맞거든요. 제가 생각할 때 말입니다.

그래서 아침에도 일어나면 이불 속에서 방금 스님 말씀하신 걸 염불하듯이 하고 낮에도 해 보고 또 길거리에서도 생각하고 그렇게 하니까 한 2개월 전부터, 지금 5개월 가까이 됐는데 점점 눈에 띄게 없어져요, 제가 느낄 정도로. 과거에는 보통 사층만 올라가도 불안해서 죽겠더니만, 이층이나 삼층만 올라가도 불안했어요. 그런데 지금은 그것이 눈에 뜨일 정도로, 자각할 수 있을 정도로 점점 없어져요. 지금은 뭐, 삼층 육층, 아주 칠층 팔층, 산 높은 데까지 그냥 의식적으로 올라가 봐도 제가 완전히 옛날로 돌아왔습니다. 그래서 아, 스님께서 그동안 돌봐 주시고, 내가 스님 말씀을 매일 염하니까 이것이 효과를 줬구나. 그래서 스님한테 감사한 말씀을 드립니다.

또 한 가지는 뭐냐 하면 그때 가슴이, 그러니까 그 증세는 작년 8월부터 있었는데 가슴이 압박감이 있고 열기가 있고 열이 가끔 있었거든요, 가끔. 그런데 지금부터 한 10일 전부터 좀 과로했는데 그때부터 갑자기 계속적으로 가슴에 압박이 있고 화기가 있고 그리고 기력이 눈에 띌 정도로 떨어집니다. 그리고 낮에는 또 괜찮고 저녁에 밥 먹고 조금 있으면 가슴으로 밑에서부터 열이 팍 오릅니다. 그리고 또 아침이 되면 그게 없어지고 그래서 이거 아무래도 이상하다 싶어 스님한테 와서 이 병도 좀 낫도록 힘써 주십사 하고 염치 불고하고 또 오늘 말씀드리러 왔습니다. 그래서 이 병도 나을 줄 알고 또 앞으로도 계속해서 해야겠습니다. 스님 과거의 그 말씀을 상기하면서 앞으로는 스님을 아침 저녁으로 그냥 제가 눈으로 생각하면서 침려를 하렵니다. 그러니까 스님도 좀 도와주십시오.

큰스님 그런데 그 말씀에 대해서 내가 한마디 해 드리겠습니다.

이건 지금 이 선생님만 들을 게 아니라 여러분 다 들어야 될 겁니다. 그 병이 이렇게 되는 거죠. 그걸 한마디 하고 넘어가겠습니다. 전자의 부처님께서 "부처님은 한 부처님이지만 절에 사람이 없으면 부처가 없느니라." 그랬습니다. 그 뜻이 뭐냐 하면 그 마음과 마음을 전달하고 둘이 아니게 오고 감이 없이 할 수 있는 그러한 능력을 말하는 겁니다. 세 치만 알아도 병은 끌고 다닌다고, 병을 놔 버릴 수 있다고 그랬습니다.

이 모든 걸 줄창 말했지마는 우리 이 몸뚱이에, 이 부분 부분을 다 맡아서 공장장이 있습니다, 예? 아시죠? 오장육부에 전부 공장장이 있다고요. 그런데 내 마음이 모든 걸, 공장장들이 다 알아서 하니까 네가 한 거 너한테다 다 맡겨. 공에서 나오는 거, 주인공에서 나오는 거는 다 주인공에다가 맡겨 놨을 때 그 공장장들은 자기한테다 열쇠를 맡기니까 자기네들이 도둑 안 맞고 공장이 잘 돌아가게 해야 되는 거 아닌감? 그러니까 다 맡긴단 말이야. 다 맡겨 놓으니까 술술 잘 돌아가거든.

그것도 선생님이 나와 그 말을 믿고, 자기 주인공을 믿고 하면서 내 말을 같이 첨부해서 믿었기 때문에…. 다른 스님이 그렇게 말씀을 한 거하고 내가 말을 그렇게 한 거하고 똑같아도 다릅니다. 물건이 똑같아도 그 질이 다르듯이 말입니다. 요 염주가 요렇게 생긴 게 똑같은 게 있어도 이 속 질이 다르듯이 다른 겁니다. 그러니까 그 말 한마디 "낫겠죠." 해도 그것을 믿는다면…. 그리고 여러분이 낫는 것도 '아하! 이게 이렇게 저거 하니까 오래 가겠지.' 또 '이게 한 달이 걸리겠지.' 또는 '두 달이 걸리겠지.' 많이 좀 저거 하면 '차차 낫겠지.' 이렇게 생각을 한단 말입니다. 왜 거기까지 꼬리에 꼬리를 물고 들어갑니까? '응, 그냥 나을 거다.' 이렇게 믿어 버린다면 시간을 정망할 것도 없고 날짜를 정망할 것도 없고 달 수를 정망할 것도 없다는 얘기입니다.

그러니 그 또한 선생님을 공부를 시키기 위해서, 선생님 자체가 선생님을 공부시키기 위해서 그렇게 만든 거지, 그건 정말 아파서 그런 게 아닙니다. 그러니 그 주인공에다 '내가 당신이 그런 거 알았어. 당신이 나 공부시키려고 이랬지!' 하고선 선생님 주인공에다가 그냥 깊숙이 '아! 당신이 나 공부시키려고 그랬으니까, 내가 알고 있으니까 이제 낫겠다.' 이런 생각을 하시면서 감사하게 생각하십시오.

그럼 이걸로써 끝내겠습니다.

전체와 더불어 벗어나는 길

본원 신행회 회장단 법회

1986년 2월 19일

내가 나를 위해서 일을 하게 되면 전체와 더불어 세세생생에 자유스럽게 벗어난다는 그 점을 명심하시길 바랍니다. 남의 일을 하는 게 아니라 말입니다. 한생각, 한마음 내는 반면에 내 몸속의 업식이 녹아진다는 걸 아셔야 됩니다. 그 수십억의 업식이 하나하나 사라진다는 거를 명심하셔야 됩니다.

그리고 진행해 나가는 데에 어떠한 문제가 있다든가, 내가 공부해 들어가는 데에 어떠한 문제가 있다든가 그것을 질문하시길 바랍니다. 또 여러분을 이끌어 나가는 데도 내 마음속의 그 뿌리에, 요만한 거라도 모든 것을 거기에 맡겨 놓고 일을 하셔야 됩니다. 그러니까 애로점을 말씀하세요. 어떠한 문제라도 좋으니까요.

모두 도가 터진 모양이로군, 하하하. 물어보고 자시고 할 것도 없다 이런 얘기죠? 허허허. 윗물이 맑아야 아랫물도 맑다고 했습니다. 위에서 이끌어 가는 사람들이 내 마음공부를 하지 않고는 감응을 줄 수가 없고, 내 마음의 음파가 상대방에게 전달될 수가 없습니다. 말로만 해서 한데 떨어진다면 그건 법이 아닙니다. 그리고 실천에 옮겨지지 않습니다. 그리고 능력과 능력이 교화할 수가 없습니다. 뭐 말씀하실 게 있습니까?

사무장 새로 교체된 회장님 두 분에게 줄 임명장이 있습니다.

큰스님 예, 그것은 조금 나중에…. 여러분이 아시다시피 이 진리는 너무 광대합니다. 여러분이 아시지 못하는 사이에 우리는 서로가 서로를 상대하고 돌아가고 있습니다. 그래서 마음먹기에 달렸다. 꿈을 잘못 꾸고도 잘못 꾸었다고 생각을 한다면 잘못될 것이고 잘못 꾸었어도 잘 꾸었다고 생각하시면 잘 꾼 것입니다. 이 모든 게, 꿈이라는 게 생시에 이렇게 살아나가는 것도 꿈이요, 그렇기 때문에 생시에 생각을 잘해야 꿈도 역시 똑같이 돌아간다는 얘깁니다. 이 마음이라는 것은 꿈이 따로 있고 생시가 따로 있는 게 아닙니다.

그래서 일체 만물이 다 여러분 아닌 게 하나도 없다고 보는 것은 각자가 어느 걸 보든지, 우는 사람을 보면 마음이 애틋하고 서로가 마음에 울음이 느껴지고, 아주 괄괄대고 웃으면 자기도 어딘가 모르게 얼굴에 웃음빛이 나오는 것입니다. 그뿐입니까? 갖은 사생의 문제, 모든 만물이 다 때에 따라서는 이것도 보고 때에 따라서는 저것도 보고, 길을 걷다가 이것도 생각하게 되고 저것도 생각하게 됩니다. 그렇다면 일체 만물이 다 보는 대로 가르침을 주는 겁니다, 우리에게. 그래서 사대 선지식들께서 보는 바대로 둘이 아님을 그렇게 증득했단 말입니다. 날아다니는 나비를 보면 나비와 더불어 말을 했고, 예를 들어서 아주 맑은 물이, 시냇물이 내려갈 때 그 청청한 걸 볼 때는 내 마음도 시원하고 청청하게 느껴지죠? 그러니까 생각해 보세요. 말없이 물이 흐른다 할지언정 보는 사람에 따라서 마음을 싱그럽게 해 주니 그 또한 스승 아니냐 이 소립니다.

악업이고 선업이고, 그 모두가 자기가 마음을 짓는 데 따라서 악업이 되고 선업이 되는 것입니다. 내가 어떠한 상관이 있어서, 상대성의 상관이 있어서 '아이, 요건 요렇게, 이거 이렇게 밝힐 수가 없지.' 하는 생각이 있어서 거짓말을 했다면 그 거짓말을 한 자체가 고통입니다. '저게 탄로가 나면 어쩌나.' 하고 탄로가 나지 않기 위해서 또 거짓말을 해야 하고 또 거짓말을 해야 하는 것입니다. 그렇기 때문에 매도 먼저 맞아야 시원하다 하는 거나 마찬가지로 하여튼 내가 어떻게 됐든지 사과할 일이면 사과하고 끝을 내야 시원한 겁니다.

그와 마찬가지로 이 공부하는 데에도 모든 게 그저, 혼자 나왔다 혼자 가는 거고 대신해 줄 바가 없는 것이 다섯 가지 문제라고 항상 그랬죠. 그러니 모든 것이 남을 위해서 일을 하는 것도 내 마음이 먼저 둥글어야, 부드러워야 남도 부드러워진다는 얘깁니다. 이 모두가 다 그렇습니다. 독사를 보고 '아이고, 나는 독사 싫어.' 이런다면 독사한테 꼭 물리기 쉬운 문제가 됩니다. 그러나 독사도 모습은 다를지언정 생명이야 어찌 둘이겠나. 어쩌다 보니까 몰라서 죄지, 알게 되면 죄가 아니지 않나. 모든 물질이 다, 모든 형상이 형상 아닌 거라고 알았을 때, 모두가 나와 더불어 같이 돌아가고 있기 때문에 어떤 것을 꼭 집어서 부처라고 할 수 없는 것이 부처다라는 얘깁니다.

여러분은 '내가 사람들을 가르쳐서 모두 이렇게 왔는데, 내가 이끌어서 잘됐는데 나에게 섭섭하게 한다.' 즉, 다른 신도들이…. 그런 생각도 놔야 됩니다. 왜냐하면 모든 부처도 내가 했다는 것이 없기 때문에 부처가 된 것이지 내가 했다고 생각을 한다면 그것은 떠 놓은 물입니다, 떠 놓은 물. 떠 놓은 물은 언젠가는 썩습니다. 그리고 떠 놓은 물은 줄어듭니다, 증발이 돼서. 그러나 샘물은 줄고 늘고가 없습니다. 항상 어떠한 일을 하더라도, 남을 이끌어 준다 하더라도 모든 용도에 따라서 관법만 잘 이끌어 주고, 즉 말하자면 실험 재료라고 생각을 하시면서 이렇게 모든 걸 거기다 놓고 가면 알게 될 일이 있다고, 이렇게 이끌어 주세요. 모든 것을 내가 했다는 거를 놓지 않는 이상에는 절대로 가정도 이끌어 갈 수가 없습니다. 내가 했다는 것이 없어야 됩니다.

나도 가만히 생각을 해 보면 나는 아무것도 한 새가 없어요. 한 일이 없어. 그저 부처님의 심부름을 하는 심부름꾼으로서, 심부름도 하기 나름이 아니겠습니까? 어떤 사람은 요렇게 심부름을 하는 사람, 어떤 사람은 조렇게 심부름을 하는 사람. 그런데 진실한 심부름꾼이 아니라면 그 심부름을 맞게 못합니다. 진실한 마음으로 구하지 않는다면 진실한 깨달음의 소식을 받지 못합니다.

이 문제가 전부 여러분을 창살 없는 감옥에서…, 항상 얘기해 드리죠. 이 세상 모든 만사가 '내가' 라는 데서 업식이 붙어 돌아다니고 '내가 했다' 는 데서 업식이 붙어 돌아가고, 욕심에서 붙어 돌아가고 착을 떼지 못하는 데서 붙어 돌아가고 둘로 보는 데서 업식이 꼭 그림자처럼 쫓아다닌다고요. 부처님께서도 네 가지를 네 여자로 비유해서 말씀해 주셨습니다. 본처는 업식인 것이고, 즉 말하자면 첫째 첩은 바깥의 권세 또는 자식과 부모 이런 문제를 말하고요, 둘째 첩은 집이나 이런 재산을 말하고요, 셋째 첩은 보석이나 이런 걸 말합니다. 이거는 하나도 가져갈 수가 없지 않습니까? 그러니까 그걸 비유해서 셋째 첩은 방문 안에서 고한다, 그리고 바깥에도 내다보지 않는다 하고 방편으로 설했던 거죠. 둘째 첩은 또 집, 재산이니까 그것도 바로 대문 안에서 고하지 아니, 바깥으로 나갑니까, 집이? 쫓아나가지 못하죠. 그리고 또 첫째 첩은 아무리 자식이나 부부나 권세에 의해서 사람들이 몰려와도 동구 바깥에서 모든 것을 고하지 땅속까지 쫓아가지 않지 않습니까? 그러니 다 허무하다는 겁니다. 이것이 전부 허무한 거다.

그런데 그 본처는, 비유하면 업식이란 말입니다, 업식. 그림자처럼 쫓아다니는. 그걸로 비유를 한 겁니다. 그러니까 그 업식을 녹이려면 어떠한 것이 필요하냐. 나 자신의 근본입니다. 아무리 해도 누구도 대신 못해 주는 내 근본 말입니다. 그러니 자기 몸뚱이를 온통 쓰다듬고 만지고 씻고, 더러우면 때를 씻어 버린다 뭐 한다, 만지고 머리를 깎고 온통 야단들을 했어도 순식간에 버리지 않으면 안 될 그런 문제가 있죠. 극치적인 상황 속에 들어가서는 자식이나 부부나 친구들이나 형제들이나 재산이나 모든 게 다 필요한 게 아니에요. 내 마음공부 하는 게 필요한 거죠. 형식으로 살다가 몸 떨어지면 형식도 떨어지는 법. 그러니 남는 거라곤 뭐가 있나요. 자기가 거짓을 하고 살고 또는 망하게 살고, 개같이 살았으면 개가 될 것이고 독사같이 살았으면 독사가 될 것이고, 사기꾼으로 살면서 사기질이나 하고 거짓말이나 해서 남이 죽거나 말거나 나만 먹으면 된다 하는 식으로 산 사람은 돼지가 될 것이고, 이것은 자기가 한 대로 그 업식이 쫓아다니게 돼 있거든요.

그러니 우리 마음이라는 게 요상해서 거짓말을 하려고 들면 거짓말을 하는 대로 부축을 해 줘요, 이 업식들이. 화가 불같이 일어나면 불같이 더 일어나게 만들어요. 도둑질을 하려면 도둑질을 하는 대로 그냥 밀어줘요. 그러니까 미친 듯이 하는 거죠. 눈이 캄캄한 거죠. 뭐, 남의 말 들리지도 않고 보이지도 않는 거죠. 그러니까 내 마음, 인간의 진짜 마음은, 진실한 마음은 부처다 이거예요. 법신이다 이거죠. 진실한 마음이 이 업식에 이끌려서 돌아가는 그 자체를 다스려라 이겁니다. 다스려라. 우리가 지금 공부하는 건 그 업식을 다 보살로, 천백억 화신으로 화하게 만드는 작업입니다. 그래서 그 업식이 보살들로 화하게 되면 부처님께서 말씀하신 대로 "나는 내면의 모든 중생들의 항복을 받았느니라." 하는 바로 그런 뜻이란 말입니다. 보살도 행이 보살이어야 하고 말이 보살이어야 하고, 말이 법이 돼야 보살이라고 하고 안팎이 없이 보살행을 해야만이, 보살 아닌 보살이라야 된다 이거죠. 말로만 보살이지, 이름만 가졌지 행이 그렇지 못하고 말이 그렇지 못하고 뜻이 그렇지 못하다면 보살이 아닙니다, 그건.

이런 공부 하는 법을 만나기란 천 년을 물속에서 공부하다가 물위에 뜬 구멍 뚫린 뗏목 하나를 한 번, 한생각에 올라와서 그거 만나기만큼 그렇게 힘들다 이 소립니다. 그런 뜻이 뭐냐. 물속 깊이 천 년이라 하는 것은 내 마음속 깊이 과거, 현실, 미래를 그저 그냥 천이라고 합니다. '천 년을' 이렇게. 그런 건 해우년이 없는 것입니다. 거기에서 그렇게 깊이 공부를 해서, 일 년을 공부를 그렇게 했든지 삼 년을 했든지 백 년을 했든지 천 년이 되고, 한순간에 공부를 했어도 천 년이요, 만 년이 갔어도 천 년이라 이겁니다. 마음이라는 건 체가 없어서 삼천 년 전도 오늘이고 오늘도 삼천 년 전이 될 수 있고, 삼천 년 전이 오늘도 될 수 있는 것이 바로 시간과 공간을 초월해서 돌아가는 진리에 의해서 마음은 그대로 좇아 돌아가니까요.

그러니 무심 도리로서 무생의 실참 행을 그대로 잘해 나가신다면 우리가 만생의 꽃이 피고 역대의 꽃이 피고, 세세생생의 그 열매는 그 나무에서 익어서 만 가지 맛이 나게끔 됨으로써 이 세계는 평화가 올 것이요, 남북통일이 될 것이요, 지금도 바란스를 맞춰서 부지런히 그렇게 하고 있지 않습니까? 꼭 요렇게 갖다가 눈에 보여 주어야만 아는 게 아니라, 이렇게 점차적으로 돌아가고 있는 이 형상 세계를 좀 보십시오, 둘인가. 마음 세계와 형상 세계가 어떻게 둘인가.

그리고 세세생생에 멸하지 않는다, 영원한 거다 이러는 것은 사람이 몇 죽었다고 해서 사람이 없어지는 게 아니고, 저런 나무들이 죽어 가고 또 나무들이 베여서 없어진다 하더라도 나무가 없어지는 게 아니고, 흙을 아무리 파 쓴다 하더라도 흙이 없어지는 게 아니다 이겁니다. 물을 아무리 퍼 써도 물이 없어지지 않듯이. 이것이 세세생생에 끊임없이 돌아가는 끊어지지 않는 진리다 이 소립니다. 그러니 어찌 개별적으로 하나하나 죽는다고 그래서 멸했다고 할 수 있겠습니까? 그것은 진리에 의해서 죽음과 삶이 돌아가는 교차로라고 할 수밖엔 없죠. 그러니 죽는 것도 법, 사는 것도 법이죠.

그러나 우리가 이 공부를 하는 것은 죽는 날까지는, 몸을 벗어 버리는 날까지는 좀 더 깨끗하게 빨아 입고, 허허허, 좀 손질해서 다림질을 해서 입고, 남한테 그저 구질구질하게 보이지 말고 이 몸 자체를, 항상 남 옆에 가면 냄새나지 않도록, 헌 거라도 멋있게 입고 죽는 날까지는 그렇게 해야만 되지 않겠느냐, 벗어 버리는 날까지. 어디가 좀 찢어졌다 하더라도 될 수 있으면 열심히 짜깁기라도 해서, 허허허…, 표시가 나지 않도록 짜깁기라도 해서 새 것처럼 입는다. 이 정신을 잊어서는 안 됩니다. 어디가 끊어졌으면 이어서라도 아주 지금 유행으로, 유행으로 저게 나왔다 이럴 정도로 그 이은 거라도 잘 이어서 이렇게 이끌어 가는…. 나는 본래 이게 이렇게 돼서 수술을 했어도 여러분들처럼 짜깁기 안 해도 되니까 그냥 이렇게 하고 있지만, 여러분은 벗어 버리는 날까지 새 것처럼 그렇게 입을 수 있습니다.

여러분이 마음의 도리를 잘 돌려서, 굴려서 이끌어 나갈 수 있다면 죽고 사는 거는, 올해 죽든지 내년에 죽든지 십 년 후에 죽든지 이십 년 후에 죽든지 백 년 후에 죽든지 그런 것을 말하는 게 아닙니다. 그 날까지 깨끗하게, 멋있게, 싱그럽게, 해진 걸 기워서라도, 또 깁는 것도 잘못 기우면 안 됩니다. 하하하…. 실밥이 꾸역꾸역 나오게 이렇게 기워서는 기운 게 뚜렷하게 나와서 보기 싫으니까 아주 한 올씩을 뜨더라도 보이지 않게 하면서, 한 올씩 떴어도 거죽으로 보이는 데도 아주 보기 좋은 그런 게 있죠. 만약에 그렇게 해서 생활을 해 나가신다면 주름살이 하나라도 적으면 적었지 불어나진 않습니다. 정말입니다. 이 속에서 업식들이 화해서 작용을 자꾸 해 주기 때문입니다. 에너질 자꾸 갖다 주기 때문입니다.

어떤 사람이 몸에 식은땀이 나고 아프다고 하면서 뭐라고 그런 줄 아십니까? "아유, 스님! 보약 좀 주십시오. 보약값 가져왔습니다." 이런 때는 내가 싱긋이 웃어요. '저런 생각이 어떻게 들었을까.' 하고. 그러면 또 그게 나타나지 않는 게 아니라 역력하답니다. 오히려 선불리 보약 몇 재 지어다 먹는 것보다 낫답니다. 이러니 어찌 부처님 법이 묘하다 아니 하겠습니까? 이 모든 도리가 그렇게 값싼 게 아닙니다. 이 세상을 다 줘도 바꿀 수 없는 이 공부라는 게, 여러분이 지금 한 생에 배워서 이렇게 놓은 것이 세세생생에 간다 이겁니다. 살아 있을 동안만 뭐 어쩌고저쩌고가 아닙니다. 세세생생, 지금으로부터 세세생생입니다.

옥황상제가 왜 옥황상제가 됐습니까? 이 오온의 진리를 다 간파했기 때문에 옥황상제가 돼서 여러분을 오히려 지도하면서 나가고 있지 않습니까? 그래서 그 이름을 그렇게 한 거죠. 보이지 않는 데 지도자다 이 소리죠. 여러분도 보이는 데 지도자가 되든지 안 보이는 데 지도자가 되든지 자유로이 내가 하고 싶은 대로 할 수 있게끔 자유인이 되라 이 소립니다.

그러면 이걸로써 마치면서 아까도 얘기했지만, 여러분은 남을 이끌어 주고 모르는 사람을 자꾸자꾸 이끌어 주면서, 자기가 배운 대로 가르치면서, 자기가 안 배운 걸 억지로 끌어다가 가르치려고 애를 써서는 아니 됩니다. 그래야 진실하죠. 나라는 거 빼 버리시고요. 하하하…. 겸손하시고요, 항상 의리, 도의를 벗어나지 마시고요.

쉴 사이 없이 꼬리가 꼬리를 물고 풍덩!

1986년 2월 20일

어느 사람이 날더러 이렇게 물었습니다. "스님께서는 만날 고요하고 고요하게 놓으라 하시는데, 고요하고 고요해서 신령한 그 마음으로서 밝게 볼 수 있는 그 마음은 어떤 것입니까?" 하고 물었습니다. 그랬는데 나로서는 거기에다 대고 뭐라고 할 수 없어서 그렇게 말을 했습니다. 이 세상에 나고부터 수없이 거듭거듭 생각이 천만 가지로 들었고 천만 가지로 움죽거렸고 천만 가지를 헤아릴 수 없이 해 왔는데, 지금도 이렇게 걸어왔지 않느냐고요. 그것이 바로 신령한 마음으로서 근본적으로 알고 있는 것이다라는 얘길 했습니다.

내가 없다면 그 귀종 스님네들이나 또는 역대 조사들 또는 부처님, 이 세상 전부가 어떻게 있겠습니까? 나로부터 생겼기 때문에 나로부터 모두 생각하고 작용하고 하는 것을 누가 하나 관하고, 고요히 놔서 또 놔서, 놓고 본다면 결국은 스스로 자기가, 신령한 마음이 나오는 것이죠.

그래서 옛날에도 이런 얘기가 있었죠. 예전에 남전 스님이라고 하는 분이 수좌들을 가르치기 위해서, 동당 서당을 이렇게 해 놓고 있는데 고양이가 왔다 갔다 하는 것을 그 수좌들을 가르치기 위해서 그 고양이를 베어 버렸단 말입니다. 그랬는데 어느 스님이 말씀하시기를 그렇게 말을 했습니다. 우리가 생각할 때도 그렇습니다. 죽은 것을 천도시켜 달라고 그러고 살려 달라고 하고 아무리 빌어 봐도 바깥으로 비는 것은 천도도 될 수 없을 거며 또 자기의 공부도 안 되며 또한 그걸 받을 수가 없습니다. 그렇기 때문에 조주 스님이 신발 한 짝을 이고 가신 것을 생각을 해 보라 한 것입니다. 우리가 그렇게 바깥으로 빌고 빌어도 천도는커녕 자기 몸 하나 어떻게 옮겨 놓을 수가 없어. 그렇게 해서는 자유인이 못 되기 때문에, 아무리 목숨을 살려 달라고 하고 아무리 천도를 시키려고 하고 아무리 옷을 벗으려고 하고 그렇게 부처님한테 빌어도 그것은 전혀 모르게 되는 것입니다.

그리고 내가 아는 것을 바로 우주간 법계에서 알기 때문에, 여러분 잘 생각하세요. 그래서 조주 스님께서 그렇게 하신 것도 그 뜻을 가르치려고 그러셨으니 그것도 여간 자비가 아닙니다. 여러분이 하나하나 작용하면서 해 오는데 자기 자신을 못 믿는대서야 어찌…. 자기 자신도 자기를 가장 위하고 자기를 세우고 그러는데 '자기' 라고 하면서도 남을 믿고 어리석게 그럭하거든요.

그래서 요 말을 할 테니 여러분이 생각을 잘해 보세요. 여러분이 마음으로 친척 간이나 자식들이나 남편이나 부모 또 형제, 이런 사람들을 다 알고 계시죠? 이 마음으로 자기 자신들이 모두 알고 있기 때문에 내 모든 것이 무뜩무뜩 돌아가면서 생각나고 '자식이 잘돼야 할텐데….' 하는 생각도 있으며, '아, 가난하니 언제나 우리는 잘살아 보지?' 하는 생각이 들며, 또 '친척 누가 아픈데 이걸 어떡하면 좋은가.' 이렇게 생각을 합니다. 그렇게 따로따로, 일일이 따로따로 생각을 하지 마시라 이겁니다. 자기가 알고 있기 때문에 바로 자기 주인공이 알고 있고 주인공이 알고 있기 때문에 우주간 법계에서 다 알고 있다는 사실입니다. 그러니 일일이 따로따로 “아이고! 얘가 이랬는데 스님, 얘는 어떡합니까?”, “스님, 우리 일가친척이 지금 이렇게 이런데 어떡합니까?”, “내 동생이 이런데 이거 어떡합니까?”, “내 언니가 이런데 어떡합니까?”, “내 남편이 이런데 어떡합니까?” 이러거든요. 하나도 걱정할 게 없는 거라. 왜? 내가 알고 있기 때문에 바로 모두 한 울 법계에서 다 알고 있단 말입니다.

이 천이통을 무전기라고 한다면 이 무전의 선줄이 거미줄 얽히듯 했어. 우리의 마음과 마음이 전달되는 것은 바로 내가 알기 때문에 이 염주알 꿰듯이 그렇게 꿰여서 돌아가고 있다 이겁니다. 그런데 어찌 내가 알고 있는 것을 모르고서, 그 신령한 법이 나한테 있는 거를 모르고서 만날 밖으로만…. 그러면 나는 이렇게 해서 여기 다니며 공부를 하고 이러니까 해 나가겠는데 내 친척은 어떡하면 좋으며 내 자식은 어떡하면 좋으며 내 부모는 어떡하면 좋으냐는 생각입니다. 내가 여러분을 볼 때 꼭 그렇게 보이니까요. 그러니 내 안에 다 들어 있는 걸 내가 알고 있는 거기 때문에 그것은 그렇게 걱정 안 해도 되는 것이 아니냐는 얘깁니다.

내가 가지고 있는 내 주인공이나 내가 알고 있기 때문에 내 주인공이 알고 있는 거나 뭐가 멀고 가깝겠습니까? 두 치 건너 한 치도 없는 겁니다. 두 치 건너 세 치, 세 치도 세 치가 아니고 한 치도 없다 이런 말입니다. 마음은 본래 신령해서 오고 감이 없이 오고 가며 미국이라 할지라도 요 문 밖이 바로 미국이 될 수 있고, 저승이라 할지라도 요 문 밖이 바로 저승이에요. 그런데 여러분한테 말을 하려니까 문 밖이라고 하지, 또 죽었다 살았다 하는 그런 교차로가 있으니까 내가 문 밖이라 하지 안도 아니요, 바깥도 아닙니다. 이 자립니다.

수없는 나날을 여러분하고 이렇게 같이 자리를 하고 있는데 우리가 선실에 같이 이렇게 앉아 있는 거나, 이 우주 법계가 같이 이렇게 돌아가면서 같이 사는 거나 한방에 이렇게 앉아 있는 거나 똑같다 이겁니다. 그리고 삼천 년 전에 앉았던 이 선방이나 또는 삼천 년 후에 이렇게 앉을 거나 똑같은 겁니다. 그래서 삼천 년 전에 앉았던 거는 현재에 내가 있으니 여기에 같이 지금 있는 것이고, 둘이 아닌 것이고, 미래에는 아직 가지 않았으니까 없는 것이 돼서 여기 그 자리에 그대로 있다 이겁니다. 억겁을 거쳐 왔다 하더라도 지금 현재란 말입니다.

그래서 요 말은 요걸로써 끝맺고 옛날 얘기를 한번 할까요? 허허, 옛날에 어느 원님이 욕심 많기로 유명했답니다. 그랬는데 그 원이 백성을 인(仁)으로 잘 다스리지 못하고 그저 탐욕이 많고 욕심이 많고 또 색을 취하는 데는 아주 둘째가라면 섧고, 이렇게 망종으로 하고 나왔답니다. 그러다 어느 날 딸이 성장을 하니까 아주 유능한 사위를 보기 위해서 방을 붙였습니다. 어떻게 붙였느냐 하면 옛날 얘기를 하는데 내가 싫다고 할 때까지 할 수 있는 그러한 선비라야 된다 했습니다. 그리고 그 참, 처자가 아름다웠답니다. 그래서 수없이 문간을 들락날락 들락날락, 선비들이 왔다 갔다 해도 원님이 싫다고 할 때까지 가기 이전에 벌써 끝나. 옛날 얘기를 아무리 잘한대도 하루고 이틀이지, 어떻게 그걸 줄창 하겠습니까? 싫다고 할 때까지 어떻게 있겠습니까?

그런데 어느 가난한 선비가 한 사람 있었답니다. 그 가난한 선비는 걸망을 짊어지고서 참, 걸망이 아니라 왜 이렇게 짊어지는 거, 지금은 차가 있으니까 그러지 않지만 예전에는 길을 떠나려면 짚신도 매달아 가지고선 그렇게 떠나죠? 그렇게 해 가지고선 앞으로 과거를 보기 위해서 여기저기 돌아다니다가 그 방을 봤습니다. 그래서 그걸 보고선 껄껄 웃었습니다. 이런 도리를 어떻게 알았던지 말입니다, 그 방을 보고선 속으로 그 가난한 선비가 생각하기를 '이 욕심 많은 원님을 요리를 만들어야겠구나.' 하고 '그냥 아주 묵살을 만들어야겠구나.' 했습니다. 그거는 참, 잘못되게 하는 게 아니라 이익 되는, 욕심을 떼게끔 해주기 위해서 그렇게 껄껄 웃었던 겁니다. 그런데 남들은 "저 사람 미쳤군. 아니, 미쳐도 곱게 미쳤는데!" 하면서 그렇게 수군수군들 댔습니다. 아, 괜히 쳐다보고 껄껄 웃고, 가만히 있다 쳐다보고 껄껄 웃고, 여기 쳐다보고 껄껄 웃고 하니까 말입니다.

그래서 그 사람이 그날 거기로 들어가기로 결정을 했습니다. 들어갔습니다. 아주 초라한 선비가 들어왔단 말입니다. 그러니까 원님은 눈살이 찌푸려지죠. 그런데 보니깐 눈방울과 이 균형세는 아주 똑똑하게 생겼더랍니다. 그래서 거기에서 조금 안도감을 갖고 얼마나 하다가 또 나갈까 하고 있었습니다. 그랬는데 처음에 시초가 말입니다, 들어가서 하는 소리가 그렇게 얘길 했습니다. 잘 공양 대접을 해서 다 먹여 놓고 시작을 하기로 하고 앉아서 척 시작을 하는데, "어느 마을에 쥐 마을이 있었습니다." 했습니다. "사람 사는 마을이라면 쥐도 역시 따라다니며, 사람 따라다니면서 쥐 마을, 쥐 집을 정합니다." 하니까 "그래서?" "그래서 쥐 소굴이 큰 동네를 이루었습니다." "그래서?" "그런데 그 쥐 선조가 모든 자식들을 거느리고 그렇게 살던 중 어느 해에 흉년이 들었습니다." 그래 원님은 "그래서?" 아, 인제 귀가 솔깃했단 말입니다.

"그래서?" 그러니까 "아, 흉년이 들었으니 여러 식구들을 다 먹여 살릴 수가 없어서 강을 건너게 됐습니다." "그래서?" "그래 강을 건너서 딴 마을로, 풍년이 든 데로 이사를 가야 하는데 할아버지로부터, 즉 말하자면 증조부로부터 쭉 나섰습니다." "그래서?" "그래 모두 짐을 질 것도 없고 흉년이라서 먹을 것도 없어서 그냥 그저 간단히 있는 것만 걸머쥐고서 모두 갔습니다." "그래서?" 허허허…. "그랬는데 증조부 할아버지가 아, 그 강을 건너기 위해서 물에 풍덩 빠졌습니다." "아, 그래서?" "증조부 할머니가 또 꼬리를 붙들고 또 풍덩 빠졌습니다." 그렇게 하기 시작을 한 것이 할아버지 할머니 할아버지 할머니 그러다 보니깐, 아버지 어머니 그러다 보니까, 큰아들 큰며느리 이러다 보니깐, 그 밑으로 손자 손자 꼬리가 꼬리, 이거를 또 그 손자가 할아버지가 되고, 허허허…, 그 할아버지가 돼 가지고 그냥 또 증조부가 돼 버리고 또 그 밑의 손자가 또 증조부가 되고 할아버지가 되고 아버지가 되고, 연방 그러다 보니까, 허허허, "야, 이놈아, 듣기 싫다!" 그러거든요.

그러니까 "그러면 간략하게 말씀드리죠." 하고선 "꼬리가 꼬리를 물고 풍덩, 꼬리가 꼬리를 물고 풍덩, 꼬리가 꼬리를 물고 풍덩…." 그냥 한 일주일 그랬단 말입니다. 그런데 그 원님은 듣기 싫어서 정말 죽겠거든. 잠도 못 자게 하거든. "옛날 얘기를 들으시려면 밤에 잠잘 사이가 어딨습니까?" 아, 이러거든요, 또. 이거는 자지도 못하게 하고 꼭 앉아서, 자기도 자지 않고. 자기는 힘이나 있지, 그 도리를 아니까. 그런데 그 원님은 힘이 없단 말이야. 그냥 쿨쿨 자는데 "아이고, 옛날 얘기를 들으시려면 잠을 자서 되십니까?" 하고는 그냥 쾅 치고 아, 이러는 덴 도무지 그냥 미쳐 죽을, 환장할 일이라. 그렇다고 해서 값싸게 딸을 그냥 이 가난한 선비한테 다 내줄 수도 없는 거고 그래서 이거를 그냥 "제출물에 저 하기 싫으면 가겠지." 했는데 그게 아니거든. 그저 조반만 먹었다 하고 점심만 먹었다 하면 그냥, 저녁 먹은 고 사이, 오줌 누고 똥 누고 요런 사이만 빼놓고는 그냥 앉아 있는 거라.

그런데 일주일이 당도했습니다. 일주일이 당도해서 영 그냥 안 떠나서 "꽁지가 꽁지를 물고 풍덩, 꽁지가 꽁지를 물고 풍덩…." 아예 글을 읽는 거야. 글을 읽는 걸로 앉아서, 이렇게 몸을 흔들면서 "꽁지가 꽁지를 물고 풍덩, 꽁지가 꽁지를 물고 풍덩, 풍덩 풍덩 풍덩…." 하다 보니까, 꽁지 소리도 없어지고 "풍덩 풍덩" 이러거든요. 허허허…. 그거 뭐, 꽁지를 또 자꾸 부를 게 없잖아요? 그러니까 "풍덩 풍덩 풍덩 풍덩…." 하고 몸을 흔들었습니다. 그러다 보니까 풍덩 풍덩은 정말 죽겠거든.

그러는데 홀연히 그냥 "옛날 얘기를 들으시려면 잠잘 사이가 어딨습니까!" 하고는 그냥 책상을 팍 치는데 고만 잠이 퍼뜩 깨서 눈을 휘번드렇게 뜨고선 가만히 생각하니까, 거기서 홀연히 터득을 한 거예요. “풍덩 풍덩” 하는 데서. “꼬리가 꼬리를 물고 풍덩!” 하는 데서 고만 홀연히 깨친 거란 말입니다. 그때서야 책상을 치면서 “옛날 얘기 참 잘 들었다! 세상에, 옛날 얘기가 아니라 지금이구나! 내 여직껏 어떻게 세월을 보냈던고?” 하면서 “내가 이날까지 이 세상에 부모 혈육을 타고 나서 이렇게 살았는데, 그저 모두가 인연법임을 자네가 가르쳐 줬어, 홀연히 이 인연법을…. 그랬으니 자네가 간다 할지라도 내가 붙들겠네. 내 딸을 자네에게 줌세.” 하면서 거기서 고만 그냥 손뼉을 쳤습니다.

그리고 그 해부터, 그날부터 방을 써 붙여서 없는 사람에게 다 골고루 나눠 주게 했답니다. 골고루 나눠 주게 했고 자기가 재물을 탐낸 거, 사람을 들볶던 거, 또 먹는 것도 다 그 없는 백성들한테, 모아서 이자를 받고 또 이자를 받고, 이자에서 이자를 받던 것도 다 없애고, 그렇게 하고 자기네 집에 사는 종들 그 종 문서도 다 태워 버리고, 다만 얼마라도 주어서 집칸이라도 의지해서 다 살게 했고, 그러고서는 종 문서를 두고 하는 게 아니라 지금으로 친다면 월급을 줘 가면서 종을 뒀답니다. 그래서 좋은 원님이 돼 버린 거죠.

그렇게 해서 그 가난한 선비 하나가 그렇게 원님 하나를 참, 진짜 원님으로 만들어서, 사람으로 만들어서 고을의 백성들을 다 살림으로 써 그 너머 딴 데 원님도 또 그 도리를 알아서 백성을 잘 다스렸고, 또 그 너머의 원님도 잘 다스렸답니다. 그래서 그 원님 친구분 되시는 두 분이 그분을 따라서 다 터득을 하셔서 백성들을 잘 이끌어 갔고 또 공부하는 선비들은 잘 가르쳐 줬답니다. 그런 이치가 있었습니다.

그러니 우리가 그 도리를 생각할 때 ‘쉴 사이 없이 꼬리가 꼬리를 물고 풍덩’ 하는 이치를 우린 알아야 합니다. 어저께 꽁지를 물고 풍덩 한 거와 오늘 꽁지를 물고 풍덩 한 거와 내일 꽁지를 물고 또 풍덩 할 것을 생각할 때 어저께가 어딨으며 내일이 어딨습니까? 꽁지가 꽁지를 물고 풍덩 풍덩 풍덩 풍덩 하다 보니까 풍덩 풍덩입니다, 지금. 이게 옛날 얘기가 아니라 지금 현재에 그럭하고 돌아가고 있는 사실입니다.

그런데 우리가 마음을 좀 더 넓히고 지혜를 좀 넓혀서 모든 것을 시비하지 않으려고 하고…, 그런데 시비하지 않으려고 아무리 해도 안 된다는 얘깁니다. 그 도리를 모르고서야 시비가 안 나올 수 없죠, 너 나가 있으니까. 그러나 너 나가 없는 도리를 알려면, 아까 얘기했듯이 친척도 내가 알고 있고 남편도 내가 본래 알고 있고 자식도 내가 본래 알고 있거늘, 무엇이 안타까워서 남편은 이렇고 이렇고 이렇고 합니까? 모든 요리는 그 한마음 속에서 요리를 해야 할 것인데, 자기가 알고 있는 그 마음속에서 다 요리는 할 수 있지 않으냐 이 소립니다, 맛있게. 사람이라는 것은 맛있는 것을 좋아하지 맛없는 거를 좋아하지 않습니다. 그런데 여러분은 몰라서 맛없게 많이 요리들을 해 가지고 먹고는 체해 가지고서 벌벌 설사를 하지 않으면 체해 가지고는 복통이 일어나고 그러죠. 이 세상 살아나가는 게 다 그렇습니다. 이왕이면 창덕궁이라고 이왕이면 내 마음 안에 모든 게 다 들어 있는데 그 알고 있는 거, 친척도 모두 알고 있으니 자기가 한생각 돌려서 요리를 하면 나한테 묻지 않아도 거기에서 직속으로 앉아서 요리를 해서 맛있게 먹을 것을, 그렇게 애탄지탄한다 이겁니다. 그래서 여러분은 어서 '인간이 이 세상에 나와서 무엇을 어떻게 하고 살면 진짜 인간이 되는가.' 이것을 탐구해야 합니다.

옛날이 아니라 몇 해 전입니다. 내가 이런 말은 못했습니다마는 여기 지금 남자 부회장님으로 계신 분하고 어떻게 되는 분들인가 봅니다. 그런데 그 집 형제가 만날 몽둥이 들고 싸우고, 그 어떻게 되는 사람인지는 잊어버려서 모릅니다마는 뭐, 건건하게 되는가 봅니다. 그런데 천도를 해 달라고 연줄 연줄 해서 천도를 하러 왔습니다. 그런데 가만히 보니까 그 모인 집안 식구들이, 큰아들 작은아들 모두가, 여러 형제들이 동네 동네 이렇게 사는데, 만날 부딪고 거기서 장작개비를 들고 오지 않으면 여기서 몽둥일 들고 그리로 가고, 이렇게 만날 싸우니까 뻔할 날이 없어. 그리고 점점 가난은 생기고 점점 화기가 생기고 집안이 영 안되는 거야.

그래서 가만히 보니까 내가 태어나기 이전이 모두 깡통의 차원들이야. 전생이 어디 따로 있겠소마는 모두 서로 뜯고 서로 싸우고 이러던 인연들이 또 모인 거야, 거기. 그러니 그것을 어떻게 해결을 하겠소? 그것을 해결하려면 이 도리를 알고야 해결이 되지 그렇지 않으면 도저히 해결을 못해.

그래서 그때 천도를 해 준다고 하는데 그날, 천도한다는 날 가만히 앉아 있으니까 이만한 풍선이 수없이 공중으로 날아왔습니다. 이거는 비유해서 방편으로 얘기하는 겁니다. 풍선이 이만큼씩 한 게 그냥 주렁주렁 매달려서 이만한 덩어리가 그냥 한 서너 덩어리 이렇게 공중으로 왔습니다. 여기 와서 턱 그게 깨지더니마는 뭐가 되느냐 하면 들것이 됐습니다. 들것 안에는 송장이 들어 있는데 둘둘둘둘 담요로다만 그런 것이 놓여 있었습니다, 이불째. 이불째 그냥 말아서 놓은 것이.

그러니 우리가 환경에 따라서 그럴 수도 있겠죠. 하지마는 우리가 자식들이 있고 그런데 이불에서 죽었다고 해서 이불로 그냥 둘둘 말아서 갖다가 묻어 버린다는 건 참, 있을 수가 없죠. 그런데 생각도 안 했는데 그럭하고 들어오는 걸 보고 그랬습니다. 야 참, 자식들을 낳아서 그렇게 했어도 깡통끼리 모였으니 그럴 수밖에 없구나. 그 죽은 사람도 모두 그렇게 받게 돼 있고, 또 산 사람도 그렇게 하게 생겼으니 모두 그 앙갚음을 하느라고…. (녹음 안됨)

오각이 그대로 장안으로 통하니

1986년 2월 21일

여러분, 항상 마음을 가라앉히고…. 어저께 어떤 사람이 "산을 몇 십 리를 걷는데 어떻게 걸어야 합니까?" 하고 물었습니다. 그전에 나는 그, 걷던 식이 있었거든요. 그래서 백 리를 걷는다 하더라도 마음을 차분히 가라앉히고 다리를 좀 넓게 떼어 놓는다면 십 리 걸은 거와 한 발짝 떼는 거와 몇백 리 걷는 거와 똑같다고 했습니다.

우리 살림살이도 여러분들께서 항상 마음을 번거롭게 두지 마시고 항상 가라앉히고 내 주처를 근본으로 삼으셔야 되실 테지요. 그래서 "뿌리 없는 나무는 처처에 있어서 소를 매기 좋고…." 얼마나 좋습니까? 여러분, 아시겠죠? 여러분 집집마다 대문은 어디로 났습니까? "집집마다"라고 했다고 또 집집마다로만 알지 마세요. 여러분이 지금 앉아 계신 그 자리가 집집마다입니다. 집집마다 대문은 장안을 통해 있습니다. 그런데 이 허공에 각색 귀신들, 각색 유전성, 세균 이런 것들이 천차만별로 꽉 찼거든. 좋은 게 꽉 찼다면 나쁜 것도 같이 꽉 찼으니까 내 주처를, 내 주처의 그 근본을 모르고 내 심통을 다짐하지 않고 세우지 못한다면, 그래서 내 주처의 방을 지키지 않는다면 그것이 넘나들 것인데 만약에 내 주처의 방을 지킨다면 감히 그 통 속을 알 수도 없거니와 넘나들지도 못한다는 얘깁니다.

우리가 과학적으로도 그렇고 지금 철학적으로도 그렇고 생물학적으로도 그렇고 공학적으로도 모든 박사들이 연구들을 하고 있지만, 부처님이 가르쳐 주신 뜻이라고 "부처님! 부처님!" 하지만 부처님 이름이 부처님이 아니에요. 그 이름을 뼈다귀 우려먹듯 우려먹지 말고 자기 자신들이 있기 때문에 부처가 있다는 걸 아셔야 해요. 그래서 그 박사들이 연구들을 많이 해도 그 근본에 오각이 서로가 돌면서, 지각이나 촉각이나 감각, 식각 이런 문제들이 모두 한꺼번에 몰려서 내가 책정을 할 수 있는 그러한 것을 모르기 때문에 연구를 하고 연구를 해도 모르죠. 안다 하더라도 어느 정도만 알지.

지금 이런 문제들이 많이 있잖아요? 여러분이 지금 알고 있는 현실에서 화산이라든가 이런 문제들이 일어나도 그것이 어떻게 해서 언제 어디서 이렇게 온다는 걸 모르기 때문에 그 자리에서도 어쩔 수가 없는 겁니다. 그걸 대치할 수가 없어. 왜 그런가? 한마음이 되지 않아서. 한마음으로 통해야 할 텐데 한마음으로 통할 수가 없어. 우리는 색상으로서의 그 물질만 보고 삽니다. 물질이 나인 줄 알고 내가 하는 줄 알고 이렇게 살고 있으니 모두가 그렇게 모를 수밖엔 없지. 그러니 대치를 할 수가 없는 거라. 내가 그전에도 얘기했지만 하다못해 식물도 내년 일을 알아서, 북풍이 불고 또 너무 비가 많이 올 듯하면 옥수수 뿌리도 넓게 잡아서 뿌리를 박는 법인데 하물며 인간이 그 도리를 모른대서야 어찌하겠습니까.

그뿐입니까? 예전에 산중 암자에 있을 때 얘깁니다. 비가 억수같이 쏟아졌습니다. 그랬는데 미꾸라지나 새우나 여러 가지 붕어들이 많이 그 산중 도량에 떨어졌습니다. 그것을 깡통에 물을 담아서, 주워 담아서 갖다가 연못에다 넣어 주고 흘러가는 물에다가 놔 줬습니다. 그러면서 한번 생각해 본 일이 있습니다.

그전에 그 생각이 들었습니다. 어느 때에 어느 초가집에서 살던 이가 참 어렵게, 가난하겐 살지만 마음이 풍족했더랍니다. 그래서 쥐가 이리저리 펄펄 나다녀도 "너희들은 왜 그렇게 사람을 귀찮게 하고 나다니느냐?" 하면서 하다못해 옥수수를 갈아서라도 한쪽 광 귀퉁이에다 놔 줬답니다. 그리고 보리쌀도 갈아서 한쪽 귀퉁이에다 놔 주고 감자도 한쪽 귀퉁이에다 놔 주고 그러니까 그 쥐들이 돌아다니면서 그렇게 말썽을 일으키지 않더랍니다. 대대로 내려오면서 그 집은 그렇게 했는데, 그것이 증조부로부터 내려와서 증손으로 이렇게 해서 대대로 내려가는 그런 풍습이 있었더랍니다.

그런데 어느 날 쥐가 이상스러운 소리들을 내면서 바깥 마당으로 와락와락 뛰어다니면서 춤을, 사람이 볼 때는 춤을 추는 것 같지만 사람으로 친다면 "빨리 나오시오! 빨리 나오시오!" 하고 막 고함을 치는 것 같은 그러한 소리가 들렸답니다. 나가 보니까 쥐가 모두 앞발을 들고 이상스러운 소리들을 내더랍니다. 그래서 그 주인이 "얘들아! 이리로 나오너라. 이 마당 좀 나와 봐라." 하고선 모두 식구들이 다 나왔답니다. 다 나오자마자 그 집이 폭싹 가라앉았단 말입니다. 너무 오래돼서 밑이 썩어서 말입니다. 그래서 사람이 하나도 희생이 되지 않고 식구가 다 살았다는 얘깁니다. 하물며 쥐도 그 은공을 아는데, 그리고 또 집이 무너질 것을 미리 아는데 일등 동물로서 그렇게 모른다는 것은 도대체 이거는 부처님 제자라고 할 수도 없거니와, 우리가 이렇게 부처님 설법을 듣고 또 인간으로 몸을 받아서 산다고 할 자격이 없어!

그뿐만 아닙니다. 어느 때에 산에 들다가 이런 일을 봤습니다. 나는 언제나 어디 가서 자려면 묘지를 등에다가 기대고 잤습니다. 아마도 그것이 든든했던 모양이죠. 그랬는데 해는 어둑어둑 서산에 지고 노을이 졌는데도 불구하고 개미들이 열을 지어서 가는 겁니다. 그것도 개미 떼가 이렇게 몇몇이 간다면 별문제가 아니었습니다. 내가 볼 때는 앉아서 보니까 떼를 지어서 갔습니다. 나는 일어섰습니다. 퍼뜩 머리에 떠오르는 게 있었습니다. '어! 너희들이 이사를 가는구나. 허허, 너희들보다 내가 못하다.' 이렇게 생각을 하고 '어, 너희들이, 내가 있으니까 너희들이 있지, 내가 없고서야 너희들이 있겠는가. 너희들이 이렇게 출타하는 거를 내가 있기 때문에 봤다. 그러니 나는 당당해!' 하고선 그걸 쫓아갔는데 사람의 한 발짝을 어떻게 개미들이 따르겠습니까마는 개미는 개미대로 어떻게 빨랐던지 걷잡을 수가 없었습니다. 난 처음 봤습니다, 그 광경을.

걷잡을 수가 없어서 '야! 참, 신기하구나!' 그러고 보고선 나도 따라서 이렇게 갔습니다. 그런데 어느 골짜구니로 드어잡으면서 바위 밑으로 다 옮겼습니다. 그래 나도 그쪽으로 옮겨서 이 등을 그 벽에다 두고선, 돌에다가 대면 차니까 그 등성이에다 등을 대고 이렇게 내려다보고 있었습니다. 그랬는데 새벽이 됐습니다. 새벽에 아주 날이 흐리고 얼마 비가 오지 않은 그런 형편인데도 불구하고 그 산이 그냥 왕창 무너져 내렸습니다. 어떻게 됐겠습니까? 그것이 어딘가 하면 청계산입니다.

그래 여러분이 생각해 보실 때에 어떻게 생각됩니까? 미리 그것을 알았지 않습니까? 이 생물들이나 동물들 모두가 다 아는데, 개미들이든 동물이든 생물이든 다 한가지지마는 모두가 지각은 갖지 못했을지언정 식각은 갖고 촉각이나 감각은 가졌어. 그런데 오각을 다 가진 사람은 그것을 한 치를 내다보지 못한다 이겁니다. 그것을 수차에 보고 다녔는데, 벌이나 또는 날아다니는 새나 이런 것들이 전부 길을 인도하기도 하고…. 때로는 이런 경향도 있었어요. 이것은 옛날 얘기가 아닙니다. 너무나 현실에, 지금도 그러합니다. 여기가 아스팔트가 생기고 이랬으니까 여러분이 그것을 지금 지켜볼 수도 없겠지마는 전자에는 많은 그런 일들이 있었습니다.

여러분의 마음만 톡톡하다면 어느 동물, 생물이 나를 해치지 않는다 이겁니다. 그리고 마음들이 서로 통하기 때문에 절대로 그런 일이 없습니다. 그런데 어느 날 산에서 내려와서, 좀 구지비 그럭하고 싶었습니다. 어느 집 싸리문을 이렇게 들어가니까 개가 송아지만 한 것이 나와서 짖었습니다. 거지 같은, 거지라고 해도 왜 각설이 거지 있지 않습니까? 거지 새끼죠, 말하자면. 그러니 그렇게 짖는데 말입니다, 나는 순간 무슨 생각이 들었느냐 하면 이렇게 생각을 했습니다. '애! 네 생명이나 내 생명이나 같고 내가 너를 해치지 않고 네가 나를 해치지 않는다면 이 마음과 마음은 서로 통할 수 있잖아. 너 알지?' 했습니다. 말로 그런 건 아니고요, 안으로 굴려서. 내 사량적인 마음이 아닙니다, 그것은. 철두철명한, 말함이 없이 말을 했다 이겁니다. 그러자 그 개는 순간 쫑울쫑울쫑울 하면서 뭐라고 그러느냐 하면 '그럼, 진작 그러지….' 남을 왜 놀래키느냐는 얘깁니다. 그런 일도 있었습니다.

우리가 깨쳐 가지고도 '점차'가 있다고 합니다. 그건 무슨 소리냐 하면, 육조 선사가 자기를 생산해 가지고도 10년을 넘게, 그것을 수차에 말씀을 드렸죠? 10년이 넘게 체험하면서 굴려서 다시 놓으면서 보림을 다시 했다는 얘깁니다. 내가 수천 년, 아니 수억 년 억겁을 거쳐 오면서 그 살아오던 습이, 인과가 한꺼번에 그렇게 몰락 놔지는 건 아닙니다. 그래서 지금 습을 놓지 않는다면 깨쳤다 할지라도 미해진다는 그런 얘기가 있습니다. 그렇듯이 우리가 그렇게 점차적으로 다니면서 보니까 모두가 그것이 내 마음먹기에 달렸어.

언젠가 한번은 이런 예가 있었습니다. 길을 지나가는데 차가 가다가 큰 뱀을 두 동강이 세 동강이 냈습니다. 나는 그때 마음에, 지금 이런 마음이 아니라 어떠한 마음이 들었던지, 이것이 사량적인 마음은 아닙니다. 내가 잘되기 위해서도 아니고, 그렇게 해 줘서 좋은 일을 했다고 '내가 이렇게 좋은 일을 하면 좋은 일이 나한테 닥치겠지.' 이런 생각도 없었습니다. 단지 그게 도막도막 나서 펄떡펄떡 뛰니까 깡통을 찾았습니다. 그래서 뛰어가서는 불집게를 얻어다가는 그걸 집어서 깡통에다 넣었습니다. 넣어서 산에다 묻어 주고 돌아간 예가 있습니다. 비가 맞으면 썩을까 봐 기왓장 하나를 올려놓고 말입니다.

그러고 갔는데 사흘 되던 날입니다. 그것을 그렇게 묻어 준 자리에서, 즉 말하자면 그 몸은 비록 벗었지만 나하고 만난 인연으로 인해서 나는 아주 멀리 몇십 리 밖에 있는데 말이, 같이 한마음이 돼서 순간 나투는 겁니다. 내 그 껍데기가 그렇게 정해졌고 나는 당신으로 인해서 그 껍데길 벗고 환생을 했으니 참 고맙노라고. 내가 이런 말을 하면 여러분이 믿어지지 않겠기에 여직껏 그런 얘기조차도 안 했습니다마는 그걸 어떻게 말로 다 하리까.

그러니 이것이 문젭니다, 지금. 어떻게 돼서 그 생물들이나 동물들은 먼저 알 수 있을까? 과학적으로나 생물학적으로 이 문제를 풀려고 아무리 해도, 그것은 마음에서 그대로 알아지는 거지 어디를 통하고 통한다 해서, 내가 알려고 해서 알아지는 게 아니에요. 그래서 피난을 하려면 내 앉은 자리가 피난처지, 어디로 방황하고 피난처를 찾으러 다니면 자기 가는 자리가 피난처가 아니 됩니다. 주처가 당당하고 도도하다면 겸손하고, 겸손하다면 항상 말 없이 말이 있고 말이 있이 말이 없어. 그러면서 항상 함이 없이 할 때에 그것이 바로, 그 자리가 피난처가 될 수 있으며, 또는 말 한마디 하면 법이 되고 한생각 굴리면 우주가 들려 돌고…. 그래 어저께도 시를 하나 읊었습니다마는…,

음지 양지 없는 천지
한 손 들어 삿갓에 걸터 쓰고
해와 달을 석장에 걸터 메고
한 발 들어 푸른 산 딛고
물 한 그릇 떠 마시니
대장부의 살림살이 이만하면 족한 것을

이렇게 중얼거리고 왔습니다. 이 문제는 모두가 이 세상만사가…, 헤아릴 수 없는 그것들도, 생물들 동물들이, 낮은 동물들도 다 아는데 하물며 우리가 몰라서야 되겠느냐는 얘깁니다.

어떤 사람은 감각을 통하느니 촉각을 통하느니 식각을 통하느니 이런 문제가 자꾸 오는데 그런 거, 내가 항상 말하죠? 오관이 통해 있는 것은 장안을 통하고 있어, 응? 장안을 통하고 있어서 그 대문이 여러 개다 할지라도 하나도 없고, 하나도 없는가 하면 처처마다 대문이요. 그러니 어저께도 얘기했죠? 우리는 우리대로 그 통한, 즉 말하자면 밑 빠진 두멍, 주처에 모든 것을 일체 다 놓게 되면 모든 것은 소화도 잘되고 피도 잘 돌아가고 내 육신도 잘 이끌어 가고 남의 육신도 잘 이끌어 줄 수 있고, 또 그러한 문제도 이 오각이 그대로 나한테, 즉 말하자면 장안을 통하고 있기 때문에 항상, 항상 그 뜻을 알아. 아는 것이 문제가 아니야, 또. 알면 하는 것이라 이거야! 내가 책정을 하는 거라. 그러면 몽둥이로 할 게 따로 있고 철퇴로 할 게 따로 있고 폭탄으로 할 게 따로 있어. 여러분이 이 뜻을 안다면 여러분의 그 철통 같은 주처에 감히 어느 누가 넘나들며 어느 누가 그 속을 알 수 있겠습니까?

사람들이 '불법을 배운다' 하는 것을 값싸게 생각하고, 자기는 근중하게 생각하고 이러는데, 개별적인 자기 하나가 뭐 그렇게 근중합니까? 본래 공했다는 그 이치를 손살피 알아본다면 세울 게 없다는 문제는 너무 소소영영하기 때문에 세울 게 없는 겁니다. 이 세상에 하나도 버릴 게 없어서 가질 게 없다고 한 것입니다. 옛날에도…, 벌써 어저께가 옛날이고 아까가 옛날입니다. 그건 말하기에 달렸죠. 천 년도 어저께가 될 수 있고 하루가 될 수 있고 일 초도 천 년이 될 수 있어요.

그렇기 때문에 시간이다 공간이다 이런 거를 우리가 놔 버리고 그대로…. 승려들은 더하죠. 아니, 더한 것은 아니지만 더하죠. 입산을 해서 결제 해제를 꼭 생각을 하니까요. 계율을 생각하고 결제 해제를 생각하고 좌선을, 앉았다 일어나는 걸 생각하게 되고 화두 받은 것을 생각하고, 어느 스님한테 받았다는 것까지 상세히 생각하고 있는 거거든요. 끊어뜨리지 않으려고 생각하고. 이것은 쪽쪽이 내 문을 내가 아주 철통같이 막아 놔. 시간적으로 사는 것을 일일이 생각하다 보면 공간을 어떻게 뛰어넘을 수 있겠습니까?

모든 걸 놓으라고 그런다고 해서 손 턱 놓고 있는 게 놓는 게 아니라 부지런히 하면서 겸손하게 뛰면서, 생각하면서 생각하지 않는 참선, 이 모두가 참선이라. 예전에는 좌선만 하고 앉아 있기도 했지만 지금은 시대가 시대니만큼, 앉았다 일어나고 일어났다 앉고 이렇게 하는 거를 일일이 '나는 앉았기 때문에 좌선을 했다. 섰기 때문에 인제 좌선은 다했구나.' 이런 생각 하기에는 시대적으로 봐서 너무도 맞지 않으니 좀 달리 생각을 바꿨으면 합니다.

우리가 없다면, 우리가 생각을 내지 않는다면 계발이 되지 않고 계발을 할 수 없다면 불국토를 이룰 수가 없어요. 우리가 지금 호국 불교를, 호국 정신을, 호국의 활용을 정당히 하려면 앉아서 그대로 하는 것이 첨단을 이룰 수가 있어요. 예전에는 서서 했지만 지금은 앉아서 해야 되지 않나. 그건 무슨 소리냐 하면 앉았다고 앉은 것을 생각하지 마시고 섰다고 선 것을 생각하지 마세요. 여러분이 안방에 앉아서 세계를 보듯이, 길을 지나가든지 변소에 들어가든지, 또는 법당에 오든지 부처님과 나와 둘이 아니고 법신과 나와 둘이 아니고, 화신과 나와 둘이 아니고 보신과 나와 둘이 아니고, 용신과 나와 둘이 아니고 칠성과 나와 둘이 아니고, 약사와 나와 둘이 아니고 문수, 보현, 역대 조사들과 나와 둘이 아닌데, 여러분과 모든 생물들이 둘이 아닌데 어찌 둘이라고 고집하겠습니까!

둘이 아닌 까닭에 우리는, 부처님께서는 깨달아서 그렇게 나투시면서 중생들을 건지시려고 낮은 동물들에게는 내가 그쪽으로 향해서 나를 버리고, 나는 이미 죽어서 없어. 그쪽으로 향해서 돼지로 나투시고 소로 나투시고 개로 나투시고 말로 나투시고…. (녹음 안됨) 부처님께서는 안 보이는 세계의 중생이나 보이는 세계의 중생이나 다 나투시면서 그렇게 지금까지도 건지고 가는 거죠.

그런데 그 반면에, 지난번에도 얘기했지만 이름으로 말미암아 뼈다귀 우려먹듯 그렇게 말로만 해서 우려먹는 것은 그건 거짓에 불과해. 그래서 여러분의 땀과 피, 그것을 긁어모아서 내가 욕심을 차린다면, 탐심을 둔다면, 방황한다면 이것은 모두가 귀신 짓들이라. 인제는 우리가 날이 밝은 줄을 알아야 되지 않을까? 밤낮을 둘로 보지 않는 아침 새벽별이 뜬 것이 이렇게 밝은데….

여러분, 어느 분이든지 질문하실 것 있으면 질문하세요. 이런 생물이나 낮은 동물들하고 나는 그런 연고를 여러 번 겪었거든요. 10여 년을 넘게 돌았으니까요. 어떤 때는 그믐밤에 아, 내가 왜 그랬느냐 하면 '얘야! 이 대로가 길이 아니니라. 사람 다니는 길이 길이 아니라 저 산 준령이, 저기가 길이다.' 이러니 그땐 너무 몰랐으니까 야, 그것이 길이라니까 무조건 산 준령을 넘고 또 넘고, 어디로 간다는 목적지도 없이…. 또 이거를 피해서 산등성이를 넘어가려니 높아서 산골짜기로 가면 '그리로 간다는 것도 이리로 높은 데로 가야 한다는 것도 착을 두지 말고 걸어라.' 하니, 그게 길이라고 하니 그저 갈팡질팡 갈팡질팡 닿는 대로 가다가 보니까, 아니 글쎄, 밤중에, 그믐밤인데 산비둘기 있죠? 산비둘기들이 와르르 달려들었습니다, 밤중에. 우렁우렁 울었습니다. 그래서 가던 길을 멈추고 가만히 서서 생각을 하니까, '아! 여기에 낭떠러지가 있겠구나!' 하는 생각이 무뜩 들었습니다. 그래서 걷질 않고 가만히 살피곤 그 자리에 앉아서 밤을 새웠습니다.

그러고 낮에 보니까 천야만야한 낭떠러지야. 어찌 벗이 아니며 어찌 내 사랑이 아니며, 어찌 내 몸이 아니며 어찌 내 마음이 아니겠습니까? 세상에 빚이라고 할 거는 없지만 그때에 울었습니다. 왜 울었느냐? '풀 한 포기 버릴 게 없이 내 스승이로구나! 이것을 내 스승들이 나에게 이렇게 가르쳐 주었으니 이 몸이 가루가 된들, 그 가루를 부숴서 그 하나가 천 년만큼씩 떨어진다 하더라도 나는 그대로 걸으리라. 위로는 묵은 빚을 갚으며, 아래로는 햇빛을 쥐 가면서 나는 그대로 묵묵히 걸으리라.' 하고 말입니다.

우리가 부처님 법을 알고 세상을 좀 더 개발하고 편리하게, 좀 더 우리의 오각을 뚜렷하게 만들어 놓으려면 여러분도 다 공부해야 돼. 한 산 푸른 산, 한생각이 한 발 딛고 한 손 들면 전체가 다 움죽거리는데 어찌 불국토가 이루어지지 않겠습니까! 불국토뿐만이 아닙니다. 하나하나 우리가 살아가면서 생활의 지침이 되고 그것이 낙원이 되고 조화가 되고 화목이 되고, 그 모두가 웃음이 되고 즐거움이 될 때 비로소 이것이 부처님 법이 아니고 무엇이겠습니까?

여러분이 그렇게 빈약하게 기복으로만 나가고 남한테 기댈 줄만 알고 아니, 이 세상에 아무리 못났다 할지라도 도도한 자기가 태어나 가지고 자기는 못 믿고 항상 기대는 마음 그지없으니 그걸 언제나 놓을는지…. 부처님이다 하면 껌뻑 죽어서 거기에서 나를 뭐나 잘해 주는 것처럼 그러는데, 내가 있기 때문에 부처님이 있고 부처님이 있기 때문에 내 마음 가운데 한데 한마음인 것을, 그렇게 가깝게 있는 거건만 멀리 있는 것처럼 만날 기대려고만 합니다. 내 나무에서 내 실과를 무르익히고 또 맛을 알려고 생각을 해야지 남의 나무에 실과 열린 거를 탐내고 '그 실과 무르익은 거 맛있다는데….' 하고 그렇게 좀 달라고 애원해 봐도 그 실과는 얻어먹지 못합니다. 예전에 그렇게 어리석게 살았다 할지라도 앞으로는 그런 어리석음을 다 버리고 못났든 잘났든 자기 앉은 자리에서 해결을 해야 합니다.

어느 보살님들은 화두를 받아서 끊기지 않으려고 애쓰다 10년이 갔다고 하는데, 고정된 관념으로 착을 두고 '어느 큰스님한테서 화두를 받았으니까 이거를 끊기지 말고 해야지.' 하는 그런 생각에 의해서 말입니다. 그 생각조차도 놔야 하는 것입니다. 의정이라는 것은 스스로 생겨야 대의정이 나는 거지, 의단이 생기고 하는 거지, 의단이다 할지라도 내가 의단을 삼을 수 있는 어떤 기존적인 관념이 이 몸에 있어서가 아닙니다. 이건 방편이에요. 여기 이 몸에서 어느 세포에 부처님이 있는 거며 어느 세포에서 의단이 나오는 겁니까? 여북하면 천지 만물이라고 안 했습니까? 만물의 근본은 일등 동물에 달려 있는 겁니다. 그래서 부처가 될 수 있는 가능성이 100%, 90% 된다는 얘깁니다. 그러니까 여자라고 해서 성불 못하고 남자라고 해서 성불하고, 이런 법이 세상에는 없습니다. 어찌 동서가 둘이며 여자 남자가 둘이며, 또 아까 얘기했듯 양지가 있고 음지가 있고 이렇습니까? 아마도 오늘 얘기한 게 긴 것 같습니다. 길죠? 허허허….

여러분이 그렇게 해서 생활을 하면서도 한생각 냈을 때 우리 국가를 굳건히 할 수도 있는 겁니다. 그리고 내 집안을 조화를 이루면서 아주 따뜻하게 삶의 보람이 있게 만들 수도 있는 겁니다. 이 모두가, 회사에 나가든지, 어떠한 각 분야를 맡아서 일을 한다 하더라도 그 회사가 부흥하고 잘 이루어지게끔 내가 똑똑하게, 소소영영하게 처리를 하는 것입니다.

내가 한 눈으로 볼 줄 모른다면 두 눈을 뜨고도 볼 줄을 몰라. 그래서 우리는 부처님이 가르쳐 주신 그 뜻을 고맙게 생각하고, 역대에 우리가 난 것을 고맙게 생각하고, 자기가 있기 때문에 자기가 이 공부를 할 수 있기에 자기를 고맙게 생각하고 감사히 생각하고, 자기 주인공에서 나오는 거를 몽땅 자기 주인공에 놓으면서 고맙게, 감사하게, 물러나지 않고 믿는 거, 이것이 바로 화두이자 바로 공입니다. 근거지입니다, 공부할 수 있는. 알이 먼저냐, 닭이 먼저냐 이렇게 생각할 때 알도 아니고 닭도 아닙니다. 이렇게 형성시킨 나 자체가 있기 때문에 형성이 된 겁니다. 내 주인을 무시하고 남의 주인 찾느라고 이리 두르고 저리 두르고 하다 보면, 그렇게 하다가 만약에 가면 눈도 캄캄하고 암흑 지옥에 떨어져서 한 발짝도 떼어 놓지 못합니다. 어저께도 얘기했죠? 그러면 뱀의 소굴로 들어갈 수도 있고 돼지 소굴로도 들어갈 수 있다고.

그럼 오늘 이걸로써 끝을 마치겠습니다.

사회자 일어나 주시기 바랍니다. '일체제불의 마음' 이 있겠습니다.

큰스님 이 노래를 하면서 잘 침착하게 생각하세요, 처음 온 분들은.

자기가 자기 은혜를 모르면

1986년 2월 22일

설법을 할 때나 노래를 부를 때 내가 왜 항시 같이 부르고 같이 이렇게 하느냐 하면 이 마음이 쉴 새 없이 같이 돌아가기 때문입니다. 내가 지금 좋고 높은 설법을, 높은 법을 이렇게 세워서, 내가 이렇게 설법한다는 게 없기 때문입니다. 이것은 너무나 광대무변하고 큰 뜻을 내 혀를 빌려서 하는 것도 서로가 한마음으로서 통하기 때문입니다. 내가 맨 끝에 우리가 본 것에 의해서 그걸 자세히 증명을 해 드리죠.

그리고 어저께가 열나흘이고 오늘이 보름입니다. 그런데 전례를 봐서는 열나흗날 저녁, 보름날 아침에 그러는 걸 예전에 많이 봤습니다. 모든 사람들이 오곡 잡곡밥을 해 가지고 강가에 나와서 제를 지냅니다. 또는 보름날 아침에도 제를 지내고 그럽니다. 그런데 그것을 누가 지내며 또 누가 지내는 것을 동조해서 같이 거들어 주느냐는 문제입니다. 여러분도 가서 지내고 또 스님네들이 그것을 호응을 해 가면서 같이 지내고 있습니다.

그런데 가만히 생각을 해 보십시오. 자기 주인의 은혜를 모르고,

여러분을 형성시킨 그 장본인 주인의 은혜를 모르고, 이날까지 끌고 나온 그 은혜를 모르고, 웃게 하고 즐겁게 하고 사랑하게 하고 움죽거리게 하고 매사 거를, 전체 만법을 알게 해 주신 그 은혜를 모르고, 배반하고 또는 무시하고 그럭하고서 강가에 나와서 강 신, 즉 말하자면 물 신한테 제사를 지내는 이런 경향이 많이 보였습니다. 그러면 스님네들도 동조해서 그것을 지내 주곤 했습니다. 그러면 거기에서 어떠한 불화가 일어나느냐. 각자 자기 주인이 화해서, 자기 마음들을 그렇게 쓰고 행동들을 그렇게 하니까, 자기 마음이 오방신장이 돼 가지고선 그 눈을 부릅뜨고 몽둥이로 쳐도 어디서 때려서 맞는지, 철퇴를 맞아도 어디서 때려서 맞는지를 모릅니다. 칼로 에는 듯하게 잘라도 그것을 어디서 그러는지도 분간을 못합니다.

여러분, 잘 생각해 보세요. 그러면서 그 만법을 현재에 어떻게 다스려 나가는가. '유식' 으로 만법을 다스려 나간다고 생각하십니까? 여러분이 유식으로 만법을 다스려 나간다고 생각을 하기 때문에 자꾸 문이 막히는 겁니다. 근본, 나의 주인을 감사히 생각하고 믿고 물러서지 않고 거기에서 안으로 굴려서 우리가 해 나갈 수 있는 그러한 만법의 조절이 된다면 내 마음으로부터 나를 조절하는 만법의 근원이 돼서 바로 그게 공덕이 되는 것입니다. 그리고 참선입니다.

그런데도 불구하고 우리는 강에서 제를 지내는 거뿐만 아니라 모두 이치에 어긋나게끔 하니 동그란 그릇에 네모난 뚜껑을 덮는 거나 한가집니다. 그러니 세상이 어긋나고 사는 게 어긋나고 불화가 생기고 가난하고, 한 생각이 가난한데 어찌 가난하게 행을 하지 않으리오? 또는 가난이 줄줄줄줄 붙어서 돌아가면서 화근이 붙어 돌아가고 이러한 문제들이 한두 건입니까? 여러분이 저지르는 일들이 한두 건이 아니기 때문에 일들 벌어지는 것도 한두 건이 아닙니다. 그런다면 가르치는 사람이나 배우는 사람이나, 그걸 동조하는 사람이나 또 하려고 하는 사람들이나 똑같은 바로 넝마, 즉 걸레입니다.

이 세상에 인간으로 태어나서 참으로 슬픔도 많고 외로움도 많고 고독함도 많고 허망한 일도 많은데, 그 모두가 어디에서 나오는지를 모른다면, 어디로 가 도는지 그걸 모른다면 우리가 인간으로서 어디 인간을 인간으로 보겠습니까? 삼계 오온이 한 점의 마음이거늘 만법의 이치가 그 근원으로 돌아서 우리가 행하지 않으면 어떻게 되겠습니까? 그 한 점의 마음이 모든 것을, 만법을 다스려야 합니다. 그리고 믿고 배신하지 말고, 자기가 자기를 배신해서 무엇이 이득이 있으며, 자기가 자기를 못 믿어서 무슨 이득이 있으며, 자기가 자기 은혜를 몰라서 무슨 이득이 있겠습니까?

제가 이러한 것을 보기도 많이 봤고 그때 상황에서 듣기도 많이 들었습니다마는, 6·25가 나서 대전까지 피난을 가게 됐고 또 대전에 사는 사람들도 있었습니다. 그거는 그때 당시에 들은 얘깁니다마는, 대전시에서 삼 갈래로 길이 난 데가 있었답니다. 근데 거기서 한 십오리 들어가면 그, 뭡니까, 소 기르고 그러는 데가? 양계도 하고 또는 말도 기르고 소도 기르고 토끼도 기르고 여러 가지 길렀답니다. 그래서 거기는 목장 하는 사람이며 양계하는 사람이 모여서 동네가 그거 기르는 사람 집만 해도 열댓 집 되고, 그걸로 인해서 벌어먹는 사람의 집만 하더라도 한 삼십 집 됐답니다. 그런 조그마한 마을이 있었더랍니다.

그런데 피난민들이 거기를 들러서 광에도 사람들이 짚단을 깔고서 거기에서 빽빽하게 지내고 있었답니다. 그랬는데 어느 날 갑자기 짐승들이 전부 일제히 그냥 요동을 쳤답니다. 이렇게 막아 놓고 집에 넣어 놓고 그랬는데 요동을 치고 온통 뭐, 그것을 뿔로 부수고 이렇게 해 가지곤 다 뿔뿔이 헤어져서 도망을 가더랍니다. 가축 기르던 사람들이 가만히 보니까, 피난을 간다고 간다고 하면서 그 가축 때문에 가질 못하고 이걸 어떡하면 좋은가 하고 안타까운 마음을 가지고 있었는데, 가축이 가기를 저 뒷동산 너머로 향해서 그냥 막 부수고 나가더랍니다. 나가니까 그 기르던 사람은 거듬거듬해 가지곤 그 가축을 쫓아갈 수밖에. 쫓아가 보니까 어느 산골짜기에 한군데로 몰려서 있고 이쪽으로 또 가서 몰려서 있고 저쪽으로 가서 몰려서 있고 그러면서 풀을 뜯어 먹고 있더랍니다. 그래서 그 주인네도 가축을 쫓아서 거기 가 있는데, 그 남아 있는 사람 중에 가축을 기르는 사람이 아닌 사람은 거기 남아 있고 가축 기르던 사람은 다 쫓아갔답니다. 그랬는데 사흘 되던 날 거기 큰 폭탄이 떨어져 가지고선 아주 멸망이 됐답니다.

그러니 여러분! 아까 내가 얘기했죠? 어저께도 얘기했죠? 그것을 볼 때, 어째서 오각을 뚜렷하게 가진 인간은 그걸 모르고, 왜 세 가지 정도의 감각이나 촉각이나 식각을 가진 그런 짐승들은 알았을까요? 우리는 눈으로 보고 항상 말을 하기 때문에 자기를 무시하고 자기를 등한시하고 자기 은혜를 모르는, 짐승만 못한 사람이 돼 버리고 말았지요. 이것이 틀리다면 틀리다고 항의하세요. 짐승들은 말을 못하는 대신 항상 안으로 굴리게 돼 있거든. 바깥으로 발설을 못하니까. 발 하나 들어도 안으로. 그런데 막 울고 울부짖어도 '지금 여기 폭탄이 떨어지니깐 나는 가겠습니다.' 하고선 막 그냥 부수고 나가는데도 사람은 왜 저러는지 그거조차도 생각을 못했던 겁니다.

나중에서야 '야! 짐승들이 우리보다 더 잘 아는구나!' 하고 그렇게 골짜기로 가서는 보니 어디로 달아나지도 않았더라는 얘깁니다. 그래 문이고 뭐고 담이고 뭐고 다 부수고 나오던 짐승들이 어째서 그 골짜기에 나가서는 한 마리도 달아나가지 않았던가요? 사람보다 못한 게 뭐 있습니까? 사람이 아무리 못나도 진짜 사람이 돼야 그것이 사람인 것입니다. 아무리 권세가 좋고 아무리 위력 있고 똑똑하고 유식하고 상식이 풍부하고 이래도 그것은 색상으로서, 유(有)의 법으로서 똑똑한 것이고 그렇지, 그 똑똑한 게 진짜 100% 똑똑한 게 아닙니다. 아무리 못났어도 그렇고 아무리 잘났어도 그렇고, 만약에 이 도리를 안다면 대통령을 줘도 바꾸지 않아. 그렇게 잘 안다면 안방에 앉아서 이승 천자 저승 천자가 다 돼 버리지, 왜 가서 심부름꾼이 돼 가지고선 애를 써? 주먹 안에 이승 천자 저승 천자가 다 있는데!

이 세상에 여러분이 어차피 나왔으니까 여러분은 똑똑히 생각하고 다시 한번 다짐해서 모든 일체 만법, 병이든지 뭐든지 막론하고, 하여간에 티끌 하나 날아 움죽거리는 것을 보는 것도 내가 있으니까 본다고 생각해야 합니다. 이것이 전부 내 주인공에서 모두 이루어지니, 또는 내 마음이 만법을 다스리게 하니 내 몸을 일거일동 움죽거리게 해서 맛있는 것도 얻어먹게 하고 일도 하게 하고 즐겁게 놀러도 가게 하고 이렇게 전부 하는 것을 가지고, 모르니까 자기가 상을 찌푸리게 되고 또는 자기가 화를 일으키게 되고, 모든 일이 그렇게 되는 것이라 이겁니다.

자기 하나가 화가 일어난다면 그 식구들을 전부 상을 찌푸리게 만들어. 이 문제가 거기에서만 끝나면 좋은데 우주간 법계에서 전부 알고 있어. 자기가 하는 것을, 자기가 생각한 것을, 자기가 아는 것을, 자기가 하나하나 행동하는 걸 누가 아는가. 자기가 알기 때문에 우주간 법계에서 다 알고 있는 거라. 일체 신이 다 알고 일체 법이 다 알아. 그러니 여러분이 가만히 생각해 보세요. 그 짐승들이, 우리가 마음이 서로 한마음으로 돌아가지 않는 이치가 있다면 그렇게 알 수 있을까요? 그게 증겁니다.

그것은 직접 본 일입니다마는 원주의 중앙시장에서 있었던 일입니다. 거기에 전부 시장이 이렇게 쫄쫄이 쫄쫄이 붙었습니다, 어느 시장이든지 다 그렇겠지만. 그런데 어느 상점에서 고양이를 기르고 있었습니다, 쥐가 많으니까. 그런데 어느 날 저녁에, 고양이가 야웅야웅하면서 밤새도록 자지 않고 치마 끝을 물고 애를 쓰더랍니다. 그래서 "왜 그러니? 왜 그러니?" 하고선 쫓아가다 보니까 자꾸 나가자고 하더랍니다. 그래서 아, 나가서 보니까는 벌써 저쪽에서 연기가 푸석푸석 나면서 불길이 나오더랍니다. 중앙시장에 해마다 불이 크게 많이 났습니다. 그렇게 어느 날 어느 시에 불날 줄을 어떻게 압니까, 고양이가? 안에서 같이 있었는데. 그래서 나와서 보고선 거기 있는 물건을 다 옮겨 놓고 나니까는 불이 와짝 붙어서 거기 일대가 절반이 그냥 다 타 버렸습니다.

그때 저는 봉산동에 있을 땝니다. 그런데 거기에서 타 버리니깐 야, 거리로 나앉는 사람도 많았고 참, 탈탈 그냥 빈손 들고 몸뚱이로만 나와서 학교로 뭐 어디로 모두 나누어서 가게 돼 있었습니다. 그래 원조가 들어가고 그래도 그때만 하더라도 지금 같지 않아서 원조가 적었죠. 그 일대에서만, 거기서만 했으니까.

그런데 어느 분이 날더러 그러더군요. 쌀을 좀 나눠 줬으면 어떻겠느냐고요. 그래서 그때 나는 "내 것이 아니고, 내 거면서도 내 게 아니다. 그리고 말없이 딱 두 사람만 알고선 밤중에 누가 갖다 주는 줄 모르게 지게로 져다가 거기 모여 있는 데 앞에다가 갖다가 줘라. 이름 아는 사람은, 다 시장에서 같이 장사하던 사람들이니까, 가마에다가 꼬리표를 붙여서 아무개 거 아무개 거 이렇게 해서 갖다가 줘라." 그러니까 그분 하는 말이 이렇게 말했습니다. "한 푼도 없어서 지금 일을 시작을 하려도 시작할 수가 없으니 어떡하겠습니까?" 그래서 한 서너 사람은 돈을 봉투에다 해서 가마 속에다 끼워서 거기 갖다가 주라고 했습니다.

그때에 그런 일도 있었습니다마는 그것을 내가 줬다고 하고 내세울 게 없다는 그 뜻을 정확하게 알아야 합니다. 수많은 사람을 아무리 살렸다 하더라도 그것은 자기 혼자만이 한 게 아니야. 수만 명에게 주었다 하더라도 그것이 혼자 준 게 아니야. 그렇기에 그 이치를 똑똑히 알아서 나라고 내세울 게 없다는 그 점, 또 아무리 공부를 잘한다 하더라도, 입으로 말을 하더라도 함이 없이 해야 하고, 손을 대서도 아니 돼. 만약에 그 몸에 이 손으로써, 이 색상으로서의 손을 대고 말을 해서 그 병을 고친다 하는 것도 세 치만 알면 다 고쳐. 그러나 근본, 부처님 법은 그게 아니야. 마음이 오고 감이 없이 오고 갈 수 있고 전체를 볼 수 있거늘 어찌 몸을 대고 또는 손으로 만져서 나을 수 있겠느냐 이거야. 나을 수 있다 하더라도 그것은 외도에 지나지 않는다 이거야. 그 성스럽고 광대한 법을, 무변의 법을 어찌 배우는 사람들이 모두 그렇게 값싸게 놀아서야 되겠습니까.

그래서 어느 달이 따로 없고 어느 해가 따로 없고 어느 시간이 따로 없습니다. '오늘도 하루가 갔구나.' 이러곤 또 갔다 할지라도 내일 또 오늘이기 때문에, 내일도 저녁에 '아, 오늘도 또 갔구나.' 하니 만날 오늘입니다. 오늘이면서도 오늘도 고정된 관념으로써 고정된 행을 하지 않았어. 어떤 거 할 때 나라고 할 수 있을까? 오늘도 그렇게 흘러 돌았구나. 오늘도 흘러 돌았구나. 오늘도 흘러 돌았구나. 수백 번, 수천 번, 수만 번 했다 할지라도 한 번도 그렇게 한 것이 없어요. 오늘이라는 그 자체도 없기 때문에 바로 오늘이야. 한울이고. 공부하는 사람들이 우리가 짐승보다도 못하다 이래서야 되겠습니까?

옛날에 오백 나한이 됐을 때도, 이런 얘기가 있었죠. 어느 분이 좁쌀이 아주 무르익어서 축축 늘어졌으니까 '아이고, 잘도 익었다.' 그러고선 그것을 요렇게 들어 보는데 고만 좁쌀 알갱이가 여기 떨어졌거든요. 좁쌀 알갱이, 서너 알갱이 떨어진 것이 아까워서 입에다 탁 들이뜨리고 걸음을 걸었단 말입니다. 그런데 그것 때문에 소로 화해서 이 세상에 등장을 또 하게 됐다 이겁니다. 그런데 예전에는 마적이 많이 있었습니다. 이 얘기는 여러분이 아마 귀가 따갑도록 들었으리라고 봅니다. 그러나 헛들었을 때는 열 번, 백 번을 들었어도 소용없는 겁니다. 이게 어떠한 원인으로 소가 됐으며 소가 말을 했는데 사람이 그 소의 소릴 듣고 어떻게 터득을 했으며, 오백 나한들이 왜 됐으며…. 여러분이 여러 번 들은 거니까 자세히 얘기 안 해도 좋겠죠?

그래서 소가 돼서 그 좁쌀 심은 주인네 집에 소로 들어가서 3년을, 그 세 알갱이 때문에 3년을 고공을 살았답니다. 그랬는데 예전에는 마적 떼들이 많이 몰려다니면서 한 동네 들어와서 모든 거를 몰아가기도 하고 모두 몰아서 먹기도 했습니다. 그래서 하도 이렇게 들락날락하고 동네가 그렇게 되면 아주 시끄럽고 또 먹을 게 없이 다 가져가고 이러니까 참, 살 수가 없었습니다.

그런데 어느 날 소가 주인더러 하는 소리가 "나는 그러한 문제 때문에 3년을 지금 내가 당신네들과 살았는데 내일 모레 끝이 나, 3년이. 그래서 인제 3년 만에 내가 이 소라는 허물을 벗고 떠나게 됐다, 너희 집을." 그런데 주인네더러 하는 소리가 "내일 모레 저녁에 마적이 여기 이 동네에 함빡 올 테니까, 500명이 오니깐 500명 먹을 음식을 다 미리 해 놔라." 이랬단 말입니다. 그래서 주인네가 내일 모래 저녁을 기해서 동네가 한데 전부 모여서 500명 먹을 음식을 다 차려 놓고 기다리고 있었어요.

그러자 마적들이 달려들었단 말이야. 모두 달려들었는데 보니까 자기네 올 때를 어떻게 알고 음식을 전부 차려 놨거든. 술에 고기에 전부 그냥. 미리 돼지를 잡아 놓고 전부 그렇게 해 놨으니 이 왕초가 너무 놀랐단 말입니다. 그래서 주인더러 물었습니다. "어떻게 우리가 올 줄 알고 이렇게 만찬을 차려 놨느냐?" 지금으로 치면 만찬을 차려 놨느냐 하니까 소 얘기를 했습니다. 이러이러해서 이렇게 소로서 우리 집에 와서 3년을 났고 그 소가 이렇게 이렇게 얘기를 해 줘서 이렇게 이렇게 했노라고. 그러니까 가만히 마적 두목이 생각을 하니깐 야, 좁쌀 세 알갱이에 소가 됐다니 그러면 도대체 우리는 뭐가 될 것인가 말이야. 그래서 두목이 생각하기를, 자기는 수없이 도둑질을 했고 수없이 남을 현혹했고, 또 여자들도 많이 훔쳐다가 나쁜 짓도 많이 했고 물건이라 한다면 수가 없는데, 곡식이라 할지라도 헤아릴 수가 없는데 이거는 어떡하면 좋은가 하는 생각이 부쩍 들었습니다. 그래서 거기에 그냥 엎드러져서, 간단히 말해서 나는 두목 노릇을 안 할 테니까 너희들은 뿔뿔이 이제 너희 집으로 돌아가라 하면서…. (녹음 안됨) … 졸개들이 어찌 귀의하지 않겠는가 해서 500명이 다 귀의했답니다.

그런데 우리가 생각할 때 한 가지 묘한 점이 있습니다. 나는 그때 그 소릴 들었을 때 말입니다, 어느 스님께서 그런 말 하시는 거를 들었거든요. 듣고 이런 생각을 했습니다. '응, 좁쌀 셋이라. 소로 됐다. 그 모든 것이 우리 큰스님네들의 방편이지.' 하고 생각을 하다 '아차, 방편이자 그게 실지로구나.' 하는 걸 느꼈습니다. 그러면서 하나는, 오백 나한으로 그냥 있다면 오백은 오백대로 그냥 있을까요? (잠시 사이) 오백이 오백일까요?

신도(남) 아닙니다.

큰스님 그럼 아니라고 한 사람 누굽니까?

신도(남) 접니다.

큰스님 예.

신도(남) 오백이 아니고 그건 하나로…. 모든 오백 명을 나 하나로 보기 때문에 하나라고 하는 거다. 마음이 하나입니다.

큰스님 그래서 499명이 됐답니다. 왜 그랬는가? 그것은 그때 자세히 못 들었습니다마는, 물로 건너서 업고 갖다 옮겨 놓는데 그만 맨 나중에 두 분을 한데 업고 오다 한 분을 물에 빠뜨렸답니다. 그렇게 스스로서 닿는 이치는 무엇일까요? 이것이 짝이 맞았으면 공한 도리만 알 거 아니겠습니까? 이 이치가, 그 하나가 없어지면 아주 공한 도리에다가, 법에다가, 이것은 다양하게…. 어저께 내가 말했던가, 그저께 말했던가 하던 셈으로 말입니다.

야, 한 손으로 천지를 쥐고서
삿갓으로 삼아 쓰고
해와 달을 석장에, 즉 중심에 걸고
푸른 산 한 발 딛고

이 푸른 산 모두가, 한 잎 한 잎이 전부 일체 만물만생이 아니겠습니까. 우리가 그것을 굴려서 모든 게 찰나찰나 한 그릇의 물로서 맛을 볼 수 있다면 그것이 바로 그런 뜻에 속합니다. 그 뜻을 누가 알겠습니까? 아마도 시간과 공간을 초월해서 내 마음을 증득해야만이 그 뜻을 누가 말해도 거기 걸림이 없고 그 걸림이 없이 순리적으로 산이 물 위에 또 물은 산 위에 이렇게 같이 돌고 푸른 산은 푸르르니, 바람이 솔솔 부는데 봄이 되니 꽃이 화창하게 피었다. 꽃이 화창하게 핀 것은 보살행 하는 그 보살들의 얼굴과 같은 것이다. 그러면 여러분이 다 보살이고 행하고 웃고 즐기는 것이 그 꽃이 아니겠는지요. 우리가 그런 살림살이를 하면서 그 지혜로운 물 한 그릇의 맛을 볼 수 있다면 얼마나 삶이 가치가 있고 보람 있겠습니까. 내가 만약에 글자를 잘 안다면 무궁무진할 텐데 글자를 몰라서 이렇게 무궁무진은 못합니다마는 나 무궁무진 못해도 좋아. 외려 글을 잘 알았더라면 내 이, 아주 깨끗하고 청정하고 사방이 탁 터진 이 물 한 그릇을 떠 먹지 못해 봤을 거예요.

오늘은 이만합시다.

해와 달을 석장에 걸고

1986년 2월 24일

어느 스님께서 "사월의 추수가 많으냐, 칠월의 추수가 많으냐?" 그랬답니다. 그렇게 물으니까 대답이 "사월도 밝고 칠월도 밝아서 둘이 아닌 까닭에, 스님께서 둘이 아닌 말씀을 하셨기에 둘이 아닌 그 대답을 둘이 아니게 들었습니다." 했답니다. 그러자 그 스님께서는 말씀하시기를 "우리가 깨달아서 부처님과 같이 한자리라고 하지마는, 다 같이 밝았다 하더라도 너희들은 아직까지 다 같이 공한 이치밖엔 모르느니라. 겁을 통해서 내 모습을 바꾸고 바꾸고 그 어떠한 모습으로도 자꾸 바꿔 오면서 우리가 살던 습이 있기 때문에 그것을 한꺼번에 뗄 수는 없고 점차적으로 차츰차츰 그 많은 습들을 떼어서 나가야 그 모든 것을 몰락 우린 한자리라고 할 수 있느니라." 그랬답니다. 그것은 그렇게 해 두고….

이런 말을 해서는 아니 되지마는 이 말을 내가 왜 하느냐 하면, 누가 한마디 묻더라도 내가 그 모르는 세계의 모든 것을 알긴 아는데 도대체 말을 해야 옳을지 안 해야 옳을지 그걸 망설이고 말을 못할 때가 있거든요. 하나도 걸릴 게 없는데도 불구하고 말이에요. 그래서 조그마한 말이든지 큰 말이든지, 큰 말도 없고 조그마한 말도 없거든요. 없는 가운데서 우리는 여여하기를 바라죠. 습이 전부 떨어졌다면, 습을 다 안으로 녹였다면 바깥으로 나갈 때는 항상, 그 한숨 내쉬는 데에 해와 달을 석장에 걸고 다닌다고 했죠? 그런 뜻도 바로 이런 데서 나오는 겁니다. 내가 한번 숨을 내쉬어 뱉으면 그 일체 중생에, 즉 말하자면 빛을 비춰 준다 하는 것입니다.

그런 거와 마찬가지로 제가 이렇게 수년 간을 다니다 보니까 본 것도 많고 들은 것도 많고 못 볼 것도 많이 봤습니다. 하지만 그걸 어떻게 말로 다 하리까마는 제일 많이 본 것이, 그 뭡니까? 저, 쳇바퀴 도는 거 뭐죠? 다람쥐! 다람쥐를 참 많이 봤습니다. 다람쥐도 많이 봤고 토끼도 많이 봤고요. 또는 그 머리 긴 거 이렇게…, 그걸 뭐라고 그러던가요? 그런 건 많이 보지는 않았으나 드물게 한두 번은 봤습니다마는 예전에는 그렇게 많이 있더군요, 지금은 모르겠습니다마는. 이 다람쥐의 세계도 역시 사람들 한 가족이 사는 거와 같아요. 다람쥐도 꽁지로다가 신호하고 또 귀로다가 신호하고 머리로도 하고 몸뚱이로 몸짓으로 하고, 이렇게 서로 벙어리 세계에서는 벙어리대로 손짓 발짓 해서 전부 알듯이, 다 이렇게 하고 산다는 그런 걸 느꼈어요.

그래서 어디 가는 족족 그걸 유심히 봤거든요. 보면 그냥 넘기는 게 없었어요. 한 시간도 좋고 두 시간도 좋고 세 시간도 좋고 그걸 유심히 보고 있었죠. 그런데 상대의 얘기를 할 때는 언제나 반대 방향으로 하더라는 얘기입니다. 그런데 그러한 물질적인 소리를 서로 낸다 하더라도 그것은 아닙니다. 만약에 앞발을 든다 이러면 저쪽에서는 앞발을 내립니다. 이렇게 한다고 할 때, 그럼 '불렀다' 하면 '대답했다' 이게 되죠? 그런데 나는 그걸 느꼈어요. 앞발을 들었다 앞발을 놓는다면 저게 대답하고 부르는 소린데, 그걸로 보는 게 아닙니다. 우린 마음과 마음으로 '저 사람은 무슨 생각을 하고 있을까?' 하는 생각으로 저 사람

마음을 보는 겁니다. 마음을 본다면 말은 안 해도 그 뜻은 다 알지 않습니까? 그런데 그 손짓하고 발짓하는 걸 봐서 무슨 소용 있습니까? 근본을 봐야지.

그렇기 때문에 그걸 본 게 아니라 다람쥐 속마음을 본 거란 말입니다. 너는 어떻게 쓰고 있느냐, 지금. 이 점차라는 말. 공한 도리만 알았지 그 공한 데서, 즉 말하자면 내가 나올 줄 모르는 것은 결국은 그 습이 언제나 남아 돌아가고 그럼으로써 자기의 나올 그 문을 막아 놓는 셈이나 마찬가지입니다. 그래서 습을 다 녹여야 된다는 뜻입니다. 왜, 미국의 어떠한 데도 다 볼 수 있다 하는 것은 내 마음이 맑으니까, 내 마음이 맑고 맑아서 한생각이라면 거기까지 반사가 돼서 다 이렇게 비치게끔 돼 있지 않습니까? 그러나 그것이 비쳐서 안으로 다시 볼 때엔 반드시 내 마음을 보면 그 마음도 볼 수 있는 거거든요.

그래서 '다람쥐가 어떠한 뜻을 가지고 저러나?' 하고선 살피니까, 그건 뭐 이렇게 놀리고 소리 내고 하는 거를 이루종차 어떻게 다 말을 하리까마는, 즉 말하자면 도토리나무에서 도토리가 와르르 떨어지니까 많단 말입니다. 그래 처음에는 그걸 무심히 그냥 봤어요. 그랬는데 그것을 어떡하나 보니까, 그냥 이리 뛰고 저리 뛰고 이리 뛰고 저리 뛰고 한 서너 번 그러더니 앞발을 들고 이런단 말입니다. 그래서 '그, 참 이상스럽구나.' 그랬는데 다람쥐들이 와르르르 몰려오는 겁니다. 그래서 그때서부터 '아! 저것은 신호한 거로구나! 여기 먹을 게 많으니 빨리 날라라 하는 식이로구나.' 그 하나하나가 너무나 그렇게 되니까 나는 그때서부터 그 누굴 봐도, 그냥 걸어가다 무엇을 봐도, 토끼를 봐도 그 마음을 보기 시작했습니다.

그래서 우리가 공부하는 데에 점차라는 말이 거기에 붙는 것입니다. 깨달았다 할지라도 점차가 있습니다. 하나 보고 거기에서 느끼고, 또 하나 보고 거기에서 느끼고, 또 하나 보고 거기에서 느끼고 이렇게 해서 모든 것을 다 체험하고 알았을 때, 그때는 안 것이 없으면서 찰나

찰나 자기가 역력하게 해 나갈 수 있는 두 눈이 밝습니다.

그래서 옛날에도 그런 예가 있었습니다. 어느 나라의 원님으로 갔는데 원님이 너무 욕심이 많았습니다. 이런 얘긴 너무나 많이 들었습니다마는 그 얘기를 또 하는 게 아니라 그것도 우리가 살아나가는 데의 지금 현실입니다. 그래서 욕심이 많아 가지고선 돈을 갖다가 그저 항아리에다가 들이 모으고, 또 지금으로 치면 취직을 시켜 주고 돈을 받고 장리를 줘 가지고 이익금 남는 걸 또 받고, 하여튼 큰 항아리에다가 잔뜩 넣어 놓고선, 고만 그이가 너무 그럭하다 보니까 어느 귀신이 잡아가는 줄 모르게 그만 객사를 했지요.

객사를 하고 말았는데, 그때서부터 그 마을에 도대체 밤이면 집집마다 그냥 셋이 되기도 하고 아홉이 되기도 하고 열이 되기도 하고 이러면서 소복 입은 하얀 여자도 됐다가 신장도 됐다가 또 꺼멓게 옷을 입었다 이렇게 해서 집집마다 돌아다니며 그러니까 그 동네에서 살지를 못하게 됐어요. 죽는 사람도 더 많았고 그 동네 일판이 다 이사를 가게 됐죠. 그래서 나라 원님이 살던 그곳이 흉갓집으로 그렇게 되고, 고을이 고만 쑥대밭이 돼 버리고 말았죠. 그랬는데 그 고을에 원님을 내려보내려도 그런 일이 있어서 자꾸 죽어 나가니까 부임을 시키질 못하고 있는 처지였죠.

그래서 풀이 산더미처럼 나고 그랬는데 어느 때에 어느 도승이 지나다 보니까 그 마을이 쑥대밭이 됐거든. 그래서 가만히 생각을 하니까 예전에 그 마을에 부임한 원님이 자기 팔대조 할아버지였는데 참 아주 정직하고 그랬으나 두 나전들이, 얼른 쉽게 말해서 심부름하는 사람 있죠? 그거 이름을 난 잊어버려서 또 입에서 뱅뱅 돕니다. 그런데 그 사람네들이 돈을 받아먹고 자꾸 일을 거슬려 놨으니깐 그이도 모함을 받아서 고만 귀향을 가서 죽었거든요. 그 스님이 가만히 보니까 그 인연으로 자기가 거기를 당도했다는 겁니다. 그 마을을 그 이치로 다스리지 못해서, 안팎을 다 다스리지 못해서 그러한 죄상으로 자기가 팔대조 할아버지의 인연으로 여기를 왔다는 생각이 무뜩 들었습니다. 그때에 팔대조 할아버지의 인연으로 인해서 거기를 왔으니까 여기에서 이 해결을 해 줘야겠구나 하고 중 옷을 잠깐이라도 벗고선 부임을 했습니다. 거기는 누가 간다고 하기만 하면 부임을 시키니까, 나라에서.

그래서 간다고 해서 그 동네의 원님으로 들어섰습니다. 들어섰는데 온통 밤이면 그냥 천장에서 내려오고 또 문도 열리면서 그냥 들어오고 이러니, 그날 저녁에 그분은 벌써 아시고선 큰 화로에다가 불을 한 화로 해 놨답니다. 그런데 옛날 집은 벽장이 이렇게 있지요. 큰 벽장이 이렇게 붙어 있는데 그 벽장문이 스르륵 열리더니만 거기에서 큰 누런 손이 나오고 검은 손이 나오고 이러거든요. 그래서 나올 적마다 거기에다가 인두를 꽂아 놓고서는 한바탕씩 이렇게 질렀답니다. 그렇게 해 놓고 가만히 근맥을 봤답니다. 근맥을 보니까 '아하!' 그때 알았습니다. 아, 여기에 들을 만한 것이 있습니다.

왜 알았느냐 하면 돈을 그렇게 모을 때 악으로 모은 거는 악의 장난을 하고, 이것을 씀씀이를 잘 쓰려고 선의로 모은 돈은 선의로 나가게 되는 겁니다, 그런 장난이 없이. 그런데 그 마음이 그렇게 됐기 때문에 그 돈마저도 사(邪)가 돼 가지고선 나왔던 겁니다. 그래서 그 스님께서 그거를 아시고선 이튿날 일찍 일어나서 모든 군졸을 풀어서 거기를 파게끔 해서 그 돈을 다 파서 고을에 이사 나갔던 사람이 다시 들어오게 만들어 놓고, 원님을 다시 내고 군졸들을 풀어서 거기를 다 풀을 뽑게 하고 그 돈으로다가 고치고 짓고, 없는 사람들 집을 다시 다 그냥 지어 줬습니다. 그래서 고을을 다시 신축을 해 가지고 만들어 놓고선 가서 원을 벗었죠, 인제. 원님이라는 걸 벗고선 다시 승려로서의 본분을 잃지 않고 원님으로서도 잃지 않았고, 또 원님을 다 지내고 나면 얼마 안 가서 임기를 마치게 하고, 이렇게 해서 참 좋게 살게 했더랍니다.

그런데 문제는, 우리가 돈을 모은다 하는 것도 말입니다, 또 재산이 있다 하는 것도 우리가 주인공에서 관리만 하면 될 걸, 주인공이 하는 거니까 내 주인 거지 나는 관리하는 거거든. 그런데 관리인이 아니라 자기가 주인이 된다면 이리 찢고 저리 찢고, 그게 사가 되는 겁니다. 지금도 여러분이 땅을 사고 집이 있고 돈이 있고 그렇다 할지라도 그렇게 하지 않는다면 모두가 사가 돼서, 그 돈이 사가 되는 게 아니라 그 마음이 사가 돼서 모든 게, 내가 행하는 게 모두 사로 돌아가. 그러니 되는 노릇이 얼마나 있겠습니까? 그러니 마음으로 지은 것을 마음으로 해결 못하는 일들이 너무나 많고 끄달리고 또는 사무치고 아프고 그렇게 만드니까 사람 살기가 여간 고통이 되는 게 아니죠.

그래서 우리는 기복을 떠나서 우리 자성을 깨치면서, 하나하나가 바로, '나도 공했는데 뭐가 있으랴. 모두를 나는 관리할 뿐이다.' 모두 종합해서 우리가 '아! 주인공이시여.' 할 때도 전체에 들리는 그거지, 따로 나를 찾을 게 뭐 있습니까마는, 처음에 나를 찾을 때는 '내 주인공' 하면 꼭 그대로 믿어야 하거든. 일체 신이 거기 주인공에 다 들어 있다는 걸 그대로 믿고 찾아야 하거든요. 그렇기 때문에 믿고 찾고, 관하고, 감사하고…. 어저께도 얘기했듯이 그렇게 자기 은혜를 모르고 자기는 그렇게 산발하게 다니니까 모든 게 사죠. 사가 돼서 모든 게 그렇게 되는 것입니다. 그러니 우리가 하나서부터 열까지, 돈이 사가 되는 것도 그런 마음의 까닭이요, 돈이 쓸모 있게 쓰여지는 것도 마음 탓이요, 내 몸이 근중하게 되는 것도 마음 탓이요, 내 몸이 걸레가 되는 것도 마음 탓이란 얘깁니다. 모든 게 다 그렇죠.

그러니 오늘 이렇게 간단히 말씀드린 거를, 말을 많이 해 드린다고만 좋은 게 아니라 우리가 그 한 뜻만 알면 됩니다. 모든 일체 만법의 만물이 다 마음에서 이렇게 갈라지고 저렇게 갈라지고, 악도 그 한마음에서 나오는 것이고, 그 한마음에서 나오는 걸로 말미암아 세세생생을 끄달릴 테니 얼마나 기가 막힌 일입니까? 거기서 나오는 한마음도

'자신(自神)' 이 돼서 보살행을 할 수 있는 그러한 마음이 나와서 행을 할 수 있죠. 신(神)이죠. 그 자신은 무궁무진한 능력을 가졌답니다. 또 그 반면에 자악신(自惡神)은 무궁무진하게 악을 범한다는 얘깁니다.

그렇기 때문에 "이거냐, 이거냐?" 그럴 때, 이것도 여기서 나오는 거 이것도 여기서 나오는 거니까 두 개를 다 놔야 되죠. 그래서 그 한 구멍으로, 한 구멍에서 두 개가 나왔던 것을 두 개를 한 구멍에다 다 집어 넣으면 바로 올바른 이치가 되죠. 그래서 신수는 '색즉색(色卽色)' 이 됐고, 또 육조는 '공즉공(空卽空)' 이 됐거든. 그러니 어떤 것이 맞느냐는 얘깁니다. 어떤 것이 맞을까? 이것이 만약에 "공즉공" 이렇게 한 사람이 옳으냐, "색즉색" 이런 것이 옳으냐 할 때 그 두 가지를 다 놨을 때에 비로소 우리는 이렇게도 할 수 있죠.

예전의 신수와 육조, 또는 많은 선조들께서 말씀을 하고 많은 사람이 살아왔고 많은 선지식들이 이루었고, 또는 못하고 이렇게 왔지마는, 우리가 지금 현재 여기 앉아서 이렇게 말할 수 있는 이것이 모두가 둘이 아니기에, 지금도 둘이 아닌 까닭에 이렇게 말을 하고 있는 거죠. 말을 하는 사람이나 듣는 사람이나 이것이 바로 생생한 거 아닙니까? 지금 누가 말을 했고 누가 들었는가!

내가 그전에도 말을 했지마는 "오늘 큰 달 스님이 오시니, 오늘은 인사를 각별히 하되 하지 말고, 하지 않되 해라." 이런 말을 한 예가 있거든요. 그렇다면 우리가 인사를 안 하되 하고, 또 하되 안 하고, 이것을 생각할 때는 우리가 지금 이렇게 앉아서 얘기하는 이것이 바로 과거도 되고 미래도 되고, 이것을 한데 합쳐서 지금 현실 위에 바로 꽃이 피는 겁니다. 그리고 향기가 나고…. 그리고 향기가 나면 그 냄새를 맡는 것은 도로 누굽니까?

그래서 삼 월 보릿고개 넘으려고 삼 월달에 어떤 사람이 이렇게도 말을 했죠.

삼 월에 보릿고개를 넘으려니 넘을 길이 없어서
칡뿌리 캐다가 절굿간에 넣어서 풍풍 찧어서 가라앉혀서
떡 하나를 먹었더니 다 죽었네
칠 월에 오곡이 무르익으니
곡식 많아 다시 먹고 다시 살았네
살고 보니 구 월이 되니
추수를 다 해 들여서 놓고 보니
가만히 앉아서 편안히 밥 지어 먹더라

허허허…. 오늘은 이걸로써 끝마치죠.

통 선사와 호랑이

1986년 2월 25일

남녀를 막론해 놓고 참, 남자분들도 많이 들어야 할 일인데 이렇게 보살님들이 공부하려고 애를 쓰시고….

어느 때에 통 선사라는 스님이 계셨습니다. 그분이 비구 비구니 오만 명을 제자로 거느리고 계셨습니다. 그런데 항상 말씀하시기를 "사람은 호랑이한테 물려 죽는다 하더라도 마음의 정신을 똑바로 차리면 사는 길이 있느니라. 모든 일은 순조롭게 응하되 거스르지 말고 호랑이가 잡아먹더라도 순순히 잡아먹혀라. 그런다면 거기서 살고 죽는 것은 네 마음에 달려 있느니라." 항상 이렇게 말씀을 하셨답니다. 그런데 어느 날 한 중이 산을 지나다 보니까 막다른, 이런 천야만야한 산턱에서 정말 대호를 만났습니다. 호랑이를 만나니까 기절을 할 지경인데 무뜩 그 스님께서 하신 말씀이 떠올랐습니다. 순리적으로 거역하지 않고, 입을 딱 벌리니까 순조롭게 그저 그냥 잡아먹혔습니다. 고개를 들자마자 씹지도 않고 삼켰으니까, 몰락 그냥.

잡아먹혀 가지고서 천장을 쳐다보니 아, 뭐가 달렸거든! 주머니가 하나 달린 거라. 그래서 항상 지니고 있는 칼을, 장도를 탁 꺼내서는, 아, 배고프고 추우니깐 먹어야지? 아, 뜨겁기도 하고 춥기도 하고 그런 데서 그래도 정신을 차리라고 했으니 그 마음을 단단하게 가지고선 칼을 쓱 꺼내 가지곤 간을 쓱 한 점 도렸단 말이야. 도려서 꿀떡 삼켰단 말이야. 삼키니까 아, 이거는 요새 말로 저, 오토바이 타고 막 그냥 돌길을 가는 거 같거든요. 그러니까 이리 뛰고 저리 뛰고 이리 뛰고 저리 뛰고 하거든. 또 한 점 썩 베어서는 또 꿀떡 삼켰지. 아, 또 꿀떡 삼키니까는 또 뛰거든. 바깥에서는 호랑이가 어떻게 뛰느냐 하면 아, 증조할아버지가 "얘! 너 왜 그렇게 뛰니?" 하니까 그냥 물어 죽이고, 할머니가 "왜 그렇게 뛰니?" 하면 물어 죽이고 "아버지, 왜 그렇게 뜁니까?" 하면 물어 죽이고, 그저 사방으로 뛰면서 그냥 하늘이 높다 하고 뛰면서 다 잡아 죽여 버리고선…. 그걸 죽이려고 죽인 건 아냐. 아프니까….

그렇게 해서 다 죽여 버리고 그 호랑이도 고만 죽게 됐는데 자기는 거기에서 간을 뭉청 떼어서는 아예 소금도 바를 새 없이 그냥 꿀떡 꿀떡 삼켜 버렸지. 그거 소금이나 발랐더라면 좋았을걸. 그렇지? 허허허…. 그래, 소금도 바를 새가 있나? 뭐, 번갯불에 콩 구워 먹듯 그냥 꿀떡꿀떡 삼키고 나니까는 아이, 나중에 준자하거든. 조용하다 이거야, 응. 조용하니까 자기 장도로다가 그 꽁지를 뚱그렇게 뚫고서는 쓱 나오니까 아, 이 머리가 홀떡 다 벗겨졌단 말이야. "다 벗겨져서 참 싱그럽구나. 내가 이 세상의 모든 사람들을 보고 살면서 스님 하신 말씀도 건성 들었더니 참 싱그럽구나. 모두가 번뇌 망상을 먹고 산다고 했더니 모두가 싱그러운 그 법력을 먹고 살았구나. 그러니 망상이라 떼 버릴 것이 뭐 있으며 망상이 아니라 가질 게 뭐 있던가. 푸른 산 높고 푸른 산 얕은 것을 산이라 하노라." 하고선 내려갔거든.

내려가서 오만 비구 비구니가 죽 늘어앉아 있는데, 거기 통 선사께서도 앉아 계시고 그런데 아, 이 스님 자체가 들어가서 스님한테 삼배를 떡 올리고 나서 하는 소리예요. "야! 독 안에 들어서는 독을 굴릴 수 없노라. 독 바깥에 나오니 굴리고 굴려도 굴리는 자체가 없더라. 한 발 딛고 한 손 들어 천지를 쥐고 한 손 들어 해와 달을 걸어쥐니 모든 일체 푸른 산 푸른 초목들을 한데 걷어 모아서 상투를 틀고 내 석장을 빼서 동곳을 삼으니 이 천지 어찌 싱그럽지 않으랴. 여기에서 그 동곳 한 점이, 이 비구 비구니 오만 명이 오천이 될 수 있고 오천이 한 점이 될 수 있고, 그 한 점이 바로 여기에 부처님 한 분이 계시노라. 모두 일어나서 같이 한 손 들고 한 발 딛고 절하라." 하고선 버럭 악을 쓰면서 참 공손히 자기 은사 스님한테 절을 하거든요, 합장을 곱게 하고. 그러니 스님이 있다 하시는 소리가 "아이고, 저 산이 항상 푸르다고만 했더니 붉게 익었구나. 붉게 익었으니 흰 구름도 검은 구름도 다 걷혔구나. 얼씨구절씨구 좋을씨구. 우리 살림살이 이만하면 좋을씨고." 하더랍니다.

어떻습니까? 그것을 그대로 헛벌로 듣지 마세요. 여러분이 이렇게 보살님으로서 산다고 하시지만 아, 남녀를 막론해 놓고 우리가 이 도리를 모른다면, 모두가 우리는 이렇게 된다 저렇게 된다 이런 말도 할 수 없으리만큼 치욕적인, 예전에도 말했지만 창살 없는 감옥에서 세세생생에 헤맬 테니 그 노릇을 어떻게 하겠습니까?

어저께 그저께 그끄저께도 얘기했지만 모든 동물들도 자기가 감각상으로나 촉각으로나 식각으로도 그렇게 모두 엽렵하게 살고 있고 내일 죽을 줄 알고 모레 일 터질 줄 알고 하는데, 어찌 우리 인간으로서 앞뒤를 분간치 못하는가. 우리의 불교가 지금 이렇게 이루어지지 못하는 원인도 한 가지, 가르치는 사람의 책임도 있고 배우는 사람의 책임도 있는 것입니다. 이 한국 불교뿐만 아니라 다 그렇겠지만 모두가 나 아닌 딴 데다가 태초를 두고, 나 아닌 딴 데다가 화두를 두고, 나 아닌 딴 데다가 항상 염원하면서 찾고 돌아치니, 어찌 이 한국 불교가 이렇게 안 되겠습니까?

예전에, 예전이라는 말 붙일 것 없이 한국 여기에서도 조선 시대에도 그렇고 역대에 보면 정말 대선사님들이 많이 출현하셨습니다. 원효 대사니 또는 사명 대사니 서산 대사니 또는 수많은 이름 모를 선사들이 많이 났건만, 내 아버지는 내가 항상 보니깐 뭐, 시원치 않고 남의 아버지는 참 위대하게 보이거든. 그래 가지고서 중국 본을, 중국에서 선사들이 가르친 그 법을 따서 항상 그대로 가르치고 우리 이 조선에서 난 대선각들은 무시하고 말입니다. 모두 이렇게 나가는 경향들이 많기 때문에 우리는 자기 자신도 찾아보려야 찾아볼 수 없는, 허황하게 날뛰는 그러한 불교가 돼 버리고 말았습니다.

내가 이 세상에 나고 태초요, 내가 나고 내 몸 난 것이 화두야. 내가 하루 종일 돌아치는 그것이 바로 탑돌이 하는 것이나 마찬가지로, 그 탑은 하난데 수만 가지 수천 가지 행을 하고 듣고 보고 이렇게 돌아치고 있는데 내가 화두가 아니고 누가 화둡니까? 내가 바로 화두예요. 예전에는 그렇게 화두 주고 그러지 않았고, 또 좌선한다 이런 것도 어떤 시간을 두고 이렇게 하지 않았습니다. 하지마는 근래에 그렇게 화두법이 생기고 간화선이나 묵조선이나 이러한 법이 생기고 이러한 문제가 생겨난 겁니다. 그리고 시간을 두고 결제다 해제다 했으면, 질서를 지키기 위해서 그렇게 했다면 그것은 바로 결제 해제가 없이 결제 해제를 해야 하는 것이지, 요즈음 모두가 그렇게 나가니까 화두를 딴 사람이 준 것을 받아 가지고 내가 어떻게 내 항아리에서 빠져나옵니까? 나 자체가 화두이자 바로 나 자체가, 돌아가는 그 자체가 바로 그 화두에 놔야 되는 거라. 모든 것을, 거기에서 나오는 거 거기에다 놔야지 거기에서 나오는 걸 딴 데다가 만날 돌아치고 있으니…. 좋든지 나쁘든지 말입니다. 이것은 중들의 책임만이 아니라 여러분의 책임도 중들의 책임도 있는 것입니다.

왜 남의 것을 그렇게 탐을 다 잘 내는지, 남이 잘했다 하면 그렇게 그 아무 때 연분에, 응? 중국 달마 대사 뭐, 누구 대사, 누구 선사,

누구…, 이렇게 섬기고 스승을 삼아서…. 아, 죽은 불(佛)이 만 개가 있다 할지라도 산 불 하나만은 못해. 이 모두를 잘 아시라고요. 여러분이 그렇게 신령하고 묘하게 이 세상을 살아가면서 조목조목 생각이 들고 그냥 요것 생각나면 조것 생각나고 조것 생각나면 꼬리에 꼬리를 물고 생각나는 것이 억겁을 거쳐 오면서 진화해서 모습을 바꿔 가지고 이날까지, 여기까지 올라왔기 때문인데, 그것이 뭐가 잘못됐다는 얘깁니까? 그것을 떼 버린다고요? 그걸 어떻게 떼 버립니까? 몽둥이로 쳐서? 칼로 쳐서? 철퇴로 쳐서? 아닙니다. 바로 내 이 몸에 용광로도 있고, 또 자석도 있고 자가발전소도 있고 전부 있는 것입니다.

그래서 여북하면 통 부처가 이렇게 말을 했겠습니까. "야, 신기도 하여라! 신령도 하여라! 묘하기도 하지! 내 주장자 석장은 때에 따라서는 칼이 됐다가 때에 따라서는 석장이 되고, 몽둥이가 됐다가 철퇴가 됐다가 수없이 나투니 이렇게 묘한 싱그러움이 어디 있을까? 모두들 들어라!" 하면서 외쳤답니다. "모두들 들어라! 이 석장 하나의 마음은 한 점의 마음이 수없이 바뀌고 바뀌어서 어떠한 것을 내 마음이라고 할 수 없는 마음이기에 한 점의 마음도 없노라고 했노라. 그 한 점의, 없는 그 한 점의 마음은 찰나찰나 번갯불처럼 바뀌며 화하면서 생산되고, 생산되면서 화하고, 이렇게 돌아가면서 모습을 바꾸고 돌아가니 이 신기한 이런 뜻을 너희들 아는가?"

그러니 여러분한테 수차적으로 얘기를 한 그 뜻을 가만히 생각들 해 보세요. 하루에도 여러분은 부엌에서 일할 때는 아무 옷이나 입었다가 금방 탈바꿈을 해 가지고 바깥에 나갑니다. 구두를 신고 온통 바르고, 모습을 탁 바꿔 가지고 말입니다. 또 금방 들어와서 또 탁 바꿉니다. 또 어디 갈 때 어느 장소에는 이렇게 입고 가고 어느 장소에는 이렇게 입고 가고 어느 장소에는 이렇게 입고 가. 시장에 나갈 때는 이렇게 입고 가고.

이것이 자기도 모르는 사이에 스스로 신령하게 그렇게 모습을 바꿔 가면서 살고, 속상하면 얼굴이 찌그러지고 눈을 부릅뜨고, 속이 안상하고 태평하고 즐거우면 해바라기처럼 즐겁게 웃고, 또는 화가 나서 또 부륵부륵 일어나면 막 부수고, 이런 행동도 거기에서 따라서 나옵니다. 우는 얼굴도 보십시오. 웃는 얼굴을 보십시오. 화낸 얼굴을 보십시오. 그럼 화냈으면 화난 대로 행이 나오고, 웃을 때는 웃은 대로 행이 나오고, 울 때는 운 대로 행이 나옵니다. 그 행은 바로 탈바꿈이 아닙니까? 우리가 하나하나 탈바꿈을 그렇게 모습으로도 하면서, 그 모습 자체도 변해 가면서 모든 게, 물건이 전부 부서지고 변해 가고 없어지고 이럭하는 것도 일체 만법이 다 똑같다는 얘깁니다.

그러면 그런 대로 항상 말했듯이 귀로 듣는 것도 고정되지 않고 눈으로 보는 것도 고정되지 않고 모든 것이 고정되지 않아. 그런데 내가 예전에 산을 다니면서 봤을 때 토끼란 놈이 말입니다, 잿빛을 하고 있다가도 겨울 추운 때는 하얗게 그 잿빛 나는 털을 탈바꿈하는데, 그걸 보신 분 있습니까? 이렇게 묘하게, 짐승들도 탈바꿈을 하고 자기 살 궁리들을 하는데, 사람이라면 부처 될 수 있는 가능성이 아니라 부처가 될 수 있는 것을 확신합니다! 그럼 부처가 무엇인가. 부처가 무엇입니까? 부처는 이름이야. 대의적인 이름일 뿐이야. 여러분 각자가 나기 전에 이름을 짓지는 않았을 겁니다. 나고 나서 이름을 지었지, 그런 이름처럼.

여러분이 어머니 배 속에서 나올 때도 한번 빙그르르 돌아서 나와야지 돌지 않으면 나오질 않아. 그 원리가 어디에 있을까요? 세상천지가 그렇게 돌고 있거든. 마음도 그렇게 안으로 굴리면서 돌아야 바로 내가 생산을 하게 되는 거거든. 내 마음을 내가 생산해서 내가 또 안으로 체험하고 또 안으로 굴려서 다시 두 번 없는 두 번의 생산이 됐을 때 비로소 너와 나와 둘이 아닌 죽음이로다. 다시 한 번 너와 나와 나툴 때 다시 세 번 없는 세 번의 죽음이로다. 이 모두가 다 우리가 지금 참나의 마음을 깨닫는다, 또는 도인이 된다 하기 이전에, 도인이라는 말이 있기 이전에 말입니다, 못났든 잘났든 순박하게 내가 나에게 의지하면서 나를 화두로 삼지 않는다면…. 그리고 24시간 자나 깨나 그것이 전체가 다 참선이요, 싱그러움이요, 법이요, 묘한 도리라. 의정을 할 때가 따로 있지, 알면서도 '이게 뭣고.' 할까? 이 몸이 이게 뭘까? 전부 봐서 알면서도 '이 뭘까?' 한다면, '이거 뭣고?' 이렇게 해 나간다면 이게 화두가 될 법한 일인가? "살림하면서 어떻게 이것을, 화두를 끊어뜨리지 않고 합니까?" 하면 "염해라!" 허허허…. "'이 뭣고, 이 뭣고, 이 뭣고' 하고 염해라!" 이거는 노래를 가르치나 뭘 하나? 이거 아닌 거라. 이렇게 가르치는 사람도 책임 있지만 이렇게 받아들이는 사람도 책임 있는 것이야. 우리 이 한국뿐만 아니라 다 그렇겠지마는 우주 삼천대천세계를 한번 구경하려면 우리는 이렇게 해서 안 되는 거라.

내가 그렇게 수없이 거듭거듭 모습을 바꿔서 이 세상에 억겁을 거쳐서 나오면서 이렇게 아픔과 쓰라림을 당했거늘 어찌 오늘날에 인간의 몸을 받아 가지고도 그것을 모르겠나? 지금 살면서도 모르나? 지금 복장을 치면서 아파 울면서도 모르나? 불법과 우리 살림살이가 둘이라면 어불성설이야. 이건 있을 수도 없어. 살림살이 빼놓고 이것 빼고 저것 빼고 무슨 도라고 일컬어서 말을 할 수 있을까? 도라는 것은 이 길 저 길, 동길이야. 이 길도 아니고 저 길도 아니고 동길이라 이 소리야. 내가 나기 이전, 미분전(未分前). 천만에! 나기 이전도 아니고 이후도 아닌 것이야. 오직 지금, 내가 여러분과 이 자리에서 예전에 그렇게 앉았던 그때와 지금 여기서 앉아서 얘기하는 거와, 우리가 둘이 아니게 듣는 거와 또는 말하는 거와 둘이 아닌 거라.

마음과 마음을 여러 사람들이 지금, 각자 "마음, 마음, 마음" 한다면, 만 번을 "마음" 해도 마음은 마음이야. 그래서 한마음인 거라. 상대방과 나하고 이렇게 말을 주고받는데 한 사람의 이 손 하나가 마음이라면 저 손 하나가 마음이라. 그래서 마음, 마음, 또 마음. 이게 한마음이야. 이 도리를 모른다면 모두가 상대가 있고 내가 있어. 그렇기 때문에 천차만별로 벌어지는 그 이치를 우리는 한데 끌어 모아서 모든 거를, 찰나찰나 바꿔 가지고 돌아가는 이 찰나찰나를, 모든 거를 망상이라고 하지 말고 끊으려고 하지 말고, 모든 것을 자기한테서 나온 거 자기한테 놔라 이거야. 맡겨 놔라 이거야!

그런다면, 맡겨 놓는다면 어느 땐가 이 만법이 그대로 콧숨 한 번 내쉬는 데 다 나와. 들이쉬는 데 다 들고. 그러면 한 번 쉬는 데 우주가 들고 난다 이 소리야. 이런데도 우리는 자기를 삭막하게만 생각하고 자기를 우습게만 생각하고, 어저께도 얘기했지만 자기 은혜를 모르고 자기를 배신을 하고 자기를 무모하게, 허망하게 이렇게 생각을 하고 그냥 내던져 놓고선 딴 것만 찾아다녀. 좋은 거, 남의 나무에 무르익은 거를 보고 무르익었다고 온통 소리를 내면서, "그때 그 시절에 그 나무의 열매가 얼마나 무르익어서 맛이 좋았는지 모르는데 이 맛을 아는가?" 하고. 그래, 그 나무에서 익어서 맛이 좋다면 맛이 좋은 것이고, 그땐 그때야, 벌써 이미. 벌써 그건 없는 거야! 그것은 없는 거기 때문에 바로 나한테 있는 거야, 모두 각자! 시간과 공간을 초월해서 천 년 전에 이렇게 앉아서 부처님이 설했다면 오늘이 천 년 후라 할지라도 천 년 전이 오늘이요, 천 년 후도 오늘이야. 그러니 어찌 내가 나기 이전이 있고 내가 난 후가 있는가? (녹음 안됨)

아마도 창살이 없는 자기 마음 가운데에 창살, 그 창살 속에서 나오지 못한다면 그 항아리를 굴릴 수 없어. 자유스럽게 굴릴 수 없어. 그리고 그 내 한 점의 마음을 가지고 수천 가지로 화하면서, 수천 가지로 나투면서 찰나찰나 그 묘법의 진의를 알지 못할 거야. 그저 툭하면 "나기 이전이다." "부처님이 어떤 것입니까?" 하면 "너 나기 이전이다." 쉽게 말해 버리고 "그것만 염하라. 그거 찾아 봐라. 그거 관하라." 이러는데 이렇게 해 가지고 과학화된 이 시점에서, 그리고 이렇게 발달된 이 시점에서 그게 깨쳐질까요? 천 년을 해 봐요. 만 년을 해 봐요.

자기 자신에게 모든 걸, 자기 자신에 물어보면 알 거예요, 모든 걸.

자기 열매를 자기가 무르익혀서 모든 사람에게 줬을 때 모든 사람들은 "아! 그 맛 좋더라." 하고 "야! 이 사람도 맛 좋고, 저 사람도 요렇게 맛이 나더라. 조렇게 맛이 나더라." 자기 그릇대로 차원대로의 맛이 나는 거를 말할 때 비로소 만 가지 맛이 나는 거라, 더불어 같이. 나와 남이 따로 있는 게 아니라.

오늘은 이걸로써 마치겠습니다.

통 선사의 아홉 제자

1986년 2월 26일

팔정도의 근본은 어떤 것인가? 요렇게 운만 떼겠습니다. '올바로 정진하고 올바로 행하고' 이런 뜻을 말하는 겁니다. 그러면 그 여덟 가지 팔정도의 근본은 어디냐는 얘깁니다. 그 근본은 마음의 근본인 겁니다. 마음, 한마음으로 인해서 여덟 가지가 다 나오죠. 그래서 그 한마음의 근본은 또 어떤 것인가? 구정토의 근본이다. 구정토의 근본은 어떤 것인가? 한마음의 근본이다. 이 모두가 마음으로 돌아가기에.

어느 때에 이런 예가 있었죠. 통 선사라 불리는 분이 아홉 제자를 데리고 길렀습니다. 그랬는데 "모든 일상생활 전체가 참이고 선이니 겉으로도 안으로도 항상 어긋남이 없이 순수하고 겸손하게, 매끈매끈하게 들라. 항상 물러나지 말고. 그 참과 선은 네가 다 근본을 가지고 있느니라." 하고선 항상 일렀답니다. 그런데 그 참선을 하는 데는 지금처럼 좌선을 하게끔 시간을 두지 않고 항상 그냥 하면서 24시간 그대로 참선을 했더랍니다. 그랬는데 어느 날은 갑자기 몰려 나가서 그냥 섰더랍니다. "너희들 왜 머물지 않고 섰느냐?" 하니까 잠자코 있더랍니다. 그래서 "아이, 왜 잠자코들 있느냐?" 하니까 또 잠자코 있더랍니다. 또 재차 물으니까 아무 소리 없이 들어가서 전부들 앉더랍니다. 그래서 또 얼마 만에 "너희들은 왜 방에 앉아 있기만 하느냐?" 하니까 전부 눕더랍니다. 이 뜻을 아시겠습니까?

그래서 그렇게 하던 중에 어느 때는 또 영 새벽 예불을 모시러 나오질 않더랍니다. 그래서 통 스님이 들어가셔서 보니까 네 사람은 서 있고, 네 사람은 앉아 있고, 한 사람은 누워 있더랍니다. 그래서 물었습니다. "너희들은 왜 섰느냐?" 하니까 "저는 보이지 않는 부처님을 모시고 그 부처님의 시중을 들며, 모든 일들을 시중들되 보이지 않는 중생들을 제도하기 위해서 길잡이가 되고자 해서 이렇게 섰습니다." 하거든요. 고개만 끄떡끄떡하고선 아무 소리 없이 한참 있다가 또 앉아 있는 놈들더러 물어봤습니다. "너희들은 왜 그렇게 앉았느냐?" 하니까 "저희는 보이는 부처님을 모시며 또 일을 거들며 받들며, 또는 보이는 중생들을 제도하며 길잡이가 되고자 해서 이렇게 앉았습니다." 하거든요. 누워 있는 사람더러 물었습니다. "너는 왜 이렇게 누워 있느냐?" 하니까 "아우님들이 다 자기의 소임을 맡아 가지고 다들 한다니까 나는 그저 먹고 누고 잠자는 소임을 맡았습니다." 하거든요. 그러니 어떻게 됐겠습니까? 그 도리를 여러분 아시겠습니까?

통 스님은 어느 때 또 들어가 보고 재차 또 한 번 아무 소리 안 하고 입맛만 쩍쩍 다시고선 나왔습니다. 나와서 어느 때 또 안 나오기에 들어가 보니까 인제는 앉아 있는 사람들은 앉아 있고, 서 있던 사람들은 앉아 있는 사람한테 거꾸로 해서 다 네 사람 네 사람이 한데 합쳐서 거꾸로 있더랍니다. 엉덩이를 거꾸로 두고. 그러니까 엉덩이는 거꾸로 두고 밑에는 다리 한 짝씩 내놓고 위는 팔 한 짝씩 내놓고 그럭하고선 그 누워 있던 사람은 위에 덩그러니 앉아 있더랍니다. 그래서 "이게 무슨 일들이냐?" 하고 물었습니다. 그러니까 "이 아우들이 다 일을 나더러만 하라고 이렇게 자리를 만들어 주니 내 앉지 않으리오. 앉긴 앉았으나 이 근본이 모두가 한생각에 있으니 스님은 지금 이때에 어떻게 생각하십니까? 저희 아홉 형제를 이렇게 기르시는데 어떻습니까? 농사를 다 잘 지으셨다고 생각하십니까?" 하고 물었더랍니다. 그러니까 통 스님이 하시는 말씀이 "옳지! 옳지! 그렇고 말고. 천지의 근본도 마음의 근본이요, 또는 세상의 근본도 마음의 근본이요, 너희들의 근본도 내 마음의, 한마음의 근본이니 만 부처의 근본도 내 한마음의 근본이요, 만생의 근본도 다 한 부처의 근본이고, 한 법의 근본이로구나!" 그러고 "일!" 하고서 "탕!" 했더랍니다.

이 뜻을 우리가 완전히만 안다면 아주 어려울 것도 없죠. 옛날뿐이 아니라 지금도 그렇고 옛날도 그렇지마는 말이 살아 있는 말이 돼야 되고, 그림이 살아 있는 그림이 돼야 하고, 글씨도 살아 있는 글씨가 돼야 하고, 살림살이도 살아 있는, 생동력 있는 그런 살림살이가 돼야 우리가 모든 일에 급급함이 없고 매끈매끈하고 걸림 없이 돌아감으로써 화목, 따뜻, 정의, 의리, 도의 이런 것이 맞붙어 항상 같이 돌아가기 때문에 일체 만물의 울음소리를 들어도 내가 무슨 소린 줄 알고 그 마음을 서로 통하니 그 뭐라는 것까지도 알고 있지 않겠습니까?

지금 모든 과학자들이나 생물학자, 모든 여러 각색 박사들이 연구한다 할지라도 우리가 그 마음 근본을 알면 전부의 근본이 그 한마음 도리니까 전부의 근본을 알 수 있지 않겠습니까? 10년 20년 연구하고 애쓸 필요도 없죠. '아! 그건 그렇게 되었구나.' 그래서 그 말을 어떻게 말로 다 하오리까? 그러니 박사들이 연구한다고 움죽거리는 거, 눈 깜박거리는 거, 행동하는 거, 이 소리 하나 나는 거 이거를 가지고 연구하려니 얼마나 힘듭니까?

우리가 팔정도의 근본은 마음의 근본이라고 그랬죠? 여덟 가지가 마음, 한마음에서 나온다고요. 그러니까 계절 따라 모습을 바꾸듯이 계절 따라 말을 다 이렇게 달리 하듯이, 가을에는 가을 얘기 하고 봄에는 봄 얘기 하고 겨울에는 겨울 얘기 하고 여름에는 여름 얘기 한다 이겁니다. 그런다면 우리 자체가 그대로 한마음 속을, 두 마음이 아닌, 너와 나와 둘이 아닌 그 마음을, 내 마음을 볼 때 그 마음이 내 마음이니까 오죽이나 밝으리! 세세히 다 알고 있기 때문에, 그 나투어 돌아가는 자체가 또 고정되게 있지 않기 때문에 요렇게 돌아가도 알고 저렇게 돌아가도 아니, 이것이 어찌 둘이라고 하겠습니까? 그런 까닭에, 그 이치를 알기 때문에 행동하는 걸 보고 '저거 어떡한다' 하고 자기 상상력으로 생각하는 거하고, 또는 목소릴 듣고 '이건 어떻게 하고 어떻게 하는 말이로구나.' 이렇게 추측을 하고 생각하는 거하고, 그 마음을 들여다봐서 우리가 근본을 아는 거하고는 다른 겁니다.

그 마음과 내 마음이 둘이 아닌 까닭에 내가 새가 될 수도 있고 내가 토끼도 될 수 있고 돼지도 될 수 있고 말도 될 수 있고 일체, 동물 생물이 다, 식물까지도 될 수 있다면 때에 따라서는 그것이 나투며 모습을 바꾸며…. 그것뿐입니까, 어디? 일체 부처가, 헤아릴 수 없이 부처가 많은데 어떠한 모습을 할 때 어떠한 부처라고 말하리까? 이렇게 많은 이치를, 만법의 이치를 이 근본으로, 조그마한 마음 한 점의 근본으로서 우주 삼라만상 대천세계를, 또 일체 만물, 유생 무생을 다 껴서 한생각에 그렇게 나투면서 '나'라고 했던 그 자리, 내 자리 아님이 없다고 한 그 말씀, 내 아픔 아님이 없다고 한 그 스승의 뜻, 법! 이 모든 것이, '스승을 높게 본다' 이 말 자체가 잘못돼 돌아가고 있고, 잘못돼 돌아가는 게 아니라 잘못 듣고 있기 때문에 잘못돼 돌아가는 판단이 나오게끔 되는 이치가 있습니다.

통 부처가 이렇게 말을 했답니다. "부처를 보더라도 높게 보지 말라! 치고 넘어가라!" 그랬거든. 정말 높게 보지 말고 치고 넘어가라는 줄 알고, 이거는 잘못 들었다 이거야. 내 그 한 점의, 한마음의 그 근본에 같은 근본이 한데 합쳐서 나한테 아주 가까이 부착돼서 있기 때문에, 멀리 찾을 게 없으니까 그런 소리 한 거라, 응? 멀리 찾을 게 있남? 그러니 '높은 부처를 보더라도 높이 보지 말고 얕은 중생을 보더라도 중생이라 보지 말라' 한 뜻이 거기에 있는데 이건 치고 나가란다고 법상이나 둘러메치고 그저 스승이나 배신하고 달아나고, 부처를 봐도 '아, 저거 불상, 저거 건물, 저 형상.' 이렇게 그냥 아무렇게나 쳐 버리면, 다 떼 버린다면 자기가 뭐 남는 게 있을까?

팔이 짧아서 한 사람도 껴안을 수 없어! 제 팔 짧은 탓은 안 하고 내 품에 들어오지 않는다고 야단법석들이고, 절을 삼천 번씩 해라, 천 번씩 해라 하는 그런 도리가 생겼고, 또 '내 품 안에 들지 않으면 선맥이 끊어진다' 한다면 그 선맥은 어디로부터 좇아서 왔는지 그 도리를 우리가 모두 완전히 캐서 파악해야 되지 않는가. 티끌만도 못한 그 한 점의 한 마음 거기에 모든 우주가 담겼다면 그 또한 한 점도 없는 것이라. 그 뜻을 알 때 어떻게 버리고 어떻게 밀치고 어떻게 앉고 서는 것이 따로 있겠습니까? 버리는 것이 버리는 게 아니고, 또는 갖는 게 갖는 게 아니라, 허망한 게 허망한 게 아니라…. 저 불교 사전에도, 누가 보고선 이런 말을 하더군요. "허망하다. 모든 건 허망하니까 그렇게 그저 궁구해서 네 마음을 찾아라. 모든 건 허망하다." 모든 게 허망하다면 나조차 허망한 거죠. 허망한 게 아니고, 이건 생생하단 말입니다. 너무 생생한 도리기 때문에 허망치도 않은 것이고 너무 허망하다고 하기 때문에 생생한 것도 아닌 것입니다. 왜냐? 여러분의 마음에 달렸으니까!

난 도대체 허망한 게 무엇인가 생각됩니다. 또 우리가 허망하지 않다는 거를 생각할 때 허망하지 않다는 것도 아닙니다. 우리가 며칠이나 살다 이 몸을 벗겠습니까마는 벗는다 하더라도 즉각즉각…. 우리가 하루 아침밥 먹었다고 해서 또 안 먹습니까? 날마다 쳇바퀴 돌듯 먹고 삽니다. 그와 같이 태어났으면 먹는 거야. 그와 같이 모든 것이 다 죽었다 해서 "죽는 것이 죽는 것이 아니고 사는 것이 사는 게 아니 돼서 허망하고…." 이 말들을 그냥 말하기 쉽게 허탕하게, 겉 맷돌 돌아가듯 그렇게 돌아가서는 아니 됩니다.

나는 사람들이 그렇게 얘기하는 소릴 들으면 피 웃어 버리고 말아요. 왜 웃느냐 하면 나는 내 마음에 죽는다 산다도, 아무 그것도 없거든! 죽는다, 산다, 허망하다 이런 게 없어. '없는데 왜들 그럴까?' 하고 웃어. 잘될까 못될까, 아이고, 짐승으로 되고 낙오자가 되고 부처가 되고, 난 부처가 돼야 하고 한자리 해야 하고…. 이런 말을 할 때 나는 또 피 웃는다고. 도대체 나는 마음이 영 동하질 않아. 죽고 산대도 동하지 않고. 아마 그 통 부처를 닮았나 봐.

그런데 그것이 바로, '나' 라고 내세울 수 없는 그런 것이 바로 부처인 것이라. 그래 통 부처야! 아니, 통 부처라기보다도 통 선사라고도 하지마는 통 스님이라고 해도 좋아. 통 거지라고 해도 좋고 통 사람이라고 해도 좋아. 항상 내가 얘기하지만 여러분이 만약에 부처라면 그 부처의 육신, 그 중생을 이끌고 다니지 못한다면 누구의 길잡이 노릇을 해? 누구의 길잡이 노릇을 하느냐고! 아주 자기하고 부착돼 있는 자기 중생을 제도 못하는데, 그리고 이끌지 못하는데 어떻게 누구를 제도하고 누구 길잡이 노릇을 한다느냐 이 소리야. (잠시 사이) 세 번이라는 세 번 없는 세 번의 죽음이 그토록 값싼 것은 아니거든요.

예전의 어느 선사가 "일 할!" 했다고 고대로 "일 할!" 하고 흉내내거든. 왜 딴 걸로 좀 하면 안 되나? 난 청개구리 같아. 그래서 어느 거 하나 소리 나도 그 소리가 그 소리인데 구태여 "일 할!" 꼭 그렇게 해야만 중국 선맥을 따르는지, 또 "일 할!" 해야만이 조계의 선맥을 따르는지 아이, 도대체 모르겠어. 인간의 근본 선맥을 따르는 게 "일 할" 해야만 따르는 건지…. 그것은 사람이 지어낸 이름이야.

모든 사람들을 가르치기 위해서, 물론 선지식의 낚싯대도 있어야 하고 낚싯밥도 있어야 하고, 또 그 낚싯밥에 걸리는 사람이 있어야 이끌어 갈 수 있는 거죠, 하기야. 그런데 옛날에는 그렇게 해서 낚시에 걸려드는 사람도 많고 그물에 걸려드는 사람도 많았는데 지금들은 오히려 옛날에 해 놓으신 선지식들의 말로다가 한몫하고 돌아가는 거야. 한몫하고 돌아가다가 보면 그것은 고정돼 있는 말이기 때문에 모든 것을 일체, 그 만법의 근원인 그 한 점의 마음을 아는 사람한테는 절대로, 통 부처한테는 통하지 않아!

그러니 우리 한 사람이 얼마나 많은 행을 하고 얼마나 많은 말을 하고…. 여러분은 그 말만 해도 그 뜻을 알겠죠, 이제. 하도 얘길 해서. 그러니까 일체 만법의 응용을 그 한 점의 마음이 하는 거라, 전부! 그런데 거기서 나오는 거, 한 점의 마음 거기다 놓으라는데 왜 못 믿고 못 놔? 왜 맡기질 못해? 부려 먹는 건 다 부려 먹고. 자기가 부리는 놈도 있지마는 또 부림을 받는 놈도 그놈인데. 남의 과실만 맛있다고, 남이 잘났다고 남의 것만 좋고…. 모든 걸 그렇게 생각하지 말아야죠.

어떤 사람은 "중들을 열심히 가르치시지 속인들을 가르쳐서 뭐 하려고 그럽니까?" 이런 말 하는 사람이 있어요. 그러나 속인들이 따로 있는 게 아니거든. 중이 먼저냐, 여러 속인이 먼저냐? 이런다면 속인이 먼저도 아니고 중이 먼저도 아니고 나중도 아닌 거예요. 그 마음, 생명은 똑같습니다. 그러나 마음먹는 것이 차원에 따라서, 그 업에 따라서, 습에 따라서 항상 달리 나가니까 그 차이가 나는 것으로 중생이다 부처다 하는 것뿐이죠.

봐요! 사계절에 겨울에는 눈이 하얗게 오고 여름에는 비가 억수같이 쏟아지고 봄에는 안개가 끼고 아지랑이가 나릇나릇하고 가을에 검은 구름과 흰 구름이 엇갈려서 돌아가면서 산들산들한 바람이 붑니다. 이것을 볼 때 우린 거기에 이끌려서 돌아가는 게 아니라 내가 있기 때문에 그렇게 같이 돌아가고 있죠. 거기에 따라서 돌아가는 것이 아니라 내가 있기 때문에 더불어 같이 돌아가는 거죠. 그뿐인가요? 야! 봄 농사, 가을 농사 다 지어서 들이면 그 곡식을 가지고 겨울이면 밥을 해 먹고 다 쉬는 때죠. 그러나 지금 세상에는 쉬고 안 쉬고 그런 때가 없죠. 사계절을 항상 뛰어야 하고 항상 먹어야 하고 항상 바빠야 하는 때가 온 거죠.

그럼으로써 우린 시대를 좇아서 항상 바쁘게, 뛰면서 생각하고 생각하면서 뛰면서 참선하지 않으면 안 되는 시대에 왔죠. 바람이 불고 추우면 옷을 껴입고, 또 햇빛이 나고 더우면 옷을 벗고 하는 그것은 원칙 아닐까요, 그대로? 내 근본의 나 자체가 있기 때문에 바로 그렇게 하는 거죠. 그런데 우리는 봄에 모든 꽃잎들이 피고 푸르름이 무성하고 맑은 물이 흐르고 그러면 좋다 하고, 장마가 들어서 아주 붉은 물이 흐르고 물이 썩은 걸 보고 또는 낙엽이 떨어져서 썩은 걸 보고 앙상한 가지를 보면 이상야릇하게 자기조차 그렇게 된 것처럼 슬프게 생각하고 참 허망하게 생각하고 또 이상하게 생각하죠? 그러니까 상당히 야비하다고 생각을 하는데 난 그것이 아니라고 봐요. 너무 생생하고 싱그럽고 너무 총명하고 참다운 참부처라고 봐요.

그림을 그려도 내 한 손은…. 예전에 이런 걸 본 예가 있거든요. 나는 글자를 영 쓰지도 못하고 보지도 못했거든요. 이런 거는 창피한 소리지만 창피하게 나는 생각을 안 하기 때문에 이런 말도 합니다. 창피하게 생각할 것도 없거든. 어느 날 불을 때고선 숯이 이만하게 길게 남았습니다. 숯을 주먹으로 불끈 쥐었습니다. 땅에다가 척 댔습니다. 그런데 이 손은 내가 놀려서 그려서 되는 것도 아니고 써서 되는 것도 아닙니다. 한 점의 근본이, 통틀어 한 점의 근본이 내 숯이라고 한다면, 붓이라고 합시다. 그 손을 놀려 줘서 손 가는 대로 그 붓이 따라가야만이 되는 거죠. 거기에는 산 물이 있고 산 꽃이 있고 산 풀이 있고 정말…. (녹음 안됨)

그러니 "일 할!" 하기보다도 "일 탕!" 하면 어떻습니까? 아니, 일 자도 붙일 거 없어. "탕!" 하면 어떻습니까? 맛이 어떻겠습니까? 만 가지 맛이 난다면 "할" 할 때보다도 "탕" 할 때 어떻습니까? 난 남의 흉내 내는 게 제일 싫거든요. 그 "탕" 하면 뭘 하고 "할" 하면 뭘 합니까?

내가 아까 붓을 들 때에 한 소리, 이것이 내 손이 해서도 아니 되고, 내 몸이 움죽거려서도 아니 되고 이것은 스스로서, 스스로서 손이

가고 스스로서 손 가는 데 붓이 가야 하고 붓 가는 데 그대로 그려져야 돼! 우리 살림살이도 역시 마찬가지라. 사계절을 통틀어, 천지를 다 통틀어 한꺼번에 한 손에 쥐고선 우리는 환경에 따라서 나투면서 소소영영하게 가는 거야. 내일 어떻게 될까 걱정할 것도 없고, 과거에 이렇게 돼서 이렇다 할 것도 없고. 선맥이 과거에 있는 것만도 아니고 후일에 또 선맥이 이어지는 것도 아니다 이거야. 한 점의 마음 안에서 선맥은 본래 이렇게 통하고들 있잖아? 선맥이 어디에 이어지고 안 이어지고가 어딨어? 내 한 점의 선은 항상 이렇게 물이 흘러 돌듯이 깊숙이 흘러 돌고 있거든. 이렇게 오고 감이 없이, 이렇게 한마음으로 오고 감이 없는데 괜히들 "에이구! 저 사람은 이렇게 하고 있어." 하고선 "왜 정도로 안 가고 사도로 가?" 이럭하고선 자기 마음이 돌아서니까 이게 한마음이 아닌 거지. 아, 그것도 옳고 그것도 옳아. 이 사람이 와서 물으면 "그것도 옳아!" 이 사람이 와서 물으면 "그것도 옳아!" 그 사람 차원에 그러니까. 그, 옳다고만 하면 한마음 아냐? 옳다고만 하면 한마음이 아닌 것이 아니라 옳다고 하는 것이 한마음의 도리다 이거야, 선맥의 도리고.

옳다고 하는 것이 한마음의 선맥이고, 옳다고 하는 것이 한마음의 선맥이고, 옳다고 하는 것이 한마음의 선맥이라 이거야! 이 도리는 아까 내가 숯을 불끈 쥐었다고 할 때 그것이 여러분의 그 마음을 잘 헤아려서 올바르게 화살을 꽂을 데다 꽂아야지 아무 데나 꽂아서 되나? 자물통도 수백 가지지마는 그 수백 가지의 자물통이 제 열쇠가 있어야만이 열어진다는 걸 알아야 돼요. 그렇죠?

오늘은 이만 끝내고요, 또 질문하실 분 있으면 질문하세요.

한생각으로 사는 목성

1986년 2월 27일

여러분이 항상 한마음으로서의 모임을 갖고 항상 관하고 있는데 각 사찰에서 오신 분들도 있고 또는 여기에서 그냥 다니시는 분들도 있고 그렇습니다.

그런데 가만히 볼 때 마음을 깨친, 터득한 분들도 많이 있다고 봅니다. 근데 터득을 안 했을 때는 안 한 대로, 항상 내가 말했듯이 모든 습을 떼기 위해서, 습을 떼는 게 아니라 녹여야 된다고 말을 했습니다. 그렇기 때문에 모든 걸 놔야 된다고 그랬습니다. "주인공에서 나오는 거 주인공에다 되놔라. 믿고 놔라. 은혜를 몰라서는 아니 된다. 물러서선 아니 된다. 모든 건 거기다 관하라. 거기서 일거일동을 다 하니깐 말이야." 하고 얘기를 했습니다.

그리고 우리가 깨달았을 때는 깨달았다고 할 것이 없다 이겁니다. '터득을 했다' 하는 거나 뭐가 다르냐고 하겠지마는 터득을 했다는 뜻은 얼른 쉽게 말해서, 우리가 항상 그걸로 비유를 했으니까 한 번 더 그걸로 비유를 해 볼까요? 어린애를 낳았어도 성장하기 전에는 안 된다 했고, 또 터득을 했다 할지라도 이런 게 있습니다. 어린애를 낳게 되면, 낳아서 성장 끝에 아주 깡패가 되는 아이들도 있고 성군이 되는 아이들도 있습니다. 성장되기 이전에 아주 그렇게 되는 이치가 있습니다. 그래서 전자의 선조들도 상당히 그걸 우려했습니다. 걱정을 하셨단 얘깁니다.

그렇기 때문에 그 어린애가 성군이 되도록 또는 선맥의 근본을 알게 하기 위해서도 그렇고, 지혜를 넓히게 해야 성장이 되는 것도 그렇고 여러 가지로…. 속가에서도 그러죠. "낳기만 하면 자식이냐?" 그런 말이 있듯이 우리가 성장이 다 될 때까지는 오로지 일심으로서 올바로 이끌고 갈 수 있어야 합니다. 위로는 배반치 말고 은혜를 알고 모시고 아래로는 자기를 올바로 끌고 다니면서 올바로 지도를 하는 그 정도의 마음이 돼야 된다는 얘기죠. 그런데 그것이 아니고 '내가 이만큼 터득했는데, 뭐.', '난 터득했는데….' 하는 그런 생각으로 모든 것이 같은 줄 안다 이겁니다. 예전에 깨달은 분들과 더불어 같은 줄 안다 이겁니다. 우리가 애들을 낳아서 성장을 시키는 과정을 보십시오. 같은가. 똑같이 애를 낳아서 길렀는데 왜 똑같지 않습니까?

그와 마찬가지로 우리는 자기가 자기를 이끌고 자기가 수행하는 데에 달린 것입니다. 깨달아 가지고도 그렇게 더 어렵다는 겁니다. 낳기 전에는 낳기 전이라서 괜찮았는데 낳고 나서는 낳고 났기 때문에 어렵다는 겁니다. 낳고 나서 또 그것이 주(主)에 의해서, 내 주인에 의해서 그래도 잡고 가다가 '아하! 이것이 잡을 거조차도 없구나.' 할 때는 또 좀 어렵죠, 그 고개가. 그런데 잡을 게 있을 때는 잡을 게 있어서 좀 나은데 잡을 게 없을 때는 그 돌아갈 때 상당히 그것이 좀 어렵습니다. 혼란 아닌 혼란이 조끔 온다 할지라도 터득해 가지고 혼란이 오는 건 혼란이 아니야. 자기를 자기가 다지느라고 오는 것이지. 그러니까 모든 거에 휘말리지 말라 이거지. 습에 휘말리면 역시 아까 얘기했듯 그렇게 악종이 될 수도 있고 또는 귀신이 될 수도 있고 점쟁이가 될 수도 있고 관상쟁이가 될 수도 있고 그런 문제가 등등하다 이 소립니다. 모르니까 그러겠지만 자기가 알면 그러지 않겠죠. 상당히 그게 심려됩니다. 그래서 이렇게 다짐을 하는 겁니다.

이 지금 지구 안에서도 우리가 알지 못하는 일들이 너무 허다합니다. 말이나 보는 거나 듣는 거나 지금 모든 것이 너무나…. 요 자리에서 요 자리만 갖다 놔도, 비유를 한다면 서울 거리에서 요 자리에서 요리로만 갖다 놔도 서울 거리의 어디가 어딘지 분간을 할 수 없게 되듯이 그렇게 모른다 이겁니다. 그러니까 우리가 얻다 갖다 세워도 '여기가 여기구나' 하고서 알 수 있을 때까지는 그것을 잘 닦아서 점차적으로 끌고 가야 하는 자기 주인의 그 마음이 아주 투철해야 된다는 얘깁니다.

지금 여러분이 생각할 때 '뭐, 이렇게 그냥 절에 다닌다.' 이 정도로 다녀서는 아니 될 것입니다. 왜냐하면 수차에 말씀도 드렸지마는 이 자리에서 옷을 벗고 옮기면 어떠한 모습으로 나올지 너무도 몰라. 아까 서울 네거리에 갖다 놓으면 분간을 못하듯이, 그건 물어서라도 찾아갈 수 있지만 이것은 암흑세계에 발 하나도 떼어 놓을 수가 없어. 그래서 유전성이라는 것이 있고 윤회라는 것이 있는 것이 바로 그런 것이에요. 인과라는 것이 있고. 그러니 이 도리를 모른다면 천차만별로 허공에 수많은 나찰과 수많은 그 귀신들, 세균, 유전, 이 도리가 전체 나한테 붙어 돌아가. 그럴 때는 그건 가차 없이 자기의 차원대로 가지 않으면 안 되리만큼 돼 있거든. 학교 공부를 하는데 공부를 못해서 낙방이 돼도 할 수 없는 거지, 어떻게 해? 가고는 싶지만, 공부를 못해서 합격이 못 됐으면 할 수 없는 거지 어떡해. 그건 어차피 할 수 없는 거라. 그와 똑같은 거예요.

그렇게 모르는 것이 여기에서도 이렇게 많은데 우리가 지금 이 우주 자체가, 부처님께서 말씀하시길 "삼천대천세계" 이랬거든. 그게 무슨 말씀인 줄 아십니까? 이 우주가, 내가 보기로는 우주가 셋이 있어. 이게 제일 가운데 우주라고 볼 수 있겠죠. 그렇다면 우리가 믿지 않아서 이런 말을 못 하겠지마는 믿지 않아도 뭐, 믿거나 말거나 할 수 없는 거지. 그런데 '성신' 이라고 한다면 '성불' 이라고 할 수 있죠. 이 성불은 이름 그대로 보이지 않는 참생명의 신이라는 뜻입니다. 그러한 관계상 한생각으로 사는 그러한 집이 있거든요. 집이라고 하면 내 몸도 집이지만 이 지구도 집이거든. 다른 혹성도 집이라! 우주도 크게 생각하나 작게 생각하면 집이라.

그렇다면 어떤 사람은 깨달아서 그 무궁무진한 법을 그대로 굴리고 사는데 어떤 사람은 그렇게 귀신이 돼 가지고 돌아가는 이러한 문제가 있습니다. 그러니까 그것을 믿지 않아서도 아니 되고 그런 것이죠. 그렇기 때문에 자기부터 알아야, 자기 집 내용을 알아야 남의 집 내용도 아는 거라. 내 집만 내 집이라고 고집해서도 아니 되는 거라. 그래서 내 집을 알기 전에는 남의 집을 모르기 때문에 내 집부터 파악하고 남의 집을 파악해야 파악이 된다는 얘깁니다.

그런고로 우리가 지금 이 우주가 셋이라면 '삼천' 하면 하나로 몰아서 바로 하나로 '천' 했습니다. 천이 일이요, 일이 천이다 이거야. 그런데 거기에서 또 우리가 '천' 했으면, 한데 몰아서 '천' 했으면 또 셋으로 나누어져. 천이 세 개가 된다는 얘기예요. '삼천', '대천', '세계' 이게 대천이거든. 한데 모았으니까 대천이라 이거야. 그래서 한데 모으니까 '대' 해 놓고선 '천' 이랬다 이거야. 두 번째죠. 세 번째 가서 '세계' 이랬거든.

그럼 지금 우주에서도 은하계로 말미암아 북두칠성이 있는 거예요. 그러면 북두칠성이 어디에서 애당초에 생겼났는가? 그럼 북두칠성이 생겨나기 이전은 어딘가? 이거를 생각해 보세요. 우리가 여기에서 생각하자면 한생각으로서 내가 이런 거를 이렇게 하려고 밀고 나갔는데 이런 것이 이렇게 되돌아가고 있어. 이게 '자신' 이에요. '불성' 이에요. 불성으로 말미암아 이것은 만법의 활용이 그대로 성품에 의해서 다 나가는 거죠, 법에 의해서. 성품이 하는 일이 법이니까요.

오늘 광명사에서 오신 보살님도 계십니다마는 아까 이런 말씀을 하셨습니다. 가난한 한 집안에서 일어난 얘기예요. 우리가 이 대천세계에, 또는 이 우주 세계에, 우주 세계의 그 뜻을 믿지 않기 이전에 이런 걸 한번 생각해 보시기 바랍니다. 그것은 기적이 아니고 근본적으로 우리가 그렇게 할 수 있는 거를 발견한 것뿐입니다. 아, 고추를 심었는데 고추에 벌레가, 진드기가 그냥 짜잘하게 붙어서 딴 사람들은 전부 밭에다가 약을 뿌려서 다 죽이고, 그렇게 해서 농사를 짓는데 이 집은 약 뿌릴 새도 없거니와 도대체 그런 환경이 되지 못했기 때문에 약을 뿌리지 못해서 '주인공! 주인공! 주인공, 당신이 모든 걸 이끌어 가지고 나가는데 당신이 알아서 할 일이지, 이 육신이 나라고 할 수 있겠나.' 하면서 그렇게 중얼중얼대면서 그 진드길, '이렇게 많은 것을 이걸 어떡하면 좋은가?' 하고 생각을 하면서 밭으로 가곤 했답니다. 그런데 어느 날 오니까 풍뎅이같이 생긴 요 빨간 벌레 있죠? 그런 것이 그냥 전부 달라붙어서 그 진드기 그것을 다 먹더랍니다. 다 먹고는 훌훌 날아가더랍니다. 그러니까 그냥 약 뿌리지 않아도 싹 없어진 거죠. 그 넓은 밭이 말입니다. 그러니 그것이 우연일까요?

거기다 대서 여러 가지 말씀을 오늘 하셨습니다마는, 떡을 해 먹고 싶어서 멥쌀 서 되를 담그면서 '아, 우리 집은 찹쌀떡을 잘 먹는데, 찹쌀이 없어서 멥쌀을 담갔는데 이거 어떡하면 좋은가?' 하면서 그냥 물을 내려서 찌려고 떡방앗간엘 갔답니다. 그런데 앞에 서 되 뒤에 서 되, 이 서 되씩이 하나는 찹쌀, 하나는 멥쌀이랍니다. 그랬는데 멥쌀하고 찹쌀하고 어느 순간에 이걸 합세를 해서는 그냥 한데 빻아 놨더랍니다, 그런 얘기를 다 듣고도. 그래 그렇게 빻아 놨으니까 어쩝니까? 그런데 그 방앗간 주인은 찹쌀 서 되를 자기 떡 해 먹는다고 담가 놓은 게 있고 그래서 그 담가 놓은 걸로 빻아서 그 사람을 주고 이 여섯 되를 반씩 갈라서, 찹쌀하고 같이 섞은 걸 반씩 갈라서 자길 주더랍니다.

줘서 그대로 받으니까, “아이고! 이해심도 많으십니다. 제가 잘못 찧어 놓은 거를 이렇게 이해심 많으시게 그냥 받아 가시다니.” 이러면서 아주 방앗간 주인이 고맙다고 그렇게 사례를 하더랍니다. 자기는 자기대로 찹쌀이 들어가지 못해서 참 마음이 아팠는데 아, 그렇게 됐으니 이것도 우연이라고 하기 이전에 좀 더 생각해 볼 점입니다. 여러 가지 일이 있지만 나도 얘기하기가 바쁘니까 그걸로써 증명을 하고, 요기서 어떠한 거를 생각해 볼 점이 있는가.

우리가 인과로 인해서 윤회설 이런 문제들이 많고 그런데 우주의 섭리라는 이 자체를, ‘미생물이 나기 이전은 어디에서 왔는가?’ 이럴 때 난 답답합니다. 왜냐하면 여기 지구에서 지구 벌레로만 살던 사람들은 여기에서만 봤기 때문에 요것만 상상하지 딴 나라의 딴 물은 모르거든. 연못에서 놀던 고기가 바다를 몰라. 그렇듯이 바로 그거와 격이 똑같은 일이죠. 그러면 다른 집들은, 다른 혹성에서는 생각만 하고서 생각으로 살고 생각으로 먹고 생각으로 입고 생각으로 모든 것을 생기게 하고 생각으로 모든 걸 없애고 이렇게 사는 동네가 있다면 믿겠습니까? 그것도 믿지 않으시겠죠? 믿거나 말거나요.

그러면 지금 이 중세계가, 이 지구라는 게 얼마큼 고달픈 세상인지 아마 모를겁니다마는 하천세계의 모습도 중천세계의 모습도 여기 다 있어요, 상천세계 모습도. 그러나 사람이 알질 못하는 거예요. 색만 보고 돌아가니까. 자기라는 참자기에 관심도 두지 않아요. 그리고 믿지도 않아요. 자기를 자기가 믿지 않고 자기가 자기를 무시하고 자기가 자기의 은혜를 모르는 사람들이 어떻게 남의 은혜를 알겠소? 그리고 보이지 않는 그 성불 신을 어떻게 알겠느냐 이거야. 신이라고 부르면 외도라고 모두들 하는데 여기 모두들 여러분이 ‘자신(自神)’이라!

그러면, 그런 동네가 있다면 아니, 생각만 끄떡하면 벌써 어린애가 배로 낳지 않아도 생기고 또 없애려면 그냥 끄떡하면 없어지고…. 그러면 우리가 겉은 이렇게 멀거면서 오장육부의 피, 똥, 오줌 이런 것이 그냥 여기 배 속에 들어 가지고 디글디글 똥덩어리처럼 이렇게 돌아다니지 않아도, 청백하고 깨끗하면서도 인간의 모습을 그대로 아주 여여하게 가지면서, 아주 아름답게 가지면서, 즉 말하자면 선신 세계의 그 맛을 볼 수가 있다 이겁니다. 그런 동네도 있다 이거야. 그런 동네에 산다고 해서 부처가 아니다 이거야. 부처라는 것은 이 삼천대천세계 어버이로서, 정말 아까 얘기했듯이 한번 생각에 끄떡하면 이렇게 산천초목을 다 만들고, 이렇게 다 만들어 놓고 거기에서 생명들이 다 있기 때문에 이 인간이 거듭거듭 거쳐서 모습을 바꿔 가면서 창조가 된 거라.

그런데 우리는 한 치도 몰라서 믿질 않는 거예요. 자기도 못 믿는 세상인데 뭘 그래요? 그리고 남들은 어떻게 믿어요? 그런데 과학자들은 지금 어떠한 얼음 알갱이로서, 즉 말하자면 지 수 화 풍이, 즉 바람과 흙과 물과, 이렇게 그 바람이 불어 가지고 한데 뭉쳐서 그렇게 됐다고 하지마는 그것이 한 생명이 없다면 이루어지지 않아요. 나는 생각에 이렇게 봐요. 말하자면 바람이 불어서 물과 먼지가 한데 합쳐졌는데, 이것이 공기가 탁하고 모든 것이 얼어 버렸어. 온기가 없으니까. 우리가 이런 거를 증명하려면 쓰레기를 갖다가 한데다 모아 보세요. 거기서 벌레 안 나나.

그리고 예전에 그 뭐, 퇴비 하죠? 퇴비를 하면 거기서 그냥 뜨거운 김이, 가스가 나오죠. 그거와 마찬가지로 생명 있는 것들이 한데 합치니까 가스처럼, 생명이 있으니까 능력이 거기에서 폭발이 되는 거죠. 그것이 이럭하면 나쁘다 저럭하면 나쁘다도 없어요, 그때는. 그냥 폭발이 됐을 뿐이에요. 그럼 폭발이 됐으면 폭발이 된 대로 거기에서 생명체들이 밝음을 알았어요. 그래서 그것이 반사가 되고 그것이 바로 자기의 분수를 알게 되고, 자기가 어떡하면 밝고, 그 암흑세계에서 말입니다. 그게 터지는 바람에 밝아지는 것을 알았거든. 그게 진화거든. 그러니 그걸로 인해서, 진화력으로 인해서 창조력을 일으켰다 이겁니다. 이것이 바로 불성의 조화가 아니면 어떻게 되겠습니까? 그때에 우리가 없었다고 할 수도 없고 후일에 없다고 할 수도 없는 겁니다. 우리의 마음들은, 그 불성 자체는 다 똑같이 융합이 돼서 지금도 누구나가 어떠한 짐승이라도 불성 없단 말은 못할 겁니다. 생명 없단 말은 못할 거다 이 소립니다.

그래서 지수화풍으로 한데 합친 것도, 그것이 세 개가 합치니까 하나의 능력이 거기에서 터져 나옴으로써 그것은 바로 지수화풍이 돼 버리는 거죠? 지수화풍이 됨으로써 우리는 오온계를 알게 된 거죠. 이 세상을 알게 됐다 이거야. 그러면 그렇게 밝음을 가지고서 한번 생각에, 그 생각으로 우리가 느끼고 알고 생각하고 보고 이러는 데서 발전을 이루거든요. 우리가 보지 못하고 먹어 보지 못하고 들어 보지도 못한 것이 어떻게 발전이 됩니까? 그렇기 때문에 우리는 그렇게 해서 거기에서부터 발전이 이루어져서, 여기 지구에만 이렇게 살고 있는 게 아니라 딴 혹성에도 그렇게 살고 있는데 어떠한 혹성에서는, 즉 말하자면 목성에서는 지구에서처럼 이렇게 허리띠를 매고 처참하게 이렇게 살고 있지는 않아요. 그리고 밤과 낮이 구태여 그렇게 없다 이겁니다. 밤과 낮이 없으니 구태여 밤이 있다 낮이 있다 이런 언어를 쓸 필요도 없는 거죠.

그럼 모든 것을 우리가 생각해 볼 때 하나서부터 열까지, 목성뿐이 아니라 딴 데는 딴 데대로 또 그렇게 각자 이 지구에서 이렇게 살듯이 살고 있다는 말입니다. 여기는 없는 게 없이 있지마는 우리가 이 은하계로부터 끼고 도는 혹성들이, 외성이라고 해도 좋아요. 그런데 그렇게 도는 혹성들이 전부 끼고 도는 원인은 어딨는가? 내가 항상 그랬죠, 바로 여러분한테 자석이 있다고. 여러분한테는 자석이 있는 거라고. 그리고 자가발전소가 있다고. 그리고 자석이 있고. 바로 어저께 그, 여기 붙이는 거 뭐죠? 접착제가 있다고 그랬죠? 우리는 마음이 이렇게 한데 모이면 벌써 이렇게 접착제가 되는 거예요.

그래서 둘이 앉아서 얘기를 해도 한 사이가 없다 이거야. 그냥 이렇게 접착이 되기 때문에. 금세 접착이 됐다가 떨어지고, 떨어졌다 접착이 되고, 접착이 됐다 떨어지고 이런 작용을 자연스럽게 하고 있다 이거야. 지금 우리가 살고 있는 바로 이 자체가 자연스럽게 그렇게 여여하건만도 자기가 자길 못 믿고 자기가 자길 발견 못하기 때문에 상대방의 그 접착제를 모르고, 자기 접착제를 모르니까 상대방의 접착제를 모르지. 그러니까 항상 둘로 보는 거라. 그러니 밝은 것도, 모든 게 이렇게 닿기만 하면 나한테 붙어서 타 버려! 나도 없고 너도 없어! 그러면서도 여여하거든. 이 무슨 이치냐 이거야. 그러면서도 왜 인정을 못하고 믿지 못할까요?

그래서 거기에서는…. 내가 지금 거꾸로 말을 해서…, 어떤 거 먼저 말을 해야 할 텐데 거꾸로 말해도 바로 가겠죠. 하하, 하여튼…. 그래서 사람들이 이다음에 그것을 알아낸다 하더라도, 지금 목성만 하더라도 밤낮이 없을 뿐만 아니라 모든 보석들이 반사가 돼서 달빛처럼 비춰 주고 거울처럼 비춰 줘. 투명한 밝음이기 때문에 색경으로 자기 환상을 비춰 주는 게 아니라 밝아! 그러니 그 안에서 밝았다 이거야, 그 안에서. 그럼 거기에서는 지구만큼씩 한 게 얼마나 되느냐? 많아. 지구만큼, 지구보다 더 큰 것도 있고, 지구만 한 것도 있고, 지구보다 작은 것도 있고 그 안에 많다 이거야. 그러면 밝은 건 지금 달이라고 그러는데 이 달 문제가 아니다 이거야. 자기한테 자가발전소가 전부 있는 걸 알고 있기 때문에 자기네들이 밝혀. 수없이 밝아서 있단 말입니다. 그러니 자기 마음대로들 켠단 말이야. 좌지우지하니까 그건 뭐, 전깃불 나갈 거 걱정, 전기세 들 거 걱정 하나도 없으니까.

사람 살기가 그렇게 편리하기도 한데 여러분은 왜 그렇지 못하느냐? 자길 못 믿고 그 도리를 모르기 때문입니다. 여러분이 여러분대로 어리석다는 걸 모르기 때문에 그런 것이지 그 도리를 알 것 같으면 왜 여기만 삽니까? 여기에서 공부 이렇게 하면서도 아, 저쪽 동네에 가서 또 살 수도 있는 겁니다.

이 불성이라는 거는 어디에 가도 가고 옴이 없어! 그 동네에 가서 실컷 살면서도 여기서 또 살아. 나 아님이 하나도 없어! 모래알같이 그 수효가 그렇게 많게 내 모습을 만들 수도 있어. (녹음 안됨) … 하나가 있다가 만 개도 됐다가 모래알같이 그렇게 많기도 했다가 없기도 했다가, 이렇게 자유자재권을 자기네들이 가졌으니 얼마나 좋겠느냐 이거야. 그러니 그 보석들이 여기에서는 값비싸지만 거기에는 보석들이 보석이 아니란 말이야. 거긴 보석을 보석으로 쓰지도 않아. 그냥 그대로 우리 저런 데 그냥 돌아다니는 돌 쌓듯이 그냥 그저 자연으로, 생각만 하면 아, 그냥 요렇게 나란히 되고 말이야. 그것들도 다 생명이 있어서 한 사람에, 한 주인에 응해서, 생각에 의해서 모든 물질들이 다 생기고 정원이 생기고, 내가 요렇게 해 놓으려면 요렇게 해 놓을 수 있는, 생각으로 사는 동네라 이거야. 우리는 생각을 했으면 몸이 움죽거려야 이것이 정원이 되지 않나? 그런데 생각으로 해 가지고 생각으로 정원이 돼. 그런 세상도 있거늘…. 목성에만 그렇다 하는 건 아니에요. 다 그러냐? 다 그런 건 아니에요. 제각기니까. 삼 단계로 나누어졌어요.

그리고 또 화성에도 우리가 사람이 없어서 안 산다고 그러는데 '안 사는 이유는 뭣일까?' 그거 생각해 보셨어요? 사람이 보이지 않는다 그런다고 사람이 안 산다는 건 아니에요. 생명이 우글우글한데도 안 산다고 하나요? 오히려 우리 중세계에서, 지금 지구 안에서 사는 사람들이 죽어서 어떻게 될 것인가. 지금 체 장수를 하고 있다 이겁니다. 체 장수. 치는 거. 체 장수를 하고 있고, 또는 까부르는 거, 키, 키 장수를 하고 있어요. 그 소리는 뭣인 줄 아시겠습니까? 사람 까불러서, 즉 말하자면 체로 쳐서, 이거는 보이지 않는 생명들을 말하는 겁니다. 그렇게 해서 위로 던질 건 던지고 아래로 내릴 건 내리는 거야. 그러면 그런 역할을 하는…, 지금 우리가 사는 데도 그렇고, 여기 세계적으로 보는 데도 그렇고 국가적으로 보더라도 그렇고, 국가에서도 질서를 지키고 이렇게 나오면 동회가 있죠? 통장이 있죠? 시골에선 면장이 있고요, 면 사무실이 있고요, 경찰서가 있고. 모두 이런 것들이 점차적으로 있듯이 이 모두가 그렇게, 이 혹성 자체가 자기의 소임을 맡아 가지고 하는 일들이 있다 이 소립니다. 여러분이 그것을 믿든지 안 믿든지 그건 상관이 없어요.

'보살행을 한다, 이건 법신이다, 부처님이다' 이런 문제들이 나오죠? 강은 강, 물 신은 물 신, 용왕신은 용왕신, 모두 소임을 맡아 가지고 하나 우리 이 공부하는 건 감독자를 말하는 겁니다. 감독! 전체 감독! 선방에서는 예전에 열중(悅衆)이라고 불렀죠, 열중. 즉 말하자면 조실 다음에 열중으로 이름을 불렀던 거예요. 열중이라는 건 대중을 이끌고 가는데 기쁘게 이끌고 가라 이겁니다. 기쁜 마음으로서 남을 기쁘게 해 주면서 이렇게 대중을 다 끌고 가라 이 소리거든.

그리고 그다음에 선방을 맡고 있는 사람을 선백(禪伯)이라고 부르고 이렇게 맡아 가지고 있었죠. 그것은 참선할 때 선이라고 쓰지마는 이건 글자로 비유해서, 나는 글자를 모르니까 뜻으로만 지금 생각을 하는 겁니다. 참선 선(禪) 자를 한다면 이것은 어디까지나 어머니처럼 자식들을 기르는 거, 어머니처럼 자식들을 기르라는 뜻이 있죠. 폭넓고 아주 세밀하고, 그렇게 해서 선방을 지키는 그런 소임을 맡아 가지고 하는 사람은 그러한 능력이 있는 사람을 거기다 세우죠. 그런 능력이 없다면 어떻게 세우겠습니까?

그런 거와 마찬가지로 그러한 능력이 있는 사람들도 그렇고 우리도 우리 차원대로들 모두 살지 않습니까? 증명해 보려면 여기서 증명해 보세요. 자기의 차원대로 모두 살지 누가 그렇게 만들어 줬습니까, 누가 뺏어 갑니까? 자기 한 거만치, 자기가 아는 것만치, 자기 생긴 것대로, 자기가 움죽거리는 대로 이렇게 사는 거 아닙니까? 그러니 자기라는 그 마음의 보배가 얼마나 소중한지를 아셔야죠. 자기 마음의 보배가 온 우주를, 삼천대천세계를 삼키고도 남음이 있다는 그 조그마한 한 점.

지금 목성의 얘기를 했지마는 목성의 문제들도 그렇습니다. 이것이 목성의 이치가 어떻게 해서 그렇게 되었겠습니까. 우리가 처음에 낳은 어린애는 작고 아직 개발이 되지 않아서 요렇게 됐는데 아, 여기에선 개발이 되고 모든 거를 이렇게 처리하다 보니까 큰 집을 짓고 거기에서 두루 해 나가도, 그만한 능력이 있으니까 해 나갈 수 있는 큰 집이거든. 여긴 여기대로 그런 큰 집이 없기 때문에, 큰사람이 없기 때문에 큰 집이 없는 겁니다. 애당초에 큰사람이 있었다면 큰 집이 됐을 텐데 큰사람이 없기 때문에 큰 집이 못 됐던 거죠. 다 이끌고 나갈 수 있는 그런 큰사람이 있어야 되겠죠? 그런데 큰사람이 있다 할지라도 믿지를 않아요. 도대체 믿질 않아. 큰사람과 여러분과 더불어 같이 둘이 아니라 해도 믿질 않아요.

사람이 열 사람이 하는 것이 다르고 한 사람이 하는 게 다르고 세 사람이 하는 게 다릅니다. 열 사람이 열 손을 가지고 전부 할 때는 듬성듬성 일을 해치우는데 한둘이 하자면 얼마나 그게 어렵습니까? 그런 거와 같이 이것은 마음 쓰기에 달렸어. 내가 여러 사람하고 같이 운력으로써 내가 이 무(無)의 법을 그대로 굴리느냐? 그렇지 않고 이걸 '나' 라고 하니까 여기 하나도 운력을 해 주는 게 없고, 운력을 해 주는 거는 꼭 귀신이나 뭐 이런, 즉 말하자면 유령 같은 거, 그렇지 않으면 악령 같은 거, 그렇지 않으면 유전성, 그렇지 않으면 세균 같은 것이 달라붙고 그런 거나 오겠지. 빈집이니까. 그래서 그 고통을 받아도 어쩔 수가 없이 어디서 온 줄도 모르고 또 이것이 어디로 가는 줄도 모른단 말이야.

엊그저께 누가 이런 말을 하더군요. 오늘은 이왕 말이 났으니 고거 마저 또 해야 되겠군요. 그래서 그 목성에는 사람들이 어린애를 배 아파서 낳는 것도 없거든. 그런 것도 상상을 못하다가 여기에 비중을 두고 이쪽으로 생각해 보고 저쪽으로 생각해 보면 바로 여기에 이게 닿거든. 그러니까 '아하! 저기는 저런 게 있구나.' 이러고 한번 갖고 싶어서 한생각을 하면 애가 돼. 그럼 놀다가 또 자기가 없어지고 싶으면 자기도 없어져서 저리로 가려면 저리로 가고, 가고 옴이 없이 가. 그러니 그 전체가 얼마나 밝고 깨끗하고, 얼마나 좋은 세상이냐 이겁니다. 생각해서 먹고 모든 열매가 그냥 줄줄이 열려 있고 얼마나 좋습니까, 모두가. 푸르르고 말입니다. 모두가 낙원이라. 그래 불국토라! 불국토 세상에서 한 번이나 우리가 살아 본 것 같습니까?

그러니 이런 말을 해서 여러분이 공부도 아직 채 안 돼서 '나는 모르는데 뭐 이런 개똥 같은 말을 하고 있나?' 이러지마는 공부하는 분들이 한번 그런 것도 들어 봤어야 요다음에 내가 만약에 발로가 돼서 깨치면 거기까지도 생각해 볼 점이 있거든. 한번 봐라 이거야. 남 달릴 데, 눈 달리고 코 달리고 입 달리고 다 똑같이 생겨 가지고 왜 못하느냐 이거야. 남 보는데 왜 못 봐! 그리고 또 거기 가서 살기도 하고, 다 여기 와서 살고 저기 가서 살고…. 내가 여러 개가 돼 가지고 내 생각이, 생각이라고 해 봐야 체가 있나? 여러 가지 생각을 해서가 아니라 내 사는 데 아님이 없어. 내 자리 아님이 없고. 그렇다면 왜 딴 사람은 못해? 먹고사는 게 뭐 그렇게 급급하다고. 모두 얼마나 살다가 이 몸뚱이를 벗어요? 얼마나 평안할 거 같고 얼마나 사랑하고 살 것 같습니까? 애를 낳고, 모두가 다 그런 경험을 하고 그렇게 진탕 고생을 하면서 그 공부를 안 해 보면 애정을 모르고 사람을 사랑할 줄을 몰라. 그래서 그런 공부도 하는 거라고 생각합니다.

그렇기 때문에 그런 공부 한 사람을 또 따라서 하는 사람은 역시 똑같이 따라가게 돼 있거든. 그러니 한번 그렇게 고생하고 공부했으면 그게 동시에 둘이 아니라. 그 도리를 여러분이 잘 파악하고 아신다면 역대 조사가 따로 없고, 역대 부처가 따로 없고, 지금 부처가 따로 있는 게 아닌데, 모두들 그저 잘생기고 잘나고 또 공부 잘한 분만 찾는 겁니다. 예전에 중국에서 깨쳤다면 중국 선지식만 찾게 마련이고, 죽은 사람도, 그저 죽은 불이라도 그저 스승을 삼고 찾거든. 아, 제 불, 저 살아 있는 산 불을 찾지 못하고 글쎄, 죽은 불을 스승으로 삼고 찾는단 말이야. 이런 기가 막힐 노릇이 어디 있느냔 말이야. 산 불을 내가 알아야 죽은 불도 나와 둘이 아니라는 걸 알게 되죠. 이 모두가 허망한 일들을 남김 없이 저지르고 살고 있거든요, 지금.

절에 다니면 스님네들한테 그저 쌀이나 가지고 저거 하고, 돈이나 가지고 여기저기 부처님한테 빌고, 이 부처 다르고 저 부처 다르고 또 부적이나 사서 베개 속에 넣고 여기 붙이고 저기 붙이는데, 이게 귀신들이 아니고 뭡니까? 꼭 귀신이라야 귀신인가? 귀신 행을 하면 귀신이지. 그러면 살아서 귀신인데 죽어서 귀신이 아닐까? 살아서 귀신 노릇을 하고 다녔으면 죽어서 꿈에도…. 오늘 저녁에 당장 죽어 보세요. 꿈에 그냥 똑같이 하고 다닐 테니까. 그러면 증명할 테니까, 자기가 어떠한 사람인지. 그래서 생시에 둘로 보지 않고 생시에 자기 불성을 터득한다면 바로 꿈에도 그렇게 아주 역력하고 똑같은 거라. 꿈에도 자기 모습을 자기가 끌고 다니면서…. 그것은 모습이 아니라 법신이라.

그렇게 차이가 나는데 이 도리를 우리가 모르고 항상 기복으로 다녀야만 옳겠습니까? 기복으로 가르치고 기복으로 배우고서, 우리가 어떻게 불국토를 이루며, 극락정토요? 내가 닦지 않고 극락정토를 입으로 천백 번을 불러 보십시오. 극락정토가 되나! 내가 나를 한번 돌이켜 보고 공했다는 그 도리를 알면 공한 도리에서 바로 역력하게 나를 내가 볼 수 있어!

그러니 오늘은 이만….

우주의 생성과 전개

1986년 2월 28일

여러분이 이렇게 공부하시려고 애를 쓰는 이 마음을 가지고 열심히 하셔야 합니다. 얘기를 하려면 너무도 많아서 어떤 걸 어떻게 해야 할지 모르겠어요. 그러나 여러분이 들을 줄 알아야 돼. 그리고 받을 줄 알아야 하고 삼킬 줄 알아야 돼. 하나하나 삼키다 보면 나중엔 몽땅 다 삼키게 돼. 어떻게 한꺼번에 몰락 삼키겠소? 요거 잠시 잠깐 하고 넘어갈 일이 있어요.

우리가 공부를 하는 데에 여기에서 발로된 사람이 많이 있어요. 그런데 임신으로 비추어서 얘기도 많이 했지만 이러한 얘기예요. 우리가 억겁을 거쳐 오면서 어떠한 모습을 가지고 살던 습에 의한 낙관, 습에 의한 종 문서, 그 문서는 자기가 지어 놓고 자기가 그 문서를 짊어지고 있는 거거든. 지금 사는 것만 짊어지고 있는 게 아니라 억겁 천년서부터 살던 습, 즉 종으로 어떻게 살았는가 하는 종 문서, 그것이 차곡차곡 쟁여 있는 것이 여기서 친다면 우주 가기만 해. 그런다면 그것을 몰락 다 불태워 버릴 수 있는, 삼킬 수 있는 그러한 공부를 하는 데에 우리가 조금도 소홀히 해서는 안 된다 이거예요.

그러면 우리가 쭉 그렇게 가는데, 그 길을 지금 걷고 있는데 모조리 주인공에다 모두, 만법은 일심으로 들고 일심에서 만법이 나가는 데에, 그 모든 종 문서는 거기에 달려 있어. 그러면 그 한생각 나는 것도 공이거늘, 공에서 나오는 일체를, 그 공으로 돌아가는 것이니까 다 놓고 가면, 그 하나하나 놓고 가는 게 종 문서를 놓고 가는 거야. 거리가 천 리가 된다 할지라도 바로 요 눈썹 아래라. 그러니 내가 멀다 가깝다 생각하지 말아요. 내가 저 산꼭대기로 올라가는데 '어휴, 저 산꼭대기 다리 아파서 어떻게 올라가나.' 한다면 못 올라가요. 요 내 한 발자국 떼는 것만 생각하면 언젠가는 올라가게 되거든. 그와 마찬가지로 우리가 올라가고 내려가는 사이 없이, 모두 한데 합쳐서 떡을 만들어서 그냥 한꺼번에 삼킨다면 얼마나 편안하겠소마는 우리가 그러한 공부를 하는 데서는 무조건 들어야 하고 무조건 믿어야 하고 무조건 받아들여야 한다 이런 게 있어요.

예전에 석존으로부터 죽 내려오면서 시간과 공간을 두지 않고 참선을 했죠? 그랬는데 그 후부터 화두다 좌선이다 간화선이다 묵조선이다 이런 문제들이 생긴 거예요. 그런데 그것이 생기게 되니까 습이, 또 그놈의 걸로 붙어 버려! 내가 그걸 몰라서가 아니야. 선방에서 소임을 맡아 가지고 하는 그 모든 일들을 몰라서 그런 게 아니야. 단지 나는 그걸 알았기 때문에, 그것을 그렇게 해 나가다 보면 그 습에 또 걸려 가지고는 아예 나의 문은 도대체 열 수가 없어. 그래서 통틀어서 뒤죽박죽이 된 것 같지만 본래 진리가 뒤죽박죽이 아니라 뒤죽박죽된 사이에서 우리는 한생각에 그대로 여여하게 나갈 수 있는 그런 만 가지 능력을 가졌어! 아주 헤아릴 수가 없어. 만 가지다 하면 만 가지 숫자를 말하는 게 아니야. 그러면 그렇게 능력을 무수히 가지고 있으면서, 종의 문서를 만날 짊어지고 그렇게 허덕거려야 되느냐 이거야.

그래서 사람들이 한 소식을 얻었다 이러는데, 한 소식 얻은 사람

많죠? 그리고 성장하는 사람도 많고. 그렇지마는 한 소식 얻었다고 해서 한 소식 얻었다고 하지 말라 이거야. 애가 성장돼야 할 뿐만 아니라, 만약에 애를 낳아 가지고도 애가 깡패로 될 수도 있고 성군이 될 수도 있는 것이기 때문에, 어저께도 얘기했죠? 그렇게 될 수가 있는 거기 때문에 오히려 더 미해질 수가 있다. 내가 한 소식 얻었다고 한다면 어린애가, 갓난 어린애가 뭐를 해? 그렇기 때문에 미해질 수 있다. 그러니까 모든 일을 돌아가면서 생활하면서 처음에 공부할 땐 그 종 문서를, 모든 걸 놓고 가니까 '아하! 성주의 뜻이 바로 '나' 로구나. 여기에서 나오는구나.' 하고서 그때에 내가 홀연히 나왔다 하더라도 그 홀연히 나온 것을 다시 되집어넣고, 둘이 아니게 집어넣고 모든 것을 닥치는 대로, 또 체험하면서 돌아가면서 다시 보림을 하고 놔야 돼! 그렇지 않으면 그렇게 성장을 못해!

그래서 까닭 없는 까닭, 계단 없는 계단이 세 계단이 있다고 항상 말했죠? 한 번 죽고…, 이 말 수차적으로 했죠. 이건 뭐냐 하면 다 내가 없는 줄 알았더니 더불어 같이 죽기 어렵고, 더불어 같이 나투기 어려웠다. 이게 세 가지다. 나 죽기 어렵다 했더니 같이 죽기 어렵고, 또 그게 어렵다 했더니 같이 나투기 어렵더라. 이게 세 번 죽음이라. 그런데 요 말을, 항상 내가 걱정이 돼서 이런 말 하고 있어요. 그런데 오늘은 여러분이 이것을 받아들이고 안 받아들이고 간에, 천리만리 헤아릴 수 없이 멀지만 먼 것이 요 눈썹 아래라는 겁니다. 우리가 여기서 천 년이라면 바로 사흘로 비유할 수 있다.

우주가 우리는 하난 줄 알죠? 우리가 지금 우주라고 하는 이것이 바로 혹 주머니라고 볼 수도 있죠. 그런데 이게 처음에 생긴 것은 어디로부터 생겼는가? 네 친구가 있었어요. 네 친구는 화성을 가진 사람하고 또 지성을 가진 사람하고 수성을 가진 사람하고 또는 풍성을 가진 사람이 네 친구가 있었어요. 그래서 그 친구들은 네 형제를 맺었죠. 혼자 혼자 각각 암흑 속에서 이렇게 뒹굴다 보니까, 이것은 같이 합치지 않으면 도저히 우리는 살 수가 없다고 그래서 같이 합치게 됐죠. 그렇게 합치게 돼서 큰 집을 이루었대요. 이건 얘기로 그냥 하겠습니다. 큰 집을 이루어서 고만 그것이, 우리가 콩을 심으면 콩나무로 화하죠? 콩나무는 콩으로 또 화하죠? 이렇게 가듯이 그 네 친구는 한데 합치고 보니까 아주 성주라는 그런 큰 걸로 화해 버렸어요. 그래서 화했지마는 그, 겸해서 같이 큰 집을 지었어요. 그래서 성주로서 오공개공도를 전부 간섭하게 됐죠. 그러다가 어느 날 홀연히 이런 생각을 했어요. '세 군데로 나누어서 집을 만들어야겠구나.' 했어요. '나는 지금 세 아들을 둬야겠다.' 하는 생각이 들었어요.

그래서 이 우주를 갖다가 셋으로 딱 나누어서 우리가 제일 가운데 우주예요. 그래서 가운데 우주에는 둘째 아들, 요거는 맏아들, 요건 끝의 아들 이렇게 나누어서 줘 버렸어요. 그런데 그 아버지와 그 아들과, 가운데 아들하고 이것이 세 아들이 있어도 세 아들이 바로 아버지고 아버지가 바로 아들이에요. 그건 왜냐하면, 우리 물질적으로 생각하지 말아요. 물질적으로 생각하는 건 세 집을 지은 거예요, 지금. 그러나 세 집을 지어 놨는데 그 성주라는 아버지는 바로 아들을 삼 형제를 뒀어요. 그래서 그 집을 맡겼어요. 맡기고 보니까, 바로 그 성주는, 아버지 하나가 아들 셋이 됐다가 아버지 하나로 되고, 아버지 하나가 아들 셋이 되고 이러거든. 이것은 깨달은 사람 아니면 연구를 못합니다. 이것은 똑똑히 알아 둬야 될 거예요.

그래서 아들 셋이, 한 우주는, 이쪽 우주는 칠 형제를 낳고, 요 가운데 우주는 삼 형제를 낳았어. 여기는 오 형제를 낳았다 이거야. 또 삼 형제 낳은 데서 삼 형제 중에서 칠 형제를 낳았다 이거야. 그럼 양편은 내놓고 지금 우리 우주 이것만 얘기야. 칠형제를 낳은 그것이, 바로 아들 일곱이서 아들 셋은 생명을 불어넣어 주는 책임을 맡았고, 아들 넷은 모든 생명 물체를, 집을 짓게끔 만들었다 이거야.

그래서 집을 처음에 만드는 데는 어떤 생각이 나질 않아. 그래서,

즉 말하자면 삼각원형, 삼각이라는 것을 이렇게 그냥 형상만 생기게끔 만들었거든. 길쭉하게 돼 가지고선 상투 하나 있는 것처럼 이렇게 해 가지고 이렇게 만들었거든. 그렇게 해서 만들다 보니까, 만들면서 생명을 불어넣어 주고 이럭하다 보니까 그것이 좀 안됐거든. 그래서 다섯 칸을 지은 거야. 세 칸을 지은 게 아니라 다섯 칸을 집을 지은 거야. 이게 별성이다 이거야. 세 칸을 지은 거는 점차적으로 헐어 버리면서 이 다섯 칸을 지은 거라고. 그래 다섯 칸을 짓고 보니까 길이 없어. 그래서 삼 형제가 하는 소리가 "사 형제 얘들아, 너희는 이 길을 만들어야 하지 않겠느냐?" 하니까 "그 길을 만들면 형님이 그 길을 오고 감이 없이 그렇게 유통되게, 사방이 터지게 다 만들 수 있겠습니까? 생명을 넣어 줄 수 있습니까?" 하니까 "그렇지. 다 되지." 하고 한데 모아서 그 사 형제가 바로 길을 만든 것이 물길이에요, 물길.

그래서 물길을 만들되, 처음에는 가로 세로 하다가 보니까 이것이 잘못됐거든. 처음 하고는, 가로 세로 하면 이게 열십 자로 되면서 이렇게 어긋나거든. 그래서 어긋나게 하니까 이것이 도는 데 지장이 있으니 이렇게 엇비슷하게 해 가지곤 돌린 거야. 그래서 돌려서 길을 내다 보니까 이것이, 즉 말하자면 여기에서는, 우리 살림살이에는 청와대도 있고 여기도 있고 저기도 있고 그렇듯이 그것을 다 만들다 보니까 그냥 많은 별들이 돼 버리고 말았죠. 거기서 한데 모아서, 즉 말하자면 성주 그, 칠 형제가 모든 걸 합세해서 그렇게 새끼들을 낳은 것이 바로 그것이다 이거야. 그러면 새끼가 따로 있는 것이 아니라 그 성주가 바로 삼 형제고 삼 형제가 바로 칠 형제고, 칠 형제가 바로 그 많은 그것을 낳았는데, 그 칠 형제가 처음에, 애당초에 삼 형제 낳은 그 분, 그 성주가 바로 이 성주로 죄 열 명이 있어도 성주요, 백 명이 있어도 성주요, 만 명이 있어도 성주요, 전체가 그 불성이 있단 말이야, 생명이.

그렇게 해서 수없이 만들다 보니까 거기에서 뭐가 나왔느냐면 화해서 물질이, 모든 것이 나오게 됐단 말이야. 어떠한 물질이 나오느냐 하면 태양이라는 물질이 나왔단 말이야. 그 근본에서 근본이 나온 거야, 또. 그러면 태양이 나왔는데, 어떤 사람들은 거기서 그냥 한데 붙어 있는 줄 알지마는 이것이 얼마큼 떨어져 있는지 우리가 지구에서 달에 가기만치 떨어져 있는 거야. 그러면 지금 북두칠성이라는 것이 이게 사 형제가 작고 삼 형제는 크고 이렇게 돼 있지마는 그게 아니라 이거는 멀리 좀 떨어져 있고 이건 가까이 있으니까 그렇게 보이는 것뿐이야.

그러니까 그만큼 떨어져 있고 그렇게 돌다 보니까 우리가 거기에서 큰 집을 또 짓게 돼 있어. 그러면 여러분에게 어저께 그랬죠? 당신한테 컴퓨터도 있고 망원경도 있고, 또는 탐지기도 있고 책정기도 있고 또는 영사기도 있고, 모든 것이 당신한테 다 있고 또 지각이라든가 촉각이라든가 감각이라든가 또는 식각이라든가 저, 일곱 가지가 다 있어! 내 어저께 얘기했으니까 그건 지금 뭐, 말 안 해도 알 거고. 그러니까 그렇게 가지고 있으면서 내가 활용을 하는데 그 모든 것이 한데 합쳐져서 돌아가거든. 이거는 자연의 이치다 이거야. 그러니까 얼마나 인간 하나에 능력이 주어져 있느냐는 얘기지. 그러면 인간 하나에 그런 능력이 주어져 있는데도 우리는 방관하고 방심하고 있다 이거야, 나라는 존재를. 그렇기 때문에 이 껍데기 이것이 난 줄 알고 항상 그러는데 '나'가 이게 고정돼 있질 않기 때문에 이 마음도 고정돼 있지 않다 이거야. 성품 자체가 고정돼 있지 않아. 성품 자체를 봤다고 하더라도 그건 도가 아니다 이 소리야. 고정되지 않아. 모든 것이 이렇게 영구히 돌아가도록 돼 있듯이, 우리가 생각으로 사는 사람들이 있다고 그랬죠? 그런데 여러분은 생각으로 살기 이전에 생각을 내면 행동과 모든 것이, 입도 벌려야 하고 여러 가지 복잡하죠, 기구가, 아주.

그러니까 우리 자체가 그렇게 복잡하게 있으면서도 능력이 있듯이, 그 능력을 그렇게 하니까 한생각에 큰 집이 지어지고, 즉 말하자면 물질이 한데 모이게 한 그 자체가 바로 한 능력이다 이거야. 성주의 능력이다 이거야. 능력으로서 그 모든 게 이 허공에 돌아다니다가 전부 모이게 하는 것도 바로 그 능력이야. 모이고 보니까 모이는 대로 거기에다가 모든, 이 지금 지구라면 무정물을 생기게 했고…. 한생각 끄떡하면 생기는 거야. 한생각 끄떡하면 물로 길이 나고 한생각 끄떡하면 그 모든 것이…. 그렇게 해 놓고는 가만히 있으면, 그 생명들이 생겼으니까 거기서 자꾸 자라면서…. 그래서 말인즉슨 별똥들이 떨어져서 거기에서 생명이 생겼다 이러지만 사실은 그렇지. 한생각이 떨어지니까 그것이 바로 그렇게 되는 거지.

그러니까 우리가 그렇게 생겨서 거쳐 올라온 것이니까 자립해라. 너는 생명이 생겼으니까, 생명으로서 너희는 어떠한 뭐를 가지고라도 진화되면서 창조력을 가지고 있으니까 자꾸자꾸 우리는 그걸 가지고 온 거예요. 그러면 이 혹성의 우리 집집마다 살림살이가 죄 다르죠? 우리 국내로 보더라도 청와대가 있고 대법원이 있고 또는 국방부가 있고 경제원이 있고 또는 정보대가 있고 경찰서가 있고 이렇듯이. 그러니까 그 분야를 지금 이 혹성들이 다 맡고 있으면서 외성들이 다 싸고 돌고 있잖아요? 지금 외성들이 돌고 있는 게 이 혹성이죠. 즉 말하자면 태양계를 끼고 도는 게.

그러면 그 모두가 생긴 원인이 거기에서부터 이루어졌는데, 그렇게만 해 놓읍시다. 그렇게만 해 놓고 본다면 우리가 어디에서부터 이 출처가 됐느냐? 어머니 아버지에서부터 출처가 됐다고 봅시다. 그러나 그것이 어머니 아버지에서부터 출처가 된 게 아니다 이거야. 내가 있기 때문에 아버지, 어머니를 빌렸을 뿐이야. 그러면 그 아버지의 주인과 내 주인, 즉 불성이 둘이 아니거든. 그렇기 때문에 그건 육신의 어머니다, 부처님의 법의 스승이다 이렇게 둘로 둘 필요가 없는 거야. 모든 게 공해서 한데 합쳐지면서도 벌어졌다가 한데 합쳐졌다가 벌어졌다 하는 이 이치의 진리를 우리가 똑바로 알아야 된다 하는 것은 첫째,

나의 참나는 여기 깊숙이 있으면서도 항상, 이것이 나를 형성시켜서 나를 이렇게 거죽으로 앞에 내세워 놓고선 자기 주인은 바로 깊숙하게 있다 이거야. 그러면 자기 주인이 깊숙하게 있는 탓은 무엇인가? 자기 주인이 깊숙하게 있는 탓은 바로 이 우주 삼라대천세계를 같이 상응하면서 돌기 때문이다 이거야. 그래서 팔에 있느냐? 그것도 아니다. 배꼽 밑에 있느냐? 그것도 아니야. 모든 게, 어느 곳에 붙어 있는 데가 없으면서도 깊숙하게 있다 이거야!

그러니까 그것을 우리가 잘 알아서 나를 깨우쳐 놓으면, 또 체험하면서 습득을 시키면 그때에 성불을 할 수 있게끔 된다 이런 문제가 있습니다. 그리고 얘기하다가도 나는 잊어버리는 수가 많거든. 지금 얘길 거기다가 한 차례 또 넣어야 할 텐데 고만 순간 잊어버렸거든. 잊어버리면 어떡할 수가 없어. 나는 책을 봐서 무엇을 말을 하겠다 이러면 이거는 도대체 떠다 놓은 썩은 물 같아. 그럭하고 싶질 않아. 그래서 책도 볼 줄 모르지만, 책도 안 보는 게 아니라 볼 줄 알았더라면 큰 문제지. 그래서 여러분이 한 가정을 갖다가 멀리서 요렇게, 내가 들어다가 요렇게 볼 수 있는가 하면 저 미국을 들어다가 요렇게 볼 수도 있고 저 우주를 갖다 요렇게 들어다 볼 수도 있는데 보기만 해서도 안 된다 이거야. 우주를 들어다 볼 수 있어도 그건 도가 아니다 이랬어.

왜? 들어다 놓고 보기만 하면 뭘 해? 할 줄도 모르는데! 또 듣기만 해도 안 된다. 보기만 해도 안 된다. 냄새만 맡아도 안 된다. 냄새는 그냥 냄새가 아니야. 냄새 없는 냄새! 그래서 아무리 그렇게 한다 해도 아니 되니까, 진짜 이게 쭉 내려오면서 짐승의 발 있지? 내가 짐승으로 모습을 가지고 살았다면 짐승의 발자국이 있을 거야. 발 있지? 또 뱀의 그 자국이 있고. 그렇다면 그것이 전부 자기의 종 문서가 되는 거야. 종 문서에 낙관이 찍혀 있는 거야. 그러면 그거를 태워 버리는 데는 바로 그 발, 발 하나!

그러하기에 부처님이 깨치셔서 '나 아님이 없다' 한 뜻은 뭐냐?

그것을 거쳐 오면서 전부 항복을 받았다 했는데 그것을 다 녹였다 이거야, 그 종 문서를. 다 녹여 버리고 나니까 바로 해인 낙관이 탁 박혀진 거야, 자기한테, 응? 성주 낙관이 박혀진 거야. 그러니까 그걸로다가 다시금 자기가 거쳐 온 그 길을, 유생 무생을 다 거쳐 오는 거를, 이 세상 저 세상을 한데 합쳐서 한 주먹에 쥐고선 그것을 제도하시면서 걸은 거야, 또. 그런데 우리는 다른가? 그렇지 않아. 역시 한자리야. 모두가 한자리건만 이 사람네들이 손바닥만 봤지 손등도 모르고, 손등을 모르니까 손바닥을 진짜로 모르는 거야. 그러니 어떻게 부처님 자리와 한자리라고 볼 수 있겠나?

그래서 부처님이 자기 시자를 이렇게 앞에 세우고 하는 것도 자기가 형성시켜 놓고 자기가 했으니까 자기 거지 누구 거야, 그게? 그런데 쉴 사이 없이 나투면서 돌아가게 만들어 놨으니까 이거는 누구 것도 아니다 이거야. 공했어, 그냥! 공했는데 역력하게, 소소영영하게 우리는 보고 듣고 하고 있다 이거야, 움죽거리고. 그러니 그 성품의 주인녀석이 있는 거를 분명코 알았다면 '이 뭣고?' 할 필요도 없다 이거야. 지금은 시대가 이렇게 바뀌었으니만큼 우리가 뛰면서 생각하고 생각하면서 뛰는 것이 전체가 참선이 아니라면 안 돼. 시간과 공간을 두고 우리는 참선을 한다, 좌선을 한다, 무엇을 한다 이런다면, 화두를 쥔다 이런다면, 내가 태어난 게 화두고 태초인데 거기다가 또 더 붙인다면 언제 어느 명년에 그 종 문서를 다 태워 버리나? 비밀이 된 이치를. 내가 비밀로 들어갈 수 있어야 비밀의 문서를 다 태울 수 있지 않겠나?

그렇기 때문에 우리가 그렇게 안 한다면…. 지금 다른 혹성에서도 생각 끄떡해서 생각으로 살아, 생각으로 먹고. 그렇게 사는 사람들이, 지금 한 물체가 여기에 소소영영하게 정신력을 빼 가기 위해서 온다 이거야. 이것도 경쟁이야. 그렇게 해서 여기 한국에도 와서 지금도 여기에서 수집을 하고 있어. 그런데도 여러분은 도대체 몰라. 그럼 어떡할 거야? 이 한국뿐이 아니야. 각처에서 말이야.

그리고 우리가 중세계라고 볼 수 있는, 즉 말하자면 지구 여기가 바로 교차로야, 우리 이 지구가. 지구가 교차로라면 뭘 뜻하느냐. 하천세계로 떨어지느냐 상천세계로 오르느냐 하는 교차로다 이거야, 여기가. 그러면 지금 우리 사람들 사는 것도 상, 하, 중이 있지요? 물건도 상, 하, 중이 있지요? 우리 사는 이 혹성도 상, 하, 중이 있는 거야. 그래서 이것이 세 단계로 나누어졌거든. 상, 하, 중 이렇게. 그러고도 이거는, 말 났으니 말이지, 우리 이 아홉 개 혹성밖에 없는 게 아니야. 그건 오산이야. 우주가 셋이라니까, 허허허. 그럼 말 다 했지? 그러니 그 혹성도 은하계도 태양계도 수가 없어. 우리 태양계? 그거는 아무것도 아니야. 그거는 변두리, 아무것도 아니라고, 그것조차도. 그런데도 우리는 "태양" 이러지. 그런데 그 우주의 태양, 그렇게 은하계가 많고 그렇게 불성이 많은 그 별들을 바로 요 한 점의 생각으로 다 쌀 수 있다면 얼마나 위대해? 응?

중세계에 나는 사람들은 권리를 가지고 있어, 부처 될 권리를. 그렇기 때문에, 권리권을 가졌기 때문에, 권리 행세를 할 수 있기 때문에 그 능력은 무한의 능력을 가졌다. 그 무한의 능력을 여러분이 쓰지 못해서 못 쓰는 것뿐이지, 첫째, 자기의 그 깊숙이 있는 한 점의 자기를 찾았을 때에 비로소 그 금궤를 찾을 수 있고 또는 접착제의 그 금광도 찾을 수 있고 또는 자석, 그것도 찾을 수 있고 또는 자가발전소도 설치된 걸 알 수 있어. 그렇기 때문에 세 가지, 접착제, 자가발전소 또는 자석, 이것이 누구에게나 다 있어. 누구에게나 다 있는데 발견을 못했을 뿐이야.

접착제는 무슨 뜻이냐? 여러분에게 어저께 얘기했죠? 요렇게, 둘이 만나면 둘이 타 버려. 붙어 버려. 떨어지면 떨어지고, 둘이 만나면 그냥 붙어 버린다고. 요게 자유자재로 돼 있어. 허허. 떨어졌다 붙었다 떨어졌다 붙었다 이런다고. 그러나 이 자석에는 붙으면 한데 합쳐져서 녹아 버린단 말이야. 그런 경향이 있어, 또. (녹음 안됨) … 자가발전소,

자가발전소에는 우리가 대중을 거느리는데, 예전에 선방에서 이렇게 불리었어, 선백이라고. 선백 소임을 갖췄다고 이렇게 얘기들을 했지. 그리고 또 우리가 대중을 이끌어 나가는 사람을 열중이라고 이렇게 이름을 붙였어요. 그랬는데 그 선백이라는 뜻은 무슨 뜻이냐. 내 이 선은 있으면서도 어머니같이 그렇게 자비하게 이끌어 나갈 수 있는, 그런 어머니와 같다 이거야. 소생시킨다 이거야. 그리고 기쁜 마음으로 항상 대중을 이끌어 나가는 그 소임을 맡은 것이 열중이다. 이렇게 말을 하고 있죠. 그런데 우리가 그 이름보다도 진실로 그렇게 행을 할 수 있느냐는 문제가 있죠.

그래서 우리 자체가 자가발전소라는 것이, 내 하나 발전소에서 나가는 전깃불이 얼마나 많습니까? 자가발전소는 얼마 안 되지만, 대의적으로 친다면 얼마 안 되지만 그렇게 전깃불 켜는 사람이 많듯이, 전깃불이 많듯이, 불이 환하듯이, 종류가 많듯이. 그런데 여러분에게 다 하나씩 바로 자가발전소가 있다는 것을 알고 있을 때는 무진장으로 나갈 수 있다 이거야. 그렇기 때문에 요 뜻에서 한마디 하고 끝내겠어요.

저 수성에서나 이런 데는 뜨거워서 못 산다고 그러죠? 그런데 한생각 끄떡해서 살 수 있는 게 있거든요. 그래서 그런 데서나 금성이나 이런 데서는 거기보다는 그 능력이, 능력보다도 자연적으로다가 수성보다는, 즉 말하자면 타 버리는 능력이 적어. 그러나 그 활동력은 이루 말할 수 없어. 그래서 애당초에 그게 성주로서 돼 있었기 때문에 상당히 빠르고 개발이 빨랐다 이거야. 이 마음이 그대로, 그대로 본래 있던 대로 그냥 알고 있으니까. 그러니까, 즉 말하자면 물질과학으로 물건을 만들려면, 로케트 하나도 10년 20년 연구해서 만들었잖아요? 그런데 이 사람네들은 단 사흘이면 만들고 단 하루면 끄떡하는 거야. 아, 그래서 타고 일주를 하는 것이 우리네 한 동네에서 전 세계 일주하듯, 즉 말하자면 한국에서 저 미국에나 저 서독에나 이런 데 일주하듯 해 버리고 말아 버려, 글쎄! 얘네들이!

그러니 그런 애들이 그렇게 타고선 돌아서 전부 우리 사는 상태, 또 정신력, 행, 모습 이런 거를, 모습이 어떻게 발전이 됐나 그런 거를 일 년에 몇 번씩 해 가고 있다 이거야. 그래도 우리는 도대체 그걸 파악할 수가 없어. 그렇다고 해서 금방 있다가도 없어지는 놈의 거를 어떻게 알아?

그런데 우리가 공부를 하다 보면 한 사람이 깨치게 되면, 깨치는 것만이 아니라 깨쳐 가지고 보림을 다시 해 가지고 다시 성불해 가지고 다시 열반계로 들었을 때, 다 삼 단계 없는 삼 단계가 합쳐졌을 때 그때 얘기야. 그렇게 만약에 깨친 그 성주가 있다면 부처님이지? 그런 분 하나 나면 얼마나 이득인지 몰라. 모두가, 천지가. 천지가 나기 이전도 없고 이후도 없이. 천지가 나기 이전이 따로 있나, 부처님께는. 그러니까 천지가 나기 이전도 없고 이후도 없이 그렇게 다양, 다감하게 상응하면서 돌아가니까 여기에 잘못될 일이 없거든. 여기에서 애틋한 중생들을 괜히 그냥 막 불태우고 이러진 않거든. 그런데 그 동네 동네마다, 우리 세계로 따진다면 동네 동네마다 모든 사람들이 그런 도리를 모르기 때문에, 종 문서를 면치 못하기 때문에 종으로 세세생생에 끄달리고 부려 먹게 되고 부리게 되는 거지. 그거는 누가 부려 먹어서 부려 먹는 게 아니라 자기가 그렇게 되니까 그렇게 되는 거야. 그래 아까도 얘기했죠? 깨쳤다 할지라도 이것이, 즉 말하자면 깡패가 될 수 있고 성군이 될 수 있다 하고. 자기가 그렇게 하니까 그렇게 문서를 받게 돼 있어. 그건 할 수 없어. 그러니까 이 불성은 악으로 나가면 악으로 나가는 대로 능력을 주고 선으로 나가면 선으로 나가는 대로 능력을 줘.

그런데 이 선 공부 하는 사람들은 악과 선을 다 몽땅 놔라 이거야. 몽탕 놓지 않으면 그 길에 들지 못해! 놔야, 거기에서 미지수의 세계의 의정이 스스로 나는 게 있는 거지 아니, 여기에서 번연히 알고 있는 것도 '이 뭣고?' 사람이지 뭐야! '이 뭣고?' 물건이지 뭐야! 아니, 아는 걸 돌리려니까, 의정을 내려니까 의정이 진짜로 들어갈 수가 없어. 예전에는, 몇백 년 전에는 그렇게 할 수 있었어. 그것도 도대체 의정이 나니까. 모르니까. 그랬는데 지금은 너무 잘 알잖아. 과학적으로나 생물적으로나 동물적으로나 생리학적으로나 모든 게, 의학적으로 모두 잘 아니까 이거는 전부 아는 거라. 아는 걸 의정을 내려면 내져? 스스로 내가 모든 것을 놓았을 때, 스스로 여기에서 홀연히 나왔을 때, 홀연히 나와서 의정이 날 때, 몰아서 딱 갈 때 그때는 하나하나….

그래서 의정이 날 때는, 그때 의정을 내지 말고 믿고 들어가는 거야. 믿고 들어가서 '넌 알지. 진짜 너는 알지. 주인 너는 알지.' 하고선 딱 홀연히 나를 내가 깊은 속에서 끌어져 내 가지고서 그때 같이 동시에 둘이 아니게, 하나로서 둘이 아니게 돼 가지고서 그때에 돌면서 진짜 의정이 나는 거야. 미지수의 세계를 돌면서 그때 진짜 손 아닌 손이 아니 닿는 데가 없고, 발 아닌 발이 길 아닌 길을 아니 닿는 데가 없다 이거야. 한 발로 디뎠어. 그렇기 때문에 모든 것이 그렇게 됐을 때 진짜 의정이 나서 저절로 그냥 전부 일주를 하면서 의정을 내는 거지. 어쩌자고 글쎄 이거, 요기서 빤히 아는 놈의 걸 의정을 내? 그래 가지고 무슨 의정이 돼, 그게?

오늘은 이만 그치죠.

('일체제불의 마음' 을 부르기 시작하자) 이 노래도 건성 하지 마라! 이것도 공부니까. 참선이니까!

마음을 넓히고 계발하라

1986년 2월 00일

하하하. 여러분은 푸른 산 꽃과 같습니다. 한창 봄이 오니까 꽃이 피듯이 스마일 얼굴로써 피우는군요. 바로 여러분과 나와 둘이 아니기에 그런 모양이죠?

예전에는 충과 효를 가지고 논의들을 했습니다. 그러나 그것을 한번 생각을 다시 해 보십시오. 시대가 변천하고 우리가 항상 얘기하듯이 안방에 앉아서 세계를 구상하고 세계를 보고 또 한국에 앉아서 세계와 서로 상응하면서 무역을 하고 있고, 전화 한 통화로써 물건을 수만 톤을 보내고 전화 한 통화로써 돈이 왔다 갔다 하고 말입니다. 이 무전 한 번호에 얼마나 수많은 물건이 왔다 갔다 합니까. 그러면 그러한 문제들을 볼 때에 시대가 바뀌어 가면 우리가 다시 생각을 좀 더 해서, 즉 말하자면 첨단을 걸을 때 내가 한 발 떼어서 되겠습니까? 나도 따라서 천 발을 디뎌야 합니다.

그런 거와 마찬가지로 지금은 효 따로 있고 충 따로 있는 게 아닙니다. 예전에는 몸으로 많은 활동을 하고 살았기 때문에, 무기도 그렇고 발전도 그렇고, 그렇기 때문에 효는 효대로 해야 하고 충은 충대로 해야 하는 문제들이 있었습니다. 그러나 지금은 그렇지 않습니다. 효도 충도 다 같이 할 수가 있는 것입니다. 그뿐만 아닙니다. 만법을 행할 때에 지난번에도 얘기했지만 호국 불교니 무슨 정신 불교니 이런 문제뿐만 아니라 지금은 한 생활 속에서 앉아서 호국 불교를 하지 못하면 영 못하고 마는 겁니다. 그리고 생활도 그렇고 효도 그렇고 충도 그렇고 다 그렇습니다. 지금 시대에는 한생각에 전 세계를, 한번 찰나에 전 세계를 다 도는 것입니다. 그러면서도 도는 거 같지 않죠.

여러분이 만약에 우주를 우리 지구라고 생각해 보십시오. 한번 그렇게 생각해 보셨습니까. 우주를 지구라고 생각한다면 지구 안에 지금 무엇이 저렇게 숱하게 돌아다니나. 한번 보세요. 어떤가요? 이 차 저 차, 이렇게 생긴 차 저렇게 생긴 차, 자전거 뭐, 오만 가지가 다 다닙니다. 그러나 버스라든가 이런 문제를 우리가 볼 때는 그 버스가 돌아가는 거 같죠? 버스만 돌고 그 안에 있는 사람은 안 돌아가는 거 같죠? 그렇죠? 따라서 그 사람도 돌지 않습니까? 한번 그걸 그렇게 생각을 해 보세요. 얼마나 이것이 위대하면서도 교묘하고 교묘하면서도 위대한 것입니까.

그러면 지구가 돌아가고 저 북극성은 돌아가지 않는다고 본다면 아니 되죠? 우리는 우리대로 돌아가면서 우리가 돌아가기 때문에 그 또한 따라 돌아가게끔 돼 있습니다. 그런 거와 마찬가지로 연쇄적으로 우리는 돌고 있는 것입니다. 하나가 가면 하나가 따라가고. 태양계가 돌지 않는 거 같지만 이 혹성이 돌아가기 때문에, 즉 말하자면 태양계는 그 안에 있기 때문에 돌지 않는 거 같지만 같이 그렇게 빠르게 돈다는 얘깁니다. 우리가 버스 탄 거와 같지 않습니까? 한번 생각해 보세요.

세세히 생각을 해 본다면, 생각에서 이것이 자아나는 게 아닙니다마는 우리가 폭을 넓히고 그러려면, 참나를 찾으려고 한다면 지금 수많은 사람들이 참선을 하고 수많은 사람들이 좌선을 하는데, 참선방에서 참선을 하는 것만이 진짜 참선인 줄 아는데, 진짜 참선은 생각하는 그 자체에서 진짜 참선이냐 아니냐 하는 문제가 자아나는 거지 몸뚱이가 앉아서 참선을 하는 것이 참선이라고 자아나는 게 아닙니다. 그럼으로써 우리는 그 배우는 방법까지도 시대에 따라서 빠르게 배워야 되겠다 하는 소립니다.

예전 시대에 살던 습, 법도가, 물론 사는 거는 다 똑같습니다만 미국 법도가 다르고 한국 법도가 다르고 법률이 다릅니다. 사람이 정해 놓은 거기 때문입니다. 그 나라에서 정하는 대로 그 법도가 다르고 여기는 여기 정하는 대로 법도가 다릅니다. 물론 자연 법도라는 것은 누가 개의치도 못하겠지만 그 자연 법도가 있기 때문에 바로 율 법도가 있고 그렇겠죠.

우리는 하나도 움죽거리는 거 같지 않으면서도 몸뚱이가 움죽거리는데 마음은 움죽거리는 거 같지 않으면서도, 부동한 거 같으면서도 항상 같이 따라 돈다 이겁니다. 그러면 몸뚱이가 가는 데 마음도 가고 있고 마음이 가는 데 몸뚱이도 가고 있죠. 그런데 그 몸뚱이가 가고 마음이 가는데 어찌 부동한 그 자세의 능력, 즉 생명수의 근원 원소가 없겠습니까. 원소로 인해서 우리는 자동적으로 도는 거죠. 그래서 그것을 성품으로 인해서 만 가지 천 가지가 돌아간다고 합니다.

그러면 우리가 지금 이 우주 자체가 바로 여기라면 버스도 있고 모든 개체가 다 있습니다. 다 돌아갑니다. 그것만 돌아갑니까. 인간들도 잘났든 못났든 다 돌아갑니다. 그런데 돌아가긴 하는데 내 몸뚱이 하나만 돌아가는 걸 보지 그 내부의, 만약에 큰 공장이 모두 서 있는데 그 공장들은 하나도 돌아가지 않는 거같이 보이지만 내가 가는 대로 따라서, 버스에 탄 사람이 그냥 가듯이, 안의 내부에서도 연방 돌아가고 있지 않습니까. 우리가 생각하고 뛰고 하는 대로 덩달아 따라서 같이 지금 뛰고, 정맥 동맥이 뛰고 돌아가고 있죠.

그러니 그 섭류가 어떻게 다릅니까. 좀 더 지혜를 내고 좀 더 마음의 넓이를 넓히고 계발하는 마음 적지 않다면 여러분의 원소 자체 불씨 하나가 온 누리를 자유자재할 수 있다 이 소립니다. 그렇기 때문에 충과 효도, 즉 말하자면 어느 누구도 나 아님이 없는데, 내 형제 아님이 없고 모두가 내 자리 아님이 없다면 충효가 스스로서 그대로 충효가 되는 것입니다. 때에 따라서 나라와 국토를 반듯하게 할 수 있는 것은 모두가 마음들입니다. 그런데 사량적인 마음 가지고는 어림도 없습니다. 이 도리를 알지 못하고는 어디서 뭐가 쳐들어오는지, 어디서 뭐가 떨어지는지, 땅에서 솟는지 그거를 분간할 수가 없습니다. 아무리 과학자들이다 할지라도 어디서 대번에 금방 화산이 터질지 또 어디서 어떠한 마음을 먹고 지금 물고기가 다니는지, 사람들이 어떠한 마음을 먹고 지금 일을 하고 정치를 하는지, 국방 태세가 어떠한지 이 마음으로 감지를 못하기 때문에 사람 행동하는 거 보고 안다 이거야. 말하는 거 보고 알고. 그러니 얼마나 착오가 많겠습니까. 이 모두가 이렇게 물질로써, 말로써 살아나가다 보면 첨단의 이치를 모르기 때문에 우리는 그 도리를 몰라.

그래서 지금 청소년들도 그렇고 우리 모두가 이 공부를 해서 모든 사람들에게 일러서 앞으로 참, 젊은이들이 나아갈 이치도 그렇지만, 젊은이들이 늙어지면 여러분이 또 젊어질 겁니다. 그렇다면 또 뒤미처 들어서야 할 여러분이기 때문에 늙고 젊고 애고 없습니다. 사람이 누구나가 다 "이 물건은 망가질지언정…." 합니다. 그런데 난 망가진다고 생각 안 합니다. 부서졌으면 다시 생산이 되는 거고 만약에 쇠의 원소라면 쇠로 등장을 할 겁니다. 쇠라는 물건의 이름으로 나왔다 할지라도 그것이 망가지면 쇠로다가 또다시 이 세상에 출현을 하게 되니까요. 그 원소가 없어지는 게 아닙니다.

근데 우리 이 마음은 체가 없는 거라 무한량 금으로 만들 수도 있고 무쇠로 만들 수도 있고 넝마로 만들 수도 있는 것이 바로 내 한생각이란 얘깁니다. 자기의 차원을 그렇게 아주 망가뜨리는 것은 번연히 알면서도, 이것이 나쁜 줄을 번연히 알고 좋은 것을 번연히 알면서도 이게 행하지 못하는 일들이 허다히 많기 때문입니다. 그러니까 여기서 공부하는 참선이라는 거는 나쁘고 좋은 것을 한꺼번에 넣는 것이, 즉 말하자면 뭉쳐서, 어떠한 거를 나쁘다 좋다 세울 게 없는 것이 바로 이 도리라고, 진리라고, 평등이라고 하는 것입니다. 그러고도 또 부처라고 이름해서 부르는 것입니다.

여러분이 이 소리를 듣고 좀 더 마음이 넓어지고 가정에서나 사회에서나 국가적으로나 우리가 생각을 내 보지 않으면 그것은 할 수가 없습니다. 지금 여기서는 "가는 거 잡지 말고 오는 거 막지 말아라." 하는 것이 있습니다. 여기 앉은 자리에 불같이 다가오는 문제들이 한두 건이 아닙니다, 국내에도. 여러분이 보고 듣고 하는 도리에 의해서 감각을 통해서 우리가 알게 됨으로써 그것을 자기 참주인공에 넣고 한번 굴려 놓는다면 그것은 그대로 법으로서, 자연의 법으로서 일컫게 되는 것입니다. 그러니 그 광대무변한 묘법의 불가사의한 법이 어찌 따로 있다고 보겠습니까. 그리고 기적이라고 하겠습니까. 우리 마음에 다 있는 것을 무슨 기적이라고 이름 붙이겠습니까.

그래서 모든 것을 우리가 한번 생각해 본다면, 작게 되면 작은 걸 가지고 한번 생각을 해 보면 그 작은 게 커지기도 하고 큰 것을 작게도 할 수 있고 이런 거는 여러분의 자유자재권입니다. 그래서 요런 티끌의 불씨 같은 걸 가지고 온 누리의 우주를 덮기도 하고 굴리기도 하고 한 발로 디뎌서 들기도 한답니다. 이 뜻은 전부 자유자재한다는 뜻입니다.

엊그저께도 얘기했지만 수만 톤을 저 외국에서 가져온다 하더라도 그렇고 수만 톤에 관한 건이라도 우리 마음만 조절한다면 수만 톤을 이익을 볼 수도 있고 수만 톤을 잃을 수도 있습니다. 여러 사람들이 모든 정치나 모든 법도를 마음으로 해 나가지 않습니까. 생활도 그렇고 모든 거를. 마음만 조절한다면, 조절할 줄 안다면 내 마음과 둘이 아니라면 어찌 물건을 얻어 올 수 없겠습니까. 또 물건을 줄 수도 있고. 자연법칙입니다, 이게. 아주 유능하고 순수하고, 어디까지나 순수하면서 말도 건네지 않고 손도 대지 않고도 빙글빙글 자연스럽게 돌아가게 하듯이. 광대무변한 이 법을 여러분이 모른 체하고 그냥 지나가게 되면 몸만 부서지고, 그 차원은 넝마의 차원이든 무쇠의 차원이든 그 차원대로 이 세상에 또 출현해서 또 끄달릴 테니….

그래서 어저께도 그랬지 않습니까. 태양계의 그 모든 것도 안에서 작용을 해서, 즉 막이 여섯이라면 셋은 부동하지만 하나의 부동한 점으로 인해서 그 무투명한 망, 즉 말하자면 무투명한 접착 물질, 그것이 무투명하게 막이 쳐져 있으면서도 맨 끄트머리의 세 막에 의해서 항상 조절을 하고 돌아간다고요. 우리가 정맥 동맥이 돌아가면서 대뇌로 인해서, 어저께도 얘기했듯이 오관이 바로 오뇌라고 해도 됩니다. 대뇌가 있고 중뇌가 있고 소뇌가 있고 간뇌가 있고 막뇌가 있으니까. 뇌가 있으니까. 이것이 바로 감각과 지각과 그러한 문제가 거기에 모두 포함이 돼서 그 이름이 같다고 볼 수 있습니다. 그래서 그 이름을 이렇게 불러도 되고 저렇게 불러도 되는데, 이렇게 해도 되고 저렇게 해도 되지마는 듣는 거, 보는 거, 냄새 맡는 거, 맛을 아는 거, 그렇게 할 수 있는 말은 말대로 있는 거며, 또는 들을 수가 있다 하면 벌써 통신 아닙니까. 볼 수가 있다 하는 거는 망원경이란 말입니다. 그러니 어찌 뜻이 같지 않겠습니까, 모두가. 손끝이나 발끝까지 전 세계를, 세계라고 친다면 맥박 하나 딱 뛸 때에 전 세계가 돌아가니 말입니다.

그렇듯이 우리는 태양계 그 자체도 만약에 거기에서 안이나 겉이나 무투명하게 그냥 발사가 된다면 그건 또 헤어지고 말아. 폭발이 되고 말아. 그런데 조절을 하거든. 너무 세면 센 대로 또 거기에, 예를 들어서 찬물을 붓는다면 또 찬물이 들어가고 더운물이 약간 들어가면 거기에서는 또 돌아서 또 아주 차게 해서 연방 돌아가면서 여기는 뜨거운 김이 나가면서 아주 그렇게, 인간의 지혜롭게 쓰는 마음과 같아요. 그렇기 때문에 모든 게 자석이면서도 자석이란 말도 못하고 금속이면서도 금속이란 말도 못하고, 뭘로 이름을 지을까요? 그래서 '밝은 태양' 이라고만 이름을 했지 않습니까.

우리 구조도 여러 가지로 그렇게, 뇌도 그렇고 청수도 그렇고 여러 가지 복잡한 게 많으니까 "이 주인공에" 이렇게 해 버리죠. 하나로 이름해서 주인공이다. 그래 그 주인공으로 하여금 그렇게 복잡하게 돌아가는 이 기계처럼 기계화된 것이, 아마 여러분은 잘 아실 거예요. 의학적으로 이 모든 두뇌라든가 척추 뇌라든가 오장육부 뇌라든가 모두 볼 때에 기계적으로 돼 있거든. 그런데 그렇게 복잡하게 돼 있지마는 딴 물건도 역시 자동적으로 돌아가게, 어떻게 그렇게 자연 섭류로서 묘하게 해 놨느냐는 얘깁니다, 네? 하나하나를 말입니다. 코를 또 아래로 내리뚫어 가지고 위로 해서 또 내려가게 만들었거든. 이 얼마나 묘합니까. 콧구멍이 이렇게 바로 뚫린 줄만 알지 마시고 거꾸로도 뚫리고 바로도 뚫렸다는 걸 아셔야 합니다. 그러니 거꾸로 섰다고 할 수도 없고 바로 섰다고 할 수도 없는 거죠.

그러니 이 세상에 모든 섭류가 하나도 없다고 할 수도 없고, 전부 있다고 할 수도 없어서 그저 한 발짝 한 발짝 옮겨 놓을 뿐이다. 우리가 한 발짝 한 발짝 옮겨 놓을 때 생동력 있게 옮겨 놓을 줄만 안다면…. 여러분이 공부하는 데도 그렇습니다. 어떤 때는 공부를 한창 하다 보면 때에 따라서는 아주 아는 그런 기가 여기에서 불쑥불쑥 나옵니다. 그럴 때 자유껏 자재할 줄 알아야 한다 이겁니다. 자재를 못한다면 그것은, 즉 말하자면 폭탄 터지듯이 터져 버리고 맙니다. 발사가 되면 전부 그건 한번 말한 게 법이 되지 않고 발사가 되기 때문에 전부 헤져 버리고 만다, 물건이라면.

그래서 언제나 이 가죽에 항상 막이 세 막이 있다고 얘기했죠, 태양계도. 그런데 들이고 내고 잡아당기고, 이쪽에선 또 이쪽으로 잡아

당기고 조절을 하는 그런 관계상 언제나 불쑥 나가면 조절을 해서 탁 들여놓는 게 있거든. 우리 마음도 막 없는 막이 있어요. 그래서 화가 나서 불쑥 하고 싶어도 딱 당기는 게 있다 이거야. '이럭해선 안 돼!' 하고. 그러니까 우리 자체가 항상 자재할 줄 아는 것이 바로 그것도 하나의 지혜라고 봅니다.

그러니까 부부지간에 살면서도 그렇지마는 여러 가지로, 우리 도반들하고도 때에 따라서는 처음에는 자재하니까 이게 공부하는 사람들이 괜찮다고 봅니다. 어느 정도 이렇게 자재하다가 그 습이 있어 가지고 풀썩 나오면 뭐 그냥 탁 터집니다, 그냥. 그 습에 의해서. 전자에 하던 습이 그래도 남아서. 그걸 뿌리째 뽑아야 합니다. 항상 겸손하고 항상 자재하면서 사람이 날개를 쭉 뻗으면 이 우주를 다 덮는다 하더라도 모든 사람들을 위해서 이 날개에 치일까 걱정이고 또 날개를 너무 오므리면 오므려서 또 그걸 쫓아가지 못하니까 항상 오므렸다 펴는 것을 자유자재하면서, 자재하면서 겸손하고 항상 모르는 듯이, 못나게 이렇게 하면서도 생동력 있게 자기가 할 일은 다 할 수 있는 사람, 이런 사람이 돼야 됩니다.

이 세상에 무르익어서 잘 아는 사람들은 오히려 안단 말은 안 할 겁니다. 그리고 항상 겸손할 겁니다. 모르는 사람을 만나면 모르는 척 서로 몰라 주고 아는 사람은 아는 사람대로 아는 척하고, 그래서 이 사람 말도 옳고 저 사람 말도 옳다고 할 수 있게끔…. 예를 들어서 "네 말은 그르다" 한다면 이 평등 진리가 될 수가 없습니다. 네 말이 그른 게 아닙니다. 연쇄적으로 쭉 올라와서 다시 돌아서 내리면서 올라오면서 다시 돌아서 내립니다. 그럴 때, 올라올 때 내려간 거를 잘못이라고 한다면 자기를 자기가 잘못이라고 하는 것이 분명합니다. 그러니 올라왔다 내려갔다 올라왔다 내려갔다 하는 그 작용을 어찌 한번 올라왔을 때에 정맥더러 "내려갔으니깐 넌 틀려." 이렇게 합니까. 내가 높다고 하겠습니까. 정맥이 동맥더러 "너는 이럭해서 안 된다." 하겠습니까.

그래서 저 푸른 산, 즉 말하자면 식물이나 무정물이나 돌이나 다 들 평등하게 살고 있지 않습니까, 조화를 이루면서. 벌레 먹은 나무라고 해서 거기 푸르르게 쭉 곧은 나무들이 "너는 벌레 먹었으니까." 하고 내쫓습디까. 그냥 둬도 주인들이 서로가 둘이 아니기 때문에 벌레 먹은 것이 있으면 있는 대로 또 그것을 다시 좋게 만들어 줄 수도 있지만, 저 거한 산에 사람의 손이 가서 언짢을 수도 있고 손이 가서 좋을 수도 있는 겁니다. 그래서 사람 사는 데가 다 좋은 게 아니라 사람이 안 사는 데가 오히려 조화를 이루고 아주 풍경 좋게 잘되는 데가 있고 사람의 손이 가서 보기 좋은 데가 있습니다. 그거는 여러분이 움죽거려서 이익하게 해 줄 수만 있다면 좋은 분위기가 될 수 있고, 모두가 자기주의로만 사는 사람은 옆도 돌아다보지 않으니까 그 분위기가 사람이 산다 하더라도 좋지 않을 건 사실입니다. 전망도 모두 더러워지고.

그런 거나 마찬가지로 우리가 이 산세나 물세나, 이 세를 말하는 게 아니란 말입니다. 저 산이나 들이나 저 물가를 가만히 본다면 사람의 발길이 안 닿은 데는 참 좋습니다. 근데 사람의 발길이 닿았다 하면, 거기를 좀 더 개척하고 그러지 않았기 때문에 너무 가서 놀기만 하고 흐트려 놓고는 다 짓밟아 놓고 그랬기 때문에 얼마나 보기 싫겠습니까, 그게. 모두가 내 생명 같고 내 몸과 같다고 생각한다면 꺾을 필요도 없어. 하나 꺾을 필요도 없어. 그리고 밟을 필요도 없다고.

어떤 사람은 산에 올라가면 꽃을 꺾고 나무를 꺾고 그러는데 그렇게 꺾어다가 잠시 보면 뭘 할까요? 은은히, 한번 보고 온 그쪽을 바라볼 때에 그렇게 경치가 좋은 것을…. 보고 싶으면 그쪽 한번 돌아다보면 그때에 보던 그 꽃을 그대로 볼 것을…. 겨울이 돼서 눈이 하얗게 덮였다 하더라도 그 봄 냄새를 겨울에도 맡을 수 있을 것을…. 한번 꺾어서 병에 꽂아 놓고는 그저 며칠 안 있으면 폭딱 죽은 거를 보게 되거든. 뭐가 그렇게 시원합니까. 모두 사람들마다 살아나가는 것이 그 꽃뿐만 아니라…. (녹음 안됨)

찾아보기

ㄱ

ㄴ

ㅈ

ㅊ

ㅋ

ㅌ

ㅍ

ㅎ

예화

대행 스님 법어집

허공을 걷는 길

일반법회 1

엮은이 / (재) 한마음선원 출판부
펴낸이 / (재) 한마음선원
펴낸데 / (재) 한마음선원

1판 1쇄 2018년 9월 20일

출판등록 2000.12.15. 제 2000-16호
13908 경기도 안양시 만안구 경수대로 1282
전화 (031)470-3100 팩스 (031)470-3116
http://www.hanmaum.org

값 30,000원
ISBN 978-89-91532-20-5
ISBN 978-89-950859-0-5 (셋트)

* 이 도서의 국립중앙도서관 출판예정도서목록(CIP)은
  서지정보유통지원시스템 홈페이지(http://seoji.nl.go.kr)와
  국가자료종합목록시스템(http://www.nl.go.kr/kolisnet)에서
  이용하실 수 있습니다.(CIP제어번호 : CIP2018028253)